한국주역대전 2

곤괘·준괘·몽괘·수괘

이 저서는 2012년 대한민국 교육부와 한국학중앙연구원(한국학진흥사업단)의 한국학분야 토대연구지원사업의 지원을 받아 수행된 연구임(AKS-2012-EAZ-2101)

2

한국주역대전

한국주역대전 편찬실

곤괘 · 준괘 · 몽괘 · 수괘

學古房

한국주역대전을 펴내며

2012년 9월 첫 작업을 시작한 '『한국주역대전』편찬 · 표점 · 번역 · 주해 · 해제'라는 방대한 사업이 이제 출판의 결실을 보게 되었다. 지난 수 십 년간 유교경학과 한국학의 급속한 성장에도 불구하고 한국역학은 여전히 불모의 상태를 벗어나기 어려웠다. 개별 연구들이 적지 않게 축적되어 왔고, 이에 고무되어 한국역학사를 공동으로라도 엮어보자는 호기로운 시도가 없었던 것은 아니지만, 그것이 아직 시기상조라는 자각과 함께 무산되곤 하였다. 한국역학 원전자료는 한국경학자료 가운데 단연 방대한 양을 자랑한다. 반면 전문연구자는 턱없이 부족하다. 사정이 이러하니 한국역학이 우뚝 서기까지는 아직 갈 길이 멀기만 하다. 이러한 정황 속에서 『한국주역대전』의 출간은 매우 기쁜 일이 아닐 수 없다.

이번에 출간되는 『한국주역대전』은 한국학자의 역학관련 자료 가운데 주요한 것을 가려 뽑아 『주역전의대전』 체제에 맞추어 집해(集解)형식으로 편찬한 것이다. 『주역전의대전』은 중국은 물론 조선시대 역학사상 형성에 무엇보다 영향력이 큰 문헌이라 할 수 있다. 이번 『한국주역대전』은 먼저 『주역전의대전』을 소주까지 모두 번역하여, 주역에 대한 중국학자들의 이해와 한국학자들의 해석을 비교해 볼 수 있도록 하였다. 편찬 체재는 경문-정전-본의-중국대전-한국대전으로 구성하였다. 편찬과 표점, 그리고 번역을 동반한 『한국주역대전』을 통해 한국학자들의 『주역전의대전』에 대한 깊은 이해 및 새로운 해석의 지평을 볼 수 있을 것이다. 또한 한국학자들의 저작을 시대별로 배열하였으므로 그 흐름을 일목요연하게 파악할 수 있을 것이다.

이번 『한국주역대전』을 편찬하면서 연구기간은 짧고 작업은 방대하여 아쉬운 점이 한 둘이 아니었다. 제한된 연구기간으로 인해 연구 범위를 제한할 수밖에 없었으며, 따라서 작자 미상의 자료, 연대 미상의 자료, 『주역전의대전』과 유사하여 별다른 특징을 볼 수 없는 자료는 편찬 범위에 포함시키지 않았다. 또한 다산의 『주역사전』처럼 중요한 자료일지라도 별도로 번역되어 시중에 유통되고 있는 책은 자료에 포함시키지 않았다. 특히 상수학 관련 자료들에 대한 번역은 앞으로 더 정치한 번역이 필요할 것이라고 생각되며, 그에 대한 별도의 연구도 필요할 것이다. 그럼에도 불구하고 이번 『한국주역대전』의 출간은 한국역학연구의 획기적인 토대를 제공하여, 많은 후속연구를 가능하게 하리라는 기대로 그 아쉬움을 상쇄하고자 한다.

이와 같이 방대한 토대사업은 실상 국가적 지원이 아니고서는 실행되기 어렵다. 이 사업의 지원을 결정해 주신 한국학중앙연구원과 한국학진흥사업단에 감사드린다. 그리고 제한된 연구기간의 압박 속에 과도한 업무를 사명감으로 감당해 준 연구진들의 노고에 고마운 마음을 전한다.

오늘날과 같은 출판시장의 현실에서 『한국주역대전』과 같은 방대한 분량의 책을 간행해 줄 출판사를 찾는다는 것은 결코 쉽지 않은 일이다. 모든 어려움에도 불구하고 조금의 망설임도 없이 흔쾌하게 이 책의 출판을 결정해 주신 도서출판 학고방의 하운근 사장님께 깊은 감사를 드린다.

2017년 1월

한국주역대전편찬 연구책임자
성균관대학교 유학대학 교수/한국주자학회 · 율곡학회 회장
최 영 진

목차

2

곤괘

坤卦䷁

坤, 元, 亨, 利, 牝馬之貞,

정전 곤은 크고 형통하며 이롭고 암말의 곧음이니,

坤, 元亨, 利牝馬之貞,

본의 곤은 크게 형통하고 암말의 곧음이 이로우니,

中國大全

傳

坤, 乾之對也. 四德同而貞體則異. 乾, 以剛固爲貞, 坤則柔順而貞. 牝馬, 柔順而健行. 故, 取其象曰牝馬之貞.

곤괘는 건괘의 상대이다. 네 가지 덕은 같으나 곧음[貞]의 몸체는 다르다. 건괘는 강고함을 곧음으로 삼고, 곤괘는 유순함을 곧음으로 삼는다. 암말은 유순하여 굳건히 행하기 때문에 그 상(象)을 취하여 '암말의 곧음'이라 하였다.

小註

程子曰, 利字不聯牝馬爲義. 如云利牝馬之貞, 則坤便只有三德.

정자가 말하였다: '리(利)'자는 '빈마(牝馬)'와 구절을 연결하여 풀이하지 않았다. 만약 "암말의 곧음을 이롭게 여긴다"라고 풀이한다면, 곤괘에는 세 가지 덕만 있을 뿐이다.

○ 朱子曰, 利牝馬之貞, 不可將利字自作一句, 後云主利, 卻當如此絶句. 此伊川只爲泥那四德, 所以如此說不通.

주자가 말하였다: "암말의 곧음이 이롭다[利牝馬之貞]"는 '리(利)'자를 한 구절로 봐서는 안 되고, 아래에서 "이로움을 주로 한다[主利]"는 말은 마땅히 이처럼 구절을 끊어야 한다. 여기에서는 정이천이 다만 네 가지 덕에 얽매였기 때문에 이렇게 말이 통하지 않게 되었다.

○ 平菴項氏曰, 物之牝者, 皆能順陽而行. 求其從一而不變, 莫牝馬若也. 故聖人取以象坤.
평암항씨가 말하였다: 동물 가운데 암컷은 모두 양에 순종하며 움직인다. 하나를 따라 변하지 않는 것을 찾는다면 암말만한 것이 없기 때문에 성인이 그것을 가지고 곤괘를 상징하였다.

○ 建安丘氏曰, 馬象乾, 而坤言牝馬者, 明其爲乾之配也.
건안구씨가 말하였다: 말은 건(乾)을 상징하는데, 곤괘에서 암말을 언급한 것은 곤괘가 건괘의 짝임을 밝히기 위해서이다.

○ 節齋蔡氏曰, 乾貞, 剛健專固, 坤貞, 柔順承從.
절재채씨가 말하였다: 건괘의 곧음은 강건함을 오로지 단단히 하는 것이고, 곤괘의 곧음은 유순함을 받들어 따르는 것이다.

韓國大全

김장생(金長生) 『경서변의(經書辨疑)-주역(周易)』

坤, 卦辭, 利牝馬之貞.
곤괘 괘사에서 말하였다: 암말의 곧음이 이롭다.

退溪曰, 大抵陽饒陰乏, 陽全陰半. 乾無所不利, 故不言所利. 坤則利牝馬之貞, 只以柔順正貞爲利, 其他不能皆利也.
퇴계가 말하였다: 대체로 양은 넉넉하고 음은 결핍되어 있으며, 양은 온전하고 음은 절반이다. 건괘에서는 이롭지 않은 바가 없으므로 이로운 바를 말하지 않는다. 곤괘의 경우는 암말의 곧음이 이롭다고 했는데, 이것은 단지 유순하고 바르고 곧음만을 이로움으로 삼은 것이며, 그 나머지는 모두 이롭다고 할 수 없다.

崔岦曰, 於乾以乘六龍之聖人言, 於坤以乘牝馬之君子言, 蓋有君道臣道之辨焉.
최립이 말하였다: 건괘에 대해서는 여섯 용을 타고 있는 성인으로써 말하고, 곤괘에 대해서는 암말을 타고 가는 군자로써 말했으니, 임금의 도와 신하의 도에 따른 구별이 있다.

임영(林泳) 「독서차록(讀書箚錄)-주역(周易)」

難曰, 傳義不同, 當何從.
논변하여 말하였다: 『정전』과 『본의』의 설명이 다른데, 마땅히 어떤 주장을 따라야 합니까?
答, 已見乾卦辭.
답하였다: 이미 건괘 괘사에 보입니다.

輯註, 平庵項氏說, 從一不變, 莫牝馬若也.
『집주』에서 평암항씨가 말하였다: 하나에 따르며 변하지 않는 것은 암말만한 것이 없다.
按, 牝馬本無從一之性, 卦辭只取其柔順而健行也.
내가 살펴보았다: 암말은 본래 하나를 따르는 본성이 없으나, 괘사에서 단지 그 유순하여 굳건하게 걸어가는 뜻을 취한 것이다.

節齋蔡氏說, 坤貞柔順承從.
절재채씨가 말하였다: 곤괘의 곧음은 유순함을 받들어 따름이다.
按, 坤貞, 只以柔順承從言, 則只見其柔, 未見其貞也. 若曰柔順堅正, 則庶矣乎.
내가 살펴보았다: 곤괘의 곧음은 단지 유순함을 받들어 따름으로써 말한다면, 단지 그 부드러움만이 드러나며 그 곧음은 드러나지 않으니, 유순하고 견고하며 바르다고 말한다면 거의 옳을 것이다.

유정원(柳正源) 『역해참고(易解參攷)』

坤元 [至] 之貞.
곤괘는 크고 … 의 곧음.

集韻, 坤古作巛, 坤畫六斷也.
『집운』에서 말하였다: 곤괘를 고대에는 상(巛)으로 기록했으니, 곤괘의 획은 여섯 개가 끊어져있다.

正義, 元亨, 與乾同, 利牝馬之貞者, 與乾異. 乾之所貞, 利於萬事爲貞, 此唯云利牝馬之貞. 坤是陰道, 當以柔順爲貞正.
『정의』에서 말하였다: '원형'은 건괘와 동일하지만, 암말의 곧음이 이롭다는 것은 건괘와 다르다. 건괘의 곧음이 만물을 이롭게 하는 것이 곧음이 되는데, 여기에서는 단지 암말의 곧음을 이롭다고만 하였다. 곤괘는 음의 도이니, 마땅히 유순함을 곧고 바름으로 삼는다.

○ 平庵項氏曰: 北方畜馬蕃庶, 當遊牝時, 每一牡將牝以出. 雖千百爲群, 各從其牡, 終不他合, 此所謂牝馬之貞也.
평암항씨가 말하였다: 북방에서 말을 많이 기르는데, 교배를 해야 할 때에는 한 마리의 수컷을 암컷에 짝하여 방목한다. 비록 수천의 무리가 되더라도 각각 그 수컷을 따르고 끝내 다른 말과 교배를 하지 않으니, 이것을 이른바 암말의 곧음이라고 하는 것이다.

○ 案, 說卦乾之象, 非但龍, 坤之象, 非但馬, 且龍不可盡乾之剛健, 馬不可盡坤之柔順. 然天用莫如龍, 地用莫如馬, 故聖人特擧其一象, 就人所易知者, 言之耳.
내가 살펴보았다: 「설괘전」에서 건괘의 상(象)은 단지 용만이 아니고, 곤괘의 상(象)은 단지 말만이 아니며, 또한 용은 건괘의 강건함을 다하는 것이라고 할 수 없고, 말도 곤괘의 유순함을 다하는 것이라고 할 수 없다. 그러나 하늘의 쓰임 중에는 용만한 것이 없고, 땅의 쓰임 중에는 말만한 것이 없다. 그러므로 성인은 단지 한 가지 상(象)을 제시함에 사람들이 쉽게 알아들을 수 있는 것에 따라서 언급했던 것일 뿐이다.

박윤원(朴胤源) 『경의(經義) · 역경차락(易經箚略) · 역계차의(易繫箚疑)』

說卦曰, 乾爲馬, 而坤彖曰, 利牝馬之貞, 乾爲馬之象, 文王已知之矣.
「설괘전」에서는 "건괘는 말이 된다"고 했고, 곤괘의 「단전」에서는 "암말의 곧음이 이롭다"고 했는데, 건괘가 말의 상(象)이 됨은 문왕도 이미 알고 있었던 것이다.

김기례(金箕澧) 「역요선의강목(易要選義綱目)」

坤, 順也, 謂陰之性情.
곤은 유순하니, 음의 성정을 이른다.

元亨, 利牝馬之貞.
크고 형통하며 암말의 곧음이 이롭다.
程傳云, 四德同乾, 而蓋坤得乾之半, 則利於順貞, 不利於固貞, 故朱子曰, 本無四德底意, 又曰大亨而利於順健爲正. 程沙隨曰, 乾以元爲本, 坤以貞爲本, 蓋大亨而利於順健爲正.
『정전』에서는 네 가지 덕이 건괘와 같다고 했는데, 아마도 곤괘가 건괘의 반을 얻게 된다면, 순하고 곧음에서 이롭게 되고, 굳고 곧음에서는 이롭지 않게 된다. 그러므로 주자는 본래부터 네 가지 덕의 뜻이 없다고 했고, 또 크게 형통하지만 순하고 강건함을 바름으로 삼는 것이 이롭다고 하였다. 정사수(程沙隨)는 "건괘는 원(元)을 근본으로 삼고, 곤괘는 곧음을 근본으로 삼는다"라고 했는데, 아마도 크게 형통하지만, 순하고 강건함을 바름으로 삼는 것이 이롭다고 한 뜻인 것 같다.

○ 龍行天, 故乾曰龍, 馬行地, 故坤曰牝馬, 取其順健.
용은 하늘에서 움직이기 때문에 건괘에서는 용을 말하였고, 말은 땅에서 움직이기 때문에 곤괘에서는 암말을 언급하였으니, 순하고 강건하다는 뜻을 취하였다.

허전(許傳) 「역고(易考)」

坤, 元, 亨, 利, 牝馬之貞.
곤은 크고 형통하며 이롭고 암말의 곧음이다.

坤四德, 不如乾四德之純, 故曰牝馬之貞也. 乾爲馬其行健, 陽物而爲地用者也, 故恐坤之無陽也. 於其卦象, 特言馬以見陽之無不在.
곤괘의 네 가지 덕은 건괘의 네 가지 덕처럼 순수하지 못하다. 그러므로 암말의 곧음이라고 하였다. 건괘는 말이 되는데, 그 움직임이 강건하고, 양의 물건이면서 땅의 쓰임이 되므로 곤괘에 양이 없음을 염려했다. 그러므로 그 괘상에 대해서 단지 말을 언급하여 양이 있지 않음이 없다는 것을 드러냈다.

심대윤(沈大允) 『주역상의점법(周易象義占法)』

坤, 元亨, 利牝馬之貞.
곤괘는 크고 형통하며 암말의 곧음이 이롭다.
元亨者, 心之所受於性也. 坤之氣, 卽乾之氣, 心之好利惡害, 卽性之好利惡害也. 心之好利惡害, 未嘗異於性也. 利者, 善也. 害者, 不善也. 凡利物曰善, 害物曰惡. 利牝馬之貞者, 凡性以統心, 心以成性, 謀慮作爲開物, 成務者, 心之所自爲也, 而亦必柔順健行以從乎性而成其功也.
'원형'이라는 것은 마음이 본성으로부터 받은 것이다. 곤괘의 기운은 곧 건괘의 기운이며, 마음이 이로움을 좋아하고 해로움을 싫어하는 것은 곧 본성이 이로움을 좋아하고 해로움을 싫어하는 것이다. 마음이 이로움을 좋아하고 해로움을 싫어하는 것은 일찍이 본성과 다른 적이 없었다. 이로움은 선함을 뜻한다. 해로움은 선하지 않음을 뜻한다. 사물을 이롭게 하는 것을 선함이라고 부르며, 사물을 해롭게 하는 것을 악함이라고 부른다. 암말의 곧음이 이롭다는 것은 본성은 마음을 통괄하고 마음은 본성을 이루니, 깊이 행동하여 사물을 열어주며 이룸에 힘쓰는 것은 마음이 제 스스로 시행하는 것이며, 또한 반드시 유순하고 강건하게 행하여 본성에 따라서 그 공을 이루어야 한다.

이진상(李震相) 『역학관규(易學管窺)』

利牝馬之貞.

암말의 곧음이 이롭다.

夫子於乾屢釋四德, 而坤則只有坤元一句, 說資生之功, 其言厚德載物, 品物咸亨, 只是順承天施而已. 蓋乾坤齊體一德相須, 不可二之也. 文言中亦一處說亨義, 而貞字義較著, 坤道以貞爲主, 而貞屬北, 又得坤位故也.

공자는 건괘에서 여러 번 네 가지 덕을 풀이하였지만, 곤괘에서는 단지 건원 한 구절에 대해서 의뢰하여 낳는 공을 설명하였으니, "두터운 덕으로 만물을 실어주어 만물이 다 형통하다"고 한 말은 단지 하늘의 베풂에 순응하고 받든다는 것일 뿐이다. 건·곤괘는 부부가 되어 덕을 같이 해서 서로 필요로 하니, 둘로 나눌 수 없다. 「문언전」 중에서 한 곳에서 형통함의 뜻을 설명했는데, '정(貞)'자의 의미가 비교적 드러났으니, 곤괘의 도는 곧음을 위주로 삼고, 곧음은 북쪽에 해당하니, 또한 곤괘의 지위를 얻었기 때문이다.

채종식(蔡鍾植) 「주역전의동귀해(周易傳義同歸解)」

坤, 利牝馬之貞, 傳以利字爲句, 此以生成萬物爲利也, 從孔傳也. 本義以利字聯牝馬, 此以牝馬之貞爲利也, 文王本旨也. 蓋坤道雖異於乾之剛健, 亦以柔順承乾爲健者也, 故元亨利貞, 皆以順健爲體, 而非徒貞而已也. 然則坤以順健之利利萬物, 而順健之利, 卽牝馬之利也. 兩說何妨.

곤괘의 '리빈마지정(利牝馬之貞)'을 『정전』에서는 '리(利)'자에서 구절을 끊었는데, 이것은 만물을 생성하는 것을 이로움으로 여긴 것이니, 공자의 「단전」과 「상전」에 따른 것이다. 『본의』에서는 '리(利)'자를 '빈마(牝馬)'와 연결하였으니, 이것은 암말의 곧음을 이로움으로 여긴 것이니, 문왕의 본뜻에 해당한다. 곤괘의 도는 비록 건괘의 강건함과는 다르지만, 또한 유순함으로써 건괘를 받드는 것을 강건으로 삼는다. 그러므로 원·형·리·정은 모두 순하고 강건함을 몸체로 삼고, 단지 곧음만을 뜻하는 것이 아니다. 그렇다면 곤괘는 순하게 강건함의 이로움으로써 만물을 이롭게 하고, 순하게 강건함의 이로움은 곧 암말의 이로움이 된다. 두 주장이 어찌 서로 방해가 되겠는가?

박문호(朴文鎬) 「경설(經說) · 주역(周易)」

分坤之元亨利貞爲四德, 則牝馬之貞一句, 文勢甚不順, 必須連利字讀之, 然後乃順. 蓋乾文言之不言所利者, 是照坤而言也. 然則孔子於坤, 已不成之爲四德也. 若成之爲四德, 則於坤之文言, 又何獨不言乎.

곤괘의 원 · 형 · 리 · 정을 나누어서 네 가지 덕으로 삼는다면, '암말의 곧음[牝馬之貞]'이라는 한 구절은 문맥의 형세가 매우 순조롭지 못하니, 반드시 '리(利)'자와 연속해서 읽은 뒤에야 문맥의 형세가 순조롭게 된다. 건괘의 「문언전」에서는 이로운 점을 언급하지 않았다고 했는데, 이것은 곤괘에 비춰보아서 말을 한 것이다. 그렇다면 공자는 곤괘에 대해서 이미 그것을 네 가지 덕으로 성립시키지 않은 것이다. 만약 그것을 네 가지 덕으로 성립시켰다면, 곤괘의 「문언전」에서는 또한 어찌하여 유독 언급을 하지 않았단 말인가?

김만영(金萬英) 「역상소결(易象小訣)」

坤象牝馬.

곤괘 단사 암말.

乾坤皆以馬取象, 則當以牝牡別乾坤, 故牝馬. 地道雖柔, 不健無以配天, 故曰馬. 馬雖健物, 牝者性順, 故曰牝. 六爻皆陰, 從當陰極而變爲陽則有馬之象, 終雖變陽, 初本於陰, 故曰牝. 若乾龍之無首也.

건 · 곤괘는 모두 말을 통해 상(象)을 취하였으니, 마땅히 암 · 수에 따라 건 · 곤괘를 구별해야 한다. 그러므로 암말이라고 한 것이다. 땅의 도가 비록 부드럽지만, 강건하지 못함으로는 하늘에 짝할 수가 없다. 그러므로 말이라고 한 것이다. 말이 비록 강건한 동물이지만 암컷은 성질이 유순하다. 그러므로 암컷이라고 한 것이다. 여섯 효가 모두 음이니, 그 따름은 마땅히 음이 지극하게 되어 변화하여 양이 된다면 말의 상(象)이 있게 되고, 끝에 비록 양으로 변화하지만 애초부터 음에 근본하고 있기 때문에 암컷이라고 말한다. 이것은 마치 건괘의 용이 머리가 없는 것과 같다.

君子有攸往

정전 군자가 가는 바가 있다.
본의 군자가 가는 바가 있다면,

中國大全

傳

君子所行, 柔順而利且貞, 合坤德也.

군자의 행함이 유순하고 이롭고 또 바르니, 땅의 덕에 부합한다.

小註

朱子曰, 君子有攸往, 此是虛句. 伊川只見彖傳辭押韻, 有柔順利貞君子攸行之語, 遂解云, 君子所行柔順, 而利且貞, 非也.
주자가 말하였다: "군자가 가는 바가 있다면"의 구절은 가정(假定)한 문장이다. 이천은 단지 「단전(彖傳)」의 말에 "유순하고 곧음에 이로움이 군자가 행하는 바이다[柔順利貞, 君子攸行]"라고 압운(押韻)되어 있는 말을 보고, 마침내 "군자의 행함이 유순하고 이롭고 또 바르니"라고 풀이했는데, 잘못이다.

韓國大全

임영(林泳) 「독서차록(讀書箚錄)-주역(周易)」

難曰, 傳義不同, 何耶.

논변하여 말하였다:『정전』과『본의』의 설명이 다른 것은 어째서입니까?

答曰, 傳因彖傳而誤, 朱子已言之, 輯註可考, 傳旣攙斷此句, 不屬下文, 故下文主利安貞, 皆不從人言之, 殊失卦辭本旨矣.
답하였다:『정전』에서는「단전」에 따랐으므로 오류를 범한 것이니, 주자도 이미 그에 대한 언급을 했습니다.『집주』를 고찰해볼만 한데,『정전』에서는 이미 이 구문에서 끊고 아래 구문과 연속시키지 않았습니다. 그러므로 아래 구문에 나오는 '이로움을 주로 함'과 '곧음에 편안함'은 모두 사람을 따르지 않는 것으로 말했는데, 자못 괘사의 본지를 놓친 것입니다.

유정원(柳正源)『역해참고(易解參攷)』

有攸往.
[정전] 가는 바가 있다.
[본의] 가는 바가 있다면,

案, 傳聯上文釋之, 本義聯下文釋之. 然君子體坤之柔順而行之, 如下文所云也. 二說相須始備.
내가 살펴보았다:『정전』에서는 앞 문장과 연결시켜서 해석했고,『본의』에서는 아래 문장과 연결시켜서 해석했다. 그런데 군자가 곤괘의 유순함을 체득하여 시행하는 것은 아래문장에서 언급한 것과 같다. 두 설명은 서로 갖춰져야만 비로소 뜻이 완전해진다.

傳.
『정전』.
〈案, 傳末, 本有攸音由三字.
내가 살펴보았다:『정전』의 끝에는 본래 '유음유(攸音由)'라는 세 글자가 기록되어 있다.〉

서유신(徐有臣)『역의의언(易義擬言)』

坤, 元亨, 利牝馬之貞, 君子有攸往.
곤은 크고 형통하며 암말의 곧음이 이로우니, 군자가 가는 바가 있다.
坤者, 地之順也. 元亨利牝馬之貞, 順之道也. 牝馬承乾, 是其順也. 純陰之卦, 似乎小人道長, 而然其承天配陽, 君子所行, 故特言之也.

곤괘라는 것은 땅의 순함을 뜻한다. "크고 형통하며 암말의 곧음이 이롭다"는 것은 순한 도이다. 암말은 건괘를 계승하니, 이것이 그 순함이다. 순수한 음의 괘는 소인의 도가 자라나는 것과 비슷하지만,[1] 하늘을 계승하고 양과 짝할 수 있는 것은 군자가 시행하는 것이므로 특별히 이처럼 말했다.

박문건(朴文健)『주역연의(周易衍義)』

坤, 元亨, 利牝馬之貞.

곤은 크고 형통하며 암말의 곧음이 이롭다.

君子有攸往.

군자가 가는 바가 있다.

牝馬之貞, 柔而剛也. 往, 進也.

암말의 곧음은 부드러우면서도 강인하다. 간다는 것은 나아간다는 뜻이다.

〈問, 元亨利牝馬之貞. 曰, 坤雖大亨, 必牝馬之貞爲利也. 曰, 坤何兼柔剛而言. 曰, 坤體柔而動剛, 故能成物无窮, 性静而德方, 故能賦形有定.

물었다: "크고 형통하며 암말의 곧음이 이롭다"는 무슨 뜻입니까?

납하였다: 곤괘는 비록 크게 형통하지만, 반드시 암말의 곧음을 이로움으로 여깁니다.

물었다: 곤괘는 어찌하여 부드러움과 굳셈을 겸해서 말합니까?

답하였다: 곤괘는, 몸체는 부드러우나 움직임이 굳세기 때문에 만물을 이룸에 다함이 없고, 본성이 고요하고 덕이 방정하기 때문에 형체를 부여하여 확정시킬 수 있습니다.〉

〈問, 君子有攸往. 曰, 六陰升進, 故取有往之義, 君子卽用柔剛之君子也. 曰, 乾健而不言往何. 曰, 乾道至大, 无所不包, 可往則往. 何言往而後往哉.

물었다: "군자가 가는 바가 있다"는 무슨 뜻입니까?

답하였다: 여섯 음이 올라가서 나아가기 때문에 가는 바가 있다는 뜻을 취한 것이니, 군자는 곧 부드러움과 굳셈을 사용하는 군자에 해당합니다.

물었다: 건괘는 강건한데도 간다고 말하지 않은 것은 어째서입니까?

답하였다: 건괘의 도는 지극히 커서 포함하지 않는 것이 없으니, 갈 수 있으면 갑니다. 하필 간다는 말을 한 뒤에야 가겠습니까?〉

---

1)『易 · 否卦』:彖曰, 否之匪人, 不利, 君子貞, 大往小來, 則是天地不交而萬物不通也, 上下不交而天下无邦也. 內陰而外陽, 內柔而外剛, 內小人而外君子, 小人道長, 君子道消也.

〈問, 利牝馬之貞, 當分看歟, 當合看歟. 曰, 文王之旨則合, 夫子之旨則分, 不同處, 不止於此也.
물었다: 암말의 곧음이 이롭다는 것은 나누어 보아야 합니까? 합해서 보아야 합니까? 답하였다: 문왕의 뜻은 합하는데 있고, 공자의 뜻은 나누는데 있으니, 이처럼 서로 다른 곳은 여기에만 그치지 않습니다.〉

김기례(金箕澧) 「역요선의강목(易要選義綱目)」

君子有攸往.
군자가 가는 바가 있다.
坤之君子, 皆臣道也. 係辭言地者往, 故云攸往, 而蓋本義曰, 如有所往則先迷後得之說得矣.
곤괘의 군자는 모두 신하의 도에 해당한다. 「계사전」에서 땅은 가는 것이라고 했기 때문에 가는 바라고 말하였으니, 『본의』에서 만일 가는 바가 있을 경우에는 먼저 하면 혼미하고 뒤에 하면 얻게 된다고 말한 것은 옳은 설명이다.

채종식(蔡鍾植) 「주역전의동귀해(周易傳義同歸解)」

君子有攸行, 傳謂君子所行, 柔順而利且貞, 本義以君子有攸行作虛句, 而連屬下文, 其解似不同. 然下文後得主利得朋安貞, 皆柔順利貞之義, 則自爲句絕, 連屬下文, 同是一義.
'군자가 가는 바가 있음'에 대해 『정전』에서는 군자가 행하는 바가 유순하고 이롭고 또 곧다고 했으며, 『본의』에서는 '군자가 가는 바가 있다면'이라고 가정으로 여겨서 아래문장과 연결했으니, 그 해석이 다른 것처럼 보인다. 그러나 아래 문장의 '뒤에 얻음[後得]'·'이로움을 주로 함[主利]'·'벗을 얻음[得朋]'·'곧음에 편안함[安貞]'은 모두 유순함과 곧음이 이롭다는 뜻이 되므로, 그 자체로 구문을 끊거나 아래문장과 연결을 하더라도, 모두 동일한 의미가 된다.

박문호(朴文鎬) 「경설(經說)·주역(周易)」

有攸往, 本義隨其文, 旣以如有所往釋之. 而於象則去有字, 且易往以行, 故本義又隨其文, 以所行釋之, 則文王之占法, 孔子之人事, 蓋竝行而不悖矣.
'가는 바가 있음[有攸往]'에 대해 『본의』에서는 그 문장에 따라 이미 '만일 가는 바가 있다면[如有所往]'으로 풀이했다. 「단전」에서는 '유(有)'자를 삭제하였고, 또 '왕(往)'자를 '행(行)'자로 바꿨다. 그러므로 『본의』에서는 또 그 문자에 따라서 '소행(所行)'으로써 해석을 했으니, 문왕의 점법(占法)과 공자의 인사(人事)가 병행이 되어 서로 어긋나지 않게 된다.

先迷, 後得, 主利.

정전 먼저 하면 혼미하고 뒤에 하면 얻을 것이니, 이로움을 주로 한다.
본의 먼저 하면 혼미하고 뒤에 하면 얻어 이로움을 주로 한다.

中國大全

傳

陰, 從陽者也, 待唱而和. 陰而先陽, 則爲迷錯, 居後, 乃得其常也. 主利, 利萬物則主於坤, 生成, 皆地之功也. 臣道亦然, 君令臣行, 勞於事者, 臣之職也.

음은 양을 따르는 것이니, 선창하기를 기다려 화답한다. 음인데 양에 앞서면 혼미하여 어지러우니, 뒤에 머물러야 상도(常道)를 얻을 수 있다. "이로움을 주로 한다[主利]"는 것은, 만물을 이롭게 하는 것은 곤괘에서 주로 하니, 낳고 이루는 것이 모두 땅의 공로이다. 신하의 도리도 그러하니, 임금이 명령하면 신하는 시행하여 일에 수고로운 것이 신하의 직분이다.

小註

程子曰, 先迷後得是一句, 主利是一句, 蓋坤道惟是主利.
정자가 말하였다: "먼저 하면 혼미하고 뒤에 하면 얻는다"가 하나의 구절이고, "이로움을 주로 한다"가 하나의 구절이니, 땅의 도는 '이로움을 주로 할[主利]' 뿐이다.

韓國大全

김장생(金長生) 『경서변의(經書辨疑)-주역(周易)』

先迷, 後得.
먼저 하면 혼미하고 뒤에 하면 얻는다.

退溪曰, 陽先唱, 陰後和, 其常也. 若反是而陰先, 則迷失道, 必後之然後得其道, 故曰先迷後得.
퇴계가 말하였다: 양이 선창하면 음이 뒤에 화합하는 것은 일상적인 도리이다. 만약 이와 반대로 하여 음이 먼저 하게 된다면, 혼미하여 길을 잃게 되니, 반드시 뒤에 한 이후에야 그 도를 얻게 된다. 그러므로 먼저 하면 혼미하고 뒤에 하면 얻는다고 말하였다.
崔岦曰, 後得, 只是下文得常之得.
최립이 말하였다: '뒤에 하면 얻음'은 단지 아래 문장에 나오는 '상도를 얻음'에서의 '얻음'을 뜻한다.

임영(林泳) 「독서차록(讀書箚錄)-주역(周易)」

主利.
이로움을 주로 한다.

難曰, 傳謂利萬物則主於坤, 本義謂陽主義, 陰主利, 二說當誰從乎.
논변하였다: 『정전』에서는 만물을 이롭게 하는 것은 곤괘에서 주로 한다고 했고, 『본의』에서는 양은 의로움을 주로 하고, 음은 이로움을 주로 한다고 했는데, 두 주장 중 어떤 것을 따라야 합니까?
答曰, 傳只從坤道言, 不及乎占戒, 本義不取宜矣. 但本義又以利對義而言之, 則又有可疑者. 夫利對害言, 則爲好意, 對義言, 則爲不好意. 今詳經文言利初無對義之義, 只是無不利, 利某事之利也. 本義亦未可曉. 以愚揆之, 非但坤有坤之利, 乾亦有利, 非但陰主利, 陽亦有時而主利矣. 但利是成就便宜之意, 以繼善成性, 分陰陽之義推之, 則其分固當屬之陰, 所以於坤必曰主利也. 蓋旣曰主利, 則與泛言無不利, 利某事者, 意自有別可知. 利之分當屬陰, 而利之爲義, 依舊是對害言之好利也. 若以義利分陰陽, 則此主利者, 爲有弊之利, 終可疑耳.
답하였다: 『정전』은 단지 곤도에 따라 언급하여, 점사(占辭)의 경계에 대해서는 언급하지 않은 것이니, 『본의』에서 채택하지 않은 것은 마땅합니다. 다만 『본의』에서는 또한 이로움을 의로움과 대비시켜서 말했으니, 또한 의심스러운 점이 있습니다. 이로움을 해로움과 대비시켜서 말한다면 좋은 뜻이 되지만, 의로움과 대비시켜서 말한다면 좋지 못한 뜻이 됩니다. 현재 경문을 자세히 살펴보니, 이로움을 말함에 애초부터 의로움과 대비시키는 뜻이 없습니다. 이것은 단지 이롭지 않은 것이 없다는 것이며, 어떤 일을 이롭게 한다고 했을 때의 이로움입니다. 『본의』 또한 이 부분에 대해서 분명하지 않습니다. 내가 살펴보니, 단지 곤괘에만 곤괘의 이로움이 있는 것이 아니고, 건괘에도 또한 이로움이 있고, 단지 음만 이로움을 주로 하는 것이 아니라,

양 또한 때에 따라서 이로움을 주로 합니다. 다만 이로움은 성취하여 합당하게 된다는 뜻이니, 이은 것이 선이고 이룬 것이 본성이라는 것으로 음양을 나눈 뜻을 가지고 미루어보면 그 나눈 것이 진실로 음에 속하니, 곤괘에 대해서 반드시 이로움을 주로 한다고 말하게 된 것입니다. 이미 이로움을 주로 한다고 말했다면, 범범하게 이롭지 않은 것이 없다고 하거나 어떤 일을 이롭게 한다고 했던 말과는 그 의미가 그 자체로도 구별이 생긴다는 사실을 알 수 있습니다. 이로움을 구분한 것은 음에 속하고, 이로움의 뜻은 여전히 해로움과 대비해서 말하는 이익을 좋아함이 됩니다. 만약 의로움과 이로움을 음양에 따라 나누게 된다면, 여기에서 이로움을 주로 한다는 것은 곧 폐단이 있는 이로움이 되므로 결국 의심스러운 해석이 될 뿐입니다.

유정원(柳正源)『역해참고(易解參攷)』

梁山來氏曰, 迷者, 如迷失其道路也. 坤爲地, 故曰迷, 言占者, 君子先乾而行, 則失其主, 而迷錯, 後乾而行, 則得其主, 而利矣. 蓋造化之理, 陰從陽以生物, 待唱而和者也. 君爲臣主, 夫爲妻主, 後乾則得所主矣, 利孰大焉.

양산래씨가 말하였다: 혼미함이란 혼미하여 길을 잃는다는 것과 같다. 곤괘는 땅이 되므로 혼미하다고 말한다. 점(占)을 말하는 경우, 군자는 건괘보다 앞서서 시행한다면 그 주장함을 잃게 되어 혼미하고 착란하며, 건괘보다 뒤에 시행한다면 그 주장함을 얻게 되어 이롭게 된다. 조화의 이치는 음이 양을 좇아서 만물을 낳고, 선창하길 기다려서 조화를 이룬다. 군주는 신하의 주인이 되고, 남편은 부인의 주인이 되니, 건괘보다 뒤에 한다면 주장함을 얻게 되므로 그 이로움이 매우 커진다.

서유신(徐有臣)『역의의언(易義擬言)』

此言陰道也. 先後, 猶言始終也. 陽必倡之, 陰必隨之, 方其未倡, 迷不知行, 及其旣隨, 乃得其道也.

이것은 음의 도를 말한다. 먼저 하고 뒤에 한다는 것은 곧 시작과 마침이라고 말하는 것과 같다. 양은 반드시 선창을 하고 음은 반드시 뒤따르게 되는데, 아직 선창을 하지 않아서 혼미하여 행할 바를 알지 못하다가 그 따름에 이르러서는 곧 도를 얻게 된다.

김기례(金箕澧)「역요선의강목(易要選義綱目)」

陰先於陽則迷, 從陽則有得, 蓋婦人臣子之道也. 坤爲迷, 故曰先迷, 陰主利, 故曰主利.

음이 양보다 먼저 하게 된다면 혼미하고, 양에 따르게 되면 얻음이 있게 되니, 부인과 신하의 도에 해당한다. 곤괘는 혼미함이 되기 때문에 먼저 하면 혼미하다고 말하였고, 음은 이로움을 위주로 하기 때문에 이로움을 주로 한다고 말하였다.

심대윤(沈大允)『주역상의점법(周易象義占法)』

君子有攸往, 先迷後得, 主利.
군자가 가는 바가 있다면, 먼저 하면 혼미하고 뒤에 하면 얻어 이로움을 주로 한다.
君子有攸往者, 心能尊性而變之, 則心亦復于善矣, 猶陰之奉戴陽, 而陰亦爲君子也. 臣之從君, 而亦爲貴人也. 先迷, 言心无主張, 則迷惑也. 後得, 言心之從性, 而得其向方也. 主利, 言乃有主張而成功也.
군자가 가는 바가 있다는 것은 마음이 본성을 높여 따를 수 있음이니, 그렇게 된다면, 마음도 선으로 복귀할 수 있을 것이다. 이는 마치 음이 양을 추대함에 음도 군자가 되고, 신하가 임금을 추종함에 신하도 귀인이 되는 것과 같다. 먼저 해서 혼미하다는 것은 마음에 주장하는 것이 없어서 혼미하다는 뜻이다. 뒤에 해서 얻는다는 것은 마음이 본성을 따라서 그 방향을 얻게 된다는 뜻이다. 이로움을 주로 한다는 것은 곧 주장하는 것이 있어서 공을 이룬다는 뜻이다.

박문호(朴文鎬)「경설(經說)・주역(周易)」

註中者經中者, 此蒙於乾之註也, 猶言在於註中者, 在於經中者云爾. 註指本註也.
'주석 가운데', '경문 가운데'라는 말은 건괘에 이어지는 주석이니, "주석 가운데 있다", "경문 가운데 있다"고 말하는 것과 같다. 주석이라는 것은 본주(本註)를 뜻한다.

易主變易, 故隨其位而異其主. 雖好卦, 以他卦觀之. 則或有不好者, 雖好爻, 以他爻觀之, 則或有不好者, 如乾之剛健在坤, 則爲先迷, 故本義以陽先, 釋先迷之義.
역은 변역을 위주로 하므로 그 자리에 따라서 주로 하는 것도 달리한다. 비록 좋은 괘라고 하더라도 다른 괘를 통해 살펴보면 혹은 좋지 못한 것이 포함되고, 비록 좋은 효라고 하더라도 다른 효를 통해 살펴보면 혹은 좋지 못한 것이 포함되니, 마치 건괘의 강건함이 곤괘에 있게 되면 먼저 해서 혼미한 것과 같다. 그러므로『본의』에서는 양이 먼저 한다는 것으로써 먼저 하면 혼미하다는 뜻을 풀이하였다.

天一而已, 地一而已, 故不曰重天乾重地坤, 而只曰天行健地勢坤. 他重卦其物非一, 故皆取重意耳. 乾坤者, 父母之道, 故後世以書吊人者, 以大孝至孝爲父母之別.
하늘은 하나일 뿐이며, 땅도 하나일 뿐이다. 그러므로 '중천건'이나 '중지곤'이라고 말하지 않고, 단지 '천행건'과 '지세곤'으로 말하였다. 다른 중괘(重卦)들은 그 대상이 하나가 아니기 때문에 모두 중(重)의 의미를 취하였다. 건・곤괘는 부모의 도이다. 그러므로 후세에 글로 남에게 조문하는 자가 '대효(大孝)', '지효(至孝)'라고 하여 부모를 구별하였다.

西南, 得朋, 東北, 喪朋, 安貞, 吉.

정전 서남에서는 벗을 얻고 동북에서는 벗을 잃을 것이니, 편안하고 곧아서 길하다.
본의 서남에서는 벗을 얻고 동북에서는 벗을 잃을 것이니, 곧음에 편안하면 길할 것이다.

中國大全

傳

西南, 陰方, 東北, 陽方. 陰必從陽, 離喪其朋類, 乃能成化育之功, 而有安貞之吉. 得其常則安, 安於常則貞, 是以吉也.

서남은 음의 방위이고, 동북은 양의 방위이다. 음은 반드시 양을 따르니, 그 벗의 무리를 잃어야 만물을 만들어 자라게 하는 공을 이루어서 '편안하고 곧은[安貞]' 길함이 있을 수 있다. 상도를 얻으면 편안하고, 상도에 편안하면 정고(貞固)할 수 있기 때문에 길하다.

本義

--者, 偶也, 陰之數也, 坤者, 順也, 陰之性也. 註中者, 三畫卦之名也, 經中者, 六畫卦之名也. 陰之成形, 莫大於地, 此卦三畫皆偶, 故名坤而象地, 重之又得坤焉, 則是陰之純, 順之至, 故其名與象, 皆不易也. 牝馬, 順而健行者, 陽先, 陰後, 陽主義, 陰主利. 西南, 陰方, 東北, 陽方. 安, 順之爲也, 貞, 健之守也. 遇此卦者, 其占, 爲大亨而利以順健爲正. 如有所往, 則先迷後得而主於利, 往西南則得朋, 往東北則喪朋, 大抵能安於正則吉也.

--는 짝수이니 음의 수이며, 곤(☷)은 유순하니 음의 성질이다. 주에 있는 것은 삼획괘의 이름이고 경에 있는 것은 육획괘의 이름이다. 음이 형체를 이룬 것이 땅보다 더 큰 것이 없는데, 여기서의 세 획은 모두 짝수이기 때문에 곤괘라고 이름 붙여 땅을 상징하였고, 이것을 중첩한 것이 또 곤괘를 얻으니 음의 순수함이다. 유순함이 지극하기 때문에 그 이름과 상(象)이 모두 바뀌지 않았다. 암말은 유순하고 굳건히 걸어가니, 양은 먼저이고 음은 뒤이며, 양은 의로움을 주로 하고 음은 이로움을 주

로 한다. 서남은 음의 방위이고, 동북은 양의 방위이다. '편안함[安]'은 유순함이 하는 것이고, 곧음은 굳셈이 지키는 것이다. 이 괘를 만난 자는 그 점이 크게 형통하고 유순하고 굳셈을 바름으로 삼는 것이 이롭다. 만일 가는 바가 있을 경우에는 먼저 하면 혼미하고 뒤에 하면 얻어서 이로움을 주로 할 것이다. 서남으로 가면 벗을 얻고 동북으로 가면 벗을 잃을 것이니, 바른 도에 편안할 수 있으면 길할 것이다.

小註

朱子曰, 利牝馬之貞, 言利於柔順之正, 而不利於剛健之正, 利是箇虛字, 本无四德底意, 彖中方有之. 又曰, 乾卦元亨利貞便都好, 到坤只一半好. 故云利牝馬之貞, 即是亦有不利者.

주자가 말하였다: "암말의 곧음이 이롭다[利牝馬之貞]"는 구절은 유순한 바름에는 이로우나, 강건한 바름에는 이롭지 않다는 말이니, '이롭다'는 말은 허자(虛字)로서 본래 네 가지 덕의 뜻이 없는 것이며, 「단전(彖傳)」 가운데 그런 말이 있다.

또 말하였다: 건괘에는 원·형·리·정(元亨利貞)이 모두 좋지만, 곤괘에서는 단지 그 절반만 좋다. 그러므로 "암말의 곧음이 이롭다"고 말한 것이니, 이것은 이롭지 않음도 있다는 뜻이다.

○ 問, 牝馬取其柔順健行, 坤順而言健何也. 曰, 守得這柔順亦堅確, 故有健象, 柔順而不堅確, 則不足以配乾矣. 乾主義, 坤便主利, 占得這卦便主利這事, 不是坤道主利萬物.

물었다: 암말은 유순하고 굳건하게 걸어감을 취하였는데, 곤괘가 유순한데도 굳건하다고 말한 것은 무슨 까닭입니까?

답하였다: 이러한 유순함을 지키는 것도 견고하기 때문이므로 강건한 상(象)이 있습니다. 유순하지만 견고하지 못하다면, 건괘를 짝하기에 부족합니다. 건괘는 의로움을 주로 하고, 땅은 이익을 주로 하니, 점을 쳐서 이 괘를 얻으면 곧 이러한 일에서 이로움을 주로 한다는 뜻이지, 땅의 도가 만물에 대해서 이로움을 주로 한다는 뜻은 아닙니다.

○ 問, 東北喪朋, 西南得朋, 何也.

물었다: "동북에서는 벗을 잃고, 서남에서는 벗을 얻는다"는 것은 무슨 뜻입니까?

曰, 陰不比陽, 陰只理會得一半, 不似陽兼得陰, 故无所不利. 陰半用, 故得於西南, 喪於東北. 先迷後得以下亦然. 自王弼以下, 皆不知此, 錯解了.

답하였다: 음은 양에 견줄 수 없고, 음은 단지 그 절반만을 할 수 있으니, 양이 음을 겸할

수 있기 때문에 이롭지 않음이 없는 것과는 다릅니다. 음은 반만 사용하기 때문에 서남에서는 얻게 되고 동북에서는 잃게 됩니다. 먼저 하면 혼미하고 뒤에 하면 얻는다고 한 말 이하의 내용도 그런 뜻입니다. 그런데 왕필(王弼) 이후로 모두 이것을 알지 못하여 잘못 해석하였습니다.

又曰, 占得坤體, 從西南方, 得其朋, 從東北方, 失其朋. 西南陰方, 東北陽方, 坤比乾減半.

또 말하였다: 점을 쳐서 곤괘의 몸체를 얻었다면, 서남을 따르면 벗을 얻고 동북을 따르면 벗을 잃습니다. 서남은 음의 방위이고 동북은 양의 방위이니, 땅은 하늘에 비해 그 절반이 적은 것입니다.

○ 先迷後得, 東北西南, 大概是陰爲陽一半, 就前後言, 没了前一截, 就四方言, 没了東北一截. 陽卻是全體.

먼저 하면 혼미하고 뒤에 하면 얻음과, 동북이니 서남이니 하는 말은 대체로 음은 양의 절반이므로 앞·뒤로써 말한다면 앞 전체가 없는 것이며, 사방으로 말을 한다면 동북 한 부분이 없는 것이다. 양은 전체이다.

○ 陰體柔躁, 只爲他柔所以躁, 剛便不躁. 躁是那欲動而不得動之意, 剛則便動矣. 柔躁不能自守, 所以說安貞吉.

음의 몸체가 유순하고 조급한 것은 오직 그것이 유순하기 때문에 조급하게 된 것이니, 강건하면 조급하지 않다. 조급함은 움직이려고 하지만 움직일 수 없음을 뜻하니, 강건하게 되면 곧 움직인다. 유순하여 조급하면 제 스스로 지킬 수가 없기 때문에 곧음에 편안하면 길하다고 한 것이다.

○ 安貞之吉, 他這分段, 只到這裏, 若更妄作, 以求全時, 便凶了. 在人亦當如此.

곧음에 편안하면 길하다는 것은 그의 몫이 이 정도인데 만약 망령되이 움직여서 온전함을 구하려 할 때에는 곧 흉하게 된다는 것이다. 사람에게서도 마땅히 이와 같다.

○ 廬陵龍氏曰, 巽離坤兌, 陰之朋也, 乾坎艮震, 陽之朋也.

여릉용씨가 말하였다: 손괘(巽卦)·리괘(離卦)·곤괘(坤卦)·태괘(兌卦)는 음의 벗이고, 건괘(乾卦)·감괘(坎卦)·간괘(艮卦)·진괘(震卦)는 양의 벗이다.

○ 雲峰胡氏曰, 乾言利貞, 貞則旡所不利矣. 坤言利牝馬之貞, 如牝馬之貞則利, 非牝馬之貞則不利也. 上[2)]文曰後得, 曰得朋, 利也, 牝馬之貞故也. 曰先迷, 曰喪朋, 不利也, 非牝馬之貞故也. 坤但得乾之半, 故乾无不利而坤有利不利, 與下文主利之利不同. 陽主義, 乾有剛斷意, 陰主利, 坤有斂藏意. 又輕清主義, 重濁主利. 安貞, 分而言之, 安者順之爲, 貞者健之守, 合而言之, 則以順乎健爲正.
운봉호씨가 말하였다: 건괘에서 "곧음이 이롭다"고 하였으니, 곧으면 곧 이롭지 않은 것이 없는 것이다. 곤괘에서는 "암말의 곧음이 이롭다"하고 하였으니, 암말의 곧음이라면 이롭고, 암말의 곧음이 아니라면 이롭지 않다는 것이다. 위의 문장에서 "뒤에 하면 얻는다"라고 말하고, "벗을 얻는다"라고 말한 것은 이로움이니, 암말의 곧음이기 때문이다. "먼저 하면 혼미하다"라고 말하고, "벗을 잃는다"라고 말한 것은 이롭지 않음이니, 암말의 곧음이 아니기 때문이다. 곤괘는 건괘의 절반만 얻었기 때문에 건괘는 이롭지 않은 것이 없지만, 곤괘는 이로운 것도 있고 이롭지 않은 것도 있으니, 아래 문장에서 "이로움을 주로 한다"라고 할 때의 이로움과는 다르다. 양이 의로움을 주로 함은 하늘의 강하게 결단하는 뜻이 있는 것이며, 음이 이익을 주로 함은 땅의 거두어들여 감추는 뜻이 있어서이다. 또한 가볍고 맑은 것은 의로움을 주로 하고, 무겁고 탁한 것은 이로움을 주로 한다. '안정(安貞)'을 나누어 말하면, '안(安)'은 유순하게 하는 것이고, '정(貞)'은 강건하게 지키는 것이며, 둘을 합하여 말하면, 강건함에 따르는 것을 바름[正]으로 삼는다는 것이다.

○ 雙湖胡氏曰, 文王卦辭取象始此, 坤自取牝馬象, 晉錫馬蕃庶亦坤象. 此象雜占中, 元亨利牝馬之貞, 已盡坤之全體, 君子以下, 則申占辭也. 又曰, 彖辭文王所作西南得朋, 東北喪朋, 後天卦位. 至哉文王之作易也, 其當西伯之時, 羑里之囚耶. 味安貞吉之辭, 文王之心盡於此矣. 今觀自利牝馬貞而下反覆致戒, 无非謹守爲臣之分, 使凡居坤位者, 一守之以貞也, 萬世而下, 可想見文王之心, 且可爲不安貞而占者之戒矣.
쌍호호씨가 말하였다: 문왕의 괘사는 상(象)을 취함이 여기에서 시작하였으니, 곤괘는 본래 암말의 상(象)을 취한 것이고, 진괘(晉卦)에서 "여러 차례 말을 하사하였다"[3]는 것도 곤괘의 상(象)이다. 이 상(象)이 점괘 중에 섞여 있으니, "크게 형통하고 암말의 곧음이 이롭다"는 구절은 이미 곤괘의 전체를 극진히 한 것이고, '군자가' 이하의 말은 곧 점사를 풀이한 것이다. 또 말하였다: 단사(彖辭)는 문왕이 지은 것이니, 서남에서 벗을 얻고 동북에서 벗을 잃는다는 것은 후천괘의 위치이다. 지극하구나, 문왕이 역(易)을 만듦이여! 아마도 서백(西伯) 시절 유리(羑里)에 감금되어 있었을 때에 해당할 것이다. "곧음에 편안하면 길하다"는 말을 음미해보면, 문왕의 마음이 여기에 다 나타난다. 지금 살펴보면, "암말의 곧음이 이롭다"는 구절에서부터 그 아래의 문장들은 반복해서 경계하여 신하된 본분을 삼가 지키지 않음이

2) 上: 『주역전의대전』에는 '下'로 되어 있으나, 인용된 말이 앞에 있기 때문에 '上'으로 바로잡았다.
3) 『周易 · 晉卦』: 晉, 康侯, 用錫馬蕃庶, 晝日三接.

없으니, 만일 곤(坤)의 자리에 있는 사람이 한결같이 곧음으로써 지킨다면 만세대 뒤에라도 문왕의 마음을 살펴볼 수가 있고, 또한 '곧음에 편안하지 않아 점을 치는 자'의 경계가 될 수 있을 것이다.

韓國大全

김장생(金長生) 『경서변의(經書辨疑)-주역(周易)』

安貞吉.
편안하고 곧아서 길하다

傳釋安而貞之爲吉, 本義安順之爲也, 貞健之爲也. 以此釋之, 安與貞異意, 當釋以安且貞, 而又曰安於貞, 以此釋之, 則於貞安也. 朱子之意上下有異, 未詳.
『정전』에서는 "편안하고 곧아서 길하다"고 풀이했고, 『본의』에서는 "편안함은 순함으로써 행하는 것이고, 곧음은 강건함으로써 시행하는 것"이라고 했는데, 이로써 풀이해보면, 편안함과 곧음은 다른 의미가 되니, 마땅히 편안하고도 곧다고 풀이해야 한다. 그런데 또한 곧음에 편안하다고 했기 때문에 이것으로써 풀이해보면, 곧음에 대해서 편안한 것이다. 주자의 뜻은 앞뒤에 차이가 있는데, 상세하지 않다.

○ 崔岦曰, 安貞者, 安固其貞, 恐與用六之永貞同一貞也. 其視牝馬之貞, 蓋變而大者也. 旣變而大, 則足以配乾利貞之貞, 然終當安固. 守分, 不得侔其美利, 全功矣. 用六, 利永貞之爲卦彖安貞吉, 猶訟上九之爲終凶, 比上六之爲後夫凶, 及節上六苦節貞凶, 爲彖之苦節不可貞之類也.
최립이 말하였다: 곧음에 편안함은 그 곧음을 편안하고 견고하게 하는 것이니, 아마도 용육에서 "영원하고 곧게 한다"고 했을 때의 '곧음'과 같은 것 같다. 이것을 암말의 곧음과 비교해 보면, 변화하여 커진 것이다. 이미 변화하여 커졌다면, 건괘의 "곧음이 이롭다"고 했을 때의 '곧음'과 짝을 이룰 수 있고, 그런 뒤에야 마침내 안정되고 견고하게 된다. 분수를 지킨다는 것은 그 아름다운 이로움을 따를 수는 없지만 그 공을 온전히 하는 것이다. '용육(用六)'에서 "영원하고 곧게 하는 것이 이롭다"라고 한 것이 「단전」에서 "곧음에 편안함이 길하다"는 것이 되니, 송괘(訟卦)의 상구에서 "끝까지 하면 흉하다",[4] 비괘(比卦)의 상육에서 "뒤에 오는

장부는 흉하다"[5]는 것과, 절괘(節卦)의 상육에서 "괴롭도록 절제하니, 곧더라도 흉하다"[6]라고 한 것이 단사에서 "괴롭도록 절제해서는 곧을 수 없다"는 것이 되는 것과 같은 부류이다.

임영(林泳) 「독서차록(讀書箚錄)-주역(周易)」

西南 [止] 貞吉.
서남 … 곧아서 길하다.

難曰, 傳義大異, 當何從.
논변하여 말하였다: 『정전』과 『본의』가 크게 다른데, 마땅히 어떤 주장을 따라야 합니까?
答曰, 傳言陰雖不可先陽, 又貴乎從, 陽亦自爲一理, 未可摠以爲非, 但以文義推之, 喪朋終非好辭, 得朋爲可喜者, 傳以喪朋爲從陽之吉者, 恐非經旨, 當從本義爲是.
답하였다: 『정전』에서는 음이 비록 양보다 먼저 할 수 없지만, 또한 따르는 것을 귀하게 여긴다고 말했습니다. 그런데 양은 또한 그 자체로 하나의 이치가 되므로, 이것을 잘못되었다고 할 수는 없습니다. 다만 문맥의 뜻에 따라 추론해보면, '벗을 잃음'은 끝내 좋은 말이 아니며, '벗을 얻음'은 기뻐할 수 있는 일입니다. 『정전』에서는 벗을 잃는다는 것을 양을 따르는 길한 것이라고 여겼는데, 아마도 경문의 본지는 아닌 것 같습니다. 따라서 마땅히 『본의』의 주장을 옳은 것으로 여겨야 합니다.

輯註, 朱子說, 柔躁不能自守.
『집주』에서 주자가 말하였다: 유순하고 조급하여 스스로를 지킬 수 없다.
按, 卦辭無柔躁之意, 而朱子說如此者, 蓋因有安貞之戒而發此義也. 凡戒皆慮其不能而設也. 慮其不能安貞, 則其柔躁可知矣.
내가 살펴보았다: 괘사에는 유순하고 조급하다는 의미가 없다. 그런데도 주자가 이처럼 설명한 것은 곧음에 편안함에 대한 경계의 말이 있어야 하기 때문에 이러한 뜻을 드러낸 것이다. 경계를 하는 것은 모두 할 수 없음을 염려하여 하게 된다. 곧음에 편안할 수 없음을 염려한다면, 유순하고 조급함에 대해서도 알 수 있다.

雲峯說剛斷斂藏輕清重濁, 此因本義陽主義陰主利而爲之解者, 未見其當也.
운봉은 강인하게 결단함 · 수렴하여 간직함 · 가볍고 맑음 · 무겁고 탁함을 설명했는데, 이것

4) 『易 · 訟卦』: 終凶, 訟不可成也.
5) 『易 · 比卦』: 後夫凶, 其道窮也.
6) 『易 · 節卦』: 上六, 苦節, 貞凶, 悔亡.

은 『본의』에서 양은 의로움을 주로 하고, 음은 이로움을 주로 한다는 것에 따라서 이러한 해석을 했던 것이나, 그것이 마땅한지는 알지 못하겠다.

이현익(李顯益) 「주역설(周易說)」

節齋蔡氏以光大爲乾之事, 不然. 曰地道光, 曰直方大, 則坤之道, 亦自能光且大也.
절재채씨는 광대(光大)함을 건괘의 일로 여겼는데, 그렇지 않다. 땅의 도가 빛난다고 했고, 곧고 방정하며 크다고 했으니, 곤괘의 도 또한 제 스스로 빛나고 또 클 수 있는 것이다.

東北喪朋, 乃終有慶, 傳謂離其類而從陽, 則能成生物之功, 終有吉慶, 本義謂反之西南, 則終有慶. 二說不同, 而反之西南之義不可曉. 然此乃占辭, 而爲遇坤之六爻皆不變者之占, 則六爻之不變, 卽是反其本位耳. 蓋六爻有變, 則是變而之他, 而不變則只是爲本位而已. 此所以於占, 有反西南之象也. 是以結之曰, 安貞吉, 不反本位而在於東北, 則何以爲安貞乎.
동북에서 벗을 잃게 된다면 마지막에는 경사스러운 일이 있다고 했는데, 『정전』에서는 그 부류를 떠나서 양을 좇게 된다면 만물을 낳는 공을 이룰 수 있어서 끝내 길하고 경사스러운 일이 생긴다고 했고, 『본의』에서는 서남으로 되돌아온다면 끝내 경사스러운 일이 생긴다고 했다. 두 주장이 서로 다른데, 서남으로 되돌아온다는 뜻은 이해할 수가 없다. 그러나 이것은 곧 점사(占辭)이며 곤괘의 여섯 효가 모두 변하지 않는 것을 만난 점이니, 여섯 효가 변하지 않은 것이 곧 그 본래의 자리로 되돌아가는 것일 뿐이다. 여섯 효에 변화가 생긴다면 이것은 변화하여 다른 것으로 가게 되고, 변하지 않는다면 단지 본래의 자리가 될 뿐이다. 이것은 점에 대한 것으로써 서남으로 되돌아가는 상(象)이 있다. 그러므로 결론적으로 곧음에 편안하면 길하다고 한 것이니, 본래의 자리로 되돌아가지 않고, 동북에 남아 있다면 어떻게 곧음에 편안하다고 할 수 있겠는가?

安貞吉, 本義所釋, 與傳不同, 而安貞之吉, 本義所釋, 卻與傳同. 安貞之吉, 卽是安貞吉, 而本義說不一如此, 何也.
"곧음에 편안하면 길하다"는 것에 대해 『본의』에서 풀이한 것은 『정전』의 풀이와 다르나, 곧음에 편안함이 길하다는 『본의』의 풀이는 또한 『정전』의 풀이와 같다. 곧음에 편안함이 길하다는 것이 곧 "곧음에 편안하면 길하다"는 것인데, 『본의』의 설명이 이처럼 일치하지 않는 것은 무슨 이유인가?

隆山李氏謂乾爲君, 六爻皆君事, 坤爲臣, 六爻皆臣道. 此說不可, 乾之六爻, 豈皆爲君事耶.
융산이씨는 건괘는 임금이 되고 그 여섯 효는 임금의 일이 된다고 했으며, 곤괘는 신하가 되고 그 여섯 효는 모두 신하의 도가 된다고 했다. 이러한 주장은 잘못되었으니, 건괘의 여섯 효가 어떻게 모두 임금의 일에 해당하겠는가?

龍戰于野, 龍非陰也, 卽陰與龍戰, 而以其嫌於無陽, 故主龍而言耳. 臨川王氏謂陰盛於陽, 故與陽俱稱龍, 非是.
"용이 들에서 싸운다"고 했는데, 용은 음이 아니므로 음이 용과 싸우는 것이며, 양이 없는 것에 혐의를 두기 때문에 용을 위주로 언급한 것일 뿐이다. 임천왕씨는 음이 양보다 융성하기 때문에 양과 더불어서 모두 용이라고 지칭한 것이라고 했는데, 그 주장은 잘못 되었다.

乾卦固多言聖人事, 坤卦固多言賢者事. 然直以乾坤分聖賢, 謂一定而不可易則過矣, 而程子說, 或有如此者, 故朱子嘗以爲不然. 然則雲峯胡氏之以乾之九三, 明誠竝進, 坤之六二, 敬義偕立, 分聖人與學者事者, 可謂不可. 愚意明誠與敬義, 只當以乾道坤道分, 不當以聖人與學者分, 蓋曰乾道坤道, 則以道.
건괘에는 본래 성인에 대한 일을 언급한 것이 많고, 곤괘에는 본래 현인에 대한 일을 언급한 것이 많다. 그런데 단지 건·곤으로써 성인과 현인을 구분하여 정해져 있어서 바꿀 수 없다고 한다면 지나친 일인데, 정자의 설명 중에는 간혹 이와 같은 것이 있다. 그러므로 주자도 일찍이 그렇지 않다고 여겼다. 그렇다면 운봉호씨가 건괘의 구삼이 명철하고 성실하여 함께 나아간다고 했고, 곤괘의 육이가 공경하고 의로워 함께 성립된다고 하였는데, 성인과 학자의 일을 구분하는 것이 옳지 못하다고 말할 수 있다. 내가 생각하기에는 명철함과 성실함, 공경함과 의로움은 단지 건도와 곤도로써 나눈 것이니, 성인과 학자에 대한 구분에는 해당하지 않는다. 건도와 곤도라고 말한 것은 곧 도로써 말한 것이다.

권만(權萬) 「역설(易說)」

䷁上下皆坤, 坤順也. 物有連則有坼. 連者奇畫, 坼者耦畫, 奇者圓而動, 耦者方而靜, 靜則順而有持載之量. 物之靜順而能持載者, 莫如坤☷之德. 坤䷁之德, 坤而又坤, 取䷁坤, 置坤元亨利牝馬之貞之上.
곤(䷁)은 상하가 모두 곤인데, 곤괘는 순함이다. 사물은 연속함이 있으면 갈라짐도 있다. 연속한 것은 홀수 획[奇畫]이고, 갈라진 것은 짝수 획[耦畫]이며, 홀수인 것은 둥글고 움직이며, 짝수인 것은 모지고 고요하니, 고요하면 순하여 사물을 지탱하고 실어주는 도량이 있다. 사물이 고요하여 순하고 지탱하고 실어줄 수 있는 것에 곤(䷁)의 덕만한 것이 없다. 곤(䷁)

의 덕은 곤하고 또 곤함이니 곤괘에서 취하여 "곤은 크게 형통하고 암말의 곧음이 이로우니" 앞에 둔 것이다.

讀曰☷은 坤이니 坤은 元亨ᄒᆞ고 利牝馬之貞이니 君子ㅣ有攸往이니라 先ᄒᆞ면 迷ᄒᆞ고 後ᄒᆞ면 得ᄒᆞ리니 主利ᄒᆞ니라 西南得朋이오 東北은 喪朋이니 安貞ᄒᆞ면 吉ᄒᆞ리라.
읽기를 "곤(☷)은 곤괘이니, 곤괘는 크게 형통하고 암말의 곧음이 이로우니, 먼저 하면 혼미하고 뒤에 하면 얻으리니, 이로움을 주로 한다. 서남에서는 벗을 얻고, 동북에서는 벗을 잃으니, 곧음에 편안하면 길할 것이다"라고 한다.

○ 乾生物故大亨, 坤成物故亦大亨. 牝馬子育, 而其行又甚强力, 故曰利曰貞.
건괘는 만물을 낳기 때문에 큰 형통함이고, 곤괘는 만물을 이루어주기 때문에 또한 큰 형통함이다. 암말은 새끼를 기르고 그 행동 또한 매우 강하고 힘이 있기 때문에 이로움이라고 하고, 곧음이라고 하였다.

○ 坤上下兩體, 洞無碍障, 有坦坦之象, 故君子用坤道而往, 何往而不可. 然坤女道也, 先倡則失道, 故曰迷, 待陽唱而後應之則有得也.
곤괘의 상하 두 몸체는 통하여 방해될 것이 없으니, 평평하고 넓은 상(象)을 가진다. 그러므로 군자가 곤도로써 간다면 어디를 가든지 불가능 하겠는가? 그러나 곤괘는 여자의 도이니, 선창을 하면 도를 잃게 되기 때문에 혼미하다고 한 것이다. 양이 선창하기를 기다린 뒤에 호응한다면, 얻음이 있게 될 것이다.

○ 坤生物无窮, 故主利, 以德言, 則乾陽屬仁, 坤陰屬利.
곤괘는 만물을 생성함이 무궁하기 때문에 이로움을 주로 하는 것이니, 덕으로써 말한다면 건괘의 양은 어짊에 속하고, 곤괘의 음은 이로움에 속한다.

○ 西南陰方, 故得朋類, 東北陽方, 故喪朋.
서남은 음에 해당하는 방위이기 때문에 벗을 얻는 것이며, 동북은 양에 해당하는 방위이기 때문에 벗을 잃는 것이다.

○ 未申之間, 爲後天坤位, 則坤是陰之本宮, 不但得朋而已. 意者文王因先天卦義立說曰, 西南爲巽位, 坤道向西南, 則得長女之朋類, 故曰得, 向東北則是長男位, 非陰非朋類, 故曰喪.
미(未)와 신(申) 사이는 「후천(後天)」에서 곤괘의 위치이니, 곤괘는 음의 본궁(本宮)으로 벗을 얻을 뿐만이 아니다. 생각건대 문왕은 「선천」의 괘의(卦義)에 따라 설명한 듯하다. 서남은 손(巽)의 자리이니, 곤도가 서남을 향하면 맏딸의 벗을 얻게 되므로 얻는다고 하였고, 동북을 향하면 맏아들의 자리에 해당하니, 음도 아니고 동류도 아니기 때문에 잃는다고 하였다.

○ 坤地道也. 貴在安靜, 女道也. 貴在貞正, 如是則吉.
곤괘는 땅의 도이니 귀함이 편안하고 고요함에 있고, 여자의 도이니 귀함이 곧고 바름에 있다. 이와 같이 하면 길할 것이다.

양응수(楊應秀) 「곤괘강의(坤卦講義)·역본의차의(易本義箚疑)」

本義, --者, 偶也.
『본의』에서 말하였다: --은 짝수이다.
--讀作何音, 見乾卦.
--를 어떤 음으로 읽는지는 건괘에 나온다.

유정원(柳正源) 『역해참고(易解参攷)』

西南 [至] 喪朋
서남 … 벗을 잃는다.
梁山來氏曰, 西南東北以文王圓圖卦位言, 陽氣始于東北, 而盛於東南, 陰氣始于西南, 而盛於西北, 西南乃坤之本鄕, 兌離巽三女, 同坤居之, 故爲得朋. 震坎艮三男, 同乾居東北, 則非女之朋矣, 故爲喪朋. 陰從其陽, 謂之正, 唯喪其三女之朋, 從乎其陽, 則有生育之功, 是能安於正也, 故吉.
양산래씨가 말하였다: 서남과 동북이라는 것은 문왕의 원도(圓圖)의 괘위(卦位)로써 말한 것이니, 양기는 동북에서 시작하여 동남에서 융성해지고, 음기는 서남에서 시작하여 서북에서 융성해지므로, 서남은 곧 곤괘의 본향이 되고, 태(兌)·리(離)·손(巽) 세 여자는 곤괘와 함께 머물게 되기 때문에 벗을 얻게 된다. 반면 진(震)·감(坎)·간(艮)의 세 남자는 건괘와 함께 동북에 머물게 되니 여자의 벗이 아니다. 그러므로 벗을 잃게 되는 것이다. 음이 양을 좇는 것을 바름[正]이라 한다. 세 여자인 벗을 잃고서 양을 따르게 된다면 생육의 공(功)이 있게 되므로 바름에서 편안할 수 있다. 그러므로 길하다.
○ 案, 坤言西南得朋, 東北喪朋, 乾之東北得朋, 西南喪朋, 可推而知乎. 曰, 陽得兼陰, 陰不得兼陽, 陽用其全, 陰用其半, 故乾旡所不包, 西南東北皆統於乾, 而坤則只得

其半, 且坤可以朋類言之, 乾之統天, 不可以朋類論也.
내가 살펴보았다: 곤괘에 대해서는 서남에서 벗을 얻고 동북에서 벗을 잃는다고 했으니, 건괘는 동북에서 벗을 얻고 서남에서 벗을 잃는 것임을 추론하여 알 수 있습니까?
답하였다: 양은 음을 겸비할 수 있지만 음은 양을 겸비할 수 없고, 양은 그 전체를 사용하지만 음은 그 반만을 사용한다고 했습니다. 그러므로 건괘는 포함하지 못하는 것이 없으므로, 서남과 동북 모두 건괘에게 통솔되는 것이고, 곤괘의 경우에는 단지 그 반만을 얻은 것입니다. 또한 곤괘는 벗이나 동류로써 말할 수 있지만, 건괘는 하늘에 부합되니 벗이나 동류로써 논의할 수 없습니다.

傳, 陰必 [至] 之功.
『정전』에서 말하였다: 음은 반드시 … 의 공이다.
案, 西南陰方, 以陰從陰, 得其朋而已, 則其於化育何哉. 東北陽方, 必喪朋, 從陽然後, 能成化育之功. 諺解所釋, 似非程傳本意.
내가 살펴보았다: 서남은 음의 방위가 되고, 음이 음을 따르게 되므로 벗을 얻는 것일 뿐이니, 화육에 대해서는 어떻게 하겠는가? 동북은 양의 방위이니 반드시 벗을 잃게 되지만, 양을 따른 뒤에야 화육의 공을 이룰 수가 있다. 『언해』에서 풀이한 것은 아마도 『정전』의 본의는 아닌 것 같다.

김상악(金相岳) 『산천역설(山天易說)』

坤者順也, 陰之性也. 六畫皆偶, 上下皆坤, 陰之純而順之至也. 四德同乾, 而貞體則異, 乾以剛健爲貞, 坤以柔順爲貞, 故利牝馬之貞. 君子有所往, 則先迷後得, 而主於利, 西南陰方, 東北陽方, 朋者類也, 故有得喪之分, 得其朋, 則不過與同類而行, 喪其朋, 則能從陽而成生物之功, 有安貞之吉也.
곤괘는 순함이며, 음의 본성이다. 여섯 획이 모두 짝수이고, 상하가 모두 곤괘이니, 음의 순수함이고 순함의 지극함이다. 네 가지 덕은 건괘와 같지만 곧음[貞] 몸체는 다르니, 건괘는 강건함을 곧음으로 삼고, 곤괘는 유순함을 곧음으로 삼는다. 그러므로 암말의 곧음이 이롭다. 군주는 가는 바가 있으니, 먼저 하면 혼미하고 뒤에 하면 얻게 되며, 이로움을 주로 한다. 서남은 음의 방위이며, 동북은 양의 방위이고, 벗이라는 것은 동류를 뜻한다. 그러므로 얻고 잃는 구분이 생기니, 벗을 얻게 되면 동류들과 함께 시행하는 것에 지나지 않지만, 벗을 잃게 되면 양에 따라서 만물을 낳는 공을 이룰 수 있고, 곧음에 편안함의 길함이 생긴다.

○ 陰之少者, 其數爲八, 象所以言其靜也. 牝馬順而健行者, 先迷後得, 牝馬隨牡之象, 得朋喪朋, 牝馬從類之象也. 故彖傳又以失道類行言之, 所以配乾之良馬也. 坤求於乾而得震得坎, 震於馬爲善鳴, 坎爲亟心, 故他卦之言馬者, 皆在震坎之卦. 晉彖曰錫馬蕃庶, 屯之三爻皆言乘馬, 賁之四曰白馬翰如, 大畜之三曰良馬逐, 明夷之二渙之初曰拯馬壯, 睽之初曰喪馬自復, 中孚之四曰馬匹亡之類是也. 後天卦位, 坤統兌離巽, 而居西南, 故曰得朋. 乾統震坎艮而居東北, 故曰喪朋. 以納甲言, 乾納甲壬, 坤納乙癸, 震納庚, 巽納辛, 艮納丙, 兌納丁, 離納己, 坎納戊, 故月之終始, 三日出震之庚, 八日見兌之丁, 十五盈乾之甲, 故曰西南得朋, 十八退巽之辛, 廿三消艮之丙, 三十窮坤之乙, 喪滅于癸, 故曰東北喪朋. 參同契所以借朋字, 作明字者, 此也.

음 중에 작은 것은 그 수가 팔이니, 「단전」에서 고요함이라고 말한 이유이다. 암말은 유순하면서도 강건하게 행동하는데, 먼저 하면 혼미하고 뒤에 하면 얻는 것은 암말이 수컷을 따를 때의 상(象)이고, 벗을 얻고 벗을 잃는 것은 암말이 동류를 따를 때의 상(象)이 된다. 그러므로 「단전」에서는 또한 도를 잃고 부류와 함께 행한다고 말하였으니, 이 때문에 건괘의 좋은 말과 짝한다. 곤괘가 건괘에서 구하여 진(震)을 얻고 감(坎)을 얻게 되는데, 진(震)은 잘 우는 말이 되고, 감(坎)은 급한 마음이 된다. 그러므로 다른 괘에서 말을 언급한 경우, 모두 진(震)과 감(坎)의 괘에 있게 된다. 진(晉)의 「단전」에서는 "여러 차례 말을 하사한다"고 했고,[7] 준(屯)의 세 효에서 모두 "말을 탄다"고 말했으며,[8] 비(賁)의 사효에서는 "백마가 날아가는 듯이 달려간다"고 했고,[9] 대축(大畜)의 삼효에서는 "좋은 말이 달려간다"고 했으며,[10] 명이(明夷)의 이효와 환(渙)의 초효에서는 "돕는 말이 건장하다"고 했고,[11] 규(睽)의 초효에서는 "말을 잃고 스스로 돌아온다"고 했으며,[12] 중부(中孚)의 사효에서는 "말의 짝이 없어졌다"[13]고 한 부류가 바로 여기에 해당한다. 후천의 괘위(卦位)에서 곤괘는 태(兌)·리(離)·손(巽)을 통솔하여 서남에 거처하기 때문에 벗을 얻는다고 말한다. 한편 건괘는 진(震)·감(坎)·간(艮)을 통솔하여 동북에 거처하기 때문에 벗을 잃는다고 말한다. 납갑(納甲)으로써 말을 한다면, 건괘는 갑임(甲壬)을 납하고, 곤괘는 을계(乙癸)를 납하며, 진(震)은 경(庚)을 납하고, 손(巽)은 신(辛)을 납하며, 간(艮)은 병(丙)을 납하고, 태(兌)는 정(丁)을 납하며, 리(離)는 기(己)를 납하고, 감(坎)은 무(戊)를 납한다. 그러므로 한 달의 시작과 끝에서 삼일에

7) 『易·晉卦』: 彖曰, 晉, 進也, 明出地上. 順而麗乎大明, 柔進而上行, 是以康侯用錫馬蕃庶, 晝日三接也.
8) 『易·屯卦』: 六二, 屯如, 邅如. 乘馬班如, 匪寇婚媾, 女子貞不字, 十年乃字. 『易·屯卦』: 六四, 乘馬班如, 求婚媾, 往吉, 无不利. 『易·屯卦』: 上六, 乘馬班如, 泣血漣如.
9) 『易·賁卦』: 六四, 賁如, 皤如, 白馬翰如, 匪寇, 婚媾.
10) 『易·大畜』: 九三, 良馬逐, 利艱貞, 曰閑輿衛, 利有攸往.
11) 『易·明夷』: 六二, 明夷, 夷于左股, 用拯馬壯, 吉. 『易·渙卦』: 初六, 用拯馬壯吉.
12) 『易·睽卦』: 初九, 悔亡, 喪馬, 勿逐自復, 見惡人, 无咎.
13) 『易·中孚』: 六四, 月幾望, 馬匹亡, 无咎.

는 진(震)의 경(庚)에서 나와서 팔일에는 태(兌)의 정(丁)에서 드러나고, 십오일에는 건괘의 갑에서 찬다. 그러므로 서남에서는 벗을 얻는다고 말하였다. 그리고 십팔일에는 손(巽)의 신(辛)에서 물러나고, 이십삼일에는 간(艮)의 병(丙)에서 소멸되며, 삼십일에는 곤괘의 을(乙)에서 궁극에 달해서, 계(癸)에서 없어진다. 그러므로 동북에서는 벗을 잃는다고 말하였다. 『참동계』에서 '붕(朋)'자를 빌어 '명(明)'자로 기록한 것도 바로 이러한 이유 때문이다.

김규오(金奎五) 「독역기의(讀易記疑)」

卦辭小註, 求其從一而不變, 莫牝馬若, 未詳.
괘사의 소주에서는 일(一)에 따라서 불변함을 구하는 것 중에 암말과 같은 것이 없다고 했는데, 자세하지 않다.

박윤원(朴胤源) 『경의(經義) · 역경차락(易經箚略) · 역계차의(易繫箚疑)』

西南得朋, 東北喪朋, 卽文王後天圖方位, 而以喪朋爲吉, 已示抑陰之意.
서남에서 벗을 얻고 동북에서 벗을 잃는다고 한 것은 문왕의 「후천도」에 나온 방위인데, 벗을 잃는 것을 길하나고 여긴 것은 이미 음을 억누르는 뜻을 나타낸 것이다.

김귀주(金龜柱) 『주역차록(周易箚錄)』

傳, 坤乾之對也, 云云.
『정전』에서 말하였다: 곤괘는 건괘의 상대가 된다, 운운.
小註, 平菴項氏曰, 物之, 云云.
소주에서 평암항씨가 말하였다: 만물의, 운운.
○ 按, 牝馬之象坤, 只取其順健之義, 非以其從一而不變也. 且牝馬未見其必能從一不變耳.
내가 살펴보았다: 암말이 곤괘를 본뜸은 단지 순하고 강건한 뜻을 취한 것일 뿐이지, 하나를 따라서 불변한다는 것 때문이 아니다. 또한 암말이 반드시 하나를 따라서 불변할 수 있는지는 알 수 없다.

節齋蔡氏曰, 乾貞, 云云.
절재채씨가 말하였다: 건괘는 곧고, 운운.
按, 柔順承從, 說貞字義未足, 必如程傳所云, 柔順而貞然後方盡.

내가 살펴보았다: 유순하여 따를 수 있다는 것은 '정(貞)'자의 뜻을 설명하기에 충분하지 않고, 『정전』에서 말한 것처럼 유순하여 곧다고 해야만 온전하게 된다.

傳, 西南陰方, 云云.
『정전』에서 말하였다: 서남은 음의 방위이다, 운운.
按, 以陰陽定限之大體而言, 則東南爲陽方, 西北爲陰方, 而此以西南爲陰方, 東北爲陽方者, 蓋陽始生於子, 陰始生於午, 故從始生而言之, 此當自爲一例, 他說陰陽處不必準此.
내가 살펴보았다: 음양에 대한 일정한 한계의 대체로써 말을 한다면, 동남쪽은 양의 방위가 되고 서북쪽은 음의 방위가 되는데, 여기에서는 서남을 음의 방위로 생각하고 동북을 양의 방위로 생각했다. 그 이유는 양은 자(子)에서 처음 생겨나고, 음은 오(午)에서 처음 생겨나기 때문이다. 그러므로 처음 생겨나는 것에 따라서 말하였으니, 이것은 마땅히 그 자체로 하나의 용례가 되므로 다른 곳에서 음양을 설명한 것이 반드시 이것에 기준을 둘 필요는 없다.

本義, --[14]者偶也, 云云.
『본의』에서 말하였다: --는 짝수다, 운운.
小註, 先迷後得, 云云.
소주에서 말하였다: 먼저 하면 혼미하고 뒤에 하면 얻는다, 운운.

○ 陰爲陽一半之義, 以徑一圍三徑一圍四之說推之, 則甚分曉. 蓋一者全體也, 而圍三者, 用全, 圍四者, 用半, 而以陰爲陽一半.
음은 양 하나의 절반이라는 뜻이 되는데, 지름이 1이고 둘레가 3, 지름이 1이고 둘레가 4라는 주장에 따라 추론해보면, 매우 분명해진다. 1이라는 것은 전체를 뜻하고, 둘레가 3이라는 것은 전체를 사용함이며, 둘레가 4라는 것은 반만을 사용함이니, 음을 양의 절반으로 삼은 것이다.

雲峯胡氏曰, 乾言, 云云.
운봉호씨가 말하였다: 건괘에서 말하기를, 운운.
○ 按, 安固是順之爲, 貞固是健之爲, 然合言處若說作順乎健, 則語意不倫, 不如本義之則以安於正也.
내가 살펴보았다: 굳음에 편안함은 순함의 행함이고, 곧고 굳음은 강건함의 행함이다. 그런

14) --: 경학자료집성DB에는 '—'로 되어 있으나, 경학자료집성 영인본을 참조하여 '--'로 바로잡았다.

데 합하여 말해서 이처럼 강건함에 순하다고 말하면 말뜻이 분명하지 않으니, 『본의』에서 곧 바름에 편안하다는 한 것만 못하다.

윤행임(尹行恁) 『신호수필(薪湖隨筆) · 역(易)』

邱富國曰, 坤言牝馬, 明其爲乾之配也. 何其言之太褻慢也. 說卦第八章以下, 朱子嘗曰, 理會不得, 後世迂儒, 有以綜錯二字, 專取其象而解易者, 此皆亂經蔑理之書也. 邱說蓋亦出於此, 甚可恨也. 地用莫如馬, 馬能善行, 而以陰居順, 故取比於牝馬矣. 項安世牝牛之說亦如此.

구부국이 "곤괘에서 암말을 말한 것은 그것이 건괘의 짝이 됨을 밝힌 것이다"라고 하였는데, 그 말이 어찌 이토록 무례하단 말인가? 「설괘전」의 제 8장 이하에 대해서 주자는 일찍이 "이해할 수 없다"고 했는데, 후세의 이치를 모르는 유학자들이 '거꾸로 됨(綜)' · '음양이 바뀜(錯)'의 글자가 있다고 해서 오로지 상(象)에서만 취하여 『주역』을 해석하였다. 이것은 모두 경문을 혼란스럽게 해서 이치를 없애는 글이다. 구부국의 설명도 대체로 이곳에서 나온 것이니, 매우 한탄할만하다. 땅의 쓰임 중에는 말만한 것이 없는데 말은 잘 다닐 수 있으나, 음효로써 순함에 있기 때문에 취하여 암말에 비유하였다. 항안세(項安世)의 암소에 대한 설명 또한 이러한 곤괘의 의미와 같다.

서유신(徐有臣) 『역의의언(易義擬言)』

西南得朋, 東北喪朋.

서남에서는 벗을 얻고, 동북에서는 벗을 잃는다.

此乃後得也. 西南巽爲陰之始, 故得朋也. 東北震爲陽之始, 故喪朋也. 乾坤相索而得巽得震, 隨陽而後得之, 喪朋亦得也.

이것은 곧 뒤에 하면 얻는다는 뜻이다. 서남의 손괘(巽卦)는 음의 시작이기 때문에 벗을 얻는 것이다. 동북의 진괘(震卦)는 양의 시작이 되기 때문에 벗을 잃는 것이다. 건괘와 곤괘가 서로를 찾아서 손괘를 얻고 진괘를 얻으며, 양을 따른 뒤에야 얻으니 벗을 잃어도 또한 얻게 되는 것이다.

安貞吉.

편안하고 곧아서 길하다.

至柔故安, 動剛故貞. 陰隨陽, 而後安貞而吉也.

지극히 부드럽기 때문에 편안하고, 움직임이 굳세기 때문에 곧다. 음은 양을 따른 뒤에야 편안하고 곧아서 길하다.

강엄(康儼)『주역(周易)』

西南 [止] 安貞吉.
서남 … 곧음에 편안하면 길하다.

本義, 陽主義, 陰主利.
『본의』에서 말하였다: 양은 의로움을 주로 하고, 음은 이로움을 주로 한다.
按, 初六爻辭小註, 朱子曰, 陽之類爲公爲義, 陰之類爲私爲利. 此義利字以陰陽淑慝之分言之者也. 至於本義主義主利之云者, 則義是剛斷底意, 利足斂藏低意, 雲峯說可見矣. 或者以主義主利之說爲作公私之分, 則聖人作易, 敎人主於利欲, 豈成說乎.
내가 살펴보았다: 초육의 효사에 대한 소주에서 주자는 "양의 부류는 공적인 것이 되고, 의로움이 되며, 음의 부류는 사적인 것이 되고, 이로움이 된다"고 했다. 이때의 '의로움[義]'과 '이로움[利]'이라는 글자는 음양의 선함과 악함의 구분에 따라서 말을 한 것이다.『본의』에서 의로움을 위주로 하고 이로움을 위주로 한다는 말은 의로움은 굳세게 판단한다는 뜻이 되고, 이로움은 수렴하여 보관한다는 뜻이 되니, 운봉호씨의 주장에서 그 뜻을 확인할 수 있다. 혹자는 의로움을 주로 하고 이로움을 주로 한다는 설명을 공사(公私)의 구분으로 삼는데, 그렇다면 성인이 역을 만든 것이 사람들로 하여금 이익과 욕심을 주로 하도록 시킨 것이 되니, 어떻게 이러한 주장이 성립될 수 있겠는가?

박문건(朴文健)『주역연의(周易衍義)』

先迷後得, 主利.
앞서 하면 혼미하고 뒤에 하면 얻으니, 이로움을 주로 한다.
西南得朋, 東北喪朋, 安貞吉.
서남에서는 벗을 얻고, 동북에서는 벗을 잃으니, 곧음에 편안하면 길하다.

迷, 迷道, 得, 得則, 西南, 陰方, 東北, 陽方也. 貞, 剛貞也. 始陰, 故先迷得朋, 終陽, 故後得喪朋. 後得者, 所以主其利也. 喪朋者, 所以安其貞也. 利與貞, 吉之道也.
혼미는 도에 혼미한 것이고, 얻음은 법칙을 얻음이며, 서남은 음의 방위이고, 동북은 양의 방위이다. 곧음은 굳세고 곧음을 뜻한다. 음에서 시작하기 때문에 앞서 하면 혼미하고 벗을 얻으며, 양에서 마쳤기 때문에 뒤에 하면 얻고 벗을 잃는다. 뒤에 하면 얻는다는 것은 그 이로움을 주로 하는 방법이고, 벗을 잃는 것은 그 곧음에 편안한 방법이다. 이로움과 곧음은 길하게 되는 도이다.

〈問, 先迷後得, 得朋喪朋. 曰, 迷得以道言, 得喪以體言.
물었다: '앞서 하면 혼미하고 뒤에 하면 얻음'과 '벗을 얻고 벗을 잃음'은 무슨 뜻입니까?
답하였다: 혼미하고 얻음은 도를 기준으로 말하였고, 얻고 잃음은 몸체를 기준으로 말하였습니다.〉

〈問, 主利安貞. 曰, 此坤之所利處也. 得則則利, 喪柔則貞, 此不過用六之義也. 曰, 文王之彖, 取象乎靜, 而兼取乎動, 何. 曰, 坤雖靜, 其用動, 故所以言動以盡其利也.
물었다: 이로움을 주로 함과 곧음에 편안함은 무슨 뜻입니까?
답하였다: 이것이 곤괘가 이롭게 처하는 것입니다. 법칙을 얻으면 이롭고, 부드러움을 잃으면 곧게 되니, 이는 '용육'의 뜻에 지나지 않습니다.
물었다: 문왕의 「단전」에서는 고요함에서 상(象)을 취했는데, 아울러 움직임에서도 취한 것은 무슨 이유입니까?
답하였다: 곤괘는 비록 고요하지만, 그 쓰임은 움직이므로 움직임을 언급해서 이로움을 다 드러내었습니다.〉

이지연(李止淵) 『주역차의(周易箚疑)』

坤旣配乾, 宜亦有四德之兼備. 彖辭直曰坤元, 則尤不可无亨利貞之理, 而但所以爲貞者, 如牝馬之堅忍强, 果不如乾之雄勇豪健. 若以占辭論之, 元亨爲一句, 利牝馬之貞爲一句.
곤괘는 이미 건괘에 짝해 있으니, 마땅히 또한 네 가지 덕을 겸비함이 있다. 그런데 단사에서는 단지 곤원(坤元)이라고 하였으니, 형(亨)·리(利)·정(貞)의 이치가 없을 수 없는데, 다만 정(貞)으로 삼는 것은 암말의 굳건하고 인내하며 강함과 같으니, 과연 건괘의 수컷의 강함과 호걸의 강건함과는 같지 않다. 만약 점사(占辭)로써 논의를 한다면, '크고 형통함'이 하나의 구절이 되고, "암말의 곧음이 이롭다"는 것이 하나의 구절이 된다.

先迷者, 兼指三四五六, 後得者, 單指六二也. 利者, 養也. 父義以敎之, 母恩以養之, 利者, 亦義之和也. 坤是陰卦, 西南陰方, 坤之於東北, 則逆行者也, 於西南, 則順行者也. 地道以順爲正, 其曰安貞者, 安於西南之位, 而固其所守也.
"먼저 하면 혼미하다"는 것은 삼효·사효·오효·상효를 함께 가리키고, '뒤에 얻음'은 육이만을 가리킨다. 이로움이라는 것은 보살핌이다. 부친은 의로움으로써 가르치고, 모친은 은혜로써 보살피니, 이로움이라는 것은 또한 의로움에 화합함이다. 곤괘는 음괘이고, 서남은 음의 방위가 되니, 곤괘가 동북으로 가게 되면, 역행을 하는 것이고, 서남으로 가게 되면 순행을 하는 것이다. 땅의 도에서는 순함을 바름으로써 삼는데, '곧음에 편안함'이라고 말한 것은 서남의 자리에서 안정되어 그 지키는 것을 굳건하게 한다는 뜻이다.

이항로(李恒老) 「주역전의동이석의(周易傳義同異釋義)」

坤, 元亨, 利牝馬之貞 [止] 安貞吉.
곤괘는 크고 형통하며 암말의 곧음이 이롭다. … 곧음에 편안하면 길하다.
傳, 四德同而貞體異.
『정전』에서 말하였다: 네 가지 덕은 같지만 곧은 몸체는 다르다.
本義, 遇此卦者, 其占爲大亨, 而利以順健爲正.
『본의』에서 말하였다: 이 괘를 만난 자는 그 점이 크게 형통하지만, 순하고 강건함을 바름으로 삼는 것이 이롭다.

按, 四德解同異, 已見[15]乾卦. 龍德剛健, 而升天降地, 行旡不至, 牝馬順健, 而但能行地, 又必乘載而行, 故以龍象乾, 以牝馬象坤. 西南陰方, 東北陽方, 蓋從文王卦而言. 廬陵龍氏曰 巽離坤兌陰朋也. 此當備一說.
내가 살펴보았다: 네 가지 덕을 해석함에 있어서 같고 다른 점은 이미 건괘에 그 설명을 했다. 용의 덕은 강건하여 천지를 오르고 내리며 행함에 이르지 못하는 곳이 없으나, 암말은 순하고 강건하여 단지 땅만을 갈 수 있고, 또 반드시 타고 실어주고서야 움직이게 된다. 그러므로 용으로써 건괘를 상징하고, 암말로써 곤괘를 상징하였다. 서남은 음의 방위가 되고, 동북은 양의 방위가 되는데, 문왕의 괘에 따라서 말한 것이다. 여릉룡씨는 손(巽)·리(離)·곤(坤)·태(兌)는 음의 벗이 된다고 말했는데, 이것은 마땅히 하나의 주장이 된다.

김기례(金箕澧) 「역요선의강목(易要選義綱目)」

西南得朋.
서남에서는 벗을 얻는다.
〈西南爲先天巽, 後天坤地道, 至西南, 則皆陰, 故曰得朋.
서남은 선천의 손괘(巽卦)가 되고, 후천은 곤괘인 땅의 도이니, 서남에 이르게 된다면 모두 음이 된다. 그러므로 벗을 얻는다고 말하였다.〉

---

15) 見: 경학자료집성DB에 '兌'로 되어있으나 경학자료집성 영인본을 참조하여 '見'으로 바로잡았다.

東北喪朋, 安貞吉.
동북에서는 벗을 잃으니, 곧음에 편안하면 길할 것이다.
〈東北爲先天震, 後天艮, 則皆陽, 故地道往, 至東北而無朋. 然陰必從陽, 故離朋而往從陽, 則能成生育之功, 此所以乃終有慶也. 然不宜先唱而自迷, 安貞以待, 則陽必來求, 故吉卽牝馬之貞.
동북은 선천의 진괘(震卦)가 되고, 후천의 간괘(艮卦)가 되면, 모두 양이 된다. 그러므로 땅의 도가 가서 동북에 이르게 되면 벗이 없게 된다. 그러나 음은 반드시 양을 따라야 하기 때문에 벗을 떠나 찾아가서 양을 따르게 된다면, 낳고 기르는 공을 이룰 수가 있으니, 이것이 바로 끝내 경사스러운 일이 있는 이유이다. 그러므로 마땅히 선창을 하여 제 스스로 혼미하여서는 안 되고, 곧음에 편안하다면, 양이 반드시 찾아와서 구하게 된다. 그러므로 길함은 곧 암말의 곧음이 된다.〉

심대윤(沈大允) 『주역상의점법(周易象義占法)』

西南得朋, 東北喪朋, 安貞吉.
서남에서는 벗을 얻고, 동북에서는 벗을 잃으니, 편안하고 곧아서 길하다.
西南得朋, 言心知尊其性, 而克己復善之功, 尙未立焉. 道心與人心同行也. 東北[16]喪朋, 言心之精一, 而合于性, 去其人心, 而獨行也. 安貞吉, 言心之安貞堅固, 而不可轉動也.
서남에서 벗을 얻는다는 것은 마음이 본성을 높일 줄 알지만, 사욕을 이겨 선함을 회복하는 공은 아직 성립되지 않은 것을 뜻하니 도심과 인심이 함께 시행되는 것이다. 동북에서 벗을 잃는다는 것은 마음이 정일(精一)하여 본성[性]에 합하고, 인심을 제거해서 홀로 시행하는 것이다. 편안하고 곧아서 길하다는 것은 마음이 편안하고 견고하여 바뀔 수 없다는 뜻이다.

오치기(吳致箕) 「주역경전증해(周易經傳增解)」

坤順也, 六陰至柔, 故爲順之象也. 德合无疆, 故曰元亨, 順而從健, 故曰利牝馬之貞. 蓋馬性健, 而牝性順, 卽以順配健之象也. 君子者, 統稱也. 有攸往, 言有所行也. 先乎陽, 則迷失者, 以其自專也. 後乎陽, 則得常者, 以其順承也. 主謂守, 而利謂順, 言守其順德而從陽也. 文王卦位, 巽離兌三女, 隨坤母, 居西南之位, 而從其類, 故曰得朋也. 震坎艮三男, 隨乾父, 居東北之位, 而非坤類, 故曰喪朋, 而喪朋, 乃其從陽也, 故

16) 北: 경학자료집성DB에 '业'으로 되어 있으나 경학자료집성 영인본을 참조하여 '北'으로 바로잡았다.

言安, 行此牝馬之貞則吉也.
곤괘는 순함이니, 여섯 음은 지극히 유순하기 때문이 순함의 상(象)이 된다. 덕은 끝이 없음에 합하기 때문에 '원형(元亨)'이 되고, 순하여 강건함을 따르기 때문에 암말의 곧음이 이롭다. 말의 성질은 강건하고 암컷의 성질은 순하니, 순함으로써 강건한 괘에 짝하는 상(象)이 된다. 군자는 통칭이다. '가는 바가 있음[有攸往]'은 행하는 바가 있다는 뜻이다. 양보다 먼저 하게 되면 혼미해서 잃게 되니, 제 스스로 마음대로 했기 때문이다. 양보다 뒤에 하면 항상됨을 얻으니, 순함으로써 계승하기 때문이다. '주(主)'자는 지킴을 뜻하고, '리(利)'자는 순함을 뜻하니, 즉 그 순한 덕을 지켜서 양에 따른다는 뜻이다. 문왕의 괘위(卦位)에서는 손(巽)·리(離)·태(兌)의 세 여자가 곤괘라는 모친을 따라서 서남의 자리에 머물게 되고, 그 부류를 따르는 것이기 때문에 "벗을 얻는다"고 말하였다. 진(震)·감(坎)·간(艮)의 세 남자는 건괘라는 부친을 따라서 동북의 자리에 머물게 되고, 그것은 곤괘의 부류가 아니기 때문에 "벗을 잃는다"고 말하였으니, 벗을 잃는 것은 곧 양을 따르는 것이다. 그러므로 편안함이라고 말하였으니, 이러한 암말의 곧음을 시행하게 되면 길할 것이다.

○ 此彖上二句, 贊坤德之辭也. 下諸句, 卽君子用坤之道也.
이 「단전」의 위 두 구절은 곤괘의 덕을 찬미하는 말이다. 아래의 여러 구절들은 곧 군자가 곤괘의 도를 사용하는 것이다.

박문호(朴文鎬) 「경설(經說)·주역(周易)」

西南陰方, 東北陽方, 傳義所釋同, 但傳則以東北爲好, 義則以西南爲好者, 異耳. 蓋朱子深味, 乃終有慶之終字, 而得反之之意.
서남은 음의 방위가 되고, 동북은 양의 방위가 되니, 『정전』과 『본의』에서 해석한 것은 동일하다. 다만 『정전』의 경우에는 동북을 좋은 것으로 여겼고, 『본의』에서는 서남을 좋은 것으로 여겼다는 점에서 차이가 날 뿐이다. 주자는 "마침내 경사가 있다[乃終有慶]"고 했을 때의 '종(終)'자를 깊이 음미하여 되돌아갈 수 있다는 뜻임을 알았다.

이병헌(李炳憲) 『역경금문고통론(易經今文考通論)』

利, 西南之利, 屬下讀. 高堂隆荀陸皆然.
이로움은 서남의 이로움이니, 마땅히 아래 구문과 연속해서 해석해야 한다. 고당륭(高堂隆)과 순륙(荀陸)도 모두 이처럼 해석하였다.

彖曰, 至哉, 坤元, 萬物, 資生, 乃順承天.

「단전」에서 말하였다: 지극하구나, 곤의 큼이여! 만물이 의뢰하여 생겨나니, 이에 순조롭게 하늘을 받든다.

中國大全

本義

此, 以地道, 明坤之義而首言元也. 至, 極也, 比大, 義差緩. 始者, 氣之始, 生者, 形之始. 順承天施, 地之道也.

이는 땅의 도로써 곤(坤)의 뜻을 밝히면서 먼저 원(元)을 말한 것이다. '지극하다[至]'는 극진하다는 것이니, '위대하다[大]'는 것과 비교하면 뜻이 다소 느슨하다. '시작하다[始]'17)는 기운이 시작하는 것이고, '생겨나다[生]'는 형체가 시작한다는 것이다. 하늘의 시행을 순조롭게 받드는 것이 땅의 도이다.

小註

朱子曰, 資乾以始, 便資坤以生, 不爭得霎時間, 乾底亨時, 坤底亦亨. 萬物資乾以始而有氣, 資坤以生而有形, 氣至而生 卽坤元也.

주자가 말하였다: 건괘에 의뢰하여 시작하고, 곤괘에 의뢰하여 낳으나, 짧은 시간도 간격이 없으니, 건괘가 형통할 때에는 곤도 형통하다. 만물은 건괘에 의뢰하여 시작하고 기운을 갖게 되며, 곤괘에 의뢰하여 낳아 형체를 갖게 된다. 기운이 이르러서 낳는 것이 곧 곤원(坤元)이다.

○ 廣平游氏曰, 乾曰大哉, 坤曰至哉, 大則無所不包, 至則無所不盡, 乾之大無方 而坤則求離乎方也.

광평유씨가 말하였다: 건괘에서는 '위대하다'라고 하였고, 곤괘에서는 '지극하다'라고 하였다. 위대하면 포함하지 못하는 것이 없고, 지극하면 다하지 않는 것이 없다. 건괘의 위대함

---

17) 『周易 · 乾卦』: 彖曰, 大哉乾元, 萬物資始, 乃統天.

에는 일정한 방위가 없고, 곤괘는 일정한 방위에서 떠나지 않는다.

○ 臨川吳氏曰, 萬物之形皆生於地, 而其氣實出於天, 坤所生之物, 卽乾所始之物. 同此一元之亨利貞, 乾始之而坤順承之也.
임천오씨가 말하였다: 만물의 형체는 모두 땅에서 생겨나지만, 그 기운은 실제로 하늘에서 나오니, 땅에서 생겨난 만물은 곧 하늘이 시작한 만물이다. 똑같이 원(元)의 형(亨)·리(利)·정(貞)이니, 하늘이 시작하고, 땅이 순응하여 그것을 받든다.

韓國大全

박지계(朴知誡) 「차록(箚錄)-주역곤괘(周易坤卦)」

本義曰, 始者, 氣之始, 生者, 形之始, 順承天施, 地之道也.
『본의』에서 말하였다: '시작하다[始]'는 기운이 시작하는 것이고, '생겨나다[生]'은 형체가 시작한다는 것이다. 하늘의 시행을 순조롭게 받드는 것이 땅의 도이다.
天有是理, 而後有是氣, 故天之生物之理, 始發而動之微者, 萬物稟氣之始也. 是氣之聚而後有是形, 故氣聚而凝結有生者, 萬物賦形之始也. 生者乃指形質中凡有生氣而能令是形不腐不朽者也. 動物則知覺運動, 植物則榮悴開落是也. 而所以有此生之理, 坤元也, 故曰至哉坤元, 萬物資生, 氣之始者, 天德之元, 發施於物也. 承是氣而凝聚有生者, 地德之元, 順承天施也, 故曰順承天施, 地之德也. 此資始資生二者, 皆繫辭所謂繼之者善也, 成之者性也. 若以成之者性言之, 人物之生, 稟氣於天, 其氣輕淸, 氣之成則必得是理, 以爲健順五常之德, 賦形於地, 其氣重濁, 形之成則必得是氣, 以爲魂魄五臟百骸之身, 乾卦所謂乾道變化, 各正性命者, 蓋謂此也. 君子凡有攸往, 五常之性發於外, 則行乎道義, 此所以爲陽主義也. 五臟之性發於外, 則口鼻耳目四肢之欲行焉, 此所以爲陰主利也. 孟子曰, 仁之於父子也, 義之於君臣也, 禮之於賓主也, 智之於賢否也, 命也, 有性焉, 君子不謂之命也, 耳之於聲也, 目之於色也, 口之於味也, 鼻之於臭也, 四肢之於安逸也, 性也, 有命焉, 君子不謂之性也. 嗚呼, 此二者皆命于天, 而性之所有也. 然而孟子伸此而抑彼, 蓋欲扶陽抑陰, 使坤順承乎乾也.
하늘에 이 이치가 있은 뒤에 이러한 기운이 있다. 그러므로 하늘이 사물을 낳는 이치는 처음 발현하여 움직이는 미약함이 만물이 기운을 품부 받는 시초가 된다. 이러한 기운이 취합한 이후에 이러한 형체가 생겨난다. 그러므로 기운이 취합하여 응결됨에 생성됨이 생기는 것은 만물이 형체를 부여받는 시초가 된다. 생겨난다는 것은 곧 형질 중에 이러한 생기가 있어서 이러한 형체로 하여금 썩거나 부패하지 않도록 할 수 있음을 뜻한다. 동물의 경우에는 지각하고 움직일 수 있고, 식물의 경우에는 꽃피고 시들며 개화하고 떨어지는 것들이 바로 여기에 해당한다. 그런데 이러한 생명의 이치를 갖추고 있는 것은 곤괘의 '원(元)'에 해당한다. 그러므로 "지극하구나, 곤의 큼이여! 만물이 의뢰하여 생겨난다"고 말하였다. 기운의 시작은 천덕의 '원(元)'이니, 만물에게 베풀어주는 것이다. 이러한 기운을 이어서 응집하여 생명을 갖추게 하는 것은 땅의 덕의 '원(元)'이니, 순조로움으로 하늘의 베풂을 받드는 것이다. 그러므로 순조롭게 하늘의 베풂을 받든다고 말하였으니, 곧 땅의 덕을 가리킨다. 이처럼 의뢰하여 시작하고 의뢰하여 생겨나는 이 두 가지는 모두 「계사전」에서 잇는 것은 선함이고, 이룬 것은 본성이라고 한 말에 해당한다.[18] 만약 이룬 것은 본성이라고 한 것에 따라 말해본다면, 사람과 만물이 태어남에 하늘로부터 기운을 품부 받는데, 그 기운은 가볍고 맑으며, 기운이 완성되면 반드시 이러한 이치를 얻게 되고, 이로써 강건하고 순한 오상(五常)의 덕을 삼게 되고, 땅으로부터 형체를 부여받으면 그 기운은 무겁고 탁하게 되고, 형체가 완성되면 반드시 이러한 기운을 얻게 되어, 이로써 혼백 · 오장 · 백해의 몸을 이루게 된다. 건괘에서 이른바 하늘의 도가 변화하여 각각 그 성명(性命)을 바르게 한다는 것[19]은 이러한 뜻을 말한다. 군자는 가는 바가 있게 되는데, 오상의 본성은 외부로 발현하게 되면 도의를 시행하게 되니, 이것은 양이 의로움을 주로하게 되는 까닭이다. 오상의 본성이 외부로 발현하게 되면, 입 · 귀 · 귀 · 눈 · 사지가 움직이려고 하는데, 이것은 음이 이로움을 주로 하게 되는 까닭이다. 『맹자』에서는 "어짊이 부자관계에서 시행되는 것, 의로움이 군신관계에서 시행되는 것, 예가 빈객과 주인 관계에서 시행되는 것, 지혜가 현명한 자와 그렇지 않은 자의 관계에서 시행되는 것이 명(命)이지만, 그곳에는 본성이 있으므로 군자는 그것을 명(命)이라고 부르지 않는다. 귀가 좋은 소리를 따르고, 눈이 좋은 색을 따르며, 입이 좋은 맛을 따르고, 코가 좋은 냄새를 따르며, 사지가 편안함을 따르는 것은 본성이지만, 그곳에는 명(命)이 있으므로 군자는 그것을 본성이라고 부르지 않는다"[20]라고 했다. 오호라! 이 두 가지는 모두 하늘로부터 받은 명(命)이며, 본성이 갖춘 것이다. 그런데 맹자는 이것을 펼치고 저것을 억눌렀으니,

---

18) 『易 · 繫辭』: 一陰一陽之謂道. 繼之者善也, 成之者性也.

19) 『易 · 乾卦』: 彖曰, 大哉乾元. 萬物資始, 乃統天. 雲行雨施, 品物流形. 大明終始, 六位時成, 時乘六龍以御天. 乾道變化, 各正性命, 保合太和, 乃利貞. 首出庶物, 萬國咸寧.

20) 『孟子 · 盡心』: 孟子曰, 口之於味也, 目之於色也, 耳之於聲也, 鼻之於臭也, 四肢於安佚也, 性也, 有命焉, 君子不謂性也. 仁之於父子也, 義之於君臣也, 禮之於賓主也, 智之於賢者也, 聖人之於天道也, 命也, 有性焉, 君子不謂命也.

양을 돕고 음을 억눌러서 곤괘로 하여금 건괘에 대해서 순응하여 잇게 하고자 함이다.

김상악(金相岳) 『산천역설(山天易說)』

此言元也, 至者, 極也, 萬物資乾而始, 故曰乃統天, 資坤而生, 故曰乃順承天.
이것은 '원(元)'에 대한 내용이니, '지(至)'라는 것은 지극하다는 뜻이며, 만물이 건괘에 의지하여 시작되기 때문에 하늘을 통합한다고 말하고,[21] 곤괘에 의지하여 생겨나기 때문에 순조롭게 하늘을 받든다고 말한다.

○ 坤之德, 先迷後得, 故釋元義, 必曰承天.
곤괘의 덕은 먼저 하면 혼미하고 뒤에 하면 얻는다. 그러므로 '원(元)'의 뜻을 풀이하면서 반드시 하늘을 받든다고 말하였다.
程子曰, 要知坤元承天, 是地之道也.
정자(程子)가 말하였다: 곤괘의 '원(元)'이 하늘을 받드는 것, 이것이 땅의 도가 됨을 알아야 한다.

---

21) 『易 · 乾卦』: 彖曰, 大哉乾元. 萬物資始, 乃統天. 雲行雨施, 品物流形. 大明終始, 六位時成, 時乘六龍以御天. 乾道變化, 各正性命, 保合太和, 乃利貞. 首出庶物, 萬國咸寧.

坤厚載物, 德合无疆.

곤(坤) 두터워 만물을 실음은 덕이 끝이 없음에 합한다.

中國大全

傳

資生之道, 可謂大矣, 乾旣稱大, 故坤稱至. 至義差緩, 不若大之盛也. 聖人於尊卑之辨, 謹嚴如此. 萬物資乾以始, 資坤以生, 父母之道也. 順承天施, 以成其功, 坤之厚德, 持載萬物, 合於乾之无疆也.

의뢰하여 낳는 도는 위대하다고 할 수 있지만, 건괘에서 이미 위대하다고 했기 때문에 곤괘에서는 지극하다고 하였다. '지극하다[至]'는 뜻이 다소 느슨하여 '위대하다[大]'는 것만큼 성대하지 못하다. 성인이 존귀함과 비천함의 분별에 있어서 삼가고 엄함이 이와 같다. 만물이 건괘에 의뢰하여 시작하고 곤괘에 의뢰하여 낳으니, 부모의 도이다. 하늘의 시행을 순조롭게 받들어서 공을 이루니, 곤괘의 두터운 덕이 만물을 지탱하여 실어 줌은 건괘의 끝이 없음에 부합한다.

小註

中溪張氏曰, 乾職覆, 坤職載. 凡物之无不載於坤者, 厚爲之也. 博厚高明, 同乎悠久, 乃合上天. 覆物之德而无疆, 无疆卽乾之不息也. 不息故可久, 无疆故可大.

중계장씨가 말하였다: 건괘는 덮어줌을 담당하고, 곤괘는 실어줌을 담당한다. 만물 중에 땅에게 실어줌을 받지 않는 것이 없는 것은 두터움이 그렇게 한 것이다. 넓음과 두터움, 높음과 밝음은 유구함과 같으니, 곧 하늘에 부합한다. 만물을 덮어주는 덕이면서 끝이 없으니, 끝이 없다는 것은 곧 하늘의 쉬지 않음에 해당한다. 쉬지 않기 때문에 오래할 수 있고, 끝이 없기 때문에 위대할 수 있다.

韓國大全

양응수(楊應秀) 「곤괘강의(坤卦講義)·역본의차의(易本義箚疑)」

象, 坤厚載物, 德合無疆ᄒᆞ며 〈ᄒᆞ며恐不如ᄒᆞ니德이無疆애合ᄒᆞ니〉 牝馬地類, 行地無疆. 〈地類ㅣ니 恐當改ㅣ며 无疆ᄒᆞ며 恐當改ᄒᆞᄂᆞ니〉.

「단전」, 곤괘의 두터움이 만물을 실어줌은 덕이 끝이 없음에 합하며. 〈'하며'는 아마도 '하니'만 못한 것 같다. 덕이 끝이 없음에 합하니.〉 암말은 땅의 부류이기 때문에 땅을 걸어감에 끝이 없다. 〈땅의 부류이니. '이니'는 아마도 '이며'로 고쳐야 할 것 같다. 무강하며. '하며'는 마땅히 '하나니'로 고쳐야 할 것 같다.〉

유정원(柳正源) 『역해참고(易解參攷)』

德合旡疆.

덕이 끝이 없음에 합한다.

案, 乾曰不息, 坤曰旡疆, 息據時分而言, 疆據地頭而言. 若曰, 坤德能合天而旡疆, 則語意似旡不足, 又與下文行地旡疆, 應地旡疆, 皆屬於坤, 而行地應地云者, 方有可據也.

내가 살펴보았다: 건괘에서는 '쉬지 않음[不息]'이라고 말하고, 곤괘에서는 '끝이 없음[無疆]'이라고 말한다. 쉼이란 시간[時分]에 따라서 말한 것이고, 끝이란 장소[地頭]에 따라서 말한 것이다. 만약 "곤괘의 덕이 하늘에 합할 수 있어서 끝이 없다"고 말한다면, 말뜻에 아마도 부족함이 없을 것이며, 또한 아래 문장에서 땅을 걸어감에 끝이 없고, 땅의 끝이 없음에 호응한다고 했는데, 이것들은 모두 곤괘에 속하는데도 땅을 걸어가고 땅에 응한다고 한 말한 것이 근거가 있게 된다.

含弘光大，品物咸亨.

포용하고 너그러우며 빛나고 위대하여 만물이 다 형통하다.

中國大全

本義

言亨也. 德合无疆, 謂配乾也.

형통함을 말한 것이다. 덕이 '끝이 없음[无疆]'에 합한다는 것은 건과 짝함을 말한다.

小註

廣平游氏曰, 其靜也翕, 故曰含弘, 含言无所不容, 弘言无所不有, 其動也闢, 故曰光大. 光言无所不著, 大言无所不被, 此所以德合无疆也.
광평유씨가 말하였다: 고요할 때에는 닫혀있기 때문에 '포용하고 너그럽다[含弘]'고 말하였으니, '포용하다[含]'는 '받아들이지 않음이 없음'을 말하고, '너그럽다[弘]'는 '갖추지 않음이 없음'을 말한다. 움직일 때에는 열려있기 때문에 빛나고 위대하다고 말하였으니, '빛나다[光]'는 '드러나지 않음이 없음'을 말하고, '위대하다[大]'는 '미치지 않음이 없음'을 말한다. 이것이 덕이 '끝이 없음'에 부합하는 이유이다.

○ 節齋蔡氏曰, 含弘, 坤之事也, 光大, 乾之事也. 德合乎乾, 故亦至乎光大也.
절재채씨가 말하였다: 포용하고 너그러움은 곤의 일이며, 빛나고 위대함은 건의 일이다. 덕이 건에 합하기 때문에 땅 또한 빛나고 위대함에 이르는 것이다.

○ 臨川吳氏曰, 坤德配乾元, 而能致品物之咸亨者, 雖乾之功亦坤之功也, 乾坤非有二元亨也.
임천오씨가 말하였다: 곤의 덕이 건원(乾元)에 짝하여 만물을 모두 형통하게 할 수 있는

것이니, 비록 하늘의 공덕이라도 또한 땅의 공덕이니, 건· 곤에 두 개의 원(元)과 형(亨)이 있는 것이 아니다.

韓國大全

김상악(金相岳) 『산천역설(山天易說)』

坤厚載物, 德合无疆. 含弘光大, 品物咸亨.
곤괘의 두터움이 만물을 실어줌은 덕이 끝이 없음에 합한다. 포용하고 너그러우며 빛나고 위대하여 만물이 모두 형통하다.
此言亨也, 坤之厚德, 能持載萬物, 故德合於天, 而无疆也. 含, 包容也. 弘, 寬裕也. 光, 昭明也. 大, 博厚也. 其靜也翕, 故生意无不包括, 其動也闢, 故化機无不宣著, 品物皆資是而亨.
이것은 '형(亨)'에 대한 내용이니, 곤괘의 두터운 덕은 만물을 지탱하고 실어줄 수 있기 때문에 그 덕이 하늘에 합하여 끝이 없다고 하였다. '함(含)'은 포용함이다. '홍(弘)'은 관대함이다. '광(光)'은 밝게 비춰줌이다. '대(大)'는 넓고 두터움이다. 그 고요함에 닫히기 때문에 낳는 뜻이 포괄하지 않는 것이 없고, 그 움직임에 열리기 때문에 변화하는 기미가 드러나지 않는 것이 없으니,[22] 만물은 모두 이것을 바탕으로 형통하게 된다.

---

22) 『周易·繫辭』: 夫坤, 其靜也翕, 其動也闢, 是以廣生焉. 廣大配天地, 變通配四時, 陰陽之義配日月, 易簡之善配至德.

牝馬，地類，行地无疆，柔順利貞，君子攸行.

암말은 땅의 부류이니 땅을 걸어감이 끝이 없으며, 유순하고 이롭고 곧음이 군자가 행하는 바이다.

中國大全

傳

以含弘光大四者, 形容坤道, 猶乾之剛健中正純粹也. 含, 包容也, 弘, 寬裕也, 光, 昭明也, 大, 博厚也. 有此四者, 故能成承天之功, 品物咸得亨遂. 取牝馬爲象者, 以其柔順而健行, 地之類也. 行地无疆, 謂健也. 乾健坤順, 坤亦健乎, 曰, 非健, 何以配乾. 未有乾行而坤止也. 其動也剛, 不害其爲柔也. 柔順而利貞, 乃坤德也, 君子之所行也. 君子之道合坤德也.

"포용하고 너그러우며 빛나고 위대하다"는 네 가지로 곤괘의 도를 형용하였으니, 건괘의 "강건하고 중정하고 순수하다"라고 한 것과 같다. 포용함은 받아들이는 것이고, 너그러움은 관대한 것이며, 빛남은 환하게 밝은 것이고, 위대함은 넓고 두터운 것이다. 이 네 가지가 있기 때문에 하늘을 받드는 공(功)을 이루어서 만물이 모두 형통하게 이루어 질 수 있는 것이다. 암말을 취하여 상(象)으로 삼은 것은 유순하고 굳건하게 걸어감이 땅의 부류이기 때문이다. "땅을 걸어감이 끝이 없음"은 굳셈을 말한 것이다. "건괘는 굳세고 곤괘는 유순한데, 곤도 굳센가?"라고 묻기에 다음처럼 답했다. "굳세지 않은데 어떻게 하늘에 짝할 수 있겠는가. 건괘가 행하는데 곤괘가 멈추는 경우는 없다. 그 움직임이 굳세지만 유순한 데에 방해되지 않는다. 유순하고 곧음이 이로운 것은 바로 곤괘의 덕이니, 군자가 행하는 것이다. 군자의 도는 곤괘의 덕에 부합한다."

小註

朱子曰, 程傳云未有乾行而坤止, 此說是. 且如乾施物坤不應, 則不能生物, 旣會生物便是動. 若不是他健後, 如何配乾. 只是健得來順.

주자가 말하였다: 『정전(程傳)』에서 "건괘가 행하는데 곤괘가 멈추는 경우가 없다"고 하였는데, 이 말은 옳다. 또한 건괘가 만물에 베푸는데 땅이 호응하지 않는다면, 만물을 낳을

수 없으니, 만물을 낳을 수 있는 것은 곧 움직임이다. 그런데 만약 굳건한 이후가 아니라면, 어떻게 건괘에 짝할 수 있는가? 오직 굳건함이 유순할 수 있기 때문이다.

本義

言利貞也. 馬, 乾之象而以爲地類者, 牝, 陰物而馬又行地之物也. 行地无疆, 則順而健矣, 柔順利貞은 坤之德也. 君子攸行, 人之所行, 如坤之德也. 所行如是, 則其占, 如下文所云也.

곧음이 이롭다는 말이다. 말은 하늘의 상(象)인데 땅의 부류라고 한 것은 암말이 음의 동물이고, 말이 또 땅으로 걸어 다니는 동물이기 때문이다. 땅을 걸어감이 끝이 없음은 유순하고 굳센 것이고, 유순하고 곧음이 이로움은 땅의 덕이다. 군자가 행하는 것은 사람이 행하는 것이 땅의 덕과 같은 것이다. 행하는 것이 이와 같으면 그 점(占)이 아래 글에서 말한 것과 같을 것이다.

小註

朱子曰, 彖中說四德, 自不分曉, 前數句說元亨處都分明, 後面幾句無理會. 牝馬地類, 行地无疆, 便是那柔順利貞. [君子攸行], 本連下面, 緣他趂押韻後, 故說在此.

주자가 말하였다: 「단전」에서 네 가지 덕을 말한 것은 그 자체로 분명하게 분별되지 않으니, 앞의 여러 구절에서 크게 형통함을 설명한 것은 명백히 알 수 있지만, 뒤의 몇 구절은 이해할 수 없다. 암말은 땅의 부류이니, 땅을 걸어감에 끝이 없음은 곧 유순하고 곧음이 이로운 것이다. '군자가 행하는 것'은 본래 아래 문장과 연결되는데, 그것이 압운을 따라야 하기 때문에 말이 여기에 있는 것이다.

問, 柔順利貞君子攸行.

물었다: "유순하고 곧음이 이로움은 군자가 행하는 것이다"는 무슨 의미입니까?

曰, 柔順利貞, 坤之德也. 君子而能柔順堅正, 則其所行雖先迷而後得, 雖東北喪朋, 反之西南, 則得朋而有慶也.

답하였다: 유순하고 곧음이 이롭다는 것은 땅의 덕이다. 군자이면서 유순하고 견고하며 바를 수 있다면, 그 행하는 것이 비록 먼저 하면 혼미할지라도 뒤에는 얻게 되고, 동북에서는 벗을 잃게 될지라도 서남으로 돌아오면 벗을 얻게 되어 경사가 있을 것이다.

∥韓國大全∥

박지계(朴知誡) 「차록(箚錄)-주역곤괘(周易坤卦)」

飛龍在天, 變化無窮, 乾之象也. 牝馬地類, 行地無疆, 坤之象也. 而乾道動而有跡, 其跡至於萬物之各正性命, 則不必借龍之象以明之也. 坤道靜而無跡, 故乃取動物中順健者, 以爲象焉. 牝馬之行, 循乎地勢之高下, 而未嘗有違, 是亦坤道之順健也. 蓋天道唯在陰陽變化, 地道唯在高下相因, 地勢之高下, 卽配天之陰陽也. 高下相因之無窮, 卽順承陰陽變化之不測也. 承天而未嘗違逆, 是乃順也. 未嘗有違於乾而與之同歸於無疆, 是乃健也, 故曰行地無疆, 則順而健矣. 以地上衆獸言之, 則馬爲乾象, 牛爲坤象, 若以天地中間之物言之, 則飛騰之物, 皆乾類也, 行地之物, 皆地類也. 然於行地之中凡諸雄猛之獸, 或有踴躍奔騰者, 未純乎行地之勢, 非地類之全, 故獨取牝馬之行地無疆, 以明順健之德, 行地之健, 由於承天之順也. 承天之順, 由於本體之柔也. 體柔故順承乎乾, 承乾故必利於正固, 徒柔順而不正, 則其所順承者, 或非乾之中正, 雖順承中正之德, 而其或不固, 則亦未免半道而廢, 故口柔順利貞.

나는 용이 하늘에 있어서 변화가 무궁한 것은 건괘의 상(象)이다. 암말이 땅의 부류여서 땅을 걸어감에 끝이 없다는 것은 곤괘의 상(象)이다. 그런데 건괘의 도는 움직여서 자취가 있고, 그 자취는 만물이 각각 그 성명(性命)을 올바르게 하는 것에 이르게 되면, 용의 상(象)을 통해서 나타낼 필요가 없다. 곤괘의 도는 고요하여 자취가 없다. 그러므로 곧 동물 중의 유순하면서도 강건한 것을 취하여 상(象)으로 삼았다. 암말이 걸어가는 것은 땅의 형세의 높고 낮음에 따르게 되며 일찍이 어긋나는 것이 없었으니, 이것은 또한 곤도의 유순하고 강건함에 해당한다. 하늘의 도는 오직 음양의 변화에 있고, 땅의 도는 오직 높고 낮음이 서로 따르는 데에 있으니, 땅의 형세의 높고 낮음은 곧 하늘의 음양에 짝하게 된다. 높고 낮음이 서로 따름에 무궁한 것은 곧 음양의 변화를 헤아릴 수 없는 것을 순조롭게 받드는 것이다. 하늘을 받들어서 일찍이 어기고 거스르지 않았으니, 이것은 곧 순조로움이 된다. 일찍이 건괘에서 어기는 점이 있지 않아서, 끝이 없는 것으로 함께 되돌아갈 수 있으니, 이것은 곧 강건함이다. 그러므로 땅을 걸어감에 끝이 없다고 한 것은 곧 유순하고 강건함이 된다. 땅 위에 존재하는 여러 짐승들을 기준으로 말을 한다면, 말은 건괘의 상(象)이 되고, 소는 곤괘의 상(象)이 된다. 만약 하늘과 땅 사이에 있는 동물들을 기준으로 말을 한다면, 날아다니고 높이 오르는 동물은 모두 건괘의 부류가 되고, 땅을 걸어 다니는 동물은 모두 땅의 부류가 된다. 그러나 땅을 걸어 다니는 동물들 중 수컷에 해당하거나 사나운 짐승들 가운데, 혹 날뛰고 높은 곳에 오르는 것들은 땅을 걸어가는 기세에 순수하지 못하므로 완전히 땅의 부류가 되지 않는다. 그러므로 유독 암말이 땅을 걸어감에 끝이 없음을 취하여 유순하고 강건한 덕을 드러내었으니, 땅을 걸어갈 때의 강건함은 곧 하늘의 유순함을 계승한 데에서 비롯된다. 하늘의 유순함을 계승하는 것은 몸체의 부드러움에 근본한 데에서 비롯된다. 몸체가 부드럽기 때문에 유순하여 건괘를 계승하게 되고, 건괘를 계승하기 때문에 반드시 바르고 굳게 함이 이롭게 되니, 단지 유순하기만 하고 바르지 못하다면 순조롭게 계승한 것이 간혹 건괘의 중정함이 아니고, 비록 중정한 덕을 순조롭게 계승하더라도 간혹 견고하지 못하게 된다면, 또한 중도에서 폐하게 되는 것을 면하지 못하게 된다. 그러므로 유순하여 곧음이 이롭다고 말한다.

繫辭曰, 在天成象, 在地成形, 變化見矣.
「계사전」에서 말하였다: 하늘에 있어서는 형상이 이루어지고 땅에 있어서는 형체가 이루어지니 변과 화가 나타난다.[23]
又曰, 日月運行, 一寒一暑.
또 말하였다: 해와 달이 운행(運行)하며, 한 번 춥고 한 번 덥다.[24]

本義曰, 此言變化之成象.
『본의』에서 말하였다: 이것은 변화가 상(象)을 이룸을 말한다.
又曰, 乾道成男, 坤道成女.
또 말하였다: 건(乾)의 도(道)가 남성을 이루고 곤(坤)의 도(道)가 여성을 이룬다.[25]

本義曰, 此言變化之成形, 蓋天以日月之行度, 施寒暑之氣, 地以高下之形, 承寒暑之氣, 以成男女之形, 夫所謂乾道坤道者, 在天爲寒暑之氣, 在地爲高下之形, 故曰立天之道曰陰與陽, 立地之道曰柔與剛, 陰陽卽寒暑之謂也, 剛柔卽高下之謂也. 雖然, 言天則乃以寒暑爲言, 而言地則不以高下爲言者, 蓋以地道至靜無跡, 故遂以高下剛柔之功效發於生物者, 言之耳. 生物之有男, 卽高剛之所爲也. 有女, 卽下柔之所爲也. 男女形交, 變化無窮, 卽高下相因者之所爲也. 此皆坤道之發動處也. 故坤卦亦以牝馬動物之象言之也. 馬之行或高或下, 卽成形之有男有女也. 男女形成, 則魂魄五臟之形成, 亦在其中, 此則配乾之各正性命而爲坤之利貞也. 是以形之魂魄五臟, 配性之健順五常, 而魂魄之藏往知來與五臟中如腎之志脾之意, 無非順承五常之性也. 非形則性

23) 『易 · 繫辭』: 在天成象, 在地成形, 變化見矣.
24) 『易 · 繫辭』: 鼓之以雷霆, 潤之以風雨, 日月運行, 一寒一暑.
25) 『易 · 繫辭』: 乾道成男, 坤道成女. 乾知大始, 坤作成物.

無以施, 故形全則性全, 形偏則性偏, 此人與萬物之性所以不同也.
『본의』에서 "이것은 변화가 형(形)을 이룸을 말한다"고 한 것은 하늘은 해와 달이 운행하는 법칙을 통해서 춥고 더운 기운을 펼치고, 땅은 높고 낮은 형세를 통해서 춥고 더운 기운을 받들게 되며, 남녀의 형(形)을 이루니, 이른바 건도와 곤도라고 하는 것들은 하늘에 있어서는 춥고 더운 기운이 되고, 땅에 있어서는 높고 낮은 형체가 된다는 것이다. 그러므로 하늘의 도를 세우는 것에 대해서 음과 양이라고 말하고, 땅의 도를 세우는 것에 대해서 부드러움과 굳셈이라고 말한다고 했다. 음양은 곧 춥고 더운 것을 뜻하며, 굳셈과 부드러움은 곧 높고 낮은 것을 뜻한다. 비록 그렇다고 하지만, 하늘을 언급할 때에는 곧 추위와 더위를 통해서 언급을 했는데, 땅을 언급할 때에는 높고 낮은 것으로써 언급하지 않았다. 그 이유는 땅의 도는 지극히 고요하여 자취가 없으므로 결국 높고 낮으며 강하고 유순한 공효가 생물을 통해 발현되는 것으로써 언급을 했을 뿐이다. 생물 중에는 남성에 해당하는 것이 있으니, 곧 높고 강건함으로 만들어진 것이다. 또한 생물 중에는 여성에 해당하는 것이 있으니, 낮고 유순함으로 만들어진 것이다. 남녀의 형상이 교차하여 변화가 무궁한 것은 높고 낮음이 서로 따르게 되어 행하는 것이다. 이것은 모두 곤도가 발동하는 곳을 뜻한다. 그러므로 곤괘는 또한 암말과 같은 동물의 상(象)을 통해서 언급을 한 것이다. 말이 걸어갈 때에는 어떤 때는 높고 어떤 때는 낮으니, 이것은 곧 형체를 이룬 남녀의 형상이 포함된 것이다. 남녀가 형체를 이루게 된다면 혼백과 오장의 형체가 완성이 되어 또한 그 가운데 포함되어 있으니, 이것은 건괘가 각각 그 성명(性命)을 바르게 하는 것에 짝하여 곤괘의 곧음에 이로움이 되는 것이다. 이 때문에 형체를 이룬 혼백과 오장은 본성의 강건과 순함과 오상에 짝하고, 혼백이 가는 것을 숨기고 찾아옴을 아는 것과 오장 중 신(腎)의 지(志)와 비(脾)의 의(意)와 같은 것들은 오상의 본성을 순조롭게 받들지 않은 것이 없다. 형상이 아니라면, 본성은 베풀 것이 없게 된다. 그러므로 형상이 온전하게 되면 본성도 온전해지는 것이고, 형상이 편벽되면 본성도 편벽되니, 이것이 사람과 만물의 본성이 동일하지 않은 이유이다.

양응수(楊應秀) 「곤괘강의(坤卦講義)·역본의차의(易本義箚疑)」

〈○ 地의 類ㅣ며 地예 行홈을 강업시 ᄒᆞᄂᆞ니
땅의 부류이며 땅에 걸어감을 끝없이 하나니〉

유정원(柳正源) 『역해참고(易解參攷)』

牝馬 [至] 无疆.
암말 … 끝이 없다.

王氏曰, 地之所以得无疆者, 以卑順行之故也.
왕씨가 말하였다: 땅이 끝이 없을 수 있는 것은 낮추고 순응함을 행하기 때문이다.

○正義, 凡言无疆者, 有二意. 一是廣博无疆, 一是長久无疆.
『정의』에서 말하였다: 끝이 없음이라고 말하는 것에는 두 가지 의미가 있으니, 첫 번째는 넓고 광대하여 끝이 없다는 뜻이고, 두 번째는 길고 오래되어 끝이 없다는 뜻이다.

김상악(金相岳) 『산천역설(山天易說)』

此言利貞也, 地屬陰, 牝陰物, 而馬又行地之物, 故曰地類. 行地无疆, 所以健也. 柔順利貞, 乃坤德也. 君子攸行, 朱子連下文爲句.
이것은 "곧음이 이롭다"는 것에 대한 내용이니, 땅은 음에 속하고, 암컷은 음에 해당하는 동물이며, 말은 또한 땅을 걸어 다니는 동물이다. 그러므로 땅의 부류라고 말하였다. 땅을 걸어감에 끝이 없다는 것은 강건하기 때문이다. 유순하여 곧음이 이롭다는 것은 곧 곤괘의 덕에 해당한다. '군자유행(君子攸行)'을 주자는 아래문장과 연결해서 구절을 끊었다.

先迷失道, 後順得常, 西南得朋, 乃與類行, 東北喪朋, 乃終有慶.

정전 먼저 하면 혼미하여 도를 잃고 뒤에 하면 유순하여 상도를 얻으리니, "서남에서 벗을 얻음"은 같은 부류와 함께 행함이고, "동북에서 벗을 잃음"은 마침내 경사가 있다는 것이다.

본의 먼저 하면 혼미하여 도를 잃고 뒤에 하면 유순하여 상도를 얻으리니, "서남에서 벗을 얻음"은 같은 부류와 함께 행함이고, "동북에서 벗을 잃으나" 마침내 경사가 있다.

中國大全

本義

陽大陰小, 陽得兼陰, 陰不得兼陽, 故坤之德, 常減於乾之半也. 東北, 雖喪朋, 然反之西南, 則終有慶矣.

양은 크고 음은 작아서 양은 음을 겸할 수 있으나 음은 양을 겸할 수 없기 때문에 땅의 덕은 항상 하늘의 절반이다. 동북에서는 비록 벗을 잃으나 서남으로 돌아오면 마침내 경사가 있을 것이다.

小註

朱子曰, 東北非陰之位, 陰柔至此, 旣喪其朋. 自立脚不得, 必須歸本位, 故終有慶也. 牝是柔順, 故先迷而喪朋, 然馬行卻健, 故後得而有慶. 將牝馬字分開, 卻形容得這意思. 言終有慶, 則慶不在今矣. 爲他是箇柔順底物, 東北陽方, 非他所安之地, 自是喪朋, 如慢水中魚, 去急水中不得. 喪朋於東北, 則必反於西南, 是終有慶也.

주자가 말하였다: 동북은 음의 자리가 아니어서 음의 유순함이 이곳에 이르렀다면 이미 그 벗을 잃었다. 스스로 설 수 없어 반드시 본래의 자리로 돌아올 것이기 때문에 마침내 경사가 있다. 암컷은 유순하기 때문에 먼저 하면 혼미하여 벗을 잃지만, 말이 걸어감이 강건하기 때문에 뒤에는 얻게 되고 경사스러운 일이 있다. 암말[牝馬]이라는 말을 나누어보면, 이런 의미를 형용한다. 마침내 경사가 있다고 말한다면, 경사가 지금 있는 것은 아니다. 그것들이

유순한 동물인데 동북은 양의 방위이니 그것들이 편안히 있을 곳이 아니어서 당연히 벗을 잃게 될 것이니, 흐름이 느린 물에 사는 물고기는 빠른 물에 가지 못하는 것과 같다. 동북에서 벗을 잃게 된다면 반드시 서남으로 되돌아오게 되니, 이것이 마침내 경사가 있다는 것이다.

問, 大抵柔順中正底人, 做越常過分底事不得, 只是循常守分時, 又卻自做得他底事. 曰, 是如此.
물었다: 유순하고 중정한 사람은 상도(常道)와 분수를 넘는 일을 하지 않으니, 단지 상도를 따르고 분수를 지킬 때에 또한 스스로 그런 일을 하는 것입니다.
답하였다: 예. 이와 같습니다.

○ 建安丘氏曰, 坤道主成. 成在後, 故先乾而動, 則迷而失其道, 後乾而動, 則順而得其常. 西南爲後, 於坤爲得地, 故往西南則與類行. 東北爲先, 於坤爲不得地, 故往東北則必喪朋. 喪於東北, 則必反於西南, 乃終有慶, 終卽後也. 言其慶當在東北之後也.
건안구씨가 말하였다: 땅의 도는 이룸을 주관한다. 이루는 것은 뒤에 있기 때문에 건괘보다 먼저 움직이면 혼미하여 그 도를 잃게 되고, 건괘보다 뒤에 움직이면 유순하여 상도를 얻는다. 서남은 뒤가 되고 곤괘에서 그 곳을 얻기 때문에 서남으로 가면 동류와 함께 행하는 것이다. 동북은 앞이 되고 곤괘에서는 그 곳을 얻지 못하기 때문에 동북으로 가면 반드시 벗을 잃게 된다. 동북에서 잃게 된다면, 반드시 서남으로 돌아와야 마침내 경사가 있다. '마침내[終]'라는 것은 곧 뒤이다. 경사가 마땅히 동북의 뒤에 있다는 말이다.

○ 平庵項氏曰, 東北喪朋, 乃終有慶者, 所以發文王言外之意也. 地之交乎天, 臣之事乎君, 婦之從乎夫, 皆喪朋之慶也.
평암항씨가 말하였다: 동북에서 벗을 잃게 되더라도 마침내 경사가 있다는 말은 문왕(文王)이 말한 것 이외의 뜻을 나타낸 것이다. 땅은 하늘과 교합하고, 신하는 임금을 섬기며, 아내는 남편을 따르니, 모두 벗을 잃은 경사이다.

‖ 韓國大全 ‖

유정원(柳正源) 『역해참고(易解參攷)』

先迷 [至] 有慶.
먼저 하면 혼미하고 … 경사가 있다.

案, 以陰居陰, 位之正也, 以陰居陽, 位之不中也. 往之東北, 則非其位也. 以位而言, 則自是喪朋, 而其德有柔順從陽之意, 故其終也有慶.
내가 살펴보았다: 음이 음 자리에 있는 것은 바른 자리이고, 음이 양의 자리에 있는 것은 알맞지 않은 자리이다. 동북으로 가게 된다면, 그 자리가 아니다. 자리로써 말한다면, 그 자체로 벗을 잃게 되지만, 그 덕에는 유순하고 양을 따르는 뜻이 있기 때문에 끝내 경사스러운 일이 있게 된다.

安貞之吉, 應地无疆.

편안하고 곧은 길함이 땅의 끝이 없음에 상응한다.

中國大全

傳

乾之用, 陽之爲也, 坤之用, 陰之爲也. 形而上曰天地之道, 形而下曰陰陽之功. 先迷後得以下, 言陰道也, 先唱則迷, 失陰道, 後和則順而得其常理. 西南, 陰方, 從其類, 得朋也, 東北, 陽方, 離其類, 喪朋也. 離其類而從陽, 則能成生物之功, 終有吉慶也. 與類行者, 本也, 從於陽者, 用也. 陰體柔躁, 故從於陽則能安貞而吉, 應地道之无疆也. 陰而不安貞, 豈能應地之道. 彖有三无疆, 蓋不同也. 德合无疆, 天之不已也, 應地无疆, 地之无窮也, 行地无疆, 馬之健行也.

건괘의 작용은 양이 하는 것이고, 곤괘의 작용은 음이 하는 것이다. 형이상(形而上)을 천지의 도라 하며, 형이하(形而下)를 음양의 공(功)이라 한다. "먼저하면 혼미하고 뒤에 하면 얻는다는 것" 이하는 음의 도는 선창하면 혼미하여 음의 도를 잃지만, 뒤에 화답하면 유순하여 떳떳한 이치를 얻는다는 말이다. 서남은 음의 방위이니 같은 부류를 따라 벗을 얻는 것이고, 동북은 양의 방위이니 같은 부류를 떠나 벗을 잃는 것이다. 같은 부류를 떠나 양을 따르면 만물을 낳는 공(功)을 이룰 수 있어서 마침내 경사가 있게 된다. 같은 부류와 행하는 것은 근본이고, 양을 따르는 것은 작용이다. 음의 몸체는 유순하고 조급하기 때문에 양을 따르면 곧음에 편안할 수 있어 길하니, 땅의 도가 끝이 없음에 상응한다. 음으로서 곧음을 편안히 여기지 않으면 어찌 땅의 도에 상응할 수 있겠는가? 「단전」에 '끝이 없음'이라는 말이 세 곳 있는데 모두 의미가 같지 않다. "덕이 끝이 없음에 합한다"는 것은 하늘의 운행이 그치지 않음이고, "땅의 끝이 없음에 상응한다"는 것은 땅의 무궁함이고, "땅을 걸어감이 끝이 없다"는 것은 말이 굳건히 걸어감이다.

本義

安而且貞, 地之德也.

편안하고 또한 곧음이 땅의 덕이다.

小註

潛室陳氏曰, 德合无疆, 是坤配乾之德, 行地无疆, 是坤之本德, 應地无疆, 是人法坤之德.
잠실진씨가 말하였다: "덕이 끝이 없음에 합한다"는 것은 "곤괘가 하늘의 덕에 짝한다"는 뜻이며, "땅을 걸어감은 끝이 없다"는 것은 '곤괘의 본래 덕'이다. "땅의 끝이 없음에 상응한다"는 것은 "사람이 곤괘의 덕을 본받는다"는 것이다.

○ 建安丘氏曰, 无疆, 天德也, 惟地能合天之无疆, 則地亦无疆. 君子能法地之无疆, 則君子亦无疆. 然則君子法地, 地法天, 不出於一天德之无疆而已矣.
건안구씨가 말하였다: '끝이 없음[無疆]'은 하늘의 덕이니, 오직 땅만이 '끝이 없는 하늘'과 합치 될 수 있으므로 땅도 끝이 없는 것이다. 군자가 땅의 끝이 없음을 본받을 수 있다면, 군자도 끝이 없는 것이다. 그렇다면 군자는 땅을 본받고 땅은 하늘을 본받으니, 하나의 천덕(天德)이 끝이 없음에서 벗어나지 않을 따름이다.

韓國大全

김장생(金長生)『경서변의(經書辨疑)-주역(周易)』

安貞之吉. 本義.
편안하고 곧은 길함.『본의』.

上云, 安貞, 下云, 安而且貞, 上下有異.
앞에서는 곧음에 편안하다고 말하고, 뒤에서는 편안하고 또 곧다고 했으니, 위와 아래에 차이가 있다.

홍여하(洪汝河)「책제(策題):문역(問易)·독서차기(讀書箚記)-주역(周易)」

坤彖辭本義, 遇此卦者.
곤괘 단사에 대한『본의』에서 말하였다: 이 괘를 만난 자는.
遇者, 筮得此卦, 而六爻皆不變也.

'만난다[遇]'는 것은 점을 쳐서 이러한 괘를 얻었고, 여섯 효가 모두 불변함을 뜻한다.

김만영(金萬英) 「역상소결(易象小訣)」

坤象, 牝馬.
곤괘 「단전」에서 말하였다: 암말.

乾坤皆以馬取象, 則當以牝牡別乾坤, 故牝馬. 地道雖柔, 不健無以配天, 故曰馬. 馬雖健物, 牝者性順, 故曰牝. 六爻皆陰, 從當陰極而變爲陽則有馬之象, 終雖變陽, 初本於陰, 故曰牝. 若乾龍之無首也.
건·곤괘가 모두 말을 통해 상(象)을 취했으니, 마땅히 암·수에 따라 건·곤괘를 구별해야 한다. 그러므로 암말이라고 하였다. 땅의 도가 비록 부드럽지만, 강건하지 못하면 하늘에 짝할 수가 없으므로 말이라고 하였다. 말이 비록 강건한 동물이지만 암컷은 성질이 유순하므로 암컷이라고 말하였다. 여섯 효가 모두 음이니, 그 따름은 마땅히 음이 지극하게 되어 변화하여 양이 된다면 말의 상(象)이 있게 되고, 끝에 비록 양으로 변화하지만 애초부터 음에 근본하고 있기 때문에 암컷이라고 말하였다. 이것은 마치 건괘의 용이 머리가 없는 것과 같다.

양응수(楊應秀) 「곤괘강의(坤卦講義)·역본의차의(易本義箚疑)」

象, 坤厚載物, 德合無疆ᄒᆞ며 〈ᄒᆞ며恐不如ᄒᆞ니德이無疆애合ᄒᆞ니〉 牝馬地類, 行地無疆. 〈地類ㅣ니 恐當改ㅣ며 无疆ᄒᆞ며 恐當改ᄒᆞᄂᆞ니〉.
「단전」에서 말하였다" 곤괘의 두터움이 만물을 실어줌은 덕이 끝이 없음에 합하며. 〈'하며'는 아마도 '하니'만 못한 것 같다. 덕이 끝이 없음에 합하니.〉 암말은 땅의 부류이기 때문에 땅을 걸어감에 끝이 없다. 〈땅의 부류이니. '이니'는 아마도 '이며'로 고쳐야 할 것 같다. 무강하며. '하며'는 마땅히 '하나니'로 고쳐야 할 것 같다.〉
〈○ 地의 類ㅣ며 地예 行홈을 강업시 ᄒᆞᄂᆞ니
땅의 부류이며 땅에 행함을 끝없이 하나니〉

유정원(柳正源) 『역해참고(易解參攷)』

安貞 [至] 无疆
곧음에 편안함 … 끝이 없다.

梁山來氏曰, 柔順從陽者, 乃坤道之安于其正也. 能安于其正, 則陽施陰受, 生物无疆, 應乎地之无疆矣.
양산래씨가 말하였다: 유순하여 양을 따른다는 것은 곤괘의 도가 올바름에서 편안하게 되는 것이다. 그 올바름에서 편안할 수 있다면, 양이 베풀고 음은 받아들여서 만물을 낳음에 끝이 없으니, 땅의 끝이 없음과 호응한다.

김상악(金相岳) 『산천역설(山天易說)』

先迷失道, 後順得常, 西南得朋, 乃與類行, 東北喪朋, 乃終有慶, 安貞之吉, 應地无疆.
먼저 하면 혼미하여 길을 잃고, 뒤에 하면 유순하여 상도를 얻으리니, 서남에서 벗을 얻는다는 것은 동류와 함께 행하기 때문이고, 동북에서 벗을 잃으나 곧 마침내 경사가 있으니, 곧음에 편안하여 길함이 땅의 끝이 없음에 호응한다.
此釋卦辭也, 地道主成, 成在後, 故先乾而動, 則迷而失道, 後乾而動, 則順而得常. 類者, 陰類也, 乃終有慶, 陰之從陽也, 所以安貞之吉應地无疆.
이것은 괘사에 대해서 풀이한 내용이니, 땅의 도는 이룸을 위주로 하고, 이룸은 뒤에 놓인다. 그러므로 건괘보다 앞서서 움직이면 혼미하여 도를 잃고, 건괘보다 뒤에 움직이면 유순하여 상도를 얻는다. 부류라는 것은 음의 부류를 뜻하고, 끝내 경사가 있다는 것은 음이 양을 따른다는 것이니, 편안하고 곧은 길함이 땅의 끝이 없음에 호응하는 것이다.

○ 西南得朋, 所以先迷失道, 東北喪朋, 所以後順得常, 故能安于其正, 則陽施陰受, 生物无疆, 乃終有慶也. 彖有三无疆, 地以配天爲无疆, 馬以行地爲无疆, 人以法地爲无疆.
서남에서 벗을 얻는 것은 먼저 하여 혼미하여 도를 잃는 것이고, 동북에서 벗을 잃는 것은 뒤에 하여 유순해서 상도를 얻는 것이다. 그러므로 그 바름에 대해 편안할 수 있다면, 양이 베풀고 음이 받게 되어, 만물을 생겨나게 함에 끝이 없게 되어 끝내 경사스러운 일이 있다. 「단전」에는 세 가지의 끝이 없음이 있는데, 땅이 하늘과 짝함이 끝이 없음이 되고, 말이 땅을 걸어감이 끝이 없음이 되며, 사람이 땅을 본받는 것이 끝이 없음이 된다.

박윤원(朴胤源) 『경의(經義) · 역경차락(易經箚略) · 역계차의(易繫箚疑)』

彖曰, 至哉坤元.
「단전(彖傳)」에서 말하였다: 지극하구나, 곤의 큼이여!

○ 坤亦有四德, 坤元卽乾元, 非有二元.
곤(坤)에도 네 가지 덕(德)이 있으니, 곤의 큼이 곧 건의 큼이어서 두 가지 큼이 있는 것이 아니다.

김귀주(金龜柱) 『주역차록(周易箚錄)』

傳, 資生之道, 云云.
『정전(程傳)』에서 말하였다: 의뢰하여 생겨나는 도, 운운.
小註, 中溪張氏曰, 乾職, 云云.
소주에서 중계장씨가 말하였다: 건(乾)의 직분은, 운운.
○ 按, 無疆只是言天道之大, 無所至極耳, 不息之意, 固在其中. 然直以無疆爲乾之不息, 則恐未盡.
내가 살펴보았다: '끝이 없음[無疆]'은 천도(天道)가 커서 끝에 도달함이 없음을 말했을 뿐만 아니라, '쉼이 없음[不息]'의 뜻이 진실로 그 가운데 있다. 그러나 '끝이 없음[無疆]'을 건(乾)의 '쉼 없음'으로만 여긴다면 미진한 듯하다.

本義, 言亨也, 云云.
『본의(本義)』에서 말하였다: 형통함을 말한 것이다, 운운.
小註, 廣平游氏曰, 其靜, 云云.
소주(小註)에서 광평유씨가 말하였다: 그 고요함은, 운운.
○ 按, 含弘光大, 若分体用言, 則含弘爲體, 而光大爲用, 然恐不必以靜翕動闢分說.
내가 살펴보았다: '포용하고 너그러우며[含弘]'와 '빛나고 위대하여[光大]'를 본체와 작용으로 말한다면 '포용하고 너그러우며[含弘]'는 본체이고, '빛나고 위대하여[光大]'는 작용이다. 그러나 굳이 고요함은 닫힘이고, 움직임은 열림이라고 나누어 말할 필요는 없을 듯하다.

節齋蔡氏曰, 含弘, 云云.
절재채씨가 말하였다: '포용하고 너그러우며[含弘]는, 운운.
○ 按, 光大有乾之事, 亦有坤之事, 何必以光大專作乾之事, 而必合乾, 然後見其爲光大耶.
내가 살펴보았다: '빛나고 위대하여[光大]'는 건(乾)의 일도 있고 곤(坤)의 일도 있으니, 하필 '빛나고 위대하여[光大]'를 전적으로 건(乾)의 일로 간주하여 반드시 건(乾)에 합치시킨 뒤에야 그 광대함을 볼 수 있겠는가?

牝馬, 地類, 云云.
암말은 땅의 부류이다, 운운.
○ 按, 君子攸行一句, 雖緣押韻, 在此看來, 終當屬下文, 如是然後此節, 方爲專說坤之利貞, 合於乾卦之例, 君子攸行, 亦當依文王彖辭作虛句, 小註朱子說, 蓋亦欲如此看.
내가 살펴보았다: '군자가 행하는 것'이라는 한 구절은 비록 압운(押韻)이지만 여기에서 본다면 결국 아래 문장에 속한다. 이와 같은 이후에야 이 구절이 비로소 곤괘의 "곧음이 이롭다"를 오로지 설명한 것이 되며, 건괘(乾卦)의 예와 부합한다. '군자가 행하는 것'도 마땅히 문왕(文王)의 단사(彖辭)에 의거하여 가정(假定)한 구절로 보아야 한다. 소주(小註)에 주자의 설명도 이와 같이 보고자 한 것이다.

本義, 陽大陰小, 云云.
『본의(本義)』에서 말하였다: 양은 크고 음은 작아서, 운운.
小註, 平菴項氏曰, 東北, 云云.
소주(小註)에서 평암항씨가 말하였다: 동북(東北)에서는, 운운.
○ 按, 此云喪朋之慶, 蓋從程傳解之, 非本義之意.
내가 살펴보았다: 여기에서 '벗을 잃은 경사'라고 말한 것은 『정전』으로 해석한 것이지 『본의』의 뜻이 아니다.

傳, 乾之用陽之爲, 云云.
『정전(程傳)』에서 말하였다: 건(乾)의 작용은 양(陽)이 하는 것이고, 운운.
○ 按, 程子此說, 蓋以應地無疆爲陰道應地道也. 以形而上下對言, 則固有分界. 然陰道地道, 終是一物, 恐未可言以此應彼也. 應地無疆, 須貼君子看, 然後方有着落, 本義之意, 蓋亦如此.
내가 살펴보았다: 정자(程子)가 여기에서 한 말은 '땅의 끝이 없음[無疆]'에 상응함을 음의 도가 땅의 도에 상응함으로 여긴 것이다. 형이상과 형이하로 짝지어 말하면 진실로 나눔이 있다. 그러나 음의 도와 땅의 도는 마침내 하나이므로 이것으로 저것에 상응한다고 말할 수 없을 것 같다. 땅의 끝이 없음에 상응함은 반드시 군자[26]에 붙여서 본 연후에 바야흐로 귀결이 있을 것이니, 『본의』의 뜻도 이와 같다.

本義, 安而且貞, 云云.
『본의(本義)』에서 말하였다: 편하고 또 곧음이, 운운.

---

26) '君子攸行'에 해당한다.

小註, 建安丘氏曰, 無疆, 云云.
소주(小註)에서 건안구씨가 말하였다: 끝이 없음은, 운운.
○ 按, 地法天, 法字未安, 當改以合字.
내가 살펴보았다: "땅이 하늘을 본받다[地法天]"의 '본받다[法]'는 말은 좋지 않으니, '합하다[合]'는 말로 고쳐야 한다.

서유신(徐有臣)『역의의언(易義擬言)』

○ 至哉坤元, 萬物資生, 乃順承天.
「단전(彖傳)」에서 말하였다: 지극하구나, 곤의 큼이여! 만물이 의뢰하여 생겨나니, 이에 순조롭게 하늘을 받든다.
至哉坤元者, 順之至也, 六陰爲坤, 其順至矣哉, 地以順行其元, 故曰坤元也.
'지극하구나, 곤의 큼'은 유순함의 지극함이니, 여섯 음이 곤(坤)이어서 그 유순함이 지극하다. 곤은 그 큼을 유순하게 행하기 때문에 '곤의 큼'이라고 하였다.
承天者, 承乾之大始也, 所以爲順之至也.
'하늘을 받듦'은 건(乾)의 위대한 시작을 받듦이니, 이 때문에 유순함이 지극하다.
坤厚載物, 德合无疆, 含弘光大, 品物咸亨.
곤(坤)의 두터움이 물건을 실음은 덕이 끝이 없음에 합한다. 포용하고 너그러우며 빛나고 위대하여 만물이 다 형통하다.
厚, 以上下言也, 无疆, 以四方言也. 載山岳振河海, 由於其厚, 天下之物, 無所不載, 由於无疆. 厚與无疆, 合成其德也. 厚故含弘, 无疆故光大, 其德之施, 乃見於品物之咸亨也.
'두터움[厚]'은 위와 아래로 말한 것이고, '끝이 없음[無疆]'은 사방으로 말한 것이다. 큰 산을 싣고 강과 바다를 거두고 있음은 그 두터움으로 말미암고, 천하의 만물을 싣지 않음이 없음은 '끝이 없음[無疆]'으로 말미암는다. '두터움[厚]'과 '끝이 없음[無疆]'은 합하여 그 덕을 이룬다. 두텁기 때문에 포용하고 너그러우며, 끝이 없기 때문에 광대하다. 그 덕의 베풂은 만물이 모두 형통함에서 드러난다.

牝馬, 地類, 行地无疆, 柔順利貞.
암말은 땅의 부류이니, 땅을 걸어감이 끝이 없으며, 유순하고 곧음을 이롭게 여긴다.
馬爲乾象, 其牝, 地之類, 所以取喩於坤象也. 行於无疆之地, 馬行亦无疆也. 牝馬爲柔順, 无疆爲利貞也.
말은 건(乾)의 상인데 그 암컷은 땅의 부류여서 곤(坤)의 상에서 비유를 취하였다. 끝이 없는 땅에서 걸어가니, 말이 걸어가는 것도 끝이 없다. 암말은 유순함이고 끝이 없음은 곧음을 이롭게 여김이다.

君子攸行
군자가 행하는 것이다.
此猶乾文言君子行此四德者, 坤元亨利牝馬之貞, 爲君子之所行也
이것은 「건괘 · 문언전」에서 "군자는 이 네 가지 덕을 행하는 자이다"라 말한 것과 같으니, 곤은 크고 형통하며 이롭고 암말의 곧음이 군자가 행하는 것이다.

先, 迷, 失道, 後, 順, 得常, 西南得朋, 乃與類行, 東北喪朋, 乃終有慶.
먼저 하면 혼미하여 도를 잃고 뒤에 하면 유순하여 상도를 얻으리니, '서남에서 벗을 얻음'은 같은 부류와 함께 행함이고, '동북에서 벗을 잃음'은 마침내 경사가 있다는 것이다.
先迷者, 迷失其路, 莫適所向也. 後得者, 順從其軌, 得其常行也. 巽而離而兌矣, 乃與其陰類而行也. 震而坎而艮矣, 乃終有陰陽交感之慶也.
'먼저 하면 혼미하다는 것'은 그 길을 잃음이니, 가야 할 곳을 가지 못하는 것이다. '뒤에 하면 얻는다는 것'은 그 법도에 순종하여 상도로 행함을 얻음이다. 손괘(巽卦☴)·리괘(離卦☲)·태괘(兌卦☱)로 가는 것은 바로 음의 부류와 더불어 감이고, 진괘(震卦☳)·감괘(坎卦☵)·간괘(艮卦☶)가 되는 것은 마침내 음과 양이 서로 교감하는 경사가 있음이다.

安貞之吉, 應地无疆.
편안하고 곧은 길함은 땅의 끝이 없음에 상응한다.
陰道安貞以應地道之无疆, 陰道亦无疆也.
음의 도는 편안하고 곧아서 땅의 도의 끝이 없음에 상응하니, 음의 도도 끝이 없다.

강엄(康儼) 『주역(周易)』

彖曰 [止] 承天.
「단전(彖傳)」에서 말하였다 … 하늘을 받든다.
本義, 生者形之始.
『본의(本義)』에서 말하였다: '생겨나다[生]'는 형체가 시작한다는 것이다.
按, 生者形之始, 始字當著眼看, 惟其形之始也, 故爲元也.
내가 살펴보았다: "'생겨나다'는 형체가 시작한다[始]는 것이다"에서 '시(始)'라는 글자를 주의해서 보아야 하니, 형체의 시작이기 때문에 '원(元)'이라고 하였다.

박문건(朴文健)『주역연의(周易衍義)』

彖曰, 至哉, 坤元, 萬物, 資生, 乃順承天.

「단전(彖傳)」에서 말하였다: 지극하구나, 곤의 큼이여! 만물이 의뢰하여 생겨나니, 이에 순조롭게 하늘을 받든다.

坤元, 贊坤道之大也. 萬物資生, 釋元之義也.

'곤의 큼'은 곤도(坤道)의 위대함을 찬미하였고, '만물이 의뢰하여 생겨남'은 원(元)의 뜻을 풀었다.

坤厚載物, 德合无疆.

곤(坤)이 두터워 만물을 실음은 덕이 끝이 없음에 합한다.

坤厚載物, 釋利之義也. 德合无疆, 謂配乾也. 首元利而終亨貞者, 其重在乎始也. 或曰此兩句, 當在咸亨牝馬之間也.

'곤이 두터워 만물을 실음'은 이로움의 뜻을 풀이한 것이다. '덕이 끝이 없음에 합함'은 하늘에 짝함이다. 원(元)과 리(利)가 먼저이고 형(亨)과 정(貞)이 뒤인 것은 그 중요함이 처음에 있기 때문이다. 어떤 사람이 말하였다. 이 두 구절은 마땅히 '함형(咸亨)'과 '빈마(牝馬)' 사이에 있어야 한다.

〈問, 坤厚載物德合无疆. 曰, 坤體厚而載物, 故其德亦厚而能合乎乾健, 生物无疆, 乾之道也.

물었다: "곤(坤)이 두터워 만물을 실음은 덕이 끝이 없음에 합한다"는 무슨 뜻입니까?

답하였다: 곤의 몸체가 두터워 만물을 싣기 때문에 그 덕도 두터워 하늘의 강건함에 합할 수 있습니다. 만물을 낳음이 끝이 없는 것이 하늘의 도입니다.〉

〈○ 問, 此辭中三无疆. 曰上則指乾道之无疆也, 中則指馬行之无疆也, 下則指坤體之无疆也.

물었다: 이 구절 안에 세 차례 언급된 '끝이 없음'은 각각 무슨 뜻입니까?

답하였다: 위의 것은 건도(乾道)의 끝이 없음을 가리키고, 중간 것은 말이 가는 것이 끝이 없음을 가리키고, 아래 것은 곤의 몸체가 끝이 없음을 가리킵니다.〉

含弘光大, 品物, 咸亨.

포용하고 너그러우며 빛나고 위대하여 만물이 다 형통하다.

含弘, 成物之德也. 光大, 成物之功也. 品咸亨, 釋亨之義也.

'포용하고 너그러움'은 만물을 이루는 덕이고, '빛나고 위대함'은 만물을 이루는 공(功)이고, 만물이 다 형통함은 형통의 뜻을 풀이하였다.

牝馬, 地類, 行地无疆, 柔順利貞, 君子攸行.
암말은 땅의 부류이니, 땅을 걸어감이 끝이 없으며 유순하고 곧음이 이로움이 군자가 행하는 것이다.
牝馬, 稟陰之剛者也, 故曰地類, 地類者, 柔而剛也. 行地无疆, 釋牝馬貞之義也. 承天含弘, 柔順也. 載物行地, 利貞也. 四者, 君子之所踐行也, 此釋君子有往之辭.
암말은 음의 굳셈을 타고난 것이어서 땅의 부류라고 하였다. 땅의 부류는 부드러우면서도 굳세다. 땅을 걸어감이 끝이 없음은 암말의 곧음을 풀이하였다. 하늘을 받들고 널리 포용함은 유, 순이고, 만물을 싣고 땅을 걸어감은 리, 정이다. 네 가지는 군자가 실천할 바이니, 이것은 군자가 행하여야 할 것이 있음을 풀이하였다.
〈問, 柔順利貞, 曰, 體柔故性順. 柔順利貞, 猶言元亨利貞也.
물었다: "유순하고 곧음이 이롭다"는 무슨 뜻입니까?
답하였다: 몸체가 부드럽기 때문에 성질이 온순합니다. "유순하고 곧음이 이롭다"라는 말은 원·형·리·정(元亨利貞)을 말함과 같습니다.〉

先迷失道, 後順得常, 西南得朋, 乃與類行, 東北喪朋, 乃終有慶.
먼저 하면 혼미하여 도를 잃고 뒤에 하면 유순하여 상도를 얻으리니, '서남에서 벗을 얻음'은 같은 부류와 함께 행함이고, '동북에서 벗을 잃음'은 마침내 경사가 있다는 것이다.
安貞之吉, 應地无疆.
편안하고 곧은 길함이 땅의 끝이 없음에 상응한다.
順, 順理, 常, 常則, 行, 行進, 慶, 喜慶也. 地之无疆, 柔而剛也, 此釋先迷以下卦辭.
순(順)은 이치를 좇음이고, 상(常)은 떳떳한 법도이며, 행함은 나아감이고, 경(慶)은 기쁘고 경사스러움이다. 땅의 끝이 없음은 부드러우면서도 강하다. 이것은 '먼저 하면 혼미하여[先迷]' 이하의 괘사를 풀이하였다.
〈問, 陰陽不相害, 則多言慶, 而於此亦言慶何. 曰美其善變也.
물었다: 음과 양이 서로 해치지 않으면 대부분 경사를 말하는데, 여기에서도 경사를 말한 것은 어째서입니까?
답하였다: 그것이 잘 변함을 찬미한 것입니다.〉
〈○ 問, 不言主利, 而獨言安貞何. 曰, 體變則道隨而變焉, 安貞則利在其中矣, 故不言吉之一字, 總結利與貞之義, 而夫子斷章釋義, 故於此云安貞之吉.
물었다: "이로움을 주로 한다"라고 하지 않고 "곧음에 편안하다"라고만 말한 것은 어째서입니까?
답하였다: 몸체가 변하면 도가 따라서 변합니다. 곧음에 편안하면 이로움이 그 가운데 있습니다. 그러므로 길(吉)이라는 한 글자만을 말하지 않고 이로움과 곧음의 뜻을 총결하였습니

다. 공자가 본래의 문맥을 끊어 여기에 맞는 뜻으로 해석했기 때문에 '편안하고 곧은 길함'이라고 한 것입니다.〉

〈○ 問, 應地无疆. 曰, 柔而剛者, 地也, 故能无疆也, 柔變, 安其剛貞者, 應乎地之无疆也.

물었다: "땅의 끝이 없음에 상응한다"는 무슨 뜻입니까?

답하였다: 부드러우면서도 강한 것이 땅이기 때문에 끝이 없을 수 있습니다. 부드러움이 변하여 굳세고 곧음에 편안함이 땅의 끝이 없음에 응하는 것입니다.〉

이지연(李止淵) 『주역차의(周易箚疑)』

以尊卑之序則曰承, 以對待之禮則曰合.

높음과 낮음의 차례로는 승(承)이라고 하였고, 상대하여 기다리는 예로는 합(合)이라고 하였다.

六三有知光大之象, 坤其靜也翕[27]故含. 六三又有含章之象, 月受日而爲光, 坤承天而成光也.

육삼은 빛나고 위대한 상이 있음을 알 수 있다. 곤은 고요할 때 닫혀있기 때문에 포용할 수 있다. 육삼에는 아름다움을 머금은 상이 있으니, 달이 해를 받아서 빛나는 것이 곤이 하늘을 계승하여 빛을 이룸과 같다.

中庸曰, 寬柔以敎, 不報无道, 君子居之, 卽柔順利貞, 君子攸行之義也.

『중용』에 "너그럽고 부드럽게 가르치고, 도리가 어긋난 이에게 보복하지 않으니 군자가 이에 해당한다"[28]라고 하였으니, 곧 "유순하고 곧음을 이롭게 여김이 군자가 행해야 할 것"이라는 뜻이다.

安貞二字, 屬之占者而言, 故應地无疆.

'안정(安貞)'이라는 두 글자는 점(占)에 해당시켜 말한 것이기 때문에 땅의 끝이 없음에 응하는 것이다.

김기례(金箕澧) 「역요선의강목(易要選義綱目)」

萬物資生.

만물이 의뢰하여 생겨난다.

27) 『周易 · 繫辭傳』.

28) 『中庸』.

乾始坤生, 蓋天回陽地生物之意.
건(乾)이 시작하고 곤(坤)이 생성하니, 대체로 하늘이 양을 운행하고 땅이 만물을 생성한다는 의미이다.
含弘光大, 品物咸亨.
포용하고 너그러우며 빛나고 위대하여 만물이 다 형통하다.
含弘, 坤之用, 言用坤之事. 光大, 坤之體, 言體乾之事. 蓋配天而成物, 卽大亨之意.
'포용하고 너그러움'은 곤(坤)의 쓰임이니, 곤을 쓰는 일이며, '빛나고 위대함'은 곤의 몸체이니, 건을 본받는 일이다. 대체로 하늘에 짝하여 만물을 이루니, 곧 크게 형통하다는 의미이다.
乃終有慶.
마침내 경사가 있다.
地道往而馬行健, 則陰雖有東北之喪, 順貞故旣得生育之慶, 又有反西南之得.
땅의 도는 가는 것이고 말이 감은 굳건하니, 음이 비록 동북에서 잃음이 있지만 유순하고 곧은 까닭에 이미 낳고 기르는 경사를 얻고, 또한 서남으로 돌아와 얻음이 있다.
安貞之吉, 應地无疆.
편안하고 곧은 길함이 땅의 끝이 없음에 상응한다.
陰能安貞, 待陽而後, 相從, 吉.
음(陰)이 편안하고 곧아서 양(陽)을 기다린 이후에 서로 쫓아서 길하다.
○ 无疆, 天德也, 地能配天而无疆, 君子能法地而无疆.
'끝이 없음'은 하늘의 덕이니, 땅이 하늘에 짝하여 끝이 없을 수 있고, 군자는 땅을 본받아 끝이 없을 수 있다.

심대윤(沈大允) 『주역상의점법(周易象義占法)』

彖曰, 至哉, 坤元, 萬物, 資生, 乃順承天.
「단전(彖傳)」에서 말하였다: 지극하구나, 곤의 큼이여! 만물이 의뢰하여 생겨나니, 이에 순조롭게 하늘을 받든다.
心者, 萬理所資以生, 而從性之利也.
마음은 온갖 이치가 의뢰하여 생겨서 본성의 이로움을 쫓는다.

坤厚載物, 德合无疆. 含弘光大, 品物, 咸亨.
곤(坤)이 두터워 만물을 실음은 덕이 끝이 없음에 합한다. 포용하고 너그러우며 빛나고 위대하여 만물이 다 형통하다.

坤厚載物, 言心之以忠信爲輿而載萬善也. 德合无疆, 言心之德能稱其才也. 含弘光大, 言心之有容有寬有明有志也. 品物咸亨, 言心之謀慮皆善也.
"곤(坤)이 두터워 만물을 싣는다"는 것은 마음은 진실과 믿음을 바탕으로 하여 온갖 선을 싣는다는 말이다. "덕이 끝이 없음에 합한다"는 것은 마음의 덕이 그 재주에 걸맞다는 말이다. "포용하고 너그러우며 빛나고 위대하다"는 것은 마음에 포용함 · 너그러움 · 밝음 · 뜻이 있다는 말이다. "만물이 다 형통하다"는 것은 마음이 헤아리고 생각함이 모두 선하다는 말이다.

심대윤(沈大允) 『주역상의점법(周易象義占法)』

彖曰, 至哉, 坤元, 萬物, 資生, 乃順承天.
「단전(彖傳)」에서 말하였다: 지극하구나, 곤의 큼이여! 만물이 의뢰하여 생겨나니, 이에 순조롭게 하늘을 받든다.
大包貫无外也, 至曲盡不遺也. 中庸曰, 曲能有誠, 是也.
크게 포함하여 꿰뚫음에 밖이 없고 지극히 곡진하여 남김이 없다. 『중용』에서 "한쪽에 지극함이 참될 수 있다"[29]라고 했으니 이것이다.

坤厚載物, 德合无疆. 含弘光大, 品物, 咸亨.
곤(坤)이 두터워 만물을 실음은 덕이 끝이 없음에 합한다. 포용하고 너그러우며 빛나고 위대하여 만물이 다 형통하다.
无疆, 地之形也. 德合无疆, 言德能副其形也. 含, 容物也, 弘, 寬平也, 光, 文章之交錯也. 大愽厚也.
'끝이 없음'은 땅의 형체이니, '덕이 끝이 없음에 합한다'는 것은 덕이 그 형체를 도울 수 있다는 말이다. '포용함'은 사물을 포용함이고, '너그러움'은 너그럽고 공평함이고, '빛남'은 문장이 서로 섞임이니, '큼'은 넓고 두터움이다.

牝馬, 地類, 行地无疆, 柔順利貞.
암말은 땅의 부류이니, 땅을 걸어감이 끝이 없으며 유순하고 곧음이 이롭다.
地之无疆而能行而至焉, 言其健行也, 坤體靜德順, 而動乎乾故能健也.
땅은 끝이 없지만 가서 이를 수 있으니, 굳건히 간다는 말이다. 곤의 몸체는 고요하고 덕이 유순하여 건에서 움직이는 까닭에 굳셀 수 있다.

---

29) 『中庸』.

君子攸行, 先迷失道, 後順得常, 西南得朋, 乃與類行, 東北喪朋, 乃終有慶. 安貞之吉, 應地无疆.
군자가 행해야 할 것이다. 먼저 하면 혼미하여 도를 잃고 뒤에 하면 유순하여 상도를 얻으리니, '서남에서 벗을 얻음'은 같은 부류와 함께 행함이고, '동북에서 벗을 잃음은 마침내 경사가 있다는 것이다. 편안하고 곧은 길함이 땅의 끝이 없음에 상응한다.
不知所從爲失道. 不釋主利者, 得常, 卽主利也. 應地无疆, 言應乎地之无疆也, 屢言无疆, 贊其慱厚也.
좇아야 하는 대상을 알지 못하면 도를 잃게 된다. '이로움을 주로 함'에 대해서는 해석하지 않은 것은 '상도를 얻음'이 곧 '이로움을 주로 함'이기 때문이다. '응지무강(應地无疆)'은 땅의 끝이 없음에 상응한다는 말이다. '끝이 없음'을 여러 번 말한 것은 그 넓고 두터움을 밝힌 것이다.

오치기(吳致箕)「주역경전증해(周易經傳增解)」

彖曰, 至哉, 坤元, 萬物, 資生, 乃順承天. 坤厚載物, 德合無疆, 含弘光大, 品物, 咸亨.
「단전(彖傳)」에서 말하였다: 지극하구나, 곤의 큼이여! 만물이 의뢰하여 생겨나니, 이에 순조롭게 하늘을 받든다. 곤(坤)이 두터워 만물을 실음은 덕이 끝이 없음에 합한다. 포용하고 너그러우며 빛나고 위대하여 만물이 다 형통하다.
至哉者, 贊美之辭, 而比乾之大哉, 少有緩意也. 元者大也, 萬物之資生于坤者, 乃以坤道之順承乎天, 厚載萬物而德合于乾之旡疆, 此所以坤道之爲大也. 其靜也翕, 故旡不包含, 而其弘旡所不有, 其動也闢, 故旡不宣著, 而其大旡所不被, 萬品庶物, 咸得其亨也, 此一節言坤道之元亨也.
'지극하다'는 찬미한 말인데, '건의 위대하다'에 비하여 약간 완만한 뜻이 있다. 원(元)은 크다는 것이다. 곤에 만물이 의뢰하여 생기는 것은 곤도가 하늘을 따라 받들어 만물을 두텁게 실어 그 덕이 건의 끝이 없음에 합치되기 때문이니, 이것이 곤도가 위대한 이유이다. 고요할 때는 거두기 때문에 포함하지 않음이 없어서 그 너그러움이 어느 곳에도 있지 않음이 없으며, 움직일 때는 열리기 때문에 드러내지 않음이 없어서 그 위대함이 덮지 않음이 없으니, 만물이 모두 형통함을 얻는다. 이 한 구절은 곤도가 크게 형통함을 말한 것이다.

牝馬, 地類, 行地旡疆, 柔順利貞.
암말은 땅의 부류이니, 땅을 걸어감이 끝이 없으며 유순하고 곧음이 이롭다.
牝陰物, 而馬又行地之物, 故曰地類也. 以至柔之牝馬行地, 而從健之旡疆, 故曰行地旡疆也. 以其牝馬, 故言柔順, 順而配健, 故言利貞, 此一節言坤道之利牝馬貞也.

암컷은 음(陰)의 동물이고 말은 땅을 걸어가는 것이기 때문에 땅의 부류라고 하였다. 지극히 부드러운 암말이 땅을 걸어가서 강건함의 끝이 없음을 따르는 까닭에 땅을 걸어감이 끝이 없다고 하였다. 암말이기 때문에 유순하다고 하였고, 순종하여 강건함에 짝하기 때문에 이정(利貞)이라고 하였다. 이 한 구절은 곤도가 이롭고 암말이 곧음을 말하였다.

君子攸行. 先迷失道, 後順得常, 西南得朋, 乃與類行, 東北喪朋, 乃終有慶. 安貞之吉, 應地無疆.
군자가 행해야 할 것이다. 먼저 하면 혼미하여 도를 잃고 뒤에 하면 유순하여 상도를 얻으리니, '서남에서 벗을 얻음'은 같은 부류와 함께 행함이고, '동북에서 벗을 잃음은 마침내 경사가 있다는 것이다. 편안하고 곧은 길함이 땅의 끝이 없음에 상응한다.
此節, 釋彖辭. 君子有攸往以下諸句也, 坤道從乾, 故先乎乾則迷而失道, 後乎乾則順而得常. 順者, 卽彖辭所言利也, 故夫子以順而得常, 合釋主利之義也. 得朋喪朋之義, 已見彖解, 而陰從陽, 則有生物之功, 故言喪其朋, 而從乎陽, 乃爲有慶也. 餘見彖解, 此一節言君子之用坤道也.
이 구절은 단사(彖辭)를 해석하였다. "군자가 행해야 할 것이다" 이하 여러 구절은 곤도는 건을 따르기 때문에 건보다 먼저 하면 혼미하여 도를 잃고, 건보다 뒤에 하면 순종하여 상도를 얻는다는 것이다. 순(順)은 곧 단사에서 말한 이로움이다. 따라서 공자가 유순하여 상도를 얻는다는 것으로 이로움을 주로 한다는 뜻을 합하여 해석한 것이다. 벗을 얻고 잃는다는 뜻은 이미 「단전」의 해석에서 알 수 있으니, 음이 양을 따르면 만물을 낳는 공이 있기 때문에 그 벗을 잃는다고 하였고, 양을 따라서 경사가 있게 된다. 나머지는 「단전」의 해석에서 알 수 있으니, 이 한 구절은 군자가 곤도를 사용함을 말한 것이다.

이진상(李震相) 『역학관규(易學管窺)』

此彖, 連說元亨, 而亨自是元之亨也, 連說利牝馬之貞, 而纔說利便是其德之有利, 況坤之主利者乎. 但分而言之爲四德, 合而言之爲兩體, 以兩體看, 則元利難見, 而亨貞可見.
이 「단전(彖傳)」에서는 원(元)과 형(亨)을 관련시켜 말하였으니 형은 자연히 원의 형이며, 리(利)와 암말의 정(貞)을 관련시켜 말하였으니, 리를 말하면 곧 그 덕에 이로움이 있는 것이다. 더구나 이로움을 주로 하는 곤(坤)임에랴. 다만 나누어 말하면 네 가지 덕이고 합하여 말하면 두 몸체이니, 두 몸체로 보면 원(元)과 리(利)를 보기가 어렵고 형(亨)과 정(貞)만 볼 수 있다.

○ 君子有攸往.

군자가 가는 바가 있다.

承牝馬之貞言, 君子有往而於其所往, 又自有先迷後得之理, 傳義相發而諺釋誤分.

암말의 곧음을 이어서 말하였다. 군자가 가야할 곳이 있음에 그 가는 곳에서 또 스스로 먼저 하면 혼미하고 뒤에 하면 얻는 이치가 있다. 『정전』과 『본의』에서 언급하였는데, 언해는 잘못 나누어 놓았다.

○ 西南得朋.

서남에서 벗을 얻는다.

程朱皆以爲此明後天卦位 然以先天卦位言之, 亦可通. 蓋西南巽也, 一陰始生, 而坎艮皆二陰, 陰者, 坤之朋也, 坤之得朋, 所以必在於西南. 若東北則震也, 一陽始生, 而離兌皆二陽, 陽非坤之朋也, 坤之喪朋, 所以必在於東北也. 若如後天方位, 則坤在兌離之間, 二女同居其志不同,[30] 行安有得朋之慶乎. 先迷後得, 先是先於乾也, 後是後於乾也. 震在乾先, 故失道而迷, 巽在乾後, 故得朋而行也. 乃終有慶, 言震離兌雖陽非朋. 然以陰從陽能成生育之功, 代終化光, 非慶而何. 本義, 作反之西南, 恐文勢不順. 蓋陰生於巽, 而盛於坤, 由西南右行至北, 此乃得朋之象. 旣盛極則上交而生陽, 至震而成一陽, 至離兌二而成二陽, 此乃終有吉慶者也. 如曰反之西南, 則坤何嘗艮而坎, 坎而巽乎. 況後天卦位西南, 便是坤必欲守常而無往, 則朱子所謂不成東北方無地者, 殆將近之, 烏在其行地無疆乎.

정자와 주자는 모두 이 문장은 후천(後天)의 괘(卦)의 위치를 밝혔다고 여겼다. 그러나 선천(先天)의 괘의 위치로 말해도 또한 통한다. 서남은 손괘(巽卦☴)이니 하나의 음(陰)이 비로소 생기고, 감괘(坎卦☵)와 간괘(艮卦☶)는 모두 음이 두 개인데, 음은 곤의 벗이어서 곤이 벗을 얻음은 반드시 서남에 있어야 한다. 동북이면 진괘(震卦☳)이니 하나의 양(陽)이 비로소 생기고, 이괘(離卦☲)와 태괘(兌卦☱)는 모두 양이 두 개인데, 양은 곤의 벗이 아니어서 곤이 벗을 잃음이 반드시 동북에 있기 때문이다. 후천(後天)의 방위로 보면 곤은 태괘와 리괘의 사이에 있어 두 딸이 함께 있지만 그 뜻이 같지 않으니, 가더라도 어찌 벗을 얻는 경사가 있겠는가? "먼저 하면 혼미하고 뒤에 하면 얻는다"에서 '먼저'는 건(乾)보다 먼저 하는 것이고, '뒤에'는 건(乾)보다 뒤에 하는 것이다. 진괘가 건보다 먼저 있기 때문에 도를 잃어 혼미하고, 손괘는 건보다 뒤에 있어 벗을 얻어 행한다. "마침내 경사가 있다"는 것은 진괘와 리괘와 태괘가 비록 양이어서 벗이 아니지만 음이 양을 따라 낳고 기르는 공을 이룸을 말하였으니, 이어서 마치고[代終] 화하여 빛이 나니[化光] 경사가 아니고 무엇이겠는가?

30) 睽卦, 象傳: 象曰, 睽, 火動而上, 澤動而下, 二女同居, 其志不同行.

『본의』에서 "서남으로 돌아온다"고 했으니 문장의 흐름이 순탄하지 않다. 대체로 음은 손괘에서 생겨 곤괘에서 성대해진다. 서남에서 오른쪽으로 가서 북쪽에 이르니 이것은 벗을 얻는 상이다. 이미 성대함이 지극해지면 위로 사귀어 양을 낳고, 진괘에 이르러 하나의 양을 이루고, 리괘와 태괘에 이르러 양 두 개를 이루니, 이것이 마침내 길한 경사가 있다는 것이다. 만약 서남으로 돌아간다고 한다면 곤이 어찌 일찍이 간괘에서 감괘로, 감괘에서 손괘로 가겠는가? 더군다나 후천의 괘의 위치가 서남이면 곤은 반드시 상도를 지켜 가지 않으려 할 것인데, 그렇다면 주자가 "동북방에 땅이 없는 것이 되지 않겠느냐"고 한 데에 거의 가깝게 될 것이니, 그 "땅에 걸어다님이 끝이 없다"는 것이 어디 있겠는가?

○ 安貞吉.
곧음에 편안하여 길하다.
陰以從陽爲正, 安於其正, 所以吉也. 本義釋經, 則曰安於其正, 釋傳則曰安而且貞, 然則利於貞者, 亦可曰利且貞, 明矣.
음이 양을 따름이 바름이니, 그 바름에 편안하여 길하다. 『본의』에서 경문을 풀이하여 그 바름에 편안하다고 하였고, 「단전」을 풀이하여 편안하고 또 곧다고 하였다. 그렇다면 곧음에 이롭다는 것은 이롭고 또 곧다고 해도 괜찮을 것이다.

최세학(崔世鶴) 주역단전괘변설(周易彖傳卦變說)」

坤彖曰, 至哉, 坤元, 萬物, 資生, 乃順承天.
「단전(彖傳)」에서 말하였다: 지극하구나, 곤의 큼이여! 만물이 의뢰하여 생겨나니, 이에 순조롭게 하늘을 받든다.

乾坤, 純卦也. 上下二體, 旡剛柔往來, 故不言卦變, 而只以大哉至哉贊之. 大則無所不包, 至則無所不盡, 所以爲六十四卦之父母也.
건괘와 곤괘는 순수한 괘이다. 상하의 두 몸체에 강유의 왕래가 없기 때문에 변괘를 말하지 않고 다만 '크다[大哉]'와 '지극하다[至哉]'로써 찬미하였다. 크면 포함하지 않음이 없고, 지극하면 다하지 않음이 없으니 그래서 육십사괘의 부모가 된다.

채종식(蔡鍾植) 「주역전의동귀해(周易傳義同歸解)」

東北喪朋.
동북에서 벗을 잃는다.

傳云, 坤道必從東北之陽, 而離喪其朋類, 乃能成化育之功. 本義云, 陰爲陽之一半, 而欠了東北一截, 故占者往東北, 則喪朋. 蓋坤雖從陽而成功, 然從陽者用也, 與類者本也. 然則坤之成功者, 特其用也, 而其所以成功之本, 則西南之陰方也. 故占遇此卦者, 往西南, 則得其成功之本, 而有得朋之吉, 往東北, 則雖或有因他成功之效, 其朋類則喪矣. 以此推之, 則傳義雖殊, 而其義則同歸也.
『정전』에서 말하였다: 곤(坤)의 도는 반드시 동북의 양을 따라 그 벗을 떠나서 잃어야만 화육(化育)의 공을 이룬다.
『본의』에서 말하였다: 음은 양의 반으로 동북 방면이 모자라기 때문에 점치는 자가 동북으로 가면 벗을 잃는다.
곤이 비록 양을 따라 공을 이루지만 양을 따르는 것은 작용이고, 같은 부류와 더불어 행하는 것은 근본이다. 그래서 곤이 공을 이루는 것은 다만 그 작용이고, 공을 이루는 근본은 서남의 음의 방위이다. 그러므로 점치는 자가 이 괘를 만나는 경우 서남으로 가면 공을 이루는 근본을 얻고 벗을 얻는 길함이 있게 되며, 동북을 가면 비록 간혹 그로 인하여 공을 이루는 효과는 있겠지만 벗을 잃게 된다. 이것으로 미루어 보면 『정전』과 『본의』가 비록 다르지만 그 뜻은 같은 것으로 귀결된다.

乃終有慶.
마침내 경사가 있다.
傳曰, 離其類而從陽, 則能成生物之功, 終有吉慶也.
『정전』에서 말하였다: 그 같은 부류를 떠나 양을 따르면 만물을 낳는 공을 이룰 수 있어서 마침내 길함과 경사가 있게 된다.
此謂慶在東北也.
이것은 경사가 동북에 있다는 말이다.
本義曰, 東北雖喪朋, 然反之西南, 則終有慶也.
『본의』에서 말하였다: 동북에서 비록 벗을 잃으나 서남으로 돌아온다면 마침내 경사가 있을 것이다.
此謂慶在西南也.
이것은 경사가 서남에 있다는 말이다.
然程傳又曰, 與類行者, 本也, 從於陽者, 用也云, 則東北之慶本之, 則西南也, 其義非同歟.
그러나 『정전』에서 또 "같은 부류와 더불어 행하는 것은 근본이고, 양을 따르는 것은 작용이다"라고 말하였는데, 동북의 경사는 근본이 서남이니 그 뜻이 같지 않겠는가?

이병헌(李炳憲) 『역경금문고통론(易經今文考通論)』

荀九家曰, 坤者, 純陰配乾, 亦善之始也. 白虎通〈後漢班固著, 用今文誼〉曰, 土者最大包含物將生者出將歸者入. 按, 元之一字, 爲善之長. 惟乾坤爲資始資生之主, 故稱元利之爲德. 惟乾獨具餘, 皆言其所利也. 德合無疆, 以坤之德, 合乾之無疆, 與下兩無疆之義, 自別. 牝馬地類, 所以明地之後順得主, 如牝馬之循軌途而服主人之命也, 故再於文言申此意以明之, 曰坤至柔而動也剛. 又曰後得主而有常, 又曰承天而時行. 聖人早知地常動不止, 如人在舟中, 舟行而人自不覺也. 地得北辰而定方向, 是謂得主也, 不失常度, 繞太陽而成四時, 是謂有常也, 乃知地之於北辰及太陽, 有密接關係. 凡天有四品, 一曰無量天, 統論諸天也, 二曰(以下專就地上言)北辰天, 上帝所居而定方向也, 三曰太陽天, 大地之所係也, 四曰空氣天, 所以包裹地上者也. 坤配乾爲六子之母, 巽離兌三女位乎西南, 與坤爲類故曰得朋, 震坎艮三男位乎東北, 與坤爲類, 故曰喪朋.

순상의 『구가역』에서 말하였다: 곤은 순음으로 건에 짝하니 또한 선의 시작이다. 『백호통』〈후한 반고의 저작으로 금문을 사용하였다〉에서 말하였다: 토(土)는 만물을 가장 많이 포함하니, 장차 생하는 것은 나오고 장차 돌아가는 것은 들어간다.

내가 살펴보았다: 원(元)은 선의 으뜸이다. 오직 건과 곤은 만물이 바탕하여 시작하고 생기는 주체이다. 따라서 원(元)과 이(利)가 덕이 된다고 하였다. 오직 건만이 남음이 있어 모두 이익됨을 말하였다. 덕이 끝이 없음에 합침은 곤의 덕이 건의 끝이 없음에 합침이니, 아래 두 개의 끝이 없음의 뜻이 저절로 구별이 있다. 암말은 땅의 부류라는 것은 땅이 뒤에 하면 순종하여 주인을 얻게 됨을 밝힌 것이다. 이것은 마치 암말이 궤도를 좇아서 주인의 명령에 복종하는 것과 같다. 그러므로 「문언전」에서 두 번이나 이 뜻을 밝혀서 말하기를 "곤은 지극히 유순하지만 그 움직임은 굳세다", "뒤에 하면 주장함을 얻어서 상도가 있다", "하늘을 받들어 때에 맞추어 행한다"라고 하였다. 성인은 땅이 항상 움직여 그침이 없음이, 마치 사람이 배안에 있으면 배가 가더라도 스스로 알지 못하는 것과 같은 것임을 일찍이 알았다. 땅이 북극성을 얻어 방향을 정하는 것을 주장함을 얻는다고 하는 것이다. 일정한 궤도를 잃지 않고 태양을 돌아 사계절을 이룸이 상도가 있다고 하는 것이다. 그래서 땅이 북극성과 태양과 밀접한 관계가 있음을 알 수 있다. 하늘에는 네 가지가 있으니, 첫째는 무량천이니 모든 하늘을 통틀어 말한 것이고, 둘째는 〈이하는 오직 땅에 나아가 말하였다〉 북진천이니 상제가 거기에 있어 방향을 정하는 것이고, 셋째는 태양천이니 큰 땅이 매여 있는 것이고, 넷째는 공기천이니 땅을 둘러싸고 있는 것이다. 곤은 건에 짝하여 여섯 자식의 어머니이니, 손괘(巽卦☴)·리괘(離卦☲)·태괘(兌卦☱)는 세 딸로 서남에 위치하여 곤과 함께 같은 부류가 되기 때문에 벗을 얻는다고 하였고, 진괘(震卦☳)·감괘(坎卦☵)·간괘(艮卦☶)는 세 아들로 동북에 위치하여 건과 더불어 같은 부류가 되기 때문에 벗을 잃는다고 하였다.

象曰 地勢坤, 君子以, 厚德, 載物.

「상전」에서 말하였다: 땅의 형세가 곤(坤)이니, 군자가 그것을 본받아 두터운 덕으로 만물을 실어준다.

中國大全

傳

坤道之大猶乾也, 非聖人, 孰能體之. 地厚而其勢順傾. 故取其順厚之象, 而云地勢坤也. 君子觀坤厚之象, 以深厚之德, 容載庶物.

곤도(坤道)의 위대함은 하늘과 같으니, 성인이 아니면 누가 이것을 몸소 실현하겠는가? 땅은 두텁고 형세는 유순하여 기울어져 있기 때문에 유순하고 두터운 상(象)을 취하여 땅의 형세가 곤(坤)이라고 말한 것이다. 군자가 곤(坤)의 두터운 상(象)을 관찰하여 깊고 두터운 덕으로 만물을 용납하여 실어준다.

小註

或問, 坤者臣道也, 在君亦有用乎. 程子曰, 厚德載物, 豈非人君之用.
어떤 이가 물었다: 땅이라는 것은 신하의 도인데, 임금의 경우에도 사용합니까?
정자가 말하였다: 두터운 덕으로 만물을 실어주는 것이 어찌 임금이 사용하는 것이 아니겠는가?

本義

地, 坤之象, 亦一而已. 故不言重而言其勢之順, 則見其高下相因之无窮, 至順極厚而无所不載也.

땅은 곤(坤)의 상(象)이니, 또한 덕이 순일할 뿐이다. 그러므로 곤(坤)이 중첩했다고 하지 않고 그 형세가 유순하다고 했다. 이는 그 높고 낮음이 서로 말미암아 끝이 없어서 지극히 유순하고 지극히 두터워 실어주지 않는 것이 없음을 나타낸 것이다.

小註

朱子曰, 地之勢常有順底道理. 且如這箇平地前面, 便有坡陁處突然起底. 也自順. 地平, 則不見其順, 必其高下層層地去, 此所以見地勢之坤順.
주자가 말하였다: 땅의 형세는 항상 유순한 도리가 있다. 또한 이 평평한 땅 앞에 비탈진 언덕이 솟아 있는 것도 본래 순한 것이다. 땅이 평평하면 순함을 볼 수 없으니, 반드시 높은 데에서 층층이 내려가는 것, 이것이 땅의 형세가 곤괘의 유순함을 보이는 이유이다.

○ 問, 大象乾不言乾而言健, 坤不言順而言坤, 如何.
물었다: 「대상전(大象傳)」에서 건괘는 건이라고 하지 않고 강건함이라 하고, 곤괘는 유순함이라 하지 않고 곤이라고 하는 것은 무엇 때문입니까?
曰, 只是當時下字時, 偶有不同. 必欲求說則穿鑿, 卻反晦了當理會底.
답하였다: 단지 때에 따라 글을 쓸 때 우연히 같지 않았을 뿐입니다. 반드시 설명하고자 한다면 너무 깊이 파서 도리어 이해되는 곳을 어둡게 할 것입니다.
問, 地勢高下相因, 以其順且厚否.
물었다: 땅의 형세는 높고 낮음이 서로 말미암는 것은 유순함으로 하는 것입니까? 두터움으로 하는 것입니까?
曰, 高下相因只是順. 若厚, 又是一箇道理, 然惟其厚, 所以上下只管相因去, 只見得他順. 若是薄底物, 高下只管相因, 則傾陷了, 不能如此之无窮矣. 惟其高下相因无窮, 所以爲至順也. 君子體之, 惟至厚爲能載物.
답하였다: 높고 낮음이 서로 이어진 것은 유순함일 뿐이니, 두터움도 하나의 도리일 것입니다. 단지 그것이 두텁기 때문에 상하가 오로지 서로 말미암아 그것이 유순함을 볼 수 있습니다. 단지 높고 낮은 것이 서로 이어지기 만한 얇은 것이라면, 기울어지고 무너져서 이처럼 무궁할 수 없습니다. 오직 높고 낮은 것이 서로 이어져 무궁한 것이 지극히 유순한 까닭입니다. 군자가 그것을 체득하니, 그렇게 해야만 지극히 두터워져서 만물을 실을 수 있습니다.

○ 李氏開曰, 天以氣運, 故曰行, 地以形載, 故曰勢.
이개가 말하였다: 하늘은 기운으로 운행하기 때문에 운행이라 하였고, 땅은 형체로 실어주기 때문에 형세라고 하였다.

○ 誠齋楊氏曰, 地之體不厚, 則載萬物不勝其重, 君子之德不厚, 則載萬民不勝其衆也.
성재양씨가 말하였다: 땅의 몸체가 두텁지 않다면 만물을 실어줌에 그 무거움을 감당하지 못할 것이며, 군자의 덕이 두텁지 않다면 만민을 실어줌에 그 많음을 감당하지 못할 것이다.

‖韓國大全‖

김장생(金長生) 『경서변의(經書辨疑)-주역(周易)』

大象, 地勢坤.
「대상전」에서 말하였다: 땅의 형세가 곤(坤).

傳, 其勢順傾.
『정전』에서 말하였다: 형세는 유순하게 기울어져 있다.

坤卦是陰, 而地勢傾東南, 故曰順傾.
곤괘는 음이고 땅의 형세가 동남쪽으로 기울어져 있기 때문에 유순하게 기울어져 있다고 하였다.

홍여하(洪汝河) 「책제(策題):문역(問易)·독서차기(讀書箚記)-주역(周易)」

象傳本義, 見其高下相因之无窮.
「대상전」『본의』에서 말하였다: 높고 낮음이 서로 말미암아 끝이 없음을 나타낸 것이다.

高下相因之无窮, 卽乾彖本義, 若重複之象.
높고 낮음이 서로 말미암아 끝이 없다는 것은 곧 건괘 「단전」『본의』에서 '중복의 상'과 같은 것이다.

김도(金濤) 「주역천설(周易淺說)」

愚按, 本義下朱子所釋凡四段, 李氏以下所釋又凡二段, 而只是釋坤體之順且厚. 坤之體至廣至厚, 承天德合而已, 則學者何因而下手乎, 又何因而用功乎, 六二爻辭曰直方大不習无不利, 此亦聖人之事也. 惟文言釋六二之爻曰, 敬以直內義以方外, 此乃下手用功之地, 而聖學之成始成終者, 都在於此. 愚以爲, 常主於敬義而无少間斷, 則坤厚載物之德, 幾於有及矣. 天地定位, 尊卑有序, 而坤道則臣道也. 若使厚德之臣得君而行坤道, 則天下之治亦可以致之矣, 學者亦可勉哉. 又曰讀易者須有箇包容底氣像, 乃可以學之量狹者, 豈能也哉.

내가 살펴보았다: 『본의』 아래 주자가 해석한 것은 모두 4단락이고, 이씨 이하에 해석한 것도 모두 2단락인데, 다만 곤의 몸체가 유순하고 두터움을 해석하였다. 곤의 몸체가 지극히 넓고 두터워 하늘의 덕을 받들어 합치될 뿐이라면, 배우는 자가 무엇으로 인하여 착수하며, 또 무엇으로 인하여 공부를 하겠는가? 육이(六二) 효사에 "곧고 방정하며 크니, 익히지 않아도 이롭지 않음이 없다"라고 하였으니, 이것은 성인의 일이다. 오직 「문언전」 육이(六二) 효사에서 "경으로써 안을 곧게 하고, 의로써 밖을 방정하게 한다"라고 하였는데, 이것이 착수하고 공부하는 곳이니, 성학의 처음과 마지막을 이룸이 모두 여기에 있다.
내가 생각하건대, 항상 경과 의를 주로 하여 조금도 사이가 끊어지지 않으면, 곤의 두터움으로 만물을 실어주는 덕에 거의 미칠 수 있을 것이다. 하늘과 땅이 위치를 정하고 높고 낮음이 차례가 있으니, 곤의 도는 신의 도이다. 만약 두터운 덕이 있는 신하가 군주의 신임을 얻어서 곤의 도를 행하면, 천하의 다스림을 또한 이룰 수 있을 것이니, 배우는 자가 또한 힘써야 할 것이다. 또 말하기를, "역(易)을 읽는 자는 반드시 포용하는 기상이 있어야 할 것이니, 좁은 도량으로 배우는 자가 어찌 잘 할 수 있겠는가?"라고 하였다.

이만부(李萬敷) 「역통(易統) · 역대상편람(易大象便覽) · 잡서변(雜書辨)」

☷地☷地

傳曰, 地厚而其勢順傾, 故, 取其厚之象而云地勢坤也. 君子觀坤厚之象, 以深厚之德, 容載庶物.
『정전』에서 말하였다: 땅이 두텁고 형세가 유순하게 기울어져 있다. 그러므로 유순하고 두터운 상(象)을 취하여 땅의 형세가 곤(坤)이라고 말한 것이다. 군자가 곤(坤)의 두터운 상(象)을 관찰하여 깊고 두터운 덕으로 만물을 용납하여 실어준다.
本義曰, 地, 坤之象, 亦一而已. 故, 不言重而言其勢之順, 則見其高下相因之无窮, 至順極厚而无所不載也.
『본의』에서 말하였다: 땅은 곤(坤)의 상(象)이니, 또한 덕이 순일할 뿐이다. 그러므로 '곤(坤)이 중복됨'이라고 말하지 않고 그 형세가 유순하다고 말했으니, 그 높고 낮음이 서로 인하여 끝이 없어서 지극히 유순하고 지극히 두터워 실어주지 않는 것이 없음을 나타낸 것이다.
臣謹按, 或問, 坤者, 臣道也, 在君亦有用乎. 程子曰, 厚德載物, 豈非人君之用, 蓋人君位極而勢絶若不體坤之德, 何以涵育萬物以遂其生乎. 地以高下相因, 而成至順之德, 觀乎此則王者之於尊卑貴賤, 亦宜有相因之道, 然後其德可以大順而極厚矣.
신이 삼가 살펴 보았습니다: 어떤 이가 "땅이라는 것은 신하의 도에 해당하는데, 임금에 있어서도 또한 쓰임이 있습니까?"라고 물으니, 정자가 "두터운 덕으로 만물을 실어주는 것이 어찌 임금의 쓰임이 아니겠는가?"라고 답하였습니다. 군주는 최고의 지위이며 세력도 뛰어나지만, 만약 곤의 덕을 본받지 않으면 어찌 만물을 길러 그 생명을 완수시키겠습니까? 땅은 높고 낮음이 서로 따라서 지극히 순한 덕을 이루니, 이것을 보면 왕이 존귀와 비천에 대하여 또한 마땅히 서로 따르는 도를 둔 연후에야 그 덕이 크게 순하고 지극히 두터워질 것입니다.

又按, 乾坤両卦旣爲經首, 而大象所言實爲體道秉德之大綱, 自修身齊家, 至於治國平天下, 不健, 何以行, 不順, 何以成. 是以臣亦敢揭二象之辭, 作一篇之首, 而竊伏稽之古訓, 則孔子曰, 惟天爲大, 惟堯則之, 蕩蕩乎民無能名焉. 子思曰, 詩云維天之命, 於穆不已, 蓋曰天之所以爲天也, 於乎不顯, 文王之德之純, 蓋曰文王之所以爲文, 純亦不已. 伯益曰, 帝德廣運, 乃聖乃神, 乃武乃文, 皇天眷命, 奄有四海, 爲天下君, 此皆形容所以健行體天, 厚德載物之意者. 先儒游氏曰, 至誠无息, 天行健也, 未能无息而不息者, 君子之自彊也, 若顔子三月不違仁是也. 臣以草野小民, 誠愚昧猥越, 惟願殿下以堯舜文王自期, 而先於顔子之不違仁, 用力焉.

또 살펴보았습니다: 건괘와 곤괘는 경전의 첫머리이니, 「상전」에서 말한 참으로 도를 체득하고 덕을 잡는 위대한 강령입니다. 수신과 제가로부터 치국과 평천하에 이르기까지 강건하지 않으면 어떻게 행하며, 유순하지 않으면 어찌 이루겠습니까? 그래서 신이 또한 감히 건괘와 곤괘의 두 「상전」의 글을 들어 한 편의 머리로 삼았습니다. 가만히 옛 글을 살펴보면, 공자는 "오직 하늘이 가장 큰데 요(堯)임금만이 그와 같으셨으니, 그 공덕이 넓고 넓어 백성들이 형용하지 못하는구나."[31]라고 하였고, 자사(子思)는 "『시경(詩經)』에 말하기를 '하늘의 명(命)이, 아! 심원(深遠)하여 그치지 않는다'라 하였으니, 이는 하늘이 하늘인 까닭을 말한 것이고, '아! 드러나지 않는가! 문왕(文王)의 덕(德)의 순수함이여!'라 하였으니, 이는 文王(文王)이 문(文)이 되신 까닭이 순수하고 또한 그치지 않음을 말한 것이다."[32]라고 하였고, 백익(伯益)은 "제요(帝堯)의 덕(德)이 광대하고 운행되어 성(聖)스럽고 신묘하며 무(武)가 있고 문(文)이 있으시니, 황천(皇天)이 돌아보고 명하시어 사해(四海)를 다 소유하시어 천하의 군주로 삼으셨습니다."[33]라고 하였으니, 이것은 모두 강건하게 행하고 하늘을 본받아 덕을 두텁게 하여 만물을 싣는 것을 형용한 뜻입니다. 선유(先儒)인 유씨가 "지극히 참됨은 쉼이 없다는 것은 하늘의 운행이 강건한 것이고, 아직 쉼이 없을 수는 없지만 쉬지 않으려고 노력하는 것은 군자가 스스로 힘씀이니, 안자가 '삼 개월 동안 인을 어기지 않았다'[34]라고 한 것이 이것입니다"라고 하였습니다. 신이 초야에 사는 어리석은 백성으로 참으

31) 『論語 · 泰伯』.

32) 『中庸』.

33) 『書經 · 大禹謨』.

로 어리석고 외람되지만 전하께서는 요·순·문왕을 스스로 기대하시기를 바라며, 안자가 삼 개월 동안 인(仁)을 어기지 않은 것보다 앞서서 공부하시옵소서.

이익(李瀷) 『역경질서(易經疾書)』

象, 主於履霜堅氷, 積善餘慶, 帶說也, 不善餘殃, 卽因以戒之, 象外意也, 早辨察己也. 詳在上.

「상전」에서 "서리를 밟으면 단단한 얼음이 이른다"고 주장한 것은, 문언전(文言傳)에서 "좋은 일을 많이 한 집안에는 반드시 남겨진 복이 있다"고 한 것과 연결된 말이다. "좋지 않은 일을 많이 한 집안에는 반드시 남겨진 재앙이 있다"는 것은 따라서 경계한 것으로 「상전」 밖의 의미이니, 일찍 자신을 살펴야 한다. 상세한 것은 위에 있다.

심조(沈潮) 「역상차론(易象箚論)」

坤.

곤.

坤字, 從土從申者, 卦在未申間也. 勢字, 土上有土者, 重地之象也. 載字, 從車者, 坤爲大輿也. 物字, 從牛者, 坤爲牛也.

곤(坤)이라는 글자는 토(土) 부수에 신(申) 자를 합한 것이니, 괘(卦)가 미방(未方)과 신방(申方) 사이에 있다. 세(勢)라는 글자는 토(土) 위에 토(土)가 있으니 중첩된 땅의 상(象)이다. 재(載)라는 글자는 거(車) 부수이니, 곤(坤)이 큰 수레가 된다. 물(物)이라는 글자는 우(牛) 부수이니 곤(坤)이 소가 된다.

유정원(柳正源) 『역해참고(易解參攷)』

地勢 [至] 載物.

땅의 형세 … 만물을 실어준다.

梁山來氏曰, 西北高, 東南低, 順流而下, 地之勢本坤順者也, 故曰地勢坤. 厚德載物者, 以深厚之德, 容載庶物也, 若以厚德載物體之, 身心豈有他道哉. 唯體吾長人之仁, 使一人得其願, 推而人人各得其願, 和吾利物之義, 使一事得其宜, 推而事事各得其宜, 則我之德厚, 而物无不載矣.

---

34) 『論語·雍也』.

양산래씨가 말하였다: 서북은 높고 동남은 낮으니, 순응하여 흘러서 내려가는 것은 땅의 형세가 곤괘의 순응함에 근본하므로 지세가 곤괘라고 말하였다. 두터운 덕으로 사물을 실어주는 것은 깊고 두터운 덕으로써 만물을 실어주며 받아들이는 것이니, 만약 두터운 덕으로 만물을 실어주는 것을 체득한다면, 몸과 마음에 어찌 다른 도리가 있을 수 있겠는가? 다만 내가 남의 어른이 될 수 있는 어짊을 체득하여 한 사람으로 하여금 그 원하는 바를 얻게 하고, 이것을 미루어서 사람들마다 각각 그 원하는 것을 얻게 한다면, 내가 만물을 이롭게 하는 뜻에 조화를 이루게 되고, 한 가지 사안으로 하여금 그 마땅함을 얻게 하고, 이것을 미루어서 일마다 각각 그 마땅함을 얻게 한다면, 나의 덕이 두터워지고, 만물 중에 실어주지 못하는 것이 없게 된다.

○ 案, 象不言重, 然地之高下相因, 自有重義, 極厚且重, 又有重義.
내가 살펴보았다: 상(象)에서는 무거움[重]을 언급하지 않았지만, 땅의 높고 낮음은 서로 따르게 되어 그 자체로도 무거움의 뜻이 포함되어 있고, 지극히 두텁고 또 겹쳐있다면, 또한 무겁다는 뜻도 있다.

김상악(金相岳) 『산천역설(山天易說)』

地勢, 西北高, 東南低, 其高下相因而无窮, 故至大極厚, 无所不載也. 乾曰天行健, 以氣運也, 坤曰地勢坤, 以形載也.
땅의 형세는 서북쪽이 높고 동남쪽이 낮지만, 그 높고 낮음이 서로 말미암아 끝이 없어서 지극히 크고 두터워 실어주지 않는 것이 없다. 건괘에서 하늘의 운행이 강건하다고 한 것은 기운으로써 운행함이고, 곤괘에서 땅의 형세가 곤이라고 한 것은 형체로써 실어줌이다.

김규오(金奎五) 「독역기의(讀易記疑)」

大象傳, 非聖人孰能體之, 蓋主於聖人而包擧君子以下, 當與乾大象傳參看.
「대상전」의 『정전』에서 "성인이 아니면 누가 이것을 체득하여 행하겠는가"라고 하였는데, 대체로 성인을 주로 하였지만 군자 이하를 포함하여 말한 것이니, 건괘 「대상전」의 『정전』과 참고하여 보아야 한다.

박윤원(朴胤源) 『경의(經義)·역경차락(易經箚略)·역계차의(易繫箚疑)』

象曰, 地勢坤.
「상전(象傳)」에서 말하였다: 땅의 형세가 곤(坤)이다.

○ 地勢, 不言順而言坤, 朱子以爲當時偶然下字. 然愚竊以爲, 健與乾音同, 故以健代乾, 順與坤音異, 故不以順代坤. 蓋有意義, 而但恐如是爲說, 或犯穿鑿之戒也.
땅의 형세에서 유순을 말하지 않고 곤을 말하였는데, 주자는 때에 따라 우연히 쓴 글자라고 여겼다. 그러나 내가 가만히 생각해 보건대, 건(健)과 건(乾)은 소리가 같기 때문에 건(健)으로 건(乾)을 대신하나, 순(順)과 곤(坤)은 소리가 다르기 때문에 순(順)으로 곤(坤)을 대신할 수 없다. 대체로 의의가 있겠지만, 단지 이와 같이 말한다면 혹시 천착함을 범하는 경계가 있을까 걱정된다.

서유신(徐有臣) 『역의의언(易義擬言)』

地之順, 可見於南北高下之勢, 故曰地勢坤. 坤者地之順, 故說卦曰坤順也, 厚所以爲順也. 凡厚者必順, 薄者以刻, 刻則不順也. 厚德載物, 則君子之順如地之順也. 厚坤象, 載物重坤象.
땅의 유순함은 남북의 높고 낮은 형세에서 드러나기 때문에 땅의 형세는 곤이라고 한다. 곤은 땅의 유순함이기 때문에 「설괘전」에서 "곤은 따른다"고 하였다. 두터움은 유순함이 되기 때문에 모든 두터운 것은 반드시 유순하고, 엷은 것은 각박하니, 각박하면 유순하지 못하다. 두터운 덕으로 만물을 실어줌은 군자의 유순함이 마치 땅의 유순함과 같기 때문이다. 두터움은 곤의 상이고, 만물을 실어줌은 중첩된 곤의 상이다.

박문건(朴文健) 『주역연의(周易衍義)』

勢形也, 坤之爲義厚也, 厚故能順.
형세는 형체이니 곤의 뜻은 두터움이다. 두텁기 때문에 유순할 수 있다.

〈問, 厚德. 曰, 君子厚其德者, 用坤體之厚也.
물었다: 두터운 덕은 무슨 뜻입니까?
답하였다: 군자가 그 덕을 두텁게 함은 곤(坤) 몸체의 두터움을 쓰기 때문입니다.〉

〈○ 問, 何不取重義. 曰, 乾行坤厚一也, 行而復行者, 乾之重也, 厚而復厚者, 坤之重也.
물었다: 어찌 거듭된 뜻을 취하지 않았습니까?
답하였다: 건의 행함과 곤의 두터움은 같습니다. 행하고 또 행하는 것이 건의 거듭됨이고, 두텁고 또 두터움이 곤의 거듭됨입니다.〉

김기례(金箕澧) 「역요선의강목(易要選義綱目)」

君子以.
군자가 그것을 본받는다.
以卽體也, 他皆倣此.
'본받는다[以]'는 곧 체득함이니, 다른 것도 모두 이와 같다.

厚德載物.
두터운 덕으로 만물을 싣는다.
地道厚故載萬物, 君子厚故容萬民.
땅의 도가 두텁기 때문에 만물을 싣고, 군자가 두텁기 때문에 모든 백성을 포용한다.

심대윤(沈大允) 『주역상의점법(周易象義占法)』

天氣有行而屈伸往來, 地形有勢而高下濶狹, 厚德載物, 象地之隨其勢而容載也, 言有禮之等殺也.
하늘의 기운이 운행되어 굽어지고 펴지며 오고 감이 있고, 땅의 형체는 형세가 있어 높고 낮으며 넓고 좁음이 있다. 두터운 덕으로 만물을 실음은 땅이 그 형세를 따라 포용하고 실어줌을 본뜬 것이니, 예(禮)에 등급이 있음을 말한 것이다.

오치기(吳致箕) 「주역경전증해(周易經傳增解)」

天以氣運, 故乾之大象曰天行健, 地以形載, 故坤之大象曰地勢坤, 而坤者, 順也, 厚之至也, 地有厚載之象, 而君子觀其象, 以深厚之德, 容載庶物也.
하늘은 기운으로 운행하기 때문에 건괘 「대상전」에서 하늘의 운행은 강건하다고 하였다. 땅은 형체로써 싣기 때문에 곤괘 「대상전」에서 땅의 형세가 곤이라고 하였으니, 곤은 유순하며 두터움이 지극하다. 땅에 두텁게 싣는 상이 있어서 군자가 그 상을 보고 깊고 두터운 덕으로 만물을 포용하여 실어주는 것이다.

이진상(李震相) 『역학관규(易學管窺)』

坤爲大輿, 厚載象.
곤은 큰 수레이니, 두텁게 싣는 상이다.

박문호(朴文鎬) 「경설(經說)·주역(周易)」

六象之霜方章囊裳黃六字, 皆爲韻, 而直方大之大字, 乃在方字下 豈古經字乙歟. 昔有一先輩言, 大字當屬下句, 讀此則不成文義矣. 或曰大字衍文, 故象傳不擧大字(洵衡).

곤괘 여섯 효의 「상전」에서 '상(霜)', '방(方)', '장(章)', '낭(囊)', '상(裳)', '황(黃)' 여섯 글자는 모두 운이며, '직방대(直方大)'의 '대(大)'라는 글자는 '방(方)' 아래에 있으니, 아마도 옛 경전의 글자가 바뀌었을 것이다. 이전에 한 선배가 말하기를, '대(大)'는 마땅히 아래 구절에 속한다고 하였는데, 이렇게 읽으면 문장의 뜻이 성립하지 않는다. 어떤 이는 말하기를, "대(大)는 쓸데없는 글자이기 때문에 「단전」에서는 '대(大)'라는 글자를 쓰지 않았다"고 하였다.

이병헌(李炳憲) 『역경금문고통론(易經今文考通論)』

白虎通曰, 地有三形高下平, 卦有兩坤故以勢言之.

「백호통」에서 말하였다: 땅에는 높음·낮음·평평함의 세 가지 형세가 있고, 괘에는 두 개의 곤(坤)이 있기 때문에 형세로써 말한 것이다.

初六, 履霜, 堅冰至.

초육(初六)은 서리를 밟으면 단단한 얼음이 이른다.

中國大全

傳

陰爻稱六, 陰之盛也. 八則陽生矣, 非純盛也. 陰始生於下, 至微也, 聖人, 於陰之始生, 以其將長, 則爲之戒. 陰之始凝而爲霜, 履霜則當知陰漸盛而至堅冰矣. 猶小人始雖甚微, 不可使長, 長則至於盛也.

음효를 육이라 칭하니, 음이 성대한 것이다. 팔은 양이 생긴 것이니 순수한 성대함이 아니다. 음이 처음 아래에서 생겨나서 지극히 미약하지만 성인은 음이 처음 생겨날 때에 그 음이 장차 자라날 것을 경계하였다. 음이 처음 응결하여 서리가 되니, 서리를 밟으면 마땅히 음이 점점 성대해져서 단단한 얼음에 이를 것을 알아야 한다. 이것은 소인이 처음에는 비록 매우 미약하지만 자라나게 해서는 안 되니, 자라나면 성대하게 되는 것과 같다.

本義

六, 陰爻之名, 陰數, 六老而八少. 故謂陰爻爲六也. 霜, 陰氣所結, 盛則水凍而爲冰. 此爻, 陰始生於下, 其端甚微, 而其勢必盛. 故, 其象, 如履霜則知堅冰之將至也. 夫陰陽者, 造化之本, 不能相无, 而消長有常, 亦非人所能損益也. 然, 陽主生, 陰主殺, 則其類有淑慝之分焉. 故, 聖人作易, 於其不能相无者, 旣以健順仁義之屬明之, 而无所偏主, 至其消長之際, 淑慝之分, 則未嘗不致其扶陽抑陰之意焉, 蓋所以贊化育而參天地者, 其旨深矣. 不言其占者, 謹微之意, 已可見於象中矣.

육(六)은 음효의 이름이니, 음수(陰數)에서 육은 노음(老陰)이고 팔(八)은 소음(少陰)이다. 그러므로 음효를 육이라고 말한다. 서리는 음기가 맺힌 것이니, 성하게 되면 물이 얼어 얼음이 된다. 이효는 음이 처음 아래에서 생겨나서 그 실마리가 매우 미약하지만 그 기세는 반드시 성할 것이다. 그러므로 그 상(象)이 "서리를 밟으면 단단한 얼음이 장차 이름을 안다"는 것과 같다. 음양은 조화의 근본이니 서로 없을 수 없고, 소멸하고 자라남이 일정함이 있으니 역시 사람이 덜어내고 더할 수 있는 것이 아니다. 그러나 양은 낳음을 주로 하고 음은 죽임을 주로 하니, 그렇다면 그 부류에 선악의 분별이 있다. 그러므로 성인이 역(易)을 지을 때에 서로 없을 수 없는 것에는 이미 건(健)·순(順)과 인(仁)·의(義)의 종류들로써 그것을 밝혀서 양만을 편벽되게 주장한 바가 없고, 소멸하고 자라남의 실제와 선악의 구분에 이르러서는 일찍이 양을 붙들어주고 음을 억제하는 뜻을 지극히 하지 않은 적이 없었다. 이것은 천지의 화육을 도와서 천지에 참여하는 것이니, 그 뜻이 심오하다. 점(占)을 말하지 않은 것은 은미함을 삼가는 뜻이 이미 상(象) 가운데 나타났기 때문이다.

小註

朱子曰, 陰陽, 有以動靜言者, 有以善惡言者. 如乾元資始, 坤元資生, 則獨陽不生, 獨陰不成. 造化周流, 須是竝用. 如履霜堅氷至, 則一陰之生便如一賊, 這道理在人如何看. 直看是一般道理 橫看是一般道理, 所以謂之易.

주자가 말하였다: 음양은 동정으로써 말한 측면이 있고, 선악으로써 말한 측면이 있다. 예컨대 건원(乾元)에서는 만물이 의뢰하여 시작하고, 곤원(坤元)에서는 만물이 바탕을 삼아서 태어난다고 했으니, 양 혼자서는 낳지 못하고, 음 혼자서는 완성시킬 수가 없다. 조화가 두루 유행함에는 모름지기 함께 사용되어야 한다. 예컨대 서리를 밟음에 단단한 얼음이 이른다는 것은 하나의 음이 생겨나는 것이 하나의 도적과 같으니 이러한 도리는 사람이 어떻게 보느냐에 달려있다. 세로로 보아도 일반적인 도리이고, 가로로 보아도 일반적인 도리이니, 이것이 역이라고 말하는 이유이다.

○ 盈天地之間所以爲造化者, 陰陽二氣之終始盛衰而已. 陽生於北, 長於東而盛於南. 陰始於南, 中於西而終於北. 故陽常居左而以生育長養爲功, 其類則爲剛爲明爲公爲義, 而凡君子之道屬焉. 陰常居右而以夷傷慘殺爲事, 其類則爲柔爲暗爲私爲利, 而凡小人之道屬焉. 聖人作易, 畫卦係辭, 於其進退消長之際, 所以示人者深矣.

천지의 사이를 가득 채워서 조화가 되는 것은 음·양 두 기운이 시종일관 성하고 쇠하는 것일 뿐이다. 양은 북쪽에서 생겨나서 동쪽에서 커지고 남쪽에서 성대하게 된다. 음은 남쪽에서 시작하여 서쪽에서 가운데가 되고 북쪽에서 끝을 맺는다. 그러므로 양은 항상 왼쪽에 거하여 생육하고 길러냄을 공으로 삼으니, 그 부류는 굳셈이 되고, 밝음이 되며, 공적인 것이 되고, 의로움이 되니, 군자의 도가 여기에 속한다. 음은 항상 오른 쪽에 거하여 상함과 참혹하게 죽임을 일로 삼으니, 그 부류는 유순함이 되고, 어두움이 되며, 사사로움이 되고, 이익이 되니, 소인의 도가 여기에 속한다. 성인이 역을 지음에 괘를 그리고 글을 붙여서 나아감과 물러남·소멸함과 자라남의 사이에서 사람들에게 보여줌이 매우 깊다.

又曰, 易中說到陽處, 便扶助推移他, 說到陰處, 便抑遏壅絶他.
또 말하였다: 역 가운데 양을 설명하는 곳은 그 양을 붙잡아 도와주거나 옮기는 것이며, 음을 설명하는 곳은 그 음을 억제하거나 막거나 끊는 것이다.

○ 聖人作易, 常以陽爲君子, 而引翼扶持, 惟恐其不盛. 陰爲小人, 而排擯抑黜, 惟恐其不衰.
성인이 역을 지음에 항상 양을 군자로 삼고, 끌어주고 도와주며, 부축하고 지지해주는 것은 오직 융성하지 못함을 염려했기 때문이다. 그리고 음을 소인으로 삼고, 물리치고 배척하며 억누르고 쫓아내는 것은 단지 쇠하지 않을까를 염려했기 때문이다.

○ 問, 履霜堅氷, 何以不著占象.
물었다: 서리를 밟으면 단단한 얼음이 생긴다고 했는데, 어찌하여 점상(占象)으로 드러내지 않은 것입니까?
曰, 此自分曉, 占者目前未見有害, 卻有未萌之禍, 所宜戒謹.
답하였다: 이것은 저절로 분명해지니, 점치는 사람은 눈앞에 해로움이 있음을 아직 보지 못하나, 도리어 아직 싹트지 않은 재앙이 포함되어 있으니 마땅히 경계하고 조심해야 합니다.

○ 雲峰胡氏曰, 履, 初象, 霜, 一陰象, 堅氷, 六陰象, 至危之之辭. 本義於此爻特詳焉者, 易, 交易也, 變易也. 交易者, 對待之陰陽, 陽之性健, 爲仁禮, 陰之性順, 爲義知, 不能相无者也. 變易者, 流行之陰陽, 消長之際, 陽爲生爲淑爲君子. 陰爲殺爲慝爲小人. 聖人未嘗不致其扶陽抑陰之意.
운봉호씨가 말하였다: '밟음[履]'은 초효의 상이고, '서리[霜]'는 한 음의 상(象)이며, '단단한 얼음[堅氷]'은 여섯 음의 상이니, 지극히 위태롭게 여기는 말이다. 『본의』에서 이 효에 대하여 특별히 상세히 설명한 것은 역(易)은 교역(交易)이며, 변역(變易)이기 때문이다. 교역(交易)이라는 것은 대대(對待)하는 음양이니, 양의 성질은 굳건하여 어짊과 예[仁 · 禮]가 되고, 음의 성질은 순하여 의로움과 지혜[義 · 知]가 되니, 서로 없을 수가 없는 것이다. 변역이라는 것은 유행하는 음양이니, 소멸하고 자라나는 때에 양은 낳음이 되고, 맑음이 되며, 군자가 된다. 음은 죽임이 되고, 사악함이 되며, 소인이 된다. 성인은 일찍이 양을 돕고 음을 억누르는 마음을 쓰지 않은 적이 없었다.

又曰, 履霜而知堅氷之將至, 羸豕而知蹢躅之有孚. 姤之一陰, 卽坤之初陰也, 其謹微之意可見矣. 乾之陽主發見, 潛龍則明其未見, 坤之陰主隱伏, 履霜則彰其已至, 君子進之難, 而小人進之易也.
또 말하였다: '서리를 밟고서 단단한 얼음이 장차 이르게 될 것'을 아는 것이며, '여윈 돼지가 날뛰고 싶은 속마음이 있음'[35]을 아는 것이다. 구괘(姤卦)의 한 음은 곧 곤괘의 초육[初陰]에 해당하니, 미미할 때에 조심한다는 뜻을 볼 수 있다. 건(乾)의 양은 발현을 위주로 하였으니, 잠겨있는 용은 그 발현되지 않음을 밝힌 것이고, 곤의 음은 숨어 엎드려 있는 것을 위주로 하였으니, 서리를 밟음은 이미 다다름을 드러낸 것이다. 군자의 나아감은 어렵고, 소인의 나아감은 쉽다.

韓國大全

조호익(曺好益) 『역상설(易象說)』

傳意, 陰, 自二至四, 自四至六則盛矣, 自六至八則漸衰, 自八至十則已衰矣. 蓋六數爲陰數之中也, 與朱子八少六老之義不同. 所以乾言九者, 陽數之盛, 而坤只言陰之盛也.
『정전』의 뜻은 음(陰)은 이(二)에서 사(四), 사(四)에서 육(六)이 되면 성대하다. 육(六)에서 팔(八)은 점점 쇠퇴해지고, 팔(八)에서 십(十)이 되면 이미 쇠퇴한 것이다. 육(六)의 숫자는 음수의 중간이다. 주자가 말한 팔(八)은 소음(少陰), 육(六)은 노음(老陰)이라는 뜻과 같지 않다. 건(乾)에서 말하는 구(九)는 양수의 성대함이고 곤(坤)은 다만 음의 성대함을 말한다.

박지계(朴知誡) 「차록(箚錄)-주역곤괘(周易坤卦)」

天地之間, 一氣而已. 而氣不能無消長, 陽氣之消處爲陰. 此所以有陽, 則必有陰也. 陽之氣雖有消, 而陽之德未嘗有盡. 蓋以陽德中正, 無所不包, 故陽氣之消盡處, 則陰乃承陽而施陽之德, 使之無所不到, 而陽之德賴陰而成實焉, 此乃不可無者, 健順仁義之屬是也. 雖然, 陽出於氣之長也, 故其性能生長乎物, 陰出於氣之消也, 故其性能消

---

35) 『周易 · 姤卦』: 初六, 繫于金柅, 貞吉, 有攸往, 見凶, 羸豕孚蹢躅.

殺乎物也. 陰雖殺物, 陽盛陰微, 則陽能制陰, 陰承陽施, 而其殺也亦所以生之, 故爲善. 陰盛陽微, 則陰失柔而不順乎乾, 殺物之德盛行而匿於心, 故爲慝, 此其類有淑慝之分也. 抵陰之柔順承乾者, 不可無也, 陰之盛而抗陽者, 所當抑也. 而此爻陰始生下, 承乾之功德未著, 但爲陰之根本. 根本旣立, 則其勢必盛, 故聖人只言謹微之意也.

하늘과 땅의 사이에는 하나의 기운이 있을 뿐이다. 기운은 사라지고 자람이 없을 수 없으니, 양의 기운이 사라지면 음이 된다. 이것이 양이 있으면 반드시 음이 있다는 것이다. 양의 기운이 사라지더라도 양의 덕은 다한 적이 없다. 양의 덕은 중정하여 포함하지 않는 것이 없는 까닭에 양의 기운이 모두 사라진 곳에 음이 양을 계승하여 양의 덕을 베풀어 이르지 않는 곳이 없으니, 양의 덕은 음에 기대어 참됨을 이룰 수 있다. 이것이 곧 없을 수 없다는 것이니, 건(健)·순(順), 인(仁)·의(義) 같은 것이 이것이다. 비록 그렇지만 양은 기운이 자람에서 나왔기 때문에 그 성질은 만물을 생장시키며, 음은 기운이 사라짐에서 나왔기 때문에 그 성질은 만물을 죽인다. 음이 만물을 죽이지만 양이 강하고 음이 미약하면 양이 음을 제어하여 음이 양을 계승하여 베풀게 되어 그 죽임도 살리는 것이 되므로 선이 된다. 음이 강하고 양이 미약하면 음이 부드러움을 잃어 건을 따르지 않아 만물을 죽이는 덕이 성대하게 행해져 마음에 숨어있게 되므로 악이 된다. 이것이 그 부류에 선과 악의 나눔이 있게 되는 것이다. 대체로 음이 유순하여 건을 따르는 것은 없어서는 안 되니, 음이 번성하여 양에 저항하는 것은 마땅히 억눌러야 한다. 초효는 처음 아래에서 생겨나 건의 공덕을 계승함이 아직 드러나지 않은 때이니, 다만 음의 근본이 될 뿐이다. 근본이 이미 서면 그 형세는 반드시 강해지기 때문에 성인은 다만 미약한 것을 삼가라는 뜻을 말하였다.

송시열(宋時烈)『역설(易說)』

初六, 變則爲震, 震爲足又爻居最下, 履之象. 霜者, 陰氣之始凝也, 凝之久則堅, 馴致陰凝之氣, 至於堅氷, 堅則剛固也. 陰雖柔而逐爻包得陽氣, 至於六爻之畫, 則爲乾卦, 乾爲氷故也. 且坤道變化而捍乾, 變易六爻則六子在其中, 卦內顯有此象. 蓋坤卦各變一爻, 則爲震坎艮, 震坎艮變兩爻, 則爲巽離兌. 乾卦亦然, 每變一爻爲巽離兌, 巽離兌變兩爻爲震坎艮. 包得六子, 歷此六卦, 變此六爻而乾坤相遇, 動靜相須也. 獨兌以說言之, 象在坤乾之間, 有左右和悅之意, 亦包入六子之側, 依此看如何.

초육(初六)이 변하면 진괘(震卦☳)가 되니, 진괘는 발이 되며 또한 효가 가장 아래에 있으니 '밟음[履]'의 상이다. 서리[霜]는 음의 기운이 처음 응결된 것인데 응결됨이 오래되면 견고해지고, 응결된 음의 기운이 점차 자라서 단단한 얼음에 이르니, 단단하면 강하고 견고하다. 음이 비록 유약하지만 효(爻)마다 양의 기운을 싸서 여섯 효가 그려지는데 이르면 건괘가 되니, 건괘는 얼음이기 때문이다. 또한 곤의 도가 변화하여 건을 지키고, 여섯 효를 바꾸면 여섯 자식들이 그 가운데 있을 것이니, 괘 안에 분명히 이러한 상이 있다. 곤괘가 한 효를 각각 바꾸면 진 · 감 · 간괘가 되며, 진 · 감 · 간괘를 거쳐 곤에서 두 효를 바꾸면 손 · 리 · 태괘가 된다. 건괘도 그러하니, 매번 한 효를 바꾸면 손 · 리 · 태괘가 되며, 손 · 리 · 태괘를 거쳐 건에서 두 효를 바꾸면 진 · 감 · 간괘가 된다. 여섯 자식들을 싸서 이 여섯 괘를 지나서 이 여섯 효를 바꾸면 건 · 곤괘가 서로 만나고 동정이 서로 따르게 된다. 유독 태괘를 기쁨으로 말한 것은 상이 곤 · 건괘 사이에 있고, 좌우가 화합하는 뜻이 있으며, 여섯 자식들의 곁을 싸고 있기 때문이니, 이것에 근거하여 보는 것이 어떻겠는가?

홍여하(洪汝河) 「책제(策題): 문역(問易) · 독서차기(讀書劄記)-주역(周易)」

六五, 本義, 春秋傳, 云云.
육오효(六五爻)의 『본의』에서 「춘추전」, 운운.

六五變爲坎險故曰外强, 內卦不變故曰內溫, 和者水和也, 貞者土安正也.
육오효(六五爻)가 변하여 험난하게 되는 까닭에 밖은 강하다고 하고, 내괘(內卦)가 변하지 않기 때문에 안은 온화하다는 것이다. 조화는 물이 조화로운 것이고, 곧음은 땅이 편안하고 바른 것이다.

김만영(金萬英) 「역상소결(易象小訣)」

坤六之取霜冰未詳. 雲峯胡氏曰, 霜一陰象, 冰六陰象, 蓋以卦義言之. 愚謂, 坤爲十月, 純陰之節, 霜冰固其時也, 故曰霜曰冰也歟.
곤의 육이 서리와 얼음을 취하는 것은 상세하지 않다. 운봉호씨가 말하기를 "'서리[霜]'는 한 음의 상(象)이며, '단단한 얼음[堅氷]'은 여섯 음의 상이다"라고 하였으니, 괘의 뜻으로 말한 것이다. 내가 생각하기에 곤은 시월이 되니, 순수한 음의 계절로 서리와 얼음이 그 시기에 단단해지기 때문에 서리라고 하고 얼음이라고 했을 것이다.

강석경(姜碩慶) 「역의문답(易疑問答)」

坤初六, 程傳曰, 陰爻稱六, 陰數之盛也, 八則陽生矣, 非純盛也. 此何謂也. 曰, 一二三四者, 四象之位也, 六七八九者, 四象之數也. 六三陰, 九三陽, 則陰陽之純而爲老也. 陽極則陰生, 陰極則陽生, 故陽生於老陰之六, 而爲少陽之七. 順行而至於九, 則陽極於進, 更無去處, 故復變而退爲少陰之八, 逆行而至於六, 則陰極於退, 更無去處, 故復變而進, 循環無窮矣. 然則七者, 陽始生之位也, 八者, 陰始生之位, 豈可謂陽生於八乎. 此亦程傳之說, 有所未瑩也.
곤괘 초육(初六)의 『정전(程傳)』에서 "음효(陰爻)를 육(六)이라 칭하니, 음(陰)의 수(數)가 성대한 것이고, 팔(八)은 양(陽)이 낳은 것이니 순수한 성대함이 아니다"라고 한 것은 무엇을 말한 것입니까?
답하였다: 일(一)·이(二)·삼(三)·사(四)는 사상(四象)의 자리이고, 육(六)·칠(七)·팔(八)·구(九)는 사상(四象)의 수(數)입니다. 육(六)은 삼음(三陰)이고 구(九)는 삼양(三陽)이니, 음과 양이 순수하여 노(老)가 됩니다. 양이 지극해지면 음이 생기고, 음이 지극해지면 양이 생기기 때문에 양은 노음(老陰)인 육(六)에서 나와 소양(少陽)인 칠(七)이 됩니다. 이것이 순행(順行)하여 구(九)에 이르면 양이 나아감에 극에 달해 더 이상 갈 곳이 없게 되기 때문에 다시 변화하여 물러나서 소음(少陰)인 팔(八)이 됩니다. 이것이 역행(逆行)하여 육(六)에 이르면 음이 물러남에 지극해져서 더 이상 갈 곳이 없게 되기 때문에 다시 변화하여 나아가 순환함이 끝이 없습니다. 그러므로 칠(七)은 양이 처음 생기는 자리이고, 팔(八)은 음이 처음 생기는 자리이니, 어찌 양이 팔(八)에서 나온다고 하겠습니까? 이 역시 『정전(程傳)』의 설명이 분명하지 못한 점이 있는 부분입니다.

이익(李瀷) 『역경질서(易經疾書)』

履霜, 以躬蹈罪過者言, 履霜, 不辨, 因循日月, 則必至於履氷, 如曰惡小而不害, 則其勢必至於大慼, 夫霜氷, 自然之物, 咎在履而不早辨也, 所謂不善餘殃, 卽戒辭, 不帖爻義.
'서리를 밟음'은 몸소 죄와 잘못을 행한다는 말이다. 서리를 밟았는데도 분별하지 않고 예전대로 행한다면 반드시 얼음을 밟게 될 것이다. 마치 악(惡)이 작아서 해가 되지 않더라도 그 형세는 반드시 큰 원망에 이른다고 하는 것과 같다. 서리와 얼음은 저절로 그러한 물건이지만 허물은 밟았는데도 서둘러 분별하지 않음에 있다. 이른바 좋지 않은 일을 쌓은 집안에는 남은 재앙이 있다는 것은 경계하는 말이니, 효의 뜻에 적합하지 않다.

권만(權萬) 「역설(易說)」

履在足底, 初在六爻之底者, 似乎履. 霜陰氣之始凝者, 初六, 陰之始生者似之, 履言初, 霜言六.
밟는 것은 발밑에 있으니, 초효(初爻)가 여섯 효(六爻)의 아래에 있는 것이 마치 신발과 같다. 서리는 음의 기운이 처음 응결되고, 초육(初六)은 음이 처음 나오는 것과 같으니, 밟은 것은 초(初)를 말하고, 서리는 육(六)을 말한다.

○ 初六, 只是履霜而已, 而霜之始凝, 已有堅冰之慮, 此聖人憂小人之遠慮也. 初陽位, 故陰有用事之兆, 而不過霜之微凝而已. 初之應爲六四, 六四, 以陰才居陰位, 則純陰也, 故爲堅氷. 氷, 水凝者也, 霜, 殺物者, 而亦能成物. 坤之陰亦然, 履霜非專屬不好底. 君子旣喜其成物, 而旋慮其殺物, 其慮患遠矣哉.
초육은 다만 서리를 밟을 뿐이지만 서리가 처음 응결되면 이미 단단한 얼음에 대한 염려가 있게 된다. 이것이 성인은 소인을 걱정하는 원대한 염려가 있다는 것이다. 초(初)는 양의 자리이기 때문에 음이 용사하는 조짐이 있지만 서리가 미약하게 응결됨에 불과하다. 초육(初六)은 육사(六四)와 응하는데, 육사는 음의 재질로써 음의 위치에 있어 순음(純陰)이기 때문에 단단한 얼음이 된다. 얼음은 물이 응결된 것이고, 서리는 사물을 죽이는 것이지만 또한 사물을 이룬다. 곤의 음도 그러하여 서리를 밟음이 오직 나쁜 것만은 아니다. 군자는 사물을 이루어 주는 것을 기뻐하지만 사물을 죽이는 것을 오히려 염려하니, 그 염려와 걱정이 원대하도다.

심조(沈潮) 「역상차론(易象箚論)」

初足爻而地位也, 故稱履, 陰偶在下, 又有兩足, 履地象. 堅字至字, 皆從土者, 坤也.
초(初)는 발에 해당하는 효(爻)로 땅의 자리이기 때문에 밟음이라고 하였다. 음인 짝수가 아래에 있고, 또 두 발이 있으니 땅을 밟는 상이다. '견(堅)'과 '지(至)'는 모두 토(土)가 부수이니 곤(坤)이다.

유정원(柳正源) 『역해참고(易解參攷)』

初六 [至] 冰至.
초육 … 얼음이 이른다.
梁山來氏曰, 乾言勿用, 卽復卦閉關之義, 欲君子之難進也. 坤言堅冰, 卽姤卦女壯之戒, 防小人之易長也.[36]
양산래씨가 말하였다: 건괘에서 "쓰지 말라"고 한 것은 곧 복괘(復卦)에서 관문을 닫는 뜻이니, 군자에게 나아가기를 신중하게 하는 것이다. 곤괘에서 '단단한 얼음'이라고 한 것은 구괘(姤卦)에서 여자가 건장한 것에 대한 경계이니, 소인이 쉽게 자라남을 방지하는 것이다.
○ 案, 霜結爲冰, 乃時候之必然, 亦非人所能消息也. 君子其於時候, 將奈何. 霜旣降而衣褐授, 水將寒而杠梁成, 如月令所載秋令冬令, 皆順時豫備之政也. 若寒至而爲

36) 來知德, 『周易集註』 卷一.

衣, 冰凍而爲梁, 則无及矣. 君子履霜, 知堅冰之將至, 故先爲之具, 此爻, 不但爲小人戒, 而豫備之意亦在其中矣.
내가 살펴보았다: 서리가 맺어져 얼음이 됨은 필연적인 절기의 흐름으로 사람이 멈추게 할 수 없는 것이니, 군자가 절기에 대하여 장차 무엇을 할 수 있겠는가? 서리가 이미 내리면 털옷을 내려주고, 물이 장차 차가와지면 다리를 만드니, 이것은 마치 『예기(禮記) · 월령(月令)』에 실려 있는 가을의 정령(政令)과 겨울의 정령(政令)이 모두 계절을 따라서 예비하는 정치와 같다. 만약 차가움이 이르면 옷을 입고, 얼음이 얼면 다리를 만들면 그런 것들이 이르지 않을 것이다. 군자는 서리를 밟으면 단단한 얼음이 장차 이를 것을 알기 때문에 먼저 그것에 대비한다. 이 효(爻)는 소인(小人)을 경계할 뿐만 아니라, 예비하는 뜻도 그 가운데 있다.

傳八則陽生. 程子曰, 先儒以六爲老陰, 八爲少陰, 固不是. 九六只是取純陰純陽, 唯六爲純陰, 只取河圖數見之, 過六則一陽生, 至八便不是純陰. 〈全書 ○ 楊遵道錄.〉
『정전(程傳)』에서 말하였다: 팔은 양이 낳은 것이다.
정자가 말하였다: 선유(先儒)들은 육(六)은 노음(老陰)이고, 팔(八)은 소음(少陰)이라 하였는데, 참으로 옳지 않다. 구(九)와 육(六)은 다만 순음(純陰)과 순양(純陽)을 취하였다. 다만 육(六)이 순음(純陰)이니, 「하도(河圖)」의 수를 취해 본다면 육(六)을 지나 하나의 양(陽)이 생기고, 팔(八)에 이르면 곧 순음(純陰)이 아니다.[37] 〈『전서』, 양준도의 기록.〉
○ 范文甫, 問四象, 曰左右前後.
범문포가 물었다: 사상(四象)은 무슨 뜻입니까?
답하였다: 좌우와 전후입니다.
○ 楊中立, 問四象, 曰四方. 〈時氏拾遺.〉.
양중립이 물었다: 사상은 무슨 뜻입니까?
답하였다: 사방입니다.[38] 〈시씨본(時氏本)의 습유(拾遺).〉
○ 朱子曰, 九六之說, 楊遵道錄中一段, 發明傳意, 然亦未曉其說.
주자가 말하였다: 구(九)와 육(六)의 설명에서 양준도(楊遵道)가 기록한 글 중 한 단락은 『정전(程傳)』의 뜻을 밝혔지만, 그 말이 분명하지 않다.
○ 伊川說兩儀四象不分明.
이천(伊川)의 양의(兩儀)와 사상(四象)에 대한 설명은 분명하지 않다.[39]
○ 案, 此數條, 可見程子不用四象之說, 而第以河圖數推之, 終有矇蔽未透處. 夫陽生

37) 『二程遺書』, 卷第十九, 伊川先生語錄五, 楊遵道錄.
38) 『二程外書』, 卷十一, 時氏本拾遺.
39) 『文公易說』, 卷二十二.

於子, 著於東, 盛於南, 而盡於西北, 陰生於午, 著於西, 盛於北, 而盡於東南者, 陰陽消長之自然也. 陽雖生於子, 而子半陽未生之前, 則固可謂純陰也. 及其過子半, 則陽已生矣. 又至東之八, 則陽已著矣. 然而北六之內, 已有一陽, 而謂過六陽生, 何也. 況過者, 是過此適彼之謂乎, 抑謂一陽特指冬至之一陽, 而不必擧一點之陽歟. 九之於七, 政如六之於八, 而乾初九, 傳曰, 九爲陽數之盛, 而獨不及七, 何也. 无乃於九則取陽數之盛, 於六則取陰旺之方歟. 河圖之六在北, 則謂之陰盛可也, 而九在西而謂之陽盛, 何也. 反復推究, 未知有端的可見之象. 唯以洛書觀之, 則其數分明易知, 六居西北, 八居東北, 過六而至八, 則中間有一點之陽, 此可見過六則一陽生也, 亦可謂八不是純盛也. 以此反隅, 則九爲陽數之盛, 過九至七, 則二陰生, 七不是純盛之意, 自可見矣. 然則程子所謂河圖, 或非指洛書言歟. 朱漢上易傳曰, 河圖九宮, 洛書五行, 聖人則之. 又曰, 九宮得易之河圖. 漢上是程門人也, 而其言如此. 程子之言有曰, 聖人見河圖洛書, 而畫八卦. 又曰畫八卦, 因見圖書. 又曰, 何必圖書, 看兎可作八卦. 是皆因劉牧圖書竝出之說[40], 則其論圖書也, 安知不因易置之說耶. 劉牧旣易置圖書, 又謂圖書竝出, 託言出於希夷[41], 當時諸儒, 靡然從之而无異辭.

내가 살펴보았다: 이 몇 가지 항목에서 정자가 사상의 설을 사용하지 않고 다만 「하도」의 수로 미루어 끝내 어리석어 잘 알지 못한 곳이 있음을 알 수 있다. 양은 자(子)에서 생겨나 동에서 드러나고 남에서 성대해져 서북에서 다하며, 음은 오(午)에서 생겨나 서에서 드러나고 북에서 성대해져 동남에서 다하는 것은 음양이 소장하는 자연스러운 것이다. 양이 비록 자(子)에서 생기지만 자의 반은 양이 아직 생기기 전으로 참으로 순음이라고 할 수 있고, 자의 반을 지나야 양이 이미 생긴다. 또한 동의 8에 이르러야 양이 이미 드러난다. 그런데 북의 6 안에 이미 하나의 양이 있는데 6을 지나서 양이 생긴다는 것은 어째서인가? 더구나 '지난다'는 것이 여기를 지나서 저기로 간다는 말인가? 아니면 하나의 양은 다만 동지의 양을 가리키고 굳이 한 점의 양을 가리킨 것이 아닐 것이다. 9의 7에 대한 관계는 6의 8에 대한 관계와 확실히 같으니, 건괘 초구 『정전』에서 "9는 양수의 성대한 것"이라고 하고 유독 7을 언급하지 않은 것은 어째서인가? 9에서 양수의 성대한 것을 취하고 6에서 음의 왕성한 방위를 취한 것이 아니겠는가? 「하도」의 6은 북에 있으니 음의 성대함이라고 할 수 있지만 9는 서에 있는데 양의 성대함이라고 하는 것은 어째서인가? 반복해서 추구하더라도 분명히 알 수 있는 상이 있는지 알 수 없다.

---

40) 유목(劉牧, 1011~1064): 송(宋)나라 사람으로 자(字)는 선지(先之)이며, 범악창(范諤昌)을 따라 역(易)을 배워 『역수구은도』와 『역해(易解)』및 『괘덕통론(卦德通論)』을 지었다.

41) 진단(陳搏; 871年-989年): 「선천도(先天圖)」를 그렸는데 이것이 나중에 주돈이(周敦頤)의 「태극도(太極圖)」로 계승되었다는 학설이 있다(『宋史 · 陳搏列傳』).

다만 「낙서」로 보면 그 수가 분명하여 알기 쉽다. 6은 서북에 있고 8은 동북에 있으니, 6을 지나 8을 지나가면 중간에 한 점의 양이 있으니 여기에서 6을 지나면 하나의 양이 생긴다는 것을 알 수 있으며 또한 8이 순수하게 성대한 것이 아니라고 할 수 있다. 이것으로 헤아리면, 9는 양수의 성대함이며, 9를 지나 7에 이르면 두 음이 생기니, 7이 순수한 성대함이 아니라는 의미를 자연히 알 수 있다. 그렇다면 정자가 말한 「하도」가 혹시 「낙서」를 가리켜 말한 것이 아니겠는가? 주진(朱震)의 『한상역전(漢上易傳)』[42]에서 "「하도(河圖)」의 구궁(九宮)과 「낙서(洛書)」의 오행(五行)을 성인(聖人)이 본받았다"고 말하였다. 또 "구궁(九宮)은 역(易)의 하도(河圖)에서 얻었다"고 말하였다. 주진(朱震)은 정자(程子)의 문인(門人)이어서 그 말이 이와 같다. 정자가 "성인이 「하도」와 「낙서」를 보고 팔괘를 그었다"고 말하였다. 또 "팔괘를 그은 것은 「하도」와 「낙서」를 보았기 때문이다"라고 말하였다. 또 "어찌 반드시 「하도」와 「낙서」뿐이겠는가? 다만 토끼만 보고도 팔괘를 만들 수 있다"고 말하였다. 이것들은 모두 유목(劉牧)의 「하도」와 「낙서」가 함께 나왔다는 설로 인한 것이니, 그가 「하도」와 「낙서」를 논할 때에 거꾸로 바꾸어 놓았다는 설에 근거하지 않았다는 것을 어떻게 장담하겠는가? 유목이 이미 「하도」와 「낙서」를 거꾸로 바꾸어 놓았고, 「하도」와 「낙서」가 함께 나왔다고 또한 말하였는데 이런 핑계 대는 말은 진단에게서 나왔다. 당시 여러 선비들은 그쪽으로 쏠려 따르면서 다른 견해가 없었다.

朱子初年, 因襲舊說, 其與蔡季通書中, 有以九爲河圖, 而曰老兄所謂洛書, 以十爲洛書而曰老兄所謂河圖. 又與郭冲晦書, 有曰九疇竝出,河圖九疇[43], 又曰河圖四正四隅, 洛書四實四虛, 朱子當時, 亦不以劉說爲非也. 後作易學啓蒙, 於本圖書篇首, 力辨劉說之无據. 又使蔡西山, 於閣皂山磨厓, 刻河洛先天圖, 其所以懲前而詔後也. 如此而張行成, 楊鼎卿, 唐仲友之徒, 猶且承訛襲謬, 況在程子之時乎. 程子之時, 歐陽司馬, 皆以圖書爲不足信, 唯康節, 獨傳河洛之數, 而程子未嘗一言及此, 則其論九六, 不合康節說固宜. 其論圖書, 偶因劉牧說, 亦未可知也. 臆見如此, 而未敢質言, 將問于知者.
주자도 초년에는 구설에 젖어 채계통에게 보낸 편지에서 9를 「하도」로 여겨 "노형이 말한 「낙서」는"이라고 하였고, 10을 「낙서」로 여겨 "노형이 말한 「하도」는"이라고 하였다. 또한 곽충회에게 보낸 편지에 "구주가 함께 나왔고, 「하도」 구주…"이라고 하였고, 또한 "「하도」의 사정(四正), 사우(四隅), 「낙서」의 사실(四実), 사허(四虛)"라고 하였으니, 주자 당시에도 유목의 학설을 잘못되었다고 여기지 않았다. 뒤에 『역학계몽(易學啓蒙)』을 짓고, 「본도서」편의 첫머리에 유목의 학설이 근거가 없음을 힘써 변론하였다. 또한 채원정에게 각조산

42) 朱震, 『漢上易傳, 卷七.
43) 『朱子大全』 卷三十七, 「與郭沖晦」: 河図洛書蓋皆聖人所取以爲八卦者, 而九疇亦竝出焉.

(閣皀山) 석벽에 「하도(河圖)」·「낙서(洛書)」·「선천도(先天圖)」를 새기도록 하였으니, 이전을 징계하고 후세를 가르치고자 한 것이다. 장행성(張行成)·양정경(楊鼎卿)·당중우(唐仲友)의 무리들이 여전히 오류를 답습하였으니, 더구나 정자의 시대에만 그랬겠는가? 정자의 시대에 구양수와 사마광이 모두 「하도」와 「낙서」를 믿을 수 없다고 하였고, 오직 소옹이 홀로 「하도」와 「낙서」의 수를 전하였으니, 정자가 한 마디도 여기에 대하여 언급하지 않았다. 그러니 그가 9와 6을 논의한 것이 소옹의 학설과 합치되지 않는 것이 참으로 마땅하다. 그가 「하도」와 「낙서」를 논의한 것이 우연히 유목의 학설로 그렇게 한 것인지는 알 수가 없다. 내 생각은 이와 같으나 감히 잘라 말할 수는 없고, 장차 지혜로운 자에게 묻고자 한다.

김상악(金相岳) 『산천역설(山天易說)』

初六, 履霜, 堅氷至.
초육(初六)은 서리를 밟으면 단단한 얼음이 이른다.

霜, 一陰象, 氷, 六陰象, 陰生於下, 必至於盛, 故履霜則知堅氷之將至也.
서리는 하나의 음의 상이고 얼음은 여섯 음의 상이다. 음이 아래에서 생하여 반드시 성대함에 이르기 때문에 서리를 밟으면 단단한 얼음이 장차 이를 것을 안다.

○ 陰之老者, 其數爲六, 爻所以言其變也. 履者, 踐履也, 又卦名也. 坤土之在下者, 生兌金, 在上者生乾金, 兌乾之合爲履也. 他卦之取卦名爲辭者, 如蒙之四曰困蒙, 需之初亦曰利用恒, 小畜之初曰復自道, 履之五曰夬履, 離之初曰履錯. 然歸妹之初曰跛能履, 泰之五曰帝乙歸妹, 臨之初二曰咸臨, 咸之三曰執其隨, 艮之二曰不拯其隨, 噬嗑象傳曰頤中有物, 睽之五曰厥宗噬膚, 損之上曰不損益之, 夬之初曰壯于前趾, 遯之二曰執之用黃牛之革, 鼎之三曰鼎耳革, 兌之五曰孚于剝, 未濟之四曰震用伐鬼方之類, 是也. 霜者, 水之凝也, 金之所成也. 坤土生乾金, 金又生水, 金氣動則水氣凝, 而成霜氷, 坤之配乾, 德本純一, 故六爻无凶, 初上但有陰盛之戒.
노음(老陰)은 그 수가 육(六)이고 효(爻)는 그 변화를 말한다. '밟음[履]'은 밟는다는 것이고 괘의 명칭이다. 곤의 토(土)가 아래에 있는 것은 태괘의 금을 낳고, 위에 있는 것은 건괘의 금을 낳으니, 태괘와 건괘가 합하여 리괘(履卦䷉)가 된다. 다른 괘는 괘의 이름을 취하여 말을 하였으니, 몽괘의 육사(六四)에 '몽매함에 곤란함'이라고 하였고, 수괘의 초구에 "일정함이 이롭다"고 하였고, 소축괘의 초구(初九)에 "회복함이 도로부터 한다"고 하였고, 리괘(履卦)의 구오(九五)에 "과감하게 결단하여 실천한다"고 하였고, 리괘(離卦)의 초구(初九)

에 “발자국이 엇갈린다”고 하였다. 그러나 귀매괘의 초구에 “절름발이가 걸을 수 있다”고 하였고, 태괘의 육오(六五)에 “제을(帝乙)이 여동생을 시집보낸다”고 하였고, 림괘의 초구(初九)에 “감동하여 임(臨)한다”고 하였고, 함괘의 구삼에 “따르는 데에만 집착한다”고 하였고, 간괘의 육이에 “건지지 못하고 따른다”고 하였고, 서합괘 단전(彖傳)」에 “입 안에 물건이 있다”고 하였고, 규괘의 육오에 “그 친족(親族)이 살을 깨문다”고 하였고, 손괘의 상구(上九)에 “덜지 않고 보탠다”고 하였고, 쾌괘의 초구(初九)에 “발이 나아감에 씩씩하다”고 하였고, 돈괘의 육이(六二)에 “황소 가죽으로써 잡는다”고 하였고, 정괘의 구삼(九三)에 “솥귀가 변한다”고 하였고, 태괘의 구오(九五)에 “양(陽)을 사그라지게 하는 것을 믿는다”라고 하였고, 미제괘의 구오에 “진동하여 귀방(鬼方)을 정벌한다”고 한 것들이 이것이다. 서리는 물이 언 것이며 금이 만든 것이다. 곤의 토가 건의 금을 낳고, 금도 물을 낳는데, 금의 기운이 움직이면 물의 기운이 응결되어 서리와 얼음을 만든다. 곤이 건에 짝하여 덕이 본래 순수하고 전일하기 때문에 여섯 효가 흉이 없고, 초육에 다만 음이 성대해지는 경계를 두었다.

박윤원(朴胤源) 『경의(經義) · 역경차략(易經箚略) · 역계차의(易繫箚疑)』

坤是十月卦, 而十月, 卽霜降之後氷合之初也. 故曰履霜堅氷至, 以象言之, 則足行地上, 故曰履霜, 水在地中故曰堅氷.

곤은 10월 괘이니, 10월은 곧 서리가 내린 후에 얼음이 만들어지는 초기이기 때문에 서리를 밟으면 단단한 얼음이 이른다고 하였다. 상(象)으로 말하면 발로 땅을 걸어가기 때문에 서리를 밟는다고 하였고, 물이 땅 가운데 있기 때문에 단단한 얼음이라고 하였다.

김귀주(金龜柱) 『주역차록(周易箚錄)』

初六, 履霜, 云云.

초육(初六)은 서리를 밟는다, 운운.

○ 按, 以卦配月, 則坤當十月, 然亦無截然爲坤之理. 嘗以朱子三十分進退之說推之, 則九月霜降, 恐當坤之初六, 十月小雪, 恐當坤之上六, 霜降卽是履霜, 而小雪則水凍, 亦所謂堅氷也. 爻辭之義, 惟未必指此, 而卦氣之運, 自與之合, 可謂妙矣.

내가 살펴보았다: 괘를 달에 배치하면 곤은 10월에 해당하지만 또한 분명히 곤의 이치는 없다. 일찍이 주자의 삼십분 진퇴의 설로 미루어 보면 9월은 상강이니 아마 곤의 초육에 해당하고, 10월은 소설이니 아마 곤의 상육에 해당할 것이다. 상강은 곧 서리를 밟음이고 소설은 얼음이 어는 것이니, 또한 이른바 단단한 얼음이다. 효사의 뜻이 오직 반드시 이것을 가리키지는 않지만, 괘의 기운의 운행이 저절로 이것과 합치하니, 신묘하다고 할 수 있다.

本義, 六陰爻, 云云.
『본의』에서 말하였다: 육은 음효이다, 운운.
小註, 雲峯胡氏曰, 履初, 云云.
소주에서 운봉호씨가 말하였다: 밟음은 초, 운운.
○ 按, 彰其已至已字, 當改以將字.
내가 살펴보았다: '이미 다다름을 드러내었다[彰其已至]'의 '이미[已]'라는 글자는 마땅히 '장차[將]'라는 글자로 바꾸어야 한다.

윤행임(尹行恁) 『신호수필(新湖隨筆) · 역(易)』

辛有見伊川之野祭, 而知百年爲戎, 邵堯夫聞杜鵑, 而知南士之進用. 詩云蒹葭蒼蒼, 白露爲霜, 其斯之謂歟. 幾者動之微也, 若待履霜, 則便有緩不及之歎, 見白露之降, 而知堅冰之將至, 思所以豫防早杜之策則斯可矣.
신유(辛有)는 이천이 들판에서 제사지내는 것을 보고 백 년 안에 전쟁이 있을 것을 알았고,[44] 소옹은 두견새 소리를 듣고 남사(南士)가 등용될 것을 알았으니, 『시경』[45]에 이르기를, "갈대가 푸르게 우거지니 흰 이슬이 서리가 되었도다"라고 하였으니, 이것을 말한 것이로다. 기미는 움직임이 미약한 것이니, 만약 서리 밟음을 기다린다면 곧 늦어서 미치지 못하는 한탄이 있게 될 것이다. 흰 이슬이 내리는 것을 보고는 단단한 얼음이 장차 이를 것을 알아서 예방하고 서둘러 막아야 하는 계책을 생각함이 옳을 것이다.

서유신(徐有臣) 『역의의언(易義擬言)』

初六, 履霜, 堅氷至.
초육(初六)은 서리를 밟으면 단단한 얼음이 이른다.
夏至, 一陰初生, 而便爲秋之霜, 終至於冬之氷. 霜者, 壯陰之氣, 冰者, 陰陽相薄之候. 初六, 夏至也, 六四, 霜也, 上六, 氷也. 應位故曰履, 喩其臨近也〈猶言脚底卽霜〉, 極處故曰至, 言其究竟也.
하지에 하나의 음이 처음으로 생겨나 곧 가을의 서리가 되어 마침내 겨울의 얼음에 이른다. 서리는 왕성한 음의 기운이고, 얼음은 음과 양이 서로 화합하지 않는 때에 생긴다. 초육은 하지이며, 육사는 서리이며, 상육은 얼음이다. 자리에 응하므로 밟음이라고 하였으니 가까

---
44) 『左傳 · 僖公』 22년.
45) 『詩經 · 秦風』.

이 임했음을 비유하며〈발아래라고 말하는 것과 같으니 곧 서리이다〉, 지극한 곳이므로 지극함이라고 하였으니 마지막을 말한다.

박문건(朴文健) 『주역연의(周易衍義)』

微而至盛, 故有履霜之象. 霜, 陰之微也, 冰, 陰之盛也.
미약하지만 성대함에 이르기 때문에 서리를 밟는 상이 있다. 서리는 음의 미약함이고, 얼음은 음의 성대함이다.
〈問, 六之取義. 曰, 四六老陰, 過揲之策, 故謂老爲六也.
물었다: 육(六)이 취한 뜻은 무엇입니까?
답하였다: 사(四)와 육(六)은 노음(老陰)으로 넷씩 떼어낸 시책(蓍策)인 까닭에 늙음을 육(六)이라고 합니다.〉

〈○ 問, 履霜堅氷. 曰, 履取在下之象, 堅取極盛之義, 履霜則堅氷必至也.
물었다: "서리를 밟으면 단단한 얼음이 이른다"는 무슨 뜻입니까?
답하였다: 밟음은 아래에 있는 상을 취하였고, 단단함은 지극히 성대한 뜻을 취하였으니, 서리를 밟으면 단단한 얼음이 반드시 이른다는 것입니다.

이지연(李止淵) 『주역차의(周易箚疑)』

堅氷, 指上六.
단단한 얼음은 상육을 가리킨다.

김기례(金箕澧) 「역요선의강목(易要選義綱目)」[46]

初六.
초육.
六老陰數, 易中陰畫畫以少陰, 而曰六者取其變也.
육(六)은 노음(老陰)의 수인데 역(易) 가운데 음획(陰畫)은 소음(少陰)으로 긋고 육(六)은 그 변함을 취한다는 것이다.

46) 경학자료집성DB에는 곤괘「대상전」으로 분류했으나, 내용에 따라 이곳에 배치하였다.

履霜堅冰至.
서리를 밟으면 단단한 얼음이 이른다.
如桃蟲鳥, 始雖至微, 終必滋莫大之禍, 履霜, 指初六, 堅冰, 指上六.
마치 복숭아나무의 벌레나 새와 같으니, 시작은 비록 미미하지만 끝내 반드시 막대한 화로 자라날 것이다. 서리를 밟음은 초육(初六)을, 단단한 얼음은 상육(上六)을 가리킨다.
○ 乾爲冰, 一陰始於五月至十月, 乾方而極, 堅冰, 謂陰極坤盡, 變則爲乾故曰冰.
건(乾)이 얼음이 됨은 하나의 음(陰)이 오월에 시작하여 시월에 이르러 건의 방향[북쪽]으로 지극해져서 그렇게 되고, 단단한 얼음은 음이 지극해지고 곤이 다하면 변하여 건이 되는 까닭에 얼음이라고 한다.

이항로(李恒老) 「주역전의동이석의(周易傳義同異釋義)」

傳, 陰爻稱六, 陰之盛也. 八則陽生矣, 非純盛也.
『정전』에서 말하였다: 음효를 육이라 칭하니, 음이 성대한 것이다. 팔은 양이 낳은 것이니, 순수한 성대함이 아니다.
本義, 六陰爻之名, 陰數六老而八少, 故謂陰爻爲六也.
『본의』에서 말하였다: 육은 음효의 이름이니, 음수에서 육은 노음이고, 팔은 소음이기 때문에 음효를 육이라고 말한다.
按, 傳八則陽生, 謂八是少陰而一陰二陽爲少陰, 故曰陽生而非純盛也. 履在足之物, 霜初寒之候, 故爲初六之象.
내가 살펴보았다: 『정전』에 팔이 양을 낳았다고 하였으니, 팔은 소음인데 하나의 음과 두 개의 양이 소음이 되는 까닭에 양이 낳은 것이지만 순수한 성대함이 아니라고 하였다. 신은 발에 있는 물건이고, 서리는 처음 추워지는 때이다.

本義, 夫陰陽者, 造化之本, [止] 其旨深矣.
『본의』에서 말하였다: 음양은 조화의 근본이다. … 그 뜻이 깊다.
或問, 太極之生陽生陰, 卽道之體用也, 何嘗有不善, 然而易必扶陽抑陰, 何也. 曰, 以道言之則在陰在陽, 无往而不善, 以氣言之則陽生陰殺, 不能无淑慝之分, 是以健順仁義之屬, 以道言者也, 故有善无惡, 陰陽剛柔之屬, 以氣言者也, 故有善不善. 凡易之大義, 言道理則必主靜而節動, 言形氣則必扶陽而抑陰, 此乃叅贊之要妙, 財輔之微旨, 學者當一一潛心焉.
어떤 사람이 물었다: 태극(太極)이 양과 음을 낳음은 곧 도의 본체와 작용이니, 어찌 일찍이 선하지 않음이 있겠습니까? 그렇지만 역(易)은 반드시 양을 붙들어주고 음을 억제하는 것은

어째서 입니까?
답하였다: 도로 말하면 음과 양이 어디로 가든지 선하지 않음이 없고, 기운으로 말하면 양은 낳고 음은 죽여 선과 악의 구분이 없을 수 없습니다. 그래서 강건함과 유순함, 인(仁)과 의(義) 같은 것은 도로 말한 것이기 때문에 선은 있고 악은 없습니다. 음과 양, 굳셈과 부드러움 같은 것은 기운으로 말한 것이기 때문에 선도 있고 선하지 않음도 있습니다. 역(易)의 큰 뜻은 도리를 말하면 반드시 고요함을 주로 하여 움직임을 조절하고, 형기(形氣)를 말하면 반드시 양을 붙들어주고 음을 억제하니, 이것이 천지에 참여하여 돕는 긴요하고 묘함이며, 재단하여 이루고 도와주는 은미한 뜻이니, 배우는 자는 마땅히 날날이 마음을 집중시켜야 할 것입니다.

허전(許傳) 「역고(易考)」

卦當十月陰盛, 故稱霜冰, 初在下故曰履也, 陰始微故曰霜也. 堅冰則指上六也, 至者將漸盛而至也.
곤괘는 10월의 음(陰)이 성대함에 해당하는 까닭에 서리와 얼음이라고 하였고, 초음(初陰)이 아래에 있기 때문에 밟는다고 하였으며, 음이 처음에는 미약하기 때문에 서리하고 하였다. 단단한 얼음은 상육(上六)을 가리키고, 이른다는 것은 장차 점차 성대해져서 이른다는 것이다.

심대윤(沈大允) 『주역상의점법(周易象義占法)』

坤之復䷗. 用力爲利, 而不知義欲之分, 小兒之初生有性, 而不知道, 唯知好利惡害, 而爲利不爲義. 然因是以漸入人道之彀轢, 能爲小忠小恕而及于親鄰, 此乃克己復善之本也. 苟不明乎大道, 而習於偏見, 則其好利之心, 反爲喪利之堦矣. 君子知近小而務遠大, 有近小之不利, 而得遠大之利, 小人務近小, 而不知遠大, 得近小之利, 而有遠大之害. 夫人之一言一動, 一衣一食, 莫非利者, 而專務小利者, 喪其大利, 履霜堅氷至, 言終賊其性也.
곤괘가 복괘(復卦䷗)로 바뀌었다. 힘을 씀이 이익이지만 옳음과 욕심의 구분을 알지 못한다. 어린 아이가 처음 태어날 때 본성은 있지만 도(道)는 알지 못한다. 오직 이익을 좋아하고 해로움을 싫어할 줄 알아 이익을 행하고 옳음을 행하지는 않는다. 그러나 이것으로 인하여 점차 인도(人道)의 '활을 당기는 비율'[47]에 들어가서 작은 충(忠)과 서(恕)를 하여 부모

47) 『맹자 · 진심상』.

와 마을에 미치게 되니, 이것이 곧 자기를 이겨서 선을 회복하는 근본이다. 참으로 큰 도에 밝지 못하고 편견에 익숙하면 이익을 좋아하는 마음이 도리어 이익을 잃는 사다리가 될 수 있다. 군자는 가깝고 작은 것을 알면서 원대한 것에 힘써, 가깝고 작은 불리함이 있지만 원대한 이익을 얻고, 소인은 가깝고 작은 것에 힘써 원대한 것을 알지 못하여, 가깝고 작은 이익은 얻지만 원대한 해로움이 있다. 인간의 말과 행동, 옷과 음식은 이익 아님이 없지만, 오직 작은 이익에 힘쓰는 자는 큰 이익을 잃게 된다. 서리를 밟으면 단단한 얼음이 이른다는 것은 끝내 그 본성을 해친다는 것을 말한다.

심대윤(沈大允) 『주역상의점법(周易象義占法)』

坤者, 臣民妻妾之道也. 坤之復䷗, 反也, 復於善也. 臣民之道, 以從化遷善爲貴, 而以背暗向明爲義. 凡每卦初爻, 卽具全卦之義也. 初六居剛用力爲順, 而志在於遷善向明, 唯利是視焉. 復之全卦爲震, 震, 遷動也, 居地之卑時之初, 而有遷動天下之力, 庶民, 是也. 小人之心, 不以禮義政法敎導防閑, 而馴致其極, 則无所不爲矣. 當其瑣微之初, 兆朕已見, 故曰履霜堅氷至. 震爲足, 在震下爲履, 氷霜, 陰之物也, 履霜, 言其微弱可踐踏也. 艮爲堅剛, 剝之全卦爲艮, 堅氷, 言終至于剝陽也, 旣不可馴致, 亦不可抑制, 唯導之以德, 而齊之以禮, 則无是患也.

곤(坤)은 신하 · 백성 · 처 · 첩의 도이다. 곤괘가 복괘(復卦䷗)로 간 것은 돌아옴이니, 선(善)에 돌아옴이다. 신하와 백성의 도(道)는 교화를 좇아 선(善)으로 옮겨감을 귀하게 여기고, 어리석음을 뒤로 하고 밝음으로 향함을 옳음으로 여긴다. 모든 괘(卦)의 초효(初爻)는 곧 전체 괘(卦)의 뜻을 갖추고 있다. 초육이 굳셈에 있더라도 힘을 씀은 유순하게 하고, 뜻은 선으로 옮겨가고 밝음을 향함에 있으니, 오직 이익을 볼 뿐이다. 복괘의 전체적인 괘상은 진괘(震卦☳)이니, 진(震)은 움직여 자리를 옮김이다. 땅의 아래와 때의 처음에 있으면서 천하의 힘을 움직여 옮기니, 서민이 이것이다. 소인의 마음을 예의와 정교로 인도하여 막지 못하고 그 지극함을 점차 이루게 하면 하지 않음이 없을 것이다. 작고 미약한 초기에 조짐은 이미 드러나기 때문에 서리를 밟으면 단단한 얼음이 이른다고 한 것이다. 진괘(震卦)은 신발이니, 진괘 아래 있는 것은 발이다. 얼음과 서리는 음의 물건이니, 서리를 밟음은 미약해서 밟을 수 있음을 말한 것이다. 간괘(艮卦☶)는 견고하고 굳셈이고, 박괘(剝卦䷖)의 전체적인 괘상은 간괘이니, 단단한 얼음은 양(陽)을 상하게 하는데 끝내 도달함을 말한다. 이미 점차 이루지 못하고 억제도 할 수 없으면, 오직 덕으로 인도하고 예로 고르게 한다면 걱정이 없을 것이다.

오치기(吳致箕) 「주역경전증해(周易經傳增解)」

初六, 柔不得正, 而在重坤之下, 以其始生之陰, 故有履霜之象, 而漸當盛長, 必致堅氷之至, 故戒言當預防其初也.
초육(初六)은 유순하여 바름을 얻지는 못했지만 거듭된 곤(坤)의 아래에 있어 처음 생기는 음(陰)이기 때문에 서리를 밟는 상(象)이 있어 점차 성장하여 반드시 단단한 얼음이 이르게 되는 까닭에 마땅히 그 처음을 예방해야 한다는 경계가 있다.

○ 六者, 陰數也, 已見乾卦初九解. 履者, 踐也, 爻變之震爲足踐之象. 霜, 言陰之微, 氷, 言陰之極, 而對體乾爲氷也. 聖人於易中, 初見之陰爻, 示戒如此, 其意微矣.
육(六)은 음수이니, 건괘 초구의 해석에 이미 보인다. 밟음은 밟는 것이다. 효가 변하여 진괘(震卦☳)가 되어 발로 밟는 상이다. 서리는 음이 미약함이고, 얼음은 음이 극성한 것을 말하니, 상대하는 몸체인 건괘가 얼음이 된다. 성인『주역』가운데 처음 음의 효를 보고 경계를 보임이 이와 같으니, 그 뜻이 은미하다.

이병헌(李炳憲)『역경금문고소전(易經今文考小箋)』

初六, 謹始之義, 辯之不早, 則馴致其禍, 辯之早, 則六二之無不利, 六五之元吉, 卽固有之事也. 乾之初九, 潛故勿用, 坤之初六, 辯則有終. 乾之九三, 知至知終, 坤之六二, 直內方外, 陰陽相須之道不外乎此, 學問進修之義, 畢具於此. 乾坤雖分, 陰陽乃一元之氣, 屈則爲陰, 伸則爲陽也, 陽長則爲慶, 陰長則爲殃. 然陰之應陽, 乃陽之應陰, 易中雖有抑陰扶陽之辭, 而又不無戒陽保陰之義, 蓋易之義元無定辭.
초육(初六)은 삼가서 시작한다는 뜻이니, 일찍 분별하지 않으면 그 화(禍)가 점차 이루어질 것이고, 일찍 분별하면 육이(六二)가 이롭지 않음이 없고, 육오(六五)가 선하여 길함이 고유한 일이 될 것이다. 건괘(乾卦)의 초구(初九)는 잠겨 있기 때문에 쓰지 말아야 하고, 곤괘(坤卦)의 초육(初六)은 분별하면 마침이 있을 것이다. 건괘(乾卦)의 구삼(九三)은 이를 곳과 마침을 알고, 곤괘(坤卦)의 육이(六二)는 안이 곧고 밖은 방정하여 음과 양이 서로 기다리는 도가 이것에 벗어나지 않고, 학문하고 수양하는 뜻이 모두 여기에 갖추어져 있다. 건과 곤이 비록 나누어지지만 음양은 하나의 원기(元氣)이니, 굽히면 음이 되고, 펴지면 양이 된다. 양이 자라면 경사가 되고, 음이 자라면 재앙이 된다. 그렇지만 음은 양에 응하고, 양은 음에 응하니,『주역』가운데 양을 붙들어주고 음을 억제하는 말이 있지만 양을 경계하고 음을 보호하는 뜻이 없지 아니하니,『주역』의 뜻은 원래 정해진 말이 없다.

象曰, 履霜堅氷, 陰始凝也, 馴致其道, 至堅氷也.

「상전(象傳)」에서 말하였다: "서리를 밟으면 단단한 얼음이 이름"은 음(陰)이 처음 응결한 것이니, 그 도(道)를 점차 이루어 단단한 얼음에 이른 것이다.

中國大全

傳

陰始凝而爲霜, 漸盛則至於堅冰. 小人雖微, 長則漸至於盛. 故, 戒於初. 馴謂習, 習而至於盛, 習因循也.

음이 처음 응결하여 서리가 되니 점점 성대해지면 단단한 얼음이 된다. 소인이 비록 미약하나 자라나면 점차 성대함에 이른다. 그러므로 초기에 경계한 것이다. 순(馴)은 익힘을 말하니 익혀서 성대함에 도달하고, 습(習)은 그대로 따르는 것이다.

本義

按魏志, 作初六履霜, 今當從之. 馴, 順習也.

「위지(魏志)」를 살펴보면 '초육이상(初六履霜)'으로 되어 있으니, 지금 마땅히 이것을 따라야 한다. 순(馴)은 차례대로 익힘이다.

小註

習靜劉氏曰, 坤初六, 在姤爲五月. 一陰始生. 便有凝意. 驗之井泉已寒. 然去氷霜之時尙遠. 聖人見微知著, 謂所履者已凝之霜, 馴致其道則至堅氷矣.

습정유씨가 말하였다: 곤괘의 초육은 구괘(姤卦)에 있어서는 5월이 된다. 하나의 음이 처음 생겨남에 다시금 엉기게 되는 뜻이 포함되어 있으니, 그것을 증험해보면, 우물과 샘은 이미 추워졌지만, 얼음이 얼고 서리가 내리는 때와는 아직 멀다. 성인은 기미를 보고서 드러나게

될 것을 아니, 곧 밟게 되는 것은 이미 응결된 서리가 되고, 그 도를 점차 이루게 된다면, 단단한 얼음이 이르게 되는 것이다.

○ 雲峰胡氏曰, 上六曰, 其道窮也. 由初六順習其道以至於窮, 示兩其道字具載始末, 經曰, 堅氷至, 要其終也, 傳曰, 至堅氷原其始也.
운봉호씨가 말하였다: 상육에서는 그 도가 궁극에 달한 것이라고 했다. 초육이 그 도에 순응하여 익히는 것으로부터 궁극의 지경에 이르는 것까지 두 개의 '도(道)'자가 시작과 말단을 갖추고 있음을 나타내니, 경문(經文)에서 "단단한 얼음이 이른다"고 한 말은 그 종결을 요약한 것이며, 「상전」에서 단단한 얼음에 이르게 된다고 한 말은 그 시초를 밝힌 것이다.

‖韓國大全‖

유정원(柳正源) 『역해참고(易解參攷)』

履霜 [至] 冰也.
서리를 밟는다. … 얼음에 이른다.
正義, 防漸慮微, 愼終于始也.[48]
『주역정의』에서 말하였다: 점점 자라남을 방지하며 미약한 때부터 염려하려는 것이니, 시작부터 마침을 신중하게 하려는 것이다.

○ 梁山來氏曰, 道者, 小人道長之道, 卽上六其道窮之道也.[49]
양산래씨가 말하였다: '도(道)'는 소인(小人)의 도가 자라나는 도이니, 곧 상육 「상전」에서 "그 도가 궁극한 것이다"에서의 도이다.

本義, 魏志.
『본의』에서 말하였다: 『위지』.
〈晉陳壽作. ○ 魏曹丕時許芸奏〉.
〈진나라 진수가 지었다. 위나라 조비 때 허운이 올린 글이다.〉

---

48) 『주역정의』 곤괘 초육 상전 주석.
49) 來知德, 『周易集註』 卷一. 초육 상전 주석.

김상악(金相岳) 『산천역설(山天易說)』

霜氷, 不是二物, 此氷卽此霜之凝也. 馴者, 擾也, 如馬之悍, 被人馴擾, 而爲順也. 卦取牝馬之象, 故爻言馴, 非无因也.
서리와 얼음은 두 가지 물건이 아니니, 이 얼음은 곧 이 서리가 응결된 것이다. 순(馴)은 길들인다[擾]는 것이니, 사나운 말은 사람에게 길들여지면 유순해진다. 괘는 암말의 상을 취했기 때문에 효(爻)에서 길들인다고 하였으니, 따르지 않음이 없다.

김귀주(金龜柱) 『주역차록(周易箚錄)』

本義, 按魏志, 云云.
『본의』에서 말하였다: 『위지』를 살펴보면, 운운.
小註, 習靜劉氏曰, 坤初六, 云云.
소주에서 습정유씨가 말하였다: 곤의 초육, 운운.
○ 按, 姤之初六, 固有坤之初六之象. 然二卦所指, 各有攸當. 今以坤之初六, 直作五月卦說, 而謂氷霜之時尙遠者, 恐失本旨. 若如其說, 則未及履霜, 而謂之已凝之霜者, 豈非迂遠之甚乎.
내가 살펴보았다: 구괘(姤卦)의 초육(初六)은 진실로 곤괘(坤卦) 초육(初六)의 상(象)이다. 그러나 두 괘가 가리키는 것은 각각 마땅한 것이 있다. 지금 곤괘의 초육을 바로 5월의 괘로 설명하여 얼고 서리가 내리는 시기와는 아직 멀다고 한다면 아마 본래의 뜻을 잃게 된다. 만약 그 학설로 한다면 아직 서리를 밟지도 않았는데도 이미 응결된 서리라고 하게 될 것이니, 어찌 매우 요원하지 않겠는가?

雲峯胡氏曰, 上六, 云云.
운봉호씨가 말하였다: 상육, 운운.
○ 按, 堅氷至, 至堅氷, 皆是要其終, 而履霜, 便是原其始, 胡氏分析恐未當.
내가 살펴보았다: 단단한 얼음이 이른다는 것은 단단한 얼음이 어는 시기에 이르러 모두 끝마쳐야 하는 것이고, 서리를 밟음은 곧 그 첫 근원에 해당하는 것이니, 호씨의 분석이 아마도 타당하지 않은 것 같다.

서유신(徐有臣) 『역의의언(易義擬言)』

先君子曰, 純陰之卦, 有凝陰之象, 而初爲其始, 故曰陰始凝也.
선군자[50]께서 말씀하였다: 순음의 괘에는 응결하는 음의 상이 있고, 처음은 시작이 되기 때문에 음이 처음 응결된다고 하였다.

竊按, 坤者, 凝陰之卦也. 一陰者, 凝之始也, 霜者, 凝之多也, 氷者, 凝之極也. 在初六爲始凝之象, 到上六爲馴致純陰之象也. 馴致其道者, 順其道而養成之也.
내가 살펴보았다: 곤은 응결하는 음의 괘이다. 하나의 음은 응결의 시작이고, 서리는 응결이 많이 된 것이며, 얼음은 응결이 극에 달한 것이다. 초육은 처음 응결하는 상이고, 상육에 이르러 순음(純陰)을 점차 이루는 상이 된다. 그 도를 점차 이룸은 그 도를 따라 길러 이루는 것이다.

박문건(朴文健) 『주역연의(周易衍義)』

履霜堅氷, 魏志作初六履霜, 見本義
서리를 밟음과 단단한 얼음은 「위지」에 "초육은 서리를 밟는다"고 하였으니, 『본의』에 보인다.

○ 馴, 順習也.
'길들임[馴]'은 따라서 익힘이다.
〈問, 至堅氷之至, 與堅氷至之至, 其義同歟. 曰, 少異. 經之至, 有來意, 傳之至, 有往意.
물었다: "단단한 얼음에 이른다"의 이름과 "단단한 얼음이 이른다"의 이름은 그 뜻이 같습니까? 답하였다: 조금 다릅니다. 경문의 '이름'은 온다[來]는 뜻이 있고, 「상전」의 이름은 '간다[往]'는 뜻이 있습니다.〉

심대윤(沈大允) 『주역상의점법(周易象義占法)』

履霜而至於堅氷, 陰始凝也. 艮爲凝, 若如朱子作初六履霜, 則凝字无來歷也.
서리를 밟아 단단한 얼음에 도달함은 음이 처음 응결된 것이다. 간괘(艮卦☶)는 응결됨인데, 주자가 초육에서 서리를 밟는다고 하였으니, 응결됨이라는 글자는 내력이 없다.

오치기(吳致箕) 「주역경전증해(周易經傳增解)」

始雖微而終至於盛, 以其不早圖而馴致也.
시작은 비록 미약하지만 끝내 성대함에 이르니, 일찍 도모하지 않아서 점차 이루어진 것이다.

---

50) 선군자(先君子): 돌아가신 아버지를 말한다.

박문호(朴文鎬) 「경설(經說) · 주역(周易)」

魏志所引於文勢爲順, 然雖作履霜堅冰, 亦自無害. 蓋此四字, 是總括也. 其下乃分言之, 上下冰字, 不相矛盾, 而實相呼應, 豈魏志檃栝其文而用之歟.
「위지(魏志)」에서 인용한 것이 문장의 형세에 있어서 순하지만 '서리를 밟으면 단단한 얼음'이라고 해도 역시 무방할 것이다. 이 네 글자는 총괄한 것이다. 그 아래에는 나누어 말했으니, 아래와 위의 얼음이라는 글자는 서로 모순되지 않고 서로 호응하니, 어찌 「위지(魏志)」가 그 문장을 바로잡기 위해 사용한 것이겠는가?

이병헌(李炳憲) 『역경금문고통론(易經今文考通論)』

又曰, 五月之始, 陰氣始動乎三泉之下, 言陰氣動矣, 則必至於履霜, 履霜則必至於堅氷也.
또 말하였다: 오월(五月) 초기에 음(陰)의 기운이 처음 삼천(三泉)의 아래에서 움직인다는 것은 음의 기운이 처음 움직임을 말한 것이니, 반드시 서리를 밟음에 이르고, 서리를 밟으면 반드시 단단한 얼음에 이른다.[51]

玉篇云, 馴, 擾也, 漸, 致也. 又古順字, 按, 與文言, 蓋言順也之順, 同義.
『옥편(玉篇)』에서 말하였다: 길들임[馴]은 길들임이고, 점차[漸]는 이룸이다. 또 옛날의 따르다[順]는 글자를 살펴보니, 「문언전(文言傳)」에 "차례로 이루어진다는 말이다[言順]"라고 할 때의 차례[順]와 뜻이 같다.

---

51) 『周易集解』 卷二: 陰氣在初五月之時自姤來也陰氣始動乎三泉之下言陰氣動矣則必至於履霜履霜則必至於堅冰言有漸也.

六二, 直方大. 不習, 无不利.

육이는 곧고 방정하며 크니, 익히지 않아도 이롭지 않음이 없다.

中國大全

傳

二陰位在下, 故爲坤之主. 統言坤道, 中正在下, 地之道也. 以直方大三者, 形容其德用, 盡地之道矣. 由直方大, 故不習, 而无所不利. 不習, 謂其自然, 在坤道, 則莫之爲而爲也, 在聖人, 則從容中道也. 直方大, 孟子所謂至大至剛以直也. 在坤體, 故以方易剛, 猶貞加牝馬也. 言氣, 則先大, 大, 氣之體也. 於坤, 則先直方, 由直方而大也. 直方大足以盡地道, 在人識之耳. 乾坤純體, 以位相應. 二坤之主, 故不取五應, 不以君道處五也. 乾則二五相應.

『정전』에서 말하였다: 육이는 음의 자리가 아래에 있으므로 곤괘의 주인이 된다. 곤의 도를 총괄해서 말했으니, 중정한 것이 아래에 있는 것이 땅의 도이다. 곧고 방정하며 큰 것으로 그 덕의 작용을 형용하여 땅의 도를 다하였다. 곧고 방정하며 크기 때문에 익히지 않아도 이롭지 않음이 없다. 익히지 않는다는 것은 저절로 되는 것을 말하니, 곤의 도에서는 애쓰지 않아도 되는 것이고, 성인에게서는 자연스럽게 도에 합치하는 것이다. 곧고 방정하며 큰 것은 『맹자』에서 이른바 "지극히 크고 지극히 강건해서 곧다"는 것이다. 곤이라는 형체에 있기 때문에 방정함으로 강건함을 바꿨으니, '정'자 앞에 암말을 더한 것과 같다. 기운을 말하면 큼을 앞세우니, 큼은 기운의 몸체이다. 곤괘에서는 곧음과 방정함을 앞세우니, 곧고 방정함으로 말미암아 크기 때문이다. 곧고 방정하며 큰 것은 땅의 도를 충분히 다할 수 있으니, 사람들이 그것을 아는 데 달려 있을 뿐이다. 건괘와 곤괘는 순수한 몸체이니 자리로 호응한다. 그러나 이효는 곤의 주인이기 때문에 오효의 호응을 취하지 않았으니, 임금의 도리로 오효를 처우하지 않은 것이다. 건괘에서는 이효와 오효가 서로 호응한다.

小註

程子曰, 至大至剛以直, 此三者不可缺一. 缺一便不是浩然之氣. 如坤所謂直方大是也. 但坤卦不可言剛, 言剛則害坤體. 然孔子於文言, 又曰, 坤至柔而動也剛, 方卽剛也. 又曰, 坤六二直方大不習无不利, 方便是剛, 大便是大, 直便是直. 於坤不言剛而言方者, 言剛則害於地道. 故下復云, 至柔而動也剛, 以其先言柔, 而後云剛无害. 大只是對小而言是大也, 剛只是對柔而言是剛也, 直只是對曲而言是直也, 如此自然不習无不利. 坤之六二, 只爲已是地道, 又是二, 又是六, 地道之精純者, 至如六五便不同, 欲得學者且只看取地道. 坤雖是學者之事, 然亦有聖人之道, 聖賢之道, 其發无二, 但至有深淺大小.

정자가 말하였다: 지극히 크고 지극히 강건해서 곧으니, 이 세 가지는 하나라도 없어서는 안 된다. 하나라도 없으면 바로 호연지기가 아니다. 이를테면 곤괘의 이른바 곧고 방정하며 크다는 것이 여기에 해당한다. 다만 곤괘에서 강건하다고 말할 수 없었던 것은 강건하다고 말하면, 곤의 체를 해치기 때문이다. 그러나 공자는 「문언전」에서 또 "곤은 지극히 유순하지만 움직임이 강건하다"고 했으니, 방정함이 바로 강건함이다.

또 말하였다: 곤괘의 "육이는 곧고 방정하며 커서 익히지 않아도 이롭지 않음이 없다"는 것에서 '방(方)'은 곧 강건함이고, '대(大)'는 곧 큼이며, '직(直)'은 곧 곧음이다. 곤괘에서 강건함이라 않고 방정함이라 한 것은 강건함이라 말하면 땅의 도를 해치기 때문이다. 그러므로 아래에서 다시 "곤은 지극히 유순하지만 움직임이 강건하다"고 말한 것은 먼저 유순함을 말한 다음에 강건함을 말해야 해치지 않기 때문이다. 큼은 단지 왜소함과 상대해서 큼이라고 말한 것일 뿐이고, 강건함은 단지 유순함과 상대해서 강건함이라고 말한 것일 뿐이며, 곧음은 단지 굽음과 상대해서 곧음이라고 말한 것일 뿐이다. 이처럼 자연스럽게 익히지 않아도 이롭지 않음이 없다. 곤괘의 육이는 이미 땅의 도인데 또 이효이고 음이어서 땅의 도가 순수한 것이 육오와는 다르니, 배우고자 하는 자들은 또 땅의 도인 곤을 살펴야 한다. 곤은 비록 배우는 자의 일이나 또한 성인의 도이다. 성현의 도는 그 드러남은 같으나 이른 경지의 깊고 얕은 차이와 크고 작은 차이가 있을 뿐이다.

○ 朱子曰, 坤卦中惟這一爻最純粹. 蓋五雖尊位, 卻是陽爻破了體了, 四重陰而不中, 三又不正. 惟此爻得中正, 所以就這說箇直方大. 此是說坤卦之本體, 然而本意卻是敎人知道這爻有這箇德, 不待習學而无不利, 人占得這箇時若能直能方能大, 則亦不習无不利, 卻不是要發明坤道. 伊川有這箇病, 從頭到尾皆然.

주자가 말하였다: 곤괘 가운데 이 하나의 효만이 가장 순수하다. 오는 존귀한 자리이지만 양의 자리의 효로 몸체를 파괴한 것이고, 사는 음이 거듭되어 중이 아니며, 삼은 또 제 자리가 아니다. 그런데 오직 이 효만 중정하기 때문에 곧고 방정하며 크다고 말했다. 이 구절은 곤괘의 본체를 설명한 것이지만 본래 의도는 오히려 사람들이 이 효에 이 덕이 있음을 알아 굳이 학습하지 않아도 이롭지 않음이 없으니, 사람들이 점을 쳐서 이것이 나왔을 때, 곧고 방정하며 클 수 있다면, 또한 익히지 않아도 이롭지 않음이 없다는 것을 알게 함이지 곤의

도를 드러내 밝히려는 것이 아니다. 이천은 이런 점에 잘못이 있으니, 처음부터 끝까지 모두 그렇다.

○ 厚齋馮氏曰, 乾六爻莫盛於五, 坤六爻莫盛於二. 何也. 中而且正. 乾尊坤卑, 各盡其道也.
후재풍씨가 말하였다: 건괘의 여섯 효에서는 오효보다 성대한 것이 없고, 곤괘의 여섯 효에서는 이효보다 성대한 것이 없다. 무엇 때문인가? 중이면서 또한 바른 자리이기 때문이다. 건이 높고 곤이 낮은 것은 제각기 그 도를 극진히 하는 것이다.

本義

柔順正固, 坤之直也, 賦形有定, 坤之方也, 德合无疆, 坤之大也. 六二柔順而中正, 又得坤道之純者. 故其德內直外方而又盛大, 不待學習而无不利. 占者有其德, 則其占如是也.

유순하고 정고한 것은 곤의 곧음이고, 형체를 부여함에 일정함이 있는 것은 곤의 방정함이며, 덕이 끝없음에 합치하는 것은 곤의 큼이다. 육이는 유순하면서 중정하고, 또 곤도의 순수함을 얻은 것이다. 그러므로 그 덕이 안으로는 곧고 밖으로는 방정하고 또 성대하니, 굳이 학습하지 않아도 이롭지 않음이 없다. 점치는 자가 그 덕이 있으면 그 점이 이와 같을 것이다.

小註

朱子曰, 方是一定不變之意, 坤受天之氣而生物, 而其直止是一定.
주자가 말하였다: 방정함은 일정해서 변함이 없다는 의미이다. 곤은 하늘의 기운을 받아 만물을 낳지만 그 곧음이 일정할 뿐이다.

○ 問, 直方大, 不習, 无不利. 曰, 坤是純陰, 一卦諸爻, 皆不中正. 五雖中, 亦以陰居陽. 唯六二居中得正, 爲坤之最盛者. 故以象言之, 則有是三者之德而不習无不利. 占者得之有是則吉.
물었다: "곧고 방정하며 크니, 익히지 않아도 이롭지 않음이 없다"는 말은 무엇입니까?
답하였다: 곤은 순음인데, 하나의 괘에서 여러 효가 다 중정하지는 않습니다. 오효가 비록 중일지라도 음이 양의 자리에 있습니다. 오직 육이만 중에 자리하고 정을 얻었기 때문에 곤괘에서 가장 성대합니다. 그러므로 상으로 말한다면, 이 세 가지 덕이 있어서 익히지 않아

도 이롭지 않음이 없습니다. 점치는 자가 이 점괘를 얻으면 길합니다.

○ 占者, 有直方大之德, 則不習而无不利, 占者无此德, 則雖習而不利也. 如奢侈之人, 而得恭儉, 則吉之占, 明不恭儉者是占爲不吉也. 他皆倣此. 如此看自然意思活.
점치는 자가 곧고 방정하며 큰 덕이 있다면, 익히지 않아도 이롭지 않음이 없고, 점치는 자가 이런 덕이 없다면 비록 익힐지라도 이롭지 않다. 예컨대 사치스러운 사람이면서 "공손하고 검소하면 길하다"는 점을 얻었다면 공손하고 검소하지 않은 자는 이 점이 길하지 못하다는 것을 밝혔다. 다른 곳에서도 모두 이와 같다. 이와 같이 보면 자연스럽게 의미가 살아 움직인다.

○ 問, 不習无不利, 或以爲此是成德之事, 或以爲學者須時習, 然後至於不習. 曰, 不是如此. 聖人作易, 只是說此爻中有此象, 人若占得, 便應此事有此用也, 未說到時習至於不習, 與成德之事. 若說到學者須, 習至於不習, 然聖人作易未有此意在.
물었다: "익히지 않아도 이롭지 않음이 없다"는 말에 대해 어떤 사람은 덕을 완성한 사람의 일이라고 여기고, 어떤 사람은 배우는 자들이 때에 맞추어 익힌 다음에 익히지 않아도 되는 데에 이르는 것이라고 여깁니다.
답하였다: 그렇지 않습니다. 성인이 역을 지을 때에 이런 효 중에는 이런 상이 있으니, 사람들이 만약 점괘를 얻으면 이런 일에는 이런 작용이 있다는 것을 말했던 것뿐이지, 때에 맞추어 익혀 익히지 않아도 되는 데에 이르는 것과 덕을 완성한 사람의 일에 대해서는 말한 적이 없습니다. 만일 배우는 자들이 반드시 익혀서 익히지 않아도 되는 데에 이르는 것을 말했다고 한다면, 성인이 역을 지을 때 이런 의미를 둔 적은 없습니다.

○ 雲峯胡氏曰, 乾五爻皆取象, 唯九三獨指其性體剛健者言之. 坤五爻各取象, 唯六二獨指其性體柔順者言之. 初三五柔順而不正, 四上柔順而不中. 唯六二柔順而中正, 得坤道之純者也. 正則內直, 中則外方. 直則生物不可屈撓, 方則賦形不可移易. 內直外方, 其德自然盛大, 不待習熟而无不利. 占者如之, 則自然无不利也. 初六占在象中, 六二象在占中, 學者會於辭意之表可也.
운봉호씨가 말하였다: 건괘의 다섯 효가 모두 상을 취했는데, 구삼만은 그 성질과 몸체가 강건한 것을 가리켜서 말했다. 곤괘의 다섯 효가 각기 상을 취했는데, 육이만은 그 성질과 몸체가 유순한 것을 가리켜서 말했다. 초효 · 삼효 · 오효는 유순하지만 제 자리가 아니고, 사효 · 상효는 유순하지만 중이 아니다. 오직 육이만 유순하면서 중정하기 때문에 곤도의 순수함을 얻었다. 제자리이면 안으로 곧고, 중이면 밖으로 방정하다. 곧으면 사물을 낳음에 굽히거나 휘게 할 수 없고, 방정하면 형체를 부여함에 옮겨서 바꿀 수 없다. 안으로 곧고 밖으로

방정하면 그 덕이 저절로 성대해지니, 굳이 익혀서 익숙하게 하지 않을지라도 이롭지 않음이 없다. 점치는 자가 그와 같다면 저절로 이롭지 않음이 없다. 초육은 점이 상 속에 있고, 육이는 상이 점 속에 있으니, 배우는 자들은 표현하고자 하는 말의 의미를 이해해야 한다.

韓國大全

권근(權近) 『주역천견록(周易淺見錄)』

六二, 直方大.
육이는 곧고 방정하며 크다.
象曰, 六二之動, 直以方也.
「상전」에서 말했다: 육이의 움직임은 곧으면서 방정하다.
地道靜而陰體小, 坤之六二爲大爲動, 何也. 蓋靜且小者, 體之常, 而動且大者, 用之發也. 乾道變化, 坤順承之, 以成生物之功, 故其動剛而應乎天之至健, 其用大而合於乾之无疆也.
땅의 도는 고요하고 음의 몸체는 작은데, 곤의 육이가 크고 움직이는 것은 어째서인가? 고요하면서 작은 것은 몸체가 일정한 것이고, 움직이면서 큰 것은 작용이 펼쳐지는 것이다. 건의 도가 변화함에 곤이 유순하게 계승하여 만물을 낳는 공을 이룬다. 그러므로 그 움직임이 강하여 하늘의 지극히 강건함에 응하고, 그 작용이 커서 건의 끝없음에 합한다.

조호익(曺好益) 『역상설(易象說)』

傳, 乾坤以位相應.
『정전』에서 말하였다: 건과 곤은 위치로 서로 응한다.
按, 乾坤二卦, 爻不相應, 朱子論程說之非.
내가 살펴보았다: 건괘와 곤괘는 효(爻)가 서로 응하지 않으니, 주자는 정자의 학설이 잘못되었다고 하였다.

송시열(宋時烈) 『역설(易說)』

二雖主卦, 然五爲君位. 乾主九五, 坤主六二, 天尊地卑之義也. 小象言動, 文言云動也剛, 此爻動則爲坎. 雖不言坎義, 而陰爻動則爲陽. 不習之習字, 取習坎之習字, 且書曰卜不習吉, 蓋不習以下占辭.
이효가 비록 주인 괘이지만, 오효가 임금의 지위이다. 건괘는 구오가 주인이고, 곤괘는 육이가 주인이니, 하늘은 높고 땅은 낮다는 뜻이다. 「소상전」에서는 움직임이라고 하였고, 「문언전」에서도 움직임이 굳세다고 하였으니, 이 효가 움직이면 감괘가 된다. 비록 감의 뜻을 말하지는 않았지만, 음효가 움직이면 양이 된다. '익히지 않음'의 '익힘'은 습감(習坎)의 '습' 자이고, 또 『서경』에 "길함을 거듭 점치지 않는다[卜不習吉]"라고 하였으니, 대체로 '불습' 이하는 점사(占辭)이다.

김만영(金萬英) 「역상소결(易象小訣)」

六二, 直方大.
육이는 곧고 방정하며 크다.
二爲下坤之中, 故專以地形言也.
육이가 아래 곤의 중앙이기 때문에, 오로지 땅의 형체로써 말하였다.

이익(李瀷) 『역경질서(易經疾書)』

六二, 恐直方爲句, 據上下押韵而知之, 如乾之中四爻, 漸之六爻, 雙韵, 豈偶然而然也? 直者文言訓正, 同人之九五, 中正也而云中直, 亦可爲證. 坤六爻, 惟六二中正, 故狀坤之體, 在此地形正方, 正者端直也. 方則面面皆同此其狀也, 然後又不言大, 則無以著其無疆之體, 謂其直方者, 又大也. 不習无不利, 其用也, 文言曰, 敬以直內, 義以方外, 此以德言也. 今曰六二之動, 直以方也, 不習无不利, 地道光也, 動字, 帖不習无不利六二之用也, 其意若曰其用如此者, 由體之直方故也. 處物爲義, 義非在外也.
육이에서 아마도 "곧고 방정하다"가 한 구절일 듯하니, 이는 위 아래의 압운(押韻)에 근거하여 알 수 있다. 건괘 가운데 네 효와 점괘(漸卦)의 여섯 효가 쌍운(雙韻)인 것이 어찌 우연히 그러하겠는가? '직(直)'은 「문언전」에 '바르다[正]'로 풀이하였는데, 동인괘(同人卦) 구오는 중정하고 "중심이 바르다"고 하였으니, 또한 증거가 된다. 곤괘 여섯 효 중에 오직 육이가 중정하기 때문에 곤의 몸체를 나타내는데 여기에서는 땅의 모양이 곧고 방정하다는 것이니, '바름'은 바르고 곧다는 의미이다. 방정하면 모든 면이 모두 형체가 같으니, 그런 연후에 또한 큼을 말하지 않으면 끝없음의 몸체를 드러낼 수 없다. 그래서 곧고 방정하고 또 크다고 하였다. '익히지 않아도 이롭지 않음이 없음'은 그 작용이다. 「문언전」에서 "경으로써 안을 곧게 하고, 의로써 밖을 방정하게 한다"고 하였으니 덕으로 말한 것이다. 지금 "육이의 움직임은 곧으면서 방정하여 익히지 않아도 이롭지 않음이 없으니, 땅의 도가 빛남이다"고 하였으니, 여기에서 '움직임'은 '익히지 않아도 이롭지 않음'을 따르는 육이의 작용이다. 나의 생각에 만약 그 작용이 이와 같다는 것은 몸체가 곧고 방정하기 때문이다. 사물을 처리하는 것이 의로우니, 의로움은 밖에 있지 않다.

和靖尹氏曰, 敬而直內, 至不習无不利, 則無更計較, 伊川深以爲然.

화정윤씨가 말하였다: 경(敬)으로 안을 곧게 하여 익히지 않아도 이롭지 않음이 없음에 이른다면 다시 생각할 것이 없을 것이니, 이천이 깊이 그렇다고 여겼다.

권만(權萬) 「역설(易說)」

六二, 不習, 習, 重也. 乾之盛德在五, 重而後, 乾體立, 坤之盛德在二, 不待重, 卦而已, 利坤而重則五居陽位, 非純也. 程傳朱義, 皆以訓習, 學習爲訓, 何也.

육이에서 "익히지 않는다"고 했을 때, '익힘'은 거듭함이다. 건의 성대한 덕은 오효에 있으니 거듭한 이후에 건의 몸체가 서며, 곤의 성대한 덕은 이효에 있으니 거듭하지 않아도 곤괘일 뿐이니, 곤을 이롭게 여겨 거듭하면 오효가 양위에 자리하게 되어 순수하지 않다. 『정전』과 『본의』에서 모두 '길들여 익힘'과 '배워 익힘'으로 새긴 것은 어째서인가?

양응수(楊應秀) 「곤괘강의(坤卦講義)·역본의차의(易本義箚疑)」

問, 語類黃有開問, 乾之九二是聖人之德, 坤之六二是賢人之德? 朱子曰, 九二是見成底, 不待修爲, 如庸言之信, 庸行之謹, 善世不伐, 德博而化, 此則聖人之德也. 坤六二直方大不習無不利, 須是敬以直內義以方外, 如此方能德不孤, 卽是大矣. 此是自直與方以至於大, 修爲之序如此是賢人之德也. 朱子之訓旣如是, 則敬直義方之功, 止於賢人之德, 而不可由是而至於聖人之域耶?

물었다: 『주자어류』에서 황유개가 "건의 구이는 성인의 덕이며, 곤의 육이는 현인의 덕입니까?"라고 묻자[52], 주자는 "구이는 이루어진 것이라서 수양과 행동을 기다리지 않아도 되니, 마치 '평상시의 말을 믿게 하고 평상시의 행동을 삼가하여, 세상을 좋게 하고도 자신의 공로를 자랑하지 않으며, 덕(德)이 넓어 교화하니'[53] 이것이 성인의 덕입니다. 곤괘의 '육이는

---

52) 『朱子語類』 卷第六十九: 黃有開問: 乾之九二是聖人之德, 坤之六二是賢人之德, 如何? 曰: 只謂乾九二是見成底, 不待修爲. 如庸言之信, 庸行之謹, 善世不伐, 德博而化, 此卽聖人之德也. 坤六二直方大, 不習無不利, 須是敬以直內, 義以方外, 如此方能德不孤, 卽是大矣. 此是自直與方, 以至於大, 修爲之序如此, 是賢人之德也.

53) 『周易·乾卦·文言傳』 九二.

곧고 방정하며 크니, 익히지 않아도 이롭지 않음이 없으니', 반드시 '경으로써 안을 곧게 하고 의로써 밖을 방정하게 하여야', '덕이 외롭지 않을 것'이니 곧 크다는 것입니다. 이것은 곧음과 방정함으로부터 큼에 이르기까지 수양하는 순서가 이와 같은 것이니 이것이 현인의 덕입니다"라고 답하였습니다. 주자의 새김이 이미 이와 같다면 경으로써 안을 곧게 하고 의로써 밖을 방정하게 하는 공부는 현인의 덕에 그치니, 이로 말미암아 성인의 영역에 이를 수는 없는 것입니까?

曰, 自敬義而至於不習無不利, 則雖聖人何以加此. 大抵爲學之道, 莫如敬直義方之爲緊切, 故朱子以爲, 此八箇字一生用之不窮. 又詳言其義曰, 敬以直內, 是無纖毫私意, 胸中洞然, 徹上徹下, 表裏如一. 義以方外, 是見得是處決定是恁地, 不是處決定是不恁地, 截然方方正正. 學者誠能依此朱子之訓, 而眞箇做工夫, 則何患不到聖人之地位, 而如吾輩徒能言之, 不能實踐, 安得免爲朱子之罪人乎. 是可愧懼.

답하였다: 경과 의로부터 "익히지 않아도 이롭지 않음이 없다"에 이르기까지 비록 성인이라도 어찌 여기에 더할 것이 있겠습니까? 학문하는 방법은 경으로써 안을 곧게 하고 의로써 밖을 방정하게 하는 것이 가장 절실하기 때문에, 주자는 이 여덟 글자를 일생 동안 사용해도 끝이 없을 것이라고 여겼습니다. 또한 그 뜻을 상세하게 말하여[54] "경으로써 안을 곧게 함은 조금의 사사로운 생각도 없어 가슴이 환하게 밝아 아래 위로 관통하여 밖과 안이 한결같은 것입니다. 의로써 밖을 방정하게 함은 옳은 것은 옳다고 결정하고, 옳지 않은 것은 옳지 않다고 결정하여 분명하게 바르고 곧은 것입니다"라고 하였습니다. 배우는 자가 참으로 이러한 주자의 새김에 의지하여 진실하게 공부하면 어찌 성인의 지위에 도달하지 못함을 걱정하겠습니까? 우리는 다만 말만하고 실천하지 않으니, 어찌 주자의 죄인임을 면할 수 있겠습니까? 이를 부끄러워하고 두려워해야 합니다.

유정원(柳正源) 『역해참고(易解參攷)』[55]

六二 [至] 不利.

육이 … 이롭지 않음이 없다.

〈莆陽鄭氏曰, 坤爻辭, 皆叶霜韻, 大字疑衍, 不然屬下句.〉[56]

---

54) 『朱子語類』 卷第六十九: 先之問, 敬以直內, 義以方外. 曰: 說只恁地說, 須自去下工夫, 方見得是如此. 敬以直內是無纖毫私意, 胸中洞然, 徹上徹下, 表裏如一. 義以方外是見得是處決定是恁地, 不是處決定不恁地, 截然方方正正. 須是自將去做工夫. 聖門學者問一句, 聖人答他一句, 便領略將去, 實是要行得. 如今說得儘多, 只是不曾就身己做看. 某之講學所以異於科擧之文, 正是要切己行之. 若只恁地說過, 依舊不濟事. 若實是把做工夫, 只是敬以直內, 義以方外八箇字, 一生用之不窮. 賀孫.

55) 경학자료집성DB에서는 초육에 해당하는 것으로 분류했으나, 내용에 따라 이 자리로 옮겨 바로 잡는다.

〈포양정씨가 말하였다: 곤괘의 효사(爻辭)는 모두 '상(霜)'의 운(韻)에 맞춘 것이고, '대(大)'는 아마도 연문이거나 그렇지 않으면 아래 구절에 속할 것이다.〉

進齋徐氏曰, 習, 重習也. 卜不習吉, 此言不待重占. 自旡不利以人道言之.[57]
진재서씨가 말하였다: 습은 거듭 익힘이다. "길함을 거듭 점치지 않는다"고 했으니, 이것은 거듭 점치는 것을 기다리지 않는다는 말이다. "이롭지 않음이 없다"는 것은 인도로써 말한 것이다.

○ 梁山來氏曰, 直字, 卽坤至柔而動也, 剛之剛也. 方字, 卽至靜而德方之方也. 大字, 卽含弘光大之大也. 六二, 得坤道之靜, 則旡私曲故直, 居坤之中, 則旡偏黨故方. 直者, 在內所存之柔順中正也, 方者, 在外所處之柔順中正也, 唯柔順中正, 在內則爲直, 在外則爲方, 內而直外而方, 此其所以爲大也. 不揉而直, 不矩而方, 不恢而大, 此其所以不習也.
양산래씨가 말하였다: '곧음[直]'이라는 글자는 곧 곤이 지극히 유순하게 움직임이니 강하고 강하다. '방정하다[方]'는 글자는 곧 지극히 고요하여 덕이 방정하다는 의미의 방정함이다. '위대하다[大]'는 글자는 곧 "포용하고 너그러우며 빛나고 위대하다"고 할 때의 위대함이다. 육이는 곤도의 고요함을 얻어 사사롭거나 바르지 않음이 없기 때문에 곧고, 곤의 중앙에 있어 치우침이 없기 때문에 방정하다. 곧음은 안에 있어 보존한 것이 유순하고 중정하며, 방정함은 밖에 있어 처한 것이 유순하고 방정하다. 오직 유순하고 중정하여 안은 곧고 밖은 방정하다. 안은 곧고 밖은 방정하니 이것이 위대함이 되는 이유이다. 펴지 않아도 곧고 재지 않아도 방정하고 넓히지 않아도 위대하니, 이것이 익히지 않는 까닭이다.

○ 案, 乾旡所不包, 故旡所不利, 坤只一半好, 故利牝馬之貞, 非牝馬之貞, 則不利也. 如後得, 得朋利也, 先迷, 喪朋不利也, 而六二之旡所不利, 何也. 曰, 以坤之配乾而言, 則坤有利不利, 以坤道之純者言, 則直方大三德, 旡所不利也. 文言, 以敬直義方言之, 敬義之德, 隨時隨處, 何所不利乎.
내가 살펴보았다: 건은 포함하지 않는 것이 없는 까닭에 이롭지 않음이 없고, 곤은 다만 반만 좋기 때문에 암말의 곧음이 이로우니, 암말의 곧음이 아니면 이롭지 않다. 뒤에 하여 얻음은 벗을 얻어 이롭고, 먼저 하여 혼미함은 벗을 잃어 이롭지 않은데, 육이가 이롭지

56) 項安世, 『周易玩辭』 卷一: 直方大; 蒲陽鄭厚曰, 坤爻辭, 皆協霜字韻, 此當曰直方而已, 大字衍文, 不然則屬下句.
57) 『大易擇言』 卷二.

않음이 없음은 어째서인가?
답한다: 곤이 건과 짝하는 것으로 말하면 곤은 이로움과 이롭지 않음이 있고, 곤도의 순수함으로 말하면 곧고 방정하고 위대한 세 덕이 있어 이롭지 않음이 없다. 「문언전」에 경으로 안을 곧게 하고 의로 밖을 방정하게 한다고 하였으니, 경과 의의 덕이 어느 때인들 어느 곳인들 이롭지 않겠는가?

김상악(金相岳) 『산천역설(山天易說)』

六二, 居內坤之中, 柔順得正, 坤道之純者也. 直則生物不可屈撓, 方則賦形不可移易, 便是至柔而動也剛, 至靜而德方也, 故德合无疆,自然盛大, 而坤以簡能爲德, 故不習而无不利也.
육이는 곤의 내괘 가운데 자리하여 유순하며 바름을 얻었으니 곤도의 순수함이다. 곧으면 사물을 낳음에 굽히거나 휘게 할 수 없고, 방정하면 형체를 부여함에 옮겨서 바꿀 수 없으니, 곧 지극히 유순하지만 움직임은 강하고, 지극히 고요하지만 덕은 방정하다. 그러므로 덕이 끝없음에 합치되어 자연히 성대하며, 곤은 간략하게 능함이 덕이기 때문에 익히지 않아도 이롭지 않음이 없다.

○ 坤之道直, 坤之德方, 坤之體大. 深衣篇, 負繩抱方者, 以直其政, 方其義也, 取之于是也. 朱子曰, 文言, 將敬字解直字, 義字解方字, 敬義立而德不孤, 卽解大字, 所以不習而无不利也. 又習重習也, 故習坎曰, 習敎事. 而坤則六爻皆陰, 故曰不習, 如乾之自强也.
곤의 도는 곧고, 곤의 덕은 방정하며, 곤의 몸체는 크다. 『예기(禮記)』「심의(深衣)」편에서 "곧은 것[繩]을 뒤로 지고, 모난 것을 앞으로 껴안은 것은 그 정치를 바르게 하고, 그 의(義)를 방정하게 하는 것"이라고 하였으니, 이것에서 취한 것이다.
주자가 말하였다: 「문언전」에서는 경(敬)자로 직(直)자를, 의(義)자로 방(方)자를 해석했고, 경과 의가 확립되어 외롭지 않다는 것으로 큼을 해석하였으니, 그래서 익히지 않아도 이롭지 않음이 없다. 또한 '익힘'은 거듭 익힘이다. 그래서 습감괘에서 "가르치는 일을 익힌다"고 하였다. 곤괘는 여섯 효가 모두 음이기 때문에 "익히지 않는다"고 하였으니, 건이 스스로 힘쓰는 것과 같다.

박윤원(朴胤源) 『경의(經義) · 역경차략(易經箚略) · 역계차의(易繫箚疑)』

坤之六二, 卽恰好純吉底爻, 諸卦六二, 則不能然. 蓋此卦之德, 順而能健, 貞而能弘,配乎乾道, 故其爻之以六居二, 中而正者, 无不利如此.
곤의 육이는 곧 매우 좋게 순수하고 길한 효이니, 다른 괘의 육이는 그렇지 않다. 이 괘의 덕은 유순하되 강건하며, 곧되 넓어서 건의 도에 짝하기 때문에 그 효가 음[六]으로 서 두 번째 자리에 있어 중정한 것이니, 이롭지 않음이 없음이 이와 같다.

김귀주(金龜柱) 『주역차록(周易箚錄)』

傳, 二陰位在下, 云云.
『정전』에서 말하였다: 육이는 음의 자리가 아래에 있다, 운운.
小註, 程子曰, 至大, 云云.
「소주」에서 장자가 말하였다: 지극히 크다, 운운.
○ 按, 程子, 以孟子浩然章直字, 屬之上句, 爲三德, 而與直方大較看, 故遂以文言至柔而動也剛, 剛字貼方字, 說此於義理固無害. 然若精言之, 則這剛字當貼直字看, 蓋其下自有至靜而德方, 方字則恐不必復以剛屬方矣.
내가 살펴보았다: 정자는 『맹자(孟子)』 호연(浩然)장의 직(直)을 위 구절에 포함시켜 세 덕(德)으로 여겨 "곧고 방정하며 크다"를 견주어 보았다. 그러므로 마침내 「문언전」의 "지극히 유순하지만 움직임이 굳세다"에서 '굳셈'이라는 글자를 '방정함'에 해당시켰으니, 이렇게 말해도 의리에는 참으로 해가 되지 않는다. 그러나 만약 정밀하게 말한다면 이 '굳셈'이라는 글자는 마땅히 '곧음'에 해당시켜 보아야 한다. 이는 그 아래 "지극히 고요하지만 덕이 방정하다"가 있는데, 여기에서 '방정함'에 대하여 굳이 다시 '굳셈'을 '방정함'에 붙일 필요는 없을 것이기 때문이다.

朱子曰, 坤卦, 云云.
주자가 말하였다: 곤괘, 운운.
○ 按, 卻是陽爻 爻字恐是位字之誤,
내가 살펴보았다: '양효(陽爻)'라고 하였을 때 '효(爻)'라는 글자는 아마도 '위(位)'자의 잘못인 것 같다.

本義, 柔順正固, 云云.
『본의』에서 말하였다: 유순하고 정고하다", 운운.
小註, 占者有直方大, 云云.
소주(小註)에서 말하였다: 점치는 자가 곧고 방정하며 큰, 운운.
○ 按, 占者無宜方大之德, 遇此占, 固當以雖習不利斷之, 然亦須更看其事之如何. 苟其事之正大, 則恐未可直斷以不利. 蓋直方大之德, 聖人之外, 無以當之. 若事係正大而諉以無是德而不行之, 則人將怠於爲善, 豈聖人作易設敎, 使賢愚皆得以用之本意哉. 但越常過分底事, 如無其德而作禮樂者, 則不可爲耳.
내가 살펴보았다: 점치는 자가 마땅히 방정하고 큰 덕이 없으면서 이 점을 만나면 참으로 마땅히 비록 익히더라도 이롭지 않다고 판단해야 한다. 그러나 또한 반드시 다시 그 일이 어떻게 되었는지 살펴보아야 한다. 진실로 그 일이 바르고 크다면 아마도 이롭지 않다고 곧바로 판단할 수 없을 것이다. 곧고 방정하고 큰 덕은 성인 이외에 해당하는 자가 없다. 만약 일이 바르고 큰 것에 관계되는데 이 덕이 없어서 행할 수 없다고 핑계한다면 사람이 장차 선을 행하는데 태만할 것이니, 이것이 어찌 성인이 역(易)을 짓고 교화를 베풀어 어진 자와 어리석은 자로 하여금 모두 그것을 쓰게 한 본래의 뜻이라고 할 수 있겠는가? 다만 덕이 없으면서 예와 음악을 창작하는 것과 같은 일정함과 분수를 넘는 일은 해서는 안 될 것이다.

雲峯胡氏曰, 乾五爻, 云云.
운봉호씨가 말하였다: 건괘 오효, 운운.
○ 按, 乾之九三, 坤之六二, 雖不取物爲象. 然乾乾惕厲之象, 直方大之象, 獨不可謂之象乎. 胡氏每如此說, 殊未可曉, 其下以中正分屬內直外方, 及生物不可屈橈云云, 語皆未安
내가 살펴보았다: 건의 구삼효와 곤[58]의 육이효가 비록 사물을 상으로 취하지는 않았지만 힘쓰고 힘써 두려워하는 상과 곧고 방정하고 큰 상을 유독 상이라고 할 수 없겠는가? 호씨가 매번 이와 같이 말한 것은 자못 이해하지 못하겠다. 그 아래에서 '중(中)'과 '정(正)'을 "안으로 곧다"와 "밖으로 방정하다"로 나눈 것과 "사물을 낳음에 굽히거나 휘게 할 수 없다"고 한 것은 말이 모두 타당하지 못하다.

서유신(徐有臣) 『역의의언(易義擬言)』

六二得下體中正之位, 坤之主也. 先天之坤與乾, 相承於南北, 是直也, 相交而爲坎離於東西, 是方也. 旣直又方, 是大也. 所交只一畫, 是不習也, 不習, 謂不待兩畫洊動也. 无不利者, 有所施及之謂也.
육이는 아래 몸체의 중정의 자리를 얻었으니 곤괘의 주인이다. 선천역에서 곤과 건이 남북에서 서로 이어진 것이 곧음이고, 서로 사귀어 동서에서 감괘와 리괘가 된 것이 방정함이다.

58) 坤: 경학자료집성DB에는 '神'으로 되어 있으나, 경학자료집성 영인본을 참조하여 '坤'으로 바로잡았다.

이미 곧고 또 방정함이 큰 것이다. 사귄 것이 다만 한 획인 것이 익히지 않음이니, 익히지 않음은 두 획이 연거푸 움직임을 기다리지 않는 것이다. 이롭지 않음이 없음은 베풀어 미치는 것을 말한다.

박문건(朴文健) 『주역연의(周易衍義)』

中德得剛, 故有直方之象, 成物不忒, 坤之直也, 賦形有定, 坤之方也, 大言其道光大也, 不習言直行而不疑也.
가운데 덕이 굳셈을 얻었기 때문에 곧고 방정한 상이 있다. 사물을 이룸이 어긋나지 않음이 곤의 곧음이다. 형체를 부여함에 일정함이 있는 것은 곤의 방정함이다. 큼은 그 도가 빛나고 크다는 것이다. 익히지 않음은 곧게 행하여 의심이 없는 것이다.
〈問, 不習旡不利. 曰, 果行直方之道, 故曰不習, 剛而不疑者也, 是以有利.
물었다: 익히지 않아도 이롭지 않음은 무슨 뜻입니까?
답하였다: 곧고 방정한 도를 과감하게 하는 것이기 때문에 익히지 않는다고 하였고, 강하면서도 의심하지 않으니 이로움이 있는 것입니다.〉

〈○ 問, 直方以下. 曰, 六二直方之道, 大矣, 能不習而直行, 是故无有不利也.
물었다: 곧고 방정함 이하는 무슨 뜻입니까?
답하였다: 육이의 곧고 방정한 도는 큽니다. 익히지 않고 곧게 행하는 까닭에 이롭지 않음이 없는 것입니다.

○問, 先儒云, 乾盛於五, 坤盛於二, 是否. 曰, 乾之二五, 有見飛之分, 坤之二五, 有无不利, 元吉之分. 黃基中, 通其理, 正其位, 居其體者, 豈无直方之德然耶. 直方者, 柔而用剛者也, 黃裳者, 尊而處卑者也.
물었다: 선유가 건괘는 오효에서 성대하고, 곤괘는 이효에서 성대하고 했는데, 그렇습니까?
답하였다: 건괘의 이효와 오효는 나타나고 날으는 구분이 있고, 곤괘의 이효와 오효는 이롭지 않음이 없음과 크게 길함의 구분이 있습니다. 황색이 중앙에 자리 잡아 그 이치를 통하고, 그 위치를 바로하고, 그 몸체에 자리한 것이 어찌 곧고 방정한 덕이 없어서 그러하겠습니까? 곧고 방정한 것은 유순하면서 굳셈을 쓰는 자이고, 황색 치마는 높으면서 낮은 데 처한 자입니다.〉

이지연(李止淵) 『주역차의(周易箚疑)』

得正故直而方, 未有正而不方者. 地道光, 自然之光也.

바름을 얻었기 때문에 곧고 방정하니, 곧으면서 방정하지 않은 자는 없다. 땅의 도가 빛남은 자연스러운 빛남이다.

이항로(李恒老) 「주역전의동이석의(周易傳義同異釋義)」

傳, 二陰位在下, 故爲坤之主. 以直方大三者, 形容其德用.
『정전』에서 말하였다: 육이는 음의 자리가 아래에 있으므로 곤(☷)괘의 주인이 된다. 곧고 방정하며 큰 것은 그 덕의 작용을 형용하였다.
本義, 六二柔順而中正, 又得坤道之純者. 故其德內直外方而又盛大
『본의』에서 말하였다: 육이는 유순하면서 중정하고, 또 곤도의 순수함을 얻었다. 그러므로 그 덕이 안으로는 곧고 밖으로는 방정하고 또 성대하다.
按, 六十四卦, 三百八十四爻之中, 得純陰中正之德者, 惟此一爻爲然. 坤之餘爻, 皆不中正, 他卦又非純陰, 如乾之九五一爻, 爲盡陽之德也. 直方大, 以文言敬義立而德不孤之義觀之, 則大者卽直方之効也, 又盛大之又字, 發明此義. 或曰, 坤之六象履霜直方含章括囊黃裳玄黃, 皆押韻, 然則直方當句不屬大字讀, 其義已明, 此亦可備一說.
내가 살펴보았다: 육십사괘, 삼백팔십사효 중에 순수한 음으로 중정한 덕을 가진 것은 이 한 효(爻)만 그렇다. 곤의 나머지 효는 모두 중정하지 못하며, 다른 괘도 순수한 음이 아니다. 건의 구오 효만이 양의 덕을 다하였다. “곧고 방정하며 크다”는 것은 「문언전」에서 “경과 의가 확립되면 덕이 외롭지 않다”로 보면 ‘크다’는 곧 곧고 방정함의 효과이니, “또 성대하다”의 ‘또[又]’가 이 뜻을 밝혔다. 어떤 사람이 “곤의 여섯 상(象)에서 ‘리상’·‘직방’·‘함장’·‘괄낭’·‘황상’·‘현황’은 모두 압운(押韻)이기 때문에 ‘곧고 방정함’의 구절은 ‘크다’라는 글자를 붙여서 읽어서는 안 됨이 이미 분명하다고 하였으니, 또한 하나의 설명이 될 만하다.

김기례(金箕澧) 「역요선의강목(易要選義綱目)」

六二, 直方大.
육이는 곧고 방정하며 크다.
坤爲方故曰方, 二本地位, 順貞之道得位故曰大, 又合中正故曰直, 地道至此, 配乾之仁而爲義, 則不待學習而利.
땅은 네모나기 때문에 방정하다고 하였다. 육이는 본래 땅의 위치여서 유순하고 곧은 도로 위치를 얻었기 때문에 크다고 하였다. 또한 중정에 합하기 때문에 곧다고 하였다. 땅의 도가 여기에 이르러 건의 인(仁)에 짝하여 의로움이 되기 때문에 학습을 기다리지 않아도 이롭다.

심대윤(沈大允) 『주역상의점법(周易象義占法)』

坤之師䷆, 心有眞的之見. 忠信篤敬方正以有守體性之利, 而不用力强求得其中道, 衆善漸聚而大, 不止一善也.
곤괘(坤卦䷁)가 사괘(師卦䷆)로 바뀌었으니, 마음에 진실한 견해가 있다. 충신과 독경과 방정함으로 본성의 이로움을 지키고, 중도를 억지로 구하려 하지 않아 많은 선이 점점 모여 크게 되니, 하나의 선에만 그치지 않는다.

심대윤(沈大允) 『주역상의점법(周易象義占法)』

坤之師䷆, 衆也. 民之親附者衆也. 六二居柔, 不用力爲順, 而人臣義, 不可專順也. 以其得位行坤之道而得中, 故曰直方大. 繫辭傳曰, 乾其動也直, 直誠實也, 所以爲忠信也. 在乾爲誠實, 在坤爲忠信, 其實一也. 坤體靜而其生息萬物謂之動, 坤之動卽乾之動也, 故曰直. 體方而不轉, 有守也, 故曰方. 上爲君上之所親, 下爲民衆之所歸, 故曰大. 坎爲習, 習屢行以熟之也, 心有眞的之見, 不待習而後知, 故曰不習. 行而合乎中正, 故曰无不利, 人臣忠以體君之意, 而有所自守, 不爲逢迎也.
곤괘(坤卦䷁)가 사괘(師卦䷆)로 바뀌었으니, 무리이다. 백성들이 친하게 의지하니, 무리이다. 육이가 유순하여 따르게 하는 데에 힘쓰지 않고, 신하의 의리도 전적으로 따르기만 해서는 안 된다. 그 지위를 얻어 곤의 도를 행하여 중도를 얻기 때문에 "곧고 방정하며 크다"고 하였다. 「계사전(繫辭傳)」[59]에서 "건은 그 움직임이 곧다"라고 하였으니, 곧음은 성실함이다. 그래서 진실하고 미덥다. 건에서는 성실하고, 곤에서는 진실하고 미더우니, 마찬가지이다. 곤의 몸체는 고요하지만 그 만물을 낳고 기름을 움직임이라고 한다. 곤의 움직임이 곧 건의 움직임이기 때문에 곧다고 하였다. 몸체가 방정하여 바꾸지 않고 지킴이 있기 때문에 방정하다고 하였다. 위로는 임금이 친하게 여기고 아래로는 백성의 무리가 귀의하는 까닭에 크다고 하였다. 감(坎)은 익힘이니, 익힘은 자주 실천하여 익숙하게 함이다. 마음에 진실한 견해가 있어 익힘을 기다린 이후에 알게 되는 것이 아닌 까닭에 익히지 않는다고 하였다. 실천하여 중정에 합치되는 까닭에 이롭지 않음이 없다고 하였다. 신하가 충심으로 임금의 뜻을 본받아 스스로 지키는 것이 있어 아첨하지 않는다.

오치기(吳致箕) 「주역경전증해(周易經傳增解)」

六二, 在重坤之時, 得中正之德, 而居乎地位, 爲成坤之主者也. 有直方大之美而處順,

59) 『主役·繫辭傳』: 夫乾, 其靜也專, 其動也直, 是以大生焉, 夫坤, 其靜也翕, 其動也闢, 是以廣生焉.

自然不待重習, 故占言雖不習而无攸不利也.
육이는 거듭된 곤괘의 때이니, 중정의 덕을 얻어 땅의 지위에 있어 곤괘의 주인이다. 곧고 방정한 아름다움이 있지만, 처하기를 유순하게 하여 자연히 거듭 익힘을 기다리지 않기 때문에, 점에서 비록 익히지 않아도 이롭지 않음이 없다고 하였다.

○ 至柔而動也剛故曰直, 至靜而德方故曰方, 配乾之无疆故曰大也. 習從羽. 而說文曰, 鳥數飛, 取於爻變之坎, 有飛鳥之象, 與習坎取象同也. 此爻宜言吉, 而在純陰之時, 以柔居柔, 无應无比, 過於陰柔, 故不言吉, 然以其柔順中正, 故言无攸不利也.
지극히 유순하지만 움직임은 강하기 때문에 곧다고 하였다. 지극히 고요하지만 덕이 방정하기 때문에 방정하다고 하였다. 건괘의 끝없음에 짝하기 때문에 크다고 하였다. 습(習)은 우(羽) 부수이다. 『설문해자』에서 "새가 자주 난다"고 하였으니, 효(爻)가 변한 감괘(坎卦䷜)의 나는 상에서 취하였다. 습감괘(習坎卦䷜)에서 상을 취한 것과 같다. 이 효(爻)는 마땅히 길(吉)하다고 해야 하지만, 순수한 음(陰)의 때에 있어 유순함으로 유순함에 거처하여 응(應)이나 비(比)도 없어서 음(陰)의 유순함이 지나치기 때문에 길(吉)하다고 말하지 않았다. 그러나 유순하고 중정하기 때문에 이롭지 않음이 없다고 하였다.

이병헌(李炳憲) 『역경금문고통론(易經今文考通論)』

本義曰, 柔順貞固, 坤之直也, 賦物有定, 坤之方也, 德合無疆, 坤之大也.
『본의』에서 말하였다: 유순하고 정고한 것은 곤의 곧음이고, 형체를 부여함에 일정함이 있는 것은 곤의 방정함이며, 덕이 끝없음에 합치하는 것은 곤의 큼이다.
姚曰, 習狎也.
요씨가 말하였다: 익힘은 익숙함이다.
按, 敬義立, 不疑其所行, 則不習也. 光謂光大也. 此言六二之動, 所以示觀變玩占之義也.
내가 살펴보았다: 경과 의가 확립되면 행함을 의심하지 않을 것이니 익히지 않는다. 빛남은 빛나고 크다는 것이다. 여기에서 육이의 움직임을 말하였으니, 변화를 보고 점을 살피는 뜻을 보인 것이다.

象曰, 六二之動, 直以方也, 不習无不利, 地道光也.

「상전」에서 말하였다: 육이의 움직임은 곧으면서 방정하여 익히지 않아도 이롭지 않음이 없으니, 땅의 도가 빛남이다.

中國大全

傳

承天而動, 直以方耳. 直方則大矣. 直方之義, 其大无窮, 地道光顯, 其功順成, 豈習而後利哉.

하늘을 계승해서 움직이니, 곧으면서 방정할 뿐이다. 곧고 방정하면 크다. 곧고 방정하다는 의미는 그 큼이 무궁하다는 것이고, 땅의 도가 빛나서 드러남은 그 공이 순리대로 이루어진다는 것이니, 어찌 익힌 다음에야 이롭게 되겠는가!

小註

雙峯饒氏曰, 六二之動, 直以方也, 欲知其直方, 當於動處觀之. 地之生物也, 藏於中者, 畢達於外而无所回隱, 此可以見其直. 其成物也, 洪纖高下, 飛潛動植, 隨物賦形而各有定分, 此可以見其方. 若其大則地之无不持載, 固不待言而可見矣. 地道之光, 自然而然, 人之德, 能如地道之內直外方而又盛大, 則豈待學習而後利乎.

쌍봉요씨가 말하였다: 육이의 움직임은 곧고 방정하니, 그것의 곧음과 방정함을 알고 싶으면 움직이는 곳에서 살펴보아야 한다. 땅이 사물을 낳음에 속에 감추어진 것들이 모두 밖으로 나오고 되돌아가 숨는 것들이 없으니, 이것으로 그 곧음을 알 수 있다. 땅이 만물을 이루어줌에 큰 것 · 작은 것 · 높게 있는 것 · 낮게 있는 것 · 날아다니는 것 · 물속에 있는 것 · 동물 · 식물에 따라 형태를 부여해서 제각기 정해진 분수가 있으니, 이것으로 그 방정함을 알 수 있다. 그 큰 것에 대해서라면, 땅이 모든 만물을 싣고 있는 것이니, 굳이 말하지 않아도 알 수 있다. 땅의 도가 빛남은 저절로 그런 것이니, 사람들의 덕이 땅의 도가 안으로 곧고 밖으로 방정하면서 또 성대한 것처럼 할 수 있다면, 어찌 굳이 학습한 다음에야 이롭게 되겠는가!

‖韓國大全‖

유정원(柳正源)『역해참고(易解參攷)』

六二 [至] 光也.
육이 … 빛남이다.
梁山來氏曰, 以字卽而字. 言直方之德, 唯動可見, 故曰坤至柔而動也剛, 此則承天而動, 生物之機也. 光卽含弘光大之光.
양산래씨가 말하였다[60]: '이(以)'는 '이(而)'이다. 곧고 방정한 덕은 오직 움직임에서 볼 수 있기 때문에 곤이 지극히 유순하지만 움직임은 강하다고 하였다. 이것은 하늘을 받들어 움직임이니, 만물을 낳는 기틀이다. '빛남'은 "머금고 너그럽고 빛나고 크다"고 할 때의 빛남이다.

김상악(金相岳)『산천역설(山天易說)』

動者, 承天而時行也. 光者, 含萬物而化光也. 坤之德, 由直方而大, 又由大而光, 故雖不習而无不利也.
움직임은 하늘을 이어서 때로 행하는 것이다. 밝음은 만물을 포용하여 빛나는 것이다. 곤의 덕은 곧고 방정함으로 말미암아 크고, 또한 큼으로 말미암아 밝기 때문에 비록 익히지 않아도 이롭지 않음이 없다.

김귀주(金龜柱)『주역차록(周易箚錄)』

象曰, 六二之動, 云云.
「상전」에서 말했다: 육이의 움직임, 운운.
○ 按, 六二之動動字, 猶言用也. 蓋謂此爻之用, 直以方耳. 地道光, 亦就爻上說. 大抵此爻直方大, 是得地道之純者, 故其效驗至於不習無不利, 此便是地道之光, 恐非直指彼隤然之地. 所以生育萬物之功, 如文言含萬物而化光之云也. 程傳之釋當自爲一義, 以上爻辭, 本義之意推之, 蓋恐如此.
내가 살펴보았다: '육이의 움직임'에서 '움직임[動]'은 쓰임을 말하는 것과 같다. 이 효의 쓰임

60) 來知德,『周易集註』卷一.

은 곧고 방정할 뿐이다. 땅의 도가 밝다는 것도 효에 나아가 말한 것이다. 이 효의 곧고 방정하고 큰 것은 땅의 도의 순수함을 얻었기 때문에 그 효험이 익히지 않아도 이롭지 않음이 없는 것이다. 이것이 곧 땅의 도의 밝음이니, 아마도 저 무너진 땅을 가리키는 것이 아니다. 만물을 낳고 기르는 공은 「문언전」에서 "만물을 포용하여 화육의 공이 빛난다"고 한 것과 같다. 『정전』의 해석이 스스로 하나의 뜻이 되며, 이상의 효의 말은 『본의』의 뜻으로 미루어 볼 때, 대체로 아마 이와 같을 것이다.

○ 直以方, 以字當着眼看. 直方雖是, 而事必須直而後[61]方又見. 直字之意, 兼包在方字上, 不成外方時, 內卻不直也.

'곧고 방정하다[直以方]'에서 '이(以)'자를 마땅히 눈여겨보아야 한다. 곧고 방정함은 비록 옳지만 일은 반드시 곧은 이후에 방정함을 알 수 있다. 곧음의 뜻은 방정함에 포함되어 있으니, 밖으로 방정함을 이루지 못하였을 때에는 안도 곧지 못할 것이다.

傳, 承天而動, 云云.

『정전』에서 말하였다: 하늘을 계승하여 움직인다, 운운.

小註, 雙峯饒氏曰, 六二, 云云.

「소주」에서 쌍봉요씨가 말하였다: 육이, 운운.

○ 按, 此云欲知其直方, 當於動處觀之者, 說得太翻瀾. 蓋經文動字, 只是泛言爻之德用耳, 已論在上. 畢達於外無所因隱, 亦恐非直之本旨, 當以本義以柔順貞固爲直者爲正.

내가 살펴보았다: 여기에서 "그것의 곧음과 방정함을 알고 싶으면 움직이는 곳에서 살펴보아야 한다"라고 말한 것은 너무 번거롭다. 경문에서 '움직임'은 다만 효(爻)의 덕의 쓰임을 개괄적으로 말한 것일 뿐임은 이미 위에서 논의하였다. "모두 밖으로 나오고 되돌아가 숨는 것이 없다"는 것도 아마 곧음의 본래 의미가 아닐 것이다. 마땅히 『본의』에서 "유순하고 정고함"으로 곧음을 해석한 것이 바를 것이다.

서유신(徐有臣) 『역의의언(易義擬言)』

六二爲坤之主, 故稱六二之動也. 應乎乾, 交乎坎離, 乃二之動也. 不習无不利, 則坤道所及已大矣, 故曰地道光也. 光釋大也, 孟子曰, 充實而有光輝之謂大.

육이가 곤괘의 주인이기 때문에 육이의 움직임이라고 하였다. 건괘에 응하고 감괘 · 리괘와 사귀는 것이 육이의 움직임이다. "익히지 않아도 이롭지 않음이 없으니" 곤도가 미침이 이미

61) 後: 경학자료집성DB에는 '浚(浚)'으로 되어 있으나, 경학자료집성 영인본을 참조하여 '후(後)'로 바로잡았다.

크기 때문에 "땅의 도가 빛난다"고 하였다. '빛남'은 '큼'을 해석하였으니, 『맹자』에 "충실하여 빛남이 있는 것을 대(大)라고 한다"라고 하였다.

박문건(朴文健) 『주역연의(周易衍義)』

地道卽直方, 直方者, 用坤之剛也.
땅의 도는 곧 곧고 방정하니 곧고 방정하다는 것은 곤의 굳셈을 쓴 것이다.
〈問, 不習无不利, 地道光也. 曰, 不習而无有不利者, 直方之道, 光大故也, 此夫子倒說經義者也.
물었다: "익히지 않아도 이롭지 않음이 없으니, 땅의 도가 빛남이다"는 무슨 뜻입니까?
답하였다: 익히지 않아도 이롭지 않음이 없음은 곧고 방정한 도가 빛나고 크기 때문이니, 이것은 공자가 오히려 경문의 뜻을 설명한 것이다.〉

오치기(吳致箕) 「주역경전증해(周易經傳增解)」

其動也剛, 直而旡私, 亦以方而旡偏, 是皆自然而順, 不待勉强, 旡攸不利, 乃地道之光也.
그 움직임이 강하여 곧으면서 사사로움이 없고, 또 방정하여 편벽됨이 없으니, 모두 자연스럽게 유순하여 억지로 힘씀을 기다리지 않아도 이롭지 않음이 없으니, 곧 땅의 도가 밝다.

六三, 含章可貞, 或從王事, 无成有終.

정전 육삼은 아름다움을 머금어 곧을 수 있으니, 혹 왕의 일에 종사하여 이룸은 없고 끝맺음은 있다.
본의 육삼은 아름다움을 머금어 곧을 수 있으니, 혹 왕의 일에 종사하면 이룸은 없어도 끝맺음은 있을 것이다.

中國大全

傳

三居下之上, 得位者也. 爲臣之道, 當含晦其章美, 有善則歸之於君, 乃可常而得正. 上无忌惡之心, 下得柔順之道也. 可貞, 謂可貞固守之, 又可以常久而无悔咎也. 或從上之事, 不敢當其成功, 唯奉事以守其終耳, 守職以終其事, 臣之道也.

삼효는 하괘의 맨 위에 있으니, 지위를 얻은 자이다. 신하의 도리는 자신의 빛나는 아름다움을 머금고 감추어 잘한 것이 있으면 그것을 임금에게 돌려야 떳떳하여 바름을 얻을 수 있다. 이렇게 하여야 윗사람은 시기하고 미워하는 마음이 없고, 아랫사람은 유순한 도를 얻는다. 경문의 "바를 수 있다"는 것은 바르고 굳게 지킬 수 있고, 또 영원하면서도 후회와 허물이 없을 수 있다는 것을 말한다. 혹 윗사람의 일에 종사할지라도 감히 그 이루어진 공을 차지하지 않고 일을 받들어 끝맺음을 지킬 뿐이니, 직분을 지켜 일을 끝맺음은 신하의 도리이다.

小註

王氏大寶曰, 剛柔相雜曰文, 文之成者曰章. 剛動而柔縕之, 含章也.
왕대보가 말하였다: 강건함과 부드러움이 서로 섞인 것을 문채라고 하고, 문채가 완성된 것을 아름다움이라고 한다. 강건함으로 움직이고 유순함으로 온축하는 것이 아름다움을 머금음이다.

○ 進齋徐氏曰, 或者, 不敢自決之辭, 從者, 不敢造始之意. 成, 謂專成, 无成, 謂以陰承陽, 但當盡臣道, 不可有所專成也. 有終, 陰之事也. 陽不足於後, 代其終者陰也. 三, 下卦之終, 故亦以終言.

진재서씨가 말하였다: '혹'은 감히 스스로 결단하지 않는 말이고, '종사한다'는 감히 시작하지 않는다는 의미이다. '이룸'이라는 말은 전단하여 이루는 것을 말하고, '이룸은 없다'는 말은 음이 양을 받들기 때문에 신하의 도리를 다할 뿐이고 전단하여 이루어서는 안 된다는 말이다. '끝맺음이 있음'은 음의 일이다. 양이 뒤에 부족하면 그 끝맺음을 대신하는 것이 음이다. 삼은 하괘의 끝이므로 또 끝맺음으로 말했다.

本義

六陰三陽, 內含章美, 可貞以守. 然居下之上, 不終含藏, 故或時出, 而從上之事, 則始雖无成, 而後必有終. 爻有此象, 故戒占者有此德, 則如此占也.

육은 음이고 삼은 양이니, 안에 아름다움을 머금어서 곧게 지킬 수 있다. 그러나 하괘의 맨 위에 있어 끝까지 머금고 감출 수는 없기 때문에, 간혹 때에 따라 나가서 윗사람의 일에 종사한다면, 처음에는 비록 이룸이 없겠지만 뒤에는 반드시 끝맺음이 있을 것이다. 효에 이런 상이 있기 때문에 점치는 자가 이런 덕이 있다면 이 점과 같다고 경계하였다.

小註

朱子曰, 六三陰居陽位, 本是陰帶些陽, 故爲含章之象. 又貞以守, 則爲陰象矣. 或從王事者, 以居下卦之上, 不終含藏, 故有或時出, 從王事之象. 无成有終者, 在人臣用之, 則爲不居其成, 而能有終之象, 在占者用之, 則爲始雖无成, 而能有終也. 此亦占意已見於象中者.

주자가 말하였다: 육삼은 음이 양의 자리에 있어 본래 음이 양의 성질을 띠고 있으므로 아름다움을 머금은 상이 된다. 또 곧음으로서 지키니 음의 상이 된다. 혹 왕의 일에 종사하는 자가 내괘의 맨 위에 있어 끝까지 머금어 감추지 못하기 때문에 때로 나가서 왕의 일에 종사하는 상이 있다. "이룸은 없고 끝맺음은 있다"는 말은 신하된 자에게 적용하면, 이룸을 차지하지 않지만 끝맺음이 있을 수 있는 상이고, 점치는 자에게 적용하면 처음에는 이룸이 없지만 끝맺음이 있을 수 있는 것이다. 이 또한 점의 의미가 이미 상 가운데에 드러난 것이다.

○ 雲峯胡氏曰, 陽主進, 陰主退. 乾九三陽居陽, 故曰乾乾, 其德主乎進也. 坤六四陰居陰, 故曰括囊, 其位主乎退也. 乾九四陽居陰, 坤六三陰居陽, 故皆曰或, 進退未定之際也. 特其退也, 曰在淵, 曰含章, 唯進則皆曰或, 聖人不欲人之急於進也如此. 三多凶, 故聖人首於乾坤之第三爻, 其辭又獨詳焉.

운봉호씨가 말하였다: 양은 나아감을 주로 하고 음은 물러남을 주로 한다. 건괘의 구삼은 양이 양의 자리에 있으므로 '힘쓰고 힘씀'[乾乾][62]이라고 했으니, 그 덕은 나아감을 주로 한다. 곤괘의 육사는 음이 음의 자리에 있으므로 "자루를 묶어놓은 듯이 한다"[63]고 했으니, 그 자리는 물러남을 주로 한다. 건괘의 구사는 양이 음의 자리에 있고, 곤괘의 육삼은 음이 양의 자리에 있으므로 모두 '혹'[64]이라고 했으니, 나아가고 물러남이 아직 결정되지 않은 때이다. 다만 물러남에 대해서는 "연못에 있다"[65]라 하고, "아름다움을 머금었다"[66]라 했는데, 오직 나아감에 대해서는 모두 '혹'이라고 했으니, 성인은 이처럼 사람들이 급히 나아가지 않도록 했다. 삼은 대부분 흉하기 때문에 성인이 건괘와 곤괘의 삼효를 앞세워 유독 그 설명을 자세하게 했다.

‖ 韓國大全 ‖

○ 據朱子說, 節節是象, 然可貞明是占辭.
주자의 설명에 의하면 구절마다 상이지만, "곧을 수 있다"는 분명히 점의 말이다.

○ 无成有終, 本義着始雖後必字, 恐不若傳文不敢當其成功, 守職以終其事之云.
"이룸이 없고 끝맺음은 있다"고 하였으니, 『본의』에서 "처음에는 비록 성공이 없으나 뒤에는 반드시 끝마침이 있을 것이다"[67]라는 것은 아마도 『정전』에서 "감히 성공을 차지하지 않고, 직분을 지켜 그 일을 끝마친다"[68]고 한 것과는 같지 않을 것 같다.

조호익(曺好益) 『역상설(易象說)』

或從王事, 知光大也.
혹 왕의 일에 종사한다는 것은 지혜가 빛나고 큰 것이다.

---

62) 『周易 · 乾卦』: 九三, 君子終日乾乾, 夕惕若, 厲, 无咎.
63) 『周易 · 坤卦』: 六四, 括囊, 无咎, 无譽.
64) 『주역 · 건괘』에 "九四, 或躍, 在淵, 无咎."라 하였고, 『주역 · 곤괘』에 "六三, 含章可貞, 或從王事, 无成有終."라 하였다.
65) 『周易 · 乾卦』: 九四, 或躍, 在淵, 无咎.
66) 『周易 · 坤卦』: 六三, 含章可貞, 或從王事, 无成有終.
67) 坤卦 六三爻 『本義』: 始雖无成, 而後必有終.
68) 坤卦 六三爻 『程傳』: 不敢當其成功, 唯奉事以守其終耳, 守職以終其事, 臣之道也.

知光大, 指坤以藏之, 雲峯說在臨卦.
“지혜가 크고 빛나다”는 것은 곤괘로써 감춘다는 것을 가리킴이니, 운봉의 설명이 림괘에 있다.

박지계(朴知誡) 「차록(箚錄)-주역곤괘(周易坤卦)」

章, 美, 謂文章之嘉美也, 蓋指佐聖王致太平之文德也. 以六之柔順正固, 據三陽剛之位. 由其據陽位, 故其爲德也有章之美. 由其柔順正固, 故含藏其文章於內, 而不輕發於外, 可以正而固守其節, 此俗所謂處士及處女之貞節也. 雖然, 以下卦言之, 則居上, 上者, 發用之位也, 不可一向閉藏, 故或出或處, 其出也卽所謂君子有攸往而先迷, 故曰始無成, 後得故曰後有終也.
‘장(章)’은 아름다움이니, 문장 중에서 좋고 아름다운 것이다. 성스러운 왕을 보좌하여 태평함을 이루는 문채 있는 덕을 가리킨다. 육의 유순하고 정고함으로 삼양(三陽)의 강한 위치에 있으니, 양의 지위에 있기 때문에 그 덕이 아름다움이 있다. 유순하고 정고하기 때문에 안에 문채 있는 아름다움을 감추고 있어 가벼이 밖으로 드러내지 않아 바르게 그 절개를 지키니, 이것이 세속에서 말하는 처사와 처녀의 절개이다. 비록 그렇지만 하괘로 말하면 위에 있다. 위는 드러내 쓰는 위치이어서 줄곧 감출 수 없기 때문에 혹은 나오기도 하고 처하기도 한다. 나올 때에는 “군자가 가는 바가 있지만” “먼저 하면 혼미하기” 때문에 “처음에는 이룸이 없다”고 하였고, “뒤에 하면 얻기” 때문에 “뒤에는 끝맺음이 있다”고 하였다.

송시열(宋時烈) 『역설(易說)』

或從王事, 言有時從事于六五之君也. 艮之德, 篤實而光輝, 艮之功, 成始而成終. 含者, 含藏而不露也. 章者, 光輝也. 此三爻四爻, 亦以人位人道言之, 故曰或從王事. 陰爻故始雖無成, 而包得陽氣, 故終則有焉. 文言代有終云者, 代天而終物也. 以此以彼, 艮陽之義帶得他.
“혹 왕의 일에 종사한다”는 것은 때때로 육오의 임금에게 종사한다는 말이다. 간괘의 덕은 돈독하고 성실하여 빛나며, 간괘의 공은 처음에도 이루어지고 끝에도 이루어진다. ‘머금음’은 머금어 드러내지 않는 것이다. ‘아름다움’은 빛남이다. 이 삼효와 사효는 사람의 지위와 사람의 도리로 말하였기 때문에 “혹 왕의 일에 종사한다”고 하였다. 음의 효(爻)이기 때문에 처음에는 비록 이룸이 없으나 양의 기운을 포함하기 때문에 끝에는 성공이 있다. 「문언전」에서 “대신 끝맺음이 있다”는 것은 하늘을 대신하여 사물을 마침이다. 이러나저러나 간괘 양의 뜻을 가지고 있다.

이익(李瀷) 『역경질서(易經疾書)』

含章可貞, 與苦節不可貞, 語意相照. 雖有才識, 必含蓄深重, 方可以守之貞固也. 其暴露驕吝者, 事必無終, 況於出從王事耶. 君子之道, 闇然而日章, 小人之道, 的然而日亡, 所謂衣錦尙絅, 是也. 其所以含章, 將有以時發也. 有體無用, 非君子之志. 及其從事, 光大然後, 方識含章之智有在也.

"아름다움을 머금어 곧을 수 있다"는 "괴롭도록 절제해서는 곧을 수 없다"[69]와 말의 뜻이 서로 대조된다. 비록 재주와 식견이 있더라도 반드시 깊이 삼감을 머금고 길러야 지킴이 곧고 견고할 것이다. 교만함과 인색함을 드러내는 자는 일이 반드시 끝마침이 없을 것이니, 하물며 나와서 왕의 일에 종사함에랴! "군자의 도는 어둡지만 나날이 드러나고, 소인의 도는 확실하지만 나날이 없어진다"[70]고 했으니, 이른바 "비단옷을 입고 홑옷을 덧입는다"는 것이다. 아름다움을 머금는 것은 장차 때에 따라 드러내려는 것이다. 본체는 있는데 작용이 없는 것은 군자의 뜻이 아니다. 종사함에 미쳐 빛나고 큰 이후에 아름다움을 머금은 지혜가 있음을 알 수 있다.

유정원(柳正源) 『역해참고(易解參攷)』[71]

六三 [止] 有終.

육이 … 끝맺음이 있다.

盧陵龍氏曰, 三能含畜其章美, 故爲可貞固之占, 居下體上, 公矦位也. 剛爻有動意, 故爲或從王事之占, 陰爻空虛旡成功之象, 河圖地旡一而有十爲有終之象.

여릉용씨가 말하였다[72]: 육삼이 그 아름다움을 머금었기 때문에 곧고 굳셀 수 있는 점(占)이 된다. 하괘(下卦)의 윗자리에 있으니, 공후(公矦)의 지위이다. 강한 효(爻)는 움직임의 뜻이 있기 때문에 '혹 왕의 일에 종사'하는 점이 된다. 음(陰)의 효(爻)는 공허하고 공(功)을 이루지 못하는 상(象)이니, 『하도』에서 땅은 일(一)이 없고 십(十)이 있는 것이 '끝맺음이 있는' 상(象)이 된다.

김상악(金相岳) 『산천역설(山天易說)』

以陰居陽, 內含章美, 可貞固自守. 然三五同功, 不終含藏, 故或時出, 而從上之事, 則无所專成, 而代有終也, 卽先迷後得之義也.

음으로써 양의 자리에 있어 안으로 아름다움을 머금고 있으니, 곧아서 진실로 스스로 지킬

---

69) 『周易 · 節卦』「彖傳」: 苦節不可貞, 其道窮也.

70) 『中庸』: 詩曰, 衣錦尙絅, 惡其文之著也. 故君子之道, 闇然而日章, 小人之道, 的然而日亡.

71) 경학자료집성DB에서는 육이에 해당하는 것으로 분류했으나, 내용에 따라 이 자리로 옮겨 바로잡는다.

72) 董眞卿, 『周易會通』 卷二.

수 있다. 그러나 삼효와 오효가 공을 함께 하지만 끝까지 감출 수 없기 때문에 혹 때에 따라 나와서 윗사람의 일에 종사하지만 전적으로 이룸은 없고 대신에 끝마침은 있으니, 곧 "먼저 하면 혼미하고 뒤에 하면 얻는다"는 뜻이다.

○ 含章, 卽含萬物而化光也. 邵子曰, 无極之前, 陰含陽也, 有象之後, 陽分陰也. 朱子曰, 坤復之間, 乃无極也. 陰陽之交, 在有无之間, 而以坤之陰居三之陽, 故取含章之象也. 貞者, 安貞之貞也, 曰可貞者, 順體不正之戒也. 蓋四德之貞, 有二義, 故有可貞不可貞, 利貞不利貞. 否卦不利君子貞, 小貞大貞艱貞疾貞之戒. 隨卦可見. 王指五也, 居尊而有坤, 邑國王之象. 无成有終, 陰之從陽也. 程子曰, 地中生物者, 皆天氣也. 惟无成而代終者, 地之道也. 變爻爲謙, 含章可貞, 卽謙之意也.
"아름다움을 머금음"은 곧 만물을 머금어 변화하여 밝다는 것이다. 소자(邵子)가 말하기를 "무극 이전에는 음이 양을 포함하고 상이 있고 난 뒤에는 양이 음을 나눈다"[73]라 하였고, 주자는 "곤괘와 복괘의 사이가 바로 무극이다"[74]라 하였다. 음과 양의 사귐은 유(有)와 무(無)의 사이에 있고, 곤괘의 음(陰)으로 삼(三)의 양(陽) 자리에 있기 때문에 '아름다움을 머금은' 상(象)을 취하였다. '곧음'은 '편안하고 곧음'의 곧음이다. '곧을 수 있다'는 것은 순체(順體)로 바르지 않다는 경계이다. 네 가지 덕의 곧음은 두 가지 뜻이 있다. 그러므로 곧을 수 있거나 없으며, 곧음이 이롭거나 이롭지 않다. 비괘의 군자의 곧음이 이롭지 않음과 조금 곧고 크게 곧음과 어려운 곧음과 빠른 곧음은 괘를 따라 볼 수 있다. 임금은 오효를 가리키는데, 높은 데 있으면서 곤괘에 있으니, 읍국(邑國)의 왕의 상(象)이다. "이룸은 없고 끝맺음은 있다"는 음이 양을 좇는 것이다.
정자가 말하였다: 땅 가운데 만물을 낳는 것은 모두 하늘의 기운이다. 오직 이룸은 없지만 대신에 끝마치는 것은 땅의 도이다. 효가 변한 것이 겸괘(謙卦䷎)이니, "아름다움을 머금어 곧을 수 있음"은 겸괘의 의미이다.

或從王事无成者, 勞而能謙也, 故皆言有終也. 或曰坤爲十月之卦也, 草木之被傷於氷霜者, 其生意斂莊於內, 故曰含章可貞. 貞者, 木氣之歸於根幹而堅固也. 无成者, 陰之靜也, 有終者, 陽之動也. 三變則一陽見於地上, 木氣向榮, 故曰以時發也. 文言於六四曰, 天地變化草木蕃, 是也. 四變爲豫, 坤下震上, 自冬而春也.
"혹은 왕의 일에 종사하여 이룸이 없음"은 공로가 있으면서도 겸손함이니 그렇기 때문에 "끝맺음이 있다"고 모두 말하였다. 어떤 사람이 "곤괘는 시월의 괘이다"고 하였는데, 얼음과

73) 『皇極經世書·觀物外篇』: 無極之前陰含陽也, 有象之後陽分陰也. 陰爲陽之母, 陽爲陰之父, 故母孕長男而爲復, 父生長女而爲姤. 是以陽起於復而陰起於姤也.
74) 『朱子語類』 65卷 71條目, 『易學啓蒙·原卦劃第2』: 復坤之間乃無極, 自坤反姤是無極之前.

서리에 의해 상처를 입은 초목은 살려는 의지가 안으로 수렴되기 때문에 "아름다움을 머금어 곧을 수 있다" '곧음'은 나무 기운이 뿌리로 돌아가 견고한 것이다. '이룸이 없음'은 음(陰)의 고요함이다. '끝맺음이 있음'은 양(陽)의 움직임이다. 삼효가 변하면 하나의 양(陽)이 땅위에 나타나니, 나무 기운이 피어남을 향하기 때문에 "때에 따라 피어난다"고 하였다. 「문언전」에서 "천지가 변화하면 초목이 번성한다"고 한 것이 그것이다. 사효가 변하면 아래가 곤괘이고 위가 진괘인 예괘(豫卦䷏)이니, 겨울로부터 봄이 오는 것이다.

김규오(金奎五) 「독역기의(讀易記疑)」

小註, 朱子於含章下, 可貞下, 或從王事下, 无成有終下, 俱下象字, 可見其爲占在象中. 然若就本文, 必分象占, 則含章爲象, 可貞以下恐爲占. 蓋含卽陰體之象, 章爲陽位之象, 而可貞以下, 爲其隨時所用之占也.

소주(小註)에 주자가 '아름다움을 머금고'의 아래, '곧을 수 있고'의 아래, '혹 왕의 일에 종사하고'의 아래, '이룸은 없고 끝맺음은 있다'의 아래에 모두 '상(象)'이라는 글자를 썼으니, 점(占)이 상(象)에 있음을 알 수 있다. 그러나 본문에서 상과 점을 반드시 나누어 보면 '아름다움을 머금음'은 상이고, '곧을 수 있음' 이하는 점이다. '머금음'은 음(陰)의 몸체의 상(象)이고, '아름다움'은 양의 자리의 상이니, '곧을 수 있음' 이하는 때에 따라 쓸 수 있는 점이다.

박윤원(朴胤源) 『경의(經義) · 역경차략(易經箚略) · 역계차의(易繫箚疑)』

六三, 含章可貞.

육삼은 아름다움을 머금어 곧을 수 있다.

○ 六陰有含之象, 三陽有章之象, 何謂陽爲章之象. 陽者明也, 明則章矣. 諸儒皆以剛柔相雜之文解章字, 不說陽明之義, 何也.

여섯 음(陰)은 '머금음'의 상(象)이고, 세 양(陽)은 '아름다움'의 상이다. 어째서 양을 '아름다움'의 상이라고 하는가? 양은 밝고, 밝으면 아름답다. 여러 유학자들이 굳셈과 유순함이 서로 섞여 있는 문장으로 '아름다움'을 해석하고 양이 밝음이라는 뜻을 말하지 않은 것은 어째서인가?

김귀주(金龜柱) 『주역차록(周易箚錄)』

傳三居下之上, 云云.

『정전』에서 말하였다: 삼효는 하괘(下卦)의 윗자리에 있다.

小註進齋徐氏曰, 或者, 云云.

소주(小註)에서 진재서씨가 말하였다: '혹'은, 운운.

○ 按, 陽不足於後, 後字, 恐是終字之誤.
내가 살펴보았다: "양이 뒤에 부족하다"에서 '뒤'는 아마 '끝맺음'의 잘못일 것이다.

本義, 六陰三陽 , 云云.
『본의』에서 말하였다: 육은 음이고 삼은 양이다, 운운.
○ 按, 何以知其始雖無成而後必有終也. 六三雖以陰居陽而有含章之象. 然本身終是陰體象, 爻之中無一箇陽與應者, 則此爲無成之象. 然得其位而居下卦之終, 是知其必有終也.
내가 살펴보았다: 처음에는 비록 이룸이 없지만 뒤에는 반드시 끝맺음이 있음을 어떻게 알겠는가? 육삼이 비록 음으로 양의 자리에 있어 '아름다움을 머금은' 상(象)이 있지만 자신은 끝내 음의 몸체의 상이어서 효(爻) 가운데 어떤 양과도 응하는 것이 없으니, 이것이 '이룸이 없는' 상이다. 그러나 그 지위를 얻어 하괘의 끝에 있기 때문에 반드시 '끝맺음이 있음'을 알 수 있다.

서유신(徐有臣) 『역의의언(易義擬言)』

六三之德, 坤之厚也, 六三之時, 陰之盛也. 以坤厚之德, 當陰盛之時, 故含章蘊而不顯也. 猶未及乎括囊, 故可貞可以幹事也. 雖含章, 猶可貞, 故或從王事. 或從, 或不從也. 雖從王事, 尙不敢發謀慮做事功, 故曰无成也. 特終其所受之事, 故曰有終也. 凡此皆六三之時宜也.
육삼의 덕은 곤의 두터움이고, 육삼의 때는 음의 성대함이다. 곤의 두터운 덕으로 음의 성대한 때를 감당하므로, 아름다움을 머금어 온축하고 드러내지 않는다. 아직 자루를 묶어놓은 듯이 하는 것에는 미치지 않았으므로 곧을 수 있어 일을 주관할 수 있다. 아름다움을 머금었으나 오히려 곧을 수 있으므로 혹 왕의 일에 종사한다. 혹 종사한다는 것은 혹 종사하지 않는다는 것이다. 비록 왕의 일에 종사하지만 여전히 생각한 것을 드러내어 일을 하지 않으므로 "이룸은 없다"고 하였다. 자신이 맡은 일을 끝내기만 하므로 "끝맺음은 있다"고 하였다. 이것은 모두 육삼이 때에 맞추어 마땅하게 함이다.

강엄(康儼) 『주역(周易)』[75)]

或從 [止] 光大.
혹 종사 … 밝고 큰 것이다.
或者, 以此爻, 有含章字, 有光大字, 遂謂象傳含弘光大, 指此爻而言.

75) 경학자료집성DB에는 곤괘 「단전」으로 분류했으나, 내용에 따라 이곳에 배치하였다.

어떤 사람은 이 효(爻)에 '함장(含章)'의 글자와 '광대(光大)'의 글자가 있다고 여겨 마침내 「단전(彖傳)」의 '함홍광대(含弘光大)'가 이 효(爻)를 가리켜 말한 것이라고 하였다.
愚謂, 含弘光大, 以坤德之全體而言, 此爻之含章光大, 只就此爻而言.
내가 살펴보았다: '함홍광대(含弘光大)'는 곤(坤)의 덕 전체를 말하였고, 이 효(爻)의 '함홍광대(含章光大)'는 다만 이 효(爻)에 대해서만 말하였다.

박문건(朴文健) 『주역연의(周易衍義)』

疑而晦德, 故有含章之象. 章, 德輝之見於外者也. 貞, 柔貞, 柔爻之通義也. 始而无成, 疑也, 後而有終, 信也.
의심하여 덕을 드러내지 않기 때문에 아름다움을 머금은 상이 있다. '아름다움[章]'은 덕의 빛남이 밖으로 드러난 것이다. 곧다는 것은 부드러움이 곧다는 것이니, '음효[柔爻]'의 공통된 의미이다. 시작했으나 이룸이 없는 것은 의심하기 때문이고, 뒤에 했으나 끝맺음이 있는 것은 미덥기 때문이다.
〈問, 含章可貞. 曰含者, 有疑也, 貞者, 用順也. 雖疑能順, 則有時而發其章也. 可者, 勉辭也, 與可小事之可, 同一文法也.
물었다: "아름다움을 머금어 곧을 수 있다"는 무슨 뜻입니까?
답하였다: 머금은 것은 의심하기 때문이고, 곧은 것은 순리대로 하기 때문입니다. 의심스러우나 순리대로 할 수 있으니, 때가 되면 아름다움을 드러냅니다. '~할 수 있다[可]'는 것은 권면하는 말이니, "작은 일은 괜찮다"[76]고 할 때의 '괜찮다'는 말과 동일한 문법입니다.〉

〈○ 問, 或從王事, 无成有終. 曰或從王事, 志在上也. 惟或之, 故能慮藩其終始而進, 其知所以爲光大也. 始疑而終信, 故有始无成, 而終有合之象也.
물었다: "혹 왕의 일에 종사하면 이룸은 없지만 끝맺음은 있을 것이다"는 무슨 뜻입니까?
답하였다: 혹 왕의 일에 종사한다는 것은 뜻이 위에 있는 것입니다. 그러나 단지 '혹'이므로 끝맺음과 시작을 생각하고 살펴 나아갈 수 있으니, 그 지혜가 빛나고 큰 까닭입니다. 시작에는 의심하고 끝맺음에는 믿으므로 처음에는 이룸이 없고 끝맺음에는 합치하는 상이 있습니다.〉

〈○ 問, 含章以下. 曰六三雖含章必柔, 貞爲可也, 或出從事, 而始雖无成, 後必有終也.
물었다: '아름다움을 머금어' 이하는 무슨 뜻입니까?
답하였다: 육삼이 비록 아름다움을 머금어 반드시 유순하지만 곧아야 되니, 혹 나아가 왕의 일에 종사하면 처음에는 이룸이 없지만 뒤에는 반드시 끝맺음이 있다는 것입니다.〉

76) 『주역 · 소과괘』: 작은 일은 괜찮지만 큰일은 안 된다[可小事, 不可大事].

이지연(李止淵)『주역차의(周易箚疑)』

陰故含而无成, 陽位故章而有終. 蓋此爻變, 則爲謙之九三勞謙. 君子萬民之服謙, 非含章而无成者乎. 體雖陰, 而位則陽, 故雖不變而隱, 然爲半體之謙也.
음이기 때문에 머금어 이룸이 없고, 양의 자리이기 때문에 아름다우며 끝맺음이 있다. 이 효가 변하면, 겸괘(謙卦䷎) 구삼의 공로가 있으면서 겸손한 것이 된다.[77] 군자와 만민이 따르는 겸손은 아름다움을 머금어 이룸이 없는 것이 아니겠는가! 몸체는 음이지만 자리는 양이기 때문에 변하여 숨어있지 않을지라도 몸체의 반이 겸이다.

김기례(金箕澧)「역요선의강목(易要選義綱目)」

含者, 陰之體, 章者, 陽之文. 陰居陽位, 雖晦彩而不能終含, 故或出. 或者, 與乾四同, 進退未定. 而三爲多凶之地, 故不敢自成. 待命有成者, 卽臣道也.
머금음은 음의 몸체이고, 아름다움은 양의 문채이다. 음이 양의 자리에 있어 비록 문채를 드러내지 않고 있지만, 끝내 머금을 수는 없으므로 혹 내놓는다. '혹'이란 건괘 사효[78]와 같은 의미이니, 진퇴가 결정되지 않은 것이다. 그런데 삼효는 대부분 흉한 자리이므로 감히 스스로 이루지 않는다. 명령을 기다려서 이루는 것이 곧 신하의 도리이다.

심대윤(沈大允)『주역상의점법(周易象義占法)』

坤之謙䷎. 用力爲利而時中, 含章可貞, 言心之所欲, 緊切於身者, 時或取之, 而亦必折衷於性之正, 可取則取之, 而亦必无其形迹也. 如侯牧之有嘉猷, 切緊于事者, 以時發之, 而亦必入告于后, 許其施行, 然後施行, 而亦必含晦其迹也. 夫君子亦有損人益己之時, 亦不至于累其德. 視其利害之輕重, 而惟義所在, 故損人而人不損也. 或從王事, 无成有終者, 爲善, 无方不敢自成其欲, 而成性之利也.
곤괘가 겸괘(謙卦䷎)로 바뀌었다. 노력하는 것이 이로우나 때에 맞추고 아름다움을 머금어 곧을 수 있으니, 마음이 하고자 하는 것이 자신에게 중요한 것은 때에 따라 혹 취하지만, 또한 반드시 본성의 바름에 절충해서 취해도 되면 취해 또한 반드시 흔적이 없다는 말이다. 이를테면 '제후'[侯]와 '지방관'[牧]이 좋은 계책이 있어 일에 중요할 경우에는 때에 따라 드러내나 또한 반드시 입조하여 임금께 고하고 시행을 허락한 다음에 시행하니, 또한 반드시 흔적을 머금어 드러내지 않는 것이다. 또한 군자가 남에게서 덜어내 자신에게 보태는 때가 있지만 또한 자신의 덕에 누가 되는 데에 이르지 않는다. 자신에게 이익과 손해의 경중을

---

77)『周易·謙卦』: 九三, 勞謙, 君子有終, 吉.
78)『周易·乾卦』: 九四, 或躍在淵, 无咎.

살피지만 오직 도의에 따라 행하기 때문에 남들에게서 덜어내지만 남들은 덜어내지 않는다. "혹 왕의 일에 종사하면 이룸은 없지만 끝맺음은 있을 것이다"라는 말은 선을 행하여 감히 스스로 그 욕심을 이루지 않고 본성의 이로움을 이룬다는 것이다.

심대윤(沈大允) 『주역상의점법(周易象義占法)』

坤之謙䷎, 斂下也. 六三居剛, 用力爲順, 而有所專治. 爲王之外臣, 道在卑順而已成王之命. 君陳曰, 爾嘉謹有嘉猷, 入告尒后于內, 爾乃順之于外曰, 斯謨斯猷, 唯我后之德, 此侯牧之所以事君也, 謙之義也.

곤괘가 겸괘(謙卦䷎)로 바뀌었으니, 아래가 되고자 하는 것이다. 육삼이 굳센 자리에 있어 유순하려고 노력하지만 다스리는 것이 있다. 왕의 속국이면 도리가 낮추어 순종하면서 몸소 왕의 명령을 이루는 데 있다. 『서경 · 군진』에서 임금이 "너의 훌륭함은 삼가 훌륭한 계책이 있으면 임금에게 들어가 안에서 아뢰고, 너는 이에 밖에서 순종하며 '이 계책과 계략은 단지 내 임금의 덕이다'라 하는 것이다"라 하니,[79] 이것이 제후와 지방관이 임금을 섬기는 방법이고 겸괘(謙卦䷎)의 의미이다.

程子曰, 含晦其美, 有善則歸之於君. 居坎而對离, 离爲章, 坎爲隱蔽. 曰含章可貞, 言可固守也. 或, 无定主之辭. 六三入于乾, 而從四五之命, 故曰或從王事. 王, 五也. 事, 四居巽, 爲事也. 乾坤一體也, 坤道无所自遂, 而替天終事也.

정자가 "자신의 빛나는 아름다움을 머금고 감추어 잘한 것이 있으면 그것을 임금에게 돌린다"라고 하였다. 감괘(坎卦☵)에 있어 리괘(離卦☲)를 마주하면, 리괘는 아름다움이고 감괘는 은폐함이다. "아름다움을 머금어 곧을 수 있다"라 한 것은 굳게 지킬 수 있다는 말이다. '혹'은 정하여 주로 함이 없다는 말이다. 육삼이 건괘로 들어가 사효와 오효의 명령을 따르므로, "혹 왕의 일에 종사한다"라 하였다. '왕'은 오효이다. 일은 사효가 손괘(巽卦☴)에 있어 일인 것이다. 건과 곤은 한 몸이나 곤도는 스스로 이루는 바가 없고 하늘을 대신하여 일을 끝맺는다.

오치기(吳致箕) 「주역경전증해(周易經傳增解)」

六三, 在純陰之時, 以柔居剛. 故有章美之德, 亦能含蓄而不露, 是可固守而无改. 然或有時, 以此美德從于王事, 而猶不敢專成, 但當奉職而有終, 故戒之如此.

육삼은 순수한 음의 때에 부드러움이 굳건한 자리에 있는 것이다. 그러므로 아름다운 덕이 있어도 머금어 쌓아두고 드러내지 않으니, 이에 굳게 지키고 고침이 없을 수 있다. 그러나

---

79) 『書經 · 君陳』: 爾有嘉謀嘉猷, 則入告爾后于內, 爾乃順之於外, 曰斯謀斯猷, 惟我后之德.

혹 때에 따라 이 아름다운 덕으로 왕의 일에 종사하지만, 여전히 감히 마음대로 이루지 않고 단지 직분을 받들어 끝맺을 뿐이므로 경계가 이와 같다.

○ 含, 取坤之象也. 以柔居剛, 剛柔相雜. 故爲章, 而亦取坤之爲文也. 可者, 戒辭也. 貞, 謂固守也. 或者, 未定之辭. 三在下之上, 稍近君位, 故言從王事也. 艮爲成始成終, 故成取變艮, 而終取下卦之終也.
머금음은 곤의 상을 취함이다. 부드러운 음이 굳센 자리에 있어 굳셈과 부드러움이 서로 섞인다. 그러므로 아름다움이 되어 또한 곤의 문채됨을 취하였다. '~할 수 있다'[可]는 것은 경계의 말이다. '곧다'는 것은 굳건하게 지킨다는 것이다. '혹'이란 아직 결정하지 않았다는 말이다. 삼효는 하괘의 맨 위에 있어 임금의 자리와 점점 가까워지므로 "왕의 일에 종사한다"라 했다. 간괘는 시작을 이루고 끝맺음을 이루기[80] 때문에 이루는 것으로는 간괘로 변한 것을 취하였으나, 끝맺음은 하괘의 끝을 취하였다.

이진상(李震相) 『역학관규(易學管窺)』

六三, 含章.
육삼은 아름다움을 머금었다.
坤無一而乾無十, 故乾曰資始, 坤曰有終. 然乾道至健, 故大明終始, 知終終之. 坤道退乏, 故旡成而旡初.
곤에는 일(一)이 없고, 건에는 십(十)이 없으므로, 건괘에서 "의뢰하여 시작한다"[81]라 하였고, 곤괘에서 "끝맺음이 있다"라 하였다. 그러나 건의 도는 지극히 강건하므로 끝맺음과 시작을 크게 밝히고 끝맺음을 알아 끝맺는다. 곤의 도는 물러나고 모자라므로 이룸이 없고 처음이 없다.

이병헌(李炳憲) 『역경금문고통론(易經今文考通論)』

虞曰, 貞, 正也. 以陰包陽, 故含章. 按, 知之光大, 從含章而來.
우번이 말하였다: 곧다는 바름이다. 음이 양을 싸고 있기 때문에 아름다움을 머금은 것이다.[82] 살펴보건대 지혜가 빛나고 큰 것은 아름다움을 머금은 데에서 왔다.

---

80) 『주역 · 문왕팔괘지도』에 "지금 연산역을 보면 간괘를 첫 번째로 놓아서 만물이 끝맺음을 이루고 시작을 이루었으니, 옛날에도 이것이 있었던 것 같다[今觀連山首艮, 以萬物成終成始, 恐古亦有此矣]"라 하였다.
81) 『周易 · 乾卦』: 彖曰, 大哉, 乾元. 萬物資始, 乃統天.
82) 『周易集解 · 坤卦』: 虞翻曰, 貞, 正也. 以陰包陽, 故含章. 三失位, 發得正. 故可貞也.

象曰, 含章可貞, 以時發也,

「상전」에서 말하였다. “아름다움을 머금어 곧을 수 있음”은 때에 맞추어 드러내는 것이다.

中國大全

傳

夫子懼人之守文而不達義也, 又從而明之. 言爲臣處下之道, 不當有其功善, 必含晦其美, 乃正而可常, 然義所當爲者, 則以時而發, 不有其功耳. 不失其宜, 乃以時也, 非含藏, 終不爲也. 含而不爲, 不盡忠者也.

공자가 사람들이 글자에 얽매여 그 의미를 파악하지 못할까 걱정하여 또 글에 따라 밝힌 것이다. 신하가 아래에서 처신하는 도리는 자신의 공과 잘한 것을 차지하지 말고, 반드시 자신의 아름다움을 머금고 감추어 바르게 되어 떳떳할 수 있으나, 의리상 당연히 해야 하는 일에 대해서는 때에 맞추어 드러내고 그 공을 차지하지 않을 뿐이라고 말했다. 그 마땅함을 잃지 않는 것은 바로 때에 맞추기 때문이니, 머금고 감추어 끝내 하지 않는 것이 아니다. 머금고 하지 않는 것은 충을 다하지 않는 자이다.

小註

漢上朱氏曰, 含章者, 坤之靜也, 以時發者, 坤之動也.
한상주씨가 말하였다: 아름다움을 머금음은 곤의 고요함이고, 때에 맞추어 드러내는 것은 곤의 움직임이다.

○ 東萊呂氏曰, 大凡人出來做事, 多被人疑忌, 只爲預先多露圭角, 不能含章. 惟含章然後, 可以時發, 初不是兩件事.
동래여씨가 말하였다: 대체로 사람들이 나가서 일을 할 때 대부분 남들에게 의심과 기피를 받는 것은 단지 미리 모난 점을 많이 노출시키고 아름다움을 머금을 수 없었기 때문이다. 오직 아름다움을 머금은 뒤에 때에 맞추어 드러낼 수 있으니, 애초에 이것들은 두 가지 일이 아니다.

或從王事, 知光大也.

"혹 왕의 일에 종사함"은 지혜가 빛나고 큰 것이다.

中國大全

傳

象只擧上句解義則竝及下文. 它卦皆然. 或從王事, 而能无成有終者, 是其知之光大也. 唯其知之光大, 故能含晦. 淺暗之人有善, 唯恐人之不知, 豈能含章也.

「상전」에서 앞의 구절만 들어 의미를 해석하는 것은 뒤의 구절까지 언급하는 것이다. 다른 괘에서도 모두 그렇다. 혹 왕의 일에 종사하지만 이룸이 없고 끝맺음이 있을 수 있는 것은 그 지혜가 빛나고 크기 때문이다. 단지 지혜가 빛나고 크기 때문에 머금어 감출 수 있다. 지혜가 얕고 어두운 사람은 잘하는 것이 있으면 남들이 몰라줄까 걱정하니, 어떻게 아름다움을 머금을 수 있겠는가?

小註

東萊呂氏曰, 傳云惟其知之光大, 故能含晦, 此極有意味, 尋常人欲含晦者, 多只去鋤治驕矜, 深匿名迹. 然逾鋤逾生, 逾匿逾露者, 蓋不曾去根本上理會自己知未光大, 胸中淺狹, 纔有一功一善, 便无安著處, 雖强欲抑遏, 終制不住. 譬如瓶小水多, 雖抑遏固閉, 終必泛溢, 若瓶大則水自不泛溢, 都不須閑費力.

동래여씨가 말하였다: 『정전』에서 "단지 그 지혜가 빛나고 크기 때문에 머금어 감출 수 있다"고 했다. 이 구절은 매우 의미가 있으니, 보통사람들이 머금어 감추고자 할 경우에는 대부분 교만을 다스리며 명성과 공적을 깊이 숨기려고 할 뿐이다. 그러나 없앨수록 더욱 생겨나고 감출수록 더욱 드러나는 것은 근본적으로 자신의 지혜가 빛나고 크지 않은 줄을 모르고 도량이 좁아 공로나 잘한 것이 하나라도 있으면 편안히 있지 못하니, 아무리 억제하려고 해도 끝내 억제할 수 없기 때문이다. 비유하자면 병이 작은데 물이 많다면 비록 눌러서 단단하게 닫을지라도 마침내 반드시 넘쳐흐를 것이고, 병이 크다면 물이 저절로 넘쳐흐르지 않을 것과 같으니, 굳이 헛되이 힘을 허비할 필요가 없다.

○ 雲峯胡氏曰, 小象於三言知, 於二言義. 仁禮之性健, 義知之性順. 君子於坤法其柔順之貞而已.
운봉호씨가 말하였다: 「소상전」은 삼효에서 지혜에 대해 말했고, 이효에서는 의리에 대해 말했다. 인과 예의 성질은 강건하고, 의와 지의 성질은 유순하다. 군자는 곤괘에서 유순한 것의 곧음을 본받아야 한다.

韓國大全

김상악(金相岳) 『산천역설(山天易說)』

含章可貞, 非終于韜晦也, 將待時而發也. 知光大, 卽其所含之章也.
"아름다움을 머금어 곧을 수 있음"은 끝내 감출 수 없어서 장차 때를 기다려 드러내는 것이다. "지혜가 빛나고 큰 것"은 곧 머금은 것이 아름다운 것이다.

○ 卦者事也, 爻者時也, 故經曰或從王事, 傳曰待時而發也.
괘는 일이고 효는 때이기 때문에 경전에서 "혹 왕의 일에 종사한다"고 하였고, 『정전』에서 "때를 기다려 드러낸다"고 하였다.

김규오(金奎五) 「독역기의(讀易記疑)」

象知光大也. 竊疑本文, 文意似謂其能有終者, 以其知之光大也. 光大, 卽含章之章也. 雖就含章中說來, 而精神則在章而不在含矣. 蓋雖含晦不露, 而其中所存自極光大, 故時出而行之, 事業如彼矣. 非必贊欲其能含晦, 而傳末專以含晦爲言, 何也, 可疑.
「상전」에서 "지혜가 빛나고 크다"고 말하였다. 의심컨대, 본문의 뜻은 아마도 '끝맺음이 있는' 자를 말하니, 그의 지혜가 빛나고 크기 때문이다. '빛나고 큼'은 '아름다움을 머금다'의 '아름다움'이다. 비록 '아름다움을 머금음'에 나아가 말했지만 정신은 '아름다움'에 있지 '머금음'에 있지 않다. 비록 머금고 감추어 드러내지 않지만 그 속에 보존된 것이 저절로 지극히 빛나고 크기 때문에 때에 따라 나와서 행하여 사업이 저와 같은 것이다. 머금고 감추고자 하는 것을 반드시 칭찬할 것은 아니지만, 『정전』 끝 부분에서 오로지 '머금고 감춤'을 말한 것은 어째서인지 의심스럽다.

김귀주(金龜柱) 『주역차록(周易箚錄)』

傳, 象只擧上句, 云云.

『정전』에서 말하였다: 「상전」에서는 앞의 구절만 들었다, 운운.

○ 按, 象傳知光大之云, 實包含章與或從王事而言. 蓋當含晦則含晦, 當從王則從王, 此所以爲知之光大也. 程傳上下段, 竝包此兩意, 小註呂東萊說, 恐少偏.

내가 살펴보았다: 「상전」에서 "지혜가 빛나고 크다"고 했으니, '아름다움을 머금음'과 '혹 왕의 일에 종사함'을 실제로 포함하여 말한 것이다. 머금고 감출 때는 머금고 감추며, 왕의 일에 종사할 때는 왕의 일에 종사하니, 이것이 지혜가 빛나고 큰 까닭이다. 『정전』의 위와 아래의 단락에서 이 두 가지 뜻을 포괄하였고, 소주에서 동래여씨의 말은 조금 치우친 것 같다.

서유신(徐有臣) 『역의의언(易義擬言)』

以時發者, 發其含也, 見可而或發之也. 知光大者, 卽其章也, 知光大. 故能知含, 能知發, 能知无成, 能知有終, 是能知時宜者也, 所以能或從王事也.

때에 맞추어 드러낸다는 것은 머금은 것을 드러내는 것이니, 할 수 있음을 알고 드러내기도 하는 것이다. 지혜가 빛나고 크다는 것은 그 아름다움 때문에 지혜가 빛나고 크다는 것이다. 그러므로 머금을 때를 알 수 있고, 드러낼 때를 알 수 있으며, 이룸이 없어야 할 때를 알 수 있고, 끝맺음이 있어야 할 때를 알 수 있는 것은 때의 마땅함을 알 수 있는 것이기 때문에 혹 왕의 일에 종사할 수 있는 것이다.

박문건(朴文健) 『주역연의(周易衍義)』

發, 發其章美也, 知, 審其終始也.

드러냄은 그 아름다움을 드러낸다는 것이고, 지혜는 그 끝맺음과 시작을 살핀다는 것이다.

심대윤(沈大允) 『주역상의점법(周易象義占法)』

三四居時中之位, 故重其時也, 明其非含之而无所爲也. 以時發者, 告謨猷也. 知光大者, 能有終也.

삼효와 사효는 때에 알맞게 하는 자리에 있기 때문에 때를 중시한 것이고, 머금고 하는 바가 없음이 아님을 밝혔다. 때에 맞추어 드러낸다는 말은 계책을 아룀이다. 지혜가 빛나고 크다는 말은 끝맺음을 할 수 있음이다.

오치기(吳致箕) 「주역경전증해(周易經傳增解)」

雖含章之貞, 而以時發用, 或從于王事, 而无成有終者, 乃其知之光大也. 不釋无成有終者, 孔子之辭, 每擧一句, 而帶上下諸句. 後多倣此.

아름다움을 머금어 곧지만 때에 맞추어 드러내 사용한다. 혹 왕의 일에 종사하면 이룸이 없지만 끝맺음이 있는 것은 바로 지혜가 빛나고 크기 때문이다. 그런데 이룸이 없지만 끝맺음이 있다는 구절에 대해 해석하지 않은 것은 공자의 말이 한 구절을 열거할 때마다 상하의 여러 구절에 연결하고 있기 때문이다. 뒤에서도 대부분 이와 같다.

六四, 括囊, 无咎, 无譽.

정전 육사는 자루를 묶어놓은 듯이 하면 허물도 없고 칭찬도 없을 것이다.
본의 육사는 자루를 묶어놓은 것이니, 허물도 없고 칭찬도 없을 것이다.

中國大全

傳

四居近五之位, 而无相得之義, 乃上下閉隔之時. 其自處以正, 危疑之地也. 若晦藏其知, 如括結囊口而不露, 則可得无咎, 不然則有害也. 旣晦藏, 則无譽矣.

사효는 오효와 가까운 자리에 있으나 서로 인정하려는 뜻이 없으니, 바로 상하가 통하지 않는 때이다. 이때에 정도로 자처하면 위태롭고 의심받게 되는 처지가 될 것이다. 만약 자루 입구를 묶어놓은 듯이 해서 드러나지 않게 지혜를 감춘다면 허물이 없을 수 있고, 그렇게 하지 않으면 해가 있을 것이다. 이미 드러나지 않게 감추었다면 칭찬은 없을 것이다.

小註

或問, 程易云, 六四近君而不得於君, 爲上下間隔之時. 與重陰不中, 二說, 如何. 朱子曰, 只是重陰不中, 故當謹密如此. 六四爻, 不止言大臣事. 凡得此爻, 在位者, 便當去, 未仕者, 便當隱. 問, 比干事如何. 曰, 此又別是一義. 雖凶无咎.

어떤 이가 물었다: 『정전』에서 "육사가 임금과 가깝게 있으나 임금의 마음을 얻지 못해 상하가 틈이 벌어진 때이다"라고 말한 것과 "중첩된 음이 가운데 자리에 있지 않다"의 두 가지 말이 어떻게 다릅니까?

주자가 답하였다: 단지 중첩된 음이 가운데 자리에 있지 않기 때문에 이처럼 삼가고 은밀하게 해야 하는 것입니다. 육사는 대신의 일만 말하는 것은 아니니, 일반적으로 이 효를 얻으면 자리에 있는 자는 바로 떠나야 하고, 벼슬하지 못한 자는 바로 숨어야 합니다.

물었다: 비간(比干)[83]의 일은 어떻습니까?

답하였다: 이것은 또 별도로 하나의 의미입니다. 흉하지만 허물은 없습니다.

○ 廬陵龍氏曰, 朱子當去當隱之說, 蓋深有功於易. 若當去不去, 當隱不隱, 惟阿諛乾沒, 竊位全身, 以應括囊之象者, 小人之流也. 豈易之旨哉.
여릉용씨가 말하였다: 주자의 떠나야 하고 숨어야 한다는 설명은 역에 많은 공헌을 했다. 떠나야 하는데 떠나지 않고 숨어야 하는데 숨지 않는다면, 오직 아첨으로 임금을 몰락시키고 자리를 훔쳐 자신을 온전하게 하면서 자루 묶듯이 하라는 상에 호응하는 자이니, 소인의 무리이다. 이것이 어찌 역의 뜻이겠는가!

本義

括囊, 言結囊口而不出也. 譽者過實之名, 謹密如是, 則无咎而亦无譽矣. 六四, 重陰不中, 故其象占如此. 蓋或事當謹密, 或時當隱遁也

"자루를 묶어놓은 듯이 하라"는 것은 자루의 입구를 묶어놓아 나오지 않게 하라는 말이다. '칭찬'은 사실보다 지나친 이름이니, 이처럼 삼가고 은밀하게 한다면 허물이 없고 또한 칭찬도 없다. 육사는 중첩된 음이고 가운데에 있지 않아 그 상과 점이 이와 같다. 혹시 일을 해야 한다면 삼가고 은밀하게 해야 하고, 혹시 이때를 만났다면 은둔해야 한다.

小註

朱子曰, 六四, 重陰不中, 故有括囊之象. 无咎无譽, 亦是象中已見占意. 陰則渾是不發底. 六三含章爲是有陽, 半動半靜之爻. 若六四則渾是柔了, 所以括囊. 問, 本義云, 六四, 重陰不中, 何以見其有括囊之象. 曰, 陰而又陰, 其結塞不開, 卽爲括囊矣. 又問, 占者必當括囊, 則无咎何也. 曰, 當天地閉, 賢人隱之時, 若非括囊, 則有咎矣.
주자가 말하였다: 육사는 중첩된 음이고 중이 아니므로 자루를 묶어놓은 듯한 상이 있다. 음은 전부 드러나지 않는 것이다. 경문의 "허물도 없고 칭찬도 없다"는 말에서도 상 가운데에 이미 점의 의미를 드러내고 있다. "육삼이 아름다움을 머금은 것"에는 양이 있어 반은 움직이고 반은 고요한 상이 된다. 육사라면 전부 부드럽기 때문에, 자루를 묶어놓은 듯하다.
물었다: 『본의』에서 "육사는 중첩된 음이고 중이 아니다"라고 했는데, 어떻게 자루를 묶어놓은 듯한 상이 있는지 압니까?
답하였다: 음인데 또 음인 것은 묶고 막아서 열리지 않는 것이니, 바로 자루를 묶어 놓은

83) 비간: 상(商)의 28대 태정제(太丁帝) 문정(文丁)의 아들로 주왕(紂王)의 숙부(叔父)이다. 이름은 비(比)이고, 간(干)이라는 나라에 봉(封)해져 비간(比干)이라고 불린다. 자(子)성 이므로 자비(子比)라고도 한다. 그는 주왕(紂王)에게 정치를 바로 잡을 것을 간하다가 죽었다.

듯합니다.
또 물었다: 점치는 자가 반드시 자루를 묶어놓은 듯이 하면 허물이 없는 것은 무엇 때문입니까?
답하였다: 천지가 닫히고 현인이 은둔할 때에는 자루 묶은 듯이 하지 않으면 허물이 있을 것입니다.

○ 雲峯胡氏曰, 陰虛能受, 有囊象. 六三含章, 六四括囊, 皆取含蓄不露之象. 三以陰居陽, 猶或可出而從王事. 六四以陰居陰, 惟可括囊, 不出而已.
운봉호씨가 말하였다: 음의 비어 있어서 받아들일 수 있으니, 자루의 상이 있다. 육삼은 아름다움을 머금고, 육사는 자루를 묶어놓은 듯이 하고 있으니, 모두 머금어 쌓아두고 드러내지 않는다는 상을 취한 것이다. 삼이 음으로 양의 자리에 있으니, 오히려 나가서 왕의 일에 종사할 수 있다. 육사는 음으로 음의 자리에 있으니, 오직 자루를 묶어놓은 듯이 하고 나가지 말아야 할 뿐이다.

○ 隆山李氏曰, 譽者, 咎之招也. 六四之所以无咎者, 以其无譽也.
융산이씨가 말하였다: 칭찬은 허물을 불러들이는 것이다. 육사가 허물이 없는 이유는 칭찬이 없기 때문이다.

韓國大全

송시열(宋時烈) 『역설(易說)』

變則爲震, 震綜艮, 又有互艮. 艮爲手, 故曰括, 以手括之之象. 坤爲震, 而四居上之下, 中之上變, 而爲陽爻, 則若手結囊口之狀. 无咎无譽, 皆占辭.
육사가 변하면 진괘(震卦☳)가 되는데, 진을 거꾸로 하면 간괘(艮卦☶)가 되고, 또 호체로 간괘(艮卦☶)가 있다. 간괘는 손이므로 묶는다고 하였으니, 손으로 묶는 상이다. 곤괘가 진괘가 되었는데, 사효는 상괘의 아래에 있고 가운데의 위가 변하여 양효가 되니, 손으로 자루의 입구를 묶은 상황과 같다. 허물도 없고 칭찬도 없을 것이라는 말은 모두 점사이다.

김만영(金萬英)「역상소결(易象小訣)」

六四括囊, 六五黃裳.
육사는 자루를 묶어놓은 듯이 하고, 육오는 황색 치마이다.

荀九家, 坤爲囊爲黃爲裳. 愚謂以色言則曰黃, 以對乾言則曰裳, 以其包物言則曰囊
순상(荀爽)의『구가역(九家易)』에서는 "곤괘는 자루이고 황색이며 치마이다"라는 내용이 있다.
내가 살펴보았다: 색으로 말하면 황색이고, 건괘와 상대하여 말하면 치마이며, 사물을 싸는 것으로 말하면 자루이다.

이익(李瀷)『역경질서(易經疾書)』

坤卦體純陰, 君臣皆柔弱, 而六四居近君之地, 于斯時也咎譽, 皆足以爲害. 然柔順得正, 故有括囊之象. 六四變, 則爲震. 震上虛下實, 又有囊之象. 所謂愼不害者, 謂不害其爲愼也. 變卦之義, 左氏可證, 僖公十五年云, 震之離, 亦離之震.
곤괘는 몸체가 순수한 음이어서 임금과 신하가 모두 유약한데, 육사가 임금과 가까운 자리에 있으니, 이때에는 허물과 칭찬이 모두 해로움이 되기에 충분하다. 그러나 유순한 것이 바름을 얻었으므로 자루를 묶어놓은 듯한 상이 있다. 육사가 변하면 진괘(震卦☳)가 된다. 진괘는 위가 비어 있고 아래가 차 있으며 또 자루의 상이 있다. 이른바 삼가면 해롭지 않다는 것은, 해롭지 않은 것이 삼가기 때문이라는 말이다. 변괘의 의미는『춘추좌씨전』에서 증명할 수 있으니, 희공 15년에 "진괘가 리괘로 변한 것은 리괘가 진괘로 변한 것과 같다"[84]라 하였다.

심조(沈潮)「역상차론(易象箚論)」

六四, 括囊.
육사는 자루를 묶어놓은 것이다.
重陰在時冬也, 其靜也翕, 故稱括. 陰氣凝縮, 又有括囊之象.
중첩된 음이 사시의 겨울에 있는 것이니, 그 고요함이 합하므로 '묶어놓다'라 하였다. 음기가 엉기어 수축해서 또 자루를 묶어 놓은 상이 있다.

---

84)『춘추좌씨전 · 희공』: 진 헌공이 백희를 진나라에 시집보내는 것에 대해 시초점을 치니 귀매괘가 규괘로 변한 점을 만났다. 사소가 점을 쳐 "불길합니다. 진괘가 리괘로 변한 것은 리괘가 진괘로 변한 것과 같습니다. 우레가 되고 불이 되니 영씨가 희씨를 망하게 할 것입니다"라 하였다[晉獻公筮嫁伯姬於秦, 遇歸妹之睽. 史蘇占之曰, 不吉⋯ 震之離, 亦離之震, 爲雷爲火, 爲嬴敗姬].

유정원(柳正源) 『역해참고(易解參攷)』

六四 [至] 无譽.

육사 … 칭찬도 없을 것이다.

開封耿氏曰, 坤之靜也, 翕動也, 闢唯其時而已. 六四當天地之閉, 是以體坤之翕而括囊焉, 則无咎亦无譽矣.

개봉경씨가 말하였다[85]: 곤괘의 고요함은 조화로운 움직이어서 오직 그 때에만 열릴 뿐이다. 육사는 하늘과 땅이 닫히는 때이어서 곤괘의 조화로움을 본받아 자루를 묶는다.

○ 梁山來氏曰, 四近乎君多懼之地, 不可妄咎妄譽, 戒其作威福也.

양산래씨가 말하였다[86]: 사효는 임금에 가까워 걱정이 많은 곳이어서 함부로 나무라거나 칭찬할 수 없으니, 상벌이 내려지게 됨을 경계한 것이다.

○ 案, 荀九家, 坤爲囊, 坤六爻皆有囊象, 而括囊无咎, 唯六四爲然. 六四之時, 天地閉塞, 上下間隔, 在位者當去, 在下者當隱, 如疏廣之乞骸, 郭泰之明哲, 是得括囊之義也. 若以朱雲之折檻, 范滂之澄淸, 謂不得括囊之義, 則在位者將爲乾沒之歸, 在下者將爲鄕原之徒, 其何以折中乎? 必須量度時宜, 知幾知微, 當隱當晦, 有確不拔之操, 然後庶得括囊之義矣. 故象曰, 愼不害, 愼字當著意看.

내가 살펴보았다: 순상(荀爽)의 『구가역(九家易)』에서 곤은 자루라고 했으니, 곤괘의 여섯 효가 모두 자루의 상(象)이 있지만 "자루를 묶어놓은 듯이 하면 허물이 없다"는 것은 오직 육사만 그렇다. 육사의 때는 하늘과 땅이 닫히고 위아래가 막혀서 지위에 있는 자는 마땅히 떠나야 하고 아래에 있는 자는 마땅히 숨어야 한다. 중국 한나라 선제 때 소광이 벼슬을 물러날 것을 청하고,[87] 곽태의 지혜로움과 같은 것이[88] '자루를 묶어놓은 듯이 하는' 뜻을 얻은 것이다. 주운이 난간을 부러뜨린 일이나[89] 범방이 천하를 맑게 하려는 일은[90] '자루를

85) 董眞卿, 『周易會通』 卷二.

86) 來知德, 『周易集註』 卷一.

87) 한(漢)나라 선제(宣帝) 때의 소광(疏廣)이 태자태부(太子太傅)가 된 지 5년 만에 스스로 성만(盛滿)을 경계하는 뜻에서 병을 핑계로 상소하여 사직하고 조카 소수와 함께 고향으로 돌아가려 하자, 천자는 황금 20근을, 태자는 50근을 각각 하사하였고, 공경대부 친구들은 동도문(東都門) 밖에서 전별연을 베풀었다. 이때 그들을 환송 나간 차량(車輛)은 무려 100여 대에 이르렀고, 도로에서 그 광경을 구경하던 이들은 모두 그들을 어진 대부(大夫)라고 칭찬하면서 혹은 눈물을 흘리는 사람까지 있었다고 한다. 『漢書·疏廣傳』.

88) 곽태(郭泰)는 후한(後漢) 말기 영제(靈帝) 때 사람으로 학문과 덕행이 뛰어났으며, 사람들이 신선에 견주었다고 한다.

89) 한(漢)나라 성제(成帝) 때 주운(朱雲)이 임금에게 "상방 참마검(尙方斬馬劍)을 하사하면서 간사한 사람 하나를 베겠습니다." 하니, 임금이 그 사람이 누구인가 하고 물었다. "장우(張禹)입니다."라고 답하자, 임금이 노해서, 어사를 시켜 운을 끌어내리니, 운이 전(殿) 난간을 꽉 붙들고 있었으므로 난간이 부러졌다. 운이 부르짖기를, "용방(龍逄), 비간(比干)을 지하에 따르는 것만으로도 족합니다." 하였다. 이후 성제는 이 부러진

묶어놓은 듯이 하는' 뜻을 얻지 못했다. 지위에 있는 자는 장차 돈이나 물건을 빼앗는 것으로 귀착될 것이며, 아래에 있는 자는 장차 향원(鄕原)의 무리와 같을 것이니, 어찌 절충할 수 있겠는가? 반드시 마땅한 때를 헤아리고, 기미를 알아서 숨을 때 숨어서 확고히 꺾이지 않는 지조를 가진 연후에야 '자루를 묶어놓은 듯이 하는' 뜻을 얻을 수 있을 것이다. 그러므로 「상전」에서 "삼가면 해롭지 않다"고 하였으니, '삼감'을 주목해 보아야 할 것이다.

傳〈案, 傳末本有括古活反譽音餘又音預十字.〉小註廬陵說, 乾沒.〈漢書張湯傳, 小吏乾沒. ○ 晉書潘岳傳, 乾沒不已. ○ 案, 或云隨勢浮沉, 得利爲乾, 失利爲沒. 或云視利而趨, 雖乾而在陸, 沒而滅頂.〉

『정전』〈내가 살펴보았다: 『정전』 끝에 본래 "'괄(括)'은 고와 활의 반절음이다. '예(譽)'는 소리가 여, 또는 예이다[括古活反譽音餘又音預]"라는 열 글자가 있다.〉 소주(小註)에서 여릉용씨가 "이익을 탐한다"고 하였다. 〈『한서(漢書)·장탕전(張湯傳)』에서 "낮은 관리가 이익을 탐한다"고 하였다. 『진서(晉書)·반악전(潘岳傳)』에서 "돈이나 물건 빼앗기를 그치지 않는다"고 하였다. 내가 살펴보았다: 어떤 사람은 "형세에 따라 부침하는 것으로, 이익을 얻는 것이 건(乾)이고, 이익을 잃는 것이 몰(沒)이다"라고 하였다. 어떤 사람은 "이익을 보고 달려가 하늘에 있을 때는 높은 곳에 있지만, 죽어서 목숨을 잃는다"고 하였다.〉

김상악(金相岳)『산천역설(山天易說)』

六四居外坤之初, 當閉塞之候, 故有括囊之象. 謹密不出, 雖无咎, 无行事之可見者, 故亦无可譽也.

육사는 외괘 곤괘의 처음에 있어 막힌 시기에 해당하므로 자루를 묶은 상이 있다. 삼가고 조용히 있으면서 나가지 않아 비록 허물이 없을지라도 드러낼 만한 일을 행하지 않으므로 또한 칭찬할 만한 것도 없다.

○ 囊者, 坤象, 萬物之藏於地, 如囊之藏物也. 四變, 則一陽貫乎五陰之中, 故取括字. 三之含章, 四之括囊, 皆含畜不露之象. 而三居陽, 故以時而發, 四居陰, 故終於晦藏也. 无咎者, 謹密自守, 无交於害也. 无譽者, 陰之過者, 无生物之功也. 大過, 亦陽過之卦, 故五之占辭同.

난간을 간하는 신하의 귀감으로 삼도록 하였다.

90) 후한(後漢) 말기 사람인 맹박(孟博)이[범방(范滂)은 그의 자이다] 일찍이 천하를 바로잡을 뜻을 품고 당시의 환관당(宦官黨)의 부패를 기탄없이 공격하다가 옥사에 연계되어 태연히 죽음을 당했다 한다.

자루는 곤괘의 상이니, 만물을 땅에 감추는 것이 자루에 물건을 넣어두는 것과 같다. 사효가 변하면 하나의 양이 다섯 음의 가운데를 꿰뚫는 것이므로 묶는다는 말을 취했다. 삼효는 아름다움을 머금은 것이고, 사효가 자루를 묶어놓은 것이니, 모두 머금고 간직해서 드러내지 않는 상이다. 그런데 삼효는 양의 자리에 있으므로 때에 따라 드러내고, 사효는 음의 자리에 있으므로 끝까지 감춘다. 허물이 없다는 것은 삼가고 조용히 있으면서 스스로 지켜 해로움과 함께하지 않는 것이다. 칭찬이 없다는 것은 음의 지나침이 사물을 낳는 공이 없는 것이다. 대과괘(大過卦䷛)도 양이 지나친 괘이므로, 오효의 점사가 동일하다.[91]

박윤원(朴胤源) 『경의(經義) · 역경차략(易經箚略) · 역계차의(易繫箚疑)』

括囊, 无咎, 非但晦藏其智, 愼言語亦在其中, 緘口結舌, 當如括囊口.

자루를 묶어놓은 것이니 허물이 없다는 것은 그 지혜를 감추는 것일 뿐만 아니라 그 말을 삼가는 것도 그 속에 있으니, 입을 다물고 혀를 놀리지 않기를 마치 자루 입구를 묶어 놓은 듯이 해야 한다.

김귀주(金龜柱) 『주역차록(周易箚錄)』

本義, 括囊, 言結, 云云,

『본의』에서 말하였다: 자루를 묶어 놓는다는 것은 자루 입구를 묶어 놓은 듯이 하여 … 하라는 말이다, 운운.

小註, 雲峯胡氏曰, 陰虛, 云云.

소주에서 운봉호씨가 말하였다: 음의 비어 있음이, 운운

○ 按, 若但以陰虛, 謂有括囊象, 則他爻皆是陰虛, 恐無分別. 惟其重陰, 且不中, 故有括囊之象耳. 六三之或從王事者, 非但以其以陰居陽, 卽以其居下之上, 而得位故也. 胡說未備.

내가 살펴보았다: 음의 비어 있음만 가지고 자루를 묶어 놓은 상이 있다고 한다면, 다른 효가 모두 음의 비어 있음일 경우 구분이 없을 것 같다. 오직 중첩된 음이고 또 가운데에 있지 않기 때문에 자루를 묶어놓은 상이 있을 뿐이다. 육삼이 혹 왕의 일에 종사하는 것은 음으로서 양의 자리에 있는 것뿐만 아니라 곧 하괘의 맨 위에 있어 자리를 얻었기 때문이다. 운봉호씨의 설명은 완전하지 않다.

---

91) 『주역 · 대과괘』: 구오는 마른 버드나무에 꽃이 피며 늙은 부인이 젊은 남자를 얻는 것이니, 허물이 없으나 명예도 없을 것이다[九五, 枯楊生華, 老婦得其士夫, 无咎无譽].

隆山李氏曰, 譽者, 云云,
융산이씨가 말하였다: 칭찬 운운.
○ 按, 無咎, 無譽, 是兩件事, 恐不必如此說.
내가 살펴보았다: 허물이 없는 것과 칭찬이 없는 것은 두 가지 일이니, 이처럼 설명할 필요가 없을 것 같다.

서유신(徐有臣) 『역의의언(易義擬言)』

括囊者, 拏翕不舒展也, 在天時爲天地閉之象, 在人事爲賢人隱之象. 六四陰道已盛, 括囊之時也. 柔順得正, 括囊之賢也, 處義合於時宜, 故无咎也. 自晦, 故又无譽也.
자루를 묶어놓은 것은 모아놓고 내놓지 않는 것이니, 하늘의 때로는 천지가 막힌 상이고, 사람의 일로는 현인이 은둔한 상이다. 육사는 음의 도가 이미 성대하여 자루를 묶어놓는 때이다. 유순함이 정을 얻음은 자루를 묶어놓은 현명함이니, 의리대로 처신함이 시의에 합하므로 허물이 없다. 스스로 감추므로 또한 칭찬이 없다.

박문건(朴文健) 『주역연의(周易衍義)』

懼而藏身, 故有括囊之象. 括, 結也. 囊, 藏物者也.
두려워서 몸을 숨기므로 자루를 묶어놓은 상이 있다. '묶어놓는다'는 말은 매듭짓는다는 의미이다. 자루는 물건을 넣어두는 것이다.
〈問, 括囊, 无咎, 无譽. 曰四疑初之逼己, 故有此象. 若晦迹, 則无咎, 隱德, 則无譽也.
물었다: "자루를 묶어놓은 것이니 허물도 없고 칭찬도 없을 것이다"는 무슨 뜻입니까?
답하였다: 사효는 초육이 자신을 위협할까 의심하므로 이런 상이 있습니다. 만약 흔적을 드러나지 않게 하면 허물이 없고, 덕을 숨기면 칭찬이 없습니다.〉

이지연(李止淵) 『주역차의(周易箚疑)』

六三之含爲囊腹, 四當爲囊口之括.
육삼의 머금음은 자루의 배이니, 사효는 당연히 자루 입구를 묶음이다.

김기례(金箕澧) 「역요선의강목(易要選義綱目)」

六四, 括囊.
육사는 자루를 묶어놓은 듯이 한다.

坤爲囊, 故曰括囊. 四近君而无應, 況爲多懼之地, 自愼而不至害
곤괘는 자루이기 때문에 "자루를 묶어놓은 듯이 한다"라 한다. 사효는 임금에게 가까이 있지만 상응함이 없고, 더구나 두려움이 많은 곳이니, 스스로 삼가야 해로움에 이르지 않는다.
○ 三以陰居陽, 故或出. 四以陰居陰, 故括.
삼효는 음이 양의 자리에 있기 때문에 혹 나아가는 것이다. 사효는 음이 음의 자리에 있기 때문에 묶는 것이다.
○ 譽者, 咎之招, 无譽, 故得无咎
칭찬은 허물을 불러오니, 칭찬이 없으므로 허물이 없을 것이다.

심대윤(沈大允)『주역상의점법(周易象義占法)』

坤之豫䷏. 不用力爲利而時中, 可以施則施之, 可以不施則不施, 如囊之啓出. 閉居有時, 无當施而不施以取咎, 亦无不當施而施之以取譽也. 心之欲旣有節, 而德亦有所不施也.
곤괘가 예괘(豫卦䷏)로 바뀌었다. 이롭게 하려고 힘쓰지 않는데도 때에 맞는 것이니, 시행할 수 있으면 시행하고 시행할 수 없으면 시행하지 않는 것이 마치 자루를 열어 꺼내놓는 것과 같다. 밖으로 나다니지 않고 집에 들어박혀 있는 것이 시기적절하니, 시행해야 하는데 시행하지 않아 생기는 허물이 없고, 또한 시행하지 않아야 하는데 시행하여 생기는 칭찬이 없다. 마음이 하고자 하는 것에 이미 절도가 있으면, 덕에도 시행하지 않는 바가 있다.

심대윤(沈大允)『주역상의점법(周易象義占法)』

坤之豫䷏, 逸也. 以順動, 故逸也. 六四居柔, 不用力爲順, 而可爲則爲, 不可爲則不爲, 順時以動, 旣无柔懦而爲咎, 亦无過進以要譽. 故曰括囊, 无咎, 无譽. 坤爲裳爲囊爲帛, 囊裳以帛爲之, 而摺疊緺襞, 有坤之象. 四居震艮, 動止出居之體, 而對卦爲巽. 巽爲繩爲係. 四之動而出之, 止而居之, 係乎君. 而擧措, 如囊之動闢以出, 靜翕以居, 而係括存乎人. 大臣居疑逼之地, 君未信而强言, 則厭苦之意生, 君未悅而强行, 則猜克之心萌, 君未親而强諫, 則嚴憚之色形. 非所以安身成切之道也, 而亦不可斂避退縮, 備位偸容也. 是以括囊也.
곤괘가 예괘(豫卦䷏)로 바뀌었으니, 즐거운 것이다. 유순함으로 움직이기 때문에 즐겁다. 육사는 유순한 자리에 있어 애써 유순하려고 하지 않고 할 수 있으면 하고 할 수 없으면 하지 않으며 때에 따라 움직이니, 이미 나약해서 허물되는 것도 없고, 또 지나치게 나아가 칭찬을 요구하는 것도 없다. 그러므로 "자루를 묶어놓은 것이니, 허물도 없고 칭찬도 없을 것이다"라 했다. 곤괘는 치마가 되고 자루가 되며 비단이 되니, 자루와 치마를 비단으로 만드는데 접고 겹쳐서 주름지게 하면 곤괘의 모양이 있다. 사효는 진괘(震卦☳)와 간괘(艮卦☶)에 있어 움직이고 멈추며 나아가고 머무르는 몸체이니, '대응하는 괘[對卦]'는 손괘(巽卦☴)이다. 손괘는 줄이 되고 묶는 것이 된다. 사효가 움직여 나아가고 멈추어 있는 것은 임금에게 묶여있다. 그런데 거동이 마치 자루가 움직이면 열려서 나아가고 고요하면 닫혀서 있는 것과 같으니, 묶어놓는 것이 사람에게 달려있다. 대신이 의심받고 핍박받는 지위에 있음에 임금이 믿지 않는데 억지로 말하면 싫어하고 괴로운 마음이 생기고, 임금이 좋아하지 않는데 강행하면 시기하고 이기려는 마음이 싹트며, 임금이 가까이 하지 않는데 강하게 말하면 경계하고 꺼리는 안색을 드러내니, 몸을 편하게 하고 절실함을 이루는 도가 아니지만, 물러나고 피하여 자리나 채우고 구차하게 용납받을 수도 없다. 이 때문에 자루를 묶어놓는 것이다.

오치기(吳致箕) 「주역경전증해(周易經傳增解)」

六四, 以柔居柔, 而下旡應援, 當昏陰之時, 切近君位, 疑懼之甚, 宜若有咎. 而以其處順得正, 故能隱藏慎密, 有括囊之象, 而可以旡咎. 然過柔旡剛, 故言旡譽也.
육사는 부드러움으로서 부드러운 자리에 있고, 아래로 응원이 없어, 어두운 때를 만났으며, 임금의 자리에 아주 가까워서 의심과 두려움이 심하니, 당연히 허물이 있을 듯하다. 그러나 유순한 자리에 있고 바름을 얻었기 때문에 숨기고 삼가며 은밀할 수 있으니, 자루를 묶어놓은 상이 있고 허물이 없을 수 있다. 그러나 지나치게 부드러워 굳셈이 없기 때문에 '칭찬이 없다'고 하였다.

○ 括, 包也. 坤有包藏之象. 虛中藏物曰囊, 而亦坤之象也.
묶어놓는다는 말은 감싼다는 의미이다. 곤괘에는 감싸서 숨기는 상이 있다. 빈 가운데 물건을 넣어두는 것을 자루라고 하니, 또한 곤괘의 상이다.

이진상(李震相) 『역학관규(易學管窺)』

坤行, 更轉于東八, 八者, 不用之陰數也. 坤爲嗇爲囊, 故有括囊之象. 而六四適當囊口, 純陰而不中, 故於此獨言之.
곤괘의 운행이 다시 동쪽의 팔(八)로 돌아가니, 팔은 사용하지 않는 음의 수이다. 곤괘는 인색함이 되고 자루가 되므로 자루를 묶어놓은 상이 있다. 그런데 육사가 자루의 입구에 마침 해당하니, 순수한 음이고 가운데에 있지 않기 때문에 여기에서 특별히 말한 것이다.

象曰, 括囊, 无咎, 愼, 不害也.

「상전」에서 말하였다:"자루를 묶어놓은 것이니 허물이 없음"은 삼가면 해롭지 않다는 것이다.

中國大全

傳

能愼如此, 則无害也.

이처럼 삼갈 수 있으면 해로움이 없다.

小註

建安丘氏曰, 愼釋括囊義, 不害釋无咎義, 愼則不害矣.

건안구씨가 말하였다: '삼간다'는 말은 "자루를 묶어놓은 듯이 하라"는 의미를 해석한 것이고, '해롭지 않다'는 말은 '허물이 없다'는 의미를 해석한 것이니, 삼가면 해로움이 없다는 것이다.

韓國大全

김상악(金相岳) 『산천역설(山天易說)』

括囊, 所以愼也, 无咎, 所以不害也.

자루를 묶어놓은 것이기 때문에 삼가는 것이고, 허물이 없기 때문에 해롭지 않은 것이다.

박문건(朴文健)『주역연의(周易衍義)』

愼其藏, 則无害.
감추는 것을 조심스럽게 하면 해로움이 없을 것이다.

서유신(徐有臣)『역의의언(易義擬言)』

隨時卷藏謹愼之至, 無灾害也.
때에 따라 감추고 삼감이 지극하면 재앙과 해로움이 없다.

심대윤(沈大允)『주역상의점법(周易象義占法)』

愼其擧措也.
거동을 삼가라는 것이다.

오치기(吳致箕)「주역경전증해(周易經傳增解)」

言愼密, 故无所咎害也.
삼가고 은밀하게 하므로 허물과 해로움이 없다는 말이다.

이병헌(李炳憲)『역경금문고통론(易經今文考通論)』

括結也. 虞曰, 坤爲囊.
'묶는다'는 것은 매듭짓는다는 의미이다. 우번은 "곤괘는 자루이다"라고 하였다.[92]

---

92)『周易集解·坤卦』: 虞翻曰, 括結也, …. 坤爲囊, 艮爲手, 巽爲繩.

六五, 黃裳, 元吉.

정전 육오는 황색치마이면 크게 길하다.
본의 육오는 황색치마이니 크게 길하다.

中國大全

傳

坤雖臣道, 五實君位, 故爲之戒云, 黃裳元吉. 黃中色, 裳下服. 守中而居下, 則元吉, 謂守其分也. 元, 大而善也. 爻象, 唯言守中居下則元吉, 不盡發其義也. 黃裳旣元吉, 則居尊爲天下大凶可知. 後之人未達, 則此義晦矣, 不得不辨也. 五, 尊位也. 在它卦六居五, 或爲柔順, 或爲文明, 或爲暗弱, 在坤則爲居尊位. 陰者, 臣道也, 婦道也. 臣居尊位, 羿莽是也, 猶可言也. 婦居尊位, 女媧氏武氏是也, 非常之變, 不可言也. 故有黃裳之戒, 而不盡言也. 或疑在革, 湯武之事, 猶盡言之, 獨於此不言, 何也. 曰, 廢興, 理之常也. 以陰居尊位, 非常之變也.

곤괘는 신하의 도리이지만 오효는 사실 임금의 자리이므로 "황색치마이면 크게 길하다"고 경계해서 말했다. 황색은 중앙을 나타내는 빛깔이고, 치마는 아래에 입는 옷이다. 중도를 지키면서 아래에 있으면 크게 길하다는 것은 그 분수를 지키라는 말이다. '크다[元]'는 크고 좋다는 것이다. 효의 상에서는 중도를 지키면서 아래에 있으면 크게 길하다고만 말하여 그 의미를 모두 드러내지는 않았다. 황색치마인 것이 이미 크게 길한 것이라면 음이 존귀한 자리에 있는 것은 천하에서 아주 흉한 것임을 알 수 있다. 후대의 사람들이 알지 못했던 것은 이런 의미에 어두웠기 때문이니, 분별하지 않을 수 없다. 오효는 존귀한 자리이다. 다른 괘에서 음[六]이 오효의 자리에 있는 것은 유순함이 될 수도 있고, 문명이 될 수도 있으며 어둡고 약함이 될 수도 있는데, 곤괘에서는 존귀한 자리에 있는 것이 된다. 음은 신하의 도리이고 부인의 도리이다. 신하가 존귀한 자리에 있었던 사례로는 후예(后羿)와[93] 왕망(王莽)이[94] 여기에 해당하니 오히려 말할 수 있다. 부인이 존귀한 자리에 있었던 사례로는

93) 후예(后羿): 『춘추좌씨전』「양공」 4년조에 따르면, 예는 하나라가 쇠약해지자 하우 상을 죽이고 왕위를 찬탈했다. 그가 자신의 활 솜씨만 믿고 정사를 보지 않자 한착이 그 나라를 장악한 후 예를 삶아 죽였다.
94) 왕망(王莽): 중국 신(新: 9~25)나라의 의 창시자인데, 중국역사에서는 왕위 찬탈자로 알려져 있다.

여와씨(女媧氏)[95]와 무씨(武氏)[96]가 여기에 해당하니, 정상이 아닌 변고라서 말할 수 없다. 그러므로 황색치마라는 경계만 하고 다 말하지 않았던 것이다. 어떤 이가 "혁괘에서 탕왕과 무왕의 일에 대해서는 다 말해놓고 여기에서만 말하지 않는 것은 무엇 때문인가?"라고 물으니 "흥하고 망하는 이치의 떳떳함이고, 음이 존귀한 자리에 있는 것은 떳떳하지 못한 변고이기 때문이다"라고 답했다.

小註

或問, 伊川解作聖人示戒, 竝擧女媧武后之事. 今考本爻无此象, 這又是象外立敎之意否. 朱子曰, 伊川要立議論敎人, 可向別處說, 不可硬配在易上說. 此爻何曾有這義. 都是硬入這意, 所以說得絮了.
어떤 이가 물었다: 이천은 성인이 경계를 보여주었다고 해석하면서 아울러 여와씨와 측천무후의 일을 함께 열거했습니다. 그런데 이제 육오를 고찰해보면 그런 상이 없으니, 이천의 해석은 또 상 밖에서 가르침을 세웠다는 의미입니까?
주자가 답하였다: 이천이 의론을 세워 사람들을 가르치려고 하면서 다른 것으로 설명하는 것은 괜찮지만 『주역』의 말로 억지로 짝지우려고 한 것은 안 됩니다. 이 효에 어떻게 이런 의미가 있겠습니까? 모두 무리하게 이런 의미에 집어넣으려고 했기 때문에 설명이 되지 않는 것입니다.

○ 隆山李氏曰, 乾之九五, 堯舜之君也, 坤之六五, 皐夔稷契之臣也. 坤六五之應在乾九五, 乾坤相應者, 堯舜皐夔之遇合也. 乾之事業, 則堯舜二典是也, 坤之事業, 則禹皐陶益稷三謨是也. 合典謨而觀, 然後堯舜皐夔之事業可見, 合乾坤二卦而觀, 然後君臣之配應可見. 乾坤定體, 一純而不雜. 坤六爻无君位, 與諸卦六爻自爲配, 應例不同. 乾爲君, 六爻皆君事, 坤爲臣, 六爻皆臣道也. 先儒謂五君位, 以陰居之爲新莽武后之類. 此賊敎之大者, 不可无辨.
융산이씨가 말하였다: 건괘의 구오는 요·순 같은 임금이고, 곤괘의 육오는 고요·기·후직·설과 같은 신하이다. 곤괘의 육오가 건괘의 구오와 상응하니, 건괘와 곤괘가 상응하는 것은 요·순이 고요·기와 만나서 합하는 것이다. 건괘의 사업은 『서경』의 「요전」과 「순전」이 여기에 해당하고, 곤괘의 사업은 「대우모」·「고요모」·「익직」이 여기에 해당한다. 「전」과 「모」를 합해서 본 다음에 요·순과 고요·기의 사업을 알 수 있고, 건괘와 곤괘를 합해

95) 여와씨(女媧氏): 복희씨의 딸로 복희씨를 이어 최초로 여황제가 된 사람이다.
96) 무씨(武氏): 본명은 무조(武曌: 625~705)로 무측천이라고도 한다. 당나라 고종(高宗 : 649~683)의 비(妃)로 들어와 황후(皇后)의 자리에까지 올랐으며 40년 이상 중국을 실제적으로 통치했다. 생애 마지막 15년(690~705) 동안은 국호를 당(唐)에서 주(周)로 변경하고 천수(天授)라는 연호를 썼다.

서 본 다음에 군신이 짝하여 상응하는 것을 알 수 있다. 건괘와 곤괘는 정해진 형체가 하나로 순수하여 다른 것과 섞여 있지 않다. 곤괘의 여섯 효는 임금의 자리가 없어 여러 괘의 여섯 효와 저절로 짝이 되나, 호응하는 사례가 같지 않다. 건괘는 임금이어서 여섯 효가 모두 임금의 일이고, 곤괘는 신하여서 여섯 효가 모두 신하의 도리이다. 앞선 유학자들이 오효를 임금의 자리라고 말함에 음효가 그곳에 있는 것을 신(新)나라의 왕망과 무후의 일과 같은 것으로 보았다. 이들은 가르침을 크게 망치는 자들이니, 분별하지 않을 수 없다.

○ 縉雲馮氏曰, 天下之變无常, 社稷有綴旒之危, 莫不賴腹心之臣, 從權制變而社稷以安. 君薨百官總己以聽於冢宰, 三代之常制. 然則人臣而行君事, 无世无之. 坤之六爻, 初戒之, 四戒之, 上又戒之, 而五復爲戒懼之辭. 世不幸而至於大變, 則爲臣者, 不敢犯難而任事, 爲君者, 終疑其臣於下, 誰與. 寄社稷之計, 不可之大者也, 亦惟忠誠純至. 臨大節而不可奪, 如黃裳者, 是賴焉, 而後成社稷之功矣.

진운풍씨가 말하였다: 천하의 변함이 무상하여 사직이 장대 끝에서 바람에 나부끼는 깃발과 같은 위험이 있으면, 심복에게 의지하여 권도에 따라 변화에 대응하여 사직을 편안하게 하지 않음이 없었다. 그러니 임금이 세상을 떠나면 백관들이 모두 총재를 따르는 것은 삼대의 떳떳한 제도였다. 그렇다면 신하이면서 임금의 일을 행하는 것은 어느 세대이고 없었던 적이 없었다. 곤괘의 여섯 효는 초효를 경계하고 사효를 경계하며 상효를 또 경계하는데, 오효에서 다시 조심하고 두려워하는 말을 했다. 세상이 불행해서 큰 변고가 닥치면, 신하는 감히 어려움을 겪으면서 일을 맡으려고 하지 않고, 임금은 끝내 그 신하를 아래에서 의심하니, 누구와 함께할 수 있을까? 사직의 계책을 맡기는 것은 어떻게 할 수 없는 큰일이기 때문에 또한 오직 충성이 순전하고 지극하여, 큰 절개를 지켜 그의 지조를 빼앗을 수 없는 것이 황색치마와 같은 자라야만이 의뢰할 수 있다. 그런 뒤에야 사직의 공이 이루어 질 것이다.

○ 雙湖胡氏曰, 隆山所論甚當然. 先儒說乃是程傳. 傳意誠以五爲君位, 不可以臣與婦居之. 而不知坤旣純臣道, 則六五正大臣之位, 不得例以君位言矣. 然使羿莽媯武之徒居此位, 其不爲羿莽媯武之禍者, 亦希矣. 居此位者, 其必如六五黃裳之大臣焉, 斯可耳. 善觀程傳者, 正自不妨, 益致其戒也.

쌍호호씨가 말하였다: 융산이씨가 논한 것은 매우 당연하다. 선대 학자의 설명은 바로 『정전』이다. 『정전』의 의미는 진실로 오효를 임금의 자리로 여겨 신하와 부인이 그 자리를 차지할 수 없다는 것이다. 그런데 곤괘가 이미 순수하게 신하의 도리라면, 육오는 바로 대신의 지위여서 임금의 자리를 사례로 말할 수 없다는 것을 몰랐다. 그러나 예 · 왕망 · 여와 · 무씨의 무리가 왕의 자리를 차지하면, 예 · 왕망 · 여와 · 무씨의 화를 당하지 않은 자가 또한 드무니, 왕의 자리를 차지한 자는 반드시 육오가 황색치마와 같은 대신과 같아야 할 뿐이다.

『정전』을 잘 이해한 자는 저절로 방해될 것이 없어 그 경계를 더욱 다한다.

本義

黄中色, 裳下飾. 六五以陰居尊, 中順之德, 充諸內而見於外. 故其象如此, 而其占爲大善之吉也. 占者德必如是, 則其占亦如是矣. 春秋傳南蒯將叛, 筮得此爻, 以爲大吉. 子服惠伯曰, "忠信之事則可, 不然必敗. 外强內溫忠也, 和以率貞信也. 故曰, 黃裳, 元吉, 黃中之色也, 裳下之飾也, 元善之長也. 中不忠不得其色, 下不共不得其飾, 事不善不得其極. 且夫易不可以占險, 三者有闕, 筮雖當, 未也." 後蒯果敗, 此可以見占法矣.

황색은 중앙의 빛깔이고, 치마는 아래를 꾸미는 것이다. 육오는 음효가 존귀한 자리에 있는 것이기 때문에 가운데 있는 유순한 덕이 속으로 충만하여 밖으로 드러난 것이다. 그러므로 그 상이 이와 같고 그 점이 크게 좋다는 길함이 된다. 점치는 자가 덕이 반드시 이와 같으면 그 점 또한 이와 같을 것이다. 『춘추좌씨전 · 소공12년』에 남괴(南蒯)[97]가 반역을 하려고 할 때에 점을 쳐서 이 괘를 얻어 크게 길하다고 하였다. 자복혜백이 말했다. "진실과 믿음에 대한 일이라면 괜찮지만 그렇지 않은 것이라면 반드시 실패할 것이다. 밖으로는 강건하고 안으로는 온순한 것이 진실이고, 화합으로 곧음을 따르는 것이 믿음이다. 그러므로 '황색치마이니 크게 길하다'라고 했으니, 황색은 중앙의 빛깔이고, 치마는 아래를 꾸미는 것이며, '크게'는 좋은 것의 으뜸이다. 마음이 진실하지 못하면 그 빛깔을 얻지 못할 것이고, 아래 사람이 공손하지 않으면 그 꾸밈을 얻지 못할 것이며, 일이 선하지 않으면 그 궁극을 얻지 못할 것이다. 또 『주역』은 험한 것을 점치면 안 되는데, 세 가지 결함이 있으니, 점친 것이 비록 합당한 것일지라도 안 된다." 뒤에 남괴가 정말 실패했으니, 여기에서 점치는 법을 알 수 있다.

小註

朱子曰, 黃裳元吉, 不過是說在上之人能盡柔順之道. 黃中色, 裳是下體之服. 能似這箇, 則无不吉, 這是那居中處下之道. 乾之九五, 自是剛健底道理, 坤之六五, 自是柔順底道理. 各隨他陰陽自有一箇道理, 其爲九六不同, 所以在那五處亦不同. 這箇五之柔順從那六裏來. 又曰, 凡易中言占者有其德, 則其占如是, 言无其德而得是占者, 卻是反說, 如南蒯是也.

---

97) 남괴(南蒯): 춘추시대 노(魯)나라 비읍(費邑)의 재상이었는데, 당시 노나라의 실권자였던 계평자(季平子)의 홀대에 모반을 일으켰다가 실패하였다.

주자가 말하였다: "황색치마이니, 크게 길하다"라는 말은 위에 있는 사람이 유순한 도를 다할 수 있다는 설명에 불과하다. 황색은 중앙의 빛깔이고, 치마는 아랫도리의 옷이다. 이와 같이 할 수 있으면 길하지 않음이 없으니, 이것은 중앙과 아래에 있는 도리이다. 건괘의 구오는 본래 강건한 도리이고, 곤괘의 육오는 원래 유순한 도리이다. 제각기 그 음양에 따라 저절로 하나의 도리가 있어 양효[九]와 음효[六]가 같지 않으니, 그 때문에 오효의 자리에서도 같지 않다. 여기 오효의 유순함은 저 음효[六]에서 온 것이다.
또 말하였다: 『주역』에서 점치는 자가 덕이 있으면, 그 점이 이와 같다고 말하였다. 덕이 없는데 이런 점이 나온 자에게는 오히려 반대이니, 이를테면 남괴가 여기에 해당한다고 말하였다.

○ 左傳昭公十二年, 南蒯將叛, 枚筮之, 遇坤䷁之比䷇, 曰黃裳元吉, 以爲大吉. 子服惠伯云云, 註坎外卦險, 故强, 坤內卦順, 故溫. 强而能溫, 所以爲忠. 水和而土安正. 和正, 信之本也. 夫易猶言此易, 謂此黃裳之占. 易道正大, 故險事不可以占.
『춘추좌씨전』 소공 12년에 남괴가 반역을 하려고 할 때, 나뭇가지로 점을 쳐 곤괘(坤卦䷁)가 비괘(比卦䷇)로 변해 "황색치마이니 크게 길하다"라 한 점괘를 얻고는 크게 길하게 여겼다.[98] 그런데 자복혜백의 말에 대해 다음처럼 주석했다. "외괘인 '감괘(坎卦☵)가 험하기 때문에 강건하고, 내괘인 곤괘(坤卦☷)가 순하기 때문에 온화하다. 강건하면서 온화할 수 있기 때문에 진실이 된다. 물(☵)은 화합하고, 토(☷)는 편안하고 바르다. 화합하고 바른 것은 믿음의 근본이다."[99] 『본의』에서 '부역(夫易)'이라고 한 은 '이 『주역』으로는'이라고 말하는 것과 같으니, 이 황색치마의 점을 말했다. 역의 도리는 바르고 큰 것이므로 험한 일에 대해서 점을 쳐서는 안 된다.

○ 節齋蔡氏曰, 黃象五, 裳象六.
절재채씨가 말하였다: 황색은 5를 상징하고, 치마는 6을 상징한다.

○ 厚齋馮氏曰, 黃以明其爲地之色也, 裳以明其配乾之衣也.
후재풍씨가 말하였다: 황색은 그것이 땅의 색깔이 됨을 밝혔고, 치마는 그것이 하늘의 웃옷에 짝함을 밝혔다.

---

98) 『春秋左氏傳 · 召公』: 南蒯枚筮之, 遇坤之比, 曰, 黃裳元吉, 以爲大吉也. 示子服惠伯曰, 卽欲有事, 何如. 惠伯曰, 吾嘗學此矣, 忠信之事則可, 不然, 必敗. 外彊內溫, 忠也. 和以率貞, 信也, 故曰黃裳元吉.
99) 『춘추좌씨전 · 소공』: 惠伯曰, 吾嘗學此矣. 忠信之事則可, 不然必敗, 外强內溫忠也 구절에 대한 注, 坎險故强, 坤順故溫. 强而能溫, 所以爲忠. 和以率貞信也 구절에 대한 注, 水和而土安正. 和正, 信之本也.

○ 林氏栗曰, 乾爲衣, 坤爲裳, 五雖尊配乾, 而爲下矣.
임율이 말하였다: 건괘는 저고리이고 곤괘는 치마이니, 오효가 비록 존귀하여 건괘에 짝하지만 아래가 되는 것이다.

○ 雲峯胡氏曰, 離六二象黃離, 遯六二象黃牛, 裳又下象, 坤六二象黃裳可也. 何乃於六五言之. 蓋六二陰而在下, 柔順中正, 自然無不利. 六五以陰居尊, 非中順之德充諸內而見諸外, 必不能大善而吉也. 故曰黃裳元吉. 否則大凶, 言外之意可見矣.
운봉호씨가 말하였다: 리괘의 육이는 황색에 붙어있음을 상징하고,[100] 돈괘의 육이는 황색의 소를 상징한다.[101] 치마는 또 아래의 상징이니, 곤괘의 육이가 황색치마를 상징해도 된다. 그런데 어째서 육오에서 황색치마를 말하였는가? 육이는 음이고 아래에 있어 유순하며 중정하니, 자연스럽게 이롭지 않음이 없다. 육오는 음효가 존귀한 자리에 있기 때문에 중이고 순한 덕이 내면에 채워져서 밖으로 드러난 것이 아니면 반드시 크게 좋아지고 길할 수 없다. 그러므로 "육오는 황색치마이니, 크게 길하다"라고 했다. 그렇지 않으면 크게 흉하니, 말 밖의 의미를 알 수 있다.

韓國大全

조호익(曺好益) 『역상설(易象說)』

坤則臣道, 五則君位, 守臣道則可, 居君位則不可, 謂雖在五位, 當守臣節. 蓋設辭垂敎耳, 非眞以五爲君位也.
곤괘는 신하의 도리이고 오효는 임금의 자리여서, 신하의 도리를 지키는 것은 되지만 임금의 자리에 있는 것은 되지 않으니, 비록 오효의 자리에 있을지라도 신하의 절개를 지켜야 한다는 말이다. 말을 해서 교훈을 내린 것뿐이지 진실로 오효를 임금의 자리로 여긴 것은 아니다.

○ 本義, 筮雖當, 按左傳當作吉.
『본의』에서 "남괴가 점친 것이 비록 합당한 것일지라도 안 된다"라 한 것에 대해 살펴보건대, 『춘추좌씨전 · 소공12』에는 '합당한 것일지라도'가 '길한 것일지라도'로 되어 있다.

100) 『周易 · 離卦』: 六二, 黃離, 元吉.
101) 『周易 · 遯卦』: 六二, 執之用黃牛之革, 莫之勝說.

박지계(朴知誡) 「차록(箚錄)-주역곤괘(周易坤卦)」

凡陰陽之德, 皆隨所居之位而有隱有顯. 位卑則隱, 位尊則顯, 而五乃君位也, 尊之極, 故德之著顯, 亦到其極. 是故, 以陽居尊, 則陽之德著顯, 以陰居尊, 則陰之德著顯. 陽之德, 健而已, 故居尊則健之極, 而爲飛龍在天之象也. 陰之德, 順而已, 故居尊則順之極, 而爲行地無疆之象也. 聖人制衣裳, 蓋取天地之象也. 故繫辭曰, 堯舜垂衣裳而天下治, 蓋取諸乾坤. 然則衣者在天之象也, 君也上也, 裳者, 行地之象也, 臣也下也. 雖然, 爲臣爲下之爲順之極者, 非謂偏倚於順也, 無過於順, 亦無不及於順, 是乃順之到極處也. 六四在下, 故括囊, 順之過也, 上六過高, 故龍戰于野, 不及於順. 唯六五居中, 故爲中順之德也. 中順之德充諸內, 則不得不發見於外. 中之德見於外, 則爲黃之色, 順之德見於外, 則爲下之飾. 色與飾, 是文章之嘉美也. 爲臣爲下之道, 發於事業之象也. 順德之著見, 到極而無餘蘊矣, 佐聖致治之功, 於斯畢矣. 此皆位尊之勢力使然也. 位若不尊, 則雖有中順之充諸內, 而不能見於外, 內卦之六二是也. 以中順之充諸內而言之, 則直方大也, 以充諸內而見於外言之, 則黃裳之象也, 上文本義曰, 柔順正固, 坤之直也, 賦形有定, 坤之方也. 柔以體言, 順兼用言, 其實皆言順也. 正固以德之立不偏倚而言也, 中以事之行無過不及而言也, 其實皆指中也. 但以內外之不同而言之, 有不同耳. 賦形有定, 則中順之功效著見也. 大槪乾之九二, 有聖王之德而無其位, 九五則聖人之位德兼備也. 坤之六二, 有賢臣之德而無其位, 六五則賢臣之位德兼備也.

음양의 덕은 모두 있는 자리에 따라 숨김이 있고 드러남이 있다. 자리가 낮으면 숨고 자리가 높으면 드러나는데, 오효는 임금의 자리여서 지극히 존귀하므로 덕의 드러남이 또 지극함에 이르렀다. 이 때문에 양이 존귀한 곳에 있으면 양의 덕이 드러나고, 음이 존귀한 곳에 있으면 음의 덕이 드러난다. 양의 덕은 굳건할 뿐이므로 존귀한 곳에 있으면 지극히 굳건해서 나는 용이 하늘에 있는 상이 된다. 음의 덕은 유순할 뿐이므로 존귀한 곳에 있으면 지극히 유순해서 땅을 끝없이 걸어가는 상이 된다. 성인이 저고리와 치마를 지음에 천지의 상을 취했다. 그러므로 「계사전」에서 "요 · 순이 의상을 드리움에 천하가 다스려졌다"[102]라고 하였으니, 건괘와 곤괘에서 취한 것이다. 그렇다면 저고리는 하늘에 있는 상이어서 임금이고 윗사람이며, 치마는 땅을 걸어가는 상이어서 신하이고 아랫사람이다. 그러나 신하가 되고 아랫사람이 되어 유순함의 궁극을 행하는 것은 유순함에 치우쳤다는 말이 아니니, 유순함에 지나침도 없고 또한 미치지 못함도 없는 것이 바로 유순함의 지극함에 도달한 것이다. 육사는 아래에 있기 때문에 자루를 묶어놓은 듯하니, 유순함이 지나침이고, 상육은 지나치게 높기 때문에 용들이 들에서 전쟁을 하니, 유순함에 미치지 못함이다. 육오만이 가운데에 있으

---

102) 『周易 · 繫辭傳』: 黃帝堯舜, 垂衣裳而天下治.

므로 가운데 있는 유순한 덕이 된다. 가운데 있는 유순한 덕이 안으로 충만하면, 밖으로 드러나지 않을 수 없다. 가운데 있는 덕이 밖으로 드러나면 황색이 되고, 유순한 덕이 밖으로 드러나면 아래를 꾸밈이 된다. 색과 꾸밈은 문장의 아름다움이다. 신하가 되고 아랫사람이 되는 도리는 사업에서 드러나는 상이다. 유순한 덕이 드러나 지극함에 이르러 더 이상 남은 것이 없으면, 임금을 보좌해서 다스림을 지극하게 하는 공이 여기에서 다한다. 이것은 모두 자리의 존귀한 세력이 그렇게 한 것이다. 자리가 만약 존귀하지 않다면, 비록 가운데 있는 유순함이 안으로 채워져 있어도 밖으로 드러날 수 없으니, 내괘의 육이가 여기에 해당한다. 가운데 있는 유순함이 안으로 채워져 있는 것으로 말하면, 육이는 곧고 방정하며 크다는 것이고, 안으로 채워져 밖으로 드러나는 것으로 말하면, 황색치마의 상이니, 위의 글 육이의 『본의』에서 "유순하고 '정고함'[貞固]은 곤괘의 곧음이고, 형체를 부여함에 일정함이 있는 것은 곤괘의 방정함이다"라 하였다. 유순함을 몸체로 말하면서 유순함이 작용을 겸한다고 말했으니, 그 내용은 모두 유순함을 말한다. 정고함은 덕을 확립함이 치우치지 않은 것으로 말했고, 가운데 있는 것은 일을 행함에 지나치거나 미치지 못하는 것이 없음으로 말했으니, 그 내용은 모두 중도에 맞음을 가리킨다. 다만 안과 밖의 같지 않은 것으로 말하면 같지 않은 것이 있을 뿐이다. 형체를 부여함에 일정함이 있다는 것은 가운데 있는 유순한 공효가 드러난 것이다. 건괘의 구이는 성왕(聖王)의 덕이 있으나 자리가 없고, 구오는 성인의 자리와 덕이 모두 갖추어진 것이다. 곤괘의 육이는 현명한 신하의 덕이 있으나 자리가 없고, 육오는 현명한 신하의 자리와 덕이 모두 갖추어진 것이다.

송시열(宋時烈) 『역설(易說)』

坤土爲黃中之正色. 坤爲裳. 繫辭云, 垂衣裳, 取乾坤者, 以乾爲衣, 坤爲裳故也. 象曰, 黃裳, 元吉, 文在中也, 離爲文明, 得坤中爻故也. 元吉, 占辭.

곤괘의 토가 황색과 중앙이라는 바른 색이 된 것이다. 곤괘는 치마이다. 「계사전」에서 "저고리와 치마를 드리우고 있다"[103]라 하였으니, 건괘와 곤괘를 취할 경우에 건괘를 저고리로 곤괘를 치마로 여겼기 때문이다. 「상전」에서 "'황색의 치마이니 크게 길하다'는 것은 문채가 속에 있다는 것이다"라고 하였으니, 리괘(離卦䷝)가 아름다운 밝음이 됨은 곤괘의 가운데 효를 얻었기 때문이다. 크게 길하다는 것은 점친 말이다.

석지형(石之珩) 『오위귀감(五位龜鑑)』

臣謹按, 坤之六五, 與乾之五, 義自不同, 以卦體純陰, 故不取君位. 然在我國, 則受用

103) 『周易 · 繫辭傳』: 黃帝堯舜, 垂衣裳而天下治.

最切. 蓋處君之位, 行臣之道者, 諸侯之事也. 方今時勢尤不容不通, 中道以飾下體. 所謂中道者, 要在因時適宜善藏其用. 此難與膠固者論也. 伏願殿下居正通理, 求其至美之中焉.
신이 삼가 살펴보았습니다: 곤괘의 육오는 건괘의 오효와 의미가 본래 같지 않고, 괘의 몸체가 순수한 음이기 때문에 임금의 자리를 취하지 않습니다. 그러나 우리나라에서 그것을 받아들이는 것은 아주 절실합니다. 임금의 자리에 있으면서 신하의 도리를 행하는 경우가 제후의 일입니다. 지금의 시대적인 추세로는 융통성이 없음을 더욱 용납하지 않으니, 중도로 꾸며 몸을 낮추십시오. 이른바 중도는 때에 따라 적절하게 그 능력을 잘 감추어야 하는 것입니다. 이것은 자신의 의견만 고집하는 자와는 함께 논의하기가 어렵습니다. 바라옵건대 전하께서는 바름에 계시면서 이치에 통달하시어 지극히 아름다운 중도를 구하시옵소서.

이현석(李玄錫)「역의규반(易義窺斑)」

此爻之義, 只在於柔順謙下. 蓋純陰成卦, 無一硬悍扞挌者, 故爲君者, 亦當以柔道行之. 古人有之, 漢文帝是也. 當時風流, 固已篤厚, 而帝又躬修玄默, 措一世於柔順之域, 而待夷狄禮臣下, 一以謙卑自牧, 藹然有泰和之風, 其庶乎此爻所稱元吉者矣. 或曰, 初六履霜, 上六龍戰, 果可謂無所扞挌歟. 曰, 爲柔爲順者, 陰之善也, 爲慝爲殺者, 陰之惡也. 於陰始也, 聖人慮其邪慝, 於陰極也, 聖人戒其爭殺. 是以見之於初上兩爻, 而此皆無位之地. 若夫六二之直方, 六三之含章, 卽陰之善者, 俱合於臣道. 而四之括囊, 亦與漢初大臣淸靜, 謹飭耻言人過者, 其道相近, 顧何害於黃裳之吉哉. 非無佞邪之厠間, 而玉杯之詐, 不能作堅氷之禍孼, 非無藩國之謀亂, 而几杖之賜, 足以戢戰野之凶圖. 嗚呼, 文帝其深於用柔也夫.
이 효의 의미는 유순함과 겸손히 낮추는 것에 있을 뿐이다. 순수한 음으로 괘가 이루어져 한 번이라도 강하고 세찬 것이 막고 치는 경우가 없으므로, 임금이 또한 당연히 유순한 도로 행한다. 옛날 사람으로 한나라 문제가 여기에 해당한다. 당시의 풍속은 진실로 이미 돈독했는데, 문제는 또한 친히 '청정무위의 도'를 닦아 일세를 유순한 지경에 두었고, 오랑캐를 대하고 신하를 예우함에 한결같이 겸손하게 낮추는 것으로 스스로 길러 성대하게 화평한 풍속이 있었으니, 이 효에서 말한 "크게 길하다"는 것에 가깝다.
어떤 이가 말하였다: 초육의 "서리를 밟는다"는 것과 상육의 "용들이 싸운다"는 것에 정말 막고 치는 것이 없다고 말할 수 있겠습니까?
답하였다: 유순한 것은 음의 선함이고, 사특하고 죽이는 것은 음의 악함입니다. 성인은 음의 시작에서 사특함을 걱정했고, 성인은 음의 끝에서 싸워서 죽이는 것을 경계했습니다. 이 때문에 초육과 상육의 두 효에서 이런 점을 보았는데, 이것들은 모두 지위가 없는 곳입니다. 육이의

곧고 방정함과 육삼의 아름다움을 머금음과 같은 것은 곧 음의 선함이 모두 신하의 도에 합하는 것입니다. 그리고 사효의 자루를 묶어놓은 것은 또한 한나라 초기의 대신들이 청정하고 삼가서 남의 잘못을 말하는 것에 대해 삼가 부끄럽게 여기는 것과 그 도가 서로 가까우니, 돌아보건대 어떻게 황색 치마의 길함에 해롭겠습니까? 아첨하고 간사한 자들이 이간질하지 않은 것은 아니지만, 옥배의 속임수로 두꺼운 얼음이 얼게 되는 재앙이 일어나지 않도록 했고, 제후국이 반란을 도모하지 않는 것은 아니지만 안석과 지팡이의 하사로 전야의 흉흉한 모의를 충분히 막을 수 있었습니다. 그러니 아! 문제는 부드러움을 사용하는 데에 심오했을 것입니다.

강석경(姜碩慶) 「역의문답(易疑問答)」

問, 坤之六五, 曰, 黃裳元吉, 程傳推說媧武之事, 而反被賊敎之譏, 何如. 曰, 易中繫辭多言婦女, 如屯二之貞不字, 蒙三之不有躬, 言其貞淫之異德也, 歸妹之歸以娣, 剝五之貫魚寵, 言其貴賤之異位也. 今乾坤正是相對之卦, 坤六五之黃裳, 當配於乾九五之飛龍, 正好解作妊姒之德, 以合本爻元吉之占, 似可矣. 雖然易道無窮, 不可爲典. 要只看其所遇, 而處之可也, 何必拘於一事而言之乎.

물었다: 곤괘의 육오에서 "황색치마이니 크게 길하다"는 것에 대해 『정전』에서 여와씨와 측천무후의 사례로 미루어 설명하면서 도리어 교화를 해친다고 나무란 것은 무엇 때문입니까? 답하였다: 『주역』의 설명하는 말에서 부녀에 대해 많이 언급했으니, 준괘(屯卦䷂)의 이효에서 "정조를 지켜 잉태하지 않는다"[104]는 말과 몽괘(蒙卦䷃)의 삼효에서 '몸을 지키지 못한다'[105]는 말은 정조를 지키는 것과 음란한 것의 다른 덕에 대해 말한 것이고, 귀매괘(歸妹卦䷵)의 "돌아와 잉첩이 되어야 한다"[106]는 말과 박괘(剝卦䷖)의 오효에서 "물고기를 꿰어 궁인이 총애 받듯이 한다"[107]는 말은 귀함과 천함의 다른 지위에 대해 말한 것입니다. 그런데 지금 건괘와 곤괘는 바로 상대되는 괘라서 곤괘 육오의 '황색치마'는 당연히 건괘 구오의 '나는 용'에 짝이 되니, 문왕의 어머니와 무왕의 어머니의 덕으로 맞추어 해석해 이 효의 '크게 길하다'는 점과 합치시키는 것이 좋을 듯합니다. 그렇지만 역의 도리는 무궁하니, 법으로 삼을 수는 없습니다. 요약하자면, 다만 만나는 것을 보고 처리해야 하니, 하필 하나의 일에 구속시켜 말해야 하겠습니까?

이익(李瀷) 『역경질서(易經疾書)』

大傳云, 垂衣裳而天下治, 蓋取諸乾坤. 乾者衣象[108], 坤有裳象, 而裳之承衣, 如坤之

104) 『周易 · 屯卦』: 六二, 屯如邅如, 乘馬班如, 匪寇, 婚媾. 女子貞, 不字, 十年, 乃字.
105) 『周易 · 蒙卦』: 六三, 勿用取女, 見金夫, 不有躬, 无攸利.
106) 『周易 · 歸妹卦』: 初九, 歸妹以娣, 跛能履. 征, 吉.
107) 『周易 · 剝卦』: 六五, 貫魚, 以宮人寵, 无不利.

承乾也. 乾九五有聖君之象, 坤六五有賢妃之象. 詩曰, 綠衣黃裳, 謂賢妃承不正之君也, 亦可以旁證.
「계사전」에서 "요 · 순이 저고리와 치마를 드리우고 있음에 천하가 다스려졌다"[109]라 하였으니, 건괘와 곤괘에서 취한 것이다. 건괘가 저고리의 상이고, 곤괘에 치마의 상이 있는데, 치마가 저고리와 이어지는 것은 곤괘가 건괘와 이어지는 것과 같다. 건괘 구오에 훌륭한 임금의 상이 있고, 곤괘의 육오에 어진 왕비의 상이 있다. 그런데 시경』에서 "초록빛 저고리에 황색의 치마를 입었다"[110]라 한 것은 어진 왕비가 바르지 못한 임금을 받든다는 말이니, 또한 간접적으로 증명할 수 있다.

심조(沈潮) 「역상차론(易象箚論)」

六五, 黃裳.
육오는 황색치마이다.
黃中色, 裳坤象, 不於二言裳, 而於五言裳者, 何也. 以其著於外也. 陰帶些陽, 三五一般, 而三曰含章, 五曰黃裳者, 亦內外有殊也. 全體皆土, 而又得五之土數, 然後其色乃備.
황색은 가운데 색깔이고, 치마는 곤괘의 상인데, 이효에서 치마라고 말하지 않고 오효에서 치마라고 말한 것은 무엇 때문인가? 오효는 밖으로 드러나기 때문이다. 음이 양을 약간 가지고 있는 것은 삼효와 오효가 같은데, 삼효에서 "아름다움을 머금었다"라고 하고 오효에서 황색치마라고 한 것도 안과 밖이 다르기 때문이다. 곤괘 전체가 모두 토이지만 또 5라는 토의 숫자를 얻은 다음에 그 색이 갖추어진다.

유정원(柳正源) 『역해참고(易解參攷)』

六五, 黃裳.
육오는 황색치마이다.
案, 坤以承乾, 妻道也, 臣道也. 以玄黃言, 則天玄而地黃也, 以衣裳言, 則乾衣而坤裳也. 以六之柔居五之尊, 厚載順承, 得其中正, 黃之象也, 謙虛自守, 處以卑下, 裳之象也. 如周之任姒之德, 周召之治, 是也. 程傳以羿·莽·媧·武推言之, 其所以警天下萬世至矣. 而隆山譏其賊敎之大者, 何也.
내가 살펴보았다: 땅이 하늘을 따르니, 아내의 도이며, 신하의 도이다. 검고 누런 것으로

---

108) 象: 경학자료집성DB와 영인본에 '裳'으로 되어 있으나 문맥을 살펴 '象'으로 바로잡았다.
109) 『周易 · 繫辭傳』: 黃帝堯舜, 垂衣裳而天下治.
110) 『詩經 · 召南』: 綠兮衣兮, 綠衣黃裏.

말하면 하늘은 검고 땅은 누렇다. 의상(衣裳)으로 말하면 하늘은 웃옷이고 땅은 치마이다. 육(六)의 유순함이 오(五)의 높은 자리에 있으면서 두터이 싣고 잘 따라서 중정함을 얻으니, 누른 상(象)이다. 겸허하게 스스로 지켜 아래에 처하니, 치마의 상(象)이다. 주나라의 태임과 태사[111]의 덕과 주공과 소공의 다스림이 이것이다. 『정전』에서 후예(后羿)와 왕망(王莽), 여와씨(女媧氏)와 무씨(武氏)로써 미루어 말하였으니, 천하와 만세에 경계함이 지극하다. 융산이씨는 "가르침을 크게 망치는 자"[112]를 나무랐는데, 어째서인가?

傳, 小註朱子說, 絮了. 案, 蘊沓, 不條暢也.
『정전』 소주(小註)에서 주자가 말하였다: 설명이 되지 않는 것입니다.
내가 살펴보았다: 쌓이고 중첩되어 통하지 못하는 것이다.

文在中.
문채가 가운데 있다.
案, 五陽六陰得位之中, 而陰陽相雜, 故曰文在中.
내가 살펴보았다: 오(五)의 양과 육(六)의 음이 자리의 가운데를 얻어 음과 양이 서로 섞이는 까닭에 "문채가 가운데 있다"고 하였다.

김상악(金相岳) 『산천역설(山天易說)』

黃中色, 裳下飾. 六五以陰居尊, 能自謙下, 故其象如此. 中順之德充諸內, 而見於外, 大善之吉也.
황색은 중앙의 색깔이고, 치마는 아래의 꾸밈이다. 육오는 음으로 존귀한 자리에 있어 본래 겸손하고 낮출 수 있으므로 그 상이 이와 같다. 가운데 있는 유순한 덕이 안으로 충만하여 밖으로 드러난 것은 크게 좋다는 길함이다.

○ 黃裳, 坤之象, 六五以陰居陽, 陰麗於陽, 故與離六二同象. 先儒云, 乾之九五, 堯舜之君, 坤之六五, 皐夔稷契之臣, 乾坤相應者, 堯舜皐夔之遇合. 此以配乾而言也, 然五之爲君位, 易之通例, 豈可以乾以君之, 而坤專以臣道言哉. 泰之爲卦, 乾下坤上, 而六五曰, 帝乙歸妹, 亦黃裳之義也, 故元吉同占. 又坤之諸爻, 皆人臣之事, 然三曰, 或從王事, 王謂五也. 故文言曰正位居體, 與乾曰乃位乎天德, 有剛柔之辨也.

---

111) 임사(任姒): 주(周) 나라 문왕(文王)의 모친 태임(太任)과 무왕의 모친 태사(太姒)를 합쳐서 부른 말로, 현숙한 후비(后妃)의 전형으로 꼽힌다.
112) 곤괘(坤卦) 육오효(六五爻) 상전(象傳) 소주(小註).

황색치마는 곤괘의 상인데 육오가 음으로 양의 자리에 있어 음이 양에 붙어 있기 때문에 리괘(離卦☲)의 육이와 상이 같다.[113] 앞선 유학자들이 "건괘의 구오는 요·순 같은 임금이고, 곤괘의 육오는 고요·기·후직·설과 같은 신하이다. 건괘와 곤괘가 서로 상응하는 것은 요·순이 고요·기와 만나서 합하는 것이다"라 하였다.[114] 이것은 건괘와 짝해서 말한 것이지만, 오효가 임금의 자리라는 것은 역의 일반적인 사례이니, 어찌 건괘를 임금으로 여겨야 된다고 해서 곤괘를 오로지 신하의 도리로만 말할 수 있겠는가? 태괘(泰卦☷)는 건괘(乾卦☰)가 하괘이고 곤괘(坤卦☷)가 상괘인데, 육오에서 "제을이 여동생을 시집보낸다"라 한 것도[115] 황색치마의 의미이므로, 크게 길한 것에서는 점이 같다. 또 곤괘의 모든 효는 모두 신하의 일이지만, 삼효에서 "혹 왕의 일에 종사한다"라 하였으니, 여기에서 왕은 오효를 말한다. 그러므로 「문언전」에서 "바른 자리에 몸을 둔다"라 한 것은 건괘에서 "하늘의 덕에 자리했다"[116]라 한 것과 강유의 분별이 있는 것이다.

김규오(金奎五) 「독역기의(讀易記疑)」

六五象, 文在中, 說卦坤爲文. 又六陰五陽, 剛柔相錯, 故曰文□.

육오의 상은 문채가 가운데 있는 것이니, 「설괘전」에서 곤괘를 문채라 하였다. 또 육이라는 음과 오라는 양이 굳세고 유순함으로 서로 섞이므로, "문채가 가운데 있다"라 하였다.

박윤원(朴胤源) 『경의(經義)·역경차락(易經箚略)·역계차의(易繫箚疑)』

天玄而地黃, 乾衣而坤裳, 故坤之六五, 言黃裳. 五爲土, 六爲地, 中而柔下之象, 故易之取義甚妙. 蓋自六三[117]之含章, 爲在中之文, 至此而臣道大吉也.

하늘은 검고 땅은 누르며, 건괘는 저고리이고 곤괘는 치마이므로, 곤괘 육오에서 황색치마를 말하였다. 5는 토이고 6은 땅이니, 가운데 있으면서 유순해 낮추는 상이므로 역에서 의미를 취하는 것은 아주 묘하다. 육삼의 아름다움을 머금은 것으로부터 가운데 있는 문채가 되었으니, 여기에 와서 신하의 도리가 크게 길하다.

---

113) 『周易·離卦』: 六二, 黃離, 元吉.

114) 『周易傳義大全·坤卦』: 六五小注, 隆山李氏曰, 乾之九五, 堯舜之君也, 坤之六五, 皐夔稷契之臣也. 坤六五之應在乾九五, 乾坤相應者, 堯舜皐夔之遇合也.

115) 『周易·泰卦』: 六五, 帝乙, 歸妹, 以祉, 元吉.

116) 『周易·乾卦』: 飛龍在天, 乃位乎天德.

117) 三: 경학자료집성DB와 영인본에 '二'로 되어 있으나, 『주역』을 참조하여 '三'으로 바로잡았다.

김귀주(金龜柱) 『주역차록(周易箚錄)』

傳, 坤雖臣道, 云云.

『정전』에서 말하였다: 곤괘는 신하의 도리이지만, 운운.

○ 按, 程子此論, 以義理言之, 則誠萬世不易之正法. 然無奈六五已是居尊之象, 今戒其居尊而欲其居下, 則是離爻位而說爻象也, 語意卻不相當. 故朱子不取乎此, 而更以己意解之. 又嘗曰, 此爻只是在上之人能盡柔順之道. 此則卽其位而論之也. 其義方曉然矣.

내가 살펴보았다: 정자의 이 말은 의리를 기준으로 말하면 만세토록 바꾸지 못할 바른 법이다. 그러나 육오가 이미 존귀한 자리에 있는 상인 것은 어쩔 수 없기 때문에, 여기에서 존귀한 자리에 있는 것을 경계하여 아래에 있도록 한 것이다. 이것은 효의 자리를 벗어나 효의 상을 말한 것이니, 도리어 말의 뜻이 서로 합당하지 않다. 그러므로 주자는 이것을 받아들이지 않고 다시 자신의 의도로 해석하고, 또 "여기의 효는 위에 있는 사람이 유순한 도를 다하는 것일 뿐이다"라 하였다. 이것은 자리를 가지고 설명한 것이니, 이렇게 보아야 그 의미가 이제 분명해진다.

小註隆山李氏曰, 乾之, 云云.

소주에서 융산이씨가 말하였다: 건괘의, 운운.

○ 按, 此爻乃以陰居尊之象, 以臣道言, 則如皐夔伊周之大臣, 固足以當之, 而以婦道言, 則如姙姒之聖妃又可以當之. 若以朱子意推看, 則人君之能盡柔順之道者, 亦不害爲有此爻之德, 恐不必硬主一義. 下縉雲雙湖說, 亦準此.

내가 살펴보았다: 여기의 효는 바로 음이 존귀한 자리에 있는 상이니, 신하의 도리로 말하면, 고요 · 기 · 이윤 같은 주나라의 대신들이 진실로 여기에 해당하고, 부인의 도리로 말하면, 태사 · 태임[118]과 같은 훌륭한 왕비가 또 여기에 해당한다. 주자의 뜻으로 미루어보면, 임금이 유순한 도를 다할 수 있는 있는 경우에도 이 효의 덕을 가지고 있다고 말하는 것이 문제될 것이 없으니, 하나의 의미만을 고집할 필요는 없을 듯하다. 아래 글의 진운풍씨와 쌍호호씨의 말도 이와 같다.

本義, 黃中色, 云云.

『본의』에서 말하였다: 황색은 중앙의 색깔이고, 운운.

○ 按, 中順之德, 中字貼黃字, 順字貼裳字. 充諸內, 見於外. 上句貼黃字, 下句貼裳字, 蓋無過不及, 而柔順卑下者, 黃裳之實也. 充積於中, 而發見於外者, 黃裳之驗也, 文言所云黃中居體, 卽中順之德也. 美在其中, 暢於四支, 卽充內見外之謂也. 或疑裳

118) 태임: 문왕의 어머니이다.

固爲下, 而何以見其爲外也, 曰裳之爲物, 所以飾於外, 而周於身者. 故文言及本義之論, 皆如此. 裳下飾飾字, 亦當以此意看.
내가 살펴보았다: '가운데 있는 유순한 덕'에서 '가운데'는 황색과 연결되고, '유순한'은 치마와 연결된다. "속에 충만하여 밖에 드러난다"에서 위의 구절은 황색과 연결되고, 뒤의 구절은 치마와 연결되니, 지나치거나 모자람이 없는데 유순하고 낮추는 것이 황색치마의 실질이다. 속에 충만하게 쌓여 밖으로 드러나는 것은 황색치마의 증험이니, 「문언전」에서 말한 "황색이 내면에 있다"는 것과 "몸을 둔다"는 것이 바로 가운데 있는 유순한 덕이다. 아름다움이 그 가운데 있어 사지에 나타나니, 바로 속에 충만하여 밖에 드러난다는 말이다. 어떤 이가 치마는 본래 아래에 있는 것인데 어째서 그것이 밖에 있는 것인 줄 아느냐고 의심한다면, 치마는 밖을 꾸며 몸을 두루 감싸는 것이기 때문이라고 하겠다. 그러므로 「문언전」과 『본의』의 말이 모두 이와 같다. "치마는 아래를 꾸미는 것이다"에서 '꾸미다'는 또한 이런 의미로 봐야 한다.

小註, 左傳昭公, 云云.
소주에서 『좌전』 소공, 운운.
○ 按, 以註說觀之, 似是兼之卦而言, 與啓蒙所著占法, 不同. 本義之引用, 蓋只取其大意之好耳.
내가 살펴보았다: 소주의 설명으로 살펴보면, 지괘를 겸하여 말한 듯하니, 『역학계몽』에서 드러낸 점법과 같지 않다.[119] 본의에서 인용한 것은 단지 그 큰 의미의 좋은 것을 취했을 뿐이다.

雲峯胡氏曰, 離六二云云
운봉호씨가 말하였다: 「리괘」의 육이는 … 운운.
○ 按, 黃裳之不言於六二, 而必言於六五者, 蓋黃裳是文在中之象, 六二以陰居陰, 不可言文, 六五則以陰居陽, 故乃可言文. 觀於六三舍章之例, 可見也. 且以說卦取象言之, 坤之六爻, 皆有裳象, 而黃者, 色之尊貴者, 惟六五一爻, 可以當之. 六二雖曰中正, 旣非居尊者, 則只取直方大之義, 恐無可疑矣. 胡說自謂祖述程傳, 而似不免牽强之病.
내가 살펴보았다: 황색치마를 육이에서 말하지 않고 굳이 육오에서 말한 까닭은, 황색치마는 문채가 가운데 있는 상이니, 육이는 음으로서 음의 자리에 있어 문채를 말할 수 없지만, 육오는 음으로서 양의 자리에 있으므로 문채를 말할 수 있기 때문이다. 육삼이 아름다움을 머금었다는 사례를 보면 알 수 있다. 또 「설괘전」에서 취한 상으로 말하면, 곤괘의 여섯

119) 『易學啓蒙 · 考變占』: 1개의 효가 변하면, 본괘(本卦) 변효(變爻)의 효사(爻辭)로 점친다[一爻變, 則以本卦變爻辭占].

효는 모두 치마의 상이 있지만, 황색은 색 중에서 존귀한 것이어서 육오 한 효만이 해당할 수 있다. 육이가 중정하다고 하지만 이미 존귀한 자리에 있는 것이 아니니, 곧고 방정하며 크다는 의미만 취한 것을 의심할 나위가 없을 듯하다. 그러므로 호씨의 설명은 스스로 『정전』을 본받아 기술했다고는 하나, 견강부회한 병통을 벗어나지 못할 것이다.

서유신(徐有臣) 『역의의언(易義擬言)』

六五, 中順居尊, 而六二餙其下體, 爲黃裳也. 裳之黃, 其衣之稱也, 故元吉也. 重坤之德, 蓋自下體積厚而來, 故有是象焉. 文言曰, 暢於四支, 衣裳之謂也.

육오는 가운데 있는 유순한 음이 존귀한 자리에 있는 것이고, 육이는 아래의 몸체를 꾸민 것이니 황색치마이다. 치마가 황색이라는 것은 그 옷에 걸맞은 것이므로 크게 길하다. 중첩된 곤괘의 덕은 아래의 몸체에서 두텁게 쌓이면서 올라오므로 이런 상이 있다. 「문언전」에서 "사지에 창달한다"라고 한 것은 저고리와 치마를 말한 것이다.

박문건(朴文健) 『주역연의(周易衍義)』

中德見外, 故有黃裳之象. 黃中色也, 裳處下者也.

가운데 있는 덕이 밖으로 드러나므로, 황색치마라는 상이 있다. 황색은 가운데 색깔이고, 치마는 아래에 있는 것이다.

〈問, 黃裳元吉. 曰, 六五中正, 故謙卑之德, 發越其外, 處尊而能下者也. 所以大吉.

물었다: "황색치마이니 크게 길하다"는 무슨 뜻입니까?

답하였다: 육오는 중정하므로 겸손하게 낮추는 덕이 밖으로 드러난 것이니, 존귀한 자리에 있으면서 낮출 수 있는 자이다. 이 때문에 크게 길한 것이다.〉

〈○ 問, 李氏之論是否. 曰乾雖君, 坤雖臣, 然若分六爻, 則乾亦有臣道, 坤亦有君道, 未知其必是.

물었다: 이씨의 설명이 옳습니까?

답하였다: 건괘가 임금이고 곤괘가 신하일지라도 여섯 효를 나누어보면 건괘에도 신하의 도리가 있고 곤괘에도 임금의 도리가 있으니, 그것이 반드시 옳은지는 모르겠습니다.〉

이지연(李止淵) 『주역차의(周易箚疑)』

六五, 程傳似專以臣道解之, 本義亦不明言其爲君, 可見扶陽抑陰之微意. 而卦是六爻, 則君臣之道何可廢也. 此卦爲純陰, 謂之后妃之卦, 猶之可也, 不可謂臣妾之位也. 六三曰, 或從王事, 所謂王者非六五乎. 李隆山以爲坤六五之應在乾之九五. 然則六三之王事, 當以他卦之君位爲其主耶. 此則不通之論也. 但此爻以柔順之姿當天地閉塞, 龍戰于野之世, 不可无修己下贒之道, 故曰黃裳. 然後可以大吉, 猶云, 蒙六五之童蒙吉也.
『정전』에서 육오에 대해서는 오로지 신하의 도리로 해석한 듯하고, 『본의』에서도 그것이 임금임을 분명하게 말하지 않았으니, 양을 받들고 음을 누르는 은미한 의미를 알 수 있다. 그런데 괘는 여섯 효이니, 임금과 신하의 도리를 어떻게 없앨 수 있겠는가? 곤괘는 순수한 음이니, 왕후의 괘라고 하는 것은 그래도 괜찮지만, 신첩의 자리라고 해서는 안 된다. 육삼에서 "혹 왕의 일에 종사한다"라 하였으니, 이른바 왕은 육오가 아니겠는가? 융산이씨는 곤괘 육오의 상응이 건괘의 구오에 있다고 생각했다. 그렇다면 육삼의 왕의 일은 당연히 다른 괘의 임금 자리로 주인을 삼은 것인가? 이것은 말이 안 되는 논리이다. 다만 이 효는 유순한 모습으로 천지가 막힌 때를 만났으니, 용들이 들에서 전쟁하는 세상에서 자신을 수양하여 현인에게 낮추는 도가 없을 수 없기 때문에 '황색치마'라 했던 것이다. 그런 다음에 크게 길할 수 있으니, 몽괘 육오에서 "철부지 어린아이이니 길하다"고 하는 것과 같다.[120]

이항로(李恒老) 「주역전의동이석의(周易傳義同異釋義)」

傳, 婦居尊位, 女媧氏武氏, 是也.
『정전』에서 말하였다: 부인이 존귀한 자리에 있었던 사례로는 여와씨(女媧氏)[121]와 무씨(武氏)가[122] 여기에 해당한다.
本義, 中順之德, 充諸內, 而見於外.
『본의』에서 말하였다: 가운데 있는 유순한 덕이 속에 충만하여 밖으로 드러난다.
按, 朱子曰, 伊川要立議論敎人, 可向別處說, 不可硬配在易上說.
내가 살펴보았다: 주자는 "이천이 의론을 세워 사람들을 가르치려고 하면서 다른 것으로 설명하는 것은 괜찮지만 『주역』의 말로 억지로 짝지우려고 한 것은 안 된다"고 하였다.

120) 『周易·蒙卦』: 六五, 童蒙, 吉.
121) 여와씨: 복희씨의 딸로 복희씨를 이어 최초로 여황제가 된 사람이다.
122) 무씨: 본명은 무조(武曌: 625~705)로 무측천이라고도 한다. 당나라 고종(高宗 : 649~683)의 비(妃)로 들어와 황후(皇后)의 자리에까지 올랐으며 40년 이상 중국을 실제적으로 통치했다. 생애 마지막 15년(690~705) 동안은 국호를 당(唐)에서 주(周)로 변경하고 천수(天授)라는 연호를 썼다. 무후는 당조의 기반을 튼튼하게 해 제국을 통일했다.

김기례(金箕澧) 「역요선의강목(易要選義綱目)」

六五, 黃裳.
육오는 황색치마이다.

黃坤之中色, 裳衣之下飾. 五雖君位, 然坤道本臣理, 則配乾九五以中道自卑, 故大吉.
황색은 곤괘의 가운데 색깔이고, 치마는 저고리의 아래를 꾸밈이다. 오효는 비록 임금의 자리이지만 곤괘의 도가 본래 신하의 도리이니, 건괘의 구오를 짝해 중도로 스스로 낮추므로 크게 길하다.

○ 坤爲文, 故曰文在中. 蓋六二陰順居下, 故无不利, 六五陰居尊位, 故戒以中道自卑.
곤괘는 문채이므로 "문채가 가운데 있다"라 하였다. 육이는 유순한 음이 아래에 있으므로 이롭지 않은 것이 없고, 육오는 음이 존귀한 자리에 있으므로 중도로 스스로 낮추라고 경계했다.

심대윤(沈大允) 『주역상의점법(周易象義占法)』

坤之比☵☷. 以中順配性, 如裳之附體而无間, 隨體以動而不離焉, 用力爲利, 從其所欲, 而順於性命之正. 蓋道心當位, 人心已絶, 唯心所爲, 而盡性之利, 利盡天下, 而无取之之迹也. 夫以欲取利, 則取之雖少而有迹, 以仁義取利, 則取之雖多而愈无其迹焉. 以欲取利, 强取之也, 以仁義取利, 不直取而使之自來也. 是以无迹也, 故曰黃裳元吉.
곤괘가 비괘(比卦☵☷)로 바뀌었다. 가운데 있는 유순한 음이 본성과 짝하는 것이 마치 치마가 몸을 둘러싸 틈이 없는 것처럼 몸체를 따라 움직이고 분리되지 않으니, 이롭게 하기를 힘써 하고자 하는 것을 따르지만 성명의 바름을 따른다. 도심이 자리를 잡아 인심이 이미 끊어지니, 오직 마음이 하는 것인데도 본성을 극진하게 하는 이로움이고, 천하를 모두 이롭게 하는데도 그것을 취한 흔적이 없다. 욕심으로 이로움을 취하면 취한 것이 적을지라도 흔적이 있고, 인과 의로 이로움을 취하면 취한 것이 많을지라도 더욱 흔적이 없다. 욕심으로 이로움을 취하는 것은 억지로 취하는 것이고, 인과 의로 이로움을 취하는 것은 곧 바로 취하지 않아도 저절로 오게 하는 것이다. 그러므로 흔적이 없기 때문에 "황색치마이니 크게 길하다"라 하였다.

심대윤(沈大允) 『주역상의점법(周易象義占法)』

坤之比☵☷, 親附也. 六五居剛, 用力爲順, 而居后妃及貴戚之位, 天下之所親附, 而柔順恭下, 以從于君, 時助其不及, 而補其闕, 故曰黃裳元吉. 黃中色, 五居坎艮而對离. 坎爲隱晦, 艮止离麗, 爲含晦其光. 以自卑下附麗于君而止焉, 猶裳之爲下飾, 隱蔽而附于體以止也. 凡言元吉, 皆不用力, 而大吉也. 坤臣道也, 故不取君位, 而乃亦人君之以柔道下賢也.
곤괘가 비괘(比卦☷)로 바뀌었으니, 가까이 따름이다. 육오가 굳센 자리에 있어 유순하려고 힘쓰고, 왕후와 임금의 친척 자리에 있어 천하 사람들이 가까이 따르지만 유순하고 공손하게 낮추어 임금을 따라 때로 미치지 못하는 것을 도우며 부족한 것을 보조하기 때문에 "황색치마이니 크게 길하다"라 하였다. 황색이 가운데 색깔이어서 오효가 감괘(坎卦☵)와 간괘(艮卦☶)에 있고 리괘(離卦☲)를 마주한다. 감괘는 감춤이고 간괘는 그침이며 리괘는 빛남이니, 그 빛남을 머금어 감춘 것이다. 스스로 낮추어 임금에게 빛남을 둘러싸게 하고 멈추니, 치마가 아래를 꾸미는 것이 은폐하여 몸을 둘러싸고 멈추는 것과 같다. 일반적으로 크게 길하다고 하는 것은 모두 힘쓰지 않지만 크게 길한 것이다. 곤괘는 신하의 도리이므로 임금의 자리를 취하지 않았고, 또한 임금이 유순한 도리로 현명한 자에게 낮춘다.

오치기(吳致箕) 「주역경전증해(周易經傳增解)」

六五體, 順居剛而位尊得中, 爲坤之君. 在上而兼剛柔之德, 積中而著英華之美, 有黃裳之象. 故占言大善而吉也.
육오의 몸체는 유순한 음이 굳센 자리에 있지만 존귀한 곳에 자리하고 가운데를 얻어 곤괘의 임금이 되었다. 위에 있는데도 굳세고 유순한 덕을 겸하였고, 중도를 누적했는데도 꽃처럼 빛나는 아름다움을 드러내니, 황색치마라는 상이 있다. 그러므로 점에서 크게 좋고 길하다고 하였다.

○ 黃者, 中色, 而言在中之美也. 裳者, 下體之飾, 而言柔順之德也. 君道貴乎剛, 中而時當純陰. 六五獨能居剛而處中, 故贊其美如此也.
황색은 가운데 색깔이어서 가운데 있는 아름다움이라고 하였다. 치마는 아랫도리를 꾸미는 것이어서 유순한 덕이라고 하였다. 임금의 도는 굳셈을 귀하게 여기고, 가운데 있으면서 때에 맞추는 것은 순수한 음에 해당한다. 육오가 홀로 굳센 자리에 있으면서 가운데 있으므로 그 아름다움이 이와 같다고 기렸다.

이진상(李震相) 『역학관규(易學管窺)』

六五, 黃裳.
육오는 황색치마이다.
黃正色可衣, 而不可裳. 然坤之六五, 以陰柔居尊位, 貴自貶損, 而守中居下, 故以黃裳爲象, 不如是則大匃可知. 坤雖臣道, 五實君位, 以人臣, 則伊尹周公之輔主攝政, 是也.

苟非伊周, 則安知其不爲羿莽乎. 以后妃, 則宣仁莊肅之垂簾聽政, 是也. 苟非宣莊, 安知其不爲女媧乎. 程傳之有補於世敎大矣, 而隆山李氏至以賊敎之大駁之, 噫其甚矣.
황색은 바른 색이라 저고리는 되지만 치마는 안 된다. 그러나 곤괘의 육오는 음의 유순함으로 존귀한 자리에 있어 귀함이 스스로 낮추고 덜어내어 중도를 지키고 아래에 있으므로 황색치마를 상으로 하였으니, 이와 같이 하지 않으면 크게 흉함을 알 수 있다. 곤괘는 신하의 도리이지만 오효는 실로 임금의 자리이니, 신하로는 이윤과 주공이 임금을 도와 섭정한 것이 여기에 해당한다. 진실로 이윤과 주공이 아니라면, 그들이 예와 왕망이 되지 않을 줄 어떻게 알겠는가? 왕후로는 선인(宣仁)[123]과 장숙(莊肅)[124]의 수렴청정이 여기에 해당한다. 진실로 선인과 장숙이 아니라면, 그들이 여와가 되지 않을 줄 어떻게 알겠는가?『정전』이 세상의 교화에 보탠 것이 크다. 그런데 융산이씨가 교화를 해친 것이 크다고 논박하기까지 했으니, 아! 심하구나.

○ 本義, 恵伯說.
『본의』에서 말하였다: 자복혜백이 …라 하였다.
爲此釋元吉之元, 亦以爲善之長, 非以元吉爲對說也. 然則元亨之義重, 雖在亨而元豈虛帶也.
여기에서 "크게 길하다"의 '크게'를 해석하여 또한 좋은 것의 으뜸으로 여긴 것이니, "크게 길하다"를 상대적으로 설명한 것이 아니다. 그렇다면 크게 형통하다는 의미가 중요하니, 비록 형통한 것에서라도 '크게'가 어찌 공연히 붙어있는 것이겠는가?

채종식(蔡鍾植)「주역전의동귀해(周易傳義同歸解)」

傳解作聖人示戒. 蓋坤雖臣道, 五實君位, 故以黃裳元吉爲戒, 言守中居下, 則元吉也. 本義解作其象占如此. 蓋六五以陰居尊, 中順之德充諸內, 而見於外, 故有黃裳之象, 而其占爲大善之吉. 其說不同. 然本義又曰, 占者德必如是, 則其占亦如是云, 則亦設戒之辭也. 但程傳之戒, 戒大臣也, 本義之戒, 戒占者也. 蓋其所主而言者, 有義理, 卜筮之異故也. 春秋傳, 南蒯將叛, 筮得此爻, 子服恵伯云, 忠信之事則可, 不然必敗, 亦此義也. 朱子引之而以驗占法, 其義與程子之論, 亦無二致也.
『정전』에서는 성인이 경계를 보인 것으로 해석했다. 곤괘는 신하의 도리이나 오효가 임금의 자리이므로 "황색치마이니 크게 길하다"는 것으로 경계했으니, 마음을 지키고 아래에 있으면 크게 길하다는 말이다. 『본의』에서는 그 상과 점이 이와 같다고 해석했다. 육오는 음으

---

123) 선인(宣仁): 송나라 철종(哲宗: 1085~1100)때 1083년까지 섭정한 철종의 조모 선인태후를 말한다.
124) 장숙(莊肅): 명나라 무종 황제(武宗皇帝)의 황후를 장숙황후(莊肅皇后) 또는 황수황후(皇嫂皇后)라 한다.

로 존귀한 자리에 있어 가운데 있는 유순한 덕이 안에 충만해서 밖으로 드러나므로, 황색치마라는 상이 있고 그 점이 크게 좋아 길하다는 것이다. 그러니 그들의 설명이 같지 않다. 그러나 『본의』에서 또 “점치는 자가 덕이 반드시 이와 같으면 그 점 또한 이와 같을 것이다”라 하였으니, 경계한 말이다. 다만 『정전』의 경계는 대신들에게 경계한 것이고, 『본의』의 경계는 점친 자에게 경계한 것이다. 주로해서 말한 것에 의리가 있으니, 점친 것의 차이 때문이다. 『춘추좌씨전』에서 남괴가 반역하려고 할 때에 점쳐서 이 괘를 얻으니, 자복혜백이 “진실과 믿음에 대한 일이라면 괜찮지만 그렇지 않은 것이라면 반드시 실패할 것이다”라고 한 것이 또한 이런 의미이다. 주자가 이 사건을 인용해서 점법을 검증했으니, 그 의미가 정자의 의론과 또한 다를 것이 없다.

박문호(朴文鎬) 「경설(經說) · 주역(周易)」

程子因黃裳之文, 而推其言外之意, 以明婦居尊位之爲大變, 可以爲萬世之法矣.
정자가 황색치마의 문채를 근거로 말 밖의 의미를 추론하여 여자가 존귀한 자리를 차지하는 것을 큰 변고라 밝힌 것은 만세의 법이 될 수 있다.

本義, 凡遇好占必曰, 有其德, 則應其占, 於此又引南蒯之事, 以明無其德, 則不應其占. 以此推之, 占者有美德, 則占雖凶而可以轉凶爲吉, 如南蒯之轉吉爲凶矣. 以此[125]言之, 本義雖專爲占法設, 亦未嘗不爲人事謀也.
『본의』에서 점을 만난 것에 대해 “덕이 있다면 그 점과 상응할 것이다”라 분명히 말하고, 이에 또 남괴의 일을 인용하여 덕이 없으면 그 점이 상응하지 않을 것이라고 밝혔다. 이것으로 추론하면, 점치는 자가 아름다운 덕이 있으면 남괴가 길함을 바꾸어 흉하게 한 것처럼 점이 흉할지라도 흉함을 바꾸어 길하게 할 수 있다. 이것으로 말한다면, 『본의』가 비록 오로지 점치는 법 때문에 지어졌을지라도 사람들의 일을 위해 도모하지 않은 적이 없다.

이병헌(李炳憲) 『역경금문고소전(易經今文考小箋)』

六五, 黃裳.
육오는 황색치마이다.

裳乃下體之飾, 而反據五, 道理何也. 對乾而言, 則爲下.
치마는 아랫도리를 꾸미는 것인데, 도리어 오효에 의거하고 있으니, 무슨 이치인가? 건괘에 상대하여 말하면 아래가 된다.

125) 此: 경학자료집성DB에 ‘比’로 되어 있으나, 경학자료집성 영인본을 참조하여 ‘此’로 바로잡았다.

象曰, 黃裳, 元吉, 文在中也.

정전 「상전」에서 말하였다:"황색의 치마이면 크게 길함"은 문채가 가운데 있다는 것이다.
본의 「상전」에서 말하였다:"황색의 치마이니 크게 길함"은 문채가 가운데 있다는 것이다.

中國大全

傳

黃, 中之文. 在中, 不過也. 內積至美, 而居下, 故爲元吉.

황색은 중앙을 상징하는 문채이다. 중앙에 있다는 것은 지나치지 않음이다. 안으로 지극한 아름다움을 쌓아두고 아래에 있으므로 "크게 길하다"라 한 것이다.

小註

息齋余氏曰, 坤六五黃裳元吉, 象曰, 文在中也, 則止發黃裳義. 蓋通坤卦, 皆可言裳, 唯六五則爲黃裳, 所以可貴也. 六二雖中而不文, 六三雖文而不中. 故直方但言其質之中, 而含章但戒其華之露.

식재여씨가 말하였다: 곤괘의 육오에서 "황색의 치마이면 크게 길하다"라고 하였는데, 「상전」에서 "문채가 중앙에 있다는 것이다"라고 하였으니, 단지 황색의 치마만을 드러낸 것이다. 곤괘에 통용되는 것은 모두 치마라고 말할 수 있는데, 오직 육오는 황색치마이기 때문에 귀해질 수 있다. 육이는 비록 중이지만 문채가 나지 않고, 육삼은 문채가 나지만 중이 아니다. 그러므로 곧고 방정함으로는 그 바탕 속을 말했을 뿐이고, 아름다움을 머금음으로는 그 화려함이 드러나는 것을 경계했을 뿐이다.

本義

文在中, 而見於外也.

문채는 가운데 있지만 밖으로 드러난다.

韓國大全

김상악(金相岳) 『산천역설(山天易說)』

本義備矣, 乾九二曰, 天下文明, 陽之動也, 坤六五曰, 文在中也, 陰之靜也, 所以乾坤定位始交. 以文在中之文, 卽三所含之章也, 故曰或從王事, 以時發也.

『본의』에서 자세히 설명했으니, 건괘 구이에서 '천하가 문채로 밝아짐'[126]이라 한 것은 양의 움직이고, 곤괘 육오에서 "문채가 가운데 있다"라 한 것은 음의 고요함이니, 건괘와 곤괘가 제자리에 있으면서 비로소 사귀는 까닭이다. "문채가 가운데 있다"라고 할 때의 문채는 바로 삼효가 머금고 있는 아름다움이므로, "혹 왕의 일에 종사한다"라고 하였으니, 때에 맞추어 드러내는 것이다.

서유신(徐有臣) 『역의의언(易義擬言)』

內有文, 而著於外也. 爻以二爲下也, 象以二爲內也, 然後取譬之義, 可見矣.

속에 문채가 있어 밖으로 드러난다. 효에서 이효는 하괘이고 상에서 이효는 내괘이니, 이렇게 한 다음에 비유를 취한 의미를 알 수 있다.

박문건(朴文健) 『주역연의(周易衍義)』

文在中, 故其色黃.

문채가 가운데 있으므로 그 색이 누렇다.

---

126) 『乾卦 · 文言傳』: 見龍在田, 天下文明.

오치기(吳致箕) 「주역경전증해(周易經傳增解)」

柔居剛位, 剛柔成章而得中, 故言文在中也.
유순함이 굳센 자리에 있어 굳셈과 유순함이 아름다움을 이루고 알맞음을 얻었으므로 문채가 가운데 있다고 하였다.

이병헌(李炳憲) 『역경금문고통론(易經今文考通論)』

左傳曰, 黃中之色, 裳下之飾也. 王肅魏人, 凡稱王曰者, 乃王弼非肅也. 曰坤爲文, 五在中. 按, 文卽文言所稱理之美者也.
『춘추좌씨전』에서 "황색은 가운데 색깔이고, 치마는 아랫도리를 꾸미는 것이다"라 하였다. 왕숙(王肅)[127]도 위나라 사람이나 "왕씨가 말하였다"라고 한 것은 왕필(王弼)[128]이지 왕숙이 아니다. 「설괘전」에서 "곤괘가 문채가 된다"라고 한 것은 오효가 가운데 있다는 것이다. 살펴보건대 문채는 바로 「문언전」에서 말한 '이치의 아름다움'이다.

---

127) 왕숙(王肅): 삼국시대 위(魏)나라 학자로 자는 자옹(子雍)이다. 벼슬은 산기상시(散騎常侍)에 이르렀다. 그는 경학(經學)을 연구하여 『서경』, 『시경』, 삼례(三禮), 『좌전(左傳)』에 주석을 달았는데, 정현(鄭玄)의 설보다는 주로 가규(賈逵)와 마융(馬融)의 설을 존중하였다.

128) 왕필(王弼, 226~249): 산양(山陽) 고평(高平: 현 산동성 금향현〈金鄕縣〉) 사람으로 자는 보사(輔嗣)이다. 중국 삼국시대 위(魏)나라의 학자로 상서랑(尙書郞)을 지냈다. 그는 24세의 나이로 죽었음에도 이미 『도덕경(道德經)』과 『주역(周易)』의 주석을 낼 정도로 탁월한 학자였다. 저서로 『주역주(周易注)』, 『주역약례(周易略例)』, 『노자주(老子注)』·『노자지략(老子指略)』, 『논어석의(論語釋疑)』가 있다.

上六, 龍戰于野, 其血玄黃.

상육은 용들이 들에서 싸우니, 그 피가 검고 누렇다.

中國大全

傳

陰從陽者也, 然盛極, 則抗而爭. 六旣極矣, 復進不已, 則必戰, 故云"戰于野, 野謂進至於外也. 旣敵矣, 必皆傷, 故其血玄黃.

음은 양을 따르는 것이지만 성대함이 지극하면 대항해서 싸운다. 음효[六]가 이미 지극에 달했으니, 다시 나아가기를 멈추지 않는다면 반드시 전쟁을 하므로, "들에서 싸운다"라고 했다. '들'은 나아가서 밖에 이르렀다는 말이다. 이미 대적하였다면 반드시 모두 상처를 입으므로 그 피가 검고 누렇다.

本義

陰盛之極, 至與陽爭, 兩敗俱傷, 其象如此. 占者如是, 其凶可知.

음의 성대함이 지극하여 양과 다투게 되면, 둘이 손상되어 모두 상처를 입으니, 그 상이 이와 같다. 점치는 자가 이와 같으면 그 흉함을 알 수 있다.

小註

或問, 坤上六不言凶, 何耶. 朱子曰, 戰而至於俱傷, 其血玄黃, 不言而凶, 可知 問, 乾只言亢, 坤卻言戰, 何也. 曰, 乾无對待, 只有乾而已, 故不言坤. 坤則不可无乾, 陰體不足, 常虧欠, 若无乾便没上截. 大抵陰陽二物, 本别无陰, 只陽盡處便是陰.
어떤 이가 물었다: 곤괘의 상육에서 흉함을 말하지 않은 것은 무엇 때문입니까?
주자가 답하였다: 싸움으로 모두 상처를 입어 그 피가 검고 누르니, 말하지 않아도 흉함을

알 수 있습니다.
물었다: 건괘에서는 "끝까지 올라간[亢]"이라고만 말했는데,[129] 곤괘에서는 도리어 "싸운다"고 한 것은 무엇 때문입니까?
답하였다: 건괘는 상대적으로 함이 없어 단지 건괘가 있을 뿐이므로 곤괘를 말하지 않았습니다. 곤괘는 건괘가 없을 수 없고 '음이라는 몸체'는 부족하여 언제나 모자라니, 건괘가 없다면 바로 윗부분이 없어집니다. 대체로 음과 양 두 가지는 본래 별도로 음이 없고 양이 다한 곳이 바로 음일 뿐입니다.

○ 臨川王氏曰, 陰盛於陽, 故與陽俱稱龍. 陽衰於陰, 故與陰俱稱血.
임천왕씨가 말하였다: 음이 양보다 성대하기 때문에 양과 함께 모두 용이라고 불렀다. 양이 음보다 쇠약하기 때문에 음과 함께 모두 피라고 말했다.

○ 厚齋馮氏曰, 主龍而言, 則知陰不可亢. 亢則陽必伐之, 戒陰也. 以戰而言, 則知陰不可長. 長則與陽敵矣, 戒陽也.
후재풍씨가 말하였다: 용을 주로 해서 말하면, 음이 끝까지 올라가서는 안 됨을 알겠다. 끝까지 올라가면 양이 반드시 징벌하기 때문에 음에게 경계했다. 싸움으로 말하면, 음이 우두머리가 되어서는 안 됨을 알겠다. 우두머리가 되면 양과 대적하기 때문에 양에게 경계했다.

○ 雲峯胡氏曰, 坤六爻皆臣, 而下卦之上曰王, 有君也, 六爻皆陰, 而上卦之上, 曰龍, 有陽也. 不言陰與陽戰, 而曰龍戰于野, 與春秋王師敗績于茅戎, 天王狩於河陽, 同一書法也. 其血玄黃, 兩敗俱傷. 陰雖極盛, 豈能獨傷陽哉. 又曰, 初上取象, 小人之情狀著矣. 曰堅氷至者, 防龍戰于野之禍於其始, 曰龍戰于野者, 著堅氷之至於其終也.
운봉호씨가 말하였다: 곤괘의 여섯 효가 모두 신하인데 하괘의 위를 '왕'이라고 한 것은 임금이 있기 때문이고, 여섯 효가 모두 음인데, 상괘의 위를 '용'이라고 한 것은 양이 있기 때문이다. 음과 양이 싸운다고 말하지 않고, "용들이 들에서 싸운다"라고 한 것은 『춘추좌씨전』에서 "왕의 군대가 모융(茅戎)에게 패하였다"[130]라고 하고, "천왕이 하양(河陽)에서 사냥을 했다"[131]라고 한 것과 동일한 필법이다. 그 피가 검고 누렇다는 것은 쌍방이 패하여 모두

---

129) 『周易 · 乾卦』: 上九, 亢龍, 有悔.

130) 『春秋左氏傳 · 成公』: 秋, 王師敗績于茅戎. 두예의 주석을 참고해 보면, '왕과 전쟁했다〔戰王〕'고 말하지 않은 것은 왕이 지극히 높아서 천하에서 비교할 수 없으므로 "스스로 패했다〔自敗〕"고 한 것이고, 또 패한 지역을 기록하지 않고 '모융(茅戎)'이라고 기록한 것은 모융의 족에게 패했음을 의미한다.

131) 『春秋左氏傳 · 僖公』: 天王狩于河陽. 당시 진문공(晉文公)이 왕을 부른 것에 대해 주나라 왕실이 비록 쇠약했다고 하더라도 명분은 아직 존재하고 있었기 때문에 사냥하러 간 것처럼 기록했다는 의미이다.

상처를 입었다는 것이다. 음이 비록 지극히 성대할지라도 어찌 양에게만 상처를 입힐 수 있겠는가?
또 말하였다: 초효와 상효가 상을 취한 것에서 소인의 정황이 드러난다. "두꺼운 얼음이 이른다"고 말한 것은 용들이 들에서 싸우는 재앙을 시작에서 방지하기 위함이고, "용들이 들에서 싸운다"라고 말한 것은 두꺼운 얼음이 얼게 됨을 끝에서 나타내기 위함이다.

‖韓國大全‖

권근(權近) 『주역천견록(周易淺見錄)』

上六, 龍戰于野.
상육은 용들이 들에서 싸운다.

言陰極而與陽爭也. 純坤之卦, 嫌於無陽, 不欲使陰主乎是戰, 故稱龍焉. 于野, 陽在外陰在內, 而見圍抑陰也. 陽主戰而陰見傷, 故稱血焉. 陰雖盛, 猶未離其類, 故不勝於陽而見傷. 扶陽抑陰之意至矣.
음이 지극해서 양과 싸운다는 말이다. 순수한 곤괘는 양이 없다고 의심되니, 음이 이 싸움을 주도하는 것이 되지 않도록 용이라고 하였다. '들에서'는 양이 밖에 있고 음이 안에 있어 음을 둘러싸고 억누른다는 것을 드러낸 것이다. 양이 싸움을 주도하여 음이 상처를 입었기 때문에 '피'라고 했다. 음이 강성하지만 여전히 아직 그 무리를 떠나지 않았기 때문에 양을 이기지 못하고 상처를 입었으니, 양을 치켜세우고 음을 억누르는 의도가 지극하다.

陽爲君, 陰爲臣. 王者有征而無戰. 言戰者, 見陰之盛而敵陽也. 極與之戰, 雖陽不能無傷, 故稱玄黃. 然上六陰旣極而窮. 陰極則陽必生, 始雖戰而傷於外, 終必勝而王於內矣, 故不言凶.
양은 임금이고 음은 신하이다. 왕에게 정벌은 있지만 전쟁은 없다. 전쟁이라 한 것은 음이 성대해서 양과 대적함을 나타낸 것이다. 음이 지극해서 양과 전쟁을 하니 양일지라도 상처 입지 않을 수 없기 때문에 "검고 누렇다"라 하였다. 그러나 상육은 음이 이미 지극하여 다하였다. 음이 지극하면 양이 반드시 생겨나니, 처음에는 전쟁을 하여 밖에서 상처를 입지만, 끝내 반드시 승리하여 안에서 왕 노릇하기 때문에 흉하다는 말을 하지 않았다.

송시열(宋時烈) 『역설(易說)』

龍者, 乾龍也, 陰極而陽復生也. 戰者, 交接相雜也. 野者, 遠外之謂也, 指初爻也. 蓋陰爻旣盡, 與乾陽相接. 繫辭云, 陰陽相薄也. 薄者, 相格相敵之意也, 非攻擊傷害之謂也. 血者, 陰也. 天子以未離其類, 故謂之血, 則似非傷害也. 上圻將盡, 下連爲畫, 則卦爲震. 震爲玄黃. 坤合于乾初爲震, 震長男也. 故曰其血玄黃. 乾九二日田, 自五爻視二爻爲遠也. 此曰野者, 自上六下視初爻, 尤爲遠故也, 略見于折中易. 蓋陽極而與乾之陽交接于下, 則其陰爻, 亦爲震卦之謂也.

용은 건괘의 용이니, 음이 다해서 양이 다시 나온 것이다. 싸움은 서로 맞닿아 서로 섞이는 것이다. 들은 멀리 있는 바깥을 말하니, 초효를 가리킨다. 음효가 이미 다하여 건괘의 양효와 서로 맞닿는 것이니, 「설괘전」에서 "음과 양이 서로 부딪친다"[132]라 하였다. 부딪친다는 것은 서로 대적하고 서로 맞선다는 의미이니, 공격해서 해친다는 말이 아니다. 피는 음이다. 천자가 그 무리를 떠나지 못하기 때문에 피라고 했으니, 해치는 것이 아닌 것 같다. 위로 '터진 것[⚋]'이 경계가 다하려 하고 아래로 '연결된 것[⚊]'이 획이 되니, 괘가 진괘(震卦☳)이다. 진괘는 검고 누렇다. 곤괘(坤卦☷)가 건괘(乾卦☰)의 초효와 합한 것이 진괘(震卦☳)이니, 진괘는 맏아들이다. 그러므로 "그 피가 검고 누렇다"라 했다. 건괘의 구이가 한낮에 밭에 있어 오효에서 이효를 보니 멀다. 여기서 '들'이라고 말한 것은 상육에서 아래로 초효를 보니 더욱 멀기 때문이다. 이는 『주역절중』에 대략 보인다. 양이 다해 건괘의 양과 아래에서 서로 맞닿으면, 음효가 또한 진괘가 된다는 말이다.

김만영(金萬英) 「역상소결(易象小訣)」

龍, 乾象也, 而坤得稱龍, 何也. 陰極而變爲陽也. 坤順也, 而有戰象何哉. 坤上變則爲剝, 剝傷之象也. 上爲坤之一隅, 故有野之象. 野者, 郊甸之外也. 至於血屬坎而坤上稱之, 則未詳其義. 右按, 乾之取象, 多用互變之卦, 坤之取象, 多用本卦. 蓋陽動陰靜之義也.

용은 건괘의 상인데, 곤괘를 용이라고 부르는 것은 무엇 때문인가? 음이 다해 양으로 변하였기 때문이다. 곤괘는 유순한데 싸움의 상이 있는 것은 무엇 때문인가? 곤괘(坤卦䷁)의 상효가 변하면 박괘(剝卦䷖)가 되는데, 박괘는 상처를 입는 상이기 때문이다. 상효는 곤괘의 한 부분이기 때문에 들의 상이 있다. 들은 성 밖 교외이다. 피는 감괘(坎卦☵)에 속하는데 곤괘의 상효에서 피를 말한 것에 대해서는 그 의미가 자세하지 않다. 앞에서 살펴보건대, 건괘에서 상을 취함은 대부분 호괘로 변하는 괘를 사용했고, 곤괘에서 상을 취함은 대부분

---

132) 『周易 · 說卦傳』: 戰乎乾, 乾, 西北之卦也, 言陰陽相薄也.

본괘를 사용했으니, 양은 움직이고 음은 고요하다는 의미이다.

이익(李瀷) 『역경질서(易經疾書)』

野者, 地也, 坤之象也. 龍不御天而戰于地上, 其極微可見. 陰陽皆窮, 則必反. 陰極將消, 陽極將長之象, 故必戰.
들은 땅이니, 곤괘의 상이다. 용이 하늘을 다스리지 못하고 땅에서 싸우니, 그것이 아주 작은 것임을 알 수 있다. 음과 양은 모두 다하면 반드시 되돌아간다. 음이 다해 사라지려 하고, 양이 다해 자라나려 하는 상이므로 반드시 싸운다.

심조(沈潮) 「역상차론(易象箚論)」

上六龍戰于野.
상육은 용들이 들에서 싸운다.

六在最外, 故曰野.
육이 가장 바깥에 있기 때문에 '들'이라 하였다.

유정원(柳正源) 『역해참고(易解參攷)』

上六 [至] 玄黃.
상육 … 검고 누렇다.

正義, 以陽謂之龍, 上六是陰之至極, 陰盛似陽, 故稱龍焉. 戰於卦外, 故曰于野.
『주역정의(周易正義)』에서 말하였다: 양(陽)을 용이라고 말한 것은, 상육(上六)은 음(陰)이 지극한 것으로, 음(陰)이 성대하여 양(陽)과 비슷하기 때문에 용이라고 하였다. 괘(卦) 밖에서 싸우기 때문에 '들에서'라고 하였다.

○ 李氏開曰, 乾位西北而陰窮, 亦薄陽而戰焉. 曰龍戰, 則是龍來戰, 不以坤敵乾也.
이개가 말하였다: 건(乾)이 서북에 있어 음(陰)의 끝이며, 또 양을 깎아서 싸우니 "용이 싸운다"고 하였다. 이것은 용이 와서 싸우는 것이지 곤괘가 건괘를 대적하는 것은 아니다.

○ 厚齋馮氏曰, 以八卦方位言之, 乾居西北, 其辰則亥也, 以陰陽十二辰言之, 陰終於亥, 其位則坤也. 陰陽之氣行乎天, 方位之氣鍾乎地, 以天氣之坤乘地氣之乾, 其勢不順, 其氣相薄, 故乾陽激而上戰坤陰.
후재풍씨가 말하였다: 팔괘의 방위로 말하면 건(乾)은 서북에 있으니 그 진(辰)이 해(亥)이다. 음양(陰陽)의 십이진(十二辰)으로 말하면 음(陰)은 해(亥)에서 끝나니 그 자리는 곤(坤)이다. 음양의 기운은 하늘에서 운행하고, 방위의 기운은 모이는데, 하늘 기운의 곤(坤)이 땅의 기운인 건(乾)을 타서 그 형세가 순응하지 않고 그 기운이 서로 깔보기 때문에 건(乾)의 양(陽)이 격노하여 위로 곤(坤)의 음(陰)과 싸운다.

○ 林氏栗曰, 龍戰于野, 是龍與龍戰也. 野者, 天地之際, 而戰者, 陰陽之敵也. 陰陽有敵, 故雖坤而稱龍, 陰陽俱傷, 故雖乾而稱血. 主陽而言戰, 故曰龍, 主陰而言傷, 故曰血. 乾爲赤, 坤爲黑, 天地之正色也. 赤變於黑爲玄, 黑變於赤爲黃.
임율이 말하였다: "용들이 들에서 싸우니", 이것은 용과 용이 싸우는 것이다. 들은 하늘과 땅이 맞닿은 곳이며, 싸움은 음과 양이 대적하는 것이다. 음과 양이 대적하기 때문에 비록 곤(坤)이지만 용이라고 부르며, 음과 양이 모두 상처를 입기 때문에 비록 건(乾)이지만 피라고 하였다. 양(陽)을 위주로 싸움이라고 하였기 때문에 용이라고 하였고, 음(陰)을 위주로 상처라고 하였기 때문에 피라고 하였다. 건(乾)은 붉고 곤(坤)이 검은 것이 하늘과 땅의 바른 색깔이다. 붉음이 검은 것에 변한 것이 '검은 것[玄]'이고, 검은 것이 붉은 것에 변한 것을 누런 것이다.

○ 梁山來氏曰, 六陽爲龍坤之錯也, 故陰陽皆可以言龍, 且變艮爲剝, 陰陽相薄, 戰之象也.
양산래씨가 말하였다: 여섯 양(陽)이 용이니 곤괘(坤卦)의 반대이기 때문에 음과 양을 모두 용이라고 할 수 있다. 간괘(艮卦䷳)를 변하게 하면 박괘(剝卦䷖)가 되니 음과 양이 서로 깔보는 싸움의 상(象)이다.

김상악(金相岳) 『산천역설(山天易說)』

陰盛之極, 至與陽爭, 爲龍戰于野之象, 必至兩傷俱敗, 故其血玄黃. 天發殺機, 龍蛇起陸, 此之謂也.
음의 성대함이 지극해 양과 싸우는 데에 이르러 용들이 들에서 싸우는 상이 되었으니, 반드시 양쪽이 상하고 모두 상처를 입게 되므로 그 피가 검고 누렇다. 하늘이 살기를 내뿜으니, 용과 뱀이 땅에서 나온다는 것[133]은 이것을 말함이다.

---

133) 『陰符經』: 天發殺機, 龍蛇起陸, 人發殺機, 天地反覆.

○ 龍者, 乾之陽, 野者, 坤之地也. 野在田外, 故在乾之二, 則龍見于田, 至坤之上, 則龍戰于野. 血者, 物之敗也, 坎象也. 管子所謂水者地之血氣, 是也. 玄黃者, 天地之雜也, 天之氣玄, 地之色黃也. 變爻爲剝, 陰陽相薄, 又剝之反爲復. 本爻之象如此, 故復之上六曰, 用行師大敗.
용은 건괘의 양이고, 들은 곤괘의 땅이다. 들은 밭의 바깥에 있기 때문에 건괘의 이효에서 용이 밭에 나타났다고 했고, 곤괘의 상효에서는 용이 들에서 싸운다고 했다. 피는 사물이 손상된 것이니, 감괘(坎卦☵)의 상이다. 『관자』에서 이른바 물은 땅의 혈기라는 것이 여기에 해당한다. 검고 누렇다는 것은 하늘과 땅이 섞인 것이니, 하늘의 기운은 검고 땅의 색은 누렇기 때문이다. 효가 변하여 박괘(剝卦䷖)가 되었으니, 음과 양이 서로 부딪히고, 또 박괘를 거꾸로 하면 복괘(復卦䷗)가 된다. 본래 효의 상이 이와 같으므로 복괘 상육에서 "군사를 동원하는 데에 쓰면 크게 패한다"[134]라 하였다.

박윤원(朴胤源) 『경의(經義) · 역경차략(易經箚略) · 역계차의(易繫箚疑)』

上六, 龍戰於野.
상육은 용들이 들에서 싸운다.

○ 乾之上九, 龍亢止於有悔而已, 坤之上六, 龍戰至於其血玄黃. 陰陽俱戒其盛, 而陰盛之害, 甚於陽盛矣. 自霜而氷, 自氷而至於龍戰, 吁可怕哉.
건괘의 상구는 용이 끝까지 올라가 후회할 뿐이고, 곤괘의 상육은 용들이 싸워서 그 피가 검고 누런 것에 이르렀다. 음과 양에서 모두 성대함을 경계했지만 음이 성대한 것의 해로움은 양이 성대한 것보다 심하다. 서리를 밟는 것에서 얼음이 얼게 되고, 얼음이 얼게 되는 것에서 용들이 싸우는 데에 이르니, 참으로 두렵구나!

김귀주(金龜柱) 『주역차록(周易箚錄)』

上六, 龍戰于野, 云云.
상육은 용들이 들에서 싸우니, 운운.
○ 按, 所謂龍戰者, 不是外面捉得, 一箇陽來拍戰. 蓋陰中自有陽也, 以卦氣之運言之, 則十月小雪之中剝之陽纔盡, 而復之陽已生. 文言所謂恐疑其無陽故稱龍者然也. 然旣曰龍戰, 則有両龍之象. 陰何以稱龍也. 蓋陽大[135]陰小, 陰必從陽, 理之常也. 而

134) 『周易 · 復卦』: 上六, 迷復, 凶, 有災眚, 用行師, 終有大敗.
135) 大: 경학자료집성DB에 '火'로 되어 있으나, 경학자료집성 영인본을 참조하여 '大'로 바로잡았다.

今陰盛陽微, 則其勢均敵, 無復小大之別. 故陰亦稱龍焉. 如唐之武后專擅國政, 則與高宗倂謂之二聖, 是也. 小註, 臨川王氏謂陰盛於陽, 故與陽俱稱龍. 陽衰於陰, 故與陰俱稱血, 恐最得本旨矣. 于野之野字, 程傳備矣. 抑野之爲言, 土也地也, 而坤是土地之象. 龍本居淵澤, 而今相戰於土地之上, 亦言其變也.
내가 살펴보았다: 이른바 용들이 싸우는 것은 외면에서 포착하는 것이 아니라, 하나의 양이 와서 치고 싸우는 것이다. 음 속에는 본래 양이 있으니, 괘기(卦氣)의 운행으로 말하면, 10월 소설에는 박괘(剝卦☶)의 양이 막 다하려고 함에 복괘(復卦☳)의 양기가 벌써 생겨난다. 「문언전」에서 이른바 "양이 없는 것으로 의심하는 것 같기 때문에 용이라 칭한 것"[136]이 그런 것이다. 그러나 이미 용들이 싸운다고 했으니, 두 마리 용의 상이 있다. 음을 무엇 때문에 용이라고 하는가? 양은 크고 음은 작으니, 음이 반드시 양을 따르는 것이 이치의 상도이다. 그런데 지금 음이 성대하고 양이 미미하니, 그렇다면 그 기세가 반드시 대등해서 다시 대소의 구별이 없으므로, 음도 용이라고 부르는 것이다. 이를테면 당나라의 측천무후가 국정을 전단하니, 고종과 함께 이성(二聖)이라고 한 것이 여기에 해당한다. 소주에서 임천왕씨는 "음이 양보다 성대하기 때문에 양과 함께 모두 용이라고 불렀다. 양이 음보다 쇠약하기 때문에 음과 함께 모두 피라고 말했다"라 했으니, 본래의 의미를 가장 잘 이해한 것 같다. '들에서'의 '들'에 대해서는 『정전』에서 자세히 설명했다. 그런데 들이라는 말은 흙이고 땅인데, 곤괘가 흙과 땅의 상이다. 용은 본래 못에 있는데, 이제 땅에서 서로 싸운다는 것도 그것이 변한 것을 말한 것이다.

本義, 陰盛之極, 云云.
『본의』에서 말하였다: 음의 성대함이 지극하여, 운운.
小註, 厚齋馮氏曰, 主龍云云.
소주에서 후재풍씨가 말하였다: 용을 주로 하여, 운운.
○ 按, 主龍而言, 主戰而言云云, 極涉破碎, 而語亦多未瑩.
내가 살펴보았다: "용을 주로 하여 말하면", "싸움을 주로 하여 말하면"이라고 한 것은 아주 지리멸렬하고 말도 대부분 분명하지 않다.

雲峯胡氏曰, 坤六爻, 云云.
운봉호씨가 말하였다: 곤괘의 여섯 효가, 운운.
○ 按, 下卦之上曰王, 有君也云者, 恐涉附會堅氷至, 與龍戰于野, 取義各異, 亦不必攙合說.

---

136) 『周易 · 乾卦』: 陰疑於陽, 必戰, 爲其嫌於无陽也. 故稱龍焉, 猶未離其類也.

내가 살펴보았다: "하괘의 위를 왕이라고 한 것은 임금이 있기 때문이다"는 구절은 두꺼운 얼음이 얼게 된다는 것과 관련된 듯하나, 용들이 들에서 싸운다는 것과는 취한 의미가 각기 다르니, 굳이 합해서 설명할 필요는 없다.

傳, 陰盛至於, 云云.
『정전』에서 말하였다: 음의 성대함이 끝까지 가면, 운운.
小註, 建安丘氏曰, 坤卦, 云云.
소주에서 건안구씨가 말하였다: 곤괘, 운운.
○ 按, 坤卦六爻下, 恐脫初字. 六二一爻爲坤之主, 而意之所包, 至廣至大, 不可但以臣道之顯者言之. 六五兼言德業之盛, 只以業言者亦偏.
내가 살펴보았다: '곤괘의 여섯 효' 다음에 '초(初)'자가 빠진 듯하다. 육이 한 효는 곤괘의 주인이어서 포괄하는 의미가 지극히 광대하니, 신하의 도리를 드러내는 것으로만 말할 수 없다. 육오는 덕성과 사업의 성대함을 아울러서 말했으니, 사업으로만 말을 하면 또한 치우친 것이다.

서유신(徐有臣) 『역의의언(易義擬言)』

龍戰者, 二龍也. 龍乾象, 地類則牝龍也. 故文言曰, 未離其類也. 坤陰極, 而乾陽來, 必相薄焉. 故說卦戰乎乾, 十月之候也. 野, 謂大海之濱, 廣莫之野, 乾坤相際之地也. 血者, 精氣也. 玄黃者, 天地之色也. 陽旣戰, 而陰不勝, 乃成平焉. 陰陽和, 玄黃雜也. 說卦稱震爲玄黃, 乾坤交而乃生復也.
용들이 싸운다는 것은 두 용이다. 용은 건괘의 상이니, 땅의 종류라면 암용이다. 그러므로 「문언전」에서 "그 무리를 떠나지 못한다"라 하였다. 곤괘의 음이 다하여 건괘의 양이 오니, 반드시 서로 부딪힌다. 그러므로 「설괘전」에서 "건괘에서 싸운다"[137]라 하였으니, 10월의 절후이다. 들은 큰 바닷가와 광막한 들을 말하니, 건괘와 곤괘가 서로 만나는 곳이다. 피는 정기이다. 검고 누렇다는 것은 하늘과 땅의 색이다. 양이 이미 싸워서 음이 이기지 못하니, 이에 평화를 이룬다. 음과 양이 화합하면 검고 누런 것이 섞인다. 「설괘전」에서 "진이 검고 누렇다"[138]라고 했으니, 건괘(乾卦䷀)와 곤괘(坤卦䷁)가 사귀어서 복괘(復卦䷗)를 낳은 것이다.

---

137) 『周易 · 說卦傳』: 說言乎兌, 戰乎乾.
138) 『周易 · 說卦傳』: 震, 爲雷, 爲龍, 爲玄黃, 爲旉.

박문건(朴文健) 『주역연의(周易衍義)』

柔而用剛, 故有龍戰之象. 龍者陽物也, 血陰也. 体柔而志剛, 故其色玄黃也.
유순한데 굳셈을 사용하기 때문에 용들이 싸우는 상이 있다. 용은 양에 속하는 사물이고, 피는 음이다. 몸체는 유순한데 뜻이 굳세기 때문에 그 색이 검고 누렇다.
〈問, 龍戰于野, 其血玄黃. 曰, 上六處群陰之上, 自恃其剛者也, 以陰而自疑爲陽, 故稱龍焉. 恃剛而暴下, 故與六三戰于野, 而其血玄黃也. 必戰于野者, 處外故也.
물었다: "용들이 들에서 싸우니, 그 피가 검고 누렇다"는 무슨 뜻입니까?
답하였다: 상육이 여러 음의 위에 있어 스스로 그 굳센 것을 믿고, 음인데도 스스로 양이라고 착각하기 때문에 용이라고 하였습니다. 굳셈을 믿고 아래에 횡포를 부리기 때문에 육삼과 들에서 싸워 그 피가 검고 누렇습니다. 반드시 들에서 싸운다는 것은 바깥에 있기 때문입니다.〉

이지연(李止淵) 『주역차의(周易箚疑)』

戰, 非陰之敢與陽抗之謂也, 謂陽之用力打破, 不使其勝已也. 於亢龍之時, 則曰群龍无首, 慮其陽德之過剛也. 坤六之言龍, 示其陽道之功用也. 至於相戰, 見血之時, 必先言玄, 而後言黃, 或恐天之下於地也, 聖人扶抑之意, 尤可見矣.
싸움은 음이 감히 양에게 대항하는 것을 말한 것이 아니라 양이 타파하려고 힘써서 음이 승리하지 못하게 한 것일 뿐이다. 끝까지 올라간 용의 때에서는 "여러 용에 머리 없음"[139]이라 했으니, 양의 덕이 지나치게 굳센 것을 염려한 것이다. 곤괘의 상효에서 용을 말한 것은 양도(陽道)의 공용을 보여준 것이다. 서로 싸우는 데에 와서 피를 보일 때에 굳이 먼저 검다고 하고 뒤에 누렇다고 한 것은 아마도 하늘이 땅에 낮추어야 한다는 것인 듯하니, 성인이 도와주고 누르는 뜻을 더욱 알 수 있다.

김기례(金箕澧) 「역요선의강목(易要選義綱目)」

上六, 龍戰于野.
상육은 용들이 들에서 싸운다.
陰極而嫌其无陽. 故曰龍, 猶十月之謂陽月. 陰至十月, 則妬陽而戰, 故說卦曰, 戰于乾. ○ 野謂外卦.
음이 궁극에 이르러 양이 없다고 혐의를 받을 수도 있기 때문에 용이라고 했으니, 시월을

---

139) 『周易 · 乾卦』: 用九, 見群龍, 无首, 吉.

양의 달이라고 하는 것과 같다. 음은 시월이 되면 양을 시기하여 싸우므로 「설괘전」에서 "건괘에서 싸운다"[140]라 했다. ○ 들은 외괘를 말한다.

其血玄黃.
그 피가 검고 누렇다.
血陰也. 陰從陽, 故血本紅. 戰則與陽俱傷, 故玄黃. 雖傷終不失本色. 故曰其血玄黃.
피는 음이다. 음은 양을 따르기 때문에 피는 본래 붉다. 싸우면 양과 함께 모두 상처를 입기 때문에 검고 누렇다. 상처를 입었지만 끝내 본래의 색을 잃지 않았기 때문에, "그 피가 검고 누렇다"고 했다.

허전(許傳) 「역고(易考)」

乾卦盡變, 則爲坤. 五爻變, 而上九未及變, 則剝也. 剝者, 九月之卦. 此一陽盡變, 則將爲純陰. 陰進陽退之際, 其勢必戰. 戰者, 陽戰之也. 如大戰于甘之戰, 示陰盛而敢與之抗也. 在外卦之上, 故謂之野. 野則陽已退矣, 陰之罪尤著矣.
건괘가 모두 변하면 곤괘가 된다. 오효가 변하였으나 상구가 아직 변하지 않았으니, 박괘(剝卦䷖)이다. 박괘는 구월의 괘이다. 박괘의 한 양이 모두 변하면 순수한 음이 될 것이다. 음이 나아가고 양이 물러나는 때에 그 기세 때문에 반드시 싸운다. 싸움은 양이 싸우는 것이다. 이를테면 "감에서 크게 싸웠다"[141]고 할 때의 싸움과 같으니, 음이 성대해져 감히 양에게 대항한다고 알린 것이다. 외괘의 상효에 있기 때문에 들이라고 했다. 들은 양이 이미 물러난 것이니, 음의 죄가 더욱 드러난다.

심대윤(沈大允) 『주역상의점법(周易象義占法)』

坤之剝䷖. 居卦之下, 而不用力者, 是不爲小利者也, 居卦之上, 而不用力者, 乃不爲大利. 而賊其性以自害者也. 極其心之私欲, 而不知節以賊其性之利, 而自喪其欲. 龍戰于野, 其血玄黃, 言兩傷也.
곤괘가 박괘(剝卦䷖)로 바뀌었다. 괘의 아래에 있으면서 힘쓰지 않는 것은 이에 작은 이로움이 되지 않고, 괘의 위에 있으면서 힘쓰지 않는 것은 곧 큰 이로움이 되지 않으니, 그 본성을 해침으로 스스로 해치게 된다. 마음의 사욕을 끝까지 하면서 절제할 줄 몰라 그 본성

---

140) 『周易 · 說卦傳』: 說言乎兌, 戰乎乾.
141) 『尙書 · 夏書』: 大戰于甘.

의 이로움을 해치고 저절로 그 욕심을 잃게 된다. 용이 들에서 싸우니 그 피가 검고 누렇다는 것은 양쪽이 상처를 입었다는 말이다.

심대윤(沈大允) 『주역상의점법(周易象義占法)』

上六, 龍戰于野, 其血玄黃.

상육은 용들이 들에서 싸우니, 그 피가 검고 누렇다.

坤之剝䷖, 剝變也. 上六居柔, 不用力爲順, 而居卦之極, 陰過盛而剝陽. 故曰龍戰于野, 言陰陽相戰也. 陽嫌於无, 故稱龍以明其未嘗無也, 說見剝義. 陰過盛, 故亦稱龍以見敵疑于陽也. 坤衆,〈兌爭曰戰. 剝之對兵爲兌.〉乾爲野, 言與乾戰也. 陰陽俱傷, 故曰其血玄黃. 陰稱血者, 言猶未離其類也. 小人者, 在下者也, 而反據君子之位, 然天不佑人不與, 終有剝廬之殃. 終不能爲君子之所爲, 而享君子之所享, 猶是小人也. 陽稱血者, 言其柔弱也. 血陰柔之物, 坎离爲血, 陽陷陰, 則爲坎. 陰麗陽, 則爲离. 又坎离相克, 主變化之權, 而代居乾坤之位者, 故乾坤推變換, 而麗陷爭戰之際, 取坎离之象. 又乾再變爲离, 則次入于坤矣, 坤再變爲坎, 則亦入于乾矣. 象之先迷後得之先後, 亦其義也. 凡每卦六爻, 已含後卦之義, 此卽屯難之義也.

곤괘가 박괘(剝卦䷖)로 변하였으니, 박괘는 변함이다. 상육이 유순한 자리에 있어 유순하려고 힘쓰지 않으나, 괘의 끝에 있어 음이 지나치게 성대하여 양을 깎아낸다. 그러므로 "용들이 들에서 싸운다"라 하였으니, 음과 양이 서로 싸운다는 말이다. 양이 없는 것으로 혐의를 받을 수도 있기 때문에 용이라고 말하여 그것이 없었던 적이 없음을 밝혔으니, 설명이 박괘의 의미에서 나타난다. 음이 지나치게 성대하기 때문에 또한 용이라고 말하여 양에 맞서고 의심하는 것을 드러냈다. 곤괘가 무리지어 있고 〈다투기 좋아하는 것을 싸움이라고 한다. 박괘(剝卦䷖)가 군사들과 마주한 것이 태괘(兌卦䷹)이다.〉 건괘가 들이니, 건괘와 싸운다는 말이다. 음과 양이 모두 상처를 입었기 때문에 "그 피가 검고 누렇다"라 하였다. 음을 피라고 하는 것은 "아직 그 무리를 떠나지 못했다"[142]는 말이다. 소인은 아래에 있는 자인데, 도리어 군자의 자리에 의지하고 있으나, 하늘이 돕지 않고 사람이 함께하지 않아 결국 "집을 허무는" 재앙[143]이 있다. 결국 군자가 하려는 바를 행할 수 없고 군자가 형통하게 하려는 것을 형통하게 할 수 없다면 여전히 소인이다. 양을 피라고 말한 것은 그것이 유약하다는 말이다. 피는 음의 유순한 것이어서 감괘(坎卦☵)와 리괘(離卦☲)가 피가 되니, 양이 음에 빠지면 감괘(坎卦☵)가 되고 음이 양에 걸리면 리괘(離卦☲)가 된다. 또 감과 리가 서로

---

142) 『周易 · 乾卦』: 陰疑於陽, 必戰, 爲其嫌於无陽也. 故稱龍焉, 猶未離其類也.

143) 『周易 · 剝卦』: 上九, 碩果不食, 君子得輿, 小人剝廬.

극하고 변화의 권세를 주도하여 건괘와 곤괘의 자리를 대신하여 있는 것이기 때문에 건괘와 곤괘가 싸움에 걸리고 빠지는 때이니, 감괘(坎卦☵)와 리괘(離卦☲)의 상을 취한다. 또 건괘가 다시 변해서 리괘가 되니, 다음에 곤괘로 들어가고, 곤괘가 다시 변하여 감괘가 되니, 또 건괘로 들어간다. 단사에서 "먼저 하면 혼미하고 뒤에 하면 얻게 된다"[144]는 구절에서 '먼저'와 '뒤'가 그 의미이다. 매 괘의 상효는 이미 뒤 괘의 의미를 머금고 있으니, 이것이 바로 준괘(屯卦䷂)가 어려움이라는 의미이다.[145]

오치기(吳致箕) 「주역경전증해(周易經傳增解)」

上六, 居于坤之終. 順之極, 陰盛而抗陽, 柔窮而反剛, 有龍戰傷害之象. 雖不言占, 其凶可知也.
상육은 곤괘의 끝에 있다. 유순함의 끝은 음이 성대해서 양에 대항하고, 유순함이 다해 반대로 굳세어지니, 용들이 싸우고 상처를 입는 상이 있다. 점을 말하지 않았지만 그 흉함을 알 수 있다.

○ 龍取於對體之乾. 陰雖從陽者也, 然盛之極, 則抗而至於戰也. 在遠之地曰野, 而取於外卦之坤也. 血取於陰而言傷害也. 玄黃言陰陽俱傷, 而文言已備矣. 陰始微, 而戒履霜之漸, 終極而言龍戰之凶, 聖人抑陰扶陽之意, 深切矣.
용은 반대되는 몸체인 건괘에서 취했다. 음이 양을 따르지만 성대함이 지극하면 저항해서 싸운다. 멀리 있는 땅을 들이라고 하는데, 외괘의 곤괘에서 취하였다. 피는 음에서 취하여 상처를 입었음을 말하였다. "검고 누렇다"는 것은 음과 양이 모두 상처 입었음을 말한 것인데, 「문언전」에서 이미 자세히 설명하였다. 음의 시작은 미약해도 점차 서리를 밟는다고 경계하고 마침내 극에 달하여 용들이 싸운다는 흉함을 말하였으니, 성인이 음을 억누르고 양을 일으키는 의미가 깊고 절실하다.

144) 『周易 · 坤卦』: 先迷後得主利, 西南得朋, 東北喪朋, 安貞吉.
145) 『周易 · 屯卦』: 象曰, 屯, 剛柔始交而難生.

象曰, 龍戰于野, 其道窮也.

「상전」에서 말하였다: "용들이 들에서 싸움"은 그 도가 끝에 이르렀기 때문이다.

中國大全

傳

陰盛至於窮極, 則必爭而傷也.

음의 성대함이 끝까지 가면 반드시 다투고 상처를 입는다.

小註

朱子曰, 坤六爻雖有重輕, 大概皆是持守收斂畏謹底意.
주자가 말하였다: 곤괘의 여섯 효에 경중이 있을지라도 모두 그침과 삼감을 지킨다는 의미이다.

○ 建安丘氏曰, 坤卦六爻, 初[146]上二爻言陰道之消長, 中四爻言臣道之顯晦. 初六陰之微, 故曰履霜堅氷, 忌其長也. 上六陰之極, 故曰龍戰于野, 著其窮也. 此以陰道之消長言也. 二與五居得中位, 臣道之顯者, 二位內, 故曰直方大, 言其德之盛也, 五位外, 故曰黃裳元吉, 言其業之美也. 三與四居位不中, 臣道之晦者. 三爻陰位陽, 靜中有動, 故曰含章, 含則有時而發也. 四爻位俱陰, 靜而无動. 故曰括囊, 括則无時而可出矣. 此以臣道之顯晦言也.
건안구씨가 말하였다: 곤괘의 여섯 효에서 초육과 상육의 두 효는 음의 도가 사라지고 자라는 것에 대해 말했고, 중간의 네 효는 신하의 도리를 드러내고 숨기는 것에 대해 말했다. 초육은 음이 미미하기 때문에 "서리를 밟으면 두꺼운 얼음이 얼게 된다"라고 했으니, 우두머

146) 初: 경학자료집성DB와 영인본에는 없지만 문맥을 살펴 '初'자를 넣었다.

리가 됨을 꺼림이다. 상육은 음이 성대하기 때문에 "용들이 들에서 싸운다"라고 했으니, 그 도가 궁극에 달했음을 나타냈다. 여기에서는 음이 사라지고 자라는 것을 가지고 말했다. 이효와 오효는 가운데 자리를 얻어 신하의 도리를 드러냈다. 이효는 내괘에 있기 때문에 "곧고 방정하며 크다"라고 말해 그 덕의 성대함을 설명했고, 오효는 외괘에 있기 때문에 "황색치마이면 크게 길하다"라고 말해 그 일의 아름다움을 설명했다. 삼효와 사효는 가운데 자리가 아니어서 신하의 도를 숨긴 자이다. 삼효는 음이 양의 자리에 있어 고요한 가운데 움직임이 있기 때문에 "아름다움을 머금었다"라고 말하였으니, 머금은 것이 때에 따라 드러난다. 사효는 효와 자리가 모두 음이어서 고요하고 움직임이 없으므로 "자루를 묶어 놓은 듯하다"라고 말했으니, 묶어놓으면 어느 때고 나올 수 없다. 이것은 신하의 도리를 드러내고 숨기는 것으로 말했다.

○ 雲峯胡氏曰, 乾六爻, 皆取龍爲象. 坤之取象曰履霜, 曰直方, 曰含章, 曰括囊, 曰黃裳, 曰其血玄黃, 不一而足, 陽純而陰雜也.
운봉호씨가 말하였다: 건괘의 여섯 효는 모두 용을 취해 상징으로 삼았다. 곤괘에서 상을 취한 것은 "서리를 밟는다"라고 하고, "곧고 방정하다"라고 하며, "아름다움을 머금었다"라고 하고, "자루를 묶어 놓은 듯하다"라고 하며, "황색치마처럼 한다"라고 하고, "그 피가 검고 누렇다"라고 하는 등 한두 가지가 아니니, 양은 순수하고 음은 섞여 있기 때문이다.

韓國大全

권근(權近) 『주역천견록(周易淺見錄)』

言雖陰陽相戰, 而陰之道已窮, 陽必勝之也. 蓋始極於上, 陽復於下之時也.
음과 양이 서로 싸우지만 음의 도가 이미 끝에 이르러 양이 반드시 이긴다는 말이다. 처음에는 음이 위에서 지극하지만 양이 아래에서 회복되는 때이다.

유정원(柳正源) 『역해참고(易解參攷)』

其道窮.
그 도가 끝에 이른다.

案, 窮者, 猶言亢也, 陽之亢極有悔, 而陰之窮極无復有悔. 蓋陽善類也, 亢極在上, 猶有遷改之意, 而彼小人之凶極, 安有得悔心乎, 只其道窮而已.
내가 살펴보았다: '끝'은 '끝까지 올라 간[亢]'이라고 하는 것과 같다. 양이 끝까지 올라가면 후회가 있지만 음이 끝까지 가면 다시 후회가 없다. 양(陽)은 선한 무리이니, 끝까지 올라가 위에 있으면서 오히려 선으로 옮겨가고 자신을 고치려는 뜻을 두는데, 저 소인들은 흉함이 지극한데도 어찌 후회하는 마음을 두지 않는가? 다만 그 도가 끝에 이를 뿐이다.

小註, 朱子說. 〈案, 此條似當八六四下.〉 丘氏說, 六爻. 〈案, 爻下當有初字.〉
소주(小註)에서 주자가 말하였다. 〈내가 살펴보았다: 이 조목은 아마도 마땅히 팔(八) · 육(六) · 사(四)의 아래에 있어야 한다.〉 구씨가 말하였다: 육효. 〈내가 살펴보았다: '효(爻)'라는 글자 아래에 마땅히 '초(初)'자가 있어야 한다.〉

김상악(金相岳) 『산천역설(山天易說)』

窮, 謂陰盛而至窮極也. 初曰, 馴致其道者, 防其龍戰之禍也, 上曰, 其道窮者, 著其堅氷之至也.
"끝에 이른다"는 것은 음이 성대해서 궁극에 이른 것을 말한다. 초효에서 "그 도를 점차 이루어"라 한 것은 용들이 싸우는 재난을 방지한 것이고, 상효에서 "그 도가 끝에 이르렀기 때문이다"라 한 것은 두꺼운 얼음이 얼게 됨을 드러낸 것이다.

박문건(朴文健) 『주역연의(周易衍義)』

不相與而戰者, 其道極也.
함께 하지 못하고 싸우는 것은 그 도가 끝까지 이르렀기 때문이다.

서유신(徐有臣) 『역의의언(易義擬言)』

坤陰窮, 故乾陽來也, 卽其盛而亦其屈也.
곤괘의 음이 끝에 이르렀기 때문에 건괘의 양이 오니, 바로 성대해지면 또한 물러나는 것이다.

심대윤(沈大允) 『주역상의점법(周易象義占法)』

坤道利在從陽, 今爲抗敵, 則窮也.
곤도는 이로움이 양을 따르는 것에 있는데, 이제 대항하여 맞서니 끝에 이른 것이다.

오치기(吳致箕) 「주역경전증해(周易經傳增解)」

陰之抗陽, 卽陰道之窮也.

음이 양에 대항하는 것은 바로 음의 도가 끝에 이르렀기 때문이다.

用六, 利永貞.

용육은 영원하고 곧게 하는 것이 이롭다.

中國大全

傳

坤之用六, 猶乾之用九, 用陰之道也. 陰道柔而難常. 故用六之道, 利在常永貞固.

곤괘의 용육은 건괘의 용구와 같으니, 음을 사용하는 방법이다. 음의 도는 부드러워 일정하기 어렵다. 그러므로 육을 사용하는 방법은 이로움이 영원하고 곧고 단단하게 하는 데 있다.

小註

厚齋馮氏曰, 乾極矣, 九將變而爲六, 能用九則不失其爲君之道. 坤極矣, 六將變而爲九, 能用六則不失其爲臣之節. 用九在无首, 用六在永貞. 永貞所以用六也.

후재풍씨가 말하였다: 건괘가 극도에 달하면 구가 변하여 육이 되니, 구를 사용하면 군주가 되는 도리를 잃지 않는다. 곤괘가 끝까지 가면 육이 변하여 구가 되니, 육을 사용하면 신하가 되는 절개를 잃지 않는다. 구를 사용함은 우두머리가 없는 데 있고, 육을 사용함은 영원하고 곧은 데 있다. 영원하고 곧은 까닭에 육을 사용한다.

本義

用六, 言凡筮得陰爻者, 皆用六而不用八, 亦通例也. 以此卦純陰而居首, 故發之. 遇此卦而六爻俱變者, 其占如此辭. 蓋陰柔而不能固守, 變而爲陽, 則能永貞矣. 故戒占者以利永貞, 卽乾之利貞也. 自坤而變, 故不足於元亨云.

용육은 점을 쳐서 음효를 얻었을 경우에 모두 육을 사용하고 팔을 사용하지 않는다고 말했으니, 또한 관례이다. 이 괘는 순음이면서 앞머리에 있기 때문에 이것을 밝혔다. 이 괘가 나왔는데 여섯 효가 모두 변할 경우는 그 점이 이 말과 같다. 음이 부드럽고 굳게 지킬 수 없어 변해서 양이 되면 영원하고 곧을 수 있다. 그러므로 점치는 자에게 영원하고 곧은 것이 이롭다고 훈계했으니, 바로 건괘의 "곧음이 이롭다"147)는 것이다. 곤괘에서 변했으므로 크게 통하는 데는 부족하다고 한다.

小註

朱子曰, 乾吉在无首, 坤利在永貞. 這只說二用變卦, 坤利在永貞, 不知有何關捩子. 這坤卻不得見他元亨只得他永貞. 坤之本卦, 固自有元亨, 變卦卻无. 又曰, 坤雖變而爲陽, 然坤性依舊在, 他 本是箇无頭底物. 如婦從夫, 臣從君, 地承天. 先迷後得, 東北喪朋, 西南得朋, 皆是无頭處也.

주자가 말하였다: 건괘의 길함은 우두머리가 없는 데 있고, 곤괘의 이로움은 영원하고 곧은 데 있다. 이것은 단지 변괘를 두 가지로 사용한 것일 뿐이다. 곤괘의 이로움이 영원하고 곧은 데 있다는 것은 무슨 중요함이 있는지 모르겠다. 여기서의 곤괘는 또 그것이 크게 형통함은 볼 수 없고 그것이 영원히 곧음을 얻은 것일 뿐이다. 곤괘의 본괘는 진실로 본래 '크게 형통함[元亨]'이 있는데, 변괘에는 오히려 없다.

또 말하였다: 곤괘가 비록 변해서 양이 될지라도 곤괘의 본성은 옛날 그대로 있으니, 그것은 본래 우두머리가 없는 것이다. 이를테면 부인이 남편을 따르고 신하가 임금을 따르고 땅이 하늘을 이어받는 것으로 "먼저 하면 혼미하고 뒤에 하면 얻을 것이니", "동북에서는 벗을 잃고 서남에서는 벗을 얻는다"148)는 것은 모두 우두머리가 없는 것이다.

○ 雲峯胡氏曰, 坤安貞, 變而爲乾則爲永貞. 安者順而不動, 永者健而不息. 乾變坤, 剛而能柔, 坤變乾, 雖柔必强. 善變化氣質者, 當如之. 陽先於陰, 而陽之極不爲首, 陰小於陽, 而陰之極以大終. 善撫馭世變者, 當如之.

운봉호씨가 말하였다: 곤괘는 곧음에 편안한데, 변화해서 건괘가 되면 영원하고 곧음이 된다. 편안히 여기는 자는 그대로 따라서 움직이지 않고, 영원히 하는 자는 강건하고 쉼이 없다. 건괘가 곤으로 변하면 굳건하지만 부드러울 수 있고, 곤괘가 건으로 변하면 부드럽지만 강건할 수 있다. 기질을 잘 변화시키는 자는 이처럼 해야 한다. 양이 음보다 앞서 있는데 양의 궁극이 우두머리가 되지 않고, 음이 양보다 작은데 음의 궁극이 끝을 성대하게 한다. 세상의 변화를 잘 부리는 자는 이처럼 해야 한다.

147) 『周易·乾卦』: 乾, 元亨利貞.
148) 『周易·坤卦』: 先迷後得主利, 西南得朋, 東北喪朋, 安貞吉.

韓國大全

박지계(朴知誡) 「차록(箚錄)-주역곤괘(周易坤卦)」

本義曰, 用六, 言凡得陰爻者, 皆用六而不用八.
『본의』에서 말하였다: 용육은 음효를 얻었을 경우에 모두 육을 사용하고 팔을 사용하지 않는다.

歐陽子曰, 乾坤之用九用六, 何謂也. 曰, 九六變而七八無爲, 易道占其變, 故以其所占者名爻, 不謂六爻皆九六也. 及其筮也, 七八常多, 而九六常少, 有無九六者焉. 愚謂, 易道占其變, 何謂也. 曰, 凡卦之爻變, 則一卦可變爲六十四卦, 而四千九十六卦在其中, 所謂引而伸之者也, 天下之能事畢矣. 爻若不變, 則卦止於六十四, 而無以盡天下之變, 故曰易道占其變.
구양자가 말하였다: 건괘의 용육과 곤괘의 용육은 무엇인가? 말하자면, 구와 육은 변하고 칠과 팔은 어떤 작용도 하지 않으니, 『주역』의 도(道)는 변화를 점치기 때문에 점치는 것으로 효를 이름붙인 것이지 여섯 효가 모두 구와 육이라는 말은 아니다. 시초점에서 칠과 팔은 언제나 많고 구와 육은 언제나 적은데 구와 육이 없는 경우도 있다.
내가 살펴보았다: 『주역』의 도가 변화를 점친다고 한 것은 무슨 의미인가? 괘에서 효의 변화는 하나의 괘가 64괘로 변할 수 있어 사천구십육괘가 그 속에 있다는 것이니, 이른바 "이끌어 펴는" 것으로 "천하에서 할 수 있는 일을 다 한다"[149]는 것이다. 효가 변하지 않는다면 괘는 육십사에 그쳐 천하의 변화를 다할 수 없다. 그러므로 "『주역』의 도는 변화를 점친다"라 하였다.

蓋嘗觀之, 周子曰, 無極之眞, 二五之精, 妙合而凝, 乾道成男, 坤道成女, 二氣交感, 化生萬物, 其象見於筮蓍之法. 虛一分二掛一揲四歸奇, 乃無極二五妙合而凝之象也. 奇數策數之九六, 乾道坤道之象也, 老陽老陰, 男女之象也, 七八, 乾道坤道之未成者也. 少陽少陰, 男未有室, 女未許嫁, 男女之道有未成焉. 故無以化生萬物, 此所以不用七八, 而必用九六也. 九六成男成女, 男女二氣交感而化生萬物, 萬物生生而變化無窮, 此所以觸類而長之, 無所不至者也. 無極二五, 以其在天而言也, 故西山蔡氏曰, 虛一分二掛一揲四歸奇, 乃天地四時之生萬物也. 成男成女, 以其在物而言, 故西山蔡氏

149) 『周易·繫辭傳』: 引而伸之, 觸類而長之, 天下之能事畢矣.

曰, 奇數策數, 以定陰陽老少, 萬物正性命于天也. 雖然, 在天在物, 無非一理. 在天者唯二五與無極, 故在物者亦有二五之精, 無極之眞. 物之男女老少, 卽二五之精在物者也. 子思所謂君子之道, 費而隱, 語大, 天下莫能載, 語小, 天下莫能破者, 卽無極之眞在物者也.

일찍이 살펴보건대, 주자(周子)가 "무극의 참됨과 음양오행의 정미함이 오묘하게 합하고 엉기어 건괘의 도는 남성이 되고 곤괘의 도는 여성이 되며, 음양의 두 기가 교감하여 만물을 변화 · 생성한다"[150]라 하였는데, 그 상이 점치는 법에 드러난다. 산가지 하나를 비워두고 나머지 산가지를 둘로 나눠 오른쪽의 하나를 왼손의 새끼손가락 사이에 걸고 왼쪽의 산가지를 넷씩 세고는 나머지를 무명지 사이로 돌리니, 바로 무극과 음양오행의 오묘하게 합하고 엉기는 상이다. 나머지 산가지 수가 구와 육인 것은 건도와 곤도의 상이고, 노양과 노음은 남녀의 상이며, 칠과 팔은 건도와 곤도가 아직 이루어지지 않은 것이다. 소양과 소음은 남자가 아내를 두지 않고 여자가 시집을 가지 않아 남녀의 도가 아직 이루어지지 않은 것이다. 그러므로 만물을 변화 · 생성하지 못하니, 이것이 칠과 팔을 사용하지 않고 반드시 구와 육을 사용하는 이유이다. 구와 육이 남자가 되고 여자가 되어 남자와 여자의 두 기가 교감하면 만물을 변화 · 생성해서 만물이 나오고 나오면서 변화가 무궁하니, 이것이 종류대로 적용시키고 확장시켜 이르지 않는 것이 없는 경우이다. 무극과 음양오행은 하늘에 있는 것으로 말하기 때문에 서산채씨가 "산가지 하나를 비워두고 나머지 산가지를 둘로 나눠 오른쪽의 하나를 왼손의 새끼손가락 사이에 걸고 왼쪽의 산가지를 넷씩 세고는 나머지를 무명지 사이로 돌리니, 바로 천지와 사시가 만물을 낳는 것이다"[151]라 하였다. 남자가 되고 여자가 되는 것은 사물에 있는 것으로 말하기 때문에 서산채씨가 "나머지 시초의 수를 헤아려서 음양과 노소를 정하니, 만물이 하늘에서 성명을 바로 잡는다는 것이다"[152]라 하였다. 그러나 하늘에 있고 사물에 있는 것은 하나의 이(理)가 아닌 것이 없다. 하늘에 있는 것은 음양오행과 무극일 뿐이므로, 사물에 있는 것도 음양오행의 정미함과 무극의 참됨이 있다. 사물의 남녀와 노소는 바로 음양오행의 정미함이 사물에 있는 것이다. 자사(子思)의 이른바 "군자의 도는 넓지만 은미하다. 큰 것으로 말하면 천하가 실을 수 없고, 작은 것으로 말하면 천하가 깨뜨릴 수 없다"[153]라는 것은 바로 무극의 참됨이 사물에 있기 때문이다.

朱子啓蒙首篇河洛所謂二五, 兼包在天在物而言也, 第二篇所謂兩儀生四象, 以其在天而言也, 第三篇所謂陰陽老少, 以其在物而言也. 周易卦爻, 生于天而成於物, 明其

150) 『太極圖說述解 · 太極圖』: 無極之眞, 二五之精, 妙合而凝, 乾道成男, 坤道成女, 二氣交感, 化生萬物.
151) 『周易傳義大全 · 繫辭傳』 小注.
152) 『周易傳義大全 · 繫辭傳』 小注.
153) 『中庸』: 君子之道, 費而隱. …. 故君子語大, 天下莫能載焉, 語小, 天下莫能破焉.

在天, 則不必容人爲. 其於四象, 無所偏主. 若論其在物, 則可以容人爲之用, 故用九六, 而不用七八也. 然不用七八, 非謂闕而廢之也, 但稱九六, 而不稱七八也. 雖不稱七八, 而及其筮也, 則七八常多, 九六常少, 亦非人之所能損益也, 但欲引而伸之. 故但稱九六, 而七八亦在其中也.

주자가 『역학계몽』 1편의 「하도」와 「낙서」에서 말한 음양과 오행은 하늘에 있는 것과 사물에 있는 것을 아울러 포괄하여 말한 것이고, 2편의 이른바 "양의가 사상을 낳는다"는 것은 하늘에 있는 것으로 말한 것이며, 3편의 이른바 음양과 노소는 사물에 있는 것으로 말한 것이다. 『주역』의 괘와 효는 하늘에서 나와 사물에서 이루어지니, 하늘에 있는 것을 밝히면 굳이 인위를 받아들이지 않아 사상에서 치우침을 주로 하는 것이 없다. 사물에서 논한다면, 인위적인 작용을 받아들일 수 있으므로 구와 육을 사용하고 칠과 팔을 사용하지 않는다. 그러나 칠과 팔을 사용하지 않는 것은 빼놓고 없애버리는 것을 말하는 것이 아니라 구와 육만 말하고 칠과 팔을 말하지 않는 것이다. 칠과 팔을 말하지 않지만 점칠 때 칠과 팔이 언제나 많고 구와 육은 항상 적은 것은 또한 사람이 어떻게 덜거나 더할 수 있는 것이 아니니, 이끌어서 펴고자 한 것이다. 그러므로 구와 육만 말하지만 칠과 팔도 그 속에 있다.

本義曰, 蓋陰柔而不能固守, 變而爲陽, 則能永貞矣. 故戒占者以利永貞, 卽乾之利貞也, 自坤而變, 故不足於元亨云,

『본의』에서 말하였다: 음이 부드럽고 굳게 지킬 수 없어 변해서 양이 되면 영원히 곧을 수 있다. 그러므로 점치는 자에게 영원하고 곧음이 이롭다고 훈계했으니, 바로 건괘의 "곧음이 이롭다"[154]는 것이다. 곤괘에서 변했으므로 크게 형통하는 데는 부족하다고 한다.

陽常患於過剛, 陰常患於失柔. 陽過於剛則害陰, 陰失於柔則害陽, 陰陽之氣, 所以不能冲和而造化之通患也. 是故陽之德, 不以徒剛爲貴, 而貴乎剛柔相濟, 陰之德, 徒以柔爲貴, 而不貴乎剛柔之雜, 此乃陽全陰半之理也. 雖然陰陽老而之極, 則不能不動而變. 於是, 陽變爲柔, 陰變爲剛. 陽之變爲柔也, 則正合, 剛柔相濟, 故用九.

양은 언제나 굳셈을 지나치게 하는 데에 우환이 있고, 음은 언제나 유순함을 지나치는 하는 데에 우환이 있다. 양이 굳셈에서 지나치면 음을 해치고, 음이 유순함에서 지나치면 양을 해치니, 음과 양의 기는 부드럽고 온화한데도 조화를 이루지 못하는 것이 일반적인 걱정거리이다. 이 때문에 양의 덕은 단지 굳셈을 귀함으로 여기지 않고 굳셈과 유순함이 서로 돕는 것을 귀하게 여기고, 음의 덕은 단지 유순함을 귀함으로 여기고 굳셈과 유순함이 섞인 것을 귀하게 여기지 않으니, 이것은 바로 양은 전체이고 음은 반이라는 이치 때문이다. 그러나

154) 『周易 · 乾卦』: 乾, 元亨利貞.

음과 양이 늙어서 끝까지 가게 되면 움직여 변하지 않을 수 없으니, 이때에 양은 유순함으로 변하고 음은 굳셈으로 변한다. 양이 유순함으로 변하면 바로 합하여 굳셈과 유순함이 서로 돕기 때문에 구를 사용한다.

本義曰, 剛而能柔, 吉之道也. 陰之變爲剛也, 則動非陰之本性, 剛又非陰之所貴也. 陰之性, 唯在乎柔, 而本性之所能, 唯在乎固守柔道而不動也, 而迫於老極, 不得已動焉, 不能固守, 然後變爲陽, 故用六.
『본의』에서 "굳세면서 부드러울 수 있는 것은 길한 도이다"라 하였다. 음이 굳셈으로 변하면, 움직임이 음의 본성이 아니고, 굳셈은 또 음의 귀한 것이 아니다. 음의 본성은 단지 유순함에 있고 본성이 능한 것은 단지 유순한 도를 굳게 지켜서 움직이지 않는 데에 있는데, 늙음의 끝에 임박하면 어쩔 수 없이 움직이고, 굳게 지킬 수 없게 된 다음에 양으로 변하므로 육을 사용한다.

本義曰, 陰柔而不能固守, 變而爲陽. 本義半辭之間, 陰陽之性, 能著見無餘蘊矣. 如以人道言之, 則乾君道, 坤臣道也. 臣道之變爲剛, 如伊尹之於太甲, 周公之於成王. 迫於不得已, 不能固守柔道而變爲陽也, 故能爲永久正固之道也. 非天子, 不議禮不制度, 而奉行時王制禮, 乃坤道牝馬之貞行地之象也, 而周公則制禮作樂, 得以三重, 一天下之耳目, 是乃永久正固之道也. 此之謂變爲陽, 則能永貞矣.
『본의』에서 "음이 유순해서 굳게 지킬 수 없어 양으로 변한다"라 하였다. 『본의』는 간단한 말로 음과 양의 본성을 남김없이 드러낼 수 있었다. 인도(人道)로 말하면, 건괘는 임금의 도이고 곤괘는 신하의 도이다. 신하의 도가 굳셈으로 변한 것은 이를테면 태갑(太甲)[155]에게는 이윤(伊尹)[156]이고 성왕에게는 주공이다. 어쩔 수 없는 데로 임박하면, 유순한 도를

155) 태갑(太甲): 상나라의 5대 군주로 태어날 때의 이름은 자지(子至)이다. 탕의 손자, 중임의 조카에 해당한다. 탕의 뒤를 곧바로 이었다는 설도 있다.

156) 이윤(伊尹): 이름은 '이'이고 '윤'은 관직명이다. 일설에는 지(摯)라는 이름도 있다. 가노(家奴) 출신으로 원래는 유신씨(有莘氏)의 딸이 시집갈 때 딸려간 몸종이었다고 전해진다. 이후 은나라의 탕왕(湯王)에게 불려가서 재상이 되어 하(夏)의 걸왕(桀王)을 토벌함으로써 은이 천하를 평정하는 데 공헌했다. 나중에 탕왕을 뒤이은 외병(外丙)·중임(中壬) 두 왕에게서도 벼슬을 했으며, 그 뒤 태갑(太甲)의 재상이 되었다. 그러나 태갑이 포학하여 탕왕의 법을 어기자 동궁(桐宮)으로 추방하고 이윤이 직접 정치를 했다. 3년 뒤 태갑이 과오를 뉘우치니 정권을 태갑에게 되돌려주고 그를 보좌했으며, 뒤이어 태갑의 아들 옥정(沃丁) 밑에서도 벼슬을 했다. 일설에는 중임이 죽은 뒤 태갑이 뒤를 이었는데, 이윤이 왕위를 찬탈하고 태갑을 내쫓았다가, 7년 뒤 태갑이 비밀리에 돌아와 그를 죽였다고도 한다. 후세에 주공(周公), 제(齊)의 관중(管仲) 등과 함께 명신(名臣)으로 불렸으나, 전국시대에는 여러 가지 전설이 덧붙여져 변질되어 확실한 얘기는 알 수 없다. 다만 그에 관한 기록이 갑골문자(甲骨文字)에서도 보이므로 은나라와의 관계가 매우 오래되었음을 알 수 있다. 또 그는 비와 곡식의 풍흉(豊凶)을 꿰뚫어보는 힘이 있었으며, 왕에게 재앙을 내리거나

굳게 지킬 수 없어 양으로 변하므로, 영원하고 바르고 굳은 도가 될 수 있다. 천자가 아니면 예에 대해 의론하지 못하고 제도를 만들지 못하는데, 당시의 왕을 받들어 행하면서 예를 만드는 것은 바로 곤괘의 도에서 암말의 곧음이 땅을 걸어가는 상이고, 주공이 예악을 만듦에 '삼대의 예'를 얻어 천하의 이목을 하나로 만든 것이니, 이것이 바로 영원하고 바르고 굳은 도이다. 이것을 양으로 변했다고 하니, 영원히 곧을 수 있는 것이다.

群龍无首, 言不爲物先也. 不爲物先, 卽坤元順承天之意也. 順承乎天, 則德自然厚而能載物, 所謂坤厚載物, 德合无疆之意, 亦在其中. 是乃坤之亨也, 无首二字之中, 坤之元亨, 無所不包, 朱子曰, 利永貞, 卽乾之不言所利也. 必先利天下, 然後可以不言所利, 則單言貞, 而利貞之意, 亦無不包矣. 雖然, 无首二字, 非徒兼包元亨也, 牝馬之貞, 行地之象, 亦在其中. 蓋以自乾而變者, 坤之元亨利貞四德, 无所不足, 自坤而變者, 不足於乾之元亨. 如周公之制作, 亦乾之首出庶物, 萬國咸寧, 而尙在臣位, 亦非乘龍御天, 則豈非不足於元亨乎, 此亦乾全坤半之象也.

"여러 마리의 용이 머리가 없다"는 것은 사물에 앞섬이 되지 않는다는 말이다. 사물의 앞섬이 되지 않음이 바로 곤괘의 원이 하늘을 유순하게 받든다는 의미이다. 하늘을 유순하게 받들면 덕이 저절로 두터워져 사물을 실을 수 있으니, 이른바 곤괘의 두터움이 사물을 실음은 "덕이 끝이 없음에 합한다"[157]는 의미도 그 속에 있다. 이것이 바로 곤괘의 형통함이니, "머리가 없다"는 말 속에 곤괘의 크게 형통함이 포함하지 않는 것이 없다. 주자가 "'영원히 곧음에 이롭다'는 것은 바로 건괘에서 '이로운 것을 말하지 않는다는 것이다'[158]"[159]라 하였다. 그러니 반드시 천하를 먼저 이롭게 한 다음에 이로운 바를 말하지 않을 수 있는 것이라면, 곧음만 말해도 곧음이 이롭다는 의미가 또한 포함되지 않음이 없는 것이다. 비록 그렇지만 "머리가 없다"는 말은 크게 형통하다는 것을 단지 아울러 포함한 것이 아니라, 암말의 곧음과 땅을 걸어가는 상이 또한 그 곳에 있다. 건괘에서 변한 것은 곤괘의 원·형·리·정 네 가지 덕이 부족한 것이 없지만, 곤괘에서 변한 것은 건괘의 크게 형통하다는 것에 부족하다. 이를테면 주공이 예악을 만든 것은 또한 건괘의 "만물에 으뜸으로 나오니, 만국이 모두 평안하다"는 것이고, 여전히 신하의 자리에 있는 것은 또한 용을 타고 하늘을 다스리는 것이 아니니, 어찌 크게 형통한 것에 부족한 것이 아니겠는가? 이것도 건괘는 전체이고 곤괘는 반이라는 상이다.

병을 일으킬 수 있는 힘을 가지고 있었다고 한다. 탕왕과 함께 제사를 행하고 있는 점을 생각한다면 이미 은나라 때부터 은의 왕실과 관계가 깊은 신격(神格)이었을 것이다.

157) 『周易 · 坤卦』: 坤厚載物, 德合无疆.

158) 『周易 · 乾卦』: 乾始能以美利利天下, 不言所利, 大矣哉.

159) 『朱文公文集 · 答虞士朋』.

송시열(宋時烈) 『역설(易說)』

永貞, 乾之道也. 象曰, 以大終也, 大卽乾之大始也, 互看. 用九說見上.
영원하고 곧음은 건괘의 도이다. 「상전」에서 "끝을 성대하게 한 것이다"라 한 것에서 "성대하게 하다"는 건괘의 "크게 시작한다"는 것이니, 서로 참고해서 봐야 한다. 용구에 대한 설명은 앞에 있다.

이익(李瀷) 『역경질서(易經疾書)』

永貞者, 終大也, 據終而言.
영원하고 곧다는 것은 끝을 성대하게 하는 것이니, 끝에 근거해서 말하였다.

유정원(柳正源) 『역해참고(易解參攷)』

利永貞.
영원하고 곧게 하는 것이 이롭다.
案, 坤變爲乾, 故只言利貞, 而添一永字, 以別於他卦, 而永一字微有元亨意思.
내가 살펴보았다: 곤괘(坤卦☷)가 변하면 건괘(乾卦☰)가 되기 때문에 다만 "곧음이 이롭다"에 '오래도록[永]'이라는 하나의 글자를 첨가하여 다른 괘와 구별하였으니, '오래도록[永]'이라는 글자는 으뜸과 형통함의 뜻이 조금 있다.

傳小註厚齋說, 案, 啓蒙卦變例, 九變爲八而旡變爲六之例, 六變爲七而旡變爲九之例, 厚齋說恐失照管.
『정전』 소주(小註)에 후재풍씨가 말한 것을 내가 살펴보았다: 『역학계몽』 괘변의 예에 구가 변하여 팔이 되지만 육이 된다는 예는 없으며, 육이 변하여 칠이 되지만 구가 된다는 예는 없으니, 후재풍씨의 설명은 잘 살피지 못한 듯하다.

本義小註, 朱子說關捩. 〈案, 捩音麗, 當從木. 韻會, 琵琶撥曰棙. 又冶者, 鼓風板所安之木.〉
『본의』 소주(小註)에서 주자가 말하였다: '중요함[關捩]'. 〈내가 살펴보았다: '려[捩]'는 음(音)이 '려[麗]'이고 부수가 '목(木)'이다. 『고금운회』에서 비파를 타는 것을 '려[棙]'이라고 하였다. 또 '풀무[冶]'에서 바람을 일으키는 판을 고정시키는 나무이다.〉

김상악(金相岳) 『산천역설(山天易說)』

坤之用六, 猶乾之用九也. 陰數六爲老, 八爲少, 老變而少不變. 故不用八而用六. 利永貞, 卽乾之利貞也. 陰變爲陽, 所以以大終也. 故艮上九曰, 以厚終也.

곤괘의 용육은 건괘의 용구와 같다. 음의 수는 육이 노이고 팔이 소이니, 노는 변하고 소는 변하지 않는다. 그러므로 팔을 사용하지 않고 육을 사용한다. "영원하고 곧게 하는 것이 이롭다"는 건괘에서 곧음이 이롭다는 것이다. 음이 양으로 변하기 때문에 끝을 성대하게 한다. 그러므로 간괘(艮卦☶)의 상구에서 "마지막까지 도탑기 때문이다"160)라 하였다.

○ 四德之元, 爲始而屬乎陽, 貞爲終而屬乎陰. 故乾則曰乾元用九, 坤不曰坤元用六. 然終則有始而大, 故卦辭曰, 至哉坤元, 其義可推.

네 가지 덕에서 원은 시작이면서 양에 속하고, 정은 끝이면서 음에 속한다. 그러므로 건괘에서는 '건원의 용구'161)라 하였고, 곤괘에서는 '곤원의 용육'이라 하지 않았다. 그러나 끝나면 시작해서 커지므로 괘사에서 "지극하구나, 곤의 큼이여"162)라 했으니, 그 의미를 미룰 수 있다.

김귀주(金龜柱) 『주역차록(周易箚錄)』

傳, 坤之用六, 云云.

『정전』에서 말하였다: 곤괘의 용육은, 운운

小註厚齋馮氏曰, 乾極矣, 云云.

소주에서 후재풍씨가 말하였다: 건괘가 극도에 달하면, 운운

○ 此說不詞, 若如其說, 則是乾剛之極, 將變爲柔, 而反復用剛之道, 坤柔之極, 將變爲剛, 而反復用柔之道也. 其於用九用六之義, 相去遠矣.

여기의 설명은 말이 되지 않으니, 그 설명대로라면 건괘의 굳셈이 끝까지 가서 유순함으로 변할 것인데 반복해서 굳셈의 도를 사용한다는 것이고, 곤괘의 유순함이 끝까지 가서 굳셈이 될 것인데 반복해서 유순함의 도를 사용한다는 것이다. 이것은 용구와 용육의 의미에서 멀리 벗어났다.

本義, 用六言, 云云.

『본의』에서 말하였다: 용육은, 운운.

---

160) 『周易・艮卦』: 象曰, 敦艮之吉, 以厚終也.

161) 『周易・乾卦』: 乾元用九, 天下治也.

162) 『周易・坤卦』: 彖曰, 至哉, 坤元.

小註, 雲峯胡氏曰, 坤安貞, 云云.
소주에서 운봉호씨가 말하였다: 곤괘는 곧음에 편안한데, 운운.
○ 按, 坤之變, 固當爲乾. 然若說安貞變爲永貞, 則語意未安. 永者, 只是常久之意. 今謂健而不息, 則過矣. 若能健而不息, 則何謂不足於元亨乎.
내가 살펴보았다: 곤괘가 변하면 진실로 건괘가 되어야 한다. 그러나 곧음에 편안함이 영원하고 곧다는 것으로 변했다고 한다면, 말의 의미가 편하지 않다. '영원하다'는 항구하다는 의미일 뿐인데, 이제 강건하고 쉼이 없다고 말한다면 지나치다. 강건하고 쉼이 없다면 어떻게 크게 형통함에 부족하다고 하겠는가?

傳, 陰既貞固, 云云.
『정전』에서 말하였다: 음이 이미 곧음과 단단함이, 운운.
小註, 沙隨程氏曰, 乾以, 云云.
소주에서 사수정씨가 말하였다: 건괘는, 운운.
○ 按, 此以資始與大終對言, 徒涉附會而反失本旨.
내가 살펴보았다: 이 구절은 "그것을 의뢰하여 시작한다"는 것을 끝을 성대하게 한다는 것과 상대해서 말한 것인데, 단지 억지로 끌어대어 설명해서는 도리어 본래의 의미를 잃는다.

윤행임(尹行恁) 『신호수필(新湖隨筆) · 역(易)』

以用六利永貞之文勢推之, 利牝馬之貞, 朱子所釋, 恐長於程傳矣.
"용육은 영원하고 곧게 하는 것이 이롭다"는 문맥의 기세로 추리하면, "암말의 곧음이 이롭다"는 것은 주자가 해석한 것이 『정전』보다 뛰어난 것 같다.

서유신(徐有臣) 『역의의언(易義擬言)』

此坤之乾, 繇辭也. 陰數以六爲老, 坤之用六, 猶乾之用九也. 坤變之乾而牝馬之貞, 克終其事, 故曰永貞. 貞者, 事之幹也.
이 구절은 곤괘가 건괘로 변한 것이니 점사이다. 음수는 육이 노음이니, 곤괘의 용육은 건괘의 용구와 같다. 곤괘가 건괘로 변하여 암말의 곧음이 그 일을 마칠 수 있으므로 "영원하고 곧다"라 하였다. '곧다'는 일의 뼈대이다.

강엄(康儼) 『주역(周易)』

或曰, 本義云, 利永貞, 卽乾之利貞. 然則於乾只言利貞, 而於坤特加永字, 何也. 曰, 乾是純剛之卦, 只言利貞, 而常永之意, 已在貞字中矣. 坤是純陰之卦, 雖變而爲陽, 其陰柔之本體, 自在. 恐未足於常永, 故特言利永貞. 蓋以剛陽之德, 濟其陰柔之質, 則其貞也, 可得常久矣.

어떤 이가 물었다: 『본의』에서 "'영원하고 곧은 것이 이롭다'는 구절은 바로 건괘의 '곧음이 이롭다'는 것이다"라고 했습니다. 그렇다면 건괘에서는 곧음이 이롭다고 말하였을 뿐인데, 곤괘에서 특별히 영원하다는 말을 더한 것은 무엇 때문입니까?

답하였다: 건괘는 순수하고 굳센 괘이니, 단지 "곧음이 이롭다"고 말하였지만, 영원하다는 의미가 이미 곧다는 말 속에 들어 있습니다. 곤괘는 순수한 음의 괘이니, 변해서 양이 될지라도 음의 유순한 본체는 저절로 있습니다. 영원하다는 것이 흡족하지 않았기 때문에 영원하고 곧게 하는 것이 이롭다고 특별히 말한 듯합니다. 굳센 양의 덕으로 음의 유순한 자질을 다스리니, 그 곧음이 영원할 것입니다.

박문건(朴文健) 『주역연의(周易衍義)』

六爻純變, 故有永貞之象. 永, 長久也. 貞, 剛貞也. 坤道用六者, 貞也. 必永其貞而後, 可以至无疆也.

여섯 효가 순수하게 변했으므로 '영원하고 곧은' 상이 있다. '영원하다'는 장구하다는 것이다. '곧다'는 굳세고 곧다는 것이다. 곤도의 용육은 곧음이다. 반드시 그 곧음을 영원히 한 다음에 끝없음에 도달할 수 있다.

이지연(李止淵) 『주역차의(周易箚疑)』

六爲老陰之數, 陰爻之用六, 欲其變而以陽終也. 德合无疆, 无疆卽其永也. 朱子曰, 利貞, 卽乾之利貞, 自坤而變, 故不足於元亨. 朱子此等說, 眞可謂發前聖未發者乎.

육은 노음의 수이니, 음효의 용육은 변하여 양으로 끝나고자 하는 것이다. 덕이 '끝이 없음'에 합하니, '끝이 없음'이 곧 영원함이다. 주자는 "곧음이 이롭다는 것은 바로 건괘의 곧음이 이롭다는 것이다. 곤괘에서 변했으므로 크게 형통하는 데는 부족하다"라 하였다. 주자의 이런 말은 진실로 앞선 성인들이 밝히지 않았던 것을 밝혔다고 할 수 있을 것이다.

김기례(金箕澧) 「역요선의강목(易要選義綱目)」

指六爻皆變, 卽坤之乾. 利永貞, 卽乾彖辭, 保合大和, 乃利貞之意.

여섯 효가 모두 변하는 것 곧 곤괘가 건괘로 변하는 것을 가리킨다. "영원하고 곧게 하는 것이 이롭다"는 "큰 조화를 보전하고 합한다"는 건괘 「단전」의 말이니, 바로 곧음이 이롭다는 의미이다.

심대윤(沈大允) 『주역상의점법(周易象義占法)』

坤之乾☰, 能健而不怠, 永終其利, 而保其性. 故曰利永貞. 永貞坎坤之德也.
곤괘가 건괘(乾卦☰)로 바뀌었으니, 굳건하고 게으르지 않을 수 있어 그 이로움을 영원히 다하고 그 본성을 보존한다. 그러므로 "영원하고 곧게 하는 것이 이롭다"라 하였으니, 영원하고 곧은 것이 감과 곤괘의 덕이다.

심대윤(沈大允) 『주역상의점법(周易象義占法)』

坤之乾☰, 柔承剛之道也. 坎爲永, 坤爲貞, 永貞者, 從一而終也. 用九遍取諸卦之象, 而用六獨取坎象者, 何也. 乾統坤, 而坤不得統乾也. 坤交於乾, 而受乾之氣以生形, 故取坎象. 坎爲形之初, 而有胎孕之象. 坤以成乾之利, 故言利, 不言吉也. 用九含坤之義, 與坤相連, 而坤則上六含屯之義, 用六无之可見, 用九之爲政, 而用六之不自用也.
곤괘가 건괘(乾卦☰)로 바뀌었으니, 유순함이 굳셈을 계승하는 도이다. 감괘(坎卦☵)는 영원함이고 곤괘(坤卦☷)는 곧음이니, 영원하고 곧다는 것은 하나를 따라 끝내는 것이다. 용구는 여러 괘의 상을 두루 취하나, 용육은 감괘(坎卦☵)의 상만 취하는 것은 무엇 때문인가? 건괘는 곤괘를 통괄하지만, 곤괘는 건괘를 통괄할 수 없다. 곤괘가 건괘와 사귀지만 건괘의 기운을 받아 형체를 만들므로 감괘(坎卦☵)의 상을 취하였다. 감괘(坎卦☵)는 형체의 처음이어서 잉태의 상이 있다. 곤괘는 건괘의 이로움을 완성하므로 이로움을 말하고 길함을 말하지 않았다. 용구는 곤괘의 의미를 함축하여 곤괘와 서로 이어지나, 곤괘(坤卦䷁)는 상육이 준괘(屯卦䷂)의 의미를 함축하여 용육이 드러나지 않으니, 용구는 주관하지만 용육은 스스로 행하지 못하기 때문이다.

오치기(吳致箕) 「주역경전증해(周易經傳增解)」

此卽坤卦六陰皆變之占辭也. 以數象言, 則六者, 偶數也. 偶方而靜, 匪如乾九奇數之圓而動. 故戒以利於永貞, 而貞卽牝馬之貞也. 乾坤有動靜之異德行之殊, 故其辭如此. 乾坤二卦, 特言六爻俱變之占者, 以其純陽純陰之體, 異於他卦而亦爲六十四卦之首, 故兼以明陽用九陰用六之義也. 이 구절은 곧 곤괘의 여섯 음이 모두 변했다는 점사이다. 수(數)와 상(象)으로 말하면, 육은 우수이다. 우수는 모나고 고요해서 건괘의 구가 기수

로서 둥글고 움직이는 것과 같지 않다. 그러므로 영원하고 곧게 하는 것이 이롭다로 경계하였는데, 곧음은 암말의 곧음이다. 건괘와 곤괘는 동정의 다름과 덕행의 차이가 있으므로 그 말이 이와 같다. 건괘와 곤괘 두 괘에서 특별히 여섯 효가 모두 변하는 점(占)을 말했으니, 순수한 양과 순수한 음의 몸체는 다른 괘와 다르고 또 육십사괘의 머리가 되기 때문에 양의 용구와 음의 용육의 의미를 아울러서 밝힌 것이다.

이진상(李震相) 『역학관규(易學管窺)』

陽變爲陰, 則申之以旡首之戒, 陰變爲陽, 則美之以大終之利, 亦君子尊陽之意也.
양이 음으로 변하면, 우두머리가 없다는 경계를 거듭하였고, 음이 양으로 변하면 끝을 성대하게 한다는 이로움으로 좋게 보았으니, 또한 군자가 양을 높인다는 의미이다.

○ 小註, 厚齋說.
소주 후재의 설명에 대하여.
九變則爲八, 六變則爲七, 而今曰九將爲六, 六將爲九, 似欠照管.
구가 변하면 팔이 되고, 육이 변하면 칠이 되는데, 이제 "구가 육이 되고 육이 구가 된다"라 하니, 서로 들어맞지 않는 것 같다.

박문호(朴文鎬) 「경설(經說)·주역(周易)」

程子旣云, 不能永終, 又云, 能大於終, 於此甚覺費力. 必如本義之以坤變爲乾釋之, 然後其義方始了然矣.
정자가 이미 "영원할 수 없고 끝마칠 수 없다"라 하면서 또 "끝을 성대하게 할 수 있다"라 한 것은 여기에서 힘쓰는 것을 깊이 깨달았던 것이다. 그러나 반드시 『본의』에서 곤괘가 건으로 변한 것으로 해석한 것과 같이 한 다음에 그 의미가 비로소 분명하게 될 것이다.

象曰, 用六永貞, 以大終也.

「상전」에서 말했다: "용육이 영원하고 곧음"은 끝을 성대하게 한 것이다.

中國大全

傳

陰旣貞固不足, 則不能永終. 故用六之道, 利在盛大於終. 能大於終, 乃永貞也.

음이 이미 곧음과 단단함이 부족하면 영원할 수 없고 끝마칠 수 없다. 그러므로 육을 사용하는 방법은 이로움이 끝을 성대하게 하는 데 있다. 끝을 성대하게 할 수 있어야 영원하고 곧은 것이다.

小註

沙隨程氏曰, 乾以元爲本, 所以資始, 坤以貞爲主, 所以大終也.
사수정씨가 말하였다: 건괘는 원(元)을 근본으로 하기 때문에 그것을 의뢰하여 시작하고, 곤괘는 곧음을 근본으로 하기 때문에 끝을 성대하게 한다.

本義

初陰後陽, 故曰大終.

처음에는 음이고 나중에는 양이므로 "끝을 성대하게 한 것이다"라 하였다.

小註

朱子曰, 陽爲大, 陰爲小, 如大過小過之類, 皆是以陰陽而言. 六爻皆陰, 其始本小到, 此陰皆變爲陽矣, 所謂以大終也. 言始小而終大.
주자가 말하였다: 양이 크고 음이 작은 것은 대과괘 · 소과괘 따위와 같으니, 모두 음과 양을

가지고 말한 것이다. 여섯 효가 모두 음이면 그 시작이 작음을 근본으로 하지만 이것은 음이 모두 변해서 양이 되었으니, 이른바 끝을 성대하게 했다는 것이다. 시작은 작지만 끝이 성대하다는 말이다.

○ 雲峯胡氏曰, 旣提出陰陽二字於乾坤初爻, 至此曰, 以大終也. 於以見陰爲小, 陽爲大, 陰陽之大分明矣.
운봉호씨가 말하였다: 이미 음과 양 두 글자를 건괘와 곤괘의 초효에서 제시했고, 여기에 와서 "끝을 성대하게 한다"고 말했으니, 음을 본 것을 작은 것이라고 하고 양을 본 것을 성대하다고 한 것에서 음과 양을 크게 구분함이 분명하다.

韓國大全

유정원(柳正源) 『역해참고(易解參攷)』

以大終.
끝을 성대하게 한 것이다.

梁山來氏曰, 此美其善變也. 陽大陰小, 大者, 陽明之公, 君子之道也, 小者, 陰濁之私, 小人之道也. 今始陰濁而終陽明, 始小人而終君子, 何大如之, 故曰以大終也.
양산래씨가 말하였다: 이것은 그것이 잘 변한 것을 찬미한 것이다. 양(陽)은 크고 음(陰)은 작다. 큰 것은 양(陽)이 공정하게 밝은 것으로 군자의 도이고, 작은 것은 음(陰)이 사사롭게 탁한 것으로 소인의 도이다. 지금 시작은 음으로 탁하지만 끝은 양으로 밝을 것이고, 시작은 소인이지만 끝은 군자일 것이니, 어떤 큰 것이 이와 같겠는가? 그러므로 "끝을 성대하게 한 것이다"라고 하였다.

김상악(金相岳) 『산천역설(山天易說)』

大終, 則盛於終, 而不至於窮也.
끝을 성대하게 한다는 것은 끝에서 성대하지만 다함에 이르지 않는 것이다.

서유신(徐有臣) 『역의의언(易義擬言)』

雖陰之小積, 至於坤, 則亦大矣. 六陰俱動, 故曰以大終也.
음이 작게 쌓일지라도 쌓임이 곤괘에 이르면 또한 크다. 여섯 음이 모두 움직이므로 "끝을 성대하게 한 것이다"라 했다.

박문건(朴文健) 『주역연의(周易衍義)』

始柔終剛, 故曰大終. 大終者, 彊大於終也.
시작은 유순하지만 끝은 굳세므로 "끝을 성대하게 한 것이다"라 하였다. 끝을 성대하게 하는 것은 끝을 굳세고 성대하게 하는 것이다.

김기례(金箕澧) 「역요선의강목(易要選義綱目)」

以大終.
끝을 성대하게 한다.

易中以陰爲小, 以陽爲大, 言坤陰始小, 而盡變則大.
『주역』에서 음을 작은 것으로 양을 큰 것으로 여기는 것이니, 곤괘의 음이 시작은 작지만 변화를 다하면 크다는 말이다.

심대윤(沈大允) 『주역상의점법(周易象義占法)』

大終者, 對大始而言, 坎爲大, 坤爲終.
"끝을 성대하게 한다"는 것은 '큰 시작'[163]과 상대해서 말한 것이다. 감괘(坎卦☵)는 성대하게 하는 것이고, 곤괘(坤卦☷)는 끝이다.

오치기(吳致箕) 「주역경전증해(周易經傳增解)」

陰小陽大, 而陰變爲陽, 故言始以小, 而終以大也.
음은 작고 양은 큰데 음이 양으로 변하므로 작게 시작해서 크게 마친다고 하였다.

163) 『周易 · 乾卦』: 乾知大始, 坤作成物.

이병헌(李炳憲) 『역경금문고통론(易經今文考通論)』

乾之坤, 爲用九, 坤之乾, 爲用六. 于曰, 乾之初二三四五爻, 自復臨泰大壯夬而來, 反復爲乾. 坤之初二三四五爻, 自姤遯否觀剝而來, 反復爲坤. 此蓋孟京以來, 十二月卦消息之論, 而卦中往來之最著者也.

건괘가 곤괘로 변하는 것은 용구이고, 곤괘가 건괘로 변하는 것은 용육이다. 건괘의 초효·이효·삼효·사효·오효는 복괘(復卦䷗)·림괘(臨卦䷒)·태괘(泰卦䷊)·대장괘(大壯卦䷡)·쾌괘(夬卦䷪)에서 와서 반복하면서 건괘(乾卦䷀)가 된 것이다. 건괘의 초효·이효·삼효·사효·오효는 구괘(姤卦䷫)·돈괘(䷠遯卦䷠)·비괘(否卦䷋)·관괘(觀卦䷓)·박괘(剝卦䷖)에서 와서 반복하면서 곤괘(坤卦䷁)가 된 것이다. 이것은 모두 맹희와 경방 이후로 열두 달의 괘가 사라지고 자라나는 이론인데, 괘중에서 왕래가 가장 잘 드러나는 것들이다.

文言曰, 坤至柔而動也剛, 至靜而德方.

「문언전」에서 말하였다: 곤이 지극히 유순하지만 움직임이 굳세고, 지극히 고요하지만 덕이 방정하다.

中國大全

本義

剛方釋牝馬之貞也. 方謂生物有常.

'굳세다'는 말과 '방정하다'는 말은 암말의 곧음을 해석한 것이다. 방정하다는 것은 사물을 낳음에 상도가 있음을 이른다.

小註

朱子曰, 坤至柔, 而動也剛, 坤只是承天, 如一氣之施, 坤則盡能發生承載, 非剛安能如此. 又曰, 乾行健固是有力, 坤雖柔順, 亦是決然恁地順, 不是柔弱放倒了. 所以聖人說坤至柔, 而動也剛.

주자가 말하였다: "곤이 지극히 유순하지만 움직임이 굳셈"은 곤은 오직 하늘을 받드는 것일 뿐이니, 이를테면 하나의 기운을 베풂에 곤이 모두 발생시키고 받들어 실어주는 것이다. 굳세지 않다면 어떻게 이와 같을 수 있겠는가?

또 말하였다: 건의 운행이 강건하고 견고하여 힘이 있는 것이니, 곤이 유순할지라도 확고하게 그처럼 유순한 것이지 유약하게 포기하는 것이 아니다. 그래서 성인은 곤이 지극히 유순하지만 움직임이 굳세다고 말했다.

○ 建安丘氏曰, 坤體本至柔, 及其生物發動處, 柔中未嘗无剛也, 本至靜而大德曰生. 賦形一定不易, 於此可見其德之方也.

건안구씨가 말하였다: 곤이라는 몸체는 본래 지극히 유순하지만 사물을 낳아 발동하는 데 이르면 유순한 가운데 굳세지 않은 적이 없고, 본래 지극히 고요하면서 큰 덕을 '낳는다'[164] 고 한다. 부여받은 형체가 한 번 정해지면 바뀌지 않으니, 여기에서 그 덕의 방정함을 알

수 있다.
○ 西溪李氏曰, 聖人恐剛字害坤之體, 故曰動也剛. 動其發用處.
서계이씨가 말하였다: 성인은 굳세다는 말이 곤의 몸에 방해될까 염려하였으므로 "움직임이 굳세다"라고 하였다. 움직임은 곤이 드러나서 사용되는 것이다.

○ 臨川吳氏曰, 乾之爲德, 不徒剛健而能中正, 故爲乾元之大. 坤之爲德, 不徒柔靜而能剛方, 故爲坤元之至.
임천오씨가 말하였다: 건의 덕은 굳세고 강건할 뿐만 아니라 중정할 수 있기 때문에 건원의 큼이 되고, 곤의 덕은 유순하고 고요할 뿐만 아니라 굳세고 방정할 수 있기 때문에 곤원의 지극함이 된다.

韓國大全

김귀주(金龜柱) 『주역차록(周易箚錄)』

本義, 剛方釋牝馬, 云云.
『본의』에서 말하였다: 굳세다는 말과 방정하다는 말은 암말의 곧음을 해석한 것이다, 운운.
小註, 西溪李氏曰, 聖人, 云云.
소주에서 서계이씨가 말하였다: 성인은, 운운
○ 按, 只曰動也剛, 猶未必不害坤體. 惟其曰至柔而動也剛, 故不害坤體矣. 李說未盡.
내가 살펴보았다: "움직임이 굳세다"라고만 해서는 오히려 곤의 몸체를 결코 해치지 않는 것은 아니다. 오직 "지극히 유순하지만 그 움직임은 굳건하다"라 했기 때문에 곤의 몸체를 해치지 않은 것이다. 이씨의 설명은 미진하다.

서유신(徐有臣) 『역의의언(易義擬言)』

坤, 至柔而動也剛, 至靜而德方.
곤은 지극히 유순하지만 움직임이 굳세고, 지극히 고요하지만 덕이 방정하다.

164) 『周易·繫辭傳』: 天地之大德, 曰生.

也當作地, 又當在剛下. 至柔而動剛, 陰道也. 至靜而德方, 地道也. 至柔而動剛, 故元亨利貞矣. 至靜而德方, 故元亨利貞矣.
'동야강(動也剛)'에서 '야(也)'자는 '지(地)'으로 되어야 하고 또 '강(剛)'의 아래에 있어야 한다. 지극히 유순하지만 움직임이 굳센 것은 음의 도이다. 지극히 고요하지만 덕이 방정한 것은 땅의 도이다. 지극히 유순하지만 움직임이 굳세기 때문에 원 · 형 · 리 · 정이다. 지극히 고요하지만 덕이 방정하기 때문에 원 · 형 · 리 · 정이다.

박문건(朴文健) 『주역연의(周易衍義)』

至柔, 坤之体也, 而其動則必剛. 至靜, 坤之性也, 而其德則必方. 此明牝馬貞之義也.
지극히 유순함은 곤의 몸체이나 그 움직임은 반드시 굳세다. 지극히 고요함은 곤의 본성이나 그 덕은 반드시 방정하다. 이 구절에서는 암말이 곧다는 의미를 밝혔다.
〈問, 德. 曰, 德, 用上說也.
물었다: 덕이란 무엇입니까?
답하였다: 덕은 작용으로 설명한 것입니다.〉

이지연(李止淵) 『주역차의(周易箚疑)』

旣曰動也剛, 則其非性體之剛可知. 自初爻動而至於上六, 以柔始者, 以柔終, 故體雖柔, 而動則剛也.
이미 "움직임이 굳세다"라고 말했다면, 그것은 본성과 몸체의 굳셈이 아님을 알 수 있다. 초효가 움직이는 것에서 상육에 이르기까지 유순함으로 시작한 것은 유순함으로 끝나기 때문에 몸체가 유순하지만 움직임은 굳세다.

김기례(金箕澧) 「역요선의강목(易要選義綱目)」165)

坤至柔而動也剛.
곤괘는 지극히 유순하지만 움직임이 굳세다.

陰變則爲陽, 言承天而發生者, 蓋柔中有剛.
음이 변하면 양이 된다는 것은 하늘을 계승해서 만물을 생겨나게 한다는 말이니, 유순함 가운데 굳셈이 있다는 것이다.

---

165) 경학자료집성DB에서는 곤괘 용육(用六)에 해당하는 것으로 분류했으나, 내용에 따라 이 자리로 옮겼다.

심대윤(沈大允) 『주역상의점법(周易象義占法)』

動乎乾, 故曰剛, 有守而不轉動, 故曰方.
건에서 움직이므로 '굳세다'고 하고, 지킴이 있고 움직이지 않으므로 '방정하다'고 한다.

박문호(朴文鎬) 「경설(經說)·주역(周易)」

天動地靜. 而此云動也剛, 以其氣之發用而言也, 非謂地體眞有動, 如今世地轉之說也.
하늘은 움직이고 땅은 고요하다. 그런데 여기에서 움직임이 굳세다고 한 것은 기의 발용으로 말한 것이지, 요즘 세상의 지동설처럼 참으로 땅의 몸체가 움직인다는 말이 아니다.

後得, 主而有常,

뒤에 하면 얻어서 이로움을 주장하여 상도가 있고,

中國大全

本義

程傳曰, 主下當有利字

『정전』에서 말하였다: 주장한다는 말 아래에 이로움이라는 말이 있어야 한다.

小註

臨川吳氏曰, 彖傳言, 後順得常. 此言後得主利, 是爲坤道之常也.
임천오씨가 말하였다: 「단전」에서 “뒤에 하면 유순하여 상도를 얻는다”[166]라고 하였다. 이 구절은 “뒤에 하면 얻어서 이로움을 주로 한다”는 것이 곤도(坤道)의 일상이 된다는 말이다.

○ 進齋徐氏曰, 後得, 主利而有常, 是再釋利貞之義, 謂處後順乾, 則得其道而主利, 可以常久也.
진재서씨가 말하였다: 뒤에 하면 얻어서 이로움을 주장하여 상도가 있다는 것은 곧음이 이롭다는 의미를 다시 해석한 것이니, 뒤에 있으면서 건에 순응하면 그 도를 얻어 이로움을 주장함이 영원할 수 있다는 말이다.

166) 『周易 · 坤卦』: 彖曰, 至哉坤元. …. 先迷失道, 後順得常, 西南得朋.

▌韓國大全▐

유정원(柳正源) 『역해참고(易解參攷)』

後得 [至] 有常.
뒤에 얻으니, … 상도가 있다.
正義, 後得主而有常者, 陰主卑退, 若在事之後, 不爲物先, 卽得主也. 此陰之恒理, 故云有常.
『주역정의』에서 말하였다: "뒤에 주인을 얻어 상도가 있다"는 것은 음(陰)은 낮추고 물러남을 위주로 하니, 만약 일의 뒤에 있어서 남보다 앞서지 않으면, 바로 주인을 얻는 것이다. 이것이 음(陰)의 항상적인 이치이기 때문에 "상도가 있다"고 하였다.

○ 息齋余氏曰, 程子以主利爲一句, 朱子因之, 遂以文言後得主爲闕文. 然彖傳後順得常, 與後得主而有常, 意正一律, 似未見其爲闕文也.
식재서씨가 말하였다: 정자는 "이로움을 주장한다[主利]"를 하나의 구절로 여겼고, 주자가 이를 따라 마침내 「문언전」의 "뒤에 얻어 주장한다"가 궐문이 된다고 여겼다. 그러나 「단전」의 "뒤에 하면 유순하여 상도를 얻는다"[167]와 "뒤에 하면 주장하여 상도가 있다"는 뜻이 바로 한결같으니, 그것이 궐문이 된다는 것을 알지 못하겠다.

○ 梁山來氏曰, 後乎乾, 則得乾爲主, 乃坤道之常也.
양산래씨가 말하였다: 건(乾)보다 뒤에 하여 건을 주인으로 얻는 것이 곤도(坤道)의 상도이다.

김귀주(金龜柱) 『주역차록(周易箚錄)』

本義, 程傳曰, 云云.
『본의』에서 말하였다: 『정전』에서 말하였다, 운운.
小註, 進齋徐氏曰, 後得, 云云.
소주에서 진재서씨가 말하였다: 뒤에 하면 얻어서, 운운.
○ 按, 後得主利, 蓋釋利之義. 有常字, 亦只是慿地說, 不必更言再釋利貞也.

167) 『周易 · 坤卦』: 彖曰, 先迷失道, 後順得常.

내가 살펴보았다: "뒤에 하면 얻어서 이로움을 주장한다"는 것은 이로움의 의미를 해석한 것이다. "상도가 있다"는 말도 이처럼 설명해야 할 뿐이니, "곧음이 이롭다"는 의미를 거듭 풀이하였다고 굳이 다시 말할 필요는 없다.

박문건(朴文健) 『주역연의(周易衍義)』

主字疑衍. 先而失道, 後而得則, 故有常. 此明利義也. 或曰, 主配, 主謂乾也.
'주장하다[主]'는 연문인 것 같다. 먼저 함에 도를 잃고 뒤에 함에 법칙을 얻으므로 상도가 있다. 이는 이로움의 의미를 밝힌 것이다. 어떤 이가 "'주(主)'는 짝이니, '주(主)'는 건을 말한다"[168]라 하였다.
〈問, 後得有常. 曰, 始爲陰昏, 故失道, 終爲陽明, 故得則. 得則乃有常也, 所以爲利也.
물었다: "뒤에 하면 얻어서 상도가 있다"는 무슨 뜻입니까?
답하였다: 처음에는 음이 혼미하기 때문에 도를 잃지만, 마침내 양의 밝음이 되기 때문에 법칙을 얻습니다. 법칙을 얻으면 상도가 있기 때문에 이롭습니다.〉

〈○ 問, 或說如何. 曰, 若依或說, 則卦辭之義, 亦粗通. 然文法, 則有所未盡善也.
물었다: 어떤 이의 설명이 어떻습니까?
답하였다: 어떤 이의 설명대로라면 괘사의 의미가 대략 통하지만, 문법으로 보면 그다지 좋지는 않습니다.〉

이진상(李震相) 『역학관규(易學管窺)』

參攷引來氏說曰, 後乎乾則得乾爲主, 乃坤道之常也. 如是則不用利字.
참고로 래씨의 설을 인용하면, "건보다 뒤로 하는 것은 건을 얻어 주인으로 삼는 것이니, 바로 곤도의 상도이다"[169]라 하였다. 이와 같이 하면 이롭다는 글자는 필요 없다.

---

168) 『用易詳解 · 坤卦』: 坤元亨, 利牝馬之貞, 君子有攸往, 先迷, 後得, 主利. 西南, 得朋, 東北, 喪朋, 安貞, 吉. 구절의 주, 坤, 乾之配也. 乾具四德, 坤亦具四德. 然其所利者, 在牝馬之貞而已, 非全體也. 乾爲馬, 坤爲牝, 牝取其順, 且配乾而言之也. 坤之道, 靜而止, 是豈可有所往哉. 君子于此, 欲有所往, 則可後而不可先, 先則迷而失道, 後則順而得主. 主謂乾也. 坤以乾爲主. 坤從乾後, 則爲得主, 此其所以爲利也.
169) 『周易集注 · 坤卦』: 後得主而有常者, 後乎幹則得幹爲主, 乃坤道之常也.

含萬物而化光.

만물을 포용하여 화육의 공이 빛난다.

中國大全

本義

復明亨義

다시 형통함의 의미를 밝혔다.

小註

臨川吳氏曰, 彖傳言, 含弘光大. 此言靜翕之時, 含萬物生意於中, 動闢, 則化生萬物而光輝.

임천오씨가 말하였다: 「단전」에서 "포용하고 너그러우며 빛나고 위대하다"[170]라고 하였다. 이 구절은 고요히 닫혀 있을 때는 속에 만물을 낳으려는 뜻을 품고 있고, 움직여서 열리면 만물을 낳아 길러 빛낸다는 말이다.

170) 『周易 · 坤卦』: 彖曰, 至哉坤元. …. 含弘光大, 品物咸亨.

韓國大全

김귀주(金龜柱) 『주역차록(周易箚錄)』

本義, 復明亨義.
『본의』에서 말하였다: 형통함의 의미를 다시 밝혔다.

小註, 臨川吳氏曰, 彖傳, 云云.
소주에서 임천오씨가 말하였다: 「단전」에서, 운운.

○ 按, 含萬物而化光, 只是含容萬類, 功化光大之意. 程傳, 已言之矣, 不必分靜翕動闢說.
살펴보았다: "만물을 포용하여 화육의 공이 빛난다"는 것은 만물을 받아들여 공업과 기름이 빛나고 크다는 의미일 뿐이다. 『정전』에서 이미 말했으니, 굳이 고요해서 닫히고 움직여서 열린다고 양분해 설명할 필요는 없다.

서유신(徐有臣) 『역의의언(易義擬言)』

後得, 主而有常, 申至柔而動剛也. 含萬物而化光, 申至靜而德方也. 此如乾文言第五節申第一節也. 陰從陽而得主乃其常也.
"뒤에 하면 얻어서 이로움을 주장하여 상도가 있다"는 말은 "지극히 유순하지만 움직임이 굳세다"는 말을 거듭한 것이다. "만물을 포용하여 화육의 공이 빛난다"는 말은 지극히 고요하지만 덕이 방정하다는 말을 거듭한 것이다. 이 구절은 건괘의 「문언전」 5절에서 1절을 거듭한 것과 같다. 음이 양을 따라 이로움을 주장하는 것이 바로 상도이다.

박문건(朴文健) 『주역연의(周易衍義)』
含, 坤之德也, 化, 坤之功也. 此明亨義也.
포용은 곤의 덕이고, 화육의 공은 곤의 공이다. 여기에서는 형통함의 의미를 밝혔다.

坤道其順乎. 承天而時行.

곤도(坤道)는 유순하도다! 하늘을 받들어 때에 맞추어 행한다.

中國大全

傳

坤道至柔, 而其動則剛, 坤體至靜, 而其德則方. 動剛故應乾不違, 德方故生物有常. 陰之道待唱而和, 故居後爲得. 而主利成萬物, 坤之常也. 含容萬類, 其功化光大也. 主字下脫利字. 坤道其順乎, 承天而時行, 承天之施, 行不違時, 贊坤道之順也.

곤의 도는 지극히 유순하지만 그 움직임은 강건하고, 곤의 체는 지극히 고요하지만 그 덕은 방정하다. 움직임이 강건하므로 건과 상응하여 어기지 않고, 덕이 방정하므로 사물을 낳은 것이 항상적이다. 음의 도는 선창하는 것을 기다려서 화답하기 때문에 뒤에 있는 것이 얻음이 되어 만물을 이롭게 이룸을 주장하니 곤의 상도이고, 온갖 것들을 받아들이니 그 공업과 교화가 빛나고 크다. '주(主)'자 아래 '이(利)'자가 빠졌다. "곤의 도는 유순하도다! 하늘을 받들어 때에 맞추어 행한다"는 말은 하늘의 베풂을 받들어 행함이 때에 어긋나지 않는다는 것이니, 곤도가 유순함을 찬미한 것이다.

小註

或問, 程傳云, 坤道至柔, 而動則剛, 坤體至靜, 而德則方. 柔與剛相反, 靜與方疑相似. 朱子曰, 靜无形, 方有體. 方謂生物有常, 言其得方正一定, 確然不易, 而生物有常也. 靜言其體, 則不可得見, 方言其德, 則是其著也.

어떤 이가 물었다: 『정전』에서 "곤의 도는 지극히 유순하지만 그 움직임은 강건하고, 곤의 체는 지극히 고요하지만 그 덕은 방정하다"라고 했습니다. 그런데 유순함과 강건함은 상반되지만, 고요함과 방정함은 서로 비슷한 것 같습니다.

주자가 답하였다: 고요함은 형체가 없고 방정함은 형체가 있습니다. 방정함은 사물을 낳는 것이 항상적이라는 것이니, 곤이 방정할 수 있는 것이 일정하고 확실한 것이 바뀌지 않아

사물을 낳는 것이 항상적이라는 말입니다. 고요함은 그 본체를 말하니 볼 수 없고, 방정함은 그 덕을 말하니 드러나는 것입니다.

本義

復明順承天之義.

유순하게 하늘을 받든다는 의미를 다시 밝혔다.

○ 此以上, 申彖傳之意.

이 구절 이상은 단전의 의미를 거듭 밝힌 것이다.

小註

臨川吳氏曰, 彖言乃順承天. 此言坤道之順, 承天之健, 而隨天之時以行, 彖與文言互相發.

임천오씨가 말하였다: 「단전」에서 "유순하게 하늘을 받든다"라고 했다. 이것은 곤의 도의 유순함이 하늘의 강건함을 받들고 하늘의 때에 따라 행한다는 말이니, 「단전」과 「문언전」이 서로 밝혀주는 것이다.

○ 隆山李氏曰, 坤道无成, 而代有終, 不可先乾而起, 亦不可後乾而不應, 一以柔順爲正, 承天之時而作成物, 以終其功則得矣. 故曰坤道其順乎承天而時行. 此總言純坤之大體以爲體, 坤元之用者, 當後天而不可先天也.

융산이씨가 말하였다: 곤도는 완성하는 것이 없지만 대신 끝맺음은 있으니, 건에 앞서 일어나서는 안 되고, 건을 뒤로 해서 상응하지 않아서도 안 되며, 한결같이 유순으로 바름을 삼아 하늘의 때를 받들고 사물을 완성하여 그 일을 끝맺으면 된다. 그러므로 "곤의 도는 유순하도다! 하늘을 받들어 때에 맞추어 행한다"라고 했다. 이것은 순수한 곤의 대체를 총괄하여 말하였으니, 곤원(坤元)의 작용을 체득한 자는 하늘의 뒤에 있어야 하고 하늘을 앞서서는 안 된다고 여긴 것이다.

○ 中溪張氏曰, 陰陽寒暑, 生殺榮悴, 一出於天, 而地但聽命焉, 方其煖然爲春, 地亦與之爲春也, 及其凄然爲秋, 地亦與之爲秋也. 坤道其順乎, 亦惟上承天施, 而與時偕行爾.
중계장씨가 말하였다: 음양·한서·생사·흥망은 한결같이 하늘에서 나오고, 땅은 단지 명령을 따를 뿐이니, 따뜻하게 봄이 되면 땅도 함께 봄이 되고, 싸늘하게 가을이 되면 땅도 함께 가을이 된다. '곤도는 유순하도다'라는 것도 오직 위로 하늘의 베풂을 받들어 때에 맞추어 함께 행하는 것일 뿐이다.

○ 雲峯胡氏曰, 乾文言釋元亨利貞, 自元而亨, 亨而利, 利而貞, 乾以君之所主, 在元也. 坤文言則首釋牝馬之貞, 自貞而利, 利而亨, 亨而元, 坤以藏之所主, 在貞也.
운봉호씨가 말하였다: 건괘 「문언전」에서 원·형·리·정을 해석하였으니, 원으로부터 형이 되고 형으로부터 리가 되고 리로부터 정이 되니, 건은 군주가 주관하는 것이 원에 달려있기 때문이다. 곤괘 「문언전」에서 먼저 암말의 곧음을 해석하였으니, 곧음[정]으로부터 리가 되고 리로부터 형이 되며, 형으로부터 원이 되니, 곤은 드러내지 않음을 주로 하는 것이 곧음에 달려있기 때문이다.

韓國大全

김상악(金相岳) 『산천역설(山天易說)』

柔靜剛方, 釋牝馬之貞. 後得主而有常者, 利也. 含萬物而化光者, 亨也, 坤道承天而時行者, 元也. 先貞利, 次亨元, 所以坤之所主在貞也.
"유순하고 고요하며 굳세고 방정하다"는 것은 '암말의 바름'을 해석하였다. "뒤에 하면 얻어서 이로움을 주장하여 상도가 있다"는 것은 '리(利)이고, "만물을 머금어 화육의 공이 빛난다"는 것은 형(亨)이며, 곤의 도가 하늘을 받들어 때에 맞추어 행하는 것은 원(元)이다. 정(貞)과 리(利)를 앞세우고 형(亨)과 원(元)으로 이었으니, 곤이 근본으로 하는 것은 정(貞)에 있기 때문이다.

○ 程子曰, 坤不可言剛, 剛則害坤體. 然至柔而動也剛, 則體柔而用剛也. 又曰, 至靜而德方, 方便是剛也. 此以上申象傳之意.
정자는 "곤괘에서 강건함을 말할 수 없었던 것은 강건하면 곤의 몸체를 해치기 때문이다.

그러나 곤은 지극히 유순하지만 움직임이 강건하다"라 했으니, 몸체는 부드럽지만 작용은 강하다. 또 "지극히 고요하지만 덕은 방정하다"라 했으니, 방정함이 바로 굳셈이다. 이 글의 위는 「단전」의 의미를 거듭한 것이다.

김귀주(金龜柱) 『주역차록(周易箚錄)』

本義,171) 此以上申彖傳, 云云.
『본의』에서 말하였다: 이 구절 이상은 단전의 의미를 거듭하여, 운운.
○ 按, 彖傳及文言皆說四德. 而彖傳自元起來順說至貞, 文言自貞起來逆說至元, 此爲不同耳. 蓋坤之四德, 以其承天之運行言, 則元當爲先, 而以其主靜之本體言, 則貞又當爲先. 朱子嘗曰乾之利貞, 是陽中之陰, 坤之元亨, 是陰中之陽. 乾後三畫是陰, 坤後三畫是陽, 其說本於此矣.
내가 살펴보았다: 「단전」과 「문언전」에서 모두 네 가지 덕에 대해 설명했다. 그런데 「단전」에서는 원(元)에서 시작하여 순서대로 정(貞)까지 설명하였고, 「문언전」에서는 정(貞)에서 시작하여 거꾸로 원(元)까지 설명하였으니, 이런 점이 다를 뿐이다. 곤괘의 네 가지 덕은 하늘의 운행을 계승하는 것으로 말하면 원(元)이 당연히 앞이 되고, 고요함을 주로 하는 몸체로 말하면 정(貞)이 또 당연히 앞이 된다. 주자는 일찍이 "건(乾)의 리(利)와 정(貞)은 양(陽) 가운데 음(陰)이고, 곤의 원(元)과 형(亨)은 음 가운데 양이다. 건괘에서 뒤의 삼획은 음이고, 곤괘에서 뒤의 삼획은 양이다"라 하였으니, 그 설명이 여기에 뿌리를 둔다.

小註, 隆山李氏曰, 坤道, 云云.
소주에서 융산이씨가 말하였다: 곤도는, 운운.
○ 按, 體坤元之用者, 當後天而不可先天云云, 未知何謂, 抑以爲君者, 臣之天, 夫者婦之天, 爲臣爲婦者, 不敢先於君夫之意歟. 然終甚未瑩.
내가 살펴보았다: "곤원(坤元)의 작용을 체득한 자는 하늘의 뒤에 있어야 하고 하늘을 앞서서는 안 된다"라고 한 것은 무슨 말인지 모르겠다. 혹 임금은 신하의 하늘이고 남편은 아내의 하늘이니, 신하가 되고 아내가 되는 자는 임금과 지아비를 감히 앞서지 않는다는 의미라는 말인가? 그러나 끝내 아주 분명하지가 않다.

中溪張氏曰, 陰陽, 云云.
중계장씨가 말하였다: 음양, 운운.

---

171) '本義'는 영인본에 없지만 문맥상 보충했다.

○ 按, 與時偕行, 以之說聖人體天事則可, 以之說坤道承天, 則終有二之之嫌, 當曰以時而行也.
내가 살펴보았다: 하늘과 함께 때에 맞추어 행하는 것은 그것으로 성인이 하늘의 일을 체득한 것을 설명하는 것은 괜찮지만, 그것으로 곤의 도가 하늘을 계승하는 것을 설명하는 것은 끝내 일관되지 못하다는 혐의가 있으니, "때에 맞추어 행한다"라 해야 한다.

서유신(徐有臣) 『역의의언(易義擬言)』

時與是通.
'때[時]'는 '이것[是]'과 통용된다.

兼陰道地道而曰坤道, 總結二節也. 彖曰乃順承天, 就其元而言也, 此曰承天而時行, 就其貞而言也. 就元而言, 則亨之利之貞之從乎, 元之始也. 就貞而言, 則元而亨而利而至于貞而終也, 總是順承天也.
음의 도와 땅의 도를 겸하여 곤의 도라고 하니, 2절을 총체적으로 끝맺은 것이다. 「단전」에서 "유순하게 하늘을 받든다"라 한 것은 원(元)을 가지고 말한 것이고, 여기서 "하늘을 받들어 때에 맞추어 행한다"라 한 것은 정(貞)을 가지고 말한 것이다. 원을 가지고 말하면 형(亨)과 리(利)와 정(貞)이 따르니, 원이 시작이다. 정을 가지고 말하면 원이 되고 형이 되고 리가 되며 정에 이르러 끝나니, 총괄하면 하늘을 받드는 것이다.

강엄(康儼) 『주역(周易)』

文言曰, 坤至柔, 止承天而時行.
「문언전」에서 말하였다: 곤은 지극히 유순하지만 … 하늘을 받들어 때에 맞추어 행한다.

本義, 復明順承天之義.
『본의』에서 말하였다: 유순하게 하늘을 받든다는 의미를 다시 밝혔다.

按, 以胡雲峯, 自貞而利, 利而亨, 亨而元之說推之, 文言所釋果如此, 而本義之意, 亦似如此. 但本義於第二節, 不言釋利義. 蓋引程傳謂主下有利字, 則不待復言此條之釋利, 而自可見矣. 於第四節, 不言復明元義, 而乃曰復明順承天之義者, 蓋以彖傳之乃順承天, 已釋坤元之義, 則但言復明順承天之義, 而元義在其中故也.
내가 살펴보았다: 운봉호씨의 정으로부터 리가 되고 리로부터 형이 되며, 형으로부터 원이

된다는 말로 미루어보면, 「문언전」에서 해석한 것이 과연 이와 같고, 『본의』의 의미도 이와 같다. 다만 『본의』는 2절에서 이로움의 의미를 해석하지 않았다. 『정전』을 인용하여 '주(主)'자 아래 '이(利)'자가 빠졌다고 말한다면, 여기에서 '이(利)'자를 해석하지 않은 것에 대해 다시 말하기를 기다리지 않아도 저절로 알 수 있다. 4절에서 다시 원의 의미를 밝힌 것에 대해 말하지 않고, 이에 "유순하게 하늘을 받든다는 의미를 다시 밝혔다"라 했다. 「단전」의 바로 유순하게 하늘을 받드는 것으로 곤원(坤元)의 의미를 이미 해석했으니, 유순하게 하늘을 받든다는 의미를 다시 밝힌다는 것에 대해 말했을 뿐이지만, 원의 의미가 그 가운데 있기 때문이다.

박문건(朴文健) 『주역연의(周易衍義)』

坤道其順乎. 承天而時行.
곤도(坤道)는 유순하도다! 하늘을 받들어 때에 맞추어 행한다.

行, 奉行乾始之道. 此明元義也.
'행한다'는 것은 건이라는 시작의 도를 받들어 행한다는 것이다. 여기에서는 원의 의미를 밝혔다.

○ 此申彖傳之正義, 而逆敍四德者, 其重又在乎貞也.
여기에서는 「단전」의 바른 의미를 거듭하면서 네 가지 덕을 거꾸로 서술했는데, 그 중요함이 또 곧음에 있다.

이지연(李止淵) 『주역차의(周易箚疑)』

時, 卽時乘六龍之時, 隨其各爻之位與時, 以承六龍之時而行之也.
'때에 맞추어'는 곧 "때에 맞추어 여섯 용을 탄다"[172]고 할 때의 '때에 맞추어'이니, 각 효의 자리와 때에 따라 여섯 용의 때를 계승해서 행하는 것이다.

심대윤(沈大允) 『주역상의점법(周易象義占法)』

後得主者, 明後得之得, 爲得其主托也. 彖言主利, 從其得主張而言也, 此言得主, 從其得主托而言也, 蓋互明也. 含萬物而化光, 言含容萬物而化生其文章也. 含亦有含晦不

172) 『周易 · 乾卦』: 時乘六龍, 以御天.

明之義. 含晦不顯, 所以能容物也. 承天時行, 奉天時也.
"뒤에 하면 주인을 얻는다"는 것은 "뒤에 하면 얻는다"의 '얻는다'를 밝힌 것이니 주인으로 하여 의탁함을 얻는다는 것이다. 단사에서는 "이로움을 주장한다"고 하였으니 주장함을 얻는 것으로 말하였고, 여기에서는 주인을 얻는다고 하였으니 주인으로 삼아 의탁함을 얻는다는 것으로 말하였다. 이는 서로 밝히는 것이다. "만물을 머금어 화육의 공이 빛난다"는 것은 만물을 머금어 포용하여 그 문장을 화육하여 내놓는다는 말이다. '머금다'는 말에도 머금어 감추어 빛나지 않는다는 의미가 있다. 머금어 감추어 드러내지 않기 때문에 만물을 포용할 수 있다. "하늘을 받들어 때에 맞추어 행한다"는 것은 하늘의 때를 받드는 것이다.

오치기(吳致箕) 「주역경전증해(周易經傳增解)」

文言曰, 坤至柔, 而動也剛, 至靜而德方. 後得主〈當有利字.〉而有常. 含萬物而化光. 坤道其順乎. 承天而時行
「문언전」에서 말했다. 곤은 지극히 유순하지만 움직임이 굳세고, 지극히 고요하지만 덕이 방정하다. 뒤에 하면 얻어서 〈이로움이라는 글자가 있어야 한다.〉 이로움을 주장하여 상도가 있다. 만물을 포용하여 화육의 공이 빛난다. 곤도(坤道)는 유순하도다! 하늘을 받들어 때에 맞추어 행한다.

此一節, 申彖傳之旨, 而復明坤道順承天之義也. 動者, 生物之機也. 至柔而動剛, 言坤固至柔而承乾之剛. 故其爲生物之機, 翕受敷施, 不可屈撓, 乃柔中之剛也. 德者, 生物之德也. 方者, 有常也. 至靜而德方, 言以其至靜, 故陶鎔萬類, 各有一定之形, 而不易其常也. 後得, 言隨乾之後而有得也. 主字下, 程傳曰當有利字, 而利謂順也, 言順承天也. 有常, 言有常道也. 含萬物而化光, 言含容萬物, 而功化光顯也. 承天而時行, 言承天之道而行, 不違時也.
여기에서는 「단전」의 뜻을 거듭 설명하고 다시 곤의 도가 하늘을 계승한다는 의미를 밝혔다. '움직임'은 사물을 낳는 기틀이다. "지극히 유순하지만 움직임이 굳세다"는 곤이 진실로 지극히 유순하지만 건의 굳셈을 계승한다는 말이다. 그러므로 사물을 낳는 기틀이 되어 합하여 받아들이고 펴서 베푸는 것을 어지럽힐 수 없으니, 바로 유순한 가운데의 굳셈이다. '덕'은 사물을 낳는 덕이다. '방정하다'는 것은 '상도가 있다'는 것이다. "지극히 고요하지만 덕이 방정하다"는 것은 지극히 고요하기 때문에 온갖 종류를 생성함에 각기 일정한 형태가 있어 그 상도를 바꾸지 않는다는 말이다. "뒤에 하면 얻는다"는 것은 건의 뒤를 따라 얻는 것이 있다는 말이다. 『정전』에서는 '주(主)'자 아래 '이(利)'자가 있어야 한다고 했는데, '이(利)'는 순종한다는 것이니 하늘을 순종하여 계승한다는 말이다. '상도가 있다'는 것은 항상적인 도리가 있다는 말이다. "만물을 포용하여 화육의 공이 빛난다"는 것은 만물을 포용하여 공효가 빛난다는 말이고, "하늘을 받들어 때에 맞추어 행한다"는 것은 하늘의 도를 받들어 행하고 때를 어기지 않는다는 말이다.

이병헌(李炳憲) 『역경금문고통론(易經今文考通論)』

正義曰, 不爲物先, 卽得主也, 荀曰, 坤性至靜, 而動布於四方, 承天之施, 因四時而行之也. 此申明彖經之餘意.

『정의』에서 "남보다 앞서지 않으면 바로 주인을 얻는 것이다"[173]라 하였고, 순상은 "곤의 성은 지극히 고요하지만 움직임은 사방으로 퍼진다"[174]라 하였으니, 하늘의 베풂을 이어받아 사시로 말미암아 행하는 것이다. 여기서는 「단경(彖經)」의 함축된 속뜻을 거듭하여 밝혔다.

173) 『周易注疏 · 坤卦』: 文言曰 … 承天而時行. 구절의 주, 正義曰, …. 不爲物先, 卽得主也.
174) 『周易集解 · 坤卦』: 至靜而德方. 구절에 대한 주, 荀爽曰, 坤性至靜得陽, 而動布於四方也.

積善之家, 必有餘慶, 積不善之家, 必有餘殃. 臣弑其君, 子弑其父, 非一朝一夕之故. 其所由來者漸矣, 由辯之不早辯也. 易曰, 履霜堅氷至, 蓋言順也.

좋은 일을 많이 한 집안은 반드시 남겨진 복이 있고, 좋지 않은 일을 많이 한 집안은 반드시 남겨진 재앙이 있다. 신하가 임금을 시해하고 자식이 부모를 죽이는 것은 하루아침이나 하루저녁의 변고가 아니다. 그 원인이 차츰 차츰 이루어졌으니, 분별해야 할 것을 일찍부터 분별하지 않았기 때문이다. 『주역』에서 "서리를 밟으면 두꺼운 얼음이 얼게 된다"고 했으니, 차례로 이루어진다는 말이다.

中國大全

傳

天下之事, 未有不由積而成, 家之所積者善, 則福慶及於子孫, 所積不善, 則災殃流於後世. 其大至於弑逆之禍, 皆因積累而至, 非朝夕所能成也. 明者則知漸不可長, 小積成大, 辯之於早, 不使順長. 故天下之惡, 无由而成, 乃知霜氷之戒也. 霜而至於氷, 小惡而至於大, 皆事勢之順長也.

천하의 일은 쌓여서 이루어지지 않은 것이 없으니, 집안에서 쌓은 것이 좋은 일이면 복과 경사가 자손에게 있고, 쌓은 것이 좋지 않은 일이면 재앙이 후세에게 미친다. 군주나 부모를 죽이는 큰 죄까지도 모두 쌓이고 쌓여서 된 것이지 하루아침이나 하루저녁에 저지를 수 있는 일이 아니다. 현명한 사람은 차츰 차츰 이루어지는 것이 자라나게 해서는 안 되고 작은 것이 쌓여 큰 것이 됨을 알아 미리 다스려서 이어지며 자라나지 못하게 한다. 그러므로 천하의 악이 이루어질 원인이 없으니, 바로 서리를 밟으면 두꺼운 얼음이 얼게 된다는 경계를 아는 것이다. 서리가 얼음이 되고 작은 잘못이 큰 잘못이 되는 것은 모두 일의 추세가 차례로 자라난 것이다.

本義

古字, 順愼通用. 按此當作愼, 言當辯之於微也.

옛날 글자에서는 '순(順)'과 '신(愼)'이 통용되었다. 이 구절을 살펴볼 때, '신(愼)'으로 해야 하니, 미미할 때에 분별해야 한다는 말이다.

小註

朱子曰, 陰陽皆自微至著, 不是陰便積著, 陽便合下具足, 此處亦不說這箇意. 履霜堅氷, 只是說從微時便須著慎來, 所以說蓋言慎也, 由辯之不早辯. 李光祖云, 不早辯他, 直到得郎當了, 卻方辯, 剗地激成事來, 此說最好.
주자가 말하였다: 음과 양이 모두 미미한 것에서 드러나는 것에 이르게 되는 것은 음이 곧바로 쌓여서 드러나고 양이 곧바로 충분히 갖추어진다는 것이 아니니, 여기에서도 이런 의미로 설명하지는 않았다. 서리를 밟으면 두꺼운 얼음이 얼게 된다는 것은 단지 미미한 때부터 바로 반드시 삼간다는 것을 설명한 것이기 때문에 "삼간다는 말이다"라고 설명하고 "분별해야 할 것을 일찍부터 분별하지 않았기 때문이다"라고 설명했다. 이광조(李光祖)가 "그것을 일찍 분별하지 않으면 그대로 낭패를 보게 되니, 그 때서야 분별하고자 해도 이미 일은 벌어졌다"라고 말했으니, 이 설명이 가장 훌륭하다.

○ 東萊呂氏曰, 積善之家必有餘慶, 積不善之家, 必有餘殃, 善如何得積, 惡如何得不積. 肉羶則蟻集, 醯酸則蚋聚. 若胸中有容著善處, 善自然積, 胸中无容著惡處, 惡自然不積.
동래여씨가 말하였다: 좋은 일을 많이 한 집안은 반드시 남겨진 복이 있고, 좋지 않은 일을 많이 한 집안은 반드시 남겨진 재앙이 있으니, 좋은 일을 어떻게 해야 쌓을 수 있고, 악한 일을 어떻게 해야 쌓지 않을 수 있겠는가? 고기 냄새가 나면, 개미떼가 몰려오고, 식초 냄새가 나면 파리 떼가 날아든다. 마음에 착한 생각이 있으면 착한 것이 자연스럽게 쌓이고, 마음에 악한 생각이 없으면 악이 저절로 쌓이지 않는다.

○ 臨川吳氏曰, 小善積而爲大善, 則福慶亦大而爲餘慶. 小不善積而爲大不善, 則禍殃亦大而爲餘殃, 必然之理也.
임천오씨가 말하였다: 작은 좋은 일이 쌓여서 큰 좋은 일이 되니, 복과 경사도 크게 되어 후손들에게 미치게 된다. 작은 악한 일이 쌓여서 큰 악한 일이 되니, 재앙도 크게 되어 후손들에게 미치게 되는 것은 필연의 이치이다.

○ 雲峯胡氏曰, 諸家釋順字, 謂善與不善, 皆由順而後積. 本義作愼, 言當辯之於微也. 蓋善與不善, 皆自微而至著, 於其微也審而謹之, 則善惡之幾以決, 善念之萌以長,自不肯甘爲不善之習矣. 以此見, 讀作順字不若愼字, 有下工夫處.
운봉호씨가 말하였다: 여러 학자들이 '순(順)'자를 해석하여, 좋은 일과 악한 일은 모두 차례로 쌓인다고 하였다. 『본의』에서는 '신(愼)'자로 하고는 "미미할 때에 분별해야 한다"고 하였다. 좋은 일과 악한 일은 모두 미미한 것에서 드러나는 것에 이르게 되니, 그것이 미미할 때에 살피고 삼가면, 선과 악의 낌새가 그 때문에 구별되고 착한 생각의 싹이 그 때문에 자라나서 저절로 악한 일을 되풀이 하지 않게 된다. 여기에서 '순(順)'자의 의미로 읽기보다는 '신(愼)'자로 읽는 것이 공부하는 것이 되어 더 나음을 알 수 있다.

韓國大全

유정원(柳正源)『역해참고(易解參攷)』

由辯 [至] 順也.
다스려야 할 것을 일찍부터 다스리지 않기 때문이다. … 차례로 이루어진다는 말이다.
梁山來氏曰, 順字卽馴字, 馴致其道也, 言順習因循以至于堅冰也.
양산래씨가 말하였다: '순(順)'은 '순(馴)'이니, "그 도를 점차 이룬다"는 것이다. 그대로 따라서 단단한 얼음에 이르는 것을 말한다.
○ 晦齋先生曰, 小人之惡, 始於濫觴而終於滔天, 明君見其微而沮之於始萌, 故其惡不得稔, 昏闇之主, 忽於微而不知所以防制, 養成馴致, 至於簒弑而後已, 是乃不早辨之過也. 聖人設此戒, 使天下後世, 知所以制小人之要在於審微而預防, 其慮遠矣.
회재선생이 말하였다: 소인의 악은 술잔을 넘치게 채우는 데에서 시작하여 하늘을 업신여기는 데에서 끝나니, 현명한 임금은 그 기미를 살펴 처음 싹틀 때 그것을 저지하기 때문에 그 악이 쌓이지 않는다. 어리석은 임금은 기미를 소홀히 하여 막을 줄을 몰라 길러서 점차 이루게 하여 찬탈하고 시해됨에 이른 뒤에야 멈추니, 이것이 일찍 다스리지 않은 잘못이다. 성인은 이러한 경계를 베풀어 천하 후세 사람들로 하여금 소인을 막는 요령이 기미를 살펴 미리 예방함에 있음을 알게 하였으니, 그 생각이 심원하다.
○ 案, 此極言小人之禍, 而君子克己之功, 亦在於早辨幽獨隱微之地, 不能早辨而終至於淪三綱斁九法, 可不愼哉!
내가 살펴보았다: 이것은 소인의 화를 지극하게 말하였으나, 군자의 자기를 이기는 공부도

어둡고 혼자인 은미한 때에 일찍 다스림에 있는 것이다. 일찍 다스리지 않으면 끝내 삼강(三綱)을 망하게 하고 아홉 가지 법[구용(九容)과 구사(九思)]을 싫어함에 이를 것이니, 삼가지 않아서야 되겠는가!

傳案, 傳末本有殃於良反四字.
『정전』에 대해 내가 살펴보았다: 『정전』의 끝부분에는 본래 '앙어량반(殃於良反)'[175]이라는 네 글자가 있다.
本義小註, 朱子說郞當. 〈案, 亦作狼當, 與狼籍同. 俗謂小兒戲甚者爲郞當, 一說舞態也, 反覆不正貌.〉
『본의』 소주(小註)에 주자가 '낭패[郞當]'라고 하였다.
〈내가 살펴보았다: 또한 '낭당(狼當)'이라고도 쓰니, '낭자하다[狼籍]'와 같다. 속담에 말하기를, 어린 아이가 심하게 노는 것을 '낭당(郞當)'이라고 하였고, 어떤 설명에는 춤추는 모양이라고 하였으니, 계속해서 바르지 않은 모양이다.〉

김상악(金相岳) 『산천역설(山天易說)』

程傳備矣. 順, 順習也. 順與馴, 其義相貫. 馴致其道, 至于堅氷者, 由於順習而不早辨也.
『정전』이 자세하다. '순(順)'는 따라서 익히는 것이다. 따른다는 것과 순종한다는 것은 그 의미가 서로 통한다. 그 도를 점차 이루어 두꺼운 얼음이 얼게 되는 데에 이른 것은 따르고 익혀서 일찍이 분별하지 않았기 때문이다.

김귀주(金龜柱) 『주역차록(周易箚錄)』

積善之家, 云云.
좋은 일을 많이 한 집안은, 운운.

○ 按, 積善積不善兩[176]句, 卻是泛說天下之事由積而成, 以下下文之意. 弑君弑父以下, 方是正說本爻之義, 辨之不早辨, 蓋亦爲爲君父者設戒, 非兼積善積不善而言也. 小註胡雲峰說, 說得未精.

---

175) 앙(殃)의 발음이 어(於)의 ㅇ과 량(良)의 ㅑㅇ이 합쳐진 '양'으로 난다는 말이다.
176) 兩: 경학자료집성DB와 영인본에 '西'자로 되어 있어 있으나, 문맥을 살펴 '兩'자로 바로잡았다.

내가 살펴보았다: 좋은 일을 많이 한 집안과 좋지 않은 일을 많이 한 집안이라는 두 구절은 결국 천하의 일은 평소의 행실이 쌓여서 이루어짐을 범범하게 설명한 것이니, 아래 글의 의미이다. "임금을 시해하고 부모를 죽인다"는 구절 이하는 본 효의 의미를 바로 설명한 것이고, "분별해야 할 것을 일찍부터 분별하지 않았다"는 구절은 또 임금이 되고 부모가 된 자들을 위하여 경계한 것이지, 좋은 일을 많이 하고 좋지 않은 일을 많이 한 것을 겸하여 말한 것이 아니다. 소주에서 운봉호씨의 설명은 정밀하지 않다.

박제가(朴齊家) 『주역(周易)』

文言, 履霜堅冰, 蓋言順也.
「문언전」에서 말하였다: "서리를 밟으면 두꺼운 얼음이 얼게 된다"라 하였으니, 차례로 이루어진다는 말이다.

本義, 當作愼.
『본의』에서 말하였다: '신(愼)'으로 해야 한다.

案, 下括囊旡咎, 蓋言謹也, 恐不當與此愼字意疊. 只依本文說爲是, 謂勢順而易致也.
내가 살펴보았다: 아래에서 "자루를 묶어 놓은 듯이 하면 허물도 없다고 한 것은 삼가야 함을 말한 것이다"라는 구절은 여기에서의 '삼간다'는 말과 의미가 중첩되지 않아야 할 듯하다. 단지 본문의 설명을 따르는 것이 옳으니, 형세를 따라서 쉽게 이루어진다는 말이다.

서유신(徐有臣) 『역의의언(易義擬言)』

餘, 積之餘也. 不曰惡而曰不善者, 惡大而不善小, 從其微小而言也. 辨之者, 晩而後乃辨之也. 不早辨也者, 不能及其時而辨之也. 晩而後乃辨之, 反激成禍患也. 蓋言順也者, 蓋謂其由於順也, 順乃坤順也. 順本陰道, 而陰之屬, 亦爲慝. 爲小人, 亦由於順也. 人之爲不善, 由其順於心而無拂逆之難, 故易而爲之, 及其積則致殃矣. 小人始未有不順, 惟其順也. 故說而狎之, 終至於弑逆, 則爲不順莫大焉. 然順本非惡德, 而用之不同耳, 將如何辨之. 當辨其所順者, 天理與私意而已. 順於天理, 則此君子之順而靡不順矣. 順於私意, 則此小人之順, 而實不順也.
'여경(餘慶)'과 '여앙(餘殃)'에서 '여(餘)'는 '쌓인 나머지[積之餘]'라는 것이다. 악한 일이라고 하지 않고 좋지 않은 일이라고 한 것은 악한 일은 크고, 좋지 않은 일은 작아서 작은 것으로 말한 것이다. '분별해야 할 것'이란 늦은 다음에야 분별하는 것이다. "일찍부터 분별하지 않았다"는 것은 때에 미쳐 분별할 수 없었다는 것이다. 늦은 다음에 분별하니, 도리어 격렬하게 재앙을 만든다. "따른다는 말이다"는 따르기 때문이라는 말이니, 따른다는 것은 바로 곤의 순종함이다. 순종함은 본래 음의 도인데, 음의 무리는 또한 사특하다. 소인이 되는 것도 순종함 때문이다. 사람이 좋지 않게 되는 것은 마음에 순종하고 거역하는 꾸짖음이 없기 때문에 쉽게 여기고 행하여 쌓이게 되면 재앙이 된다. 소인은 애초에 순종하지 않음이 없으니 단지 순종할 뿐이다. 그러므로 기뻐하고 가까이 하면 마침내 시해하고 역모를 하니, 순종하지 않는 것이 이보다 큰 것이 없다. 그러나 그 순종은 본래 악한 덕이 아니었고, 사용하는 것이 같지 않아서일 뿐이니, 어떻게 그것을 분별해야 할까? 순종할 대상을 분별해야 하니, 천리냐 사사로운 생각이냐의 차이일 뿐이다. 천리에 순종하면 군자의 순종이어서 순종하지 않음이 없고, 사사로운 생각에 순종하면 소인의 순종이어서 실제는 순종이 아니다.

박문건(朴文健) 『주역연의(周易衍義)』

順故愼字通, 見本義.
'순(順)'자는 본래 '신(愼)'자와 통하니, 『본의』에 보인다.

○ 慶者, 積善之應也, 殃者, 積惡之應也. 辨之早矣, 則必不至弑逆. 愼在履霜, 豈有堅冰之患.
복은 좋은 일을 많이 한 것에 대한 상응이고, 재앙은 악을 저지른 것에 대한 상응이다. 분별하기를 일찍부터 했다면 반드시 시해하는 역모를 저지르지 못하였을 것이다. 서리를 밟는 데서 삼간다면 어찌 두꺼운 얼음이 얼게 되는 우환이 있겠는가?

이지연(李止淵) 『주역차의(周易箚疑)』

順, 亦馴之意也. 今人多以慶殃之辭誤認爲佛家輪回報應之說. 有若積善積不善之取必於天者, 此惑也. 天之道不无栽培傾覆之理, 而此則謂其吉凶禍福, 惟人所召. 君子剏業垂統爲可繼之意.
'순(順)'도 순종한다는 의미이다. 요즘 사람들은 대부분 복과 재앙이라는 말을 오해해서 불교 윤회설의 인과응보로 여긴다. 좋은 일을 하고 좋지 않은 일을 한 결과를 하늘에 기필한다고 하는 것이 있다면 이것은 미혹된 것이다. 하늘의 도는 기르고 뒤집는 이치 아닌 것이 없지만, 여기에서는 길흉화복을 단지 사람이 불러들인 것이라고 말한다. 군자가 창업하여 법을 후세에 전하는 것은 계승할 수 있다는 의미이다.

이항로(李恒老) 「주역전의동이석의(周易傳義同異釋義)」

積善之家必有餘慶, [止] 順也.
좋은 일을 많이 한 집안은 반드시 남겨진 복이 있다. … 삼간다.

傳, 順長.
『정전』에서 말하였다: 차례로 자라난 것이다.

本義, 古字, 順慎通用.
『본의』에서 말하였다: 옛날 글자에서는 '순(順)'과 '신(愼)'이 통용되었다.

按, 慎字極有味. 蓋寒熱循環, 明暗相因, 勢所必至, 理固不免. 然惡寒喜熱, 人情之常也, 寒則主殺, 熱則主活, 亦夫人皆能辨之矣. 然辨之於履霜之初, 則所以防寒就溫者, 必審必誠, 不至於徒犯觱發之威, 掇取皸坼之灾矣. 辨之於冰至之後, 則鵲巢未綢, 蟲戶未坯, 非惟旣失條桑濩葛之備, 適以激成剝廬焚巢之禍免乎. 雪裏凍殺者, 幾希矣, 故不患不辨, 但患不早耳. 夫積善必有餘慶, 積惡必有餘殃, 如陰凝爲霜, 霜馴爲冰. 必然之勢也, 无疑之事也, 胡爲之緩, 胡爲之昧也. 天下非无寒也. 古今非无氷也. 无凍死之人, 由其早辨也. 聖人所以救亂息禍者, 亦在乎使人早辨, 是所謂慎也. 慎之義至矣哉, 學易者當潛心焉.
내가 살펴보았다: 삼간다는 말은 매우 의미가 있다. 차가움과 따뜻함이 순환하고, 밝음과 어두움이 서로 원인이 되어 추세가 이르는 것은 이치상 진실로 벗어날 수 없다. 그러나 차가움을 싫어하고 따뜻함을 좋아하는 것은 사람들의 변함없는 마음이니, 차가움이 죽이는 것을 주로 하고 따뜻함이 살리는 것을 주로 하는 것도 사람들이 모두 분별할 수 있다. 그러나 서리를 밟는 초기에 분별하면, 그 때문에 차가움에 대비하여 따뜻함으로 나아가니, 반드시 살피고 반드시 정성을 다하여 쌀쌀한 곳으로 나아가는 위험과 손발이 얼어 터지는 재앙에 이르지 않는다. 얼음이 언 다음에 분별하면, 까치둥지가 엮이지 않고 벌레들의 집이 만들어지지 않았으니, 뽕나무 가지치고 길쌈하는 대비를 잃을 뿐만 아니라 집을 허물고 둥지를 불태우는 화를 불러일으키기에 딱 알맞으니, 면할 수 있겠는가? 눈보라에 얼어 죽는 자는 거의 없기 때문에 분별하지 못하는 것을 걱정하지 않고, 다만 일찍부터 하지 않는 것을 걱정할 뿐이다. 좋은 일을 많이 한 집안은 반드시 남겨진 복이 있고 좋지 않은 일을 많이 한 집안은 반드시 남겨진 재앙이 있다는 것은 음이 뭉쳐 서리가 되고 서리가 이어져서 얼음이 되는 것과 같다. 반드시 그렇게 되는 추세와 의심이 없는 일을 무엇 때문에 천천히 하겠으며, 무엇 때문에 애매하게 여기겠는가? 천하에 차가움이 없었던 적이 없었고, 예나 지금에

얼음이 없었던 적도 없지만, 얼어 죽은 사람이 없는 것은 일찍부터 분별했기 때문이다. 성인이 혼란을 구제하고 재앙을 없애는 것도 일찍부터 분별하게 하는 것에 있으니, 이것이 '삼간다'고 하는 것이다. 삼간다는 의미가 지극하니, 『주역』을 배우는 자들은 여기에 집중해야 한다.

김기례(金箕澧) 「역요선의강목(易要選義綱目)」[177]

積不善之家. 〈指初六履霜.〉
좋지 않은 일을 많이 한 집안은. 〈초육의 '서리를 밟는 것'을 가리킨다.〉

必有餘殃. 〈指上六龍戰.〉
반드시 남겨진 재앙이 있다. 〈상육에서 '용들이 싸우는 것'을 가리킨다.〉

○ 積善餘慶, 互文.
"좋은 일을 많이 한 집안은 반드시 남겨진 복이 있다"는 구절과 상호보완적인 글이다.

허전(許傳) 「역고(易考)」

臣弑其君, 子弑其父, 非一朝一夕之故.
신하가 임금을 시해하고 자식이 부모를 죽이는 것은 하루아침이나 하루저녁의 변고가 아니다.

此謂上六也. 陰自初六始生, 積至上六, 則其殃極. 故戒之在初.
이 구절은 상육을 말하였다. 음이 초육에서 처음 나와 상육까지 쌓이니, 그 재앙이 끝까지 갔다. 그러므로 초효에서 경계하였다.

심대윤(沈大允) 『주역상의점법(周易象義占法)』

善者, 忠恕中庸也, 不善者, 過與不及也. 餘者及於子孫也. 殃慶, 皆自己積而致之, 不在其身, 必在其子孫. 臣弑君, 子弑父, 必有以馴致也, 非一朝一夕偶然耳. 今人有敗, 多不知反身自責, 而歸之於橫逆, 自恨其數奇, 不然則怨天尤人矣, 不亦悲哉. 順者, 勢之所必至也.

---

177) 경학자료집성DB에서는 곤괘 용육(用六)에 해당하는 것으로 분류했으나, 내용에 따라 이 자리로 옮겨 바로잡는다.

좋은 일은 충(忠)과 서(恕)의 중용이고, 좋지 않은 일은 지나치고 미치지 못하는 것이다. '남겨진[餘]'이라는 것은 자손들에게 미친다는 것이다. 재앙과 복은 모두 자신이 쌓아 만든 것이니, 자신에게 있지 않으면 반드시 그 자손에게 있다. 신하가 그 임금을 시해하고 자식이 그 부모를 죽이는 것은 반드시 점차 이루어진 것이지 하루아침이나 하루저녁의 우연이 아니다. 요즘 사람들은 일이 잘못되면 대부분 자신에게 되돌려 자책할 줄 모르고 액운으로 돌려 운수의 기박함을 한탄하고, 그렇지 않으면 하늘을 원망하고 남을 탓하니 슬프지 아니한가! "차례로 이루어진다"는 것은 기세가 반드시 도달한다는 것이다.

오치기(吳致箕) 「주역경전증해(周易經傳增解)」

自此至終節, 申言象傳之意也. 言家之所積者善, 則福慶及于子孫, 所積者不善, 則禍殃及于後世. 罪惡之極, 而至於弑逆者, 亦皆因積累而至, 非一朝一夕所能成也. 唯明者察于早, 不使漸長, 乃知霜氷之戒者也. 順卽馴之意, 而言順以漸長也.
여기서부터 마지막 절까지는 「상전」의 의미를 거듭해서 말하였다. 집안에서 쌓는 것이 좋은 일이면 복과 경사가 자손에게 미치고, 쌓는 것이 좋지 않은 일이면 화와 재앙이 후손에게 미친다. 죄악이 극에 달하여 임금을 시해하고 역모를 일으키는 경우도 모두 누적되어 그 지경까지 간 것이지, 하루아침이나 하루 저녁에 이룰 수 있는 일이 아니다. 명철한 자만이 일찍부터 살펴 점점 자라나지 못하게 하니, 바로 서리를 밟으면 두꺼운 얼음이 얼게 된다는 경계를 아는 자이다. 차례로 이루어진다는 말은 길들여진다는 의미이니, 길들여져 점점 자라게 된다는 말이다.

박문호(朴文鎬) 「경설(經說)·주역(周易)」

履霜堅冰, 此積不善也. 而其上必以積善起之, 是扶陽之意也. 下文天地閉之上, 先之以天地變化亦此意也.
서리를 밟으면 두꺼운 얼음이 얼게 되니, 이것은 좋지 않은 일을 많이 한 것이다. 그런데 앞에서 굳이 좋은 일을 많이 하는 것으로 말을 시작한 것은 양을 북돋우는 의미이다. 아래의 글에서 "천지가 닫힌다"는 말 앞에 "천지가 변화한다"는 말을 앞세운 것도 이런 의미이다.

蓋言順也, 以象[178]傳之馴致二字觀之, 程傳似得. 而本義釋作謹義, 豈以下文有蓋言謹也之句, 而欲比而同之之意歟, 更詳之.

---

178) 象: 경학자료집성DB와 영인본에 '彖'으로 되어 있으나 경문을 참조하여 '象'으로 바로잡았다.

"차례로 이루어진다는 말이다"는 구절을 『상전』의 "점차 이룬다"는 말로 보면, 『정전』이 맞는 것 같다. 그런데 『본의』에서 '삼간다'는 의미로 해석하였으니, 아마도 아래 글의 "삼가야 함을 말한다"는 구절로써 그 말과 나란히 하여 동일하게 하고자 한 뜻일 것이니, 이것은 더욱 자세히 살펴보아야 한다.

이병헌(李炳憲) 『역경금문고통론(易經今文考通論)』

順, 馴致也.

'순(順)'은 "점차 이룬다"는 말이다.

虞曰, 初乾爲積善, 復震爲餘慶. 以乾通坤, 姤巽爲餘殃. 坤消至二, 艮子弑父, 至三成否, 坤臣弑君. 剛爻爲朝, 柔爻爲夕.
우번이 말하였다: 처음의 건괘(乾卦䷀)가 좋은 일을 많이 한 것이고, 복괘(復卦䷗)의 진괘(震卦☳)가 남겨진 복이 있는 것이다. 건괘가 곤괘(坤卦䷁)와 통하면 구괘(姤卦䷫)의 손괘(巽卦☴)가 남겨진 재앙이 있는 것이다. 곤괘로 소멸되며 이효에 이르면 간괘(艮卦☶)의 자식이 부모를 죽이고, 삼효에 이르면 비괘(䷋)가 되어 곤괘(坤卦☷)의 신하가 임금을 시해한다. 굳센 효가 아침이고 부드러운 효가 저녁이다.[179)]

按, 乾之初九潛, 故勿用, 坤之初六, 辯則有終.
내가 살펴보았다: 건괘의 초구는 잠겨 있기 때문에 쓰지 말아야 하고, 곤괘의 초육은 다스린다면 잘 마침이 있을 것이다.

179) 『周易集解 · 坤卦』: 積善之家 … 其所由來者漸矣. 구절의 주, 虞翻曰, 謂初乾爲積善 … 復震爲餘慶. 虞翻曰, 坤積不善, 以臣弑君, 以乾通坤極, 姤生巽爲餘殃也. 虞翻曰, 坤消至二, 艮子弑父, 至三成否, 坤臣弑君. 虞翻曰, 剛爻爲朝, 柔爻爲夕. ….

直, 其正也, 方, 其義也. 君子敬以直內, 義以方外. 敬義立而德不孤, 直方大, 不習, 无不利, 則不疑其所行也.

곧음은 바름이고, 방정함은 의(義)이다. 군자가 경(敬)으로써 안을 곧게 하고, 의로써 밖을 방정하게 하여 경과 의가 확립되면 덕이 외롭지 않으니, "곧고 방정하며 커서 익히지 않아도 이롭지 않음이 없음"은 그 행하는 바를 의심하지 않는 것이다.

中國大全

傳

直言其正也, 方言其義也. 君子主敬以直其內, 守義以方其外, 敬立而內直, 義形而外方. 義形於外, 非在外也. 敬義旣立, 其德盛矣, 不期大而大矣, 德不孤也. 无所用而不周, 无所施而不利, 孰爲疑乎.

곧음은 바름을 말하고, 방정함은 의를 말한다. 군자는 경을 근본으로 안을 바르게 하고, 의를 지켜 밖을 방정하게 하니, 경이 확립되어 안이 곧고 의가 드러나 밖이 방정해진다. 의가 밖으로 드러나는 것은 밖에 있는 것이 아니기 때문이다. 경과 의가 이미 확립되면 덕이 성대해져 커지기를 기약하지 않아도 커져서 덕이 외롭지 않다. 사용해서 두루 하지 않는 곳이 없고 베풀어서 이롭지 않은 곳이 없으니, 누가 의심하겠는가?

小註

程子曰, 敬以直內, 義以方外, 合內外之道也.

정자가 말하였다: 경(敬)으로써 안을 곧게 하고, 의로써 밖을 방정하게 하는 것은 안팎의 도를 합한 것이다.

○ 切要之道, 无如敬以直內, 心敬則內自直.

절실한 도는 경으로써 안을 곧게 하는 것 만한 것이 없으니, 마음이 경하면 안은 저절로 곧아진다.

○ 敬義夾持, 直上達天德自此.
경과 의를 양쪽 다 잘 지키면, 이로부터 곧바로 천덕에 상달한다.

○ 問, 人有專務敬以直內, 不務方外, 何如. 曰, 有諸中者, 必形諸外, 惟恐不直內. 內直則外必方.
물었다: 사람이 오로지 경으로써 안을 곧게 하는 데만 힘쓰고, 밖을 방정하게 하는 데 힘쓰지 않는다면 어떻게 됩니까?
답하였다: 속에 있는 것은 반드시 밖으로 드러나니, 안을 곧게 하지 않는 것이 두려울 뿐입니다. 안이 곧으면 밖은 반드시 방정하게 됩니다.

○ 問, 敬義如何別. 曰, 敬只是持已之道. 義便知有是非, 順理而行, 是爲義也. 若只守一箇敬, 不是集義, 卻是都無事也.
물었다: 경과 의를 어떻게 구분합니까?
답하였다: 경은 단지 자신의 도를 지키는 것일 뿐입니다. 의는 옳고 그름이 있는 것을 바로 아는 것이니, 이치대로 행동하는 것이 의를 행하는 것입니다. 만약 오직 경만 지킨다면 의를 쌓는 것이 아니니, 도리어 모두 허사가 됩니다.

○ 乾九三言聖人之學, 坤六二言賢人之學, 此其大致也. 若夫敬以直內, 義以方外, 則雖聖人不越乎此, 无異道故也.
건괘의 구삼은 성인의 학문에 대해 말했고, 곤괘의 육이는 현인의 학문에 대해 말했으니, 이것이 그 대강이다. 경으로써 안을 곧게 하고 의로써 밖을 방정하게 함은 성인일지라도 여기에서 벗어나지 않으니, 다른 도리가 없기 때문이다.

○ 龜山楊氏曰, 守一之謂敬, 无適之謂一, 敬足以直內而已. 發之於外, 則未能時措之宜也, 故必有義以方外. 又曰, 盡其誠心而無僞焉, 所謂直也. 若施之於事, 則厚薄隆殺一定而不可易, 爲有方矣. 所主者敬, 而義則自此出焉, 故有內外之辨.
구산양씨가 말하였다: 전일함을 지키는 것이 경이고, 다른 데로 가는 것이 없음이 전일함이니, 경은 안을 곧게 하면 될 뿐이다. 밖으로 드러내면 때에 맞게 합당한 조치를 할 수 없기 때문에 반드시 의로써 밖을 방정하게 해야 한다.
또 말하였다: 진실한 마음을 다하고 조작하지 않는 것이 이른바 곧음이다. 일에 곧음을 시행해서 후대하고 박대함, 더하고 덜어냄이 일정해서 바꿀 수 없는 것이 방정함이다. 근본으로 하는 것은 경이지만 의는 여기에서부터 나오므로 안팎의 구분이 있다.

○ 朱子曰, 敬立而內自直, 義形而外自方, 若欲以敬要去直內, 以義要去方外, 則非矣. 問, 義形而外方. 曰, 義是心頭斷事底. 心斷於內而外便方正, 萬物各得其宜.
주자가 말하였다: 경이 확립되어 안이 저절로 곧아지고, 의가 드러나서 밖이 저절로 방정해지니, 경으로써 안을 곧게 하려고 하고, 의로써 밖을 방정하게 하려고 한다면 잘못된 것입니다.
물었다: "의가 드러나서 밖이 방정해짐"은 무슨 뜻입니까?
답하였다: 의는 마음이 일을 판단하는 것입니다. 마음이 안에서 판단하여 밖이 곧 방정하면 만물이 제각기 그 마땅함을 얻습니다.

○ 敬義夾持, 直上達天德自此, 最是他下得夾持兩字好. 敬主乎中, 義防於外. 二者相夾持, 要放下霎時也不得, 只得直上去, 故便達天德自此. 表裏夾持, 更无東西走作去處, 上面只更有箇天德. 直上者无許多人欲牽惹也.
"경과 의를 지키면 이로부터 곧바로 천덕에 상달한다"는 것에서 지킨다는 말을 쓴 것이 가장 좋다. 경은 안을 주로하고 의는 밖을 방비한다. 두 가지를 함께 지키면 잠시도 내려놓을 수 없어 오직 바로 위로 갈 수 있으므로 이로부터 바로 천덕에 상달한다. 안팎으로 지키고 다시 동서로 달려가는 곳이 없으니, 위로 다시 천덕이 있을 뿐이다. 곧바로 위로 가는 자는 허다한 인욕의 유혹이 없다.

本義

此以學而言之也. 正謂本體, 義謂裁制, 敬則本體之守也. 直內方外, 程傳備矣. 不孤言大也. 疑故習而後利. 不疑則何假於習.

이것은 배우는 것으로 말한 것이다. '바름'은 본체를 말하고, '의'는 재제를 말한다. '경'은 본체를 지키는 것이다. '안을 바르게 하고 밖을 방정하게 하는 것'은 『정전』에서 자세히 설명했다. '외롭지 않다'는 것은 크다는 말이다. 의심하기 때문에 익힌 다음에 이롭다. 의심하지 않으면 어찌 익히겠는가?

小註

朱子曰, 敬以直內, 是持守工夫, 義以方外, 是講學工夫. 直是直上直下, 胸中无纖毫委曲. 方是割截方正之意, 是處此事皆合宜. 截然區處得如一物四方在面前, 截然不可得而移易之意. 若是圓時便轉動得. 未有事時, 只說敬以直內, 若事物之來, 當辨別, 一箇是非, 敬譬如鏡, 義便是能照底.
주자가 말하였다: 경으로써 안을 곧게 하는 것은 지키는 공부이고, 의로써 밖을 방정하게

하는 것은 학문을 닦고 연구하는 공부이다. 곧음은 곧게 올라가고 내려와 가슴에 털끝만큼도 굽힘이 없는 것이다. 방정함은 나누어 자른 것이 방정하다는 의미이고, 이 일을 처리함이 모두 합당하다는 것이다. 분명히 구획되어 있는 것이 앞에서 어떤 사물이 사방으로 모가난 것과 같다면, 전혀 움직일 수 없다는 의미이다. 만약 둥글다면 때에 따라 굴러갈 수 있다. 아직 일이 있지 않을 때는 단지 경으로써 안을 곧게 함을 말하고, 만약 일이 생기면 변별해야 할 것은 하나의 시비이니, 비유하자면 경은 거울과 같고, 의는 바로 비출 수 있는 것이다.

○ 敬以養其心, 無一毫私念, 可以言直矣. 由此而發, 所施各得其當, 是之謂義. 又曰, 須將敬來做本領, 涵養得貫通時, 纔敬以直內, 便義以方外, 若無敬也, 不知義之所在.
경으로써 그 마음을 길러 털끝만큼도 사사로운 생각이 없어야 곧다고 할 수 있다. 여기서부터 드러내어 시행하는 것마다 합당하면 이것이 의이다.
또 말하였다: 경으로 본령을 만들어 함양하여 관통했을 때, 비로소 경으로써 안을 곧게 하여 바로 의로써 밖을 방정하게 하는 것이니, 경이 없다면 의의 소재를 알지 못한다.

○ 敬以直內, 義以方外, 八箇字, 一生用之不窮. 敬以直內, 是无纖毫私意, 胸中洞然, 徹上徹下, 表裏如一. 義以方外, 是見得是處決定是恁地, 不是處決定不恁地. 截然方方正正, 須是自將去做工夫. 又曰, 敬義工夫不可偏廢, 彼專務集義而不知主敬者, 固有虛驕急迫之病, 而所謂義者或非其義矣. 然專言敬而不知就日用念慮起處, 分別其公私義利之所在, 而決取舍之幾焉, 則亦不免於昏憒雜擾, 而所謂敬者有非敬矣. 又曰, 有人專要就寂然不動上理會, 及其應事, 卻顚倒又牽動它寂然底. 又有人專要理會事, 卻於根本上全无工夫. 須是徹上徹下表裏洞徹, 如敬以直內, 便義以方外, 義以方外, 便敬以直內. 又曰, 敬義只是一事, 如兩脚立定是敬, 纔行是義, 合目是敬, 開眼見物, 便是義.
경으로써 안을 곧게 하고 의로써 밖을 방정하게 한다는 말은 평생 사용해도 모자람이 없다. 경으로써 안을 곧게 하는 것은 털끝만큼도 사욕이 없고 마음이 매우 밝아 위아래로 통달하고 표리가 한결같은 것이다. 의로써 밖을 방정하게 하는 것은 옳은 것을 그처럼 옳다고 처결하고 옳지 않은 것을 그처럼 옳지 않다고 처결하는 것임을 아는 것이다. 자른 듯이 경계가 분명하게 방정하고 방정하니, 스스로 공부할 수 있는 것이다.
또 말하였다: 경과 의 공부는 하나라도 없어서는 안 된다. 오로지 의에 합하는 데만 힘쓰고 경을 주로 할 줄 모르는 자는 본래 자만하고 다급한 병통이 있으니, 이른바 의라는 것이 그 의가 아닐 것이다. 그러나 오로지 경만 말하고 일상생활의 생각할 것들에서 그 공사(公私)와 의리(義利)가 어디에 있는지 분별할 줄 모르고 취사의 기미를 결정할 줄 모른다면, 또한 혼미하고 어지러움을 면하지 못할 것이니, 이른바 경이라는 것이 경이 아닐 것이다.

또 말하였다: 어떤 이가 오로지 고요하게 움직이지 않는 것에서 이해하고자 한다면, 일에 대응할 때에 도리어 그 고요한 것이 전도되고 움직이게 될 것이다. 또 어떤 사람이 오로지 일에서만 이해하려고 한다면, 도리어 근본적으로 전혀 공부하지 않은 것이다. 위아래로 관통하여 표리를 분명히 알아야 하니, 이를테면 경으로써 안을 곧게 하여 곧 의로써 밖을 방정하게 하고, 의로써 밖을 방정하게 하여 곧 경으로써 안을 곧게 하는 것이다.
또 말하였다: 경과 의는 단지 하나의 일이니, 이를테면 두 다리로 똑바로 서있는 것은 경이고, 비로소 걸어가는 것은 의이며, 눈을 감고 있는 것은 경이고, 눈을 뜨고 사물을 보는 것은 의이다.

○ 文言將敬字解直字, 義字解方字, 敬義立而德不孤卽解大字. 敬而无義, 則做事出來必錯了. 只義而無敬則无本, 何以爲義. 皆是孤也. 須是敬義立方不孤. 施之事君則忠於君, 事親則悅於親, 交朋友則信於朋友, 皆不待習而无一之不利也.
「문언전」에서는 '경(敬)'자를 가지고 '곧음'을 해석하고, '의(義)'자를 가지고 '방정함'을 해석했으니, 경과 의가 확립되어 외롭지 않다는 것은 '큼'을 해석한 것이다. 경하더라도 의가 없으면 일을 행함에 반드시 어지러워진다. 단지 의만 하고 경이 없으면 근본이 없으니 무엇으로 의를 행하겠는가? 이것들은 모두 외로운 것이니, 반드시 경과 의가 확립되어야 외롭지 않다. 이것을 군주를 섬기는 데 시행하면 군주에게 충성하고, 부모를 섬기는 데 시행하면 부모를 기쁘게 하며, 친구들과 교제하는 데 시행하면 친구들에게 믿음이 있으니, 모두 익히기를 기다리지 않아도 어느 곳에서도 이롭지 않음이 없는 것이다.

○ 坤六二末, 乃言不疑所行, 不疑方可入乾知處.
곤괘 육이효의 끝에서 바로 "행하는 바를 의심하지 않는다"라고 말했으니, 의심하지 않아야 '건이 주관하는 곳'[180]으로 들어간다.

○ 潛室陳氏曰, 直其正也, 方其義也, 而不言正以直內何也. 蓋以正解直則可, 以敬解直則不可. 轉正爲敬者, 蓋才敬則心必正. 敬則豎起精神不令放倒, 乃是正以直內處. 爲下一轉語卽喚起精神, 所以敬字更有工夫.
잠실진씨가 말하였다: 그 바름을 곧게 하고 그 의를 방정하게 하면서 바름으로써 안을 곧게 한다고 말하지 않은 것은 무엇 때문인가? 바름을 곧음으로 해석하는 것은 되지만, 경을 곧음으로 해석하는 것은 안 되기 때문이다. 바름을 전환하여 경으로 여기는 것은 경하여야만 마음이 반드시 바르게 된다는 것이다. 경은 정신을 곧게 일으켜 멋대로 하지 않게 하니,

180) 『周易 · 乾卦』: 乾知大始, 坤作成物.

바로 바름으로써 안을 곧게 함이다. 한 번 말을 전환한 것은 곧 정신을 환기한 것이니, 그 때문에 경이라는 글자에는 공부가 한층 더 있다.

○ 雙峯饒氏曰, 所謂直者, 卽人心本然之正, 所謂方者, 卽人心裁制之義, 皆其固有而非外鑠我者. 君子當主敬以直其內, 守義以方其外. 敬義竝立則其德不孤. 蓋孤則偏於一善而其德狹, 不孤則衆善畢集而其德大矣. 體用全備, 无適不宜, 其於行事坦然无所疑惑, 此所以不習而无不利也.

쌍봉요씨가 말하였다: 이른바 곧음이란 곧 인심 본연의 바름이고, 이른바 방정함이란 곧 인심이 재제한 의이니, 모두 고유한 것이지 밖에서 나에게로 녹아 들어온 것이 아니다. 군자는 마땅히 경을 주로 해서 안을 곧게 하고 의를 지켜서 밖을 방정하게 하여야 한다. 경과 의가 병립되면 그 덕이 외롭지 않다. 외로운 것은 하나의 선에 치우쳐서 그 덕이 협소한 것이고, 외롭지 않은 것은 여러 선이 모두 모여 그 덕이 큰 것이다. 본체와 작용이 완비되어 어디에서든지 마땅하지 않음이 없고, 그것이 행사에서 편안해서 의혹됨이 없으니, 이 때문에 익히지 않아도 이롭지 않음이 없다.

○ 雲峯胡氏曰, 直方以用言, 正義以體言. 敬立而內直, 義形而外方, 有體固有用也. 就敬與義言之, 則敬爲體, 義又爲用, 體用兼全, 此其德所以不孤也. 又曰, 乾九三明誠竝進, 聖人事也, 坤六二敬義偕立, 學者事也. 主敬是爲學之要, 集義乃講學之功.

쌍봉호씨가 말하였다: 곧음과 방정함은 작용으로 말한 것이고, 바름과 의는 본체로 말한 것이다. 경이 확립되어 안이 곧고, 의가 드러나서 밖이 방정하니, 본체가 있으면 당연히 작용이 있다. 경과 의로 말하면 경은 본체이고 의는 또한 작용이어서 본체와 작용이 모두 있으니, 이것이 그 덕이 외롭지 않은 까닭이다.

또 말하였다: 건괘의 구삼에서는 명(明)과 성(誠)이 함께 나아가니 성인의 일이고, 곤괘 육이에서는 경(敬)과 의(義)를 함께 내세우니, 배우는 자들의 일이다. 경을 주로 하는 것은 바로 배움의 핵심이고, 의를 실천하여 내면에 쌓는 것은 바로 학문을 닦고 연구하는 일이다.

○ 隆山李氏曰, 文言字字皆有位置, 非苟然也. 乾九三言誠, 坤六二言敬, 誠敬者, 乾坤之別也. 先儒誠敬之學起於此. 乾九二言仁, 坤六二言義, 仁義者, 陰陽之辯也. 先儒論仁義之用取諸此.

융산이씨가 말하였다: 「문언」의 글자마다 모두 위치가 있는 것은 공연히 그런 것이 아니다. 건괘의 구삼에서는 성(誠)에 대해 말했고, 곤괘의 육이에서는 경(敬)에 대해 말했으니, 성과 경은 건과 곤의 구별이다. 선대 학자들의 성과 경에 대한 배움이 여기에서 나왔다. 건괘 구이에서는 인(仁)에 대해 말했고, 곤괘 육이에서는 의(義)에 대해 말했으니, 인과 의는 음

과 양의 구분이다. 선대학자들이 인과 의의 용에 대한 논의는 여기에서 취했다.

▌韓國大全▐

이익(李瀷) 『역경질서(易經疾書)』

直其正者, 正故直也. 方其義者, 義故方也. 敬以直內, 正心而心正也. 義以方外, 知止而能得也. 君子之存心, 富貴不能淫, 貧賤不能移, 威武不能屈, 豈非直乎. 君子之處事, 爲人君止於仁, 爲人臣止於忠, 爲人子止於孝, 爲人父止於慈, 與國人交止於信, 豈非方乎. 以時令言, 天地變化, 草木繁矣. 至純陰閉塞, 則零落在中. 以世運言, 純陰閉塞, 賢人隱矣, 至天地變化, 則出而需世在中. 此互文也, 變化者, 上下交之泰乎草木之時令, 如君子之世運. 以小喩大, 聖賢之遇不遇, 如草木之寒暑也. 易之爲道, 四多懼, 近也. 純陰之世, 尤宜申戒.

바름을 곧게 한 자는 바르기 때문에 곧다. 의로움을 방정하게 한 자는 의롭기 때문에 방정하다. 경으로써 안을 곧게 하는 것은 마음을 바르게 하여 마음이 바른 것이다. 의로움으로써 밖을 방정하게 하는 것은 멈출 곳을 알아 할 수 있는 것이다. 군자가 마음을 보존한 것은 부귀가 어지럽힐 수 없고, 빈천이 옮길 수 없으며 무력으로 굴복시킬 수 없으니, 어찌 곧음이 아니겠는가?[181] 군자의 일처리는 임금이 되어서는 어짊에서 멈추고 신하가 되어서는 충성에서 멈추며, 자식이 되어서는 효도에서 멈추고 아비가 되어서는 자애에서 멈추며, 나라의 사람들과 교제할 때는 믿음에서 멈추니,[182] 어찌 방정함이 아니겠는가? 24절기로 말할 경우, 천지가 변화하여 초목이 우거졌는데, 순수한 음이 닫히게 되면 쇠퇴함이 그 속에 있다. 세상 운수로 말할 경우, 순수한 음이 닫혀 현인이 숨어 있는데, 천지가 변화하게 되면 나와서 세상에서 구하는 것이 그 속에 있다. 이것은 상호보완적인 글이다. 변화가 위아래로 교제하여 초목의 절기를 태평하게 하는 것은 군자의 세상 운수와 같다. 작은 것으로 큰 것을 비유하면, 성인과 현인이 때를 만나고 못 만나고는 초목의 한서와 같다. 『주역』의 도가 사효에서 두려움이 많은 것은 임금의 자리에 가깝기 때문이다.[183] 순수한 음의 세상에서는 더욱

181) 『孟子 · 滕文公』: 富貴不能淫, 貧賤不能移, 威武不能屈, 此之謂大丈夫.
182) 『大學』: 爲人君止於仁, 爲人臣止於敬, 爲人子止於孝, 爲人父止於慈, 與國人交止於信.
183) 『周易 · 繫辭傳』: 二與四, 同功而異位, 其善不同, 二多譽, 四多懼, 近也.

경계를 거듭해야 한다.

심조(沈潮)「역상차론(易象箚論)」

文言註, 朱子曰, 義以方外, 是講學工夫.
「문언전」의 주석에서 주자가 말하였다: 의로써 밖을 방정하게 하는 것은 학문을 닦고 연구하는 공부이다.

處得事截然區處, 旣是方外底事, 則是可行. 上論何以曰講學工夫. 蓋卞別得一箇是非, 然後方是截然區處, 然則卞別是非, 非講學工夫乎.
일을 자른 듯이 경계 지어 처리할 수 있다면, 이미 밖의 일을 방정하게 하는 것을 행할 수 있는 것이다. 그런데 위에서 무엇 때문에 학문을 닦고 연구하는 공부라고 말하였는가? 하나의 시비를 변별할 수 있고, 그런 다음에 자른 듯이 경계 지어 처리하니, 그렇다면 시비를 변별하는 것은 학문을 닦고 연구하는 공부가 아니겠는가?

유정원(柳正源)『역해참고(易解參攷)』

直其 [至] 不孤.
곧음 … 외롭지 않다.

程子曰, 敬以直內義以方外, 仁也. 若以敬直內則便不直矣, 必有事焉, 而勿正則直也.
정자가 말하였다: 경(敬)으로써 안을 곧게 하고, 의로움으로써 밖을 방정하게 함은 인(仁)이다. 만약 경(敬)으로써 안을 곧게 하면 곧지 못하고, 반드시 일에 종사하여 기필하지 말아야 곧아진다.

○ 敬只是涵養一事, 必有事焉, 須用集義, 只知用敬, 不知集義, 卻是都旡事.
경(敬)은 다만 함양(涵養)하는 한 가지 일이니, 반드시 일에 종사하여 반드시 의로움을 모아야 한다. 단지 경(敬)을 사용할 줄만 알고 의로움을 모을 줄 모르면 모든 일이 없게 된다.

○ 敬以直內, 有主於內, 則虛自然旡非僻之心.
경(敬)으로써 안을 곧게 하여 안에 주인이 있으면 비어서 자연히 잘못되고 치우친 마음이 없게 될 것이다.

○ 有言, 未感時, 何所寓. 曰, 操則存, 舍則亡, 出入无時, 莫知其鄕. 更怎生尋所寓. 只是有操而已. 操之之道, 敬以直內也.[184]
물었다: "감응이 없을 때 무엇이 안에 있습니까?"라는 말이 있습니다.
답하였다: 잡으면 보존되고, 놓으면 없어지니, 나가고 들어가는 것이 때가 없어서 그 방향을 알 수 없으니, 어찌 안에 있는 것을 찾을 수 있겠습니까? 다만 붙잡을 뿐입니다. 그것을 붙잡는 방법은 경으로써 안을 곧게 하는 것입니다.

○ 和靖尹氏曰, 先生敎人, 只是專令用敬以直內, 若用此理, 則百事不敢妄作, 不愧屋漏矣. 習之旣久, 自然有所得也.
화정윤씨가 말하였다: 선생님이 사람을 가르침은 다만 오로지 경으로써 안을 곧게 하는 것이다. 만약 이 이치를 사용하면 온갖 일이 감히 헛되이 행해지지 않아 집안의 가장 보이지 않는 방 안에서도 부끄럽지 않을 것이다. 익힘이 오래되면 자연히 얻음이 있을 것이다.

○ 五峯胡氏曰, 居敬所以精義也.
오봉호씨가 말하였다: 경(敬)으로 닦는 것은 의로움을 정밀하게 하는 것이다.

○ 朱子曰, 敬是立己之本, 義是處事截然方正, 各得其宜.
주자가 말하였다: 경(敬)은 자기를 세우는 근본이고, 의로움은 일을 처리하는데 분명하게 방정하여 그 마땅함을 각각 얻는 것이다.

○ 涵養須用敬, 處事便是集義.
마음을 보존하여 기를 때는 반드시 경(敬)을 사용하여야 하고, 일을 처리할 때는 의로움을 모아야 한다.

○ 敬要回頭看, 義要向前看.
경(敬)은 돌이켜 보아야 하는 것이고, 의로움은 앞을 향하여 보아야 하는 것이다.

○ 問, 敬勝怠, 怠勝敬, 義勝欲, 欲勝義? 曰, 敬便豎立, 怠便放倒, 以理從事是義, 不以理從事是欲, 這敬義是體用, 與坤卦說同.[185]

---

184) 『朱子語類』 卷九十六 · 程子之書二: 用之問有言, 未感時, 知何所寓曰, 操則存, 舍則亡, 出入無時, 莫知其鄕. 更怎生尋所寓.只是有操而已.

185) 『朱子語類』 卷十七 · 大學四或問上: 問, 丹書曰, 敬勝怠者吉, 怠勝敬者滅 ; 義勝欲者從, 欲勝義者

물었다: 공경이 태만함을 이깁니까? 태만함이 공경을 이깁니까? 의로움이 욕심을 이깁니까? 욕심이 의로움을 이깁니까?
답하였다: 공경은 곧게 서는 것이고, 태만함은 거꾸로 하는 것입니다. 이치로 일에 종사하는 것이 의로움이고, 이치로 일에 종사하지 않는 것이 욕심입니다. 이러한 공경과 의로움은 본체와 작용이니, 곤괘(坤卦)의 설명과 같습니다.

○ 名堂室記, 左曰敬齋, 右曰義齋. 蓋熹嘗讀易而得其兩言曰, 敬以直內義以方外, 以爲爲學之要. 无以易此, 而未知其所以用力之方也. 及讀中庸, 見其所論, 修道之敎, 而必以戒愼恐懼爲始, 然後得夫所以持敬之本. 又讀大學, 見其所論, 明德之序, 而必以格物致知爲先, 然後得夫所以明義之端. 旣而觀夫二者之功, 一動一靜, 交相爲用. 又有合乎周子太極之論, 然後又知天下之理, 幽明鉅細, 遠近淺深, 无不貫乎一者, 樂而玩之, 固足以終吾身而不厭, 又何暇夫外慕哉.
「명당실기」[186]에서 말하였다: 왼쪽은 '공경의 집[敬齋]'라 하였고, 오른쪽은 '의로움의 집[義齋]'이라고 하였다. 내[주희]가 일찍이 『주역』을 읽다가 "경(敬)으로써 안을 곧게 하고 의로움으로써 밖을 방정하게 한다"는 이 두 말을 얻어 이것을 학문을 하는 요점으로 여겼다. 이것은 바꿀 수 없는 것이지만, 공부를 하는 방법은 알지 못하였다. 『중용(中庸)』을 읽다가 도를 닦는 가르침을 논하면서 반드시 경계하고 삼가고 두려워함을 시작으로 삼은 연후에야 공경을 유지하는 근본을 얻을 수 있는 것을 알았다. 『대학(大學)』을 읽다가 덕(德)을 밝히는 순서를 논하면서 반드시 사물에 이르러 지식을 지극히 하는 것을 먼저 한 연후에야 의로움을 밝히는 단서를 얻을 수 있다는 것을 알았다. 얼마 후 이 두 가지 공부는 한 번 움직이고 한 번 고요함이 서로 작용이 된다는 것을 알게 되었다. 또한 주돈이(周敦頤)의 태극(太極)에 대한 논의에 합치된 연후에야 천하의 이치가 그윽하고 밝고 크고 작고 멀고 가깝고 얕고 깊은 것에 하나로 관통하지 않은 것이 없음을 알았다. 즐겁게 그것을 완미하면 진실로 종신토록 싫어하지 않을 것이니, 또한 어느 겨를에 바깥 것을 흠모하겠는가?

○ 敬以直內, 便能義以方外, 非是別有箇義, 敬譬如鏡, 義便是能照底.
경(敬)으로써 안을 곧게 함은 곧 의로움으로 밖을 방정하게 함이니, 별도로 의로움이 있는 것이 아니다. 경은 비유하면 거울과 같고, 의로움은 곧 비추는 것이다.

凶. 從字意如何. 曰, 從, 順也. 敬便豎起, 怠便放倒. 以理從事, 是義, 不以理從事, 便是欲. 這處敬與義, 是個體用, 亦猶坤卦說敬義.

186) 『주자대전』 권78, 「명당실기」.

○ 問, 敬莫只是涵養, 義便分別是非. 曰, 不須恁地說, 不敬時便是不義.
물었다: 경은 단지 함양(涵養)하는 것에만 그치지 않고, 의로움은 옳고 그름을 분별하는 것입니까?
답하였다: 반드시 이와 같이 말할 수 없습니다. 경하지 않을 때는 의로울 수 없습니다.

○ 敬立而內自直, 義形而外自方. 若欲以敬要去直內, 以義要去方外 則非矣.
경이 서면 안이 스스로 곧아지고, 의로움이 드러나면 밖이 스스로 방정해진다. 만약 경으로써 안을 곧게 하고자 하고, 의로움으로써 밖을 방정하게 하고자 하면 잘못이다.

○ 西山眞氏曰, 敬則此心无私邪之累, 內之所以直也. 義則事事物物, 各當其分, 外之所以方也.
서산진씨가 말하였다: 경하면 이 마음에 사사로움과 사악함의 잘못이 없어 안이 곧아지고, 의로우면 모든 사물이 각각 그 분수에 마땅하여 밖이 방정해진다.

○ 敬義齋銘曰, 唯坤六二, 其德直方, 君子體之, 爲道有常. 內而立心, 曰直是貴, 唯敬則直, 不偏以陂. 外而制事, 曰方是宜, 唯義則方, 各當其施. 曰敬伊何, 唯主乎一, 凜然自持, 神明在側. 曰義伊何, 唯理是循, 利害之私, 罔沒[187]其眞. 靜而存養, 中則有主, 動而酬酢, 莫不中矩. 大哉敬乎, 一心之方, 至哉義乎, 萬事之綱. 敬義夾持, 不二不忒, 表裏洞然, 上達天德. 昔有哲王, 師保是詢, 丹書有訓, 西面以陳. 敬與怠分, 義與欲對, 一長一消, 禍福斯在. 怠心之萌, 闒焉沈昏, 欲心之熾, 蕩乎狂奔. 唯此二端, 敗德之賊, 必壯乃猷, 如敵斯克. 怠欲既泯, 敬義斯存, 直方以大, 協德于坤. 一念小差, 眡此齋扁, 嚴師在前, 永詔无倦.
「경의재명(敬義齋銘)」[188]에서 말하였다: 오직 곤괘의 육이가 그 덕이 곧고 방정하니, 군자는 그것을 체득하여 도를 행함에 상도가 있다. 안으로 마음을 세울 때는 곧음이 귀하다. 오직 경하면 곧아서 치우치거나 기울어지지 않는다. 밖으로 일을 조절할 때는 방정함이 마땅하다. 오직 의로우면 방정하여 그 베풂이 각각 마땅하다. 경(敬)은 어떻게 하는가? 오직 하나에 집중하여 늠름하게 스스로 지켜 신명(神明)이 곁에 있는 듯이 하는 것이다. 의로움은 어떻게 하는 것인가? 오직 이치를 따라서 사사로운 이익과 해로움으로 그 참됨을 어지럽히지 않아야 한다. 고요할 때 보존하고 기르면 마음에 주인이 있게 되고, 움직일 때 수작(酬酌)하면 법도에 맞지 않음이 없게 된다. 위대하다, 경이여! 한 마음의 방정함이로다. 지극하

187) '몰(沒)'은 사고전서 『서산문집』에는 '골(汩)'로 되어 있다. 여기에서도 '골(汩)'로 해석한다.
188) 진덕수(眞德秀), 『서산문집(西山文集)』 권33.

다, 의로움이여! 온갖 일의 근본이로다. 경과 의로움은 함께 지켜도 어긋나지 않아서 밖과 속이 훤히 통하여 위로 하늘의 덕에 도달하게 된다. 옛날 명철한 왕은 스승에게 묻고 기록하여 서쪽 벽면에 보관하였다. 경은 태만함과 분리되고 의로움은 욕심과 대립되는데, 한 번 자라고 한 번 사라짐에 따라 화와 복이 여기에 있게 된다. 태만한 마음이 싹트면 어리석게 되고, 욕심이 타오르면 제멋대로 미쳐 날뛰게 된다. 오직 이 태만함과 욕심이야말로 덕을 무너뜨리는 도적이니, 반드시 강건하게 법도에 따라 마치 적과 같이 대적하여 물리쳐야 한다. 태만함과 욕심이 이미 없어지면 경(敬)과 의로움이 보존되어 마음이 곧고 방정하고 커져서 곤괘의 덕에 합치될 수 있을 것이다. 문득 재실의 현판을 보니 엄한 스승이 앞에 계신 듯 길이 가르침이 다할 날이 없구나.

○ 案, 坤體中虛, 坤象偶方, 虛者敬之所以爲體也, 方者義之所以爲用也, 此敬體義用之說, 而朱子又以義體敬用爲言, 其於體用一原之義, 何如也. 曰心具寂感, 方其寂然而未發也, 无形象可見, 故特據其操存持守之工, 而以敬爲體. 及其形外也, 則有事物可見, 故特據其斷制齊整之宜, 而以義爲用, 此敬義體用之所以分也. 然自其事物裁制之主於心者而言, 則義爲之體也, 事之各當其則, 无紛擾走作之患者, 乃敬之用也. 故勉齋黃氏曰, 敬該夫動, 則方外者, 乃敬之流行, 義主於心則直內者, 乃義之根本. 由此觀之, 則義未嘗不爲體, 而敬亦未嘗不爲用也.
내가 살펴보았다: 곤괘의 몸체는 가운데가 비어 있고, 곤괘의 상(象)은 짝이고 네모이다. 빈 것은 경(敬)의 본체이고, 네모는 의로움의 작용이다. 이것이 경이 본체이고 의로움이 작용이라는 이론인데, 주자는 또한 의로움이 본체이고 경이 작용이라고 말하였으니, 본체와 작용이 하나의 근원이라는 뜻에서는 어떠한가? 마음은 고요함과 감응함을 갖추고 있으니, 고요할 때에는 미발(未發)이어서 형상(形象)을 아직 볼 수 없는 까닭에 다만 잡아서 보존하고 지키는 공부에 의거하여 경을 본체로 삼는다. 밖으로 드러날 때에는 사물을 볼 수 있기 때문에 다만 판단하고 가지런히 하는 마땅함에 의거하여 의로움을 작용으로 삼는다. 이것이 경과 의로움이 본체와 작용으로 나누어지는 까닭이다. 그러나 마음에서 사물을 제재하는 것을 마음에서 주관하는 것으로부터 말하면 의로움이 그것의 본체이다. 일이 각각 그 법칙에 마땅하여 어지럽거나 규범에서 벗어나는 걱정이 없는 것이 경의 작용이다. 그러므로 면재황씨가 "경이 움직임을 포용하면 밖을 방정하게 하는 것이 경의 유행이다. 의로움이 마음을 주관하면 안을 곧게 하는 것이 의로움의 근본이다"라고 말하였다. 이것으로 보면 의로움이 일찍이 본체가 되지 않음이 없고, 경이 일찍이 작용이 되지 않음이 없다.

又案, 敬義二字, 雖見於坤卦二爻, 而實一篇之綱領, 聖學之始終也. 蓋敬是收斂底, 義是裁制底, 未發也, 敬爲之主而義具焉, 已發也, 義以之方而敬行焉, 則時分有動靜之異, 地頭有內外之分, 而若動若靜, 若內若外, 无不相須而互用, 故先儒以敬之一言爲用功之節度準的, 涵養本原而敬之體立焉, 隨事省察而敬之用行焉. 一顯微而該本末, 徹表裏而貫始終, 无一刻无敬之時, 无一席无敬之地. 後人之留心聖學者, 舍夫敬, 將從何入也. 玆又採摭伊洛以來論敬要旨, 附于左方.
또 내가 살펴보았다: 경(敬)과 의로움이 비록 곤괘 이효에서 보이지만 실제로 한 편의 강령이자 성학(聖學)의 시작과 끝이다. 경은 수렴하는 것이고, 의로움은 제재하는 것이다. 미발(未發) 때에 경이 주관하여 의로움이 갖추어지고, 이발(已發) 때에 의로움이 방정하여 경이 행해진다. 때에 움직임과 고요함의 다름이 있고, 위치에 안과 밖의 구분이 있다. 움직이듯 고요한 듯, 안인 듯 밖인 듯하여 서로 기다리고 쓰이지 않음이 없다. 그러므로 옛 유학자들이 경을 공부하는 절도와 표준으로 여겨 본질을 함양(涵養)하여 경의 본체가 확립되고, 일에 따라 성찰하여 경의 작용이 행해졌다. 드러남과 은미함을 동일하게 하고 근본과 말단을 포함하며, 겉과 속, 시작과 마침을 관통하여 잠시도 경하지 않는 때가 없고, 어떤 곳에서도 경의 경우가 아님이 없다. 후인들 중에서 성학에 마음을 둔 자가 경을 버리고 장차 무엇을 좇아 들어가겠는가? 이에 또 중국 송나라 성리학 이래로 경에 관하여 논의한 요지를 가려 뽑아 왼쪽에 붙여 놓았다.

程子曰, 入道莫如敬.
정자가 말하였다: 도에 들어가는 것은 경(敬)만한 것이 없다.

○ 或曰, 敬何以用功.
曰, 莫若主一.
어떤 사람이 물었다: 경은 어떻게 공부하는 것입니까?
답하였다: 하나에 집중하는 것보다 좋은 것은 없습니다.

○ 大凡人心, 不可二用. 用於一事, 則他事叓不能入者, 事爲之主也. 事爲之主, 尙无思慮紛擾之患, 若主於敬, 又焉有此患乎. 所謂敬者, 主一之謂, 所謂一者, 无適之謂. 且欲涵泳主一之義, 一則无二三矣. 易所謂敬以直內義以方外, 須是直內, 乃是主一之義, 至於不敢欺, 不敢慢, 尙不愧于屋漏, 皆是敬之事也.
대체로 사람의 마음은 두 갈래로 쓸 수 없다. 하나의 일에 사용하면 다른 일이 들어올 수 없어서 일이 그것의 주인이 된다. 일이 그것의 주인이 되면 일찍이 생각이 어지러워지는 걱정이 없게 될 것이니, 만약 경을 위주로 하면 어찌 이러한 걱정이 있겠는가? 경은 하나에 집중하는 것이고, 하나는 다른 곳으로 가지 않는 것을 말한다. 하나에 집중하는 뜻에 젖어들려고 하여 한결같이 하면 둘이나 셋이 없을 것이다. 『주역』에서 경(敬)으로써 안을 곧게 하고 의로움으로써 밖을 방정하게 한다고 하였으니, 안을 곧게 하는 것이 하나에 집중하는 뜻이며, 감히 속이거나 태만하지 않아 집안의 가장 보이지 않는 방 안에서도 부끄럽지 않은 것이 모두 경의 일이다.

○ 主一則旣不之東又不之西, 如是則只是中, 旣不之此又不之彼, 如是則只是內, 存此則自然天理明. 學者, 須是將敬以直內涵養, 此意直內是本.
하나에 집중하면 이미 동쪽이나 서쪽으로 가지 않아 다만 가운데 일뿐이고, 이미 이쪽이나 저쪽으로 가지 않아 다만 안[內] 일 뿐이다. 이것을 보존하면 자연히 하늘의 이치가 밝을 것이다. 배우는 자는 반드시 장차 경으로써 안을 곧게 하고 함양(涵養)해야 하는데, 여기에서 아마도 안을 곧게 하는 것이 근본일 것이다.
〈朱子曰, 主一是敬字註解. 要之, 事无小无大, 常令自家精神思慮, 盡在此, 遇事時也如此, 无事時也如此.
주자가 말하였다: 하나에 집중함은 '경(敬)'을 풀이한 것이다. 요컨대 일[事]에는 작거나 큰 것 없이 항상 자신의 정신과 생각을 모두 여기에 있게 하여 일을 만났을 때도 이와 같이 하고, 일이 없을 때에도 이와 같이 하는 것이다.〉

〈○ 无適, 只是持守得定, 不馳騖走作之意. 无適卽是主一, 主一卽是敬, 展轉相解, 非无適之外, 別有主一, 主一之外又別有敬也
다른 곳으로 가지 않음은 지킴이 안정을 얻어 달려 나가 벗어나려는 생각이 없는 것이다. 다른 곳으로 가지 않음이 곧 하나에 집중함이니, 하나에 집중함이 곧 경이다. 바꾸어서 서로 풀어보면 다른 곳으로 가지 않는 것 이외에 따로 하나에 집중함이 없고, 하나에 집중하는 것 이외에 따로 경이 없다.〉

〈○ 一者, 其心湛然只在這裏
하나는 그 마음이 담담하게 여기에 있는 것이다.〉

〈○ 問, 主一无適.
曰, 只是莫走作, 如讀書時只讀書, 著衣時只著衣, 此卽主一无適之義.
물었다: 하나에 집중하여 다른 곳으로 가지 않는 것은 무슨 뜻입니까?
답하였다: 단지 벗어나지 않는 것입니다. 책을 읽을 때는 책만 읽고, 옷을 입을 때는 옷만 입는 것이 하나에 집중하여 다른 곳으로 가지 않는 뜻입니다.〉

〈○ 做了這一事, 卻做一事, 今人做一事未了, 又要做一事, 心下千頭萬緒

한 가지 일을 마치고 나서 다른 일을 해야 한다. 요즘 사람들은 한 가지 일을 아직 마치지 않았는데 또 한 가지 일을 하려고 하니, 마음이 뒤얽혀 있다.〉

〈○ 主一是敬, 表德只是要收斂
하나에 집중함이 경이니, 덕(德)을 드러낼 때에는 수렴(收斂)하여야 한다.〉

〈○ 問, 方應此事未畢, 而復有一事至, 則當如何. 曰, 也須是做一件了, 又理會一件, 亦无雜然而應之理. 但甚不得已, 則權其輕重可也.
물었다: 이 일에 대응하는 것이 아직 끝나지 않았는데 다시 하나의 일이 이르면 어떻게 해야 합니까?
답하였다: 반드시 하나를 마치고 나야 하나를 이해할 수 있으니, 또한 잡다하게 대응하는 이치는 없다. 다만 매우 부득이 하다면 그 경중(輕重)을 따져보는 것이 좋다.〉

〈○ 問, 伊川云主一之謂敬. 又曰, 人心常要活, 則周流无窮, 而不滯於一隅. 或者疑主一則滯, 滯則不能周流无窮矣. 竊謂, 主一則此心便存, 心存則物來順應, 何有乎滯. 曰, 固是. 然所謂主一者, 何嘗滯於一事. 不主一, 則方理會此事, 而心留於彼, 這卻是滯於一隅
물었다: 이천이 "하나에 집중하는 것을 경(敬)이라 한다"고 말하였고, 또 "마음을 항상 살아 있게 하면 두루 흘러 끝이 없어 한 모퉁이에 막히지 않을 것이다"고 말하였습니다. 어떤 사람이 의심하기를, "하나에 집중하면 막히고, 막히면 두루 흘러 끝이 없을 수 없다"고 말하였는데, 내가 "하나에 집중하면 이 마음이 보존될 것이니, 마음이 보존되면 사물이 와도 순응(順應)하게 되어 어찌 막힘이 있겠는가?"라고 하였습니다.
답하였다: 진실로 옳습니다. 그러나 말한 '하나에 집중함[主一]'이 어찌 하나의 일에 일찍이 막히는 것이겠습니까? 하나에 집중하지 않으면 이 일을 이해할 때에 마음은 저기에 머무를 것이니, 이것이 한 모퉁이에 막히는 것입니다.〉

○ 整齊嚴肅, 則心便一, 一則旡非僻之干.
가지런하고 엄숙하면 마음이 한결같아지고, 한결같아지면 잘못이나 편벽된 막힘이 없을 것이다.

○ 嚴威儼恪, 非敬之道, 但致敬須自此入.
위엄 있고 삼감은 경(敬)의 도가 아니지만, 경을 지극하게 하는 것은 반드시 이것으로부터 들어가야 한다.

〈朱子曰, 恪是恭敬中, 朴實緊切處. 問, 恪是有嚴意否. 曰, 太莊太嚴厲了.
주자가 말하였다: 삼감은 공경(恭敬) 가운데 소박하고 긴밀한 것이다.
물었다: 삼감은 엄격하다는 뜻이 아닙니까?
답하였다: 매우 장엄하고 엄숙한 것입니다.〉

○ 有從伊川學, 伊川令看敬字. 請益, 伊川整衣冠齊容貌而已. 尹子聞之, 於言下, 有箇省覺處.
이천을 따라 배웠는데, 정이는 경(敬)을 잘 보라고 하였다. 더 청하자 정이는 의관을 바르게 하고, 용모를 가지런히 해야 한다고 하였다. 윤자(尹子)가 그것을 듣고 그 말에서 살피고 깨달음이 있었다.
〈朱子曰, 學者之病, 只是合下欠卻持敬工夫, 所以事事滅裂, 其言敬者, 又只說能存此心, 自然中理, 至於容貌辭氣, 往往全不加工, 設使眞能如此存得, 亦與釋老何異. 又況心慮荒忽, 未必眞能存得邪. 程子言敬, 必以整齊嚴肅, 正衣冠, 尊瞻視爲先, 又言未有箕踞而心不慢者, 如此乃是至論.
주자가 말하였다: 배우는 사람들의 잘못은 오로지 '경을 지키는[持敬]' 공부가 모자랄 뿐이다. 그래서 일마다 갈피를 잡지 못한다. 경(敬)을 말하는 사람들은 다만 능히 이 마음을 보존하면 저절로 이치에 맞을 수 있다고만 말할 뿐, 용모나 말투에 이르러서는 항상 전혀 노력하지 않으니, 가령 참으로 이렇게 보존한다면 불교[釋氏]나 노자(老子)와 무엇이 다르겠는가? 게다가 마음이 어리석고 소홀해서는 반드시 진실로 보존될 수 없을 것이다. 정자(程子)가 말하기를, "경(敬)은 가지런하고 엄숙하여 의관(衣冠)을 바로 하고 바라봄을 존엄하게 함을 우선으로 해야 한다"고 하였고, 또 "두 다리를 쭉 뻗고 앉고서 마음이 거만하지 않는 사람은 없다"고 하였으니, 이와 같이 해야 이치에 맞을 것이다.〉

〈○ 南軒張氏曰, 古人衣冠容止之間, 不是要作意矜持, 只是循他天則, 合如是爲. 尋常因循怠弛, 故須著勉强自持, 外之不肅, 而謂能敬於內, 可乎.
남헌장씨가 말하였다: 옛 사람들은 의관(衣冠)이나 용모와 행동에서 자랑하려는 생각이 없이 다만 하늘의 법칙을 따라서 적합하게 이와 같이 하였다. 보통 늘 습관대로 행동하고 게으르고 방탕하기 때문에 반드시 힘써 자신을 지켜야 하니, 밖이 엄숙하지 않으면서 안을 경(敬)하게 할 수 있다는 것이 말이 되겠는가?〉

○ 上蔡謝氏曰, 敬是常惺惺法.
상채사씨가 말하였다: 경(敬)은 항상 깨어있는 법칙이다.
〈朱子曰, 惺惺, 乃心不昏昧之謂, 只此便是敬. 今人說敬, 以整齊嚴肅言之, 固是. 然

心若昏昧, 燭理不明, 雖强把捉, 豈得爲敬.
주자가 말하였다: 깨어있음[惺惺]은 마음이 어리석지 않음을 말하니, 이것이 경(敬)이다. 요즘 사람들이 경(敬)을 가지런하고 엄숙한 것이라고 말하는데 참으로 옳다. 그러나 마음이 만약 어리석어 이치를 밝히는데 밝지 못하다면, 비록 애써서 잡고자 하더라도 어찌 경(敬)을 할 수 있겠는가?〉

〈○ 今人心聳然在此, 尙无惰慢之氣, 況心常能惺惺者乎. 故心常惺惺, 自无客慮.
지금 사람의 마음이 공경히 여기에 있으면 태만한 기운이 없게 되는데, 하물며 마음이 항상 깨어있는 자는 당연할 것이다. 그러므로 마음이 항상 깨어 있으면 저절로 쓸데없는 생각이 없을 것이다.〉

〈○ 須用常提掇起得惺惺, 不要昏晦, 若昏晦則不敬莫大焉.
반드시 항상 이끌고 거두어 깨어있으면 어리석지 않을 것이니, 만약 어리석으면 경(敬)하지 못함이 이보다 큰 것이 없을 것이다.〉

○ 和靖尹氏曰, 敬者, 其心收斂, 不容一物之謂.
화정윤씨가 말하였다: 경(敬)은 마음을 수렴(收斂)하여 하나의 사물도 허용하지 않는 것을 말한다.

○ 敬有甚形影, 只收斂身心, 便是主一. 且如人到神祠中, 致敬時, 其心收斂, 更著不得毫髮, 非主一而何.
경(敬)이 어떤 형체나 그림자가 있겠는가? 단지 몸과 마음을 수렴하면 하나에 집중하는 것이다. 또한 사람이 신사(神祠) 안에 와서 경(敬)을 다할 때, 그 마음을 수렴하여 다시 털끝만큼도 붙일 수 없다면, 하나에 집중함이 아니고 무엇이겠는가?[189]
〈朱子曰, 心主這一事, 不爲他事擾亂, 便是不容一物.
주자가 말하였다: 마음이 이 하나의 일에 집중하여 다른 일에 어지럽히지 않으면, 곧 하나의 사물도 허용하지 않을 것이다〉.

〈○ 或問, 三先生言敬之異.
朱子曰, 比如此室四方皆入得, 若從一方, 入至此, 則三方入處, 皆在其中矣.〉
〈어떤 사람이 물었다: 세 선생이 경(敬)에 대하여 말한 것이 다른 것은 어째서입니까?

189) 『이락연원록』 권11.

주자가 말하였다: 비유하면 만약 사방으로 들어 갈 수 있는 집이 있는데 한쪽 방향으로 이 집에 들어왔다면, 세 방향으로 들어온 것이 모두 그 가운데 있는 것과 같습니다.〉

〈○ 問, 敬諸先生之說, 各不同.
曰, 其實只一般. 若是敬時, 自然主一旡適, 自然整齊嚴肅, 自然常惺惺, 其心收斂, 不容一物. 但程子整齊嚴肅, 與謝氏尹氏之說, 又叓分曉.
물었다: 경(敬)에 대한 여러 선생님들의 설명이 각기 다른 것은 무엇 때문입니까?
답하였다: 실제로는 모두 같습니다. 만약 경(敬)할 때는 자연히 하나에 집중하여 다른 곳으로 가지 않으며, 자연히 가지런하고 엄숙하며, 자연히 항상 깨어있어 그 마음을 수렴하여 하나의 사물도 허용하지 않습니다. 다만 정자가 말한 가지런하고 엄숙한 것은 사씨나 윤씨의 설명과는 분명히 다릅니다.〉

〈○ 西山眞氏曰, 持敬之道, 當合三先生之言, 而用力焉然後, 內外交相養之功始備.
서산진씨가 말하였다: 경을 지키는 도는 마땅히 세 선생의 말씀을 합하여 힘을 쓴 연후에야 안과 밖이 서로 길러지는 공부가 비로소 갖추어질 것이다.〉

○ 朱子曰, 敬之一字, 萬善根本, 涵養省察, 格物致知, 種種工夫, 皆從此出方有據依.
주자가 말하였다: 경(敬)은 온갖 선의 근본이니, 함양(涵養)과 성찰(省察), 격물(格物)과 치지(致知)의 각종 공부가 모두 이것으로부터 나와서 바야흐로 근거가 있게 될 것이다.

○ 敬者, 聖學始終之要, 未知則敬以知之, 已知則敬以守之. 若不敬, 則其心顚倒眩瞀, 而不自知, 豈能有主哉.
경(敬)은 성학(聖學)의 시작과 끝의 요점이니, 아직 알지 못하면 경으로 그것을 알아야 하며, 이미 알면 경으로 그것을 지켜야 한다. 만약 경하지 못하면 그 마음이 거꾸로 서고 어두워 스스로 알지 못하게 될 것이니, 어찌 집중할 수 있겠는가?

○ 敬則萬理俱在.
경(敬)에는 온갖 이치가 모두 있다.

○ 心中若旡一事時, 便是敬.
마음 가운데에 만약 하나의 일도 없을 때가 바로 경(敬)이다.

○ 敬旡許多事.

경(敬)은 많은 일이 없는 것이다.

○ 人能存得敬, 則吾心湛然, 天理粲然, 无一分著力處, 亦无一分不著力處.
사람이 경(敬)을 보존하면 내 마음이 편안하고 하늘의 이치가 찬란하여 조금도 힘 쓸 곳이 없고, 또 조금도 힘쓰지 않을 곳도 없게 된다.

○ 所謂敬者, 亦不過曰正衣冠, 一思慮, 莊靜齊肅, 不慢不欺而已, 但實下工夫時, 習不懈, 自見意味.
이른바 경(敬)은 "의관을 바로 하며, 생각을 한결같이 하며, 장엄하고 고요하고 가지런하고 엄숙하여 게으르거나 속이지 않는 것일 뿐"이라고 말할 수 있다. 다만 실제로 공부를 할 때 습관이 게으르지 않아야 저절로 의미가 드러날 것이다.

○ 問, 敬宜何訓. 曰, 唯畏爲近之.
물었다: 경(敬)을 어떻게 새겨야 합니까?
답하였다: 오직 두려움이라고 해야 가깝습니다.

○ 敬只是有所畏謹, 不敢放縱. 如此則身心收斂, 如有所畏, 常常如此, 氣像自別, 存得此心, 乃可以爲學.
경(敬)은 다만 두려워하고 조심하여 함부로 하지 않는 것이다. 이와 같이 하여 몸과 마음을 수렴하면 두려워함이 있게 되고, 항상 이와 같이 하면 기상(氣像)이 남다를 것이다. 이 마음을 보존해야 공부를 할 수 있다.

○ 敬齋箴曰, 正其衣冠, 尊其瞻視. 潛心以居, 對越上帝. 足容必重, 手容必恭. 擇地而蹈, 折旋蟻封. 出門如賓, 承事如祭. 戰戰兢兢, 罔敢或易. 守口如甁, 防意如城. 洞洞屬屬, 罔敢或輕. 不東以西, 不南以北. 當事而存, 靡他其適. 弗貳以二, 弗參以三. 唯心唯一, 萬變是監. 從事於斯, 是曰持敬. 動靜弗違, 表裏交正. 須臾有間, 私欲萬端. 不火而熱, 不冰而寒. 毫釐有差, 天壤易處. 三綱旣淪, 九法亦斁. 於乎小子, 念哉敬哉. 墨卿司戒, 敢告靈臺.
「경재잠」에서 말하였다: 의관을 바르게 하고, 보기를 존엄하게 하고, 마음을 가라앉혀 있기를 마치 상제(上帝)를 대하듯 하라. 발걸음은 반드시 무겁게 하며, 손놀림은 반드시 공손하게 하라. 땅은 가려서 밟고 개미집도 돌아서 가라. 문을 나설 때는 손님을 뵙듯 하며, 일을 할 때는 제사를 지내듯 하라. 두려워하여 조심하며, 감히 혹시라도 소홀하지 말아야 한다.

입 다물기를 병마개 같이 하고, 잡념 막기를 성곽과 같이 하라. 성실하고 진실하여 감히 혹시라도 경솔하지 마라. 동쪽을 가려다 서쪽으로 가지 말며, 북쪽을 가려다 남쪽으로 가지 마라. 일을 당해서는 그 일에만 마음을 두어 다른 데로 가지 않도록 하라. 두 가지라고 해서 마음을 두 갈래로 하지 말고, 세 가지라고 해서 마음을 세 갈래 하지 마라. 오직 마음을 하나로 하여 온갖 변화를 살펴라. 이와 같이 하는 것이 경(敬)을 지키는 것이다. 움직일 때나 고요할 때나 어김이 없고 겉과 속을 바르게 하라. 잠시라도 틈이 있으면 온갖 욕심이 생겨나 불꽃 없이도 뜨거워지고, 얼음 없이도 차가워진다. 조금이라도 어긋남이 있으면, 하늘과 땅이 자리를 바꾼다. 삼강(三綱)이 무너지고 구법(九法)[190] 또한 허물어질 것이다. 아! 젊은이들이여! 깊이 생각하고 공경하라. 먹을 갈아 경계하는 글을 써서 감히 마음에 고하노라.

案, 已上諸說, 非正釋易義. 然義文以來, 相傳旨訣, 不過如此, 則敬之一言, 實易學之本原也. 讀易者, 盍於此警省焉.
내가 살펴보았다: 이상의 여러 설명은 『주역』의 뜻을 직접 해석한 것은 아니다. 그러나 복희와 문왕 이래로 서로 전한 뜻은 이와 같음에 불과하니, 경(敬)이 실로 역학(易學)의 본원이다. 『주역』을 읽는 자가 어찌 여기에서 경계하고 살피지 않겠는가?

김상악(金相岳) 『산천역설(山天易說)』

本義, 正謂本體, 義謂裁制. 君子知敬爲心之本體, 一以敬存心, 則私意不容, 而內自直, 知義爲事之裁制, 一以義制事, 則矯揉不作, 而外自方. 旣非專務寂守, 而應用或疏, 又非但理事宜, 而存養或缺, 則內外交修, 敬義竝立, 斯理之得于身心者, 各極其盛. 不期大而大, 所以德不孤也
『본의』에서 "'바름'은 본체를 말하고, '의'는 재제를 말한다"라 하였다. 군자는 경(敬)이 마음의 본체임을 알고 한결같이 경으로 마음을 보존하면, 사사로운 생각이 용납되지 않아 안이 저절로 곧게 되고, 의가 일의 재제임을 알고 한결같이 의로 일을 재제하면, 꾸밈이 일어나지 않아 밖이 저절로 방정해진다. 이미 오로지 고요히 지키기를 힘써서 응용에 혹 서투르지 않고, 또 오직 일을 마땅하게 처리해서 보존하고 기름이 혹 잘못되지 않는다면, 안팎으로 서로 닦아서 경과 의가 병립하여 이런 이(理)를 몸과 마음에 얻는 것이 제각기 그 성대함을

---

190) 구법(九法): 나라를 다스리는 아홉 가지 법도. 『중용(中庸)』에 "천하와 국가를 다스림에는 아홉 가지 법이 있으니, 몸을 닦는 것[修身], 어진 자를 높이는 것[尊賢], 친척을 친애하는 것[親親], 대신을 공경하는 것[敬大臣], 신하들의 마음을 내 몸과 같이 하는 것[體群臣], 백성들을 자식같이 사랑하는 것[子庶民], 모든 공인(工人)들을 오게 하는 것[來百工], 먼 지방 사람들을 회유하는 것[柔遠人], 제후들을 편안하게 하는 것[懷諸侯]이다"라고 하였다.

극진하게 한다. 크게 되기를 바라지 않아도 크게 되기 때문에 덕이 외롭지 않다.

○ 陰之象, 徑一而直, 圍四而方. 故曰, 直其正也, 方其義也. 六二德學已成, 故不習而无所疑. 乾九四, 則德業將進. 故或之而疑之. 蓋乾坤二卦, 皆以聖學明之, 故乾言進修, 坤言敬義.
음의 상은 지름이 1이면서 곧고 둘레가 4이면서 방정하다. 그러므로 "곧음은 바름이고 방정함은 의이다"라 하였다. 육이는 덕과 학문이 이미 완성되었기 때문에 익히지 않아도 의심나는 것이 없다. 건괘의 구사는 덕과 학업을 나아가게 하려고 하기 때문에 의혹하고 의심하는 것이다. 건과 곤, 두 괘는 모두 성인의 학문으로 밝혔기 때문에 건괘에서는 나아가고 닦는 것으로 말했고, 곤괘에서는 경과 의로 말했다.

김귀주(金龜柱) 『주역차록(周易箚錄)』

直其正也, 云云.
곧음은 바름이고, 운운.
○ 按, 直其正也方其義也二句, 只是公共說直方底道理. 本義所謂正謂本體, 義謂裁制者, 是也. 至敬以直內義以方外, 方說君子做工夫處.
내가 살펴보았다: "곧음은 바름이고, 방정함은 의이다"라는 구절은 곧음과 방정함의 도리를 공적으로 설명한 것일 뿐이다. 『본의』에서 이른바 "바름은 본체를 말하고 의는 재제를 말한다"는 것이 여기에 해당한다. "경으로 안을 바르게 하고 의로 밖을 방정하게 한다"는 구절은 군자가 공부하는 것을 설명한 것이다.

傳, 直言其正, 云云.
『정전』에서 말하였다: 곧음은 바름을 말하고, 운운.
小註, 程子曰, 敬以, 云云.
소주에서 정자가 말하였다: 경으로, 운운.
○ 按, 直內, 是此心無纖毫委曲, 方外, 是將此心斷制事物, 初非有兩件道理, 此所謂合內外之道. 朱子曰, 敬如鏡, 義便是能照底. 又曰, 敬義只是一事, 如兩脚立定是敬, 纔行是義, 合目是敬, 開眼見物, 便是義, 皆此意也.
내가 살펴보았다: "안을 곧게 한다"는 것은 이 마음이 조금도 굽지 않는 것이고, "밖을 방정하게 한다"는 것은 이 마음으로 사물을 판단하는 것이어서 애초에 두 개의 도리가 있는 것이 아니니, 여기에서 말한 것은 안과 밖을 합한 도이다. 주자는 "경은 거울과 같고 의는 바로 비출 수 있는 것이다"라 하였고, 또 "경과 의는 단지 하나의 일이니, 이를테면 두 다리로

똑바로 서있는 것은 경이고, 비로소 걸어가는 것은 의이며, 눈을 감고 있는 것은 경이고, 눈을 뜨고 사물을 보는 것은 의이다"라고 한 것이 모두 이런 의미이다.

龜山楊氏曰, 守一, 云云.
귀산양씨가 말하였다: 전일함을 지키는 것이, 운운.
○ 按, 盡其誠心而無僞云云. 恐太費辭, 恐不如程子所謂心敬則內自直之語也.
내가 살펴보았다: "진실한 마음을 다하고 조작하지 않는 것이" 운운한 것은 말만 많은 것 같으니, 정자가 말한 마음이 경하면 안은 저절로 곧아진다는 말만 못한 듯하다.

朱子曰, 敬立, 云云.
주자가 말하였다: 경이 확립되어, 운운.
○ 按, 若要以敬直內, 以義方外, 則敬與直內, 義與方外, 各成兩物事, 不免把捉煩擾之病, 故朱子之說如此.
내가 살펴보았다: 경으로 안을 곧게 하고 의로 밖을 방정하게 하려고 하면, 경은 안을 바르게 하는 것과 함께 하고 의는 밖을 방정하게 하는 것과 함께 하여 각기 두 가지 일이 되니, 번잡함을 붙잡는 병통을 면하지 못하기 때문에 주자가 이처럼 설명했다.

敬義夾持, 云云.
경과 의를 양쪽 다 잘 지키면, 운운.
○ 按, 二者相夾持, 要放下霎時不得, 蓋泛就日用上混淪說. 若在未應事時, 則亦只是敬主乎中而已.
내가 살펴보았다: 두 가지를 함께 지키는 것은 잠시도 내려놓을 수 없는 것이니, 이는 일상 가운데 나아가 두루뭉술한 말로 범범히 말한 것이다. 일에 응하지 않을 때라면 또 마음속에 경이 주로 하고 있을 뿐이다.

本義, 此以學而言, 云云.
『본의』에서 말하였다: 이것은 배우는 것으로 말한 것이다, 운운.
小註, 朱子曰, 敬以, 云云.
소주에서 주자가 말하였다: 경으로, 운운.
○ 按, 義以方外, 講學工夫. 此說當細商. 蓋講學是就行事上一一要求合宜底事. 以中庸言之, 敬以直內, 便是尊德性, 義以方外, 便是道問學, 朱子之意恐如此.
내가 살펴보았다: "의로써 밖을 방정하게 하는 것은 학문을 닦고 연구하는 공부이다." 이 설명은 자세히 해야 한다. 학문을 닦고 연구하는 공부는 일을 행하는 것에서 하나하나 마땅

함에 부합하려는 것이다. 『중용』으로 말하면 경으로써 안을 곧게 하는 것은 바로 덕성을 높이는 것이고, 의로써 밖을 방정하게 하는 것은 바로 학문으로 말미암는 것이니, 주자의 의도가 이와 같을 것이다.

潛室陳氏曰, 直其, 云云.
잠실진씨가 말하였다: 그 바름을 곧게 하고, 운운.
○ 按, 正以直內處, 爲下一轉語云云, 語極未瑩.
내가 살펴보았다: "바름으로써 안을 곧게 함이다. 한 번 말을 바꾼 것은" 운운이라고 한 것은 말이 매우 분명하지 않다.

雲峯胡氏曰, 直方, 云云.
운봉호씨가 말하였다: 곧음과 방정함은, 운운.
○ 按, 直方以用言, 正義以體言. 此說亦恐未精. 直[191]方二字, 以直底方底言, 則是本然底道理, 以直之方之言, 則是人做底事. 經文耳.
내가 살펴보았다: "곧음과 방정함은 작용으로 말하였고, 바름과 의는 본체로 말하였다"라고 한 이 설명도 좋지 않은 것 같다. 곧음과 방정함이라는 말은 곧은 것과 바른 것으로 말하면 본연의 도리이고, 곧게 하고 방정하게 하는 것으로 말하면 사람이 하는 일이다. 경문의 설명으로 충분하다.

直其正也, 方其義也, 指直底方底而言. 敬以直內, 義以方外, 以直之方之而言. 似非直以正義爲體, 直方爲用, 如仁之與惻隱, 義之與羞惡也.
"곧음은 바름이고 방정함은 의이다"는 말은 곧음과 방정함을 가리켜서 말한 것이고, "경으로써 안을 곧게 하고 의로써 밖을 방정하게 한다"는 말은 곧게 하고 방정하게 하는 것으로 말한 것이다. 인이 측은한 마음과 함께 하고 의가 부끄러워하고 미워하는 마음과 함께 하는 것처럼 바름과 의를 본체로 여기고 곧음과 방정함을 작용으로 여긴 것만은 아닌 듯하다.

윤행임(尹行恁) 『신호수필(薪湖隨筆)·역(易)』

敬以直內, 義以方外, 此八箇字, 啓千古道學之淵源. 故朱子曰, 敬義夾持, 上達天德. 敬以直內, 是持守工夫, 義以方外, 是講學工夫. 後儒若體認於朱子之訓, 則於易不難解矣. 義以方外, 何以謂講學也. 義者, 所以裁制事理者. 若不講學, 將何以裁制得宜乎.

---

191) 直: 경학자료집성DB에 '宜'로 되어있으나, 경학자료집성 영인본을 참조하여 '直'으로 바로잡았다.

"경(敬)으로써 안을 곧게 하고, 의로써 밖을 방정하게 한다"는 구절은 오랜 세월 동안 도덕에 관한 학문의 연원을 열은 것이다. 그러므로 주자가 "경과 의를 지키면 이로부터 천덕(天德)에 바로 상달한다"라 하였다. 경으로써 안을 곧게 하는 것은 굳게 지키는 공부이고, 의로써 밖을 방정하게 하는 것은 학문을 닦고 연구하는 공부이다. 후대의 학자들이 주자의 교훈을 체인한다면, 『주역』을 이해하는 데 어렵지 않을 것이다. 의로써 밖을 방정하게 하는 것이 어째서 학문을 닦고 연구하는 공부인가? 의는 사물의 이치를 재제하는 것이다. 학문을 닦고 연구하지 않으면서 어떻게 재제하여 마땅함을 얻겠는가?

告子義外之說, 蓋亦誤解義以方外之訓矣. 義以裁制而得其宜, 則外面自可方正.
고자(告子)의 의가 바깥에 있다[192]는 말은 또한 의로써 밖을 방정하게 한다는 교훈을 오해한 것이다. 의로써 재제하여 그 마땅함을 얻으면, 바깥은 저절로 방정할 수 있다.

서유신(徐有臣) 『역의의언(易義擬言)』

直, 其正也, 方, 其義也. 君子敬以直內, 義以方外, 敬義立, 而德不孤, 直方大, 不習, 无不利, 則不疑其所行也.
곧음은 바름이고, 방정함은 의(義)이다. 군자가 경(敬)으로써 안을 곧게 하고, 의로써 밖을 방정하게 하여 경과 의가 확립되면 덕이 외롭지 않으니, "곧고 방정하며 커서 익히지 않아도 이롭지 않음이 없다"는 것은 그 행하는 바를 의심하지 않는 것이다.

先君子曰, 正謂居位之得正也, 義謂生物之功用也.
선군자께서 말씀하셨다: 바름은 자리에 있을 때 바른 것이고, 의는 사물을 낳는 공용이다.

竊按, 直以其正故也, 方以其義故也. 是以君子自修其敬義, 以致直方之用也. 直其正, 方其義, 三畫之象也. 敬以直內, 義以方外, 重卦之象也. 敬義直方, 內外夾持, 故曰, 德不孤. 不孤則大也. 汎應曲當, 故不疑所行也.
내가 살펴보았다: 곧음은 바름 때문이고, 방정함은 의 때문이다. 이 때문에 군자는 스스로 경과 의를 닦아 곧음과 방정함의 효용을 이룬다. 곧음이 바름이고 방정함이 의인 것은 삼획괘의 상이다. 경으로써 안을 곧게 하고 의로써 밖을 방정하게 하는 것은 괘를 겹친 육획괘의 상이다. 경과 의로 곧고 방정하여 안과 밖이 지켜지므로 "덕이 외롭지 않다"라고 하였다. 외롭지 않으면 큰 것이다. 널리 상응하고 곡진히 마땅하므로 행하는 바를 의심하지 않는 것이다.

---

192) 『孟子 · 告子』: 告子曰, 食色性也, 仁內也, 非外也. 義外也, 非內也.

박문건(朴文健) 『주역연의(周易衍義)』

敬義夾持之謂, 不孤. 不孤, 言大也. 不疑其所行, 言果行其道, 以釋不習之義也.
경과 의를 지키는 것을 외롭지 않다고 한다. 외롭지 않음은 큼을 말한다. 그 행하는 바를 의심하지 않는 것은 진실로 그 도를 행한다고 말하여 익히지 않는 것의 의미를 해석한 것이다.

이지연(李止淵) 『주역차의(周易箚疑)』

內與含章之賢人爲隣, 外與黃裳之君子爲應, 故云德不孤.
안으로는 아름다움을 머금은 현인과 이웃이 되고, 밖으로는 황색치마의 군자와 상응하기 때문에 "덕이 외롭지 않다"라고 했다.

이항로(李恒老) 「주역전의동이석의(周易傳義同異釋義)」

傳, 无所用而不周, 无所施而不利, 孰疑乎.
『정전』에서 말하였다: 덕은 사용해서 두루 하지 않는 곳이 없고 베풀어서 이롭지 않은 곳이 없으니, 누가 의심하겠는가?
本義, 疑故習而後利. 不疑則何假於習.
『본의』에서 말하였다: 의심하기 때문에 익힌 다음에 이롭다. 의심하지 않으면 어찌 익히겠는가?
按, 傳, 不疑在无不利之德, 本義, 不疑在无不利之前. 以文言則字之義觀之, 則本義之釋襯貼.
살펴보았다: 『정전』에서는 '의심하지 않는 것'이 이롭지 않음이 없는 덕에 있고, 『본의』에서는 '의심하지 않는 것'이 '이롭지 않음이 없는' 앞에 있다. 「문언전」의 '즉(則)'자의 뜻으로 보자면 『본의』의 해석이 돋보인다.

○ 經以象占言, 文言以心學言. 敬與義, 心之體用也, 直與方, 心之準則也, 內與外, 心之動靜也. 包體用該動靜, 而不失準則, 卽心德之全也, 是所謂德不孤也. 坤德之純而中正者, 惟六二一爻, 故於此備言坤德, 坤以簡能, 而順以承天故. 則不疑其所行也.
경에서는 상(象)과 점(占)으로 말했고, 「문언전」에서는 마음과 배움으로 말했다. 경(敬)과 의(義)는 마음의 체용이고, 곧음과 방정함은 마음의 준칙이며, 안과 밖은 마음의 동정이다. 체용을 겸하고 동정을 갖추어서 준칙을 잃지 않는 것이 바로 마음의 덕이 온전한 것이니, 이것을 "덕이 외롭지 않다"라 하는 것이다. 곤괘의 덕이 순수하고 중정한 것은 육이 한 효뿐이므로, 여기에서 곤괘의 덕을 자세히 말하였으니, 곤괘는 간략함으로 능하고 유순해서 하늘을 받들기 때문이다. 그렇다면 그 행하는 바를 의심하지 않는다.

박종영(朴宗永) 「경지몽해(經旨蒙解)·주역(周易)」

坤卦曰, 直其正也, 方其義也. 君子敬以直內, 義以方外, 敬義立而德不孤.
곤괘에서 말하였다: 곧음은 바름이고, 방정함은 의(義)이다. 군자는 경(敬)으로써 안을 곧게 하고, 의로써 밖을 방정하게 하여 경과 의가 확립되면 덕이 외롭지 않다.
程傳曰, 君子主敬以直其內, 守義以方其外, 敬立而內直, 義形而外方, 義形於外, 非在外也. 敬義旣立, 其德盛矣, 不期大而大, 無所用而不周, 無所施而不利.
『정전』에서 말하였다: 군자는 경을 근본으로 안을 바르게 하고, 의를 지켜 밖을 방정하게 하니, 경이 확립되어 안이 곧고 의가 드러나 밖이 방정해진다. 의가 밖으로 드러나는 것은 밖에 있는 것이 아니다. 경과 의가 이미 확립되었으면 덕이 성대해져 커지기를 기약하지 않아도 커지고, 사용함에 두루 하지 않는 곳이 없으며 베풂에 이롭지 않은 곳이 없다.
本義曰, 此以學而言之也. 正謂本體, 義謂裁制. 敬則本體之守也. 直內方外, 程傳備矣. 不孤, 言大也.
『본의』에서 말하였다: 이것은 배우는 것으로 말한 것이다. '바름'은 본체를 말하고, '의'는 재제를 말한다. '경'은 본체를 지키는 것이다. '안을 바르게 하고 밖을 방정하게 하는 것'은 『정전』에서 자세히 설명했다. "외롭지 않다"는 것은 크다는 말이다.
蓋此敬以直內, 義以方外, 合內外之道也. 敬義夾持, 然後直上達天德. 乾之九三, 言聖人之學, 坤之六二, 言賢人之學, 此其大致也.
여기서 경으로써 안을 곧게 하고 의로써 밖을 방정하게 하는 것은 안팎을 합하는 도이다. 경과 의를 양쪽으로 다 잘 지킨 뒤에 곧바로 천덕에 상달한다. 건괘의 구삼에서는 성인의 학문을 말하였고, 곤괘의 육이에서는 현인의 학문을 말하였으니, 이것이 크게 이룸이다.

朱子曰, 敬以直內, 是持守工夫, 義以方外, 是講學工夫. 未有事時, 只說敬以直內, 若事物之來, 當辨別是非. 敬譬如鏡, 義便是能照. 敬以養其心, 無一毫私念, 可以言直矣. 由此而發, 所施各得其當, 是之謂義.
주자가 말하였다: 경으로써 안을 곧게 하는 것은 지키는 공부이고, 의로써 밖을 방정하게 하는 것은 학문을 닦고 연구하는 공부이다. 아직 일이 있지 않을 때는 단지 경으로써 안을 곧게 함을 말하고, 만약 사물이 올 때라면 변별해야 할 것은 시비이니, 경은 비유하자면 거울과 같고, 의는 바로 비출 수 있는 것이다. 경으로써 그 마음을 길러 털끝만큼도 사사로운 생각이 없어야 곧다고 할 수 있다. 여기서부터 드러내어 시행하는 것마다 합당하면 이것

이 의이다.

敬以直內義以方外八箇字, 一生用之不窮. 直者, 卽人心本然之正, 方者, 卽人心裁制之義, 敬義立, 則其德不孤矣. 蓋孤則偏於一善, 而其德狹, 不孤則衆善畢集, 而其德大矣. 體用全備, 无適不宜, 其於行事, 有何阻滯而疑惑乎. 是以乾之九三明誠竝進, 乃聖人事也. 坤之六二敬義偕立, 乃學者事也. 主敬是爲學之要, 集義是講學之功. 然則學者於敬義工夫, 不可廢一, 而雖由此至於聖人, 亦無他道矣.

"경으로써 안을 곧게 하고 의로써 밖을 방정하게 한다"는 구절은 평생 사용해도 다하지 않는다. 곧음은 사람의 마음이 본래 바른 것이고, 방정함은 사람의 마음이 재제하는 의이니, 경과 의가 확립되면 덕이 외롭지 않다. 외로운 것은 하나의 선에 편중되어 그 덕이 좁은 것이고, 외롭지 않은 것은 여러 선이 모두 모여 그 덕이 큰 것이다. 본체와 작용이 온전하게 갖추어지면 어디에서도 마땅하지 않음이 없으니, 행사에서 어떻게 막히고 의심스러운 것이 있겠는가? 이 때문에 건괘의 구삼에서 '밝음[明]'과 '정성[誠]'을 병진하니 바로 성인의 일이고, 곤괘의 육이에서 경과 의를 함께 확립하니 학자의 일이다. 경을 주로 하는 것은 배움의 요체이고, 의를 모으는 것은 학문을 닦아 연구하는 일이다. 그렇다면 학자들은 경과 의의 공부에서 하나라도 빠뜨려서는 안 되고, 이것으로 성인의 경지에 도달할지라도 다른 방법이 없다.

심대윤(沈大允) 『주역상의점법(周易象義占法)』

忠信篤敬, 正之體也, 裁斷得中而不爲轉移, 義之用也. 有正故无慝, 有義故不苟. 敬者惟恐失之之心, 是也誠之所生也. 德不孤, 言上下信之也.

충(忠)·신(信)·독(篤)·경(敬)은 방정함의 몸체이고, 판단해서 중(中)을 얻어 옮기지 않는 것은 의의 작용이다. 방정함이 있기 때문에 사특함이 없고, 의가 있기 때문에 구차하지 않다. 경(敬)은 잘못될까 염려하는 마음이니, 여기에서 바로 성(誠)이 나오는 것이다. "덕이 외롭지 않다"는 것은 상하가 믿는다는 말이다.

오치기(吳致箕) 「주역경전증해(周易經傳增解)」

直者, 人心本然之正, 方者, 人心裁制之義也. 君子主敬而直其內, 守義而方其外, 主之守之者存乎心, 敬立而內直, 義形而外方. 義形於外, 非在外也. 不曰正而直內, 而必曰敬而直內者, 由敬而心正. 故敬爲正心之功也. 敬義旣立, 則其德盛而不孤. 故不期大而大, 不假於習, 而无不自然. 故不疑其所行, 而无不利也.

곧음은 사람의 마음에서 본연의 바름이고, 방정함은 사람의 마음에서 재제하는 의이다. 군자는 경을 주로 해서 안을 곧게 하고, 의를 지켜 밖을 방정하게 한다. 주로하고 지키는 것이 마음에 있으면, 경이 확립되어 안이 곧고 의가 드러나 밖이 방정해지니, 의가 밖으로 드러나는 것이지 밖에 있는 것이 아니다. 바르게 해서 안을 곧게 한다고 하지 않고 반드시 경해서 안을 곧게 한다고 하는 것은 경으로 말미암아 마음이 바르게 된다는 것이다. 그러므로 경이 마음을 바르게 하는 일이다. 경과 의가 확립된 다음에는 그 덕이 성대하여 외롭지 않다. 그러므로 크기를 기약하지 않아도 크게 되고, 익힘에 의지하지 않아도 저절로 그렇게 되지 않는 것이 없다. 그러므로 행하는 바를 의심하지 않아도 이롭지 않음이 없다.

박문호(朴文鎬) 「경설(經說)·주역(周易)」

或以文言之只釋直方, 爲大字當屬下句之證, 殊不知其下不孤二字之爲釋大也, 其意蓋曰, 惟其直方, 所以能大也. 然則直方與大, 各自爲句, 似亦通矣. 義以方外之傳, 嫌其與告子義外之說相同. 故特明之曰, 義形於外, 非在外也.

혹 「문언전」에서 단지 곧음과 방정함을 해석한 것을 가지고 '크다'는 말이 아래 구절에 속해야 한다는 증거로 여기면, 그 아래의 '외롭지 않다'는 말이 '크다'는 말에 대해 해석한 것임을 정말 모르는 것이다. 그 의미는 오직 곧고 방정하기 때문에 클 수 있다는 것이다. 그렇다면 곧고 방정함과 큼을 제각기 구절로 보면 비슷하게 또한 통할 것이다. 의로 밖을 방정하게 한다는 『정전』은 고자의 의가 밖에 있다는 설과 서로 같다고 혐의를 받으므로, 특별히 밝혀서 "의가 밖으로 드러나는 것이지 밖에 있는 것은 아니다"라 하였다.

陰雖有美, 含之, 以從王事, 弗敢成也, 地道也, 妻道也, 臣道也. 地道无成, 而代有終也.

음이 비록 아름다움이 있을지라도 그것을 머금고 왕의 일에 종사하여 감히 이루지 않으니, 땅의 도이고 부인의 도이며 신하의 도이다. 땅의 도는 이룸은 없지만 대신 끝맺음은 있다.

中國大全

傳

爲下之道, 不居其功, 含晦其章美, 以從王事, 代上以終其事, 而不敢有其成功也, 猶地道代天終物, 而成功則主於天也. 妻道亦然.

아래가 되는 도리는 그 공을 차지하지 않고 그 빛나고 아름다움을 머금어 드러내지 않으니, 왕의 일에 종사하면서 위를 대신하여 그 일을 끝맺을지라도 감히 그 성공을 소유하지 않는다. 땅의 도가 하늘을 대신하여 사물을 끝맺을지라도 성공은 하늘에서 주관한 것과 같다. 부인의 도리도 그렇다.

小註

朱子曰, 天地之間, 萬物粲然而陳者, 皆陰麗於陽其美外見者也. 六三六五, 皆以陰居陽, 故三則曰, 陰雖有美, 而五則曰美在其中. 然三方進而位不中者也, 故雖有美而尙含之, 五正位而居體者也, 故美在其中而發於事業. 人臣事業之著於世, 固自有時, 殆不可挾才能而躐進, 以取三五同功, 嫌迫之禍也.

주자가 말하였다: 천지의 사이에 만물이 눈부시게 늘어서 있는 것은 모두 음이 양에 걸려 그 아름다움이 밖으로 드러난 것이다. 육삼과 육오는 모두 음이 양의 자리를 차지한 것이기 때문에 삼효는 "음이 비록 아름다움이 있을지라도"라고 했고, 오효는 "아름다움이 그 속에 있다"라고 했다. 그러나 삼효는 나아가고 있지만 가운데 자리가 아니기 때문에 아름다움이 있을지라도 오히려 그것을 머금고, 오효는 바른 자리에 몸을 두기 때문에 아름다움이 그 속에 있고 사업에 드러난다. 신하가 사업을 세상에 드러내는 데는 본래 때가 있어 재능을 가졌다고 순서를 건너뛰어 나갈 수 없으니, 삼효와 오효가 공이 같으면 혐의를 받는 재앙을

취하기 때문이다.

○ 節齋蔡氏曰, 代天終物而成功主於天者, 地道也. 以數言之, 天數終於九, 不足於終, 代其終者, 地十也.
절재채씨가 말하였다: 하늘을 대신해서 사물을 끝맺을지라도 성공은 하늘에서 주관했다고 하는 것이 땅의 도리이다. 수로 말하면 하늘의 수는 9에서 끝나 끝맺기에 부족하니, 끝맺음을 대신하는 것은 땅의 10이다.

○ 中溪張氏曰, 弗敢云者, 非其才有所不足, 於其分有所不敢也. 凡地之於天, 妻之於夫, 臣之於君, 其道皆當如是, 則得以陰從陽之正, 而能代上以終其事也. 下獨言地道, 蓋擧其大者爾.
중계장씨가 말하였다: "감히 이루지 않는다"라고 말한 것은 재주가 부족해서가 아니라 분수에 있어서 감히 이루지 못할 것이 있어서이다. 땅은 하늘에 대해, 부인은 남편에 대해, 신하는 임금에 대해 그 도리가 모두 이와 같아야 하니, 음이 양의 바름을 따라 위를 대신해서 그 일을 끝맺을 수 있다. 아래에서 특히 땅의 도만 말한 것은 큰 것을 든 것일 뿐이다.

○ 平菴項氏曰, 陰雖有美含之絶句. 以含之連下文讀者, 非.
평암항씨가 말하였다: "음이 비록 아름다움을 머금었을지라도"로 구절을 끊는다. '머금고[含之]'라는 말을 아래 문구와 연결하여 읽는 것은 잘못이다.

韓國大全

유정원(柳正源) 『역해참고(易解參攷)』

陰雖 [至] 終也.
음(陰)이 비록 아름다움이 있으나 … 끝맺음은 있다.

西山眞氏曰, 陽者, 天道也夫道也君道也. 陰者, 地道也妻道也臣道也. 故在天道, 則乾始之, 坤生之, 陽主歲功而陰佐陽以成歲. 在人道, 則夫主一家之事, 而妻佐之, 天子主天下之事, 諸矦主一國之事, 后夫人佐之, 君臣亦然. 妻之與臣, 雖有善美含而晦之, 從其事而不敢尸其功, 亦猶地道代天終物, 而成功則歸之天也.
서산진씨가 말하였다: 양(陽)은 하늘의 도이고, 남편의 도이며, 임금의 도이다. 음(陰)은 땅의 도이고, 부인의 도이며, 신하의 도이다. 그러므로 하늘의 도에 있어서는 건(乾)이 시작하고 곤(坤)이 낳으니, 양(陽)이 일 년의 공을 주관하고 음(陰)이 양을 도와 일 년을 이룬다. 사람의 도에 있어서는 남편이 한 집안을 주관하고 부인이 도우며, 천자가 천하의 일을 주관하고 제후가 한 나라의 일을 주관하며 왕후가 도우니, 임금과 신하도 마찬가지이다. 아내와 신하가 비록 아름다움을 머금고 있더라도 감추어야 하며, 일에 종사하더라도 공을 감히 차지하지 않아야 하니, 이것은 땅의 도가 하늘을 대신하여 만물을 끝맺으나 성공은 하늘에 돌리는 것과 같다.

김상악(金相岳) 『산천역설(山天易說)』

代有終者, 謂代上而終其事也.
대신 끝맺음이 있다는 것은 윗사람을 대신해서 그 일을 끝맺는다는 말이다.

○ 剛柔相雜曰文. 文之成者曰章. 三五皆以陰居陽, 故三言章, 五言文. 而三在下, 故雖有美, 而含之, 從于王事. 五居上, 故美在中而發之, 見于事業也. 終者, 數之盈也. 天數之九, 不足於終, 故地數之十, 代其終也.
강건함과 부드러움이 서로 섞인 것을 문채라고 하고, 문채가 완성된 것을 아름다움이라고 한다. 삼효와 오효는 음이 양의 자리에 있기 때문에 삼효에서는 아름다움을 말했고 오효에서는 문채를 말했다. 그런데 삼효는 아래에 있기 때문에 비록 아름다움이 있을지라도 그것을 머금고 왕의 일에 종사한다. 오효는 위에 있기 때문에 아름다움이 속에서 나와 사업에 드러난다. 끝맺음은 수의 성대함이다. 하늘의 수 9로는 끝맺기가 부족하기 때문에 땅의 수 10이 그 끝맺음을 대신한다.

김귀주(金龜柱) 『주역차록(周易箚錄)』

傳, 爲下之道, 云云.
『정전』 말하였다: 아래가 되는 도리는, 운운.

小註, 節齋蔡氏曰, 代天, 云云.
소주에서 절재채씨가 말하였다: 하늘을 대신해서, 운운.

○ 按, 天數五地數五, 而各有生有成, 然以氣質之分言之, 則凡生者皆陽, 而成者皆陰也. 陽是天道, 陰是地道. 萬物受氣於天, 而成質於地, 此乃地道之代天終物也. 如是看意方融活. 今謂天九不足于終, 而地十終之者, 說得褊小, 無以見造化之全也.
내가 살펴보았다: 하늘의 수가 다섯이고 땅의 수가 다섯이어서 각기 낳는 것과 이루는 것이 있지만, 기질의 나눔으로 말하면 낳는 것은 모두 양이고 이루는 것은 모두 음이다. 양은 하늘의 도이고 음은 땅의 도이다. 만물은 하늘에서 기를 받아 땅에 질을 이루니, 이것이 바로 땅의 도가 하늘 대신해서 사물을 끝맺는 것이다. 이처럼 보면 의미가 살아난다. 그런데 이제 하늘의 9가 끝맺기에 부족해서 땅의 10이 끝맺는다고 한 것은 설명에 한계가 있어 조화의 전체를 볼 수 없다.

윤행임(尹行恁) 『신호수필(新湖隨筆) · 역(易)』

陰雖有美, 含章不敢成, 若書所云, 爾有嘉謀嘉猷, 入告于后, 順於外, 曰斯謀斯猷, 惟我后之德, 是也.
음은 아름다움이 있을지라도 아름다움을 머금고 감히 이루지 않으니, 『서경』에서 "너는 훌륭한 계책이 있으면 임금에게 들어가 아뢰고, 밖에서 순종하며 '이 계책과 계략은 단지 내 임금의 덕이다'라 하는 것이다"[193]라고 한 것처럼 하는 것이 여기에 해당한다.

서유신(徐有臣) 『역의의언(易義擬言)』

爻辭, 蓋以陰道爲言, 故曰, 陰雖有美, 含之也. 六三雖有所含之才之美, 其於王事承之從之而已, 是有合於地道者, 故曰, 地道也. 合於地道, 則亦臣道也, 故曰, 妻道也, 臣道也, 其所以合於地道者, 何也. 地道无成, 而代有終故也.
효사에서 음의 도로 말했으므로 "음이 비록 아름다움이 있을지라도 그것을 머금고 있다"라고 하였다. 육삼이 머금고 있는 재질의 아름다움이 있을지라도 왕의 일에 계승하고 종사할 뿐이어서 땅의 도에 합하는 것이 있기 때문에 "땅의 도이다"라고 했다. 땅의 도에 합하면, 또한 신하의 도이기 때문에 "부인의 도이며 신하의 도이다"라고 했다. 그것이 땅의 도에 합하는 것은 무엇 때문인가? 땅의 도는 이룸은 없지만 대신 끝맺음이 있기 때문이다.

박문건(朴文健) 『주역연의(周易衍義)』

成, 專成, 代, 承代, 終, 終事也.
'이룬다'는 말은 오로지 이룬다는 것이고, '대신'이라는 말은 이어서 대신한다는 것이며, '끝

193) 『書經 · 君陳』: 爾有嘉謀嘉猷, 則入告爾后于內, 爾乃順之於外, 曰斯謀斯猷, 惟我后之德.

맺음'은 일을 끝맺음이다.
〈問, 陰雖有美含之爲絕句歟. 曰, 然. 項氏已有辨.
물었다: "음이 비록 아름다움을 머금었을지라도"로 구절을 끊어야 합니까?
답하였다: 그렇습니다. 항씨가 이미 분별해 놓았습니다.[194]〉

〈問, 地道无成, 而代有終, 擧其大者而言歟. 曰, 然. 張氏已有說.
물었다: "땅의 도는 이룸이 없지만 대신 끝맺음은 있다"는 말은 큰 것을 들어서 말한 것입니까?
답하였다: 그렇습니다. 장씨가 이미 설명해 놓았습니다.[195]〉

심대윤(沈大允) 『주역상의점법(周易象義占法)』

天地變化, 草木蕃, 天地閉, 賢人隱. 易曰, 括囊无咎无譽, 蓋言謹也.
천지가 변화하면 초목이 번성하고, 천지가 닫히면 현인이 은둔한다. 『주역』에서 "자루를 묶어 놓은 듯이 하면 허물도 없고 칭찬도 없다"고 한 것은 삼가야 함을 말한 것이다.

言君子之行, 藏順時也. 天地變化, 言君臣相得而爲理也. 艸木蕃, 言德化被也. 天地閉, 言上下否也.
군자의 행동이 숨겨두고 따를 때라는 말이다. "천지가 변화한다"는 임금과 신하가 서로 이치를 행할 수 있다는 말이다. "초목이 번성한다"는 덕화가 미친다는 말이다. "천지가 닫힌다"는 상하가 막힌다는 말이다.

오치기(吳致箕) 「주역경전증해(周易經傳增解)」

爲下之道, 不居其功, 而含晦其章美. 雖或以時發而從王事, 亦不敢有其成者, 以其卑統于尊. 故尊者唱, 而卑者和之, 不敢先自爲主也. 地道妻道臣道, 皆如此. 蓋天能始

---

194) 『주역전의대전 · 곤괘』: 소주, 평암항씨가 "'음이 비록 아름다움을 머금었을지라도'로 구절을 끊는다. '그것을 머금고'라는 말을 아래 문구와 연결하여 읽는 것은 잘못이다[平菴項氏曰, 陰雖有美含之絕句. 以含之連下文讀者, 非]"라 하였다.

195) 『주역전의대전 · 곤괘』: 소주, 중계장씨가 "'감히 이루지 않는다'고 말한 것은 재주가 부족해서가 아니라 그 신분으로는 감히 이루지 않을 것이 있어서이다. 땅은 하늘에 대해, 부인은 남편에 대해, 신하는 임금에 대해 그 도리가 모두 이와 같아야 하니, 음이 양의 바름을 따라 위를 대신해서 그 일을 끝맺을 수 있기 때문이다[中溪張氏曰, 弗敢云者, 非其才有所不足, 於其分有所不敢也. 凡地之於天, 妻之於夫, 臣之於君, 其道皆當如是, 則得以陰從陽之正, 而能代上以終其事也. 下獨言地道, 蓋擧其大者爾]"라 하였다.

物, 地繼其後而終之, 則地之所以有終者, 終天之所未終也. 故言地道不專其成, 而代有終也.
아래가 되는 도는 그 공을 차지하지 않고 그 아름다움을 머금어 감추는 것이다. 혹 때에 따라 드러내어 왕의 일에 종사할지라도 그 이름을 감히 차지하지 않는 것은 낮은 것이 존귀한 자에게 통솔되기 때문이다. 그러므로 존귀한 자가 선창하면 낮은 자는 화답하고 감히 앞서서 자신을 위주로 하지 않는다. 땅의 도, 부인의 도, 신하의 도는 모두 이와 같다. 하늘이 사물을 시작하면 땅은 그 뒤를 이어서 마치니, 땅은 끝맺는 것이 있어 하늘이 아직 끝맺지 못한 것을 끝맺는다. 그러므로 땅의 도는 그 이름을 오로지 하지 않고 대신 끝맺는다고 말하는 것이다.

박문호(朴文鎬) 「경설(經說) · 주역(周易)」

孔子先言地道, 次言妻道臣道, 而程子先釋臣道者, 蓋自王事而說下來也.
공자는 먼저 땅의 도를 말하고 다음에 부인의 도와 신하의 도를 말하였는데, 정자가 먼저 신하의 도로 풀이한 것은 왕의 일로 설명했기 때문이다.

이병헌(李炳憲) 『역경금문고통론(易經今文考通論)』

宋曰, 臣子雖有美才, 含藏以從其上, 不敢有所成名也.
송충이 말하였다: 신하와 자식은 아름다운 재주가 있을지라도 머금고 감추어 윗사람을 따르고 감히 이름을 이루지 않는다.[196]

196) 『周易集解 · 坤卦』: 地道无成, 而代有終也. 구절의 주, 宋衷曰, 臣子雖有才美, 含藏以從其上, 不敢有所成名也.

天地變化, 草木蕃, 天地閉, 賢人隱. 易曰括囊无咎无譽, 蓋言謹也.

천지가 변화하면 초목이 번성하고, 천지가 닫히면 현인이 은둔한다. 『주역』에서 "육사는 자루를 묶어놓은 듯이 하면, 허물도 없고 칭찬도 없을 것이다"라고 한 것은 삼가야 함을 말한 것이다.

中國大全

傳

四居上近君, 而无相得之義, 故爲隔絶之象. 天地交感, 則變化萬物, 草木蕃盛, 君臣相際, 而道亨. 天地閉隔, 則萬物不遂, 君臣道絶, 賢者隱遯. 四於閉隔之時, 括囊晦藏, 則雖无令譽, 可得无咎, 言當謹自守也.

사효는 위에 있어 군주와 가깝지만 서로 사이좋게 지내는 의미가 없으므로 막히고 끊어진 상이 된다. 천지가 서로 감응하면 만물이 변화하여 초목이 무성해지고 군신이 서로 사귀어 도가 형통해진다. 천지가 닫히고 막히면 만물이 이루어지지 않고 군신의 도가 끊어지며 현자가 은둔한다. 사효가 닫히고 막힌 때여서 자루를 묶어놓은 듯이 드러나지 않게 감춘다면, 비록 아름다운 명예는 없을지라도 허물이 없을 수 있으니, 삼가 스스로 지켜야 한다는 말이다.

小註

臨川吳氏曰, 草木蕃者, 召南所謂朝廷既治, 庶類蕃殖, 是也. 賢人隱者, 洪範所謂百穀用不成, 俊民用微, 是也.

임천오씨가 말하였다: "초목이 무성하다"는 것은 『시경 · 소남』에서 말한 "조정이 이미 다스려서 여러 가지 것들이 무성하게 번식한다"[197]가 여기에 해당한다. "현자가 은둔한다"는 것은 『상서 · 홍범』에서 말한 "온갖 곡식이 그 때문에 여물지 못하고, 준걸들이 그 때문에 미천

197) 『詩經 · 召南 · 騶虞』: 鵲巢之化行, 人倫既正, 朝廷既治, 天下純被文王之化, 則庶類蕃殖, 蒐田以時, 仁如騶虞, 則王道成也.

해진다"[198]가 여기에 해당한다.

○ 平菴項氏曰, 草木且蕃, 況人乎. 言盛者要其終也. 賢人隱, 則物從之矣. 言衰者記其始也.
평암항씨가 말하였다: 초목이 무성하다면 하물며 사람은 어떻겠는가! 성대한 것은 그 끝맺음을 잘 하고자 한다는 말이다. 현인이 은둔하면 사람들이 그를 따른다. 쇠락하는 것은 그 시작을 기억한다는 말이다.

○ 東萊呂氏曰, 天地變化, 草木蕃. 天地閉, 賢人隱. 人與天地萬物同是一氣. 泰則見, 否則隱. 猶春生秋落. 氣至卽應, 間不容髮, 初不待思慮計較也. 若謂相時而動, 則已作兩事看, 所以獨稱賢人隐者. 蓋衆人强自隔絶, 故與天地之氣不相通. 氣至而覺者, 獨賢人而已.
동래여씨가 말하였다: 천지가 변화하면 초목이 무성하고, 천지가 닫히면 현인이 은둔한다. 사람은 천지만물과 동일하게 하나의 기운이어서 편안하면 드러나고 막히면 은둔하니, 봄에 만물이 나오고 가을에 쇠락하는 것과 같다. 기가 이르면 바로 응해 조금의 틈도 없으니, 아예 생각하고 헤아릴 필요가 없다. 만약 때를 살펴서 움직인다면 이미 두 가지 일이기 때문에 오로지 현인이 은둔한다고 했던 것이다. 일반사람들은 억지로 차단하기 때문에 천지의 기와 서로 통하지 않는다. 기가 이르러 깨닫는 자는 현인일 뿐이다.

○ 雲峯胡氏曰, 六四文言與初六相似, 兩爻當合看. 初六首言人之善不善, 末斷之曰蓋言愼也. 六四首言天地之交不交, 末斷之曰蓋言謹也. 初當謹審, 毋縱夫微陰之長, 四當謹審, 毋衒於重陰之時.
운봉호씨가 말하였다: 육사의 「문언전」은 초육의 「문언전」과 서로 비슷하니, 두 효는 합해서 봐야 한다. 초육은 앞에서 사람의 착함과 착하지 않음을 말하고, 끝에서 단정하여 "삼가야 함을 말한 것이다"라고 했다. 육사는 앞에서 천지의 교감과 교감하지 않음을 말하고, 끝에서 단정하여 "삼가야 함을 말한 것이다"라고 했다. 초효는 삼가 살펴 미미한 음이 자라는 것을 놔두지 말아야 한다는 것이고, 사효는 삼가 살펴 음이 중첩되어 있을 때에 자랑하며 드러내지 말아야 한다는 것이다.

---

198) 『書經·洪範』: 日月歲, 時旣易, 百穀用不成, 乂用昏不明, 俊民用微, 家用不寧.

韓國大全

유정원(柳正源) 『역해참고(易解參攷)』

天地 [至] 謹也.
하늘과 땅이 변화하면 … 삼가야 함을 말한 것이다.

朱子曰, 推己及物, 推得去則物我貫通, 自有箇生生无窮之意思, 便有天地變化, 草木蕃氣像, 天地只是這樣道理. 若推不去, 物我隔絶, 欲利於己, 不利於人, 似這氣像全然閉塞隔絶了, 便似天地閉賢人隱.
주자가 말하였다: 자기를 미루어 사물에 미치는 것이다. 미루어나가면 사물과 내가 관통하여 저절로 낳고 낳아 끝이 없는 뜻이 있게 될 것이니, 하늘과 땅이 변화하면 풀과 나무가 번성하는 기상(氣像)이 있는 것이다. 하늘과 땅은 다만 이러한 도리일 뿐이다. 만약 미루지 못하면 사물과 내가 끊어져 내가 이익을 얻고자 하여 남을 불리하게 하게 하는 것이니, 마치 이러한 기상은 완전히 막고 끊는 것과 같고, 하늘과 땅이 닫히면 현명한 사람이 숨는 것과 같다.

○ 案, 括囊无咎, 謹言之意也. 亂之所生, 言語以爲階, 危亂之世, 多以言獲罪, 可不謹哉.
내가 살펴보았다: "자루를 묶어놓은 듯이 하면 허물이 없을 것이다"는 말을 삼가야 한다는 뜻이다. 혼란이 생김은 말이 이끄니, 혼란한 세상에서 대부분 말로 죄를 얻으니, 삼가지 않겠는가!

김상악(金相岳) 『산천역설(山天易說)』

天地變化, 草木猶蕃, 況民物之際乎熙皡者. 天地閉塞, 賢人且隱, 況凡人而不知謹愼乎. 初言人之善不善, 四言天地之交不交, 故其結辭相似.
천지가 변화하면 초목도 오히려 번성하는데, 하물며 백성들이 기뻐서 부르짖는 시절을 맞이했음에랴. 천지가 닫히면 현인이 은둔할 것인데, 하물며 범인이라고 해서 근신할 줄 모르겠는가! 초효에서는 사람의 선함과 불선함을 말했고, 사효에서는 천지의 사귐과 사귀지 않음을 말했으므로, 맺는말이 서로 비슷하다.

김귀주(金龜柱) 『주역차록(周易箚錄)』

夫[199]天地變化, 云云.
천지가 변화하면, 운운.

○ 按, 草木蕃, 賢人隱, 天道人事互文以言之, 當參看.
내가 살펴보았다: "초목이 번성한다"와 "현인이 은둔한다"는 천도와 인사를 서로 드러내는 것으로 말했으니 참조해서 봐야 한다.

傳, 四居上近君, 云云.
『정전』에서 말하였다: 사효는 위에 있어 군주와 가깝지만, 운운.
小註, 平菴項氏曰, 草木, 云云.
소주에서 평암항씨가 말하였다: 초목이, 운운.
○ 按, 要其終, 記其始云云. 語極無當.
내가 살펴보았다: "그 끝맺음을 필요로 한다", "그 시작을 기록한다", 운운은 설명이 매우 타당하지 않다.

東萊呂氏曰, 天地, 云云.
동래여씨가 말하였다: 천지는, 운운.
○ 按, 若謂相時而動, 已作兩[200]事看云云, 恐有過高之病.
내가 살펴보았다: "때를 살펴서 움직인다면 이미 두 가지 일로 본 것이니", 운운은 지나치게 고원한 병폐가 있는 듯하다.

박제가(朴齊家) 『주역(周易)』

天地變化, 草木蕃.
천지가 변화하면 초목이 번성한다.

傳, 天地交感, 則變化萬物, 草木蕃盛, 君臣相際而道亨.
『정전』에서 말하였다: 천지가 서로 감응하면 만물이 변화하여 초목이 무성해지고, 군신이 서로 사귀어 도가 형통해진다.

案, 三而之四, 內卦之終, 而外卦之始, 故曰天地變化, 猶言天造草昧, 陰盛而蕃盛者, 惟草木. 純陰不交感, 故曰大地閉. 經兩言天地, 一言象, 一言時, 皆指四也. 若交感道亨之時, 則此一句爲虛論, 不屬於四. 經文一字不虛, 恐未然. 平菴項氏曰, 草木且蕃, 況於人乎者, 終是從而爲辭.

---

199) 夫: 경학자료집성 영인본을 참조하여 보충했다.
200) 兩: 경학자료집성DB에 '西'로 되어 있으나, 경학자료집성 영인본을 참조하여 '兩'으로 바로잡았다.

살펴보았다: 삼효로서 사효로 가면 내괘의 끝이고 외괘의 시작이기 때문에 "천지가 변화한다"라 하였으니, 하늘이 혼돈의 상태를 만들었을 때에 음이 흥성하고 번성한 것은 초목일 뿐이라고 말하는 것과 같다. 순수한 음은 교감하지 않기 때문에 "하늘과 땅이 닫혔다"라고 하였다. 경에서는 하늘과 땅을 두 가지로 말하여 하나는 상으로 말하였고 다른 하나는 때로 말하였으니, 모두 사효를 가리킨다. 서로 느껴 도가 형통할 때라면 여기의 한 구절은 공연한 말이 되어 사효에 속하지 않는다. 경문은 한 글자도 헛되지 않으니, 정자의 말은 옳지 않은 듯하다. 평암항씨가 "초목이 또 무성하다면 하물며 사람은 말해 무엇 하겠는가"라 하였으니, 끝내 『정전』을 따라서 말한 것이다.

윤행임(尹行恁) 『신호수필(新湖隨筆) · 역(易)』

括囊, 无咎. 甯武子之愚不及. 近之胡仲虎, 所謂陰虛能受, 有囊象云者. 傷於巧經義, 不當如是穿鑿.

"자루를 묶어놓은 것이니, 허물이 없다"라는 것은 영무자(甯武子)의 어리석은 듯이 행동함은 따라할 수 없다는 것이다.[201] 근세의 호중호(胡仲虎)가 "음의 비어 있음이 받아들일 수 있으니, 자루의 상이 있다"[202]고 말한 것은 경의 의미를 교묘하게 한 것에서 잘못되었으니, 이처럼 천착해서는 안 된다.

林栗, 以乾爲衣坤爲裳, 爲配乾之訂, 此則因荀爽九家易解中, 乾爲衣坤爲裳之說, 而湊合之也. 栗以易說屢問於朱子, 而朱子斥之. 故栗乃含憾攻朱子, 無餘地, 則易經大全汚此林說, 未知何據.

임률은 건이 저고리이고 곤이 치마인 것으로 건과 짝지어지는 증거를 삼았는데,[203] 이는 순상(荀爽) 『구가역(九家易)』의 해석 가운데 건을 저고리로, 곤을 치마로 여긴 설로 말미암아 갖다 붙인 것이다. 임률이 『주역』에 대한 설명을 주자에게 자주 물었지만 주자가 받아주지 않았다. 그러므로 임률이 이에 감정을 품고 주자를 여지없이 공격하였는데, 역경의 대전이 욕되게도 이 임률의 설을 기재한 것은 어디에 근거했는지 모르겠다.

---

201) 『논어 · 공야장』: 공자가 말하였다. 영무자는 나라에 도가 있을 때는 지혜롭고 나라에 도가 없을 때는 어리석었으니, 그의 지혜로움은 따를 수 있으나 그의 어리석음은 따를 수 없다[子曰, 甯武子邦有道則知, 邦無道則愚, 其知可及也, 其愚不可及也]. 『춘추좌씨전』의 기록을 보면, 영무자가 위(衛)나라에서 벼슬한 시기는 문공(文公)과 성공(成公) 때이다. 그런데 문공은 도가 있었지만 영무자가 한 일이 없었으니, 이것이 그의 지혜를 따를 수 있다는 것이고, 성공은 도가 없었는데 영무자가 자신의 몸을 바쳐 헌신하여 나라는 물론 자신까지 보전하였으니, 이것이 그의 어리석음은 따를 수 없다는 것이다.

202) 『周易傳義大全 · 坤卦』: 雲峯胡氏曰, 陰虛能受, 有囊象.

203) 『周易傳義大全 · 坤卦』: 林氏栗曰, 乾爲衣, 坤爲裳, 五雖尊配乾, 而爲下矣.

서유신(徐有臣)『역의의언(易義擬言)』

天地閉, 初六, 所謂履霜也. 六四順正, 故曰賢人也. 天地交, 則賢人進, 不交, 則草木凋, 互文也. 括囊, 蓋言謹愼, 非言骫骳苟容也.
천지가 닫힌다는 것은 초육이니, 서리를 밟는다고 말한 것이다. 육사는 유순하고 바르기 때문에 '현인'이라 했다. 하늘과 땅이 사귀면 현인이 나오고, 사귀지 않으면 초목이 시드는 것은 상호보완적인 글이다. "자루를 묶어 놓은 듯이 한다는 것은 삼가야 함을 말한 것이다"는 굽실거리며 구차스럽게 굶을 말한 것이 아니다.

박문건(朴文健)『주역연의(周易衍義)』

陽繼陰成, 則草木蕃蕪, 上微下盛, 則賢人隱遯.
양이 계승하고 음이 이루니 초목이 무성하고, 위가 미미하고 아래가 무성하니 현인이 은둔한다.

이지연(李止淵)『주역차의(周易箚疑)』

獨陽不生, 獨陰不成, 此非天地閉者乎.
홀로 있는 양은 낳지 못하고 홀로 있는 음은 이루지 못하니, 이것은 하늘과 땅이 닫힌 것이 아니겠는가?

김기례(金箕澧)「역요선의강목(易要選義綱目)」204)

天地閉, 賢人隱.
천지가 닫히면 현인이 은둔한다.
指六四以大臣之位无應, 則隔絕, 故當括囊.
육사가 대신의 지위로 호응함이 없으면 막히므로 마땅히 자루를 묶은 듯이 해야 함을 가리킨다.

○ 天地變化, 草木蕃, 互文.
"천지가 변화하면 초목이 번성한다"는 구절과 상호보완적인 글이다.

○ 坤一卦, 初六戒陰微之漸, 上六著陰盛之災, 六二稱順正居下, 六五欲中道自卑, 六三稱時含時發, 六四戒晦而不發, 皆臣道也. 消長可驗, 顯晦可愼.

---

204) 경학자료집성DB에서는 곤괘 용육(用六)에 해당하는 것으로 분류했으나, 내용에 따라 이 자리로 옮겼다.

곤이라는 하나의 괘는 초육에서 음의 미미함이 차츰 나오는 것을 경계하였고, 상육에서 음이 번성한 재앙을 드러냈으며, 육이에서는 유순함과 바름으로 아래에 있는 것을 말했고, 육오에서는 중도로 스스로 낮추려고 했으며, 육삼에서는 때에 따라 머금고 때에 따라 드러냄을 일컬었고, 육사에서는 숨어서 나오지 않는 것을 타일렀으니, 모두 신하의 도이다. 사라짐과 자라남은 증험할 수 있고, 나타나고 숨는 것은 삼갈 수 있다.

贊曰, 爲均爲母, 萬物資生. 爲臣之道, 貴在順貞. 中道下體, 內美外明, 地而敬義, 人可不誠.
찬미하여 말하였다: 균일함이고 어미이니, 만물이 그것에 의뢰하여 나온다. 신하의 도이니 유순하고 곧음을 귀하게 여긴다. 알맞은 도를 지켜 몸을 낮추니 안에 아름다움이 갖춰져 밖으로 밝음이 드러나며, 땅이면서 공경하고 의로우니 사람이 참되지 않을 수 있겠는가?

오치기(吳致箕) 「주역경전증해(周易經傳增解)」

天地變化, 草木蕃, 引下文之意, 而言天地交, 而世道開泰, 則雖如草木之旡知者, 尙且蕃茂. 況于賢乎. 其必出而不隱, 可知矣. 天地閉塞, 而萬物不遂, 則賢人必斂德而避難, 此其所謂隱也. 六四重陰不中正, 當天地閉隔, 不能變化之時. 故括囊而晦藏, 則可以旡咎. 以其隱而不出, 故亦旡令譽然, 蓋言其謹愼之道也.
"천지가 변화하면 초목이 번성한다"는 것은 아래 글의 의미를 인용하여 천지가 사귀어 세상의 도가 형통하고 편안하다면, 무지한 초목과 같은 것들마저도 오히려 무성하다는 말이다. 그런데 하물며 현인은 말해 무엇하겠는가! 그들이 반드시 나오고 은둔하지 않음을 알 수 있다. 천지가 닫혀서 만물이 이루어지지 않으면 현인은 반드시 덕을 감추고 어려움을 피하니, 이것이 '은둔한다'고 말한 것이다. 육사는 중첩된 음이고 중정하지 않아 천지가 닫혀서 변화할 수 없는 때이다. 그러므로 자루를 묶은 듯이 하여 감추고 있다면 허물이 없을 것이다. 은둔하여 나오지 않기 때문에 아름다운 명예도 없을 것이니, 이는 삼가는 도를 말한 것이다.

이병헌(李炳憲) 『역경금문고통론(易經今文考通論)』

荀曰, 六四陰位, 迫近於五, 雖有成德, 當括而囊之.
순상이 말하였다: 육사는 음의 자리이고 오효에 매우 가까우니, 완성된 덕이 있을지라도 자루를 묶어놓은 듯이 해야 한다.[205]

---

205) 『周易集解 · 坤卦』: 易曰, 括囊无咎无譽, 蓋言謹也. 구절의 주, 荀爽曰, 今四陰位迫近於五, 雖有成德, 當括而囊之.

君子黃中通理,

군자는 황색이 가운데 있어 이치에 통하고,

中國大全

本義

黃中, 言中德在內. 釋黃字之義也.

"황색이 가운데 있다"는 것은 중덕(中德)이 안에 있다는 말이다. 황색이라는 글자의 의미를 해석한 것이다.

韓國大全

유정원(柳正源) 『역해참고(易解參攷)』

黃中通理.
황색이 가운데 있어 이치에 통하고.

正義, 以黃居中, 兼四方之色, 奉承臣職, 通曉物理.
『주역정의』에서 말하였다: 황색이 가운데 자리에 있어 사방의 색을 겸하고 신하의 직책을 받들어 이어서 사물에 이치를 깨달아 안다.

○ 案, 黃中以行言, 通理以知言也.
내가 살펴보았다: "황색이 가운데 있다"는 것은 행동으로 말한 것이고, "이치에 통한다"는

것은 앎으로 말한 것이다.

김귀주(金龜柱) 『주역차록(周易箚錄)』

君子黃中, 云云.
군자는 황색이 가운데 있어, 운운.

○ 按, 通理之理字, 猶中庸溫而理之理也. 蓋渾厚者, 或欠於條理, 而此則黃中之德, 已極渾厚, 而又能通貫乎條理也. 然通理之云, 亦只就黃字上說出, 非謂條理之通暢於外耳.
내가 살펴보았다: "이치에 통한다"에서 이치는 『중용』에서 "온화하지만 조리가 있다"는 조리와 같다. 순박하고 성실한 자는 조리가 부족하지만 여기에서는 황색이 가운데 있는 덕이니, 이미 매우 순박하고 돈독하여 조리에 관통할 수 있다. 그러나 "이치에 통한다"고 한 것은 또한 황색이라는 말에서 설명한 것이니, 조리가 밖으로 통하여 드러남을 말한 것은 아니다.

이진상(李震相) 『역학관규(易學管窺)』

黃中通理.
황색이 가운데 있어 이치에 통한다.

通理, 言文理之疏通也.
"이치에 통한다"는 말은 문리가 소통한다는 말이다.

參攷曰, 黃中以行言, 通理以知言.
『역해참고』에서 말하였다: "황색이 가운데 있다"는 것은 행동으로 말한 것이고, "이치에 통한다"는 것은 앎으로 말한 것이다.

正位居體,

바른 자리에 몸을 두며,

中國大全

本義

雖在尊位而居下體. 釋裳字之義也

비록 존귀한 자리에 있을지라도 아래의 몸체를 차지하고 있다. '치마'라는 글자의 의미를 해석한 것이다.

小註

平菴項氏曰, 黃中正位, 美在其中. 屬黃字. 通理居體, 暢於四支, 屬裳字.
평암항씨가 말하였다: "황색이 가운데 있다"와 "바른 자리에"는 아름다움이 그 속에 있다는 것이니 황색이라는 글자에 속한다. "이치에 통한다"는 것과 "몸을 둔다"는 것은 사지에 창달하는 것이니 치마라는 글자에 속한다.

韓國大全

김귀주(金龜柱) 『주역차록(周易箚錄)』

正位居體.
바른 자리에 몸을 둔다.
○ 按, 居體之體字, 當仔細理會. 蓋柔順卑下, 卽坤之體, 雖在尊位, 而不失坤之體者,乃所謂居體也.
내가 살펴보았다: "몸을 둔다"에서 '몸'을 자세히 이해해야 한다. 유순함과 겸손함은 곤의 '몸'이니, 존귀한 자리에 있을지라도 곤의 몸을 잃지 않은 것이 바로 "몸을 둔다"고 하는 것이다.

本義, 雖在尊位, 云云.
『본의』에서 말하였다: 비록 존귀한 자리에 있을지라도, 운운.
小註, 平菴項氏曰, 黃中, 云云.
소주에서 평암항씨가 말하였다: 황색이 가운데 있다, 운운.
○ 按, 此以正位貼黃字, 通理貼裳字, 恐失文義.
내가 살펴보았다: 이것은 "자리를 바르게 한다"를 황색에 소속시켰고, "이치에 통한다"를 치마에 소속시킨 것이니, 글의 의미를 잃은 것 같다.

이항로(李恒老) 「주역전의동이석의(周易傳義同異釋義)」

正位居體.
바른 자리에 몸을 두며.

本義, 雖在尊位, 而居下體. 釋裳字之義也.
『본의』에서 말하였다: 비록 존귀한 자리에 있을지라도 아래의 몸체를 차지하고 있다. 치마라는 글자의 의미를 해석한 것이다.

按, 尊位貼六五之五字, 下體貼六五之六字.
살펴보았다: 존귀한 자리는 '육오'에서 '오'자와 연결되고, 아래의 몸체는 '육오'에서 '육'자와 연결된다.

이지연(李止淵) 『주역차의(周易箚疑)』

通理者, 通其理之當如此也. 居體者, 以下賢之禮爲體, 而自居也.
"이치에 통한다"는 것은 이치가 당연히 이와 같은 것에 통한다는 것이다. "몸을 둔다"는 것은 현인에게 낮추는 예로 몸체를 삼아 자처한다는 것이다.

이진상(李震相) 『역학관규(易學管窺)』

小註, 項氏說, 與本義不合, 分得較碎.
소주에서 항씨가 말한 것은 『본의』와 합치하지 않고, 나눈 것이 비교적 자잘하다.

美在其中，而暢於四支，發於事業，美之至也.

아름다움이 그 가운데 있어 사지에 창달하며 사업에 드러나서 아름다움이 지극하다.

中國大全

傳

黃中，文居中也，君子文中而達於理，居正位而不失爲下之體. 五尊位，在坤則惟取中正之義. 美積於中，而通暢於四體，發見於事業德美之至盛也.

"황색이 가운데 있다"는 문채가 가운데 있다는 것이니, 군자는 문채가 가운데 있어 이치에 통달하며 바른 자리에 있어 아래가 되는 몸체를 잃지 않는다. 오효는 존귀한 자리지만 곤괘에서는 오직 중정(中正)의 뜻만을 취하였다. 아름다움이 가운데 쌓여 사체(四體)에 통달하고 사업에 나타남은 덕과 아름다움이 지극히 성대한 것이다.

本義

美在其中，復釋黃中，暢於四支，復釋居體.

"아름다움이 그 가운데 있다"는 것은 "황색이 가운데 있다"를 다시 해석한 것이고, "사지에 창달한다"는 것은 "몸을 둔다"를 다시 해석한 것이다.

小註

或問，坤二五皆中爻. 二是就盡得地道上說，五是就著見於文章事業上說否. 朱子曰，不可說盡得地道，他便是坤道也. 二在下，方是就工夫處說，文言云不疑其所行是也. 五得尊位，則是就他成就處說，所以云美在其中而暢於四支，發於事業美之至也.

어떤 이가 물었다: 곤괘의 이효와 오효는 모두 가운데 효입니다. 이효는 땅의 도를 극진히 하는 것으로 말하고, 오효는 문장과 사업에서 드러나는 것으로 말한 것입니까?

주자가 답하였다: 땅의 도를 극진히 한다고 말할 수는 없으니, 그것은 곧 곤의 도입니다. 이효는 아래에 있어 공부하는 것으로 말했으니, 「문언전」에서 "그 행하는 바를 의심하지 말라"고 한 것이 여기에 해당합니다. 오효가 존귀한 자리를 얻은 것은 그 성취한 것으로 말하였기 때문에 아름다움이 그 가운데 있어 사지에 창달하고 사업에 드러나서 아름다움이 지극하다고 말하였습니다.

○ 進齋徐氏曰, 黃中, 中德在內, 通理, 文无不通, 言柔順之德蘊乎內而至盛也. 正位, 當在中之位, 居體, 居下體而不僭, 言柔順之德形於外而德當也. 黃中通理則美在其中而暢於四支, 正位居體則可發於事業. 二五皆中. 二內卦之中, 其發於外者, 不疑其所行而已. 五外卦之中, 其施於外者, 有事業之可觀. 坤道之美至此極矣, 故曰美之至也.
진재서씨가 말하였다: "황색이 가운데 있다"는 것은 중용의 덕이 안에 있다는 것이고, "이치에 통한다"는 것은 문채가 통하지 않음이 없다는 것이니, 유순한 덕이 안에 쌓여 성대하게 되었다는 말이다. '바른 자리'는 가운데 있는 자리에 해당하고, '몸을 둔다'는 아래의 몸체를 차지해서 참람하지 않은 것이니, 유순한 덕이 밖으로 드러나 덕이 합당하다는 말이다. 황색이 가운데 있어 이치에 통하면 아름다움이 그 가운데 있어 사지로 창달하고, 바른 자리에 몸을 두면 사업에 드러낼 수 있다. 이효와 오효는 모두 가운데 있다. 이효는 내괘의 가운데여서 그것이 밖으로 드러나는 것은 행하는 바를 의심하지 않은 것일 뿐이다. 오효는 외괘의 가운데여서 그것이 밖으로 시행하는 것은 볼만한 사업이 있는 것이다. 곤도의 아름다움이 여기에 와서 지극하므로, "아름다움이 지극하다"고 했다.

又曰, 黃中通理四字, 當玩涵養不熟操守不固. 天理有一毫之未純, 人欲有一毫之未去, 未得爲黃中也. 涵養熟矣, 操存固矣, 天理全而人欲去矣. 然條理未達, 脉絡未貫, 則是蘊於內者雖有中和渾厚之美, 而无融暢貫通之妙, 未得爲通理也. 必黃中而通理, 暢於四支, 發於事業, 而後爲美之至. 孟子曰, 充實而有光輝之謂大, 大而化之之謂聖, 亦此意也.
또 말하였다: "황색이 가운데 있어 이치에 통한다"는 말은 무르익지 않은 것을 익숙하게 함양하고 견고하지 않은 것을 잡아서 지켜야 한다는 것이다. 천리가 조금이라도 순수하지 않고 인욕이 털끝만큼이라도 제거되지 않으면 황색이 가운데 있을 수 없다. 함양하는 것이 무르익고 지켜 보존하는 것이 진실하면, 천리는 온전해지고 인욕은 제거된다. 그러나 조리를 통달하지 못해 맥락을 관통하지 못하면, 안에 쌓은 것이 비록 중정하고 화평하며 순박하고 성실한 아름다움이 있을지라도 순조롭고 관통하는 묘함이 없어 이치에 통달한 것이 될 수 없다. 반드시 황색이 가운데 있어 이치에 통하고 사지에 창달하여 사업에 드러난 다음에 아름다움이 지극하게 된다. 맹자가 "충실해서 빛나는 것을 크다고 하고, 커서 변화하는 것을

성스럽다고 한다"[206]라고 했으니, 또한 이런 의미이다.

○ 雲峯胡氏曰, 六五當與六二竝看, 故皆以君子言. 蓋直內方外之君子, 卽黃中通理之君子也. 朱子嘗謂敬以直內是持守工夫, 義以方外是講學工夫. 大抵敬以直內, 則胸中洞然, 徹上徹下, 表裏如一, 是卽所以爲黃中. 義以方外, 則凡事之來, 義以處之, 无不合理, 是卽所以爲通理. 五之黃中通理, 本於直內方外. 故其正位也雖居乎五之尊, 而其居體也則不失乎二之常. 二之直內方外, 是內外夾持兩致其力. 到五之黃中通理, 則內外通貫无所容其力矣.

운봉호씨가 말하였다: 육오는 육이와 함께 봐야 하므로 모두 군자를 가지고 말하였다. 안을 곧게 하고 밖을 방정하게 한 군자는 황색이 가운데 있어 이치에 통달한 군자이다. 주자는 일찍이 "경으로써 안을 곧게 하는 것은 지키는 공부이고, 의로써 밖을 방정하게 하는 것은 학문을 닦고 연구하는 공부이다"라고 말하였다. 대체로 경으로써 안을 곧게 하면 마음속이 매우 밝아져서 위아래로 관통하고 표리가 한결같기 때문에 바로 황색이 가운데 있는 것이다. 의로써 밖을 방정하게 하는 것은 일이 생기면 의로써 처리하여 이치에 합당하지 않음이 없는 것이니, 바로 이치에 통달했기 때문이다. 오효가 황색이 가운데 있어 이치에 통달한 것은 안을 곧게 하고 밖을 방정하게 하는 것에 근본하였다. 그러므로 그 바른 자리가 비록 오효의 존귀함에 있을지라도 몸을 둠에는 이효의 상도를 잃지 않은 것이다. 이효의 안을 곧게 하고 밖을 방정하게 함은 바로 안팎 두 가지를 가지고 양쪽으로 힘을 다하는 것이다. 오효의 황색이 가운데 있어 이치에 통하였다는 것은 안팎으로 관통하여 그 힘을 받아들일 것이 없다는 것이다.

韓國大全

유정원(柳正源) 『역해참고(易解參攷)』

暢於 [至] 事業.

사지에 창달하며 … 사업에 드러난다.

正義, 四支猶人手足, 比于四方物務也. 所營謂之事, 事成謂之業.

---

206) 『孟子 · 盡心』: 充實而有光輝之謂大, 大而化之之謂聖.

『주역정의』에서 말하였다[207]: ‘사지(四支)’는 사람의 손과 발과 같으니, 사방의 사물에 힘씀에 비유할 수 있다. 경영하는 것이 ‘일[事]’이고, 일이 이루어짐을 ‘업(業)’이라고 한다.

傳.
『정전』.
〈案, 傳末, 本有暢勑亮反四字.
내가 살펴보았다: 『정전』 끝에 본래 ‘창칙량반(暢勑亮反)’이라는 네 글자가 있다.〉

김상악(金相岳) 『산천역설(山天易說)』

黃中通理者, 中德之在內者, 貫通而有條理也. 正位居體者, 雖居尊位, 而不失謙下之道也. 故美在於中, 而通暢於四支, 發見於事業.
“황색이 가운데 있어 이치에 통한다”는 것은 속에 있는 중도의 덕이 관통해서 조리가 있는 것이다. “바른 자리에 몸을 둔다”는 것은 존귀한 자리에 있지만 겸손히 낮추는 도리를 잃지 않은 것이다. 그러므로 아름다움에 속에서 사지로 창달하며 사업에 드러나는 것이다.

○ 爻曰元吉, 文言曰美之至, 所以至哉坤元, 又乾曰, 美利天下, 坤曰, 美在其中, 而贊乾曰大, 坤曰至, 與二卦彖傳, 相表裏.
효에서는 “크게 길하다”라 하고 「문언전」에서는 “아름다움이 지극하다”라 하기 때문에, “지극하구나, 곤의 큼이여!”라 한 것이다. 건괘에서 “아름다움으로 천하를 이롭게 한다”라 하고, 곤괘에서 “아름다움이 그 가운데 있다”라 하면서 건괘를 찬미하여 ‘크다’라 하고 곤괘를 찬미하여 ‘지극하다’라 하였으니, 두 괘의 「단전」과 서로 표리가 된다.

김귀주(金龜柱) 『주역차록(周易箚錄)』

本義, 美在其中, 云云.
『본의』에서 말하였다: 아름다움이 그 가운데 있다, 운운.
○ 按, 美在其中, 復釋黃中, 暢於四支, 復釋居體, 固是大綱分屬如此. 然又就其中細看, 則黃中居體, 自爲一義, 美在其中, 暢於四支, 又自爲一義. 蓋黃中之中, 非但是在中之義, 亦以其中德而言, 居體則專是柔順之意也. 故合黃中居體, 而見其爲中順之德. 合美在其中, 暢於四支, 而見其爲存諸中, 發於外之義. 如是看, 方分曉. 六五爻辭,

207) 『周易正義』: 四支猶人手足, 比于四方物務也. 外內俱善, 能宣發於事業. 所營謂之事, 事成謂之業. 美莫過之, 故云美之至也.

本義下, 亦已論之矣.
내가 살펴보았다: "'아름다움이 그 가운데 있다'는 것은 '황색이 가운데 있다'를 다시 해석한 것이고, '사지에 창달한다'는 것은 '몸을 둔다'를 다시 해석한 것이다"는 본래 큰 강령을 이처럼 나눠 소속시킨 것이다. 그러나 또 그 안의 자세한 것을 취하면 "황색이 가운데 있다"와 "몸을 둔다"는 것이 본래 하나의 의미이고, "아름다움이 그 가운데 있다"는 것과 "사지에 창달한다"는 것이 또 본래 하나의 의미이다. "황색이 가운데 있다"에서 "가운데 있다"는 것은 가운데 있다는 의미만은 아니니, 또한 '중용의 덕[中德]'으로 말한 것이다. "몸을 둔다"는 것은 오로지 유순하다는 의미이다. 그러므로 "황색이 가운데 있다"와 "몸을 둔다"는 것을 합해서 중용의 유순한 덕을 드러냈다. "아름다움이 그 가운데 있다"는 것과 "사지에 창달한다"는 것을 합해서 가운데에 보존한 것이 밖으로 드러난다는 의미를 드러낸다. 이와 같이 보면 분명할 것이다. 육오의 효사는 『본의』의 아래에서 또한 이미 말했다.

小註, 進齋徐氏曰, 黃中, 云云.
소주에서 진재서씨가 말하였다: 황색이 가운데 있다는 것은 … 운운.
○ 按, 居體只言柔順之德, 未遽及於形於外之意, 徐說未當. 暢於四支, 發於事業, 皆是美在其中之驗, 而其中之美, 卽所謂黃中居體之德也. 今以暢於四支, 屬黃中通理, 發於事業, 屬正位居體者, 恐反亂本旨.
내가 살펴보았다: "몸을 둔다"는 것은 단지 유순한 덕이 갑자기 밖으로 드러나게 되지 않는다는 의미로 말한 것이니, 서씨의 설은 타당하지 않다. 사지에 창달하고 사업에 나타남은 모두 아름다움이 그 가운데 있는 징험이고, 가운데의 아름다움은 바로 이른바 "황색이 가운데 있고", "몸을 두는" 덕이다. 이제 "사지에 나타난다"는 것을 "황색이 가운데 있어 이치에 통한"는 것에 소속시키고, "사업에 드러난다"는 것을 "바른 자리에 몸을 둔다"는 것에 소속시켰으니, 이것은 도리어 본래의 의미를 어지럽힌 듯하다.

雲峯胡氏曰, 六五, 云云.
운봉호씨가 말하였다: 육오는, 운운.
○ 按, 此以直內爲黃中, 方外爲通理者, 恐非文義. 且六二之以工夫言, 六五之以德業言者, 其義各有攸當, 非有造詣淺深之別. 若謂自直內方外, 至於黃中通理, 而後無所容力, 則是宜方大不習, 無不利者, 猶有所未至, 而朱子所謂坤卦中六二一爻最純粹者, 誣矣, 其可乎哉. 上徐進齋之論, 亦不免此病.
내가 살펴보았다: 여기에서 안을 곧게 하는 것을 황색이 가운데 있는 것으로 여기고 밖을 방정하게 하는 것을 이치에 통하는 것으로 여긴 것은 문맥의 의미가 아닌 것 같다. 또 육이를 공부로 말하고 육오를 덕업으로 말한 것은 그 의미에 각기 타당한 것이 있으나, 조예에

얕고 깊은 구별이 있는 것은 아니다. 만약 안을 곧게 하고 밖을 방정하게 하는 것에서 황색이 가운데 있어 이치에 통한다는 것에 도달한 다음에 힘을 쓸 일이 없다고 한다면, 이것은 당연히 "곧고 방정하며 커서 익히지 않아도 이롭지 않음이 없다"는 것에 오히려 지극하지 않음이 있는 것이어서 주자가 말한 곤괘에서 육이 한 효가 가장 순수하다는 것은 거짓이니, 그것이 가능하겠는가? 위에서 진재서씨의 설명도 이런 병통을 면하지 못했다.

서유신(徐有臣)『역의의언(易義擬言)』

坤之五, 故曰君子, 公侯之象也. 坤之中, 故曰黃曰中也. 黃之德, 爲順也, 中之行, 爲和也. 通者, 通於道也. 理者, 理於義也. 位者, 五之位也. 體者, 坤之體也. 正位, 則柔不爲病也. 居體, 則尊不爲嫌也. 暢於四支, 德之服也. 發於事業, 可大之業也.
곤괘의 오효이기 때문에 '군자'라 했으니, 공후의 상이다. 곤괘의 가운데이기 때문에 '황색'이라 하고 '중도'라 하였다. 황색의 덕은 유순함이고, 중도의 행함은 화합이다. 통한다는 것은 도에 통하는 것이다. 이치는 의를 이치로 하는 것이다. 자리는 오효의 자리이다. 몸은 곤의 몸체이다. 바른 자리는 유순함이 병이 되지 않는다. 몸을 둔다면 존귀함이 혐의를 받지 않는다. 사지에 창달했다는 것은 덕의 옷이다. 사업에 드러난다는 것은 크게 될 수 있는 일이다.

박문건(朴文健)『주역연의(周易衍義)』

理, 文理也. 惟君子而後, 能黃其中, 而通其理, 正其位, 而居其體也. 美在其中以下, 復明黃中通理之義.
이치는 문리(文理)이다. 오직 군자가 된 다음에 황색이 가운데 있을 수 있어 그 이치에 통하고, 그 자리를 바르게 하여 몸을 둔다. "아름다움이 그 가운데 있다"는 구절 이하는 황색이 가운데 있어 이치에 통한다는 의미를 다시 밝힌 것이다.

박종영(朴宗永)「경지몽해(經旨蒙解)·주역(周易)」

坤之文言, 曰黃中通理, 又曰, 正位居體, 又曰, 美在其中, 而暢於四支, 發於事業, 美之至也.
곤괘의 문언에서 "황색이 가운데 있어 이치에 통한다"라 하였고, 또 "바른 자리에 몸을 둔다"라 하였으며, 또 "아름다움이 그 가운데 있어 사지에 창달하며 사업에 드러나서 아름다움이 지극하다"라 하였다.

本義曰, 黃中言中德在內, 釋黃字之義也. 正位居體, 雖在尊位居下體, 釋裳字之義也.

蓋釋六五黃裳元吉之象, 曰黃裳元吉, 文在中也. 美在其中, 而暢於四支, 發於事業.
『본의』에서 말하였다: "황색이 가운데 있다"는 것은 중덕(中德)이 안에 있다는 말이니, 황색이라는 글자의 의미를 해석한 것이다. "바른 자리에 몸을 둔다"는 것은 비록 존귀한 자리에 있을지라도 아래의 몸체를 차지하고 있다는 것이니, 치마라는 글자의 의미를 해석한 것이다. "육오는 황색치마처럼 하면 크게 길하다"는 상을 해석하여 "황색치마처럼 하면 크게 길하다는 것은 문채가 가운데 있다는 것이다"라 하였으니, 아름다움이 가운데 있어 사지에 창달하며 사업에 드러난다는 것이다.

程傳曰, 黃中, 文居中也. 君子文中而達於理, 居正位而不失爲下之體. 在坤則惟取中正之義. 美積於中而通暢於四支, 發見於事業德, 美之至盛也.
『정전』에서 말하였다: "황색이 가운데 있다"는 것은 문체가 가운데 있는 것이니, 군자는 문체가 가운데 있고 이치에 통달하며 바른 자리에 있어 아래가 되는 몸체를 잃지 않는다. 곤괘에서는 오직 중정의 뜻만을 취하였다. 아름다움이 가운데 쌓여 사체에 통달하고 사업에 나타남은 덕의 아름다움이 지극히 성대한 것이다.

蓋黃中通理四字, 當玩味而深啬. 譬之君子之學, 則猶言守中正而通事理, 和順積中, 英華發外, 措之事業, 各得其中. 若涵養不熟, 操守不固, 天理未純, 而人欲未袪, 則不得爲黃中矣. 雖能涵養熟, 而操存固, 以致天理全, 而人欲袪. 若條理未達, 脉絡未貫, 則是蘊於內者, 雖有中和渾厚之美, 著於外者, 無融暢貫通之妙, 不得爲通理也. 必黃中而通理, 暢於四支, 發於事業, 而後爲美之至也. 孟子云, 充實而有光輝之謂大, 大而化之之謂聖, 亦此意也. 朱子嘗謂敬以直內, 是持守工夫, 義以方外, 是講學工夫. 大抵敬以直內, 則胸中洞然, 徹上轍下, 表裡如一, 是卽所以爲黃中也. 義以方外, 則凡事之來, 義以處之, 無不合理, 是卽所以爲通理也. 蓋直內方外之君子, 卽黃中通理之君子也. 六五當與六二竝看, 故皆以君子言. 言其內外之工夫如此, 則來後之事業, 自然盛美, 不可以言語形容矣. 學者其深味焉.
"황색이 가운데 있어 이치에 통한다"는 구절은 완미하고 깊이 간직해야 한다. 군자의 학문에 비유할 경우, 중정을 지켜 사리에 통하고 화합으로 순종함이 가운데에 쌓여 아름다움이 밖으로 드러나고 사업을 해서 각기 그 중을 얻었다고 말하는 것과 같다. 만약 함양한 것이 익숙하지 않고 지키는 것이 견고하지 않아 천리가 아직 순수하지 않고 인욕이 아직 떠나지 않았다면, 황색이 가운데 있을 수 없다. 비록 함양한 것이 익숙하고 지키는 것이 견고하여 천리가 온전하고 인욕이 떠날 수 있을지라도 만약 조리에 아직 통달하지 못하고 맥락이 끝내 아직 관통되지 않았을 것 같으면, 이것은 안에 온축된 것이 비록 중화하고 온전히 두터운 아름다움이 있을지라도 밖으로 드러나는 것에 화락하고 관통하는 묘함이 없어 이치에 통한 것이 될 수 없다. 그러니 반드시 황색이 가운데 있어 이치에 통하고 사지에 창달하며 사업에 드러난 이후에 아름다움의 지극함이 된다. 맹자는 "충실해서 빛나는 것을 크다고 하고, 커서 변화하는 것을 성스럽다고 한다"[208]라 하였으니, 또한 이런 의미다. 주자는 일찍이 "경으로써 안을 곧게 하는 것은 지키는 공부이고, 의로써 밖을 방정하게 하는 것은 학문을 닦고 연구하는 공부이다"라고 말하였다. 대체로 경으로써 안을 곧게 하면 마음속이 매우 밝아져서 위아래로 관통하고 표리가 한결같기 때문에 바로 황색이 가운데 있는 것이다. 의로써 밖을 방정하게 하는 것은 일이 생기면 의로써 처리하여 이치에 합당하지 않음이 없기 때문에 바로 이치에 통달한다.[209] 안을 곧게 하고 밖을 방정하게 하는 군자는 곧 황색이 가운데 있어 이치에 통달한 군자이다. 육오는 육이와 아울러서 봐야 하기 때문에 군자로 말하였다. 안팎의 공부가 이와 같으면 장래의 사업이 저절로 성대하고 아름다워 언어로 형용할 수 없다는 말이다. 학자들은 깊이 완미해야 한다.

심대윤(沈大允) 『주역상의점법(周易象義占法)』

黃中通理, 言中而文明也. 正位居體, 言居尊位而附從于乾也. 居體, 言裳之附麗于體而止也. 詩云衣錦尙絅, 六五有焉.

"황색이 가운데 있어 이치에 통한다"는 것은 중용의 덕이어서 문채가 빛난다는 말이다. "바른 자리에 몸을 둔다"는 것은 높은 자리에 있는데도 건을 따른다는 말이다. "몸을 둔다"는 것은 치마가 몸에 걸쳐있다는 말이다. 『시경』에서 "비단옷을 입고 홑옷을 덧입는다"[210]라 하였는데, 육오에 그것이 있다.

오치기(吳致箕) 「주역경전증해(周易經傳增解)」

黃中, 言在中之德也. 通者, 豁然貫通, 无私慾之滯泥也. 理者, 燦有條理, 无邪穢之混淆也. 正位, 言正當六五之尊位也. 居體, 言居坤之體也. 五雖居尊, 而以乾坤之位言, 則坤爲下, 故取下體之飾, 而曰裳也. 尊而能居下體, 以其有柔順之德也. 上二句, 釋黃裳之義, 下文, 贊歎其美積於中, 而暢于四體, 發而見於事業, 是乃美之極至者也.

---

208) 『孟子 · 盡心』: 可欲之謂善, 有諸已之謂信, 充實之謂美, 充實而有光輝之謂大, 大而化之之謂聖, 聖而不可知之之謂神.

209) 『周易傳義大全 · 坤卦』: 雲峯胡氏曰, 六五當與六二竝看, 故皆以君子言. 蓋直內方外之君子, 卽黃中通理之君子也. 朱子嘗謂敬以直內是持守工夫, 義以方外是講學工夫. 大抵敬以直內, 則胸中洞然, 徹上徹下, 表裏如一, 是卽所以爲黃中. 義以方外, 則凡事之來, 義以處之, 无不合理, 是卽所以爲通理.

210) 『詩經 · 碩人』:碩人其頎, 衣錦褧衣. 齊侯之子, 衛侯之妻.

"황색이 가운데 있다"는 것은 속에 있는 덕을 말한다. '통한다'는 것은 환하게 관통하여 사욕과 허물로 인한 얽매임이 없다는 것이다. '이치[理]'는 빛나게 조리가 있어 간사함과 더러움으로 인한 혼탁이 없는 것이다. '바른 자리'는 육오의 존귀한 자리를 정당하게 한다는 말이다. '몸을 둔다'는 것은 곤의 몸체에 있다는 말이다. 오효가 존귀한 자리에 있을지라도 건과 곤의 지위로 말하면 곤은 아래이기 때문에 하체의 꾸밈을 취해 치마라고 하였다. 존귀한데도 하체에 있을 수 있는 것은 유순한 덕이 있기 때문이다. 앞의 두 구절은 황색 치마의 의미를 해석하였고, 아래의 글은 아름다움이 속에 쌓여 사지에 창달하고 사업으로 드러나니, 이것이 바로 아름다움의 지극한 것임을 찬탄하였다.

이병헌(李炳憲) 『역경금문고통론(易經今文考通論)』

虞曰, 四支謂股肱.

우번이 말하였다: 사지는 팔다리를 말한다.[211]

---

211) 『周易集解 · 坤卦』: 美在其中, 而暢於四支. 구절의 주, 虞翻曰, …. 四支謂股肱.

陰疑於陽, 必戰. 爲其嫌於无陽也, 故稱龍焉. 猶未離其類也, 故稱血焉. 夫玄黃者, 天地之雜也, 天玄而地黃.

음이 양과 대등해지면 반드시 싸운다. 양이 없다고 혐의를 받을 수도 있으므로 용이라고 칭하였고, 아직 그 종류를 떠나지 않았으므로 피라고 칭하였다. 검고 누런 것은 하늘과 땅이 섞인 것이니, 하늘은 검고 땅은 누렇다.

中國大全

傳

陽大陰小, 陰必從陽. 陰旣盛極, 與陽偕矣, 是疑於陽也, 不相從則必戰. 卦雖純陰, 恐疑无陽, 故稱龍, 見其與陽戰也. 于野, 進不已而至於外也. 盛極而進不已, 則戰矣. 雖盛極, 不離陰類也, 而與陽爭, 其傷可知, 故稱血. 陰旣盛極至, 與陽爭, 雖陽不能无傷, 故其血玄黃. 玄黃, 天地之色, 謂皆傷也.

양이 크고 음이 작으면 음이 반드시 양을 따른다. 음이 이미 지극히 성대하여 양과 함께하게 하는 것은 양과 대등한 것이니, 서로 따르지 않으면 반드시 싸운다. 괘가 비록 순음이지만 양이 없다고 의심할까 염려하였으므로 용이라고 칭했으니, 양과 싸움을 드러낸 것이다. '들에서'라는 말은 나아가기를 멈추지 않아 밖에 이르렀다는 것이다. 지극히 성대한데도 나아가기를 멈추지 않는다면 싸운다. 비록 지극히 성대할지라도 음의 종류를 벗어나지 못하고 양과 싸우니, 그 상처를 알 수 있으므로 피라고 칭하였다. 음이 이미 지극히 성대하여 양과 싸우니, 양일지라도 상처를 입지 않을 수 없으므로 그 피가 검고 누렇다. 검고 누런 것은 하늘과 땅의 색이니 모두 상처를 입었다는 말이다.

本義

疑, 謂鈞敵而无小大之差也. 坤雖无陽, 然陽未嘗无也. 血陰屬. 蓋氣陽而血陰也. 玄黃, 天地之正色, 言陰陽皆傷也.

'의심한다'는 것은 서로 나란히 맞서서 크고 작은 차이가 없는 것을 말한다. 곤이 비록 양이 없지만 양이 일찍이 없었던 적이 없었다. 피는 음의 종류이다. 기는 양이고 피는 음이다. 검고 누런 것은 하늘과 땅의 바른 색이니, 음과 양이 모두 다쳤다는 말이다.

○ 此以上, 申象傳之意.

이 이상은 「상전」의 의미를 거듭 설명한 것이다.

小註

平菴項氏曰, 玄黃者, 上下无別, 所謂雜也. 曰疑於陽, 曰嫌於无陽, 曰猶未離其類, 曰天地之雜, 皆言陰之似陽, 臣之似君. 楚公子圍之美矣君哉也, 然終以野死, 則何利哉.
평암항씨가 말하였다: "검고 누렇다"는 것은 상하가 구별이 없어 이른바 섞인 것이니, "양과 대등하다"라고 하고, "양이 없다고 혐의를 받을 수도 있다"라고 하며 "아직 그 종류를 떠나지 않았다"라고 하고, "하늘과 땅이 섞였다"고 하는 것은 모두 음이 양과 비슷하고, 신하가 군주와 비슷함을 말한 것이다. 초나라 공자(公子) 위(圍)의 아름다움이 임금 같았지만 마침내 들에서 죽었으니,212) 무엇이 이롭겠는가!

○ 西溪李氏曰, 玄, 天色也, 黃, 地色也. 雖曰天地之雜然, 天地定分, 終不可易, 故終之曰天玄而地黃.
서계이씨가 말하였다: 검은 것은 하늘의 색이고, 누런 것은 땅의 색이다. 천지가 섞였다고 말했을지라도 천지의 정해진 분수는 끝내 바꿀 수 없으므로 종결하면서 "하늘은 검고 땅은 누렇다"라고 하였다.

○ 節齋蔡氏曰, 十月爲純坤之月. 六爻皆陰, 然生生之理, 无頃刻而息. 一陽雖生於子, 而實始於亥. 十月之陽, 特未成文耳. 聖人爲其純陰而或嫌於无陽也, 故稱龍以明之. 古人謂十月爲陽月者, 蓋出於此.

---

212) 『春秋左氏傳 · 昭公』 원년에 "楚公子圍設服, 離衛. 叔孫穆子曰, 楚公子美矣, 君哉."라 하였고, 13년에 "夏四月 楚公子比自晉歸于楚 弑其君虔于乾谿."라 하였다. 13년 여름 4월에 진나라에서 돌아온 공자 비가 간계에서 시해한 그 임금 건이 바로 공자 위이다. 초장왕(楚莊王)의 아들 공왕(共王)에게는 다섯 아들이 있었으니, 그들의 이름이 소(昭), 위(圍), 비(比), 석(晳), 기질(棄疾)이다. 공왕 사후 소(昭)가 즉위하여 강왕(康王)이 되었다. 그런데 강왕의 뒤에 그의 아들 겹오(郟敖)가 즉위했으나 위(圍)가 죽이고서 영왕(靈王)이 되었으며, 다시 비(比)가 영왕을 간계 산속에서 목매 자살하게 하고 영왕의 태자인 녹(祿)을 죽인 뒤에 왕이 되었고, 또 다시 기질(棄疾)이 만성연(曼成然)을 시켜 비(比)와 석(晳)을 핍박하여 자살하게 한 뒤에 즉위하니, 이 사람이 평왕(平王)이다.

절재채씨가 말하였다: 시월은 순수한 곤의 달이다. 여섯 효가 모두 음이지만 낳고 낳는 이치는 잠시도 멈춘 적이 없다. 하나의 양이 비록 자(子)에서 나올지라도 실은 해(亥)에서 시작되었으니, 시월의 양은 아직 문채를 이루지 못했을 뿐이다. 성인은 그것이 순음이어서 혹 양이 없다고 혐의를 받을 수도 있다고 여기기 때문에 용이라고 칭해서 분명히 하였다. 옛사람들이 시월이 양의 달이라고 말하는 것은 여기에서 나왔다.

○ 雲峯胡氏曰, 上六亦當與六三竝看, 故皆揭以陰之一字. 三曰陰雖有美含之, 猶知有陽也. 上曰陰疑於陽必戰, 則與陽爲均敵而无小大之差矣. 天道不可一日无陽, 故稱龍, 於盛陰之時存陽也. 戰而俱傷. 在臣子雖罪不容誅, 在君父則宜早辯也. 蓋能辯之於初, 則如六五之黃裳元吉, 積善之慶有餘也. 不能辯之於初, 則如上六之其血玄黃, 積不善之殃有餘也.
운봉호씨가 말하였다: 상육도 육삼과 함께 봐야 하므로, 모두 음이라는 한 글자를 들었다. 삼효에서는 "음이 비록 아름다움이 있을지라도 그것을 머금는다"라고 하였으니, 여전히 양이 있음을 알고 있는 것이다. 상효에서는 "음이 양을 의심하면 반드시 싸운다"라고 하였으니 양과 나란히 맞서서 크고 작은 차이가 없는 것이다. 하늘의 도는 하루라도 양이 없을 수 없으므로, 용이라고 칭해 성대한 음의 때에 양을 보존한 것이다. 싸워서 모두 다쳤으니, 신하와 자식에게 있어서는 비록 죽어도 용서받지 못할 죄일지라도 군주와 부모에게 있어서라면 일찌감치 다스렸어야 했다. 일찌감치 다스릴 수 있는 것은 "육오는 황색치마이니 크게 길하다"는 것과 "좋은 일을 많이 하여 남겨진 복이 있다"는 것과 같다. 일찌감치 다스릴 수 없는 것은 "상육의 그 피가 검고 누렇다"는 것과 "착하지 못한 일을 많이 하여 남겨진 재앙이 있다"는 것과 같다.

韓國大全

송시열(宋時烈) 『역설(易說)』213)

文言以下, 以章統釋四德.
「문언전」 이하는 문장별로 네 가지 덕을 총괄하여 해석하였다.

---

213) 경학자료집성DB에서는 곤괘 용육(用六)에 해당하는 것으로 분류했으나, 내용에 따라 이 자리로 옮겼다.

積善章. 坤道順. 故順善則慶, 順惡則殃. 陰者, 小人之事, 所以略言善而借言惡. 人若姑息其惡, 不以剛固, 處以柔順, 則其惡至於弑君父, 不言凶而其凶可知. ◇ 二爻, 以陰爻居陰位, 坤之德不孤, 君子體之, 其德亦不孤. ◇ 二五, 皆以君子言, 卽繫辭, 非中爻不備之意. 若乾之大人然.

'좋은 일을 많이 해야 한다는'[積善]장: 곤의 도는 순응하기 때문에 선에 순응하면 경사가 있고, 악에 순응하면 재앙이 있다. 음은 소인의 일이니, 선에 대해 대략 말하면서 악에 대해 시험 삼아 말하였다. 사람이 악을 대충 임시로 처리하여 강하고 견고하게 하지 않고 유순하게 처리하면 그 악이 임금을 죽이고 아비를 죽이는 데 이르게 되니, 흉하다고 말하지 않았을지라도 그 흉함을 알 수 있다.

◇ 이효는 음이 음의 자리에 있으니, 곤의 덕이 외롭지 않다. 군자가 그것을 체득하면 그 덕도 외롭지 않다.

◇ 이효와 오효는 모두 군자로 말했으니, 「계사전」에서 "가운데 효가 아니면 구비하지 못한다"[214]는 의미이다. 건의 대인이 그렇다.

유정원(柳正源) 『역해참고(易解参攷)』

陰疑 [至] 血焉.

음(陰)이 양(陽)과 대등해지면 … 피라고 하였다.

王氏曰, 辨之不早, 疑盛乃動, 故必戰.

왕씨가 말하였다: 미리 다스리지 않은 것이다. 성대함을 의심받으면서도 움직이는 까닭에 반드시 싸운다.

○ 案, 坤居西南, 與先天乾南相接, 此所以疑而戰也.

내가 살펴보았다: 곤이 서남에 있어 선천(先天)의 건과 남쪽에 서로 접하니, 이것이 의심받아 싸우는 까닭이다.

本義, 陰陽皆傷.

『본의』에서 말하였다: 음(陰)과 양(陽)이 모두 다친다.

案, 皆傷者, 指陰與陽戰而皆傷也, 非指玄黃之正色而言也.

내가 살펴보았다: "모두 다친다"는 것은 음(陰)과 양(陽)이 싸워 모두 다침을 가리킨 것이지 하늘이 검고 땅이 누른 바른 색을 가리켜 말한 것은 아니다.

---

214) 『周易 · 繫辭傳』: 若夫雜物撰德辨是與非, 則非其中爻, 不備.

김상악(金相岳) 『산천역설(山天易說)』

疑似也. 陰盛而疑於陽, 故至於戰也. 稱龍所以存陽也, 稱血所以辨陰也. 陰陽相雜故曰天玄而地黃也.
'의심한다'는 것은 맞먹는 것이다. 음이 성대해서 양을 의심하기 때문에 싸운다. 용이라고 부른 것은 양을 보존하기 위함이고, 피라고 부른 것은 음을 분별하기 위함이다. 음과 양이 서로 섞이기 때문에 "하늘은 검고 땅은 누렇다"라 하였다.

○ 乾居戌亥方, 坤爲戌亥月. 陰陽相薄, 故說卦曰戰乎乾, 文言曰必戰, 所以陰疑於陽也. 血陰屬, 玄黃, 天地之正色也. 六陰雖道窮於上, 得天地之定分, 故不言其凶. 此以上申象傳之意.
건괘는 술(戌)과 해(亥)의 방향에 있고, 곤괘는 술월과 해월이다. 음과 양이 서로 부딪히므로 「설괘전」에서 "건에서 싸운다"라 하였고, 「문언전」에서 "반드시 싸운다"라 하였으니, 음이 양을 의심하기 때문이다. 피는 음의 종류이고, 검고 누런 것은 하늘과 땅의 바른 색이다. 여섯 음이 위에서 도가 다했지만 하늘과 땅의 정해진 분수를 얻었기 때문에 흉함을 말하지 않았다. 이 구절 이상은 「상전」의 의미를 거듭하였다.

김귀주(金龜柱) 『주역차록(周易箚錄)』

此以上申象傳, 云云.
이 이상은 「상전」의 의미를 거듭 설명한 것이다, 운운.

小註, 雲峯胡氏曰, 上六, 云云.
소주에서 운봉호씨가 말하였다: 상육은, 운운.

○ 按, 上六六三竝看之云, 恐涉無當. 且以六五爲積善之慶, 上六爲積不善之殃, 亦似附會.
내가 살펴보았다: "상육과 육삼은 함께 봐야 한다"는 것은 타당하지 않은 것 같다. 또 육오를 좋은 일을 많이 한 경사로 보고 상육을 좋지 않은 일을 많이 한 재앙으로 본 것도 견강부회한 듯하다.

서유신(徐有臣) 『역의의언(易義擬言)』

陰之盛極, 陽欲入, 而陰不受, 疑之也. 不和, 故疑也. 戰于野者, 陰與陽戰也. 雖然但云戰, 則卦中無陽, 誰能知其與陽戰乎. 故稱龍戰于野. 龍, 乾陽之象, 坤陰乃其牝, 一龍字而有陽有陰矣. 旣是牝龍, 則雖强猶不出乎地類. 故稱其血之玄黃. 血玄黃, 則化育胚胎矣. 天地之雜也者, 乾坤交, 而陰陽和也, 向之戰者, 今而交也, 向之疑者, 今而和也.
음의 성대함이 끝까지 가면, 양이 들어가고자 하나 음이 받아들이지 않으니, 의심하기 때문이다. 화합하지 못했기 때문에 의심한다. 들에서 싸우는 것은 음이 양과 싸우는 것이다. 그렇지만 싸움이라고만 말하면, 괘 가운데 양이 없으니, 그것이 양과 싸움을 하는지 누가 알 수 있겠는가? 그러므로 들에서 용들이 싸운다고 했다. 용은 건(乾)이라는 양의 상이다. 곤의 음은 바로 암컷이니, 용이라는 한 글자 안에 양도 있고 음도 있다. 이미 암용이니, 강함이 여전히 땅의 종류를 벗어나지 않는다. 그러므로 그 피가 누렇고 검다고 했다. 피가 검고 누렇다면, 잉태된 것을 낳아 자라게 한다. 하늘과 땅이 섞인 것은 건과 곤이 사귀어서 음과 양이 화합하는 것이니, 이전에는 싸우던 것이 지금은 사귀고, 이전에는 의심하던 것이 지금은 화합하는 것이다.

강엄(康儼) 『주역(周易)』

陰疑於陽.
음이 양을 의심한다.

本義, 此以上申象傳之意.
본의에서 말하였다: 이 이상은 「상전」의 의미를 거듭 설명한 것이다.

按, 坤文言, 不釋用六, 何也. 蓋乾坤文言詳略逈別, 兩卦大小之分, 此亦可見矣.
내가 살펴보았다: 곤괘 「문언전」에서 용육을 해석하지 않은 것은 무엇 때문인가? 건괘와 곤괘 「문언전」의 자세하고 간략함은 아주 구별되니, 두 괘에서 대소의 구분을 여기에서도 알 수 있다.

박문건(朴文健) 『주역연의(周易衍義)』

陰上六嫌六爻之旡陽, 故自特其剛, 而疑其彷彿也.
음의 상육은 여섯 효에 양이 없다고 혐의를 받을 수도 있기 때문에 스스로 그 굳셈을 내세워 비슷할 것이라고 여긴다.

○ 此申象傳之衍義. 愚按, 乾坤文言, 與彖象二傳間, 有異同. 讀者, 卽其文而各考其義, 則庶乎其不拂乎說易之旨矣. 繫辭傳中散出者, 亦然.
이는「상전」에서 부연한 의미를 거듭하였다.
내가 살펴보았다: 건괘와 곤괘의「문언전」은「단전」·「상전」과 다른 점이 있으니, 읽는 자가 글에 따라 제각기 그 의미를 살피면,『주역』을 설명하는 뜻에 거의 어긋나지 않을 것이다.「계사전」 가운데 흩어져 나오는 것들도 마찬가지이다.
〈問, 陰疑於陽必戰, 爲絕句歟. 曰, 然. 曰, 嫌於旡陽者, 上六嫌之歟. 曰, 然.
물었다: "음이 양에게 견주어보면 반드시 싸운다"에서 구두를 끊어야 합니까?
답하였다: 그렇습니다.
물었다: 양이 없을까 혐의하는 것은 상육이 혐의하는 것입니까?
답하였다: 그렇습니다.〉

이항로(李恒老)「주역전의동이석의(周易傳義同異釋義)」

陰疑於陽.
양이 음을 의심한다.

傳,卦雖純陰, 恐疑旡陽, 故稱龍.
『정전』에서 말하였다: 괘가 비록 순음이지만 양이 없다고 의심할까 두려웠기 때문에 용이라고 칭했다.

本義, 疑, 謂鈞敵而旡大小之差也.
『본의』에서 말하였다: '의심한다'는 것은 서로 나란히 맞서서 크고 작은 차이가 없는 것을 말한다.

按, 陰疑於陽, 從陰陽而言, 嫌於旡陽, 從作易而言.
내가 살펴보았다: "음이 양을 의심한다"는 것은 음양으로 말했고, "양이 없다고 혐의를 받을 수도 있다"는 것은 바뀌는 것으로 말했다.

허전(許傳)「역고(易考)」

周公言龍戰于野, 擧龍之戰以見陰之强, 孔子言陰疑於陽必戰, 擧陰之强以見龍之戰, 其義一也.

주공이 용들이 들에서 싸운다고 말한 것은 용의 싸움을 들어 음의 강함을 보인 것이고, 공자가 음이 양을 의심하면 반드시 싸운다고 말한 것은 음의 강함을 들어 용의 싸움을 보인 것이니, 그 의미는 동일하다.

嫌於無陽者, 人但見坤之爲六陰, 而不察於乾卦未盡變之前剝之一陽在焉. 故特稱龍以明其先有此一陽, 非以坤之上六稱龍分明. 是乾之本卦上九也.
양이 없다고 의심한다는 것은 사람들이 곤괘의 여섯 음만 보고 건괘(乾卦☰)가 다 변하기 전에 박괘(剝卦☶)의 한 양이 아직 있다는 것을 살피지 못한 것이다. 그러므로 특별히 용이라고 칭하여 앞에 이 하나의 양이 있었음을 밝혔으니, 곤괘의 상육으로 용을 칭한 것이 아님이 분명하다. 이는 건괘 본괘의 상구이다.

심대윤(沈大允) 『주역상의점법(周易象義占法)』

人稟天地之氣以爲性, 性者人道之太極也, 氣者性之極也. 性有好利惡害者, 兩儀也. 心有四端者, 四象之始搆行, 而名爲先後天者也.[215] 性氣也, 一而已矣. 心氣之交于形, 而爲理之藪, 萬而殊矣, 是故人物同性, 而不同心. 性无不好利惡害, 而心有不能趨利避害者, 以其蔽于形而有所不照也. 夫明之所不照爲暗, 日月非有暗也, 知之所不及爲惡, 心非有惡也. 性者心之極也, 四端心之知覺, 因是四端而可以擴充以爲四德命之曰心性. 中庸曰自誠明謂之性. 子曰性相近也, 習相遠也者, 心性之謂也. 心有道心人心者, 兩儀也.
사람이 천지의 기(氣)를 받아 본성(性)으로 삼으니, 본성은 인도(人道)의 태극이고 기는 본성의 궁극이다. 본성에 이로움을 좋아하고 해로움을 좋아함이 있는 것이 양의(兩儀)이다. 마음에 사단이 있는 것은 사상의 시작이 행위와 연결되어 선후천으로 이름붙인 것이다. 본성과 기(氣)는 하나일 뿐이다. 마음과 기가 형체에서 만나 리(理)를 가리면 갖가지로 달라지니, 사람과 사물이 본성이 같은데도 마음은 다르다. 본성은 이로움을 좋아하고 해로움을 싫어하지 않음이 없는데, 마음은 이로움을 좇고 해로움을 피할 수 없는 경우가 있으니, 형체에 가리어져 빛나지 않는 것이 있기 때문이다. 밝음이 빛나지 않는 것이 어둠이니 해와 달은 어둠이 있는 것이 아니고, 앎이 미치지 않는 것이 악함이니, 마음에 악함이 있는 것이 아니다. 본성은 마음의 궁극이고, 사단은 마음의 지각이어서 여기의 사단을 가지고 네 가지 덕이 되도록 확충할 수 있으니 그것을 명명하여 마음과 본성이라고 한다. 『중용』에서 "성(誠)으로 말미암아 밝아짐을 본성이라고 한다"[216]라 하고, 공자가 "본성은 서로 가까운데 익힌 것

215) 也: 경학자료집성DB에 '地'로 되어 있으나, 경학자료집성 영인본을 참조하여 '也'로 바로잡았다.

이 서로 멀어지게 한다"[217]라 한 것은 마음과 본성을 말한 것이다. 마음에 도심(道心)과 인심(人心)이 있는 것이 양의(兩儀)이다.

心稟五行之氣, 以爲四端, 而常有有餘不足偏勝獨微, 而不能平純冲和焉, 或中或不中, 而有道心人心之異也. 情有喜怒哀樂者, 四象也. 心之發而交于物, 爲先後天者也. 凡心象水火有知有明, 而必附麗于物, 然後乃存, 不附于正, 則必附邪. 隨其所習而行之成性, 猶水之因地而制流, 如火之隨物而成體, 命之曰習性. 水火之爲物, 靜則明, 動則暗. 大學曰, 知止而後有定, 定而後能靜, 靜而後能安, 安而後能慮, 慮而後能得. 夫不知所止而疑惑不定, 則其心昏亂矣. 其心昏亂, 則雖有武[218]仲之知卞莊之勇, 顚倒惶惑而无能爲矣. 是故人必知善之爲利, 然後能止於善而有定, 止於善而有定然後, 其心靜而明矣.

마음에 오행의 기운이 품수되어 사단이 되지만 언제나 충분하고 모자라며 한쪽으로 지나치고 유독 모자라는 것이 있어서 고르게 순수하고 부드럽고 온화할 수 없으며, 혹은 적절하고 혹은 적절하지 못해 도심과 인심의 차이가 있다. 정(情)에 기쁨 · 분노 · 슬픔 · 즐거움이 있다는 것이 사상(四象)이다. 마음이 발하여서 사물과 만나는 것이 선후천이다. 마음은 물과 불을 닮아 지혜와 밝음이 있지만 반드시 사물을 따른 다음에야 보존되니, 바름을 따르지 않으면 반드시 악함을 따른다. 익힌 대로 행하여 본성을 이루는 것이 물이 땅을 따라 흘러가는 것과 같고 불이 사물에 따라 모양을 이루는 것과 같으니, 그것을 명명하여 습성이라고 한다. 물과 불은 고요하면 밝고 움직이면 어둡다. 그러니 『대학』에서 "머물 곳을 안 다음에 정하는 것이 있고 정하는 것이 있은 뒤에 고요하며 고요한 다음에 편안하고 편안한 다음에 생각하고 생각한 다음에 얻는다"[219]라 하였다. 머물 곳을 알지 못하고 의심스러워 정하지 않으면 그 마음이 어두워 혼란스럽다. 그 마음이 어두워 혼란스러우면 비록 장무중(臧武仲)[220]의 지혜와 변장자(卞莊子)[221]의 용기가 있을지라도 혼란스럽고 당황스러워서 아무것도 할 수 없다. 이 때문에 사람은 반드시 선이 이로움이라는 것을 안 다음에 선에 머물러서 정하는 것이 있고, 선에 머물러 정하는 것이 있은 다음에 그 마음이 고요하여 밝아진다.

---

216) 『中庸』: 自誠明謂之性, 自明誠謂之敎. 誠則明矣, 明則誠矣.

217) 『論語 · 陽貨』: 性相近也, 習相遠也.

218) 『논어 · 헌문』의 "子路問成人. 子曰, 若臧武仲之知, 公綽之不欲, 卞莊子之勇, 冉求之藝, 文之以禮樂, 亦可以爲成人矣."라는 구절에 의거하여 '誠'을 '武'로 바로잡았다.

219) 『大學』: 知止而后有定, 定而后能靜, 靜而后能安, 安而后能慮, 慮而后能得.

220) 장무중: 노(魯)나라 대부로 『논어 · 헌문』에 나온다.

221) 변장자: 노(魯)나라 변읍(卞邑)의 대부로 『논어 · 헌문』에 나온다.

夫性也者, 得之自然, 无多寡加减之殊, 而无所用力焉, 故聖人不言也. 其所用工而爲敎爲學者, 在乎心也. 性先天也, 心後天也. 先天无爲而後天用力也, 心之得於稟賦而有道心人心之異者, 如禽獸之孳將啄抱, 出於性之誠而不可卒化. 故聖人之用工, 必自情始焉, 心先天也, 情後天也. 喜怒哀樂發而中節, 則心自正. 心正則性得其正矣.
본성은 저절로 얻은 것이니, 많고 적으며 더하고 덜어낼 차이가 없고 힘쓸 것이 없기 때문에, 성인이 그것에 대해 말하지 않았다. 노력해서 가르치고 배울 것은 마음에 있다. 본성은 선천이고 마음은 후천이다. 선천은 무위이고 후천은 노력이니, 마음이 품부된 것을 얻었지만, 도심과 인심의 차이가 있는 것이다. 이를테면 짐승이 새끼를 낳음에 부리로 쪼아주고 품어주는 것은 본성의 '참됨[誠]'에서 나와 갑자기 변화시킬 수 없는 것이다. 그러므로 성인의 노력은 반드시 정(情)에서 시작하니, 마음은 선천이고 정은 후천이기 때문이다. 기쁨 · 분노 · 슬픔 · 즐거움이 일어나나 절도에 맞으면 마음이 저절로 바르게 된다. 마음이 바르게 되면 본성이 바름을 얻는다.

夫雖上知不能无人心, 下愚亦必有道心. 道心勝者, 先行之而後明, 自誠明謂之性, 是也. 人心勝者, 先明之而後行, 自明誠謂之敎是也. 凡人習于善而養其道心, 則人心漸滅焉, 習于惡而長其人心, 則道心亦漸伏而不出焉. 道心陽也, 人心陰也. 陽可伏而不可滅, 陰可滅也, 人心可滅. 夫心性雖有道心人心之出于誠, 而性之好利惡害不可移動也.
아주 지혜로울지라도 인심이 없을 수 없고 아무리 어리석을지라도 반드시 도심이 있다. 도심이 우세할 경우 먼저 행한 다음에 밝아지니, "참됨[誠]으로 말미암아 밝아짐을 본성이라고 한다"는 것이 여기에 해당한다. 인심이 우세할 경우 먼저 밝은 다음에 행하니, "밝음으로 말미암아 참되게 함을 교화라고 한다"222)는 것이 여기에 해당한다. 일반 사람들이 선에 익숙해서 도심을 기르면 인심이 점차로 사라지고, 악에 익숙해서 인심을 기르면 도심이 또한 점차로 잠복해서 나오지 않는다. 도심은 양이고 인심은 음이다. 양은 잠복해도 되지만 사라져서는 안 되고, 인심은 사라져도 된다. 마음과 본성에 도심과 인심이 참됨에서 나오는 것이 있지만 본성이 이로움을 좋아하고 해로움을 싫어하는 것은 바꿀 수 없다.

性君也, 心民也, 民必從君而化焉. 人苟明乎爲善之利而止焉, 則必能勉彊以自力焉. 凡人之爲不善者, 其心以爲利也, 不然則以爲无傷也. 凡人之爲善者, 慕其名也, 不然則不得已也. 若能明知爲善之必可利, 而爲惡之必不免乎禍, 則豈復有爲不善者哉. 故曰, 大道苟明, 可使盜跖先趨於善也.
본성은 임금이고 마음은 백성이니, 백성은 반드시 임금을 따라서 감화된다. 사람들이 진실

222) 『中庸』: 自誠明謂之性, 自明誠謂之敎. 誠則明矣, 明則誠矣.

로 선을 행하는 것의 이로움에 밝아 그것에 머물면 반드시 힘써 노력할 수 있다. 사람들이 불선을 행하는 것은 그 마음이 그것을 이롭게 여기기 때문이니, 그렇지 않다면 해로움이 없다고 여긴 것이다. 보통 사람들이 선을 행하는 것은 그 명성을 원했기 때문이니, 그렇지 않다면 부득이해서이다. 밝음과 지혜가 선을 반드시 이로움으로 여기고 악은 반드시 재앙을 면하지 못함으로 여길 수 있다면 어찌 다시 불선을 행하겠는가? 그러므로 위대한 도가 밝아지면 도척을 먼저 선으로 달려가게 할 것이다.

夫敎也者, 後天之工也, 故以克爲用, 而逆行焉. 子曰克己復禮爲仁. 克己者, 勝其人心也, 復禮者, 養其道心而復於善也. 中庸曰, 誠者, 天之道也, 誠之者, 人之道也, 敎者, 誠之之謂也. 人能勉强力學而行之, 喜怒哀樂發而中節, 則中正立于心矣. 視聽言動, 皆中禮, 則中正立于身矣. 中正立于身, 而行于天下矣, 中庸曰, 博學之, 審問之, 愼思之, 明辨之, 篤行之. 果能此道矣, 雖愚必明, 雖柔必强. 大學曰, 所惡於上, 毋以使下, 所惡於下, 毋以事上, 所惡於前, 毋以先後, 所惡於後, 毋以從前, 所惡於右, 毋以交於左, 所惡於左, 毋以交於右, 此之謂恕. 所以格物致知, 而通天下之志者也, 學之本也.
교화는 후천의 노력이기 때문에 이기기를 힘써 거꾸로 행한다. 공자가 "자신을 이겨 예로 돌아가는 것이 인이다"[223]라 하였으니, "자신을 이긴다"는 것은 인심을 이기는 것이고, "예로 돌아간다"는 것은 도심을 길러서 선을 회복하는 것이다. 『중용』에서 "'정성스러움[誠]'은 하늘의 도이고, 정성스럽게 하려는 것이 사람의 도이다"[224]라 하였으니, 교화는 참되게 하는 것이다. 사람이 힘써 공부하고 행하여 기쁨 · 분노 · 슬픔 · 즐거움이 절도에 맞으면 중정(中正)이 마음에 확립된 것이다. 보고 듣고 말하고 행동하는 것이 모두 예에 맞으면 중정이 몸에 확립된 것이다. 중정이 몸에 확립되어 천하에 행하니, 『중용』에서 "널리 배우고 자세히 물으며, 신중히 생각하고 밝게 분별하며, 독실히 행한다"라 하였다. 정말 이 도를 잘 행할 수 있으면 어리석을지라도 반드시 밝아지고 유약할지라도 반드시 강하게 된다. 『대학』에서 "위에서 싫어하는 것으로 아래를 부리지 말고, 아래에서 싫어하는 것으로 위를 섬기지 말며, 앞에서 싫어하는 것으로 뒤를 앞서지 말고, 뒤에서 싫어하는 것으로 앞을 따르지 말며, 오른쪽에서 싫어하는 것으로 왼쪽과 사귀지 말고 왼쪽에서 싫어하는 것으로 오른쪽과 사귀지 말라"[225]라 하였으니 이것이 서(恕)이다. 그래서 격물치지하여 천하의 뜻에 통달하는 것이 학문의 근본이다.

---

223) 『論語 · 顔淵』: 顔淵問仁. 子曰, 克己復禮爲仁.

224) 『中庸』: 誠者, 天之道也, 誠之者, 人之道也.

225) 『大學』: 所惡於上, 毋以使下, 所惡於下, 毋以事上, 所惡於前, 毋以先後, 所惡於後, 毋以從前, 所惡於右, 毋以交於左, 所惡於左, 毋以交於右.

中庸曰, 所求乎子以事父, 所求乎臣以事君, 所求乎弟以事兄, 所求乎明友先施之, 此之謂忠. 所以推恩施德而濟天下之物也, 道之終也. 中庸曰, 或生而知之, 或學而知之, 或困而知之, 及其知之一也. 或安而行之, 或利而行之, 或勉彊而行之, 及其成功一也. 夫以言乎人道, 則性氣之太極也, 於卦爲乾, 心形之極也, 於卦爲坤, 乾爲氣爲性, 坤爲形爲心. 輙妄以坤卦釋心術, 以附之焉.

『중용』에서 "자식에게 요구하는 것으로 아버지를 섬기고 신하에게 요구하는 것으로 임금을 섬기며, 동생에게 요구하는 것으로 형을 섬기고, 친구에게 요구하는 것으로 먼저 베푼다"226)라 하였으니, 이것이 충(忠)이다. 그래서 은혜를 미루고 덕을 베풀어 천하의 사물을 구제하는 것이 도의 끝이다. 『중용』에서 "어떤 이는 태어나면서부터 알고, 어떤 이는 배워서 알며, 어떤 이는 고생해서 아는데 알게 되는 것은 같다. 어떤 이는 편안하게 행하고, 어떤 이는 이롭게 여겨 행하며, 어떤 이는 노력해서 행하는데, 공을 이루는 것은 같다"227)라 하였다. 이것으로 인도를 말하면 본성과 기의 태극은 괘에서 건이고, 마음과 형체의 궁극은 괘에서 곤이며, 건은 기이고 본성이니, 곤은 형체이고 마음이다. 갑자기 함부로 곤괘로 심술(心術)을 해석하여 덧붙인다.

오치기(吳致箕) 「주역경전증해(周易經傳增解)」

疑者, 似也. 陰旣盛極, 與陽均敵, 无大小之差, 而與之相似. 故曰疑也. 陰盛而敵陽, 不與相從, 而必相抗. 故以戰言也. 雖至于戰, 而嫌於陰爲主陽无以見, 故以龍言之而存陽也. 然坤爲陰, 而血屬陰, 故從其類, 而稱血以見陰之盛也. 盛極而戰, 陽亦不能无傷, 故言玄黃, 以見陰陽俱傷也.

'의심한다'는 것은 비슷하게 여긴다는 것이다. 음이 이미 극성하여 양과 균등하게 맞서는 것은 대소의 차이가 없어 서로 비슷하게 여기는 것이다. 그러므로 '의심한다'고 하였다. 음이 성대하여 양과 맞서는 것은 서로 함께 따르지 않고 반드시 서로 대항하는 것이다. 그러므로 '싸움'으로 말하였다. 싸움을 할지라도 음이 주인이고 양이 드러나지 않는다고 의심받기 때문에 용으로 말하여 양을 보존하였다. 그러나 곤은 음이고 피는 음에 속하기 때문에 그 종류를 따라 피를 말해 음의 성대함을 드러냈다. 극성하여 싸우니, 양도 상처입지 않을 수 없기 때문에 검고 누렇다고 말하여 음과 양이 모두 상처 입었음을 드러냈다.

---

226) 『中庸』: 君子之道四, 丘未能一焉. 所求乎子以事父未能也, 所求乎臣以事君未能也, 所求乎弟以事兄未能也, 所求乎朋友先施之未能也.

227) 『中庸』: 或生而知之, 或學而知之, 或困而知之, 及其知之一也. 或安而行之, 或利而行之, 或勉强而行之, 及其成功一也.

이진상(李震相) 『역학관규(易學管窺)』

天玄而地黃.
하늘은 검고 땅은 누렇다.

血雜玄黃, 陰陽之俱傷者也. 天玄地黃, 正色之不易者也. 或謂後天卦, 乾居亥, 而亥爲陰, 終屬坤故戰. 然先天方圖, 乾亦在西北, 何必後天.
피가 검고 누렇게 섞였으니, 음과 양이 모두 상처를 입은 것이다. 하늘이 검고 땅이 누런 것은 바꿀 수 없는 바른 색이다. 어떤 이가 후천괘에서 건은 해(亥)의 자리에 있고 해는 음이어서 마침내 곤에 속하기 때문에 싸운다고 하였다. 그러나 선천역의 방도에서 건도 서북에 있으니, 하필이면 후천이겠는가?

박문호(朴文鎬) 「경설(經說) · 주역(周易)」

本義, 以黃中通理美在中屬黃, 以正位居體暢四支屬裳. 而程子之釋, 似與小註項氏說相同, 更詳之. 恐疑二字, 非釋陰疑之疑也, 乃所以釋嫌字也. 陰疑之疑, 與擬字義同.
『본의』에서 "황색이 가운데 있어 이치에 통하다"는 것과 "아름다움이 그 가운데 있다"는 것으로 '황색'에 속하게 하고, "바른 자리에 몸을 둔다"는 것과 "사지에 창달한다"는 것으로 '치마'에 속하게 하였다. 그런데 정자의 해석은 소주에서 항씨의 설과 서로 같은 것 같으니, 더욱 자세히 살펴보아야 한다. "의심할까 염려한다"는 말은 "음이 양을 의심한다[陰疑於陽]"고 할 때의 '의심한다[疑]'를 해석한 것이 아니라 바로 "양이 없다고 혐의를 받는다[嫌於无陽]"는 말을 해석한 것이다. "음이 양을 의심한다"고 할 때의 '의심한다'는 말은 비긴다는 말과 의미가 같다.

先天卦序出於天然, 周易卦序起於人爲. 天然者, 一定不易, 人爲者, 容有變通, 故三易卦序, 皆不同. 然則序卦一傳, 是易之一事, 非其第一義, 朱子所云, 序卦非聖人之精者, 此也. 故本義於每卦之釋, 未嘗及於卦序, 至序卦傳, 亦無所特特發明, 其微意有可知也. 程傳, 則每卦之首, 必先引序卦, 繼以已說明之, 而巍然冠于篇端. 讀者每先入於此, 遂以卦序認爲易中第一義, 恐非羲文之本意也.
선천괘의 순서는 자연에서 나왔고, 주역괘의 순서는 인위에서 나왔다. 자연은 일정하여 변하지 않고, 인위는 변통이 있기 때문에 세 가지 역의 순서가 모두 같지 않다. 그렇다면 「서괘전」은 『주역』의 한 가지 일이지 가장 중요한 의미가 아니니, 주자가 말한 「서괘전」은 성인의 정묘함이 아니라는 것[228]이 이것이다. 그러므로 『본의』에서는 각 괘의 해석에 「서괘전」을 언급한 적이 없고, 「서괘전」에서도 특별히 드러내 밝힌 것이 없으니, 숨어있는 의미를 알 수 있다. 『정전』에서는 각 괘의 첫머리에 반드시 먼저 「서괘전」을 인용하고, 이어서 자신의 설을 밝히어 우뚝하게 편의 처음에 놓았다. 독자들이 매번 여기에서 선입견이 생겨 마침내 「서괘전」을 『주역』의 가장 중요한 의미로 여겼는데, 아마도 복희와 문왕의 본래 의미는 아닌 것 같다.

이정규(李正奎) 「독역기(讀易記)」

坤之文言曰, 嫌於無陽也, 故稱龍焉. 然則坤之有陽, 何以見之乎. 窃惟陰一爻分之以三十分, 則陰爲二十五分而陽爲五分. 積六爻則陽已爲三十分, 而成一爻, 故復卽繼之. 以此推之, 初非坤盡后復生也, 坤中已有三十分陽, 剝中尙有二[229]十五分陽矣. 不徒陰爻如此, 陽爻亦然. 每爻積五分, 陰至乾而三十分已在其中. 故姤卽繼之. 如此則陰陽不相離, 而陽無可盡者, 不誣矣. 然陰陽一而已矣, 何有六陰六陽哉. 蓋雖一而已矣, 不能無進退消長之漸也, 不得不劃卦排爻, 以見其進退消長之漸也.

곤괘(坤卦䷁)의 「문언전」에서 "양이 없다고 혐의를 받을 수도 있기 때문에 용이라 칭한다"라 하였다. 그렇다면 곤괘에 양이 있다는 것을 어떻게 알 수 있는가?

내가 살펴보았다: 음의 한 효를 삼십분으로 나누면, 음이 이십오분이고 양이 오분이다. 여섯 효에 누적되면 양이 이미 삼십분이고 하나의 효를 이루기 때문에 복괘(復卦䷗)가 바로 계승한다. 이것으로 미루어보면 애초에 곤괘가 다한 후에 복괘가 나오니, 곤괘 가운데 이미 삼십분의 양이 있었던 것이고, 박괘(剝卦䷖) 가운데 여전히 이십오분의 양이 있는 것이다. 음효만 이런 것이 아니니, 양효도 그렇다. 매 효에 오분이 누적되니, 음이 건에 이르면 삼십분이 이미 그 속에 있다. 그러므로 구괘(姤卦䷫)가 바로 계승한다. 이와 같다면 음양이 서로 분리되지 않아 양이 다할 수 없는 것이니, 거짓이 아니다. 그러나 음과 양이 하나일 뿐이라면 어떻게 여섯 음과 여섯 양이 있겠는가? 하나일 뿐이지만 점차로 나아가고 물러나며 사라지고 자라지 않을 수 없으니, 괘를 나눠 효를 밀며 점차로 나아가고 물러나며 사라지고 자라는 것을 드러내지 않을 수 없다.

이병헌(李炳憲) 『역경금문고통론(易經今文考通論)』

孟曰, 陰乃上薄, 致疑于陽, 必與陽戰. 荀九家曰, 陰陽合居, 故曰兼. 按, 鄭作兼[230]于

---

228) 『周易淺述 · 序卦傳』: 按, 沙隨程氏謂, 序卦非聖人之書, 韓康伯謂, 序卦非聖人之精蘊, 朱子辨之曰, 謂序卦非聖人之精則可, 非聖人之蘊則不可.

229) 二: 경학자료집성DB와 영인본에 '五'로 되어 있으나, 문맥을 살펴 '二'로 바로잡았다.

陽, 惠棟以爲虞鄭荀陸皆同. 易漢學兼直稱溓, 以爲溓於陽. 注溓雜也. 乾之策, 二百一十有六, 坤之策, 百四十有四, 凡三百有六十. 自此以次相承, 兩兩相對, 每卦皆有相承之意, 每對皆有反應之體.

맹희는 "음이 위와 부딪히고 양을 의심하면, 양과 반드시 싸운다"[231]라 하였다. 순상(荀爽)의 『구가역(九家易)』에서는 "음과 양이 함께 있으므로 '겸한다'라 하였다"[232]라 하였다.[233] 내가 살펴보았다: 정현은 "양을 겸한다"로 기록해 놓았다. 혜동은 우번·정현·순상·육덕명이 모두 같다고 여겼다. 혜동의 『역한학』에서는 '겸한다'를 곧 '싫어한다'로 칭하니, 양을 싫어한다고 여긴 것이다. 주에 "싫어한다는 섞인다의 뜻이다"라 하였다. 건의 책수는 이백열여섯이고 곤의 책수는 백열넷이니, 모두 삼백예순이다. 여기서부터 차례로 서로 이어져 둘씩 짝으로 서로 상대하니, 괘마다 모두 서로 이어지는 뜻이 있고, 상대할 때마다 반대로 호응하는 몸체가 있다.

---

230) 兼: DB에는 '義'로 되어 있으나 영인본을 참조하여 '兼'으로 바로잡았다.

231) 『周易集解 · 坤卦』: 陰疑於陽, 必戰. 구절의 주, 孟喜曰, 陰乃上薄, 疑似於陽, 必與陽戰也.

232) 『周易集解 · 坤卦』: 爲其嫌於无陽也, 故稱龍焉. 구절의 주, 九家易曰, 陰陽合居, 故曰嫌.

233) 앞의 주석을 참고하면 알 수 있는 것으로서 이병헌이 인용한 순상의 주석이 『주역집해』에 있는 내용과 다르다.

3

준괘

屯卦䷂

中國大全

傳

屯, 序卦曰, 有天地然後, 萬物生焉, 盈天地之間者, 惟萬物. 故受之以屯, 屯者, 盈也, 屯者, 物之始生也. 萬物始生, 鬱結未通, 故爲盈塞於天地之間, 至通暢茂盛, 則塞意亡矣. 天地生萬物, 屯, 物之始生. 故繼乾坤之後. 以二象言之, 雲雷之興, 陰陽始交也, 以二體言之, 震始交於下, 坎始交於中, 陰陽相交, 乃成雲雷. 陰陽始交, 雲雷相應, 而未成澤, 故爲屯. 若已成澤, 則爲解也. 又動於險中, 亦屯之義. 陰陽不交, 則爲否, 始交而未暢, 則爲屯, 在時, 則天下屯難, 未亨泰之時也.

준괘(屯卦䷂)는 「서괘전」에서 "천지가 있은 다음에 만물이 생겨나니, 천지에 꽉 차 있는 것은 만물일 뿐이다. 그러므로 준괘로 받았으니, 준은 꽉 차 있음이고 준은 사물이 처음 나오는 것이다"라고 하였다. 만물이 처음 나옴에 꽉 막혀서 통하지 못하므로 천지에 꽉 차 막힌 것이 되었으니, 막힘이 없어 무성하게 되면 막혔다는 의미는 사라진다. 천지가 만물을 낳으니, 준은 사물이 처음 나온 것이다. 그러므로 건괘와 곤괘의 뒤를 이었다. 두 개의 상으로 말하면 구름과 우레가 일어나는 것은 음과 양이 처음 사귀는 것이고, 두 개의 몸체로 말하면, 진괘(☳)가 아래에서 처음 사귀고 감괘(☵)가 중간에서 처음 사귀었으니, 음과 양이 서로 사귀어야 구름과 우레를 이룬다. 음과 양이 처음 사귀어 구름과 우레가 상응했지만, 아직 못을 이루지 못했으므로 준이 되었다. 만약 이미 못을 이루었다면 해괘(解卦䷧)가 되었을 것이다. 또 험한 가운데 움직이니, 또한 준의 의미이다. 음과 양이 사귀지 않으면 비괘(否卦䷋)가 되고, 처음 사귀었지만 아직 통하지 않았으면 준괘가 되니, 시대로는 천하가 어려워서 아직 형통하지 못한 때이다.

小註

誠齋楊氏曰, 氣始交未暢曰屯, 物勾萌未舒曰屯, 世多難未泰曰屯.

성재양씨가 말하였다: 기운이 처음 교차하여 아직 통하지 않은 것을 준이라고 하고, 사물이 갈고리처럼 싹이 나와 아직 펴지지 않은 것을 준이라고 하며, 시대가 어려움이 많아 아직 편안하지 않은 것을 준이라고 한다.

○ 隆山李氏曰, 乾坤之後次以屯蒙. 此乾坤以生育之功付之三子也. 屯初建侯, 蒙二克家, 五童蒙, 蓋爲是也.

융산이씨가 말했다: 건괘(乾卦䷀)와 곤괘(坤卦䷁)의 다음에 준괘(屯卦䷂)와 몽괘(蒙卦䷃)로 이었다. 이것은 건곤이 생육하는 공을 가지고 세 자식에게 넘긴 것이다. 준괘의 초구에 제후를 세우고, 몽괘의 구이에 집안을 잘 다스리며 육오에 철부지가 현자를 따르는 것은 대개 이 때문이다.

○ 雲峯胡氏曰, 屯蒙繼乾坤之後, 上下體有震坎艮, 坤交乾而成也. 震則乾坤之始交, 故先焉.
운봉호씨가 말했다: 준괘(屯卦䷂)와 몽괘(蒙卦䷃)는 건괘(乾卦䷀)와 곤괘(坤卦䷁)의 다음을 이어 상체와 하체에 진괘(☳)·감괘(☵)·간괘(☶)가 있으니, 곤이 건과 사귀어 이룬 것이다. 진은 건과 곤이 처음 사귀는 것이므로 앞에 있다.

‖ 韓國大全 ‖

이항로(李恒老) 「주역전의동이석의(周易傳義同異釋義)」

傳, 屯, 序卦曰, 云云.
『정전』에서 말하였다: 준괘에 대해 「서괘전」에서, 운운.

本義, 无釋.
『본의』는 해석이 없다.

按, 釋在序卦, 故此不重釋.
내가 살펴보았다: 해석이 「서괘전」에 있기 때문에 여기에서 다시 해석하지 않았다.

屯, 元亨, 利貞, 勿用有攸往, 利建侯.

준은 크게 형통하고 바름이 이로우니, 갈 곳을 두지 말고 제후를 세움이 이롭다.

中國大全

傳

屯有大亨之道而處之利在貞固, 非貞固, 何以濟屯. 方屯之時, 未可有所往也. 天下之屯, 豈獨力所能濟. 必廣資輔助, 故利建侯也.

준은 크게 형통한 도리가 있지만 처신함에 이로움은 정고한 데 있으니, 정고한 것이 아니면 어떻게 어려움을 구제하겠는가? 어려운 때에는 갈 곳을 두어서는 안 된다. 천하가 어려운 것을 어떻게 혼자의 힘으로 구제하겠는가? 반드시 도와주는 사람을 널리 얻어야 하므로 제후를 세움이 이롭다.

小註

或問, 程傳只言宜建侯輔助, 如何. 朱子曰, 易只有三處言利建侯. 屯兩言之, 豫一言之, 皆言立君. 左氏分明有立君之說, 衛公子元遇屯, 則可見矣.

어떤 이가 물었다: 『정전』에서는 단지 도와줄 '제후를 세우는 것'[建侯]이 마땅하다고 말했으니, 어떻습니까?

주자가 답하였다: 『주역』에서는 오직 세 곳에서만 '임금을 세움'[建侯]이 이롭다고 말했습니다. 준괘(屯卦䷂)에서 두 번 말하고, 예괘(豫卦䷏)에서 한 번 말했으니,[1] 모두 임금을 세운다고 했습니다. 『춘추좌씨전』에 분명히 임금을 세운다는 설이 있으니, 위나라 공자 원(元)이 준괘를 만난 것에서 알 수 있습니다.[2]

---

1) 『周易 · 屯卦』: 初九, 磐桓, 利居貞, 利建侯; 『周易 · 豫卦』: 豫, 利建侯行師.

2) 『春秋左氏傳 · 召公』: 孔成子以周易筮之, 曰, 元尙享衛國, 主其社稷. … 史朝對曰, 康叔名之, 可謂長矣. 孟非人也, 將不列於宗, 不可謂長. 且其繇曰, 利建侯.[공성자(孔成子: 孔烝)가 위나라의 공자 원(元: 衛靈公)을 옹립하는 문제로 점치게 했는데, 준괘를 얻자 복관(卜官)인 사조(史朝)가 "제후를 세움이 이롭다"

○ 中溪張氏曰, 盈天地之間者萬物也. 而萬物以人爲首, 故屯爲人道之始, 具四德而繼乾坤也.
중계장씨가 말하였다: 천지를 채우고 있는 것은 만물이다. 그런데 만물 중에서는 사람이 으뜸이므로 준괘는 인도(人道)의 시작이고, 네 가지 덕을 갖추어 건괘와 곤괘를 계승한다.

本義

震坎, 皆三畫卦之名. 震一陽動於二陰之下, 故其德爲動, 其象爲雷, 坎一陽陷於二陰之間, 故其德爲陷爲險, 其象爲雲爲雨爲水. 屯, 六畫卦之名也, 難也, 物始生而未通之意. 故其爲字, 象屮穿地始出而未申也. 其卦以震遇坎, 乾坤始交而遇險陷, 故其名爲屯. 震動在下, 坎險在上, 是能動乎險中. 能動雖可以亨, 而在險, 則宜守正而未可遽進. 故筮得之者, 其占爲大亨而利於正, 但未可遽有所往耳. 又初九, 陽居陰下, 而爲成卦之主, 是能以賢下人, 得民而可君之象. 故筮立君者, 遇之則吉也.

진괘(震卦☳)와 감괘(坎卦☵)는 모두 삼획괘의 이름이다. 진은 하나의 양이 두 음의 아래에서 움직이므로 그 덕은 움직임이고 그 상은 우레이며, 감은 하나의 양이 두 음의 사이에 묻혔으므로 그 덕이 묻힘이 되고 험함이 되며, 그 상은 구름이 되고 비가 되며 물이 된다. 준괘(屯卦䷂)는 육획괘의 이름이고 어려움이니, 사물이 처음 나와 아직 통하지 못한다는 의미이다. 그러므로 그 글자는 풀이 땅을 뚫고 처음 나왔지만 아직 펴지지 못한 것을 본떴다. 그 괘는 진괘(☳)가 감괘(☵)를 만나 건괘와 곤괘가 처음으로 사귀는데 험함을 만난 것이므로 그 이름이 준이다. 진의 움직임이 아래에 있고, 감의 험함이 위에 있으니, 험한 가운데 움직이는 것이다. 움직이면 비록 형통할 수 있을지라도 험함에 있으니, 바름을 지키고 갑자기 나아가서는 안 된다. 그러므로 점에서 이 괘를 얻었을 경우, 그 점이 크게 형통하고 바름이 이롭지만, 다만 갑자기 가는 곳을 두어서는 안 된다. 또 초구는 양이 음의 아래에 있지만 괘를 이루는 주인이 되니, 현명한 자가 남에게 낮춤으로 백성들을 얻어 임금이 될 수 있는 상이다. 그러므로 임금을 세우는 것에 대해 점칠 경우 이 괘가 나오면 길하다.

小註

朱子曰, 屯是陰陽未通之時, 蹇是流行之中有蹇滯, 困則窮矣.
주자가 말하였다: 준괘(屯卦)는 음과 양이 아직 통하지 못하는 때이고, 건괘(蹇卦)는 유행하는 가운데 막힘이 있는 것이며, 곤괘(困卦)는 곤궁한 것이다.
○ 問, 象云利建侯, 而本義取初九陽居陰下, 爲成卦之主, 何也. 曰, 有一例成卦之主

라 말했다는 것이다.]

皆說於彖辭下. 如屯之初九利建侯, 大有之五同人之二, 皆如此. 又問, 屯利建侯此占恐與乾卦利見大人同例. 曰, 然. 此亦大概如此. 若是自卜爲君者, 得之, 則所謂建侯者, 乃已也, 若是卜立君者得之, 則所謂建侯者, 乃君也, 此又看其所遇如何. 緣易本不是箇綳定底文字, 所以曰不可爲典要.

물었다: 단사에서 "임금을 세움이 이롭다"고 했는데, 『본의』에서 초구의 양이 음의 아래에 있는 것을 취하여 괘를 이루는 주인으로 삼은 것은 무엇 때문입니까?

답하였다: 괘의 주인을 이루는 어떤 예가 있는 것은 모두 단사의 아래에서 설명하였습니다. 이를테면 준괘(屯卦䷂)의 초구에서 임금을 세움이 이롭다는 것이니, 대유괘(大有卦䷍)의 육오와 동인괘(同人卦䷌)의 육이는 모두 이와 같습니다.

또 물었다: 준괘의 임금을 세움이 이롭다는 이 점은 아마도 건괘의 대인을 만나는 것이 이롭다는 것과 같은 예인 것 같습니다.

답하였다: 그렇습니다. 이것 역시 대개 다음과 같습니다. 임금이 되는 것에 대해 스스로 점친 경우에 이 점이 나왔으면 이른바 임금을 세우는 것은 바로 자신이고, 제후를 세울 것에 대해 점친 경우에 이 점이 나왔으면 이른바 제후를 세우는 것은 임금이니, 만나는 것이 어떤지를 또 살핍니다. 『주역』은 본래 고정된 글자가 아니기 때문에 준칙으로 삼아서는 안 됩니다.

○ 雙湖胡氏曰, 元亨利貞, 占辭也. 當屯難之世, 遽稱元亨, 亦猶蠱壞之時, 而有元亨之義. 卦辭大抵主在震初九一爻, 勿用有攸往, 震性好動戒震也.

쌍호호씨가 말하였다: 크게 형통하고 바름이 이롭다는 말은 점치는 말이다. 어려운 시대를 만나 갑자기 크게 형통하다고 했으니, 또한 좀먹고 무너지는 때인데도 크게 형통함이 있다는[3] 의미와 같다. 괘사는 대체로 진괘(☳)의 초구 한 효를 주로하여 갈 곳을 두지 말라고 하였으니, 진의 특성이 움직임을 좋아하기 때문에 진을 경계한 것이다.

○ 雲峯胡氏曰, 初九以震之一陽居陰下, 而爲成卦之主. 元亨震之動也, 利貞爲震遇坎而言也, 非不利有攸往, 不可輕用以往也. 易言利建侯者二, 豫建侯, 上震也, 屯建侯, 下震也. 震長子, 震驚百里, 皆有侯象.

운봉호씨가 말하였다: 초구는 진괘(☳)의 하나의 양이 음의 아래에 있어 괘를 이루는 주인이 되었다. 크게 형통하다는 말은 진괘의 움직임이고, 바름이 이롭다는 말은 진괘가 감괘를 만났기 때문에 말한 것이니, 갈 곳을 두는 것이 이롭지 않다는 것이 아니라 가볍게 가서는 안 된다는 것이다. 『주역』에서 임금을 세우는 것이 이롭다고 말한 경우가 두 곳이니, 예괘(豫卦䷏)에서 임금을 세움은[4] 상괘인 진괘(☳)이고, 준괘(屯卦䷂)에서 임금을 세움은 하괘

---

3) 『周易 · 蠱卦』: 蠱元亨, 利涉大川.

인 진괘(震卦☳)이다. 진괘는 맏아들이고, 우레가 백리를 놀라게 하니, 모두 임금의 상이 있다.

韓國大全

김장생(金長生) 「주역(周易)」

屯, 本義, 象屮穿地.
준(屯)자는 『본의』에서 '풀이 땅을 뚫고 나옴'을 본떴다고 하였다.

屮, 古草字.
'초(屮)'는 옛날의 '초(草)'자이다.

홍여하(洪汝河) 「책제(策題):문역(問易)·독서차기(讀書箚記)-주역(周易)」

程傳, 利在貞固.
『정전』에서 말하였다: 이로움은 정고한 데 있다.
利在者, 設戒之辭也.
"이로움은 ~에 있다"는 것은 경계하는 말이다.

彖辭, 本義.
단사의 『본의』.
本義, 取孔子彖傳以釋文王彖辭, 通解經傳之義.
『본의』에서는 공자의 「단전」을 취해 문왕의 단사를 해석하였으니, 경문과 전문의 뜻을 꿰뚫어 풀었다.

以震遇坎 [止] 其名爲屯.
진괘(☳)가 감괘(☵)를 만나 … 그 이름이 준이다.

---

4) 『周易·豫卦』: 豫, 利建侯行師.

釋彖傳初段.
단전의 첫 단락을 해석했다.

震動在下 [止] 動乎險中.
진의 움직임이 아래에 있고 … 험한 가운데 움직이는 것이다.
釋第二段.
둘째 단락을 해석했다.

能動 [止] 未可遽進.
움직이면 … 갑자기 나아가서는 안 된다.
釋第三段.
셋째 단락을 해석했다.

筮得之者 [止] 立君者, 遇之則吉也.
점에서 이 괘를 얻었을 경우 … 임금을 세우는 것에 대해 이 괘가 나오면 길하다.
釋兩末段. 他卦皆倣此.
마지막 두 단락을 해석했다. 다른 괘도 모두 이와 같다.

강석경(姜碩慶) 「역의문답(易疑問答)」

問, 屯之卦辭及初九, 皆曰利建侯. 程傳曰, 天下之屯, 豈獨力所能制, 必廣資輔助, 故云利建侯. 本義, 則以爲筮立君者, 遇之則吉也. 至於初九, 則自筮爲君之占. 夫開國承[5]家, 大君之命, 則自下立君, 與自筮爲君, 豈非賊敎之論乎.
물었다: 준괘의 괘사와 초구에서 모두 "제후를 세움이 이롭다"라 하였습니다. 『정전』에서는 "천하의 어려움은 혼자의 힘으로 구제할 수 있는 것이 아니어서 반드시 도와주는 사람을 널리 얻어야 하므로 제후를 세움이 이롭다"라 하였습니다. 『본의』에서는 "제후를 세우는 것에 대해 점칠 경우 이 괘가 나오면 길하다"고 하였습니다. 초구에서는 제후가 되는 것을 자신이 점치는 것입니다. 나라를 세우고 집안을 계승하는 것은 천자의 명령이니, 아래에서 제후를 세우는 것과 제후 되는 것을 자신이 점치는 것은 어찌 난신적자를 가르치는 논의가 아니겠습니까?

---

5) 承: 경학자료집성DB와 영인본에는 '家'로 되어 있으나 『周易·師卦』 上六의 "大君有命, 開國承家, 小人勿用."을 참조하여 '承'으로 바로잡았다.

曰, 草出地未伸爲屯. 屯者, 物始生也. 故繼乾坤之後, 屯之時, 豈非天地之始, 生民之初乎. 彼其初與萬物皆生, 草木榛榛, 鹿豕狉狉, 人不能搏噬, 而且無毛羽, 莫克自奉自衛, 必將假物以爲用者也. 假物者必爭, 爭而不已, 必就其能斷曲直者而聽命焉. 其智而明者, 所統必衆, 告之以直而不改者, 必痛之而後畏, 由是君長刑政生焉. 近者聚而爲群群之分, 其爭必大, 大而後有兵有德. 又有大者, 衆群之長, 聚而聽命焉, 以安其屬. 於是有諸侯之列, 則其爭又有大者, 德又大者, 諸侯之列, 又聚而聽命焉, 以安其封. 於是有方伯連帥之類, 則其爭又有大者, 德又大者, 方伯連帥之類, 又聚而聽命焉. 以安其人. 然後有大君, 而天下會于一矣, 于斯時也, 所謂君長者, 有賢德有才力, 則或群下推而聽令焉, 或自樹立而統衆焉. 豈先有天王分封之事乎. 然則所謂建侯者, 非止謂一國之長也, 如朱子所謂三箇村中推一箇人作頭首, 亦是也. 又如夏之諸侯, 尊湯爲天子, 石守信等, 謂我輩無君, 今日必得君乃已者, 亦是也. 又如陳嬰以家世寒素辭之者, 自度不足以當初九之才德也, 不但屯之卦義如此也. 易必如此看, 然後其用活而不拘, 可爲衆人通用. 若如伊川說, 則惟天子一人可用, 得此卦不亦拘乎. 若使天子自筮而遇此卦, 則伊川說亦可矣.

답하였다: 풀이 땅을 나오면서 아직 펴지지 않은 것이 준이니, 준은 사물이 처음 나오는 것입니다. 그러므로 건괘와 곤괘의 뒤를 이어 준의 때가 어찌 천지의 시작과 백성들의 시작이 아니겠습니까? 그 초기에 만물과 함께 모두 나와 초목이 우거지고 사슴과 돼지가 떼를 지어 몰려다녀 사람들이 잡아서 먹을 수 없었고, 또 깃과 털이 없어 스스로 받들고 스스로 지킬 수 없었으니, 반드시 사물에게 빌려와서 사용했습니다. 사물에게 빌려올 경우 반드시 다투고, 다툼이 끝나지 않으면 반드시 옳고 그름을 결단할 수 있는 자에게 가서 그 말을 따릅니다. 지혜롭고 명철한 자가 거느리는 것은 반드시 무리인데, 옳은 것을 알려주었는데도 고치지 않는 자는 반드시 고통을 받은 뒤에 두려워했으니, 여기에서 군자의 형벌과 정치가 나왔습니다. 가까운 자들이 모여 무리가 되는데, 무리가 나뉘면 그 다툼이 반드시 크고, 큰 다음에는 군대가 있는데, 덕이 있고 또 대의를 가지고 있는 자는 여러 무리의 우두머리가 모여서 그 말을 따라 그 무리를 편안하게 합니다. 이 때에 제후의 반열이 있는데, 그 다툼이 또 크고 덕이 또 큰 자가 있으면 제후의 반열이 또 모여서 그 말을 따라 그 봉토를 편안하게 합니다. 이 때에 방백이 장수들을 모으는 부류가 있는데, 그 다툼이 또 크면 방백이 장수를 모으는 부류가 또 모여서 하늘의 명을 따라 그 사람들을 편하게 합니다. 그런 다음에 큰 임금이 있어 천하가 하나로 모이니, 이 때에 이른바 군장이 현명함과 덕이 있고 재주와 힘이 있으면, 혹 무리들이 아래에서 추대하여 하늘의 명을 따르거나 스스로 수립해서 무리를 통솔합니다. 어찌 먼저 천자가 제후를 봉하는 일이 있겠습니까? 그렇다면 이른바 제후를 세운다는 것은 하나의 우두머리일 뿐만이 아니니, 주자가 말한 세 개의 촌에서 한 사람을 추대하여 우두머리를 삼는 것도 여기에 해당합니다. 또 하나라의 제후들이 탕을 받들어 천자를 삼고, 석수신 등이 "우리들은 임금이 없으니, 오늘 반드시 임금을 얻어야 끝난다"라는 것도 여기에 해당합니다.

또 진영처럼 가문이 빈약한 것으로 말하는 경우는 초구의 재주와 덕을 감당하기에 부족함을 스스로 헤아렸으니, 준괘의 의미가 이와 같을 뿐만은 아닙니다. 『주역』은 반드시 이와 같이 본 다음에 그 쓰임이 살아나고 구애되지 않아 많은 사람들이 통용하는 것이 될 수 있습니다. 이천의 설과 같이 한다면 천자 한 사람만 사용할 수 있으니, 이 괘를 얻는 것이 또한 한정되지 않겠습니까? 만약 천자가 스스로 점을 쳐서 이 괘가 나왔다면, 이천의 설도 괜찮을 것입니다.

이현익(李顯益) 「주역설(周易說)」

朱子以彖利建侯爲立君, 初九利建侯爲君之自立. 又曰, 此與乾卦利見大人同例, 若是自卜爲君者得之, 則所謂建侯乃已也, 若是卜立君者得之, 則所謂建侯乃君也. 此看其所遇如何, 二義皆通. 蓋彖爻本意, 則固各有所主, 而筮者之用, 則隨所占而異也.
주자는 단사의 "제후를 세움이 이롭다"는 구절을 임금을 세우는 것으로, 초구의 "제후가 됨이 이롭다"는 구절을 임금이 스스로 서는 것으로 여겼다. 또 "이 구절은 건괘에서 '대인을 보는 것이 이롭다'는 말과 같은 예이니, 스스로 점쳐 임금 되는 것을 얻었다면 이른바 제후를 세우는 것은 자신이고, 점쳐 임금 세우는 것을 얻었다면 이른바 제후를 세우는 것이 임금이다"라고 하였다. 여기에서 그 만나는 것이 어떤지를 보면 두 구절의 의미가 모두 통한다. 단사와 효사의 본래 뜻은 진실로 각기 주장하는 바가 있으나, 점치는 자의 쓰임은 점친 바에 따라 다르다.

이익(李瀷) 『역경질서(易經疾書)』

乾索坤而得三陽, 三陽相配而成者, 六卦. 六卦中得坎者四卦. 坎者, 險也, 上篇之有屯蒙, 如下篇之有蹇解, 故爻辭少吉.
건이 곤을 구하여 세 양을 얻고, 세 양이 서로 짝하여 이루어진 것이 여섯 괘이다. 여섯 괘 중에서 감괘를 얻은 것이 네 괘이다. 감괘는 험함이니, 『주역』 상편에 준괘와 몽괘가 있는 것은 하편에 건괘(蹇卦)와 해괘가 있는 것과 같기 때문에 효사에 길함이 적다.

유정원(柳正源) 『역해참고(易解參攷)』

國語, 晉公子重耳, 筮得晉國, 得貞屯悔豫皆八.
『국어』에서 말하였다: 진나라 공자 중이가 진나라를 얻는 것에 대해 점을 쳐서 '준괘의 내괘[貞屯:䷂]'와 '예괘의 외괘[悔豫:䷏]'가 모두 팔인 것을 얻었다.[6]

6) 『國語 · 晉語』: 공자가 친히 점을 치고는 "오히려 진나라를 가졌는데 준괘의 내괘와 예괘의 외괘가 모두 팔인 것을 얻었다"라 하였다[公子親筮之曰, 尙有晉國, 得貞屯悔豫皆八也.] 구절의 주, 안을 정(貞)이라고 하고 밖을 회(悔)라고 한다. 진괘(☳)가 아래에 감괘(☵)가 위에 있는 것이 준괘(屯卦䷂)이고, 곤괘(☷)가 아래에

案, 屯之二三上, 皆不變之八. 豫之初五, 皆九變爲八, 其四則六變爲七. 然言八則七在其中, 所以言貞屯悔豫皆八.
내가 살펴보았다: 준괘(屯卦䷂)의 이효 · 삼효 · 상효는 모두 변하지 않는 팔(八)이다. 예괘(豫卦䷏)의 초효 · 오효는 모두 구가 팔로 변했고 그 사효는 육이 칠로 변했다. 그러나 팔을 말하면 칠(七)은 그 속에 있기 때문에 '준괘의 내괘[貞屯:䷂]'와 '예괘의 외괘[悔豫]'를 모두 팔이라고 말했다.

司空季子曰, 是在周易, 皆利建侯, 吉孰大焉. 震車也, 坎水也, 坤土也, 屯厚也, 豫樂也. 車班內外, 順以訓之. 〈班徧也, 屯內豫外, 皆有震. 坤順, 屯豫皆有坤.〉 泉貨以資之, 〈屯豫皆有艮. 坎水在山, 爲泉不竭.〉 土厚而樂其實, 〈屯豫皆有坤, 故厚. 豫爲樂.〉 不有晉國, 何以當之. 〈震, 雷也, 車也. 坎, 勞也, 水也, 衆也. 主雷與車, 而尙水與衆. 車武象, 順文也, 文武厚之至也.〉
사공계자가 말하였다: 이것은 『주역』에서 모두 임금을 세움이 이롭다는 것이니, 길함이 어느 것이 이보다 크겠는가? 진괘(☳)는 수레이고, 감괘(☵)는 물이며, 곤괘(☷)는 땅이고, 준괘(屯卦䷂)는 두터움이며 예괘(豫卦䷏)는 즐거움이다. 수레(☳)가 내외에 두루 있어 유순함(☷)으로 인도한다. 〈'반(班)'은 두루 미친다는 것이니, 준괘(屯卦䷂)의 내괘와 예괘(豫卦䷏)의 외괘에 모두 진괘(☳)가 있다. 곤괘(☷)는 유순한데, 준괘와 예괘에 모두 곤이 있다.〉 샘은 재화로 의지하고, 〈준괘(屯卦䷂)와 예괘(豫卦䷏)에 모두 간괘(☶)가 있으니, 감괘(☵)인 물이 산에 있어 샘이 마르지 않는 것이 된다.〉 땅이 풍부해서 그 결실을 즐기니, 〈준괘(屯卦䷂)와 예괘(豫卦䷏)에 모두 곤괘(坤卦☷)가 있기 때문에 풍부하다. 예괘는 즐거움이다.〉 진나라를 얻지 않으면 무엇이 그것에 해당하겠는가?[7] 〈진괘(震卦☳)는 우레이고 수레이다. 감괘(坎卦☵)는 힘쓰는 것이고 물이며 무리이다. 우레와 수레를 주로 하되 물과 무리를 숭상하니, 수레는 무(武)의 상징이고 유순함은 문(文)이니, 문무(文武)는 두터움이 지극하다.[8]〉

○ 王氏曰, 剛柔始交, 是以屯也. 不交, 則否. 故屯乃大亨也. 大亨則无險, 故利貞.

진괘(☳)가 위에 있는 것이 예괘(豫卦䷏)이다. 이 두 괘를 얻었는데 진괘(☳)가 준괘(屯卦䷂)에서 정(貞)이고 예괘(豫卦䷏)에서 회(悔)이다. 팔은 진괘(☳)의 두 음효가 정에 있고 회에 있어 모두 움직이지 않는 것을 말한다. 그러므로 모두 팔이라고 했으니 효가 무위하는 것이다.[內曰貞, 外曰悔. 震下坎上屯, 坤下震上豫. 得此兩卦, 震在屯爲貞, 在豫爲悔. 八謂震兩陰爻在貞在悔, 皆不動. 故曰皆八, 謂爻無爲也.]

7) 『國語 · 晉語』: 司空季子曰, 吉. 是在周易, 皆利建侯. … 吉孰大焉. 震車也, 坎水也, 坤土也, 屯厚也, 豫樂也, 車班外內, 順以訓之. 泉原以資之, 土厚而樂其實, 不有晉國, 何以當之. 震, 雷也車也, 坎勞也水也衆也. 主雷與車, 而尙水與衆. 車有震武也, 衆而順文也, 文武具厚之至也.

8) 바로 위의 각주에서 확인할 수 있듯이 『국어』에는 이곳의 주가 이어지는 사공계자의 말로 되어 있다.

왕씨가 말하였다: 굳셈과 유순함이 처음으로 교제하니 이 때문에 준괘(屯卦䷂)이다. 교제하지 않으면 막히기 때문에 준괘는 크게 형통하다. 크게 형통하면 험함이 없기 때문에 바름이 이롭다.[9]

○ 隆山李氏曰, 屯卦, 震陽爲主, 而元亨利貞, 與乾同, 長子肖父也. 以說卦攷之, 乾爲龍, 震亦爲龍, 乾爲馬, 震亦爲馬, 乾爲健, 震亦爲健, 每事皆與乾同. 其代乾以用事, 又何疑哉.
융산이씨가 말하였다: 준괘(屯卦䷂)에서 진괘(☳)의 양(陽)이 주인이 되어 원·형·리·정이 건괘와 같다. 맏아들은 아버지를 닮기 때문이다. 「설괘전」으로 상고해보면, 건은 용이 되고 진도 용이 되며, 건이 말이 되고 진도 말이 되며, 건이 강건함이 되고 진도 강건함이 되니, 매사가 모두 건과 같다. 건을 대신해서 일을 하는 것을 또 어찌 의심하겠는가?[10]

○ 雙湖胡氏曰, 文王於震, 首取建侯象, 又互坤有國邑象. 晉公子重耳占遇屯, 嘗取互體坤象矣.
쌍호호씨가 말하였다: 문왕이 진괘에서 우선 제후를 세우는 상을 취하였는데, 또 호괘인 곤괘에 국도(國都)의 상이 있다. 진나라 공자 중이가 점쳐 준괘를 얻고 일찍이 호체인 곤괘의 상을 취하였다.

傳, 小註, 中溪說, 具四德.
『정전』 소주에서 중계가 말하였다: 네 가지 덕을 갖추어
案, 乾坤以後, 分作四德, 自是一義.
내가 살펴보았다: 건괘와 곤괘 이후에 네 가지 덕으로 나뉘었으니, 본래 하나의 뜻이다.

本義, 屮[11],
『본의』에서 말하였다: '풀[屮]'이
案, 草與屮古多通用, 如晁錯傳屮[12]茅臣, 杜度傳善屮[13]書之類.
내가 살펴보았다: '초(草)'자는 '초(屮)'자와 옛날에 대부분 통용하였으니, 이를테면 「조조전」에서 '재야에 있으면서 벼슬하지 않는 신하[屮茅臣]'나 「두도전」에서 "초서를 잘하였다"는 부류와 같다.

---

9) 『周易注疏·屯卦』: 剛柔始交, 是以屯也. 不交則否, 故屯乃大亨也. 大亨則无險, 故利貞.
10) 『周易會通·屯卦』: 李氏舜臣曰, 屯卦震陽爲主, 而元亨利貞與乾同, 長子肖父也. 以說卦考之, 乾爲龍, 震亦爲龍, 乾爲馬, 震亦爲馬, 乾爲健, 震亦爲健, 每事皆與乾同. …. 代乾以用事, 又何疑哉.
11) 屮: 경학자료집성DB에 '艸'로 되어 있으나, 경학자료집성 영인본을 참조하여 '屮'로 바로잡았다.
12) 屮: 경학자료집성DB에 '艸'로 되어 있으나, 경학자료집성 영인본을 참조하여 '屮'로 바로잡았다.
13) 屮: 경학자료집성DB에 '艸'로 되어 있으나, 경학자료집성 영인본을 참조하여 '屮'로 바로잡았다.

김만영(金萬英)「역상소결(易象小訣)」

屯, 象, 利建侯.
준괘 괘사에서 말하였다: 제후를 세움이 이롭다.

雲峯胡氏曰, 屯, 建侯, 下震也. 震長子, 有侯象, 初九之侯同.
운봉호씨가 말하였다: 준괘(屯卦䷂)에서 임금을 세움은 하괘인 진괘(☳)이다. 진괘는 맏아들이라서 임금의 상이 있으니, 초구의 제후와 같다.

김상악(金相岳)『산천역설(山天易說)』

乾坤之後, 剛柔始交, 初九以陽居下, 爲成卦之主, 雖可以亨, 動乎險中, 故守正而未可遽進, 宜立君以統治之.
건괘와 곤괘의 다음에 굳셈과 부드러움이 처음으로 사귀니, 초구는 양으로 아래에 있어 괘를 이루는 주인이 되어 비록 형통할 수는 있지만, 험한 가운데서 움직이므로 바름을 지키고 아직 갑자기 나아가서는 안 되니, 당연히 제후를 세워서 통치한다.

○ 卦言元亨利貞者七, 乾坤爲經, 屯隨臨无妄革爲緯. 臨卦以兌配坤, 无妄以震配乾, 餘三卦皆震兌坎離之合. 蓋河圖之天一生水, 地二生火, 則乾之陽畫來, 爲坎之中畫, 坤之陰畫往, 爲離之中畫矣. 天三生木, 地四生金, 則乾之陽畫來, 爲震之下畫, 而坤之陰畫往, 爲兌之上畫矣. 是生數之陽, 爲坎離震兌, 而其卦爲交, 陽自下升, 始乎震而中乎坎, 陰自上降, 始乎兌而中乎離. 陰陽交, 則能生物而得正, 位於四時, 故皆以四德言之. 然自屯以下諸卦, 以大亨貞釋彖辭, 乃文王之本意也. 往本震象, 得乾初爻, 動而遇險, 故有勿往之戒. 帝出乎震, 其象爲龍. 龍之潛者, 得坎之雲雨, 將見于田, 利見大人, 故取建侯之象. 班孟堅所謂雲起龍驤化爲侯王是也. 利於建侯, 而長子主器, 故震次鼎, 屯對鼎也.
괘에서 원·형·리·정을 말한 경우가 일곱 번인데, 건괘(乾卦䷀)[14]와 곤괘(坤卦䷁)[15]가 날실이 되고 준괘(屯卦䷂)[16]·수괘(隨卦䷐)[17]·임괘(臨卦䷒)[18]·무망괘(无妄卦䷘)[19]·혁괘(革卦䷰)[20]가 씨실이 된다. 임괘(臨卦䷒)는 태괘(☱)로 곤괘(坤卦䷁)와 짝하고, 무망

---

14)『周易·乾卦』: 乾, 元, 亨, 利, 貞.
15)『周易·坤卦』: 坤, 元, 亨, 利, 牝馬之貞.
16)『周易·屯卦』: 屯, 元亨, 利貞.
17)『周易·隨卦』: 隨, 元亨, 利貞.
18)『周易·臨卦』: 臨, 元亨, 利貞.
19)『周易·无妄卦』: 无妄, 元亨, 利貞.

괘(无妄卦䷘)는 진괘(☳)로 건괘(乾卦䷀) 짝하고, 나머지 괘는 모두 진괘(☳)·태괘(☱)·감괘(☵)리괘(☲)가 합한 것이다. 「하도」에서 하늘의 숫자 일(一)이 수(水)를 낳고 땅의 숫자 이(二)가 화(火)를 낳으니, 건괘(☰)의 양획이 와서 감괘(☵)의 가운데 획이 되고, 곤괘(☷)의 음획이 가서 리괘(☲)의 가운데 획이 된다. 하늘의 숫자 삼(三)이 목(木)을 낳고 땅의 숫자 사(四)가 금(金)을 낳으니, 건괘(☰)의 양획이 와서 진괘(☳)의 아래 획이 되고, 곤괘(☷)의 음획이 가서 태괘(☱)의 위 획이 된다. 이것은 생수의 양이 감괘(☵)·리괘(☲)·진괘(☳)·태괘(☱)가 되는데 그 괘의 사귐이 양은 아래에서 올라가니 진괘(☳)에서 시작해서 감괘(☵)를 가운데로 하고, 음은 위에서 내려오니 태괘(☱)에서 시작하여 리괘(☲)를 가운데로 한다. 음과 양이 사귀면 사물을 낳을 수 있고 사시(四時)에 바른 자리를 얻기 때문에 모두 네 가지 덕으로 말했다. 그러나 준괘 이하의 여러 괘에서 '크게 형통하고 바름'으로 단사를 해석한 것이 바로 문왕의 본래 의도이다. '감'은 본래 진괘(☳)의 상이니, 건의 초효를 얻어 움직여서 험함을 만나기 때문에 가지 말라는 경계가 있다. 상제가 진괘(☳)에서 나오고 그 상은 용이 된다. 잠겨 있는 용은 감괘(☵)의 구름과 비를 만나면 밭에 나타나고 대인을 보는 것이 이롭기 때문에 임금을 세우는 상을 취했다. 반맹견(班孟堅)[21]이 말한 "구름이 일어나면 용이 날아올라 변화하여 임금이 된다"[22]는 것이 여기에 해당한다. 임금을 세우는 데 이롭고, 장자가 기물을 주관하기 때문에[23] 진괘(☳) 다음이 정괘(鼎卦䷱)니, 준괘(屯卦䷂)는 정괘(鼎卦䷱)를 마주한다.

박윤원(朴胤源) 『경의(經義)·역경차략(易經箚略)·역계차의(易繫箚疑)』

屯, 元亨, 利貞.
준은 크게 형통하고 바름이 이로우니.

屯之元亨利貞, 程傳亦不以四德解, 而張中溪以爲具四德而繼乾坤, 蓋以三才之道而推說. 然人道可以仁義禮智言, 不可直以元亨利貞言.
준괘의 "크게 형통하고 바름이 이롭다"는 것에 대해 『정전』에서는 또한 네 가지 덕으로 해석하지 않았는데, 중계장씨가 네 가지 덕을 갖추어 건괘와 곤괘를 계승한다고 여겼으니, 대개 삼재의 도로 미루어 설명한 것이다. 그러나 사람의 도리는 인의예지로 말할 수 있지만, 바로 원·형·리·정으로 말할 수는 없다.

---

20) 『周易·革卦』: 革, 已日, 乃孚, 元亨, 利貞, 悔.
21) 반맹견(班孟堅): 중국 후한시대의 역사가 반고(班固)를 이른다.
22) 『前漢書·提要』: 江湖雲起, 龍驤化爲侯王.
23) 『周易·序卦傳』: 主器者, 莫若長子. 故受之以震.

○ 屯居乾坤之次，屬於人矣．惟天生民有欲，無主乃亂，故利於建侯．
준괘는 건괘와 곤괘 다음에 있어 사람에 속한다. 오직 하늘이 백성을 낳음에 백성에게는 욕심이 있어 주인이 없으면 마침내 혼란하므로[24] 제후를 세움이 이롭다.

김귀주(金龜柱) 『주역차록(周易箚錄)』

傳，屯有大亨，云云．
『정전』에서 말하였다: 준은 크게 형통한, 운운.
○ 按，此云屯有大亨之道，指彖傳雷雨之動而言．蓋程子則以雷雨之動作解卦一例看，而爲將然之事，所以與本義不同．
내가 살펴보았다: 여기에서 "준괘(屯卦䷂)는 크게 형통한 도리가 있다"라 한 것은 「단전」의 우레(☳)와 비(☵)의 움직임을 가리켜 말한 것이다. 정자는 우레와 비의 움직임으로 괘를 해석하는 하나의 사례로 보고 앞으로 그렇게 될 일로 여겼으니, 『본의』와 같지 않은 까닭이다.

小註，中溪張氏曰，盈天地，云云．
소주에서 중계장씨가 말하였다: 천지를 채우고 있는 것은, 운운.
○ 按，屯爲人道之始，語甚無當．具四德云云，又非文義．
내가 살펴보았다: "준괘가 인도의 시작이 된다"라는 것은 말이 매우 합당하지 않다. "네 가지 덕을 갖추어", 운운도 문맥에 맞는 의미가 아니다.

윤행임(尹行恁) 『신호수필(薪湖隨筆)·역(易)』

乾坤旣立而草昧晦冥，未有君長立於上而經綸天下之事，則無以濟屯也．故曰利建侯．
건과 곤이 이미 확립되었으나 어지럽고 어두울 때에 우두머리가 위에 세워져서 천하의 일을 경륜하지 않으면 어려움을 구제할 길이 없다. 그러므로 "제후를 세움이 이롭다"라고 하였다.

서유신(徐有臣) 『역의의언(易義擬言)』

屯者，天地肇判，萬物始生，鴻濛鬱昧之時也．元亨利貞，萬物隨時漸開也．外有坎險，故勿用有攸往，事有未可遽行也．內有震長子，故利建侯，民不可無君也．然不獨鴻濛之初，推之時世，求之事物，亦有屯焉．
준괘(屯卦䷂)는 천지가 비로소 갈라져서 만물이 처음으로 나오니, 천지가 개벽하면서 혼돈

24) 『書經·商書』: 惟天，生民有欲，無主乃亂．

되고 암울한 때이다. "크게 형통하고 바름이 이롭다"는 것은 만물이 때에 맞추어 점차로 열리는 것이다. 밖에 감괘(☵)의 험함이 있기 때문에 가는 바를 두지 말아야 하니, 갑자기 시행해서는 안 되는 일이 있다. 안에 진괘(☳)인 맏아들이 있기 때문에 제후를 세움이 이로우니, 백성은 임금이 없어서는 안 된다. 그러나 혼돈의 처음 뿐만이 아니라, 시세에서 미루어 보고 사물에 구해 봐도 어려움이 있다.

강엄(康儼) 『주역(周易)』

本義, 屮穿地,
『본의』에서 말하였다: 풀이 땅을 뚫고 나온다.
按, 韻屮作艸, 草同.
내가 살펴보았다: 『음운』에 '초(屮)'를 '초(艸)'라 했으니 '풀[草]'과 같다.

○ 初九陽居 [止] 可君之象.
초구는 양이 있지만 … 임금이 될 수 있는 상이다.
按, 本義, 釋卦辭, 例取彖傳之意, 而此釋利建侯, 特取初九爻義者, 蓋以震爲長男, 而初九爲震之主也. 是故初九爻辭, 亦言利建侯, 而豫卦彖辭, 利建侯, 亦以九四爲震之主也. 此是文王本意也. 若□彖傳所云雷雨滿盈等語, 乃夫子自取一義, 不是文王本意. 故本義特取初九爻義以釋之, 乃正例也.
내가 살펴보았다: 『본의』에서 괘사를 해석한 사례는 「단전」의 뜻을 취하는데, 여기서 "제후를 세움이 이롭다"라는 구절을 해석한 것이 특별히 초구효의 뜻을 취한 것은 진괘(☳)가 맏아들이고 초구가 진괘(☳)의 주인이기 때문이다. 이 때문에 초구의 효사에서도 "제후를 세움이 이롭다"라 하고 예괘(豫卦䷏) 단사에서 "제후를 세움이 이롭다"[25]라 한 것도 구사효가 진괘(☳)의 주인이기 때문이니, 이것이 문왕의 본래 의도이다. 단전에서 "우뢰와 비의 움직임이 가득하다"라는 말과 같은 것은 공자 자신이 하나의 의미를 취한 것이지, 문왕의 본래의 의미가 아니다. 그러므로 『본의』에서 특별히 초구효의 의미를 취하여 해석했으니, 바로 올바른 예이다.

박문건(朴文健) 『주역연의(周易衍義)』

貞, 剛貞, 主剛而言, 貞者, 皆此義也. 勿用往者, 進而見陷也, 利建候者, 尊而得衆也.
바름은 굳센 바름이어서 굳셈을 주로 하여 말한 것이니, 바름은 모두 이런 의미이다. "갈

---

25) 『주역 · 예괘』: 예(豫)는 제후를 세워 군대를 움직이는 것이 이롭다.[豫, 利建侯行師.]

곳을 두지 말라"는 것은 나아가서 빠지기 때문이고, 제후를 세움이 이로운 것은 높아서 무리를 얻기 때문이다.
〈問, 元亨利貞. 曰, 陽進處五, 其道雖大亨, 然陷於陰中, 故必剛貞爲利也. 貞則可以禦外侮矣.
물었다: "크게 형통하고 바름이 이롭다"는 무슨 뜻입니까?
답하였다: 양이 나아가 오효의 자리에 있으면 그 도가 비록 크게 형통하지만, 음의 가운데 빠지기 때문에 반드시 굳세게 바루어야 이롭게 됩니다. 바르면 바깥의 모멸을 막을 수 있습니다.〉

〈○ 問, 勿用有攸往, 利建侯. 曰, 進而見陷, 故勿用往. 勿用往者, 雖有亨貞之道, 陷, 故有此戒也. 尊而得衆, 故利建侯. 利建侯者, 利民之推己也. 蓋文王, 則於五取之, 而周公則於初取之, 此與節卦苦節之文同, 文王取之於五, 而周公取之於上也.
물었다: "갈 곳을 두지 말고 제후를 세우는 것이 이롭다"는 무슨 뜻입니까?
답하였다: 나아가면 빠지기 때문에 갈 곳을 두지 말아야 합니다. 갈 곳을 두지 말아야 하는 것은 비록 형통하고 바른 도가 있더라도 빠지기 때문에 이런 경계가 있습니다. 높아서 무리를 얻기 때문에 제후를 세움이 이롭습니다. 제후를 세움이 이로운 것은 백성들이 자신을 추대하는 것이 이롭기 때문입니다. 문왕은 오효에서 취하였고 주공은 초효에서 취했으니, 이는 절괘(節卦䷻)의 괴로운 절[26]이라는 말과 같으니, 문왕은 오효에서 취하였고, 주공은 상효에서 취하였습니다.

〈○ 問, 元亨以下. 曰, 屯雖大亨, 必剛貞爲利也. 雖有勿用往, 利人之建己也.
물었다: "크게 형통하고" 이하는 무슨 뜻입니까?
답하였다: 준은 크게 형통하지만 반드시 굳세게 바루어야 이롭게 됩니다. 비록 갈 곳을 두지 말지라도 사람들이 자신을 세우는 것이 이롭습니다.〉

이지연(李止淵)『주역차의(周易箚疑)』

以爻辭分而翫之, 則凶多吉少, 以卦材合而觀之, 則二與五居中而得正, 初與四六雖不得中, 而无不居正, 且初與五之間, 有互卦之坤, 而初九以乾坤之長子, 能以貴下賤, 所謂有土地有人民之象, 故云利建侯.
효사로 나누어서 완미하면 흉함이 많고 길함이 적다. 괘의 재질로 합하여 보면, 이효와 오효는 가운데에 있어 바름을 얻었고, 초효와 사효·육효는 가운데 자리를 얻지 못했지만 바른 자리에 있지 않음이 없다. 또 초효와 오효의 사이에 호괘인 곤이 있어 초구는 건과 곤의

26)『周易·節卦』: 節, 亨, 苦節, 不可貞.

맏아들로서 귀한 신분으로 천한 사람들에게 낮출 수 있는 것이니, 이른바 토지가 있고 인민이 있는 상이기 때문에 "제후를 세움이 이롭다"라고 하였다.

윤종섭(尹鍾燮) 「경(經) · 역(易)」

屯象, 勿用有攸往.
준괘(屯卦䷂)의 단사에서 말하였다: 갈 곳을 두지 말라.

往者, 進也. 坎險在上, 而未可以進.[27] 凡言不利有往, 皆坎險艮阻而在上也, 如屯剝[28]之例也. 利於往者, 或動在上, 說在上, 而所進不滯也, 如賁爲文明, 可進而有艮在前, 故曰小利也.
간다는 것은 나아간다는 것이다. 감괘(☵)의 험함이 위에 있어서 나아갈 수 없다. 가는 것이 있음에 이롭지 않다고 말한 것은 모두 감괘(☵)의 험함과 간괘(☶)의 막힘이면서 위에 있기 때문이니, 준괘(屯卦䷂) · 박괘(剝卦䷖)와 같은 예이다. 가는 것이 이로운 경우는 혹 움직임이 위에 있고 기쁨함이 위에 있어 나아가는 것이 막히지 않기 때문이니, 비괘(賁卦䷕)가 문명인 것과 같다. 나아갈 수 있는데도 간괘(☶)가 앞에 있기 때문에 "조금 이롭다"[29]고 하였다.

이항로(李恒老) 「주역전의동이석의(周易傳義同異釋義)」

傳, 天下之屯, 豈獨力所能濟. 必廣資輔助, 故利建侯也.
『정전』에서 말하였다: 천하가 어려운 것을 어떻게 혼자의 힘으로 구제하겠는가? 반드시 도와주는 사람을 널리 얻어야 하므로 제후를 세움이 이롭다.

本義, 初九爲成卦之主, 能以賢下人, 得民而可君之象. 故筮立君者遇之, 則吉也.
『본의』에서 말하였다: 초구는 괘를 이루는 주인이 되니, 현명한 자가 남에게 낮춤으로 백성들을 얻어 임금이 될 수 있는 상이다. 그러므로 임금을 세우는 것에 대해 점칠 경우 이 괘가 나오면 길하다.

按, 傳以樹黨釋建侯, 義以立君釋建侯, 兩釋不同, 而以此卦觀之, 則初九有下人得衆之象, 九五有屯膏貞凶之象, 則卦以立君濟屯爲義, 而非樹黨廣輔之謂也. 又以豫卦利

---

27) 進: 경학자료집성DB에는 '淮'로 되어 있으나, 경학자료집성 영인본을 참고하여 '進'으로 바로잡았다.
28) 剝: 경학자료집성DB에는 '劒'으로 되어 있으나, 경학자료집성 영인본을 참고하여 '剝'으로 바로잡았다.
29) 『周易 · 賁卦』: 賁, 亨, 小利有攸往.

建侯推之, 則豫有一陽在五陰之中, 而上下從之, 故亦有立君統衆之象. 且朱子曰, 左氏分明有立君之說, 據此則可見.
내가 살펴보았다: 『정전』에서는 무리를 세우는 것으로 제후를 세움을 해석하였고, 『본의』에서는 임금을 세우는 것으로 제후를 세움을 해석하였으니 두 해석이 같지 않다. 그런데 이 괘로 보면 초구에 사람들에게 낮추어 무리를 얻는 상이 있고, 구오에 은택을 베풀기 어렵고 곧아도 흉한 상이 있으니, 이것은 괘에서 임금을 세우고 어려움을 구제하는 것으로 의미를 삼은 것이지, 무리를 세워 널리 도움을 구한다는 말이 아니다. 예괘(豫卦䷏)에서 "제후를 세움이 이롭다"[30]는 것으로 미루어보면, 예괘는 한 양효가 다섯 음효의 가운데 있어 위아래에서 따르기 때문에 또한 임금을 세우고 무리를 통솔하는 상이 있다. 또 주자가 "『춘추좌씨전』에 분명히 임금을 세우는 설이 있다"[31]고 했으니, 여기에 근거하면 알 수 있다.

김기례(金箕澧) 「역요선의강목(易要選義綱目)」

屯, 盈也. 乾坤已定, 陰陽始交, 萬物始生, 屯而未暢, 如雷入雲中, 欝結未成雨之時.
준은 꽉 차 있는 것이다. 건과 곤이 이미 정해지고 음과 양이 비로소 사귀고 만물이 처음 나와 꽉 차 있으면서 아직 통하지 않은 것이 마치 우레가 구름 속에 들어가서 무성하게 맺혀 있고 아직 비가 되지 않은 때와 같다.

元亨, 利貞,
크게 형통하고 바름이 이로우니,
非如乾之四德也, 言大亨而利於貞.
건의 네 가지 덕과 같지 않으니, 크게 형통하고 바름이 이롭다는 말이다.

勿用有攸往,
갈 곳을 두지 말고,
震動而遽進, 則恐陷於坎險, 故戒勿往. 蓋屯不可力濟, 宜貞固以待.
진괘(震卦☳)가 움직여서 갑자기 나아가면 감괘(坎卦☵)의 험함에 빠질 것이 염려되기 때문에 가지 말라고 경계하였다. 준은 힘써 구제할 수 없으니, 의당 바르고 견고함으로 기다려야 한다.

利建侯.
제후를 세움이 이롭다.

---

30) 『周易 · 豫卦』: 豫, 利建侯行師.
31) 『朱子五經語類 · 易』: 易只有三處言利建侯. 屯兩言之, 豫一言之, 皆言立君, 左氏分明有立君之說.

屯不可獨濟, 宜立輔助. 胡雲峯曰, 震驚百里, 有侯象. 蓋乾爲君, 而震爲長子, 故有侯象.
준은 혼자 구제할 수 없으니, 마땅히 도울 자를 세워야 한다. 호운봉은 "우레가 백리를 놀라게 하니 제후의 상이 있다"라 하였다. 건괘는 임금이고 진괘는 맏아들이기 때문에 제후의 상이 있다.

허전(許傳) 「역고(易考)」

屯, 繼乾坤, 而亦具四德. 然動而遇險, 故禁止其輕進. 但利於封建諸子爲侯, 以濟屯也. 然屯之四德, 不如乾之純.
준괘는 건괘와 곤괘를 이어 또한 네 가지 덕을 갖추었다. 그러나 움직여 험함을 만나기 때문에 경솔하게 나아가는 것을 금지하였다. 다만 여러 자식을 세워 제후를 삼는 것이 이로움은 어려움을 구제하기 때문이다. 그러나 준괘의 네 가지 덕은 건괘의 순수함만 못하다.

심대윤(沈大允) 『주역상의점법(周易象義占法)』

生而始, 長而大, 成而終, 故曰元亨利貞. 凡可成終者, 必正道也. 勿用有攸往, 進而不宜驟進也, 與不利有攸往之不可進異矣. 乾之主爻入坤, 而爲衆之主, 震有建侯之義. 凡言勿不无亡, 皆兌象也. 艮爲侯.
생겨나서 시작되고, 자라서 커지며, 이루어져서 마치기 때문에 '원형리정'이라고 하였다. 이루어져 마칠 수 있는 것은 반드시 바른 도리이다. 갈 곳을 두지 마는 것은 나아가지만 빨리 나아가는 것은 마땅하지 않으니, 갈 곳이 있는 것이 이롭지 않아 나아가서는 안 되는 것과 다르다. 건괘의 주인 효가 곤에 들어가서 무리의 주인이 되니, 진괘(☳)에 제후를 세우는 뜻이 있다. '~하지 말라[勿]' · '~하지 않다[不]' · '없다[无]' · '사라지다[亡]'라 하는 것은 모두 태괘(☱)의 상이다. 간괘(☶)는 제후이다.

오치기(吳致箕) 「주역경전증해(周易經傳增解)」

屯者, 盈也, 又云難也. 天地始交, 萬物初生, 而雷發雲興, 充滿兩間, 爲屯盈之象, 物之始生, 欝結未舒, 爲屯難之象. 卦體, 則二五剛柔, 俱得中而應, 卦義, 則始雖屯難, 終必暢茂, 故曰大亨. 上坎下震, 皆居正位, 故曰利貞. 在屯險之時, 故言勿用有攸往, 而戒之也. 立君以統治, 然後可以濟屯, 故言宜建侯.
준은 꽉 찬 것이니, 또 어려움이라고 한다. 천지가 처음 사귀어 만물이 처음 나옴에 우레가 치고 구름이 일어나 천지 사이에 충만한 것이 '준의 꽉 차 있는 상'이고, 만물이 처음 나옴에 무성하게 맺혀 있으면서 펴지지 않는 것이 '준의 어려운 상'이다. 괘의 몸체는 이효와 오효의 굳셈과 유순함이 모두 알맞음을 얻어 호응하며, 괘의 의미는 처음에는 비록 어려울지라도 마침내 반드시 펼쳐져서 무성하기 때문에 "크게 형통하다"라 하였고, 상체의 감괘(☵)와 하체의 진괘(☳)가 모두 바른 자리에 있기 때문에 "바름이 이롭다"라 하였다. 어렵고 험한 때에 있기 때문에 "갈 곳을 두지 말라"고 말하여 경계하였고, 임금을 세워 통치한 다음에 어려움을 구제할 수 있기 때문에 "제후를 세움에 마땅하다"고 하였다.

○ 凡重卦以二體之象與德位釋卦名義者, 皆倣此例也. 此卦居乾坤之後, 下體初爻之震剛, 有剛柔始交之象. 而震爲首出萬物, 亦有一君二民之象, 故言建侯也.
괘가 중첩되어 두 몸체의 상과 덕의 자리로 괘의 이름과 의미를 해석한 것은 모두 이 사례를 따른다. 이 괘는 건괘와 곤괘의 뒤에 있고, 하체 초효인 진괘의 굳센 양에는 굳셈과 유순함이 처음 사귀는 상이 있어서 진이 만물 가운데 으뜸으로 나오고, 또한 하나의 임금과 두 백성의 상이 있기 때문에 제후를 세운다고 말하였다.

채종식(蔡鍾植) 「주역전의동귀해(周易傳義同歸解)」

屯, 利建侯.
준은 제후를 세움이 이롭다.

傳, 解作輔助之義, 蓋以濟屯爲主, 從孔傳也, 本義解作立君之象, 蓋以初爻爲主, 文王本指也. 然初九之賢, 下人得民, 有宜君宜王之德. 故將以治屯而立以爲君, 則其濟屯之義一也.
『정전』에서 돕는다는 의미로 해석하였으니, 어려움을 구제하는 것을 위주로 하는 것은 공자의 전을 따른 것이고, 『본의』에서 임금을 세우는 상으로 해석하였으니, 초효를 주인으로 삼은 것은 문왕의 본래 뜻이다. 그러나 초구의 현명함은 사람들에게 낮추어 백성을 얻으니, 임금과 왕에 어울리는 덕이 있다. 그러므로 어려움을 다스려 세우는 것으로 임금을 삼는다면, 어려움을 구제하는 의미는 동일하다.

박문호(朴文鎬) 「경설(經說)·주역(周易)」

屮音徹, 草初生也. 又與草同, 是艸之半也. 始出未申, 指屯字下畫之曲也.
'초(屮)'자는 음이 철(徹)이니, 풀이 처음 나오는 것이다. 또 '초(草)'자와 같으니, 이것은 초(艸)의 반이다. 처음 나와 아직 펴지지 않았으니, 준(屯)자의 아래 획이 굽은 것을 가리킨다.

彖曰, 屯, 剛柔始交而難生,

「단전」에서 말하였다. 준은 굳셈과 유순함이 처음 사귀어 어려움이 생겼고,

中國大全

本義

以二體釋卦名義. 始交謂震, 難生謂坎.

두 몸체로 괘의 이름을 풀이하였다. 처음 사귄 것은 진괘를 말하고, 어려움이 생긴 것은 감괘를 말한다.

小註

中溪張氏曰, 乾坤之後, 一索得震, 爲始交, 再索得坎, 爲難生. 而者, 承上接下之辭, 所以合震坎之義, 而釋其爲屯也.

중계장씨가 말하였다: 건괘와 곤괘의 다음에 첫 번째로 구하니 진괘(震卦☳)를 얻어 처음 사귐이 되었고, 두 번째로 구하니 감괘(坎卦☵)를 얻어 어려움이 생긴 것이 되었다. '이(而)'라는 글자는 위를 잇고 아래를 연결하는 말이기 때문에 진괘와 감괘의 의미를 합해 그것으로 준괘(屯卦䷂)가 된다는 것을 해석하였다.

韓國大全

홍여하(洪汝河) 「책제(策題): 문역(問易) · 독서차기(讀書箚記)-주역(周易)」

象傳, 剛柔始交而難生.

「단전」에서 말하였다: 굳셈과 유순함이 처음 사귀어 어려움이 생겼고.
而者, 承上接下之辭.
'이(而)'라는 글자는 위를 잇고 아래를 연결하는 말이다.

유정원(柳正源) 『역해참고(易解參攷)』

剛柔 [至] 難生,
굳셈과 유순함이 … 어려움이 생겼고,

正義, 剛柔二氣, 始欲相交, 未嘗通感, 情意未通, 故難生也. 若剛柔已交之後, 物皆通泰, 非復難也. 唯初始交時而有難, 故云剛柔始交而難生.
『주역정의』에서 말하였다: 굳셈과 유순함의 두 기운이 처음 서로 사귀고자 하나 아직 통하여 감응하지 못하니, 정의(情意)가 통하지 않으므로 어려움이 생긴다. 만약 굳셈과 유순함이 이미 사귄 다음이라면 사물이 모두 통하여 편안하니, 단지 어렵지 않다. 오직 처음 비로소 사귀는 때여서 어려움이 있으므로 굳셈과 유순함이 처음 사귀어서 어려움이 생긴다고 하였다.[32]

○ 莆陽張氏曰, 物生向上, 其象震也. 坎爲冬寒氣所難, 盤屈地下而未達, 此其爲屯之難生也.
보양장씨가 말하였다: 사물이 나와 위를 향하니, 그 상이 진괘(☳)이다. 감괘(☵)는 겨울의 차가운 기운 때문에 어려움을 당해 지하에서 구불구불하게 얽혀 나오지 못하니, 이것은 준괘(屯卦☳)가 어려움이 생긴다는 것이다.[33]

○ 潼川毛氏曰, 屯者其生難. 俗謂乳字爲難月. 然則難生者, 生未生之間也, 已生則解矣.
동천모씨가 말하였다: 준은 나오는 것이 어려운 것이다. 세상에서 번식기간은 어려운 달이라고 한다. 그렇다면 어려움이 생긴다는 것은 막 나오려고 할 때이니, 이미 나왔다면 풀린 것이다.[34]

---

32) 『周易注疏 · 屯卦』: 彖曰, 屯, 剛柔始交而難生. 구절의 주, 正義曰, 屯剛柔始交而難生者, 此一句釋屯之名, 以剛柔二氣, 始欲相交, 未相通感情意, 未得故難生也. 若剛柔已交之後, 物皆通泰, 非復難也. 唯初始交時而有難, 故云剛柔始交而難生.

33) 『厚齋易學 · 屯卦』: 張舜元曰, 乾之氣下交於坤, 其卦爲坎. 萬物始生於黃泉之宮, 其物向上, 於象爲震. 尙爲坎之寒氣之所難, 盤屈地下而未達, 此所以爲屯也.

김상악(金相岳) 『산천역설(山天易說)』

以二體釋卦名義. 震坎合體, 剛柔始交, 而動而遇險, 故曰難生也.
두 몸체로 괘의 이름을 풀이하였다. 진괘(震卦☳)와 감괘(坎卦☵)가 몸체를 합쳐서 굳셈과 유순함이 처음 사귀는데 움직이면서 험함을 만났기 때문에 "어려움이 생겼다"라 했다.

○ 河圖之生成相應, 奇偶相比, 故六十四卦, 三百八十四爻, 皆有應有比. 交與不交, 隨卦而變焉. 屯之爲卦, 乾之中爻, 交於坤之中爻而爲坎, 乾之下爻, 交於坤之下爻而爲震, 爻之交也. 震陽動於內, 坎陰動於外, 卦之交也, 故曰剛柔始交. 蓋陽在下而陰在上, 則相應而相交, 泰曰天地交, 是也. 陰在下, 而陽在上, 雖相應而不交, 否曰天地不交, 是也. 六爻雖不盡相交, 而有相應者, 未濟曰雖未當位, 剛柔應也, 恒曰剛柔應, 是也. 若陽與陽, 陰與陰, 則无相交相應之義者, 八純卦之類, 是也. 然陽動物, 雖无應, 以同德爲應者, 困中孚二五之類, 是也. 陰靜物, 雖有應, 以相比爲交者, 蒙三泰四之類, 是也.
「하도」의 생수와 성수가 상응하고 기수와 우수가 서로 친하기 때문에 육십사괘와 삼백팔십사효가 모두 상응하고 친하다. 사귐과 사귀지 않음은 괘에 따라 변한다. 준이라는 괘는 건괘(☰)의 가운데 효가 곤괘(☷)의 가운데 효와 사귀어 감괘(☵)가 되고, 건괘(☰)의 아래 효가 곤괘(☷)의 아래 효와 사귀어 진괘(☳)가 되니, 효의 사귐이다. 진괘(☳)의 양이 내괘에서 움직이고, 감괘(☵)의 음이 외괘에서 움직이는 것은 괘의 사귐이기 때문에 "굳셈과 유순함이 처음 사귄다"라 하였다. 양이 하괘에 있고 음이 상괘에 있으면 상응해서 서로 사귀니, 태괘(泰卦䷊)에서 "천지가 사귄다"[35]라 하는 것이 여기에 해당한다. 음이 하괘에 있고 양이 상괘에 있어 상응하지만 사귀지 않으니, 비괘(否卦䷋)에서 "천지가 사귀지 않는다"[36]라 하는 것이 여기에 해당한다. 여섯 효가 모두 서로 사귀지는 않지만 상응함이 있는 경우는 미제괘(未濟卦䷿)에서 "자리가 마땅하지 않지만 굳셈과 유순함이 상응한다"[37]라 하고, 항괘(恒卦䷟)에서 "굳셈과 유순함이 상응함"[38]이라 하는 것이 여기에 해당한다. 양과 양이고 음과 음일 것 같으면, 서로 사귀거나 서로 호응하는 뜻이 없는 것은 여덟 개의 순수한 괘와 같은 것이 여기에 해당한다. 그러나 양은 움직이는 것이어서 상응함이 없지만 같은 덕으로 상응하는 것이니, 곤괘(困卦䷮)와 중부괘(中孚卦䷼)의 이효·오효와 같은 것이 여기에 해당한

---

34) 『厚齋易學·易外傳』: 毛伯玉曰, 屯者, 其生甚難. 俗謂乳字爲難月. 然則難生者, 生未生之間也, 已生則爲解矣.
35) 『周易·泰卦』: 象曰, 天地交而萬物通也, 上下交而其志同也.
36) 『周易·否卦』: 象曰, 是天地不交而萬物不通也, 上下不交而天下无邦也.
37) 『周易·未濟卦』: 雖不當位, 剛柔應也.
38) 『周易·恒卦』: 剛柔皆應, 恒.

다. 음은 고요한 것이어서 상응함이 있지만 서로 친한 것으로 사귀는 것이니, 몽괘(蒙卦䷃) 삼효와 태괘(泰卦䷊) 사효와 같은 것이 여기에 해당한다.

박윤원(朴胤源)『경의(經義)·역경차략(易經箚略)·역계차의(易繫箚疑)』

以遇坎也, 然震亦爲難之象. 蓋震是恐懼故也.
감괘(☵)를 만났기 때문이지만 진괘(☳)도 어려움의 상이다. 진은 두려움이기 때문이다.

서유신(徐有臣)『역의의언(易義擬言)』

屯, 承乾坤, 故曰剛柔始交也. 天地肇判, 陰陽初交, 而萬物之生, 猶自艱閼也.
준은 건괘와 곤괘를 계승하기 때문에 "굳셈과 유순함이 처음 사귄다"라 하였다. 천지가 처음 나눠짐에 음과 양이 처음 사귀는데 만물이 나오는 것은 아직도 어렵고 막히는 것이다.

김귀주(金龜柱)『주역차록(周易箚錄)』

本義, 以二體釋卦名, 云云,
『본의』에서 말하였다: 두 몸체의 괘의 이름을 해석하였다, 운운.

小註, 中溪張氏曰, 乾坤, 云云.
소주에서 중계 장씨가 말하였다: 건괘와 곤괘의, 운운.

○ 按, 震只取始交之義, 坎只取難生之義, 則再索得坎之說, 恐涉支衍.
내가 살펴보았다: 진괘(☳)에서 단지 처음으로 교제하는 의미를 취하고, 감괘(☵)는 단지 어려움이 생기는 의미를 취한다면, "두 번째로 찾으니 감괘를 얻는다"는 설명은 아마도 지엽적이고 공연히 한 말인 듯하다.

박문건(朴文健)『주역연의(周易衍義)』

始交於下, 而難生於上者, 動而陷也. 蓋物未能出, 而爲始生者也. 此以二体釋卦名.
아래에서 처음 사귀고 위에서 어려움이 생기는 것은 움직여서 빠졌기 때문이다. 사물이 아직 나올 수 없어 처음 생겨나는 것이다. 이것은 두 몸체로 괘의 이름을 해석했다.
〈問, 始交難生. 曰, 動而始交, 陷而難生, 故氣盈不出, 而爲物之始生也. 此與需卦彖傳剛健而不陷, 同一文法也.

물었다: “처음 사귀어 어려움이 생긴다”는 무슨 뜻입니까?
답하였다: 움직여서 처음 사귀고 빠져서 어려움이 생기기 때문에 기가 꽉 차 있고 나오지 않아 사물이 비로소 생겨나는 것입니다. 이 구절은 수괘(需卦䷄) 「단전」의 “강건하나 빠지지 않는다”[39]와 같은 문장 쓰는 방법입니다.〉

이지연(李止淵) 『주역차의(周易箚疑)』

剛柔交, 乃六十四卦之通例, 而特以此卦居交之首, 故因以發之也. 乾坤兩卦, 乃純體之陰陽, 若無剛柔之交, 則易中只有二純卦而已矣. 以其始交, 故遂生三百八十四爻之雜亂. 三百八十四爻, 又生二萬四千三百九十二爻之雜亂, 事變層生, 吉凶交錯, 蓋由於剛柔二畫之交也.
굳셈과 유순함이 사귀는 것은 육십사괘의 일반적인 사례인데 다만 이 괘로 사귀는 첫머리에 있기 때문에 드러냈다. 건과 곤 두 괘는 순수한 몸체의 음양이어서 굳셈과 유순함의 사귐이 없을 것 같으면 『주역』 가운데 다만 두 개의 순수한 괘만 있을 뿐인데, 처음 사귀기 때문에 삼백팔십사효의 복잡함이 생겨난다. 삼백팔십사효가 또 이만사천삼백구십이효의 복잡함을 생겨나게 하니, 일의 변화가 거듭 생겨나 길함과 흉함이 뒤섞여 엇갈리는 것이 굳셈과 유순함 두 획의 사귐에서 말미암는다.

天下萬事之難生於交, 內而父子兄弟夫婦之交, 外而君臣長幼朋友之交, 小而一鄕一國之交, 遠而中國四夷之交, 許多難便之事無不生, 故聖人於交際之始, 尤致詳焉, 曰上交不諂, 下交不瀆, 知幾其神者, 良以此也.
천하만사의 어려움이 사귐에서 나온다. 안으로는 부자·형제·부부의 사귐이고, 밖으로는 군신·장유·붕우의 사귐이며, 작게는 한 마을과 한 나라의 사귐이고, 멀리는 중국과 오랑캐들의 사귐에 허다한 어렵고 쉬운 일들이 나오지 않을 수 없기 때문에 성인이 사귀는 처음에 더욱 자세함을 다했으니, “위로 사귀면서 아첨하지 않고 아래로 사귀면서 모독하지 않으니 기미를 앎이 신묘하다”[40]라 한 것은 진실이 이 때문이다.

김기례(金箕澧) 「역요선의강목(易要選義綱目)」

剛柔始交,
굳셈과 유순함이 처음 사귀어,

---

39) 『周易·需卦』: 彖曰, 剛健而不陷.
40) 『周易·繫辭傳』: 子曰, 知幾其神乎. 君子上交不諂, 下交不瀆, 其知幾乎.

指下卦一陽始動而進交二陰.
하괘의 한 양이 처음 움직여 두 음과 사귐에 나아가는 것을 가리킨다.

難生,
어려움이 생겼고,
指上卦坎險在前.
상괘 감괘(☵)의 험함이 앞에 있음을 가리킨다.

채종식(蔡鍾植) 「주역전의동귀해(周易傳義同歸解)」

剛柔始交而亂生.
굳셈과 유순함이 처음 사귀어 어려움이 생겼고.

傳, 謂震始交於下, 坎始交於中也, 始交而動乎險中, 故難生. 本義, 始交謂震, 難生謂坎. 蓋程易, 合二象而言之, 本義, 分二體而釋之, 故各有不同. 然二象, 卽二體之象也, 二體, 卽二象之體也, 分合何殊.
『정전』에서는 진괘가 아래에서 처음 사귀고 감괘가 중간에서 처음 사귀었으니, 처음 사귀면서 험한 가운데에서 움직이므로 어려움이 생긴다고 하였다. 『본의』에서는 처음 사귀는 것은 진괘를 말하고 어려움이 생기는 것은 감괘를 말한다고 하였다. 『정전』에서는 두 상을 합해서 말하였고, 『본의』에서는 두 몸체를 나누어서 해석하였기 때문에 제각기 같지 않은 것이 있다. 그러나 두 상은 곧 두 몸체의 상이고, 두 몸체는 곧 두 상의 몸체이니, 나눔과 합침이 어찌 다르겠는가?

박문호(朴文鎬) 「경설(經說)·주역(周易)」

剛柔始交.
굳셈과 유순함이 처음 사귀어.

程子竝取乾坤交於震交於坎之意, 本義單取乾坤交於震之意. 蓋經文旣云始交, 則本義似長矣.
정자는 건과 곤이 진에서 사귀고 감에서 사귄다는 의미를 함께 취했고, 『본의』에서는 건과 곤이 진에서 사귄다는 의미만을 취했다. 경문에서 이미 처음 사귄다고 말했으니 『본의』의 설명이 더 좋은 듯하다.

動乎險中,

험한 가운데 움직이는 것이니,

中國大全

傳

以雲雷二象言之, 則剛柔始交也, 以坎震二體言之, 動乎險中也. 剛柔始交, 未能通暢, 則艱屯. 故云難生. 又動於險中, 爲艱屯之義.

구름과 우레, 두 상으로 말하면 굳셈과 유순함이 처음 사귄 것이고, 감괘(☵)와 진괘(☳), 두 몸체로 말하면 험한 가운데 움직이는 것이다. 굳셈과 유순함이 처음 사귀어 아직 통하지 못하는 것이 어려움이므로, "어려움이 생겼다"고 하였다. 또 험한 가운데 움직이는 것이니, 어렵다는 의미가 된다.

韓國大全

이항로(李恒老) 「주역전의동이석의(周易傳義同異釋義)」

傳, 以雲雷二象言之, 則剛柔始交也.

『정전』에서 말하였다: 구름과 우레의 두 상으로 말하면 굳셈과 유순함이 처음 사귀는 것이다.

本義, 始交謂震, 難生謂坎.

『본의』에서 말하였다: 처음 사귀는 것은 진괘(震卦☳)를 말하고, 어려움이 생긴 것은 감괘(坎卦)를 말한다.

按, 震坎同爲陽剛, 不當分屬剛柔. 且震之初陽與二爻之陰交, 故曰剛柔始交. 若以震坎上下言之, 則又未見始交之義. 蓋孔子一依文王周公彖象之辭, 而開釋其義, 故朱子註釋凡例蓋原於此. 只用彖傳之釋, 逐字分配而已, 無一毫揷入已見硬說, 細察可見.
내가 살펴보았다: 진괘(☳)와 감괘(☵)는 동일하게 양의 굳셈이니, 굳셈과 유순함으로 나누어서는 안 된다. 또 진괘(☳)의 초효인 양은 이효의 음과 사귀기 때문에 "굳셈과 유순함이 처음 사귄다"라 하였다. 만약 진괘(☳)와 감괘(☵)의 위아래로 말한다면, 처음 사귀는 의미를 알 수 없다. 공자가 한결같이 문왕과 주공의 단사와 상사에 따라 그 의미를 풀었기 때문에 주자가 주석한 범례가 대체로 이것에 근원한다. 다만 「단전」의 풀이에서는 글자에 따라 나눠 짝지었을 뿐이고 자신의 견해와 억측을 하나라도 삽입하지 않았으니, 자세히 살펴보면 알 수 있다.

김기례(金箕澧) 「역요선의강목(易要選義綱目)」

釋卦體震動坎險, 故屯也.
괘의 몸체인 진의 움직임과 감의 험함을 해석하였기 때문에 준이다.

심대윤(沈大允) 『주역상의점법(周易象義占法)』

後天交變. 震一索, 而乾坤交, 曰剛柔始交. 坎爲險難, 故曰難生. 外險內動, 故曰動乎險中.
후천은 사귀어 변함이다. 진괘(☳)는 첫 번째로 구하여 건과 곤이 사귄 것이니, "굳셈과 유순함이 처음 사귀었다"라 하였다. 감괘(☵)는 험함과 어려움이기 때문에 "어려움이 생겼다"라 하였다. 외괘가 험하고 내괘가 움직이기 때문에 "험한 가운데 움직이는 것이다"라 하였다.

최세학(崔世鶴) 주역단전괘변설(周易彖傳卦變說)」

屯坤之二體變也. 初與五二爻爲主, 故彖以始交難生言之. 乾初來居於下體之下, 而剛始交也. 乾五往陷於上體之中, 而險難生也. 雜卦曰, 屯, 見而不失其居, 陽動於初爲見, 陽得位於五爲不失其居也.
준괘(屯卦䷂)는 곤괘(坤卦䷁)의 두 몸체가 변한 것이다. 초효와 오효 두 효가 주인이기 때문에 「단전」에서 '처음 사귀어 어려움이 생긴 것'으로 말하였다. 건괘의 초효가 하체의 맨 아래로 와 있어 굳셈이 처음 사귄 것이다. 건괘의 오효가 상체의 가운데에 빠져서 험난함이 생긴다. 「잡괘전」에서 "준은 나타나나 그 거처를 잃지 않는다"[41]라 했으니, 양이 초효에서 움직이는 것이 '나타남'이고, 양효가 오효에서 자리를 얻는 것이 '그 거처를 잃지 않음'이다.

41) 『周易 · 雜卦傳』: 屯, 見而不失其居.

大亨貞

정전 크게 형통하고 바름은,
본의 크게 형통하고 바르다.

中國大全

本義

以二體之德, 釋卦辭. 動震之爲也, 險坎之地也. 自此以下, 釋元亨利貞, 乃用文王本意.

두 몸체의 덕으로 괘사를 해석하였다. 움직임은 진괘가 하는 것이고, 험함은 감괘의 영역이다. 여기서부터 이하는 크게 형통하고 바름이 이롭다는 말을 해석함에 문왕 본래의 의미를 사용한 것이다.

小註

或問, 本義云, 此以下釋元亨利貞用文王本意, 何也. 曰乾元亨利貞, 至孔子方作四德說, 後人不知, 將謂文王作易, 便作四德說郎非也. 如屯卦所謂元亨利貞者, 以其能動雖可以亨而在險則宜守正, 故筮得之者, 其占爲大亨而利於正. 初非謂四德也, 故孔子釋此彖辭, 只曰動乎險中大亨貞, 是用文王本意釋之也.

어떤 이가 물었다: 『본의』에서 "이하는 크게 형통하고 바름에 이롭다는 말을 해석함에 문왕 본래의 의미를 사용했다"고 했는데, 무슨 뜻입니까?

답하였다: 건괘의 크게 형통하고 바름이 이롭다는 말이 공자에게 와서 네 가지 덕에 관한 설명으로 되었음을 후대의 사람들이 몰라서, 문왕이 『주역』을 지음에 바로 네 가지 덕에 관한 설명을 만들었다고 말하려고 하니 잘못된 것입니다. 이를테면 준괘에서 말한 "크게 형통하고 바름이 이롭다"는 말은 움직여 형통할지라도 험함에서는 바름을 지켜야 하기 때문에 점치는 자가 이 괘가 나왔을 경우는 그 점이 크게 형통할지라도 바름이 이롭다는 것입니다. 처음에 네 가지 덕을 말한 것이 아니므로 공자가 이 단사를 해석함에 단지 험한 가운데 움직일지라도 크게 형통하고 정하다고 했으니, 문왕 본래의 의미로 해석한 것입니다.

韓國大全

이익(李瀷) 『역경질서(易經疾書)』

大亨貞, 見上.
'크게 형통하고 곧음'은 앞에 보인다.

雷升而雨降, 故雷雨作爲解. 解則百果草木, 皆甲坼也. 雷未升雨未降, 爲屯, 是謂滿盈. 滿盈者, 卽其幾已動, 而充塞未暢也, 此卽天造也. 造者, 以其端言, 天造則物應也. 草木之甲坼, 謂之萌. 萌從草從明, 萌者, 草之明也. 明則見矣. 草昧者, 草萌之反. 幾已動, 而未及於萌, 故謂之草昧也. 建侯, 始立君主也. 于斯時也, 有將治之幾, 而未及於安寧, 如草之昧而將萌也. 建侯帖天造. 坎水就下, 在上則雲而未及於雨也, 故稱雲. 與雲上於天, 同皆有待而未及於施, 所以爲屯也. 治絲之功, 期於成布, 其序有三節, 縱以鋪之爲經, 橫而成之爲緯, 其間非比以理之, 則亦不成, 此之謂綸也. 凡理絲之功, 皆稱綸, 故亦云絲綸. 事雖少, 別理則均也, 經綸皆在成布之前, 卽準備材具而已. 屯有未施之象, 故云爾, 中庸云, 經綸天下之大經, 立天下之大法, 亦在法立之前, 可以旁證.
우레는 올라가고 비는 내려오기 때문에 우레와 비가 해괘(解卦䷧)가 된다. 해괘는 온갖 과목과 초목이 모두 껍질이 터지는 것이다.[42] 우레가 아직 올라가지 못하고 비가 아직 내리지 못한 것이 준괘(屯卦䷂)이니, 이것이 '가득하다'는 것이다. 가득하다는 것은 곧 기미가 이미 움직였지만 가득차고 막혀서 아직 통하지 못한 것이니, 이것이 바로 '하늘의 조화'이다. '조화'를 그 단서로 말한 것이니, 하늘의 조화는 사물이 호응함이다. 초목의 껍질이 터지는 것을 싹이라고 한다. '맹(萌)'이라는 글자는 '초(草)' 부수에 '명(明)'자를 합친 것이니, 싹은 풀의 밝음이다. 밝으면 드러난다. 풀이 어두운 것은 초목의 싹과 반대이다. 기미가 이미 움직였으나 아직 싹이 나지는 않았기 때문에 초목의 어두운 것이라고 한다. "제후를 세운다"는 것은 처음으로 임금을 세우는 것이다. 이런 때에는 다스리려는 기미는 있지만 아직 편안함에는 미치지 않았으니 초목이 어둡지만 밝아지려는 것과 같다. 임금을 세우려는 것은 하늘의 조화에 해당한다. 감괘(坎卦☵)인 물은 아래로 내려가는데 위에 있으면 구름이어서 아직 비가 되지 않았기 때문에 구름이라고 했다. 구름과 함께 위로 하늘에서 함께 있지만 모두 기다리면서 아직 베풀어진 것은 아니기 때문에 준괘가 된다. 실을 손질하는 일은 베를 만들려는 것이다. 그 순서에 세 개의 규칙이 있으니, 세로로 펴는 것이 경(經)이고 가로로 만드

42) 『周易·解卦』: 象曰, 百果草木, 皆甲拆.

는 것이 위(緯)이다. 그 사이를 나란히 하여 다스리지 않는다면 또한 이루어지지 못하니, 이것이 여기서 말하는 '경륜(經綸)'이라고 할 때의 '륜(綸)'이다. 실을 손질하는 일을 모두 륜(綸)이라고 하기 때문에 사륜(絲綸)이라고도 한다. 일은 비록 하찮지만 이치를 구별하면 균등하니, 경륜은 모두 베를 만들기 전에 있으니, 곧 재료와 도구를 준비하는 것일 뿐이다. 준괘(屯卦䷂)에는 아직 시행하지 않은 상이 있기 때문에 말한 것일 뿐이니, 『중용』에서 "천하의 큰 도리를 경륜하고 천하의 큰 법을 세운다"[43]라 한 것도 법이 서기 전에 있는 것임을 방증할 수 있다.

左傳, 晉邢伯云, 有班馬之聲, 齊師其遁. 班馬將行之意, 屯邅, 班馬未發貌. 坎險有寇之象, 正應爲婚媾如此. 卦二之於五, 四之於初, 及賁四之於初, 睽上之於三, 皆正應也. 然賁初睽三, 亦互坎, 與此爻, 皆有坎險. 故始疑其爲寇, 終覺其正應, 是以乃反其常. 至六四, 則直言求婚媾, 如震上六無正應, 故曰婚媾有言. 凡言如者, 兩箇比勘之稱, 屯如邅如, 謂屯邅, 如雨之將下未下也. 漣如, 謂如雨之方下也. 詳在晉卦.
『좌전』에서 진나라의 형백이 "말이 돌아가는 소리가 나니, 제나라 군대가 달아날 것이다"고 했으니,[44] 돌아가려는 말은 장차 가려는 뜻인데, 어려워하고 머뭇거리니 돌아가려는 말이 가지 못하는 모습이다. 감괘(坎卦☵)의 험함에 도적의 상이 있으니, 정응이 혼구가 됨이 이와 같다. 괘의 이효가 오효에 대해, 사효가 초효에 대해, 그리고 비괘(賁卦䷕)의 사효가 초효에 대해, 규괘(睽卦䷥)의 상효가 삼효에 대해 모두 정응이다. 그러나 비괘의 초효와 규괘의 삼효도 호괘가 감괘(坎卦☵)이니 여기서의 효와 함께 모두 감괘(坎卦☵)의 험함이 있다. 그러므로 처음에는 그것을 도적으로 의심하다가 마침내 그것이 정응임을 깨달았으니, 이 때문에 그 떳떳함으로 돌아간다. 육사에서 "혼인할 자를 찾는다"고 바로 말한 것은 진괘(震卦䷲)의 상육과 같이 정응이 없기 때문에 "혼인은 원망하는 말이 있다"[45]고 했다. '~ 와 같다[如]'는 말은 두 개를 비교하고 대조한다는 말이다. 어려워하고 머뭇거리는 것은 주춤거리는 것을 말하니, 비가 내릴 것 같은데 아직 내리지 않는 것과 같다. "줄줄 흘러내리다"는 비가 막 내리는 것과 같음을 말한다. 자세한 것은 진괘(晉卦䷢)에 있다.

易中言數目, 最多三數. 如三褫, 三就, 三人, 三年, 三歲, 三驅, 三錫, 三品, 三狐之類, 是也. 易上下卦, 皆三畫, 故必歷三位而相應, 其三品三狐之類, 就諸爻中, 揀別而言也. 其餘七日八月, 先儒各有定說. 七日自初歷六位而復也. 其曰十年乃字者, 卦以屯

43) 『中庸』: 唯天下至誠, 爲能經綸天下之大經, 立天下之大本, 知天地之化育, 夫焉有所倚.
44) 『左傳杜林合注 · 襄公』: 邢伯告中行伯曰, 有班馬之聲, 齊師其遁. 叔向告晉侯曰, 城上有烏, 齊師其遁.
45) 『周易 · 震卦』: 上六, 震, 索索, 視矍矍, 征, 凶, 震不于其躬, 于其隣, 无咎, 婚媾, 有言.

爲義, 故二之於五, 當婚媾而不字, 歷六位而復於本位, 又至於五, 則十也. 豊之初與四, 皆言遇而曰雖旬無咎. 旬十日也. 觀一雖字其未旬之前, 亦無害可知, 謂雖再遇无咎也. 臨之八月, 卽其例也. 復上頤三之辭, 亦以此意看.

『주역』에서 숫자의 조목을 말한 것 '삼(三)'이라는 숫자가 가장 많으니, '세 번 빼앗긴다'[46] · '세 번 합하다'[47] · '세 사람'[48] · '삼년'[49] · '삼면에서 몰이하다'[50] · '세 번 명령을 내린다'[51] · '세 등급의 짐승'[52] · '세 마리의 여우'[53]와 같은 것들이 여기에 해당한다. 『주역』의 하괘와 상괘가 모두 삼획이기 때문에 반드시 세 자리를 거쳐서 서로 호응하니, 세 등급의 짐승과 세 마리의 여우와 같은 것들은 여러 효 중에서 분별하여 말한 것이다. 그 나머지 '칠일'[54]과 '팔월'[55]은 선대 학자에게 각기 정설이 있다. 칠일은 초효에서 여섯 자리를 거쳐 돌아온 것이다. 육이에서 "십년이 되어서야 시집간다"는 것은 괘가 준괘(屯卦䷂)로 의미를 삼았기 때문에 이효가 오효에 대해 혼인할 자인데도 시집가지 않다가 여섯 자리를 거쳐 본래의 자리로 돌아오고 다시 오효에 이르면 십년이다. 풍괘(豊卦䷶)의 초효와 사효는 모두 '만났다'[56]고 말하면서 비록 "열흘이 될지라도 허물이 없다"라 했는데, '열흘이 된다[旬]'는 것은 십일이 된다는 것이다. '비록~일지라도[雖]'라는 글자를 보면 그것이 아직 열흘이 되기 전이라도 해가 없음을 알 수 있으니, 비록 두 번 만나더라도 허물이 없음을 말한다. 임괘(臨卦䷒)의 팔월이 바로 그 사례이다. 복괘(復卦䷗) 상효[57]와 이괘(頤卦䷚)의 삼효[58] 말도 이런 의미로 본다.

---

46) 『周易 · 訟卦』: 上九, 或錫之鞶帶, 終朝三褫之.

47) 『周易 · 革卦』: 九三, 征凶, 貞厲, 革言, 三就, 有孚].

48) 『周易 · 需卦』: 上六, 入于穴. 有不速之客三人, 來, 敬之, 終吉].

49) 『周易 · 漸卦』: 九五, 鴻漸于陵. 婦三歲, 不孕, 終莫之勝. 吉].

50) 『周易 · 比卦』: 九五, 顯比. 王用三驅, 失前禽, 邑人不誡, 吉].

51) 『周易 · 師卦』: 九二, 在師, 中, 吉, 无咎. 王三錫命].

52) 『周易 · 巽卦』: 六四, 悔亡, 田獲三品].

53) 『周易 · 解卦』: 九二, 田獲三狐, 得黃矢, 貞, 吉].

54) 『周易 · 復卦』: 反復其道, 七日來復, 利有攸往. 「震卦」: 六二, 震來厲, 億喪貝, 躋于九陵, 勿逐, 七日得. 「旣濟괘」: 六二, 婦喪其茀, 勿逐, 七日, 得.

55) 『周易 · 臨卦』: 至于八月, 有凶].

56) 『周易 · 豊卦』: 遇其配主, 雖旬, 无咎, 往, 有尙. 九四, 豊其蔀, 日中見斗, 遇其夷主, 吉. * 주자의 주석에 따라 '순(旬)'자를 일단 "같은 양이다"로 해석했는데, 이어지는 본문을 보면 알 수 있듯이 이익은 열흘의 의미로 보고 있다.

57) 『周易 · 復卦』: 上六, 迷復, 凶, 有災眚, 用行師, 終有大敗, 以其國, 君凶, 至于十年, 不克征.

58) 『周易 · 頤卦』: 六三, 拂頤貞, 凶, 十年勿用, 无攸利.

김상악(金相岳) 『산천역설(山天易說)』

動乎險中, 大亨貞.
험한 가운데 움직이는 것이니, 크게 형통하고 바르다.

以卦德釋卦辭. 動乎險中, 終能出險, 故大亨而利於貞.
괘의 덕으로 괘사를 해석했다. 험한 가운데 움직이여 마침내 험함을 벗어날 수 있기 때문에 크게 형통하고 바름에 이롭다.

○ 凡卦內性外情, 內體外用. 情由性發, 用自體見, 故諸卦之德, 必先言內, 後言外. 乾坤則純陽純陰, 故四德見性, 六爻見情. 動乎險中, 兼初五之象, 初則遇險而能動, 五則處險而求動也. 乾坤之後, 以四德言者, 屯无妄主陽, 臨革主陰. 隨合陰陽之德而屯爲氣化之始, 隨爲形化之始, 故皆曰, 大亨貞, 以天道言. 臨无妄革曰, 大亨以正, 以人事言也.
괘에서 내괘는 본성이고 외괘는 감정이며, 내괘는 본체이고 외괘는 작용이다. 감정은 본성에서 나오고 작용은 본체에서 드러나기 때문에 모든 괘의 덕은 반드시 먼저 내괘를 말하고 뒤에 외괘를 말한다. 건괘와 곤괘는 순수한 양이고 순수한 음이기 때문에 네 가지 덕이 본성을 드러내고 여섯 효가 감정을 드러낸다. 험한 가운데 움직이는 것은 초효와 오효의 상을 겸했으니, 초효는 험함을 만나 움직일 수 있고, 오효는 험한 데 있으면서 움직임을 구한다. 건괘와 곤괘의 뒤에 네 가지 덕으로 말할 경우에 준괘(屯卦䷂)와 무망괘(无妄卦䷘)는 양을 위주로 하고, 림괘(臨卦䷒)와 혁괘(革卦䷰)는 음을 위주로 한다. 수괘(隨卦䷐)는 음양의 덕을 합하는데, 준괘(屯卦䷂)는 기화(氣化)의 시작이고, 수괘(隨卦䷐)는 형화(形化)의 시작이기 때문에 모두 "크게 형통하고 바르다"라 하였으니, 하늘의 도로 말한 것이다. 림괘(臨卦䷒) · 무망괘(无妄卦䷘) · 혁괘(革卦䷰)에서 "크게 형통하고 바르다"라 한 것은 사람의 일로 말한 것이다.

강엄(康儼) 『주역(周易)』

按, 彖傳旣釋元亨利貞, 又當別釋勿用有攸往之義, 而此不然者, 蓋旣言動乎險中, 則勿用有攸往之義, 已包於其中. 故本義云, 在險則宜守正而未可遽進, 觀而字意, 可見矣.
내가 살펴보았다: 「단전」에서 "크게 형통하고 바름이 이롭다"라고 이미 해석했으면, 또 별도로 "갈 곳을 두지 말라"라는 의미도 해석해야 하는데, 여기서 그렇게 하지 않은 것은 험한

가운데 움직인다고 이미 말했다면 "갈 곳을 두지 말라"라는 의미가 이미 그 속에 포함되어 있기 때문이다. 그러므로 『본의』에서 "험함에 있으니, 바름을 지키고 갑자기 나아가서는 안 된다"라 하였으니, '~하고[而]'라는 말의 의미를 살펴보면 알 수 있다.

박문건(朴文健) 『주역연의(周易衍義)』

動乎險中, 大亨貞.
험한 가운데 움직이는 것이니, 크게 형통하고 바르다.

能動乎險中者, 道亨而志貞也. 此以二体之德釋卦辭.
험한 가운데 움직일 수 있는 것은 도가 형통하고 뜻이 바르기 때문이다. 이 구절에서는 두 몸체의 덕으로 괘사를 해석하였다.

박문호(朴文鎬) 「경설(經說)·주역(周易)」

本義特明之, 曰自此以下釋元亨利貞, 乃用本意者, 指彖傳也, 所以明乾之四德之非文王[59]本意也.
『본의』에서 특별히 "여기서부터 이하는 크게 형통하고 바름이 이롭다는 말을 해석함에 본래의 의미를 사용한 것이다"고 밝힌 것은 「단전」을 가리킨 것이니, 건의 네 가지 덕은 문왕의 본래 의미가 아님을 밝히기 위함이다.

---

59) 경학자료집성DB와 영인본에는 '文王'이 거듭 중복되어 있는데, 문맥에 따라 지웠다.

雷雨之動, 滿盈

정전 우레와 비의 움직임이 가득하기 때문이다.
본의 우레와 비의 움직임이 가득하여,

中國大全

傳

所謂大亨而貞者, 雷雨之動, 滿盈也. 陰陽始交, 則艱屯未能通暢, 及其和洽, 則成雷雨, 滿盈於天地之間, 生物乃遂, 屯有大亨之道也. 所以能大亨, 由夫貞也. 非貞固, 安能出屯. 人之處屯, 有致大亨之道, 亦在夫貞固也.

이른바 크게 형통하고 바르다는 것은 우레와 비의 움직임이 가득하기 때문이다. 음과 양이 처음 사귀면, 어려움으로 아직 통하지 못하고, 화합하면 우레와 비를 이룸이 천지에 가득하여 만물을 낳음에 마침내 준에 크게 형통한 도가 있는 것이다. 크게 형통한 까닭은 바르기 때문이다. 바르고 견고하지 않은데 어떻게 어려움을 벗어나겠는가? 사람이 어렵게 될 때 크게 형통한 도를 이루는 것 역시 바르고 견고함에 달려 있다.

韓國大全

유정원(柳正源) 『역해참고(易解參攷)』

正義, 屯有二義, 一難也, 一盈也. 上旣以剛柔始交釋難. 此又以雷雨二象解盈, 言雷雨二氣, 初相交動, 以生養萬物, 故得滿盈, 卽是亨之義也. 屯難之世, 不宜亨通. 恐亨義難曉, 故特釋之.

『주역정의』에서 말하였다: 준에는 두 가지 의미가 있으니, 하나는 어렵다는 것이고 다른 하나는 가득하다는 것이다. 위에서 이미 굳셈과 유순함이 처음 사귀는 것으로 어려움을 해석했다. 여기에서 또 우레와 비라는 두 개의 상으로 가득함을 해석했으니, 우레와 비의 두 기운이 애초에 서로 교감하여 움직여 만물을 낳아 기르기 때문에 가득함을 얻음이 곧 형통하다는 뜻임을 말한다. 어려운 때에는 으레 형통하지 않으니, 형통하다는 의미를 밝히기 어렵기 때문에 특별히 해석한 듯하다.[60]

서유신(徐有臣) 『역의의언(易義擬言)』

動乎險中, 大亨貞. 雷雨之動, 滿盈,
험한 가운데 움직이는 것이니, 크게 형통하고 바르다. 우레와 비의 움직임이 가득하여,

動於險中, 屯難甚矣, 而亦能大亨貞者, 何也. 其動, 乃雷雨之動故也. 雷雨旣動而滿盈, 是將沛然而作, 萬物得以大亨也. 夫萬物生動之初, 便自有元亨利貞之理. 無是理, 則無是物也. 雷雨之動, 卽此理之可見也. 卦爲雲雷之象, 而雲雷乃雨之動, 故曰雷雨之動也. 滿盈, 亦屯象, 序卦曰, 屯者盈也.
험한 가운데 움직임은 어려움이 심한데도 크게 형통하고 바를 수 있다는 것은 무엇 때문인가? 그 움직임이 우레와 비의 움직임이기 때문이다. 우레와 비가 이미 움직여서 가득한 것은 성대하게 일어나려는 것이니, 만물이 크게 형통할 수 있는 것이다. 만물이 살아 움직이는 초기에 곧 스스로 원·형·리·정의 이치가 있으니, 이 이치가 없으면 이 사물이 없다. 우레와 비의 움직임은 곧 이 이치가 드러난 것이다. 괘가 구름과 우레의 상이고 구름과 우레가 바로 비의 움직임이기 때문에 "우레와 비의 움직임"이라 하였다. 가득함도 준의 상이니, 「서괘전」에서 "준은 가득함이다"[61]라 하였다.

이지연(李止淵) 『주역차의(周易箚疑)』

初與五之間, 衆陰爲滿盈之象.
초효와 오효의 사이에 여러 음이 가득한 상이다.

60) 『周易注疏·屯卦』: 象曰, 屯, 剛柔始交而難生. 구절의 주, 正義曰, …. 但屯有二義, 一難也, 一盈也. 上旣以剛柔始交, 釋屯難也. 此又以雷雨二象, 解盈也. 言雷雨二氣, 初相交動, 以生養萬物, 故得滿盈. 卽是亨之義也. 覆釋亨者, 以屯難之世, 不宜亨通. 恐亨義難曉, 故特釋之.
61) 『周易·序卦傳』: 屯者, 盈也, 屯者, 物之始生也.

김기례(金箕澧)「역요선의강목(易要選義綱目)」

大亨貞. 雷雨之動, 滿盈,
크게 형통하고 바르다. 우레와 비의 움직임이 가득하여,

釋卦辭元亨利貞, 由於震坎之感極遂通. 坎爲雲爲雨爲水. 蓋濟屯者, 知時貞固, 則以至遂通而亨.
괘사의 "크게 형통하고 바름이 이롭다"를 해석하였으니, 진괘(☳)와 감괘(☵)의 감응이 지극하여 드디어 통함으로 말미암아 감괘(☵)가 구름이 되고 비가 되며 물이 된다. 어려움을 구제하는 자는 때를 알아 곧고 견고하게 하면 드디어 통하여 형통함에 이른다.

○ 陰陽之交, 始雖屯滯, 極則必通, 及至雷雨滿盈, 生物遂通而亨.
음과 양의 사귐이 처음에는 어려워서 막히지만 그것이 다하면 반드시 통하니, 우레와 비가 가득하게 됨에 이르면 만물이 드디어 통하여 형통하게 된다.

심대윤(沈大允)『주역상의점법(周易象義占法)』

大亨正. 雷雨之動, 滿盈,
크게 형통하고 바르다. 우레와 비의 움직임이 가득하여,

不釋元與利, 故曰大亨正. 雷雨之動滿盈, 言雷雨之動, 盈于天地之間, 終能使萬物盈于天地之間也. 震爲缶, 上有坎之中實爲盈, 言起于草昧, 而成大業. 此以釋亨貞之義也.
원(元)과 리(利)를 해석하지 않았기 때문에 "크게 형통하고 바르다"라 하였다. "우레와 비의 움직임이 가득하다"는 우레와 비의 움직임이 천지에 가득하여 마침내 만물이 천지에 가득하게 할 수 있다는 말이다. 진괘(震卦☳)는 질장구이고 위에 감괘(坎卦☵)의 가운데 열매가 있어 가득하게 되니, 어지럽고 어두운 데서 일어나 대업을 이룰 수 있다는 말이다. 이것으로 "형통하고 바르다"의 의미를 해석하였다.

박문호(朴文鎬)「경설(經說)·주역(周易)」

彖傳之盈字, 序卦之盈字, 程傳所釋, 微有不同, 叅看可也.
「단전」의 '가득하다'와「서괘전」의 '가득하다'는『정전』에서 해석한 것이 약간 같지 않으니, 참고해서 봐야 한다.

天造草昧，宜建侯，而不寧.

정전 하늘의 조화가 어지럽고 어두우면 제후를 세우고 편안히 여기지 말아야 한다.
본의 하늘의 조화가 어지럽고 어두우니 제후를 세우고 편안히 여기지 말아야 한다.

中國大全

傳

上文言天地生物之義, 此言時事. 天造, 謂時運也. 草, 草亂无倫序, 昧, 冥昧不明. 當此時運, 所宜建立輔助, 則可以濟屯. 雖建侯自輔, 又當憂勤兢畏, 不遑寧處, 聖人之深戒也.

앞글에서는 천지가 사물을 낳는 의미를 말하였고, 여기에서는 그때에 일어난 일에 대해 말했다. 하늘의 조화는 시운을 말한다. '어지럽다'는 어지러워 질서가 없다는 의미이고, '어둡다'는 캄캄하여 밝지 않다는 의미이다. 이런 시운을 당하여 도와줄 사람을 세우면 어려움을 구제할 것이다. 제후를 세워 자신을 돕게 할지라도 걱정하고 조심하여 편안히 여기지 않아야 하니, 성인이 깊이 경계한 것이다.

小註

龜山楊氏曰, 天造草昧, 非寧居之時. 故宜建侯而不寧, 建侯所以自輔也. 使人各有主, 而天下定矣.
구산양씨가 말하였다: 하늘의 조화가 어지럽고 어두워 편안히 있을 때가 아니다. 그러므로 제후를 세우지만 편안히 여기지 않는 것이다. 제후를 세운다는 것은 자신을 돕기 위함이니, 사람들이 각기 주인으로 하는 것이 있어서 천하가 안정되도록 하는 것이다.

○ 或問, 剛柔始交而難生, 程傳以雲雷之象爲始交, 謂震始交於下, 坎始交於中, 如何. 朱子曰, 剛柔始交只指震言, 所謂震一索而得男也. 此三句各有所指. 剛柔始交而難生, 是以二體釋卦名義, 動乎險中, 大亨貞, 是以二體之德釋卦辭, 雷雨之動, 滿盈, 天造草昧, 宜建侯, 而不寧, 是以二體之象釋卦辭. 只如此看甚明, 緣後來說者, 交雜混了, 故覺語意重複.

어떤 이가 물었다: 굳셈과 유순함이 처음 교제하여 어려움이 생긴다는 것에 대해 『정전』에서는 구름과 우레의 상을 처음 교제하는 것으로 여겨 진괘(震卦☳)가 아래에서 처음 교제하고 감괘(坎卦☵)가 가운데서 처음 교제한다고 말했으니, 어떻습니까?

주자가 답하였다: 굳셈과 유순함이 처음 교제하는 것은 진괘만을 가리켜 말했으니, 이른바 진은 첫 번째로 구해서 아들을 얻은 것입니다. 여기의 세 구절은 각기 가리키는 것이 있습니다. 굳셈과 유순함이 처음 교제하여 어려움이 생긴다는 구절은 두 몸체로 괘의 이름을 풀이한 것이고, 험한 가운데 움직이니 크게 형통하고 정하다는 구절은 두 몸체의 덕으로 괘사를 해석한 것이며, 우레와 비의 움직임이 가득하여 하늘의 조화가 어지럽고 어두우니 임금을 세우고 편안히 여기지 말아야 한다는 구절은 두 몸체의 상으로 괘사를 해석한 것입니다. 오직 이와 같이 봐야 아주 분명한데, 후대의 설명하는 자들이 뒤섞어버렸기 때문에 의미가 중복되는 것처럼 느껴집니다.

本義

以二體之象釋卦辭, 雷, 震象, 雨坎象. 天造猶言天運. 草, 雜亂, 昧, 晦冥也. 陰陽交而雷雨作, 雜亂晦冥, 塞乎兩間, 天下未定, 名分未明, 宜立君以統治, 而未可遽謂安寧之時也. 不取初九爻義者, 取義多端, 姑擧其一也.

두 몸체의 상으로 괘사를 해석하였으니, 우레는 진의 상징이고 비는 감의 상징이다. 하늘의 조화는 천운이라는 말과 같다. '어지럽다'는 말은 혼란하다는 의미이고, 어둡다는 말은 캄캄하다는 의미이다. 음과 양이 사귀어 우레와 비가 생기면서 혼란하고 캄캄한 것이 둘 사이를 막아서 천하가 안정되지 않고 명분이 분명하지 않으니, 임금을 세워서 통치하게 해야 하고, 별안간 편안한 때라고 여겨서는 안 된다. 초구라는 효의 의미를 취하지 않은 것은 의미를 취하는 것이 여러 가지이니, 우선 그 한 가지를 들었다.

小註

朱子曰, 雷雨之動, 滿盈, 亦是那欝塞底意思. 天造草昧, 宜建侯, 而不寧, 孔子又是別發出一道理說, 當此擾攘之時, 不可无君, 故須立君. 終不可道建侯便了, 須更自以爲不安寧, 方可. 蓋方動而遇險, 聖人見有此象, 故又因以爲戒也.

주자가 말하였다: 우레와 비의 움직임이 가득하다는 구절도 꽉 막혔다는 의미이다. 하늘의 조화가 어지럽고 어두우니, 제후를 세우고 편안히 여기지 말아야 한다는 구절은 공자가 또 하나의 도리를 특별히 내놓아 설명한 것이니, 이런 어지러운 때를 만나 임금이 없어서는

안 되므로 반드시 임금을 세운다는 것이다. 마침내 임금을 세워 편안하다고 말해서는 안 되고, 반드시 스스로 편하지 않다고 여겨야 한다. 움직이자마자 험함을 만났다는 것은 성인이 이런 상이 있는 것을 보았으므로 또 그것을 가지고 경계로 삼은 것이다.

○ 雲峯胡氏曰, 彖傳自屯以下例分作兩節, 釋卦名是一節, 釋卦辭是一節. 或卦辭有未盡者, 從而推廣之, 如乾坤文言是也. 本義但分卦體卦象卦德卦變, 而彖之旨盡矣, 惟屯曰二體之象, 又曰二體之德, 見卦象卦德, 又因卦體而見之也.
운봉호씨가 말하였다: 「단전」에서 준괘 이하의 예는 두 개의 절로 나눠지니, 괘를 해석한 것이 하나의 절이고, 괘사를 해석한 것이 하나의 절이다. 혹 괘사에 미진한 것이 있으면 그 때문에 미루어 넓혔으니, 이를테면 건괘와 곤괘의 「문언전」이 여기에 해당한다. 『본의』에서는 단지 괘체 · 괘상 · 괘덕 · 괘변으로 나누어 「단전」의 의미를 극진하게 했는데, 단지 준괘는 두 몸체의 상이라고 하고, 또 두 몸체의 덕이라고 하여 괘상과 괘덕을 드러냈으니, 또 괘의 몸체를 근거로 드러낸 것이다.

韓國大全

홍여하(洪汝河) 「책제(策題): 문역(問易) · 독서차기(讀書箚記)-주역(周易)」

宜建侯而不寧,
제후를 세우고 편안히 여기지 말아야 한다.
而者, 承上反轉之辭.
'이(而)'는 윗글을 이어 반전하는 말이다.

本義, 以二體之象 止 姑擧其一也.
『본의』에서 말하였다: 두 몸체의 상으로 … 우선 그 한 가지를 들었다.
彖傳, 發明文王言外之意, 故本義又推演釋之. 餘卦亦多倣此.
「단전」은 말 밖에 숨어 있는 문왕의 의도를 드러내 밝혔기 때문에 『본의』에서 또 미루고 연역해서 해석했다. 나머지 괘도 대부분 이와 같다.

유정원(柳正源) 『역해참고(易解參攷)』

王氏曰, 屯體不寧, 故利建侯也. 屯者, 天地造始之時也. 造物之始, 始於冥昧, 故曰草昧. 處造始之時, 所宜之善, 莫善建侯也.
왕씨가 말하였다: 준의 몸체는 편안하지 않기 때문에 제후를 세움이 이롭다. 준은 천지의 조화가 시작하는 때이다. 사물을 만드는 처음은 어두움에서 시작되기 때문에 어지럽고 어둡다고 했다. 조화가 시작하는 때에 처하여 마땅히 좋은 일은 제후를 세우는 것보다 더한 것이 없다.

○ 梁山來氏曰, 草者, 如草不齊, 震爲蕃草之象也. 昧者, 如天未明. 坎爲月, 天尙未明, 昧之象.
양산래씨가 말하였다: '어지럽다[草]'는 풀이 가지런하지 않은 것과 같으니, 진괘(震卦☳)가 무성한 풀의 상이다. '어둡다[昧]'는 하늘이 아직 밝지 않은 것과 같다. 감괘(坎卦☵)는 달이니, 하늘이 아직 밝지 않아 어두운 상이다.[62]

김상악(金相岳) 『산천역설(山天易說)』

雷雨之動, 滿盈, 天造草昧, 宜建侯, 而不寧.
우레와 비의 움직임이 가득하여 하늘의 조화가 어지럽고 어두우니, 제후를 세우고 편안히 여기지 말아야 한다.

又以卦象釋卦辭. 陰陽始交, 雷雨之動, 滿盈于兩間, 未可遽往, 而當天運草昧之時, 宜立君以統治之. 然動乎險中, 故猶不寧而憂畏也.
또 괘의 상으로 괘사를 해석하였다. 음과 양이 처음 사귐에 우레와 비의 움직임이 천지의 사이에 가득하여 아직 갑자기 가서는 안 되고, 하늘의 운행이 어지럽고 어두운 때에 해당하니, 마땅히 임금을 세워서 다스려야 한다. 그러나 험한 가운데 움직이기 때문에 오히려 편안히 여기지 말아 근심하고 두려워해야 한다.

○ 雷震象, 雨坎象. 震性動, 坎體中滿, 故曰動曰滿盈. 雷雨之動, 滿盈, 則自止而不行, 故不復釋勿往一句. 天造, 謂天運始造之時. 草木之微也, 震之象, 昧水之陰也, 坎之象. 不寧, 坎之難也.

---

62) 『周易集註 · 屯卦』: 象曰, 屯剛柔始交而難生. 구절의 주, 草者, 如草不齊, 震爲蕃草之象也. 昧者, 如天未明. 坎爲月, 天尙未明, 昧之象也.

우레는 진괘(☳)의 상이고, 비는 감괘(☵)의 상이다. 진괘(☳)의 본성은 움직이는 것이고, 감괘(☵)의 몸체는 가운데가 찬 것이기 때문에 '움직임'이라 하고 '가득하다'라 한다. 우레와 비의 움직임이 가득하여 스스로 멈추고 가지 않기 때문에 "갈 바를 두지 말라"라는 한 구절을 다시 해석하지 않았다. 하늘의 조화는 하늘의 운행이 조화를 시작하는 때를 말한다. 풀은 나무의 작은 것이니 진괘(☳)의 상이고, 어두움은 물의 어두움이니 감괘(☵)의 상이다. '편안하게 여기지 않음'은 감괘(☵)의 어려움이다.

박윤원(朴胤源) 『경의(經義) · 역경차략(易經箚略) · 역계차의(易繫箚疑)』

天造草昧.
하늘의 조화가 어지럽고 어둡다.

屯字, 象草穿地, 故此言草昧.
준(屯)자는 풀이 땅을 뚫고 나오는 것을 본떴기 때문에 여기서 "어지럽고 어둡다"라 하였다.

서유신(徐有臣) 『역의의언(易義擬言)』

草昧之時, 故宜建侯, 而憂勞不安逸也. 屯有草昧象, 震有建侯象, 坎有憂勞象也. 象不釋勿用有攸往, 疑有闕文.
어지럽고 어두운 때이므로 제후를 세우고, 근심하여 수고로우며 편안히 여기지 말아야 한다. 준괘에 어지럽고 어두운 상이 있고, 진괘는 제후를 세우는 상이 있으며, 감괘는 걱정하여 수고로운 상이 있다. 단사에서 "갈 곳을 두지 말라"를 해석하지 않았으니, 빠진 글이 있는 듯하다.

박문건(朴文健) 『주역연의(周易衍義)』

草, 雜亂旡序也, 昧, 昏冥旡分也. 雷動於下, 而未能進, 雨盈於上, 而未能施者, 天方造草昧之運, 宜建侯而制治, 然猶自不寧於上也. 此以二體之象釋卦辭.
'어지럽다'는 섞이고 어지러워 질서가 없는 것이고, '어둡다'는 캄캄하여 구분이 없는 것이다. 우레가 아래에서 움직이지만 아직 나아가지 못하고 비가 위에 꽉 찼으나 아직 베풀어지지 않은 것은 하늘이 어지럽고 어두운 운을 만나 제후를 세워 다스려야 하지만 여전히 위에서 편안히 여기지 않기 때문이다. 이 구절에서는 두 몸체의 상으로 괘사를 해석하였다.
〈問, 宜建侯而不寧. 曰, 天地閉塞, 而上下隔絕, 則雖明君在上, 猶有憂懼之情也. 宜字釋利字.
물었다: 제후를 세우고 편안히 여기지 말아야 하는 것은 무엇 때문입니까?
답하였다: 천지가 막히고 상하가 끊어졌으니, 밝은 임금이 위에 있더라도 여전히 오히려 근심하고 두려워하는 정황이 있다. '~해야 한다[宜]'는 이롭다는 말을 해석했다.〉

이지연(李止淵) 『주역차의(周易箚疑)』

天造, 爲乾畫始交之初也. 草, 以屯字取義. 不寧二字, 指初九九五也.
'하늘의 조화'는 건괘의 획이 처음 사귀는 시초이다. '어지럽다[草]'는 준(屯)자에서 의미를 취했다. "편안히 여기지 말라"는 초구와 구오를 가리킨다.

김기례(金箕澧) 「역요선의강목(易要選義綱目)」

屯字, 艸穿地始出之象. 天地始開, 物屯未暢, 草草蒙昧之時, 宜立輔助而共濟. 分長九州之意, 亦當勤勞, 而不可寧逸. 朱子曰, 自雷雨之動, 至天造草昧, 當作一看, 其旨義與程傳, 小有不同.
준(屯)자는 풀이 땅을 뚫고 처음 나오는 모양이다. 천지가 처음 열림에 사물의 어려움이 아직 통하지 않아 어지럽고 어두운 때이니, 도울 자를 세워서 함께 구제해야 한다. "길이로 나눠 아홉 주로 한다"63)는 의미도 부지런히 노력해야 되고 편안히 여기지 말아야 한다는 것이다. 주자는 "'우레와 비의 움직임'에서 '하늘의 조화가 어지럽고 어둡다'까지는 하나로 봐야 한다"라 했으니, 가리키는 의미가 『정전』과는 다소 같지 않다.

심대윤(沈大允) 『주역상의점법(周易象義占法)』

天造, 大運始作也. 草昧, 雜亂晦冥, 雷雨之象.
'하늘의 조화'는 대운이 처음 일어나는 것이다. "어지럽고 어둡다"는 섞여 어지럽고 어둡다는 것이니, 우레와 비의 상이다.

오치기(吳致箕) 「주역경전증해(周易經傳增解)」

象曰, 屯剛柔始交〈震體〉, 而難生〈坎體〉, 動乎〈震德〉險中〈坎德〉, 大亨貞. 雷〈震本象〉雨〈坎本象〉之動震, 滿盈〈坎之象〉, 天造草〈震象〉昧〈坎象〉, 宜建侯〈震之象〉, 而

---

63)『史記·三皇本紀』: 人皇九頭, 乘雲車駕六羽, 出谷口. 兄弟九人, 分長九州, 各立城邑.

不寧〈坎之象〉.

「단전」에서 말하였다: 준괘(屯卦)는 굳셈과 유순함이 처음 사귀어〈진괘()의 몸체〉 어려움이 생겼고〈감괘()의 몸체〉, 험한 가운데〈감의 덕〉 움직이는 것이니〈진의 덕〉, 크게 형통하고 바르다. 우레와〈진의 본래 상〉 비의〈감의 본래 상〉 움직임이〈진〉 가득하여〈감의 상〉 하늘의 조화가 어지럽고〈진의 상〉 어두우니〈감의 상〉, 제후를〈진의 상〉 세우고 편안히 여기지 말아야 한다〈감의 상〉.

此以卦體釋卦名義, 以卦德釋元亨利貞之辭, 以卦象釋宜建侯之辭也. 屯居乾坤之後, 有剛柔相交之象, 而以卦體言, 則震剛動二柔之下, 爲剛柔之始交. 坎剛陷二柔之間, 爲萬物之難生. 蓋天地之始, 二氣相交, 化生萬物, 而以其在始, 故未能通暢, 其生艱阻. 此爲屯之義也. 其生始雖艱阻, 終能動乎險中, 乃大通亨, 而各遂其性, 此所以有大亨貞之道也. 雷發雨興, 萬物之動, 充盈兩間. 當此天運之草雜晦昧, 民生汨亂无倫, 宜立君以統治. 然世旣屯難, 未可謂安寧, 當憂勤兢畏, 不遑息處也. 〈此傳不釋勿用攸往之義, 可疑.〉

이곳에서는 괘의 몸체로 괘의 이름을 풀이하였고, 괘의 덕으로 "크게 형통하고 바름이 이롭다"는 말을 해석했으며, 괘의 상으로 "제후를 세워야 한다"는 말을 해석했다. 준괘(屯卦)는 건괘(乾卦)와 곤괘(坤卦)의 뒤에 있어 굳셈과 유순함이 서로 사귀는 상이 있는데, 괘의 몸체로 말하면 진괘()의 굳셈이 두 유순함의 아래에서 움직여 굳셈과 유순함이 처음 사귀는 것이 되었다. 감괘()의 굳셈이 두 유순함의 사이에 빠져 만물의 어려움이 생기는 것이 되었다. 천지의 시초는 두 기운이 서로 사귀어 만물을 낳아 기르는데, 그 처음에 있기 때문에 아직 통할 수 없으니 생겨남이 어렵고 험하다. 이것이 준괘의 의미이다. 생겨나는 것이 시초에는 어렵고 험하지만 마침내 험한 가운데에서 움직일 수 있어 바로 크게 형통하고 각기 본성을 이루니, 이 때문에 크게 형통하고 바른 도가 있다. 우레가 치고 비가 내려 만물의 움직임이 천지에 가득하다. 이때는 천운이 어지럽고 번잡하고 어두워서 백성들의 삶이 어지러움에 빠져 질서가 없으니, 임금을 세워서 통치해야 한다. 그러나 세상이 이미 어려워 편하다고 말할 수 없으니, 당연히 근심하고 삼가고 두려워하며 편안히 거처할 겨를이 없다. 〈이곳의 「단전」에서 "갈 바를 두지 말라"는 의미를 해석하지 않은 것은 의심스럽다.〉

이병헌(李炳憲) 『역경금문고통론(易經今文考通論)』

剛柔始交, 謂乾之初五二爻入于坤, 上坎下震而爲屯. 此屬宇宙第一開闢之候, 乃天地造化之始氣[64]之初也, 所謂能說諸心, 能硏諸侯之慮者也. 乾坤之後, 卦辭之稱元亨利貞者, 五卦. 辭之義想同一, 而象辭則分別言之, 此聖人作經之義. 屯難也.

"굳셈과 유순함이 처음 사귄다"는 건괘(乾卦䷀)의 초효와 오효 두 효가 곤괘(坤卦䷁)로 들어간 것이니, 감괘(☵)를 위로, 진괘(☳)를 아래로 해서 준괘(屯卦䷂)가 되는 것을 말한다. 이것은 우주가 첫 번째로 개벽하는 시기, 곧 천지의 조화가 시작하고 기가 얽히는 시초에 속하니, 이른바 "마음에 기쁠 수 있으며, 생각에 궁구할 수 있다"[65]는 것이다. 건괘와 곤괘의 뒤에 괘사에서 원·형·이·정을 말한 것은 다섯 괘이다. 괘사의 뜻은 동일한 듯 한데 「단전」에서는 분별해서 말했으니, 이것은 성인이 경을 지은 의도이다. 준(屯)은 어려움이다.

虞曰, 震爲侯, 乾剛坤柔.
우번이 말하였다: 진괘(☳)는 제후가 되며, 건은 굳세고 곤은 유순하다.[66]

荀曰, 物難在始生. 雷震雨潤, 則萬物滿盈而生也.
순상이 말하였다: 사물의 어려움은 처음 생겨남에 있다. 우레가 움직이고 비가 윤택하게 하면 만물이 가득차서 생겨난다.[67]

虞曰, 造造生物也, 草草創物也. 坤冥爲昧, 故天造草昧.
우번이 말하였다: 만들고 만들어 사물을 낳으니 어지럽고 어지럽게 사물을 만든다. 곤의 그윽함은 어둡기 때문에 하늘의 조화는 어지럽고 어둡다.[68]

荀曰, 遇險, 故不寧.
순상이 말하였다: 험함을 만나기 때문에 편하지 않다.[69]

按, 自此爲水開闢, 故獨無離象.
내가 살펴보았다: 여기서부터는 수(水)의 개벽이기 때문에 유독 리괘(☲)의 상이 없다.

---

64) 構: 경학자료집성DB에는 '搆'로 되어 있으나 영인본을 참조하여 '構'로 바로잡았다.
65) 『周易·繫辭傳』: 能說諸心, 能硏諸(侯之)慮, 定天下之吉凶.
66) 『周易集解·屯卦』: 虞翻曰, 震爲侯, 初剛難拔. 虞翻曰, 乾剛坤柔.
67) 『周易集解·屯卦』: 荀爽曰, 物難在始生. 荀爽曰, 雷震雨潤, 則萬物滿盈而生也.
68) 『周易集解·屯卦』: 虞翻曰, 造造生也, 草草創物也. 坤冥爲昧, 故天造草昧.
69) 『周易集解·屯卦』: 荀爽曰, 動而遇險, 故不寧也.

象曰, 雲雷屯, 君子以, 經綸.

「상전」에서 말하였다: 구름과 우레가 준이니, 군자가 그것을 본받아 경륜한다.

中國大全

傳

坎不云雨而云雲者, 雲爲雨而未成者也. 未能成雨, 所以爲屯. 君子觀屯之象, 經綸天下之事, 以濟於屯難. 經緯綸緝, 謂營爲也

감을 비라고 하지 않고 구름이라고 한 것은 구름이 비가 되려고 하면서 아직 되지 않은 것이다. 비가 되지 못했기 때문에 준이다. 군자는 준의 상을 보고 천하의 일을 경륜하여 어려운 것을 구제한다. '경륜(經綸)'에서 '경'은 다스린다는 것이고 '륜'은 잇는다는 것이니, 경영함을 말한다.

本義

坎不言水而言雲者, 未通之意. 經綸, 治絲之事, 經, 引之, 綸, 理之也. 屯難之世, 君子有爲之時也.

감을 수라고 하지 않고 구름이라고 말한 것은 아직 통하지 않았다는 의미이다. '경륜'은 실을 만지는 일이니, '경'은 끌어당기는 것이고, '륜'은 손질하는 것이다. 어려운 세상은 군자가 큰 일하는 때이다.

小註

或問, 屯需二象, 皆陰陽未和洽成雨之象. 然屯言君子以經綸, 需乃言飮食宴樂何也. 朱子曰, 需是緩意在他无所致力, 只得飮食宴樂. 屯是物之始生, 象草木初出地之狀. 其初出時欲破地面而出, 不无齟齬艱難, 故當爲經綸, 其義所以不同也.

어떤 이가 물었다: 준괘(屯卦䷂)와 수괘(需卦䷄), 두 상은 모두 음과 양이 아직 화합하여 비가 되지 못한 상입니다. 그런데 준괘에서는 군자가 그것을 본받아 경륜한다고 하고 수괘

에서는 음식을 먹고 잔치를 베풀어 즐긴다고 한 것은 무엇 때문입니까?
주자가 답하였다: 수괘는 느긋한 마음이 달리 힘쓸 곳이 없는 것이어서 단지 음식을 먹고 잔치를 베풀어 즐길 수 있는 것입니다. 준괘는 사물이 처음 나오는 것이어서 초목이 처음 땅을 뚫고 나오는 상태를 본떴습니다. 그것이 처음 나올 때 땅을 헤치며 나옴에 어긋나고 어렵지 않음이 없으므로 당연히 경륜하는 것이 되니, 그 의미가 같지 않은 까닭입니다.

○ 東萊呂氏曰, 屯難之世, 人皆惶懼沮喪不敢有爲, 殊不知正是君子經綸時節.
동래여씨가 말하였다: 어려운 세상에서는 사람들이 모두 두려워하고 실망하여 감히 큰일을 하지 않으니, 바로 군자가 경륜해야 할 때임을 정말 모르는 것이다.

○ 隆山李氏曰, 坎在震上爲屯, 以雲方上升畜而未散也. 坎在震下爲解, 以雨澤旣沛, 无所不被也. 故雷雨作解者, 乃所以散屯, 而雲雷方興則屯難之始也
융산이씨가 말하였다: 감괘(坎卦☵)가 진괘(震卦☳)의 위에 있는 것이 준괘(屯卦䷂)이니, 구름이 위로 올라서 뭉쳐있으면서 아직 흩어지지 않았기 때문이다. 감괘(坎卦☵)가 진괘(震卦☳)의 아래에 있는 것이 해괘(解卦䷧)이니, 비의 혜택이 이미 성대해서 미치지 않은 곳이 없기 때문이다. 그러므로 우레와 비가 해괘가 된 것이야말로 어려움이 풀리는 것이고, 구름과 우레가 일어나는 것은 어려움의 시작이다.

○ 臨川吳氏曰, 君子治世猶治絲欲解其紛亂, 亦猶屯之時必欲解其鬱結也. 經者, 先總其序爲一而後分之, 象雷之自一而分, 綸者, 先理其緖爲二而後合之, 象雷之自二而合也.
임천오씨가 말하였다: 군자가 세상을 다스리는 것은 실을 손질함에 그 얽힌 것을 풀려고 하는 것과 같으니, 또한 어려운 때에 반드시 그 꽉 얽혀있는 것을 풀려고 하는 것이다. '경륜(經綸)'에서 '경'은 먼저 그 순서를 하나로 묶은 다음에 나누는 것이니, 우레가 하나에서 나누어지는 것을 본떴고, '륜'은 그 실마리를 둘로 다스린 다음에 합하는 것이니, 우레가 둘에서 합해지는 것을 본떴다.

韓國大全

조호익(曺好益)『역상설(易象說)』

象曰, 以經綸.
「상전」에서 말하였다: 그것을 본받아 경륜한다.

中庸註, 經者, 理其緖而分之, 綸者, 比其類而合之. 緝績也. 西州人謂績爲緝又績也.
『중용』의 주에 "경(經)은 실마리를 손질해서 나누는 것이고, 륜(綸)은 부류를 나란히 하여 합하는 것"70)이라고 했으니, 길쌈하는 일이다. 서주의 사람들은 '적(績)'은 모으고 또 잇는 것이 된다고 했다.

김도(金濤)「주역천설(周易淺說)」

愚按, 本義下朱子所釋惟一條, 呂氏以下諸儒所釋凡三條, 而皆合於大象之旨矣. 然愚則竊有別意之得, 故敢出臆說而示之耳. 蓋以爲屯難之世, 天下未定, 名分未明, 當建侯而統治, 以濟天下之屯. 此人君之大事也. 然嗣子初生蒙無知識, 此亦屯難之時也. 必立師傅之職, 輔助而導之, 經營其學業, 開發其聰明, 使之出乎屯難, 以爲他日治天下之本, 豈非君人之始事乎. 詳考諸儒所釋, 皆无此意, 故敢忘其僭陋, 作爲此說, 尾載於諸儒之下, 覽者宜詳之. 又曰, 彖辭所謂宜建侯三字, 疑已含此意耶, 覽者亦可詳之. 又曰, 非徒人君爲然也, 凡士夫之家, 皆可以法此象, 而治身治家, 善敎其子. 預養於幼稚之時, 則豈不美哉.
내가 살펴보았다: 『본의』 아래 소주에서 주자가 해석한 것은 한 조목이고, 여씨 이하 여러 학자가 해석한 것은 세 조목인데, 모두 대상의 뜻에 부합한다. 그러나 나는 다른 뜻을 터득한 것이 있기 때문에 감히 내 생각을 드러내 보인다. 어려운 시대에는 천하가 안정되지 않고 명분이 분명하지 않아 제후를 세워 통치해서 천하의 어려움을 구제해야 한다고 생각한다. 이것은 임금의 큰일이다. 그러나 후계자가 처음 태어나면 몽매하고 지식이 없으니, 이것도 어려운 시기이다. 반드시 스승의 직분을 세워 보조하고 인도해서 그 학업을 경영하고 그 총명을 개발하며 어려움에서 벗어나게 하여 그를 후일 천하를 다스릴 근본으로 삼는다면 어찌 임금의 시작하는 일이 아니겠는가? 여러 학자들이 해석한 것을 상세히 살펴봐도 모두 이런 의미는 없기 때문에 감히 주제도 모르고 이 설을 지어 여러 학자들 아래에 덧붙이니, 보는 자들이 상세히 살펴야 할 것이다.

---

70)『中庸』: 經綸, 皆治絲之事, 經者, 理其緖而分之, 綸者, 比其類而合之也.

또 말하였다: 「단전」에서 말한 "제후를 세운다"는 것이 아마도 이런 뜻을 이미 포함한 듯하니, 보는 자들이 또 상세히 살펴야 할 것이다.
또 말하였다: 임금만 그런 것이 아니라 사대부의 집안에서도 모두 이 상을 본받아 자신을 닦고 집안을 다스리며 자식을 잘 교육시켜 어릴 때에 미리 길러준다면 어찌 아름답지 않겠는가!

유정원(柳正源) 『역해참고(易解參攷)』

經綸.
경륜한다.

梁山來氏曰, 彖言雷雨, 象言雲雷. 彖言其動象, 著其體也.
양산래씨가 말하였다: 「단전」에서 우레와 비에 대해 말했고 「상전」에서 구름과 우레에 대해 말했으니, 「단전」은 그 움직이는 상을 말해 그 몸체를 드러냈다.[71]

○ 案, 經坎象, 綸震象. 水之流行不息, 有經底意思, 雷之往來分合, 有綸底意思.
내가 살펴보았다: '경(經)'은 감괘(☵)의 상이고, '륜(綸)'은 진괘(☳)의 상이다. 물의 흐름은 그침이 없어 다스리는 의미가 있고, 우레의 왕래는 나뉘졌다 합하여 '잇는다[綸]'는 뜻이 있다.

김상악(金相岳) 『산천역설(山天易說)』

天造草昧, 宜建侯, 經綸天下之事, 以濟於屯難. 經者, 正其綱也. 震, 得乾初爻之象. 綸者, 理其目也. 坎, 得坤中爻之象. 泰象所謂裁成輔相, 乃經綸之成也.
하늘의 조화가 어지럽고 어두우니, 제후를 세워 천하의 일을 경륜하여 어려움에서 구제해야 한다. '경'은 벼리를 바르게 하는 것이다. 진괘(☳)는 건괘(☰)의 초효를 얻은 상이다. '륜'은 그 조목을 다스리는 것이다. 감괘(☵)는 곤괘(☷)의 중효를 얻은 상이다. 태괘(泰卦䷊)의 상은 이른바 '마름질하여 이루고 도와주는 것[裁成輔相]'이니 바로 경륜의 완성이다.

박윤원(朴胤源) 『경의(經義)·역경차락(易經箚略)·역계차의(易繫箚疑)』

彖, 則言雷雨滿盈, 象則不曰雨而曰雲, 何也. 主大亨貞而言之, 則曰雷雨, 取陰陽和洽

---

71) 『周易集註·屯卦』: 象曰, 雲雷屯, 君子以經綸. 구절의 주, 彖言雷雨, 象言雲雷. 彖言其動象, 著其體也.

也. 主君子經綸而言之, 則曰雲雷, 取密雲不雨之象. 經綸, 卽濟屯之具故也.
「단전」에서는 구름과 비가 가득함을 말했는데, 「상전」은 '비'를 말하지 않고 '구름'이라고 한 것은 무엇 때문인가? 크게 형통하고 바름을 위주로 말하면 우레와 비라고 한 것은 음양의 화합을 취한 것이고, 군자가 경륜하는 것을 위주로 말하면 구름과 우레라고 한 것은 구름만 잔뜩 끼고 비가 오지 않는 상을 취한 것이다. 경륜은 곧 어려움을 구제하는 방법이기 때문이다.

김귀주(金龜柱) 『주역차록(周易箚錄)』

本義, 坎不言水, 云云.
『본의』에서 말하였다: 감을 수라고 하지 않고, 운운.

小註, 臨川吳氏曰, 君子, 云云.
소주에서 임천오씨가 말하였다: 군자가, 운운.

○ 按, 凡卦畫, 皆自下而上, 未有自上而下者. 則自一而分, 猶可說也, 自二而合, 便不成義理. 吳說恐做病.
내가 살펴보았다: 괘의 획은 모두 아래에서 올라가고 위에서 내려오는 경우가 없으니, 하나에서 나눠진다는 것은 오히려 말할 수 있지만, 둘에서 합한다는 것은 이치가 아니다. 오씨의 설은 병폐가 있는 것 같다.

박제가(朴齊家) 『주역(周易)』

傳, 觀屯之象, 經綸天下之事.
『정전』에서 말하였다: 준의 상을 보고 천하의 일을 경륜한다.

本義, 屯難之世, 君子有爲之時.
『본의』에서 말하였다: 어려운 세상은 군자가 큰일을 하는 때이다.

案, 此皆解得順直, 但恐非夫子義. 蓋經綸非必險難之時, 雖太平無事之時, 亦當有條理彌綸, 所謂經綸, 猶蠶之吐絲作繭, 君子默運籌策. 滿腹凝聚, 其出無窮, 如雲雷之鬱結而將解, 所謂象也, 若以雲雷爲險難[72]之象. 而此象爲屯難之世, 而又爲濟此屯難之世之經綸, 則此之經綸只是濟險一邊說, 不能包括賁飾承平啓往開來事業.

---

72) 難: 경학자료집성DB에 '歎'으로 되어 있으나, 경학자료집성 영인본을 참조하여 '難'으로 바로잡았다.

내가 살펴보았다: 이것은 모두 곧음을 따르는 것을 깨쳐 아는 것인데, 다만 공자의 뜻은 아닌 듯하다. 경륜이 반드시 험난한 때인 것은 아니어서 비록 태평해서 일이 없을 때일지라도 마땅히 조리가 있고 두루 다스려짐이 있으니, 이른바 경륜은 누에가 실을 토해 고치를 만들고 군자가 묵묵히 산가지를 돌리는 것과 같으며, 뱃속 가득 뭉쳐 있어 끝없이 나오는 것이 구름과 우레가 막혀서 뭉쳐 있다가 풀리는 것과 같다. 이른바 상은 구름과 우레로 험하고 어려운 상을 삼은 것과 같으나, 이 상이 어려운 시대가 되지만 또 이 어려운 시대를 구제하는 경륜이 되니, 이런 경륜은 험난함만을 구제할 수 있는 설일 뿐이니, 아름답게 꾸며서 나라가 안정되어 편안하고 과거를 계승하여 미래를 개척하는 사업을 포괄할 수 없다.

윤행임(尹行恁) 『신호수필(新湖隨筆) · 역(易)』

所謂經綸者, 卽大經大本也. 萬物始生之初, 正大經立大本, 參天地贊化育, 是君子第一功業.
이른바 경륜은 바로 큰 줄기와 큰 뿌리이다. 만물이 처음 생겨나는 초기에 큰 줄기를 바로하고 큰 뿌리를 세워서 천지에 참여하여 화육을 도움은 군자의 첫 번째 공업이다.

서유신(徐有臣) 『역의의언(易義擬言)』

雲雷, 將爲雨也. 經綸將爲政也. 雲雷而爲雨, 則物之屯者解矣. 經綸而爲政, 則時之屯者亨矣. 君子在屯邅之時, 必有濟世之經綸也. 經單絲, 綸合絲, 經綸者, 布縷而將織也. 卦形有此象也.
구름과 우레는 장차 비가 되고, 경륜은 장차 정사가 된다. 구름과 우레로서 비가 내리면 사물의 어려움이 풀린다. 경륜해서 다스려지면 시대의 어려움이 형통하게 된다. 군자는 어려워 머뭇거리는 때에 반드시 세상을 구제할 경륜이 있다. '경'은 실을 홑으로 하는 것이고, '륜' 실을 합하는 것이니, 경륜은 실을 펴서 베를 짜려는 것이다. 괘의 형태에 이런 상이 있다.

박문건(朴文健) 『주역연의(周易衍義)』

經綸皆治絲之事, 經者, 理其緖而分之也, 綸者比其類而合之也.
'경륜'은 모두 실을 손질하는 일이니, '경'은 그 실마리를 손질하여 나누는 것이고, '륜'은 그 부류를 견주어 합하는 것이다.
〈問, 雲雷屯. 曰, 雲氣盈上, 雷氣盈下, 故爲雲雷屯. 問, 經綸. 曰, 治之有序也. 天地否塞, 而君子經綸者, 轉亂爲治也.
물었다: "구름과 우레가 준이다"는 무슨 뜻입니까?

답하였다: 구름 기운은 위에 가득하고, 우레의 기운은 아래에 가득하기 때문에 구름과 우레가 준이 됩니다.
물었다: 경륜은 무슨 뜻입니까?
답하였다: 손질에 순서가 있습니다. 천지가 막혀서 군자가 경륜하는 것은 어지러움을 다스림으로 돌리는 것입니다.〉

이항로(李恒老) 「주역전의동이석의(周易傳義同異釋義)」

按, 經綸之釋, 傳義備矣. 蓋天下晦冥, 屯難之時, 萬品无倫, 五典不敍, 譬如亂絲紊緖, 紛紜積堆, 不可不修治釐正. 然亦不過理其緖而分之, 比其類而合之而已. 愚嘗敷衍而爲之說曰, 正其君臣以統其綱, 親其父子以續其緖, 別其男女以端其紀, 嚴其長幼以次先後, 篤其朋友以輔左右, 則敍秩敦而條理明. 雖當雲雷屯難之時, 各有歸屬, 各有部居, 井井不亂, 燦燦有章矣. 夫何濟屯治亂之爲憂也.
내가 살펴보았다: 경륜에 대한 해석은 『정전』과 『본의』에 자세하다. 천하가 어둡고 어려운 때에는 온갖 것이 질서가 없고 오륜이 시행되지 않으니, 비유하자면 엉킨 실과 어지러운 실마리가 어지럽게 쌓여 있는 것과 같으니, 고쳐서 바로잡고 손질하여 정리하지 않을 수 없다. 또한 그 실마리를 다스려 나누고 그 종류를 나란히 하여 합하는 것에 지나지 않을 뿐이다. 내가 일찍이 부연하고 설명하여 그 임금과 신하를 바르게 하여 강령을 통괄하고, 아비와 자식을 친하게 하여 계통을 이으며, 남자와 여자를 분별하여 기강을 바로 잡고, 어른과 아이를 엄격하게 하여 그 선후를 차례지우며, 친구들을 돈독하게 하여 좌우를 돕는다면 질서가 돈독해지고 조리가 분명해진다고 하였으니, 비록 구름과 우레의 어려운 때에 해당할지라도 각기 돌아가 소속할 데가 있고 각기 나누어 거주할 데가 있어 질서정연하여 어지럽지 않고 찬란하게 빛남이 있다. 어찌 어려움을 구제하고 혼란을 다스리는 것이 근심이 되겠는가?

김기례(金箕澧) 「역요선의강목(易要選義綱目)」

君子以, 經綸.
군자가 그것을 본받아 경륜한다.

經濟之策, 如雲雷. 坎在上卦, 則爲雲, 坎在下卦, 則爲雨. 畜雨治絲有緖.
경륜하여 구제하는 계책은 구름과 우레와 같다. 감이 상괘로 있으면 구름이 되고, 감이 하괘로 있으면 비가 된다. 빗물을 비축하고 실을 손질하는 데는 실마리가 있다.

○ 經綸, 猶言經營.
경륜은 경영이라고 말하는 것과 같다.

심대윤(沈大允) 『주역상의점법(周易象義占法)』

君子見雲雷營雨之象, 以經綸事業也, 雲雷動而亭毒之意也, 根萌生而發達之志也, 經綸興而作爲之始也. 對卦爲离巽, 巽爲絲爲事, 互离麗, 有經綸事爲之象.
군자는 구름과 우레가 비를 만들려는 상을 보고 사업을 경륜하니, 구름과 우레는 움직여서 화육하려는 마음이고, 뿌리와 싹은 나서 나아가려는 뜻이니, 경륜은 일어나서 일하려는 시작이다. 준괘(屯卦䷂)와 음양이 반대인 괘는 리괘(☲)와 손괘(☴)인데, 손괘는 실이고 일이니, 호괘인 리괘(☲)의 걸림에 경륜하고 일을 하는 상이 있다.

오치기(吳致箕) 「주역경전증해(周易經傳增解)」

坎不言雨而言雲者, 取屯而未通之象也. 君子觀雲雷成屯之象以之解難, 如治絲之事而經綸之也. 經者, 分其端而理之也, 象乎坎一陽在中而分二陰於上下也. 綸者, 合其緖而總之也, 象乎震一陽在下而合二陰於上也. 〈象傳言雨, 卽言屯將通也.〉
감괘(☵)에서 비라고 하지 않고 구름이라고 말한 것은 어려움을 취해 아직 통하지 않는 상이기 때문이다. 군자는 구름과 우레가 어려움을 만드는 상을 보고 그것으로 어려움을 해결함이 실을 손질하는 일처럼 경륜하는 것이다. '경'은 그 실마리를 나누어서 손질하는 것이니, 감괘(☵)의 한 양이 가운데 있으면서 두 음을 상하로 나눈 것을 본뜬 것이다. '륜'은 그 실마리를 합해서 꿰매는 것이니, 진괘(☳)의 한 양이 아래에 있고 위로 두 음을 합한 것을 본뜬 것이다. 〈「단전」에서 비를 말한 것은 곧 어려움이 장차 원활해질 것을 말한다.〉

이진상(李震相) 『역학관규(易學管窺)』

象, 經綸.
「상전」에서 말하였다: 경륜한다.

震以一陽而經之於始, 坎以一陽而綸之於中, 經所以正其動, 綸所以理其難.
진괘(☳)는 하나의 양이 처음에서 다스리는 것이고, 감괘(☵)는 하나의 양이 가운데서 통괄하는 것이니, '경(經)'은 그 움직임을 바르게 하는 것이고, '륜(綸)'은 그 어려움을 다스리는 것이다.

이정규(李正奎) 「독역기(讀易記)」

當屯難之時, 只惶懼沮喪, 不敢有爲, 則濟屯可在何日乎. 孔孟轍環, 雖不能濟屯於當世, 濟屯於萬世. 武侯仗義, 伸大義於天下, 晦翁有爲, 乾坤重新. 是則君子有爲之時, 而閉戶恬然者, 非所以爲君子.

어려운 때를 만나 두렵고 실망하여 감히 큰일을 하지 못하면 어려움을 구제하는 것이 어느 날에 있겠는가? 공자와 맹자가 천하를 두루 돌아다님이 비록 당시에는 어려움을 구제하지 못했지만 만세에는 어려움을 구제하였다. 무후(武侯)가 의리를 지켜 천하에 대의를 펼쳤고, 회옹(晦翁)이 큰일을 하여 건과 곤이 거듭 새로워졌으니, 이것은 군자가 큰일을 할 때인데도 문을 잠그고 조용히 있는 것은 군자가 되는 까닭이 아니다.

이병헌(李炳憲) 『역경금문고통론(易經今文考通論)』

經, 謂經緯之經, 綸謂綱綸之綸. 〈從正義說.〉

'경'은 경위의 경을 말하고, '륜'은 강륜의 륜을 말한다. 〈『주역정의』의 설을 따랐다.〉

初九, 磐桓, 利居貞, 利建侯.

정전 초구는 주저함이니, 바름에 머물러 있는 것이 이롭고 제후를 세움이 이롭다.
본의 초구는 주저함이니, 바름에 머물러 있는 것이 이롭고 나라를 세워서 제후가 됨이 이롭다.

中國大全

傳

初以陽爻在下, 乃剛明之才當屯難之世, 居下位者也, 未能便往濟屯, 故磐桓也. 方屯之初, 不磐桓而遽進, 則犯難矣, 故宜居正而固其志. 凡人處屯難, 則鮮能守正. 苟无貞固之守, 則將失義, 安能濟時之屯乎. 居屯之世, 方屯於下, 所宜有助, 乃居屯濟屯之道也. 故取建侯之義, 謂求輔助也.

초구가 양효로서 아래에 있는 것은 바로 굳세고 밝은 재질이 어려운 시대를 만나 아랫자리에 있는 자이니, 즉시 가서 어려움을 구제할 수 없으므로 주저한다. 어려운 초기에 주저하지 않고 빠르게 나아가면 어려움을 당하므로 바름에 있고 그 뜻을 견고하게 해야 한다. 일반 사람들은 어려움에 처하면 바름을 지킬 수 있는 자가 드물다. 만약 바르고 견고하게 지키지 않는다면 의를 잃을 것이니, 어떻게 시대의 어려움을 구제할 수 있겠는가? 어려운 세상에 있으면서 아래에서 어려움을 당하니, 당연히 도와주는 사람이 있어야 어려운 세상에 있으면서 어려움을 구제하는 길이다. 그러므로 제후를 세운다는 의미를 취했으니, 도와줄 자를 구한다는 말이다.

小註

東萊呂氏曰, 說者謂初以剛居剛, 在屯難之世, 恐其銳於進, 故戒之以磐桓, 此說不然. 蓋初以剛明之才, 乃能與時消息, 自制其剛, 磐桓而不敢騁, 此正所謂自勝之强也, 此正所謂剛也. 惟剛然後能磐桓, 孰謂以剛爲戒乎.

동래여씨가 말하였다: 설명하는 자들 중에는 초구가 굳센 것으로서 굳센 자리에 있어 어려운 세상에 급히 나아가는 것을 염려했으므로 주저한다는 말로 경계했다고 했는데, 여기서의 설명은 그렇지 않다. 초구가 굳세고 밝은 재질을 가지고 시대의 형편과 함께 할 수 있는

것은 그 굳셈을 스스로 제어하여 주저하면서 감히 내키는 대로 하지 않는 것이니, 이것이 바로 이른바 스스로 견디는 강함이고, 이것이 바로 이른바 굳셈이다. 오직 굳센 다음에 주저할 수 있는 것인데, 어떻게 굳셈을 경계했다고 말하는가?

○ 瀘川毛氏曰, 利居貞者, 其利在我, 利建侯者, 其利在民.
노천모씨가 말하였다: 바름에 있음이 이롭다는 것은 그 이로움이 나에게 있다는 것이고, 제후를 세움이 이롭다는 것은 그 이로움이 백성들에게 있다는 것이다.

本義

磐桓, 難進之貌. 屯難之初, 以陽在下, 又居動體而上應陰柔險陷之爻, 故有盤桓之象. 然居得其正, 故其占, 利於居貞. 又本成卦之主, 以陽下陰, 爲民所歸, 侯之象也. 故其象又如此, 而占者如是, 則利建以爲侯也.

주저함은 나아감을 어렵게 여기는 모양이다. 어려운 초기에 양으로서 아래에 있고, 또 움직이는 몸체에 있으면서 위로 음험하면서 유순하고 험하면서 빠지게 하는 효와 응하므로 주저하는 상이 있다. 그러나 머문 것이 바름을 얻었으므로 그 점은 바름에 머물러있는 것이 이로운 것이다. 또 본래 괘를 이루는 주인이 양으로서 음에게 낮추어 백성들이 귀의하니, 임금의 상이다. 그러므로 그 상이 또 이와 같으니, 점치는 자가 이와 같은 처지이면 나라를 세워서 제후가 되는 것이 이롭다.

小註

或問, 初九利建侯, 本義云, 占者如是, 則利建以爲侯, 此占與象異. 如何. 朱子曰卦辭通論一卦, 所謂侯者乃屬他人卽爻之初九也. 爻辭專言一爻, 所謂侯者乃其自已. 故不同也.
어떤 이가 물었다: 초구는 "나라를 세워서 제후가 됨이 이롭다"는 것에 대해 『본의』에서 "점치는 자가 이와 같으면 나라를 세워서 제후가 되는 것이 이롭다"고 했으니, 이것은 점이 단사와 다릅니다. 어떻게 된 것입니까?
주자가 답하였다: 괘사는 한 괘를 통론하니, 이른바 제후란 바로 다른 사람 곧 효의 초구에 속합니다. 효사는 한 효만을 말하니, 이른바 제후란 바로 자신입니다. 그러므로 같지 않습니다.

○ 雲峯胡氏曰, 文王卦辭有專主成卦之主而言者, 周公首於此爻之辭發之. 卦主震, 震主初. 磐桓, 卽勿用有攸往. 利居貞, 卽利貞. 卦言利建侯者, 其事也, 利於建初以爲侯也. 爻言利建侯者其人也, 如初之才利, 建以爲侯也. 爻言磐桓, 主爲侯者而言, 宜緩. 卦言利建侯而不寧, 主建侯者而言, 不宜緩也.
운봉호씨가 말하였다: 문왕의 괘사에는 괘를 이루는 주인을 전담하여 말한 것이 있어서 주공은 먼저 이 효의 말에서 드러냈다. 괘는 진괘(☳)를 근본으로 하고, 진괘는 초효를 근본으로 한다. 주저한다는 말은 곧 갈 곳을 두지 말라는 의미이다. 바름에 거함이 이롭다는 말은 바름이 이롭다는 의미이다. 괘에서 제후를 세움이 이롭다고 말한 것은 그 일이니, 초구를 세워서 제후로 삼음에 이롭다는 것이다. 효사에서 제후를 세움이 이롭다고 말한 것은 그 사람이니, 이를테면 초구의 재질은 나라를 세워 제후가 됨이 이롭다는 것이다. 효사에서 '주저한다'고 말한 것은 제후가 되는 것을 위주로 해서 말한 것이니, 늦추어서 해야 한다. 괘사에서 제후를 세우고 편안히 여기지 않는 것이 이롭다[73]고 말한 것은 제후를 세우는 것을 위주로 해서 말한 것이니, 늦추어서는 안 된다.

韓國大全

조호익(曺好益) 『역상설(易象說)』

初九, 利建侯.
초구에서 말하였다: 제후를 세움이 이롭다.
雙湖胡氏曰, 侯震象.
쌍호호씨가 말하였다: 제후는 진괘(☳)의 상이다.
愚謂自二至四坤, 坤土在上, 震男在下, 宜建以爲坤土之主也.
내가 살펴보았다: 이효부터 사효까지가 곤괘(☷)인데, 곤괘인 땅이 위에 있고 진괘인 맏아들이 아래에 있으니, 그를 세워서 곤괘인 땅의 주인을 삼아야 한다.

○ 初九震男在下, 爲衆所歸, 宜建此人, 爲坤土之主也.
초구는 진괘인 맏아들이 아래에 있어 무리가 귀의하는 바가 되니, 마땅히 이 사람을 세워 곤괘인 땅의 주인을 삼아야 한다.

---

73) 임금을 세우고 편안히 여기지 않는 것이 이롭다[利建侯而不寧] : 괘사에는 "임금을 세우고 편안히 여기지 말아야 한다[宜建侯而不寧]"로 되어 있다.

김장생(金長生) 「주역(周易)」

利建侯.
제후를 세움이 이롭다.

建侯之釋, 上文二處, 皆曰建侯[74]也. 至初九義釋曰, 建之而利, 上下文有異, 可疑.
'건후(建侯)'의 해석을 위의 글 두 곳에서 모두 '제후를 세움'이라 하였다. 초구의 뜻을 해석하여 "세워서 이롭다"라 하면, 위아래의 글에 차이가 있으니 의심스럽다.

김만영(金萬英) 「역상소결(易象小訣)」

初九, 磐桓.
초구는 주저함이다.

震爲足, 故有盤桓之象. 六二屯邅, 亦此意.
진괘(☳)는 발이기 때문에 주저하는 상이 있다. 육이의 어려워하고 머뭇거리는 것도 이런 의미이다.

심조(沈潮) 「역상차론(易象箚論)」

陽剛似石, 陽爻之廣, 又似盘石, 故下盤字. 桓從木者, 震也. 震長子也帝也, 互坤有土也, 互艮門闕也, 此建侯之象也.
양의 굳셈은 돌과 같고, 양효의 넓음은 또 반석과 같기 때문에 '반(盤)'자를 썼다. '환(桓)'자가 '목(木)'을 부수로 하는 것은 진괘(☳)이기 때문이다. 진은 맏아들이고 임금이며, 호괘인 곤괘(☷)가 땅을 소유하고, 호괘인 간괘(☶)가 궁전이니, 이것이 제후를 세우는 상이다.

유정원(柳正源) 『역해참고(易解參攷)』

左昭七年, 衛孔成子夢康叔謂己, 立元, 靈公, 筮之, 遇屯之比. 史朝曰, 元亨, 又何疑焉, 康叔名之, 可謂長矣. 且其繇曰, 利建侯, 子其建之.
『춘추좌씨전』 소공 칠년에 말하였다: 위나라 공성자(孔成子)[75]의 꿈에 강숙(康叔)이 자신

---

74) 建侯: 경학자료집성DB와 영인본에는 '侯建'으로 되어 있으나, 『주역』 원문에 따라 '建侯'로 바로잡았다.
75) 공증(孔烝): 춘추전국시대 위(衛)나라의 대부로서 점을 쳐서 영공(靈公)을 추대한 권신이다.

[공성자]에게 이르길 원(元)을 세우라고 했고, 영공(靈公)이 점을 쳐 준괘가 비괘로 변한 괘가 나왔다. 사조(史朝)가 "크게 형통하다고 했으니, 또 의심할게 무엇이겠습니까? 강숙이 명명했으니 맏아들이라 말할 수 있습니다"고 했다. 또 괘사에서 "제후를 세움이 이롭다고 했으니 원(元)을 세우시오"76)라 하였다.

○ 閔元年, 畢萬筮仕於晉, 遇屯之比, 辛廖占之曰, 屯固比入〈險難所以堅固, 親密所以得入〉 吉孰大焉, 其必蕃昌. 震爲土〈變坤〉, 車從馬〈震車坤馬〉, 足居之〈震足坤安〉, 兄長之〈長男〉, 母覆之〈互坤〉, 衆歸之〈坤〉. 六體不易, 合而能固〈比合屯固〉, 安而能殺〈土安能殺〉, 公侯之卦也.
『춘추좌씨전』 민공(閔公) 원년에 말하였다: 필만(畢萬)이 진(晉)나라에서 벼슬하는 일에 대해 점을 쳤는데 준괘(屯卦䷂)가 비괘(䷇)로 변한 괘를 얻으니, 신료(辛廖)가 그것을 살펴보고는 "준괘는 견고하고 비괘는 들어오는 것이니〈험난함은 견고한 때문이고 친밀함은 들어오기 때문이다.〉 무엇이 이것보다 길하겠습니까? 반드시 번창할 것입니다. 진괘(☳)는 땅이 되고〈곤괘(☷)로 변하였다.〉 수레가 말을 따르며〈진괘(☳)가 수레이고 곤괘(☷)가 말이다.〉 발이 그곳에 있고〈진괘가 발이고 곤괘가 편안함이다.〉 형이 길러주며〈맏아들이다.〉 어머니가 덮어주고〈호괘가 곤괘이다.〉 무리가 귀의하니〈곤괘이다.〉 여섯 점괘는 바뀔 수 없어 합하여 견고하게 할 수 있고〈비괘는 합함이고 준괘는 견고함이다.〉 편안하게 하고 죽일 수 있으니, 〈토는 편안함이고 할 수 있음은 죽임이다.〉 공후(公侯)의 괘입니다"77)라고 하였다.

○ 王氏曰, 處屯之初, 動則難生, 不可以進, 故磐桓也. 處此時也, 其利安在, 不唯居貞建侯乎. 夫息亂以靜, 守靜以侯, 安民在正, 弘正在謙. 屯難之世, 陰求於陽, 弱求於强, 民思其主之時也. 初處其首, 而又下焉, 宜其得民也.78)
왕필이 말하였다: 준괘(屯卦䷂)의 초효에 처하여 움직이면 어려움이 생겨 나아갈 수 없기 때문에 주저한다. 이 때에 처해서 그 이로움이 어찌 바름에 머무르고 제후를 세우지 않음에 있겠는가? 혼란을 종식하여 고요하고 고요함을 지켜 제후가 되니, 백성들을 편하게 함은

---

76) 『春秋左氏傳 · 召公』: 又曰, 余尚立縶, 尚克嘉之. 遇屯䷂之比䷇. 以示史朝. 史朝曰, 元亨, 又何疑焉. 成子曰, 非長之謂乎. 對曰, 康叔名之, 可謂長矣. 孟非人也, 將不列於宗, 不可謂長. 且其繇曰, 利建侯. 嗣吉, 何建. 建非嗣也. 二卦皆云, 子其建之.
77) 『春秋左氏傳 · 閔公』: 畢萬筮仕於晉, 遇屯䷂之比䷇. 辛廖占之曰, 吉. 屯固、比入, 吉孰大焉. 其必蕃昌. 震爲土, 車從馬, 足居之, 兄長之, 母覆之, 衆歸之, 六體不易, 合而能固, 安而能殺, 公侯之卦也.
78) 『周易注疏 · 屯卦』: 初九磐桓利居貞利建侯 구절의 주, 處屯之初, 動則難生, 不可以進, 故磐桓也. 處此時也, 其利安在, 不唯居貞建侯乎. 夫息亂以靜, 守靜以侯, 安民在正, 弘正在謙, 屯難之世, 陰求於陽, 弱求於强, 民思其主之時也. 初處其首, 而又下焉. 爻備斯義, 宜其得民也.

바름에 있고 바름을 넓히는 것은 겸손에 있으니, 어려운 시대에는 음이 양에게 구하고 약한 것이 강한 것에 구하여 백성들이 그 임금을 생각하는 때이다.

○ 張子曰, 磐桓猶言柱石, 磐磐石, 桓桓柱也. 謂建矦, 如柱石在下, 不可以動, 然志在行正也
장횡거가 말하였다: '반환(磐桓)'은 '기둥과 주춧돌[柱石]'이라고 말하는 것과 같으니, '반[磐]'은 반석이고, '환[桓]'은 기둥이다. '나라를 세워서 제후가 됨'은 기둥과 주춧돌이 아래에 있어 움직일 수 없는 것과 같지만 뜻은 바름을 행함에 있어야 한다는 말이다.[79)]

○ 梁山來氏曰, 磐大石, 鴻漸于磐之磐也. 中爻艮石之象也. 桓大柱, 檀弓所謂桓楹也, 震陽木, 桓之象也, 横渠言柱石是也. 國家屯難得此剛正之才, 乃倚之以爲柱石者也. 故曰磐桓, 唐之郭子儀, 是也.
양산래씨가 말하였다: '반석[磐]'은 큰 돌이니, "기러기가 반석으로 점진적으로 나아간다"[80)] 라 할 때의 반석이다. 가운데 효는 견고한 돌의 상징이다. '기둥[桓]'은 '큰 기둥[大柱]'으로 『예기 · 단궁』에서 말하는 '큰 기둥[桓楹]'이고,[81)] 진괘(☳)는 산의 남쪽 나무로 기둥의 상이니, 장횡거가 기둥과 주춧돌이라고 한 것이 여기에 해당한다. 국가가 어려울 때 이와 같은 굳세고 바른 인재를 얻어 바로 그에게 의탁하여 기둥과 주춧돌로 삼는 것이다. 그러므로 '반석과 기둥[磐桓]'이라 하였으니, 당나라의 곽자의(郭子儀)[82)]가 여기에 해당한다.[83)]

○ 案, 磐石桓柱之說, 與傳義不同, 然震一陽在下, 有磐石桓柱之象. 當此屯難之時, 立志不固, 著脚不堅, 則終旡以濟屯, 必須牢確, 不拔如磐石, 中立不倚如桓柱, 然後可以濟難. 其守也如此, 則必不遽進而犯難. 雖或有動, 而動必行正也. 此可備一說.
내가 살펴보았다: 반석과 기둥에 대한 설명은 『정전』 · 『본의』와 같지 않지만 진괘(☳)의 한 양이 아래에 있어 반석과 기둥의 상이 있다. 이와 같이 어려운 때에는 뜻을 세움이 견고하지 않고 다리를 붙임이 굳세지 않으면 끝내 어려움을 구제할 방법이 없으니, 반드시 반석처럼

---

79) 『横渠易說 · 屯卦』: 初九, 磐桓, 利居貞, 利建侯. 象曰, 雖磐桓, 志行正也, 以貴下賤, 大得民也. 구절의 주, 磐桓猶言柱石. 磐, 磐石也, 桓, 桓柱也. 謂利建侯, 如柱石在下, 不可以動, 然志在行正也.
80) 『周易 · 漸卦』: 六二, 鴻漸于磐.
81) 『禮記 · 檀弓下』: 公室視豊碑, 三家視桓楹.
82) 곽자의(郭子儀): 당나라 중기의 장군이자 정치가로, 안사의 난과 번진 반란의 평정에 막대한 공을 세워 현종 이하 4대 황제에 걸쳐 국가의 동량으로 인정받으면서 천하에 권세를 떨친 인물이다.
83) 『周易集註 · 屯卦』: 磐, 大石也, 鴻漸于磐之磐也. 中爻艮石之象也. 桓大柱也, 檀弓所謂桓楹也. 震, 陽木, 桓之象也. 張横渠以磐桓猶言柱石是也. 自馬融以磐旋釋磐桓, 後來儒者, 皆如馬融之釋, 其實非也. 八卦正位, 震在初, 乃爻之極善者. 國家屯難, 得此剛正之才, 乃倚之以爲柱石者也, 故曰磐桓, 唐之郭子儀, 是也.

견고하고 확실해야 뽑히지 않고, 기둥처럼 중간에 서서 치우치지 않은 다음에 어려움을 구제할 수 있다. 그가 지키는 것이 이와 같다면 반드시 갑자기 나아가서 어려움을 범하지 않으니, 혹시 움직임이 있더라도 움직임에 반드시 바름을 행한다. 이것은 하나의 설이 될 수 있다.

김상악(金相岳) 『산천역설(山天易說)』

磐桓, 本義難進之貌, 處震之動, 遇坎之險, 有磐桓之象. 應四而四互艮體, 故利於居貞, 比二而以陽下陰, 故利於建侯. 利居貞者在己, 利建侯者在人.

'주저함'이 『본의』에서는 나아가기 어려운 모양이니, 진괘(☳)의 움직임에 있으면서 감괘(☵)의 험함을 만나 주저하는 상이 있다. 사효에 상응하지만 사효의 호괘가 간괘(☶)의 몸체이기 때문에 바름에 머물러 있는 것이 이롭고, 이효와 가깝지만 양이 음의 아래에 있기 때문에 나라를 세워서 제후가 되는 것이 이롭다. 바름에 머물러 있는 것이 이로움은 자신에게 달려 있고, 나라를 세워 제후가 되는 것은 이로움이 남에게 달려 있다.

○ 磐桓不進, 所以勿用有攸往. 來註引橫渠易說以爲柱石, 爲切於建侯之象. 然屯之諸爻, 皆以不進爲義, 當從本義. 以九居初, 居貞之象, 屯不失其居是也. 爻言居貞, 坎之險也, 象言行正, 震之動也. 又凡言利居貞, 皆在艮體, 故與頤六五同詞. 建侯見卦下, 初變爲比. 比之大象曰, 親諸侯, 卽屯之建侯也. 其五則已得君位, 故曰顯比. 顯明其比, 非草昧之時也.

주저하며 나아가지 않음은 갈 곳을 두지 말라는 까닭이다. 래지덕의 주에서 『횡거역설』을 인용하여 기둥과 주춧돌로 삼은 것은 나라를 세워 제후가 되는데 절실한 상이 된다. 그러나 준괘(屯卦䷂)의 여러 효가 모두 나아가지 않는 것으로 뜻을 삼으니, 『본의』를 따라야 한다. 구(九)가 초효의 자리에 있는 것이 바름에 있는 상이니, 어려운 때에 그 거처를 잃지 않는 것이 이것이다. 효사에서 "바름에 머물러 있다"고 하는 것은 감괘(☵)의 험함 때문이고, 상사에서 "바름을 행한다"라고 한 것은 진괘(☳)의 움직임 때문이다. 또 "바름에 머물러 있는 것이 이롭다"고 하는 것은 다 간괘의 몸체에 있으므로 이괘(頤卦䷚)의 육오와 말이 같다.[84] "나라를 세우고 제후가 된다"는 것은 괘의 아래에서 드러나니, 초효가 변해 비괘(䷇)가 되는데, 비괘의 대상에서 "제후를 가까이 한다"[85]고 한 것이 바로 준괘의 제후들이다. 오효가 이미 임금의 자리를 얻었기 때문에 "드러나게 돕는다"[86]고 했으니, 그 도움을 드러내 밝혔으니, 어지럽고 어두운 때가 아니다.

---

84) 『周易 · 頤卦』: 象曰, 居貞之吉, 順以從上也.
85) 『周易 · 比卦』: 象曰, 地上有水比, 先王以, 建萬國, 親諸侯.
86) 『周易 · 比卦』: 九五, 顯比.

박윤원(朴胤源)『경의(經義)·역경차략(易經箚略)·역계차의(易繫箚疑)』

初九, 磐桓.
초구는 주저함이니.

來易, 取橫渠說, 以磐桓爲柱石, 當更詳之.
래지덕의『주역집주』에서는 장횡거의 설을 취해 '반환(磐桓)'을 주춧돌로 여겼으니, 마땅히 다시 살펴봐야 한다.

김귀주(金龜柱)『주역차록(周易箚錄)』

傳, 初以陽爻, 云云.
『정전』에서 말하였다: 초구가 양효로서, 운운.
小註, 濾川毛氏曰, 利居, 云云.
소주에서 노천모씨가 말하였다: ~에 있음이 이롭다, 운운.
按, 其利在我, 其利在民, 說得太分柝. 且以程傳本義意言, 則建侯之利, 亦可謂之在我, 何謂利獨在民乎.
내가 살펴보았다: 그 이로움이 나에게 있고 그 이로움이 백성에게 있다는 것은 설명을 크게 나누어 한 것이다. 또『정전』과『본의』의 뜻으로 말하면, 나라를 세우고 제후가 되는 이로움도 나에게 있다고 할 수 있는데, 어떻게 이로움이 백성에게만 있다고 말할 수 있겠는가?

本義, 盤桓難進, 云云.
『본의』에서 말하였다: 주저함은 나아감을 어렵게 여기는, 운운.
按, 居得其正, 謂以陽爻居陽位也.
내가 살펴보았다: "머문 것이 바름을 얻었다"는 것은 양효로서 양의 자리에 있다는 말이다.

小註, 雲峰胡氏曰, 文王, 云云.
소주에서 운봉호씨가 말하였다: 문왕의, 운운.
按, 上言盤桓, 卽勿用有攸往者. 已得其旨, 則下又以盤桓爲爲侯者, 宜緩之義者, 未知何謂. 天下之事, 勢有急有緩, 苟其急也, 則雖自爲侯者, 宜不容少緩. 苟其緩也, 則雖立他人爲侯者, 亦當審愼而徐圖之. 豈必嫌於自立, 而故爲盤桓之狀耶.
내가 살펴보았다: 위에서 주저한다는 곧 갈 곳을 두지 말라고 말한 것이 이미 그 뜻을 얻은 것이라면, 아래에 또 주저함으로 제후가 되는 것을 여긴 것과 완만하게 한다는 뜻으로 여긴 것은 무엇을 말하는지 모르겠다. 천하의 일에는 형세가 급한 것도 있고 느슨한 것도 있으니,

급한 것이라면 스스로 제후가 되는 경우일지라도 조금의 늦춤도 용납하지 말아야 하며, 완만하게 할 것이라면 다른 사람을 세워 제후로 삼는 경우일지라도 살피고 삼가서 서서히 도모해야 할 것인데, 어찌 스스로 서려는 것으로 의심받을까봐 짐짓 주저하는 것처럼 하겠는가?

서유신(徐有臣) 『역의의언(易義擬言)』

磐, 盤旋也, 桓植立也. 初九之磐桓, 非不能行也, 乃不肯進也. 既得正, 又不進, 故曰利居貞. 凡易以初不應四爲義, 蓋嫌其近五也. 況屯之初乎. 草昧之日, 王侯之建, 必自下而興, 如初九之才之德, 宜於君后也.

'반(磐)'은 빙빙 도는 것이고, '환(桓)'은 심어서 세우는 것이다. 초구의 주저함은 갈 수 없는 것이 아니고 나아가려고 하지 않는 것이다. 이미 바름을 얻었고 또 나아가지 않기 때문에 "바름에 머물러 있는 것이 이롭다"라 하였다. 『주역』에서 초효가 사효와 상응하지 않는 것을 의리로 여기는 것은 그것이 오효를 가까이한다고 의심하기 때문이다. 하물며 준괘의 초효에서야 말해 무엇 하겠는가? 어지럽고 어두운 때에 왕후가 섬은 반드시 아래로부터 일어나니, 초구의 재질의 덕과 같으면 제후가 되는 것이 당연하다.

박문건(朴文健) 『주역연의(周易衍義)』

欲征有疑, 故有磐桓之象. 磐桓盤旋也. 貞剛, 貞剛爻之通義也. 居而貞, 則遠害.

의심이 있는 것을 정벌하고자 하기 때문에 주저하는 상이 있다. 주저함은 빙빙 도는 것이다. 바름은 굳셈이니, 바름은 굳센 효에 대한 일반적인 의미이다. 머물러서 바르면 해로움을 멀리한다.

〈問, 磐桓利居貞. 曰, 初疑四之害己, 故有磐桓之象. 退居而用貞, 則遠害也.

물었다: "주저함이니 바름에 머물러 있는 것이 이롭다"는 것은 무슨 의미입니까?

답하였다: 초효는 사효가 자신을 해칠 것이라고 의심하기 때문에 주저하는 상이 있습니다. 물러나 머물러 있으면서 바름을 사용하면 해로움을 멀리합니다.〉

〈問, 利建侯. 曰, 以貴下賤, 故有建侯之象. 利建侯者, 人之尊己也.

물었다: "나라를 세워서 제후가 됨이 이롭다"는 무슨 뜻입니까?

답하였다: 귀한 신분으로 천한 자들에게 낮추기 때문에 나라를 세워서 제후가 된다는 상이 있습니다. 나라를 세워서 제후가 됨이 이롭다는 것은 사람들이 자신을 높이기 때문입니다.〉

〈問, 六爻取義. 曰, 磐桓者, 上盛下微也. 班如者, 上剛下柔也. 不字者, 陽信陰疑也. 卽鹿者, 上弱下疆也. 往吝者, 上固下輕也. 班如者, 上柔下剛也. 往吉者, 上順下容也.

屯膏者, 上陷下進也. 班如者, 上窮下逼也. 自此推之, 則其義皆然.
물었다: 여섯 효에서 의미를 취하는 것은 무엇입니까?
답하였다: "주저한다"는 것은 위는 성대하고 아래는 미미하기 때문입니다. "말에서 내려온다"는 것은 위는 굳세고 아래는 유순하기 때문입니다. "시집가지 않는다"는 것은 양은 믿고 음은 의심하기 때문입니다. "사슴을 추적한다"는 것은 위는 약하고 아래는 강하기 때문입니다. "계속 추적하면 부끄럽게 된다"는 것은 위는 견고하고 아래는 가볍기 때문입니다. "말에서 내려온다"는 것은 위는 유약하고 아래는 굳세기 때문입니다. "계속 추적하면 부끄럽게 된다"는 것은 위는 유순하고 아래는 용납하기 때문입니다. "은택을 베풀기 어렵다"는 것은 위는 빠지고 아래는 나아가기 때문입니다. "말에서 내려온다"는 것은 위는 막히고 아래는 핍박하기 때문입니다. 이것에서 미루어보면, 그 의미가 모두 그렇습니다.〉

김기례(金箕澧) 「역요선의강목(易要選義綱目)」

初九, 盤桓,
초구는 주저함이니,
卦辭所謂勿用有往,
괘사에서 말한 "갈 곳을 두지 말라"는 것이다.

利居貞,
바름에 머물러 있는 것이 이롭고,
卦辭所謂利貞.
괘사에서 말한 "바름이 이롭다"이다.
○ 初以陽居震體下, 上應四險, 若動而往, 則恐陷險, 故戒以利於貞.
초효는 양으로 진괘(☳)의 몸체에서 아래에 있고 위로 사효의 험함과 호응하니, 만약 움직여 가면 험함에 빠질 것이 염려되기 때문에 곧음에 이롭다고 경계하였다.

利建侯.
나라를 세워서 제후가 됨이 이롭다.
見卦辭.
괘사를 보라.
○ 震初陽爲屯主, 先立輔助之意, 居貞利我, 建侯利民.
진괘(☳)의 초효인 양은 준괘(屯卦䷂)의 주인이어서 도울 자를 먼저 세운다는 의미이다. 바름에 머물러 있는 것은 나에게 이롭고, 나라를 세워 제후가 되는 것은 백성들에게 이롭다.

심대윤(沈大允) 『주역상의점법(周易象義占法)』

屯以濟屯爲義. 屯之爻位, 居剛主事者也, 居柔從人以濟者也.
준괘(屯卦䷂)는 어려움을 구제하는 것으로 의미를 삼는다. 준괘에서 효의 자리는 굳센 자리에 있으면 일을 주도하는 것이고, 유순한 자리에 있으면 남을 따라 구제하는 것이다.

屯之比, 親附也. 才剛而居剛, 有濟屯之才, 而主其事, 爲衆所附. 居屯之初而地卑, 未可遽進, 故曰盤桓. 离震麗而動爲盤桓, 非立志堅固無成, 故曰利居貞. 艮爲居, 坤爲貞. 在下而爲衆陰所從, 爲建侯, 鴻濛之始立君長也, 草昧之共推英雄也.
준괘가 비괘(䷇)로 바뀌었으니, 친애하여 따르는 것이다. 재질이 굳세면서 굳센 자리에 있으니, 어려움을 구제하는 재질이 있어 그 일을 주도하여 무리가 따르게 된다. 준괘의 초효에 있어 지위가 낮아 갑작스럽게 나아갈 수 없기 때문에 '주저함'이라 했다. 리괘(☲)와 진괘(☳)가 걸려서 움직임이 주저함이 되니, 뜻을 세움이 견고하지 않고 이룸이 없기 때문에 "바름에 머물러 있는 것이 이롭다"고 하였다. 간괘(☶)는 머물러 있음이고, 곤괘(☷)는 바름인데, 아래에 있어 여러 음이 따르는 바가 되어 나라를 세워 제후가 되니, 혼돈의 때에 처음 임금을 세움이고 어두운 때에 영웅을 함께 추대하는 것이다.

오치기(吳致箕) 「주역경전증해(周易經傳增解)」

初九, 陽剛在下, 當屯難之時, 上雖有六四之應, 而入于險, 故磐桓而不進. 然處旣得正, 故言利於居正. 而行其志, 且有濟屯之才, 能以剛下柔, 爲萬民之所歸, 大得其心. 故又言利建以爲侯也.
초구는 양의 굳셈이 아래에 있어 어려운 때에 해당하니, 위에 육사의 상응이 있지만 험함에 들어가기 때문에 주저하며 나아가지 않는다. 그렇지만 처함에 이미 바름을 얻었기 때문에 바름에 머물러 있는 것이 이롭다고 하였다. 그런데 그 뜻을 행함에 또 어려움을 구제하는 재주가 있어 굳셈으로 유순함에 낮출 수 있으니, 만민이 귀의하는 바가 되어 크게 그들의 마음을 얻기 때문에 또 나라를 세워 제후를 삼음이 이롭다고 말하였다.

○ 磐桓者, 將進不進之貌. 此爻爲一卦之主, 故建侯之辭, 與彖同. 而彖以卦義言, 故曰宜建侯. 爻以本爻之象爲言, 故曰利建侯也.
'주저함'은 나아갈 듯이 하면서 나아가지 않는 모양이다. 이 효가 한 괘의 주인이 되기 때문에 제후를 세운다는 말이 「단전」와 같다. 그런데 「단전」에서는 괘의 의미로 말했기 때문에 "제후를 세움이 마땅하다"라 하였고, 효사에서는 본효의 상으로 말했기 때문에 "제후를 세움이 이롭다"라 하였다.

박문호(朴文鎬) 「경설(經說) · 주역(周易)」

取義多端, 姑擧其一, 言取義雖多端, 姑擧其草昧建侯之一義也.
『본의』에서 “의미를 취하는 것이 여러 가지이니 우선 그 하나를 들겠다”는 것은 의미를 취한 것이 비록 단서가 많지만 그 어지럽고 어두운 가운데 “제후를 세운다”는 한 뜻을 들겠다는 말이다.

利建侯, 取卦辭以作爻辭, 是易之一例也. 本義因此, 而以初九爲成卦之主.
“나라를 세워서 제후가 됨이 이롭다”는 것은 괘사를 취하여 효사로 만든 것이 역의 한 사례이다. 『본의』에서는 여기에 근거해서 초구를 괘를 이루는 주인으로 여겼다.

建以爲侯, 謂建占者爲侯也. 程子以此作占者建他人爲侯. 若然則何足爲成卦之主乎. 程子不取卦主之義, 本義似長.
세움을 제후로 여긴 것은 점치는 자를 세워 제후로 삼음을 말한다. 정자는 점치는 자가 다른 사람을 세우는 것을 제후로 여겼다. 만약 그렇다면 어떻게 괘를 이루는 주인이 되기에 충분하겠는가? 정자가 괘의 주인이라는 뜻을 취하지 않았으니, 『본의』가 뛰어난 것 같다.

이병헌(李炳憲) 『역경금문고통론(易經今文考通論)』

張橫渠易說云, 磐桓猶言柱石.
『횡거역설』에서 말하였다: ‘반환(磐桓)’은 ‘기둥과 주춧돌[柱石]’이라고 말하는 것과 같다.[87]

虞曰, 初剛難拔, 故利以建侯.
우번이 말하였다: 초구의 굳셈은 뽑기 어렵기 때문에 나라를 세워서 제후가 되는 것으로 이롭다.
〈盤, 費易作般, 馬融訓旋. 此磐字, 實爲今文字.
‘반(盤)’자를 비씨의 역에서는 ‘반(般)’자로 썼고, 마융은 ‘돌다[旋]’는 의미로 풀었다. 여기의 ‘반(磐)’자는 실로 오늘날의 글자이다.〉

87) 『橫渠易說 · 屯卦』, 初九, 磐桓, 利居貞, 利建侯. 象曰, 雖磐桓, 志行正也, 以貴下賤, 大得民也. 구절의 주, 磐桓猶言柱石.

象曰, 雖磐桓, 志行正也,

「상전」에서 말하였다: 주저할지라도 뜻은 바름을 행하고,

中國大全

傳

賢人在下, 時苟未利. 雖磐桓, 未能遂往濟時之屯, 然有濟屯之志, 與濟屯之用, 志在行其正也.

현인이 아래에 있어 시기가 진실로 불리하다. 주저하면서 빨리 가서 당시의 어려움을 구제할 수 없을지라도 어려움을 구제하려는 의지와 재주가 있으니, 뜻이 바름을 행하는 데 있다.

小註

臨川吳氏曰, 志行正, 因爻辭居貞而廣其義, 居則不行, 行則不居. 初陽剛之才, 雖磐桓未可進, 其志固在於得行其正也, 居而貞非其志也.

임천오씨가 말하였다: 뜻이 바름을 행한다는 말은 효사의 바름에 머물러 있다는 말을 근거로 그 의미는 넓힌 것이니, 머물러 있으면 행하지 않고, 행하면 머물러 있지 않는다는 것이다. 초구는 양이고 굳센 재질이라서 비록 주저하여 나아가지 못할지라도 그 뜻은 진실로 바름을 행하는 데 있으니, 머물러 있어 바른 것은 그 뜻이 아니다.

韓國大全

송시열(宋時烈) 『역설(易說)』

磐者,[88] 石也. 震綜艮, 又互有艮. 艮爲石也. 桓者, 柱也. 見來易張橫渠, 亦以磐桓爲柱石, 言當此之時, 有如柱石之臣, 先建侯王. 志行正, 直大得民心, 見小象.

'반(磐)'는 바위이다. 진괘(☳)의 거꾸로 된 괘가 간괘(☶)인데, 또 호괘에 간괘(☶)가 있다. 간괘(☶)는 바위이다. '환(桓)'은 기둥이다. 래지덕의 『주역집주』와 장횡거를 봐도 '반환(磐桓)'을 기둥과 바위로 여겼으니, 이 때를 맞아 기둥과 바위 같은 신하가 있으면 먼저 후왕으로 세운다는 말이다. "뜻은 바름을 행한다"는 것은 곧 크게 민심을 얻는 것이니, 「소상전」을 보라.

김상악(金相岳) 『산천역설(山天易說)』

行者, 居之反. 雖磐桓在下, 志在濟屯以行正也. 陽貴陰賤, 以陽下陰, 衆陰所歸, 故大得于民也.
행한다는 것은 머물러 있는 것과 반대이다. 주저하며 아래에 있지만 뜻은 어려움을 구제하여 바름을 행하는 데 있다. 양은 귀하고 음은 천한데, 양이 음에게 낮추어 여러 음이 귀의하기 때문에 크게 백성을 얻는다.

김귀주(金龜柱) 『주역차록(周易箚錄)』

傳, 賢人在下, 云云.
『정전』에서 말하였다: 현인이 아래에 있어, 운운.

小註, 臨川吳氏曰, 志行, 云云.
소주에서 임천오씨가 말하였다: 뜻이 행한다는 말은, 운운

○ 按, 居貞之云, 乃是居於貞也, 與居仁之居同義. 然則行正, 亦便是居貞耳, 今以居與行對言, 恐未安.
내가 살펴보았다: "바름에 머물러 있다"라고 말한 것은 바로 바름에 머물러있다는 것이니, "어짊에 머물러 있다"[89]라고 할 때의 "머물러 있다"는 것과 뜻이 같다. 그렇다면 바름을 행하는 것도 바로 바름에 머무르는 것일 뿐인데, 이제 "머물러 있다"는 말을 "행한다"는 말과 짝하여 말한 것은 옳지 않은 것 같다.

박문건(朴文健) 『주역연의(周易衍義)』

行正, 言不失其己也.
"바름을 행한다"는 것은 자신을 잃지 않는다는 말이다.

---

88) 경학자료집성 영인본에는 '磐'자 뒤에 '者'자가 없다.
89) 『맹자·진심』: 어짊에 머물러 있고 의로움을 따른다면 대인의 일이 갖추어진 것이다.[居仁由義, 大人之事備矣.]

以貴下賤，大得民也.

귀한 신분으로 천한 자들에게 낮추니 크게 백성들을 얻는다.

中國大全

傳

九當屯難之時，以陽而來居陰下，爲以貴下賤之象. 方屯之時，陰柔不能自存. 有一剛陽之才，衆所歸從也，更能自處卑下，所以大得民也. 或疑方屯于下，何有貴乎. 夫以剛明之才，而下於陰柔，以能濟屯之才，而下於不能，乃以貴下賤也. 況陽之於陰自爲貴乎.

초구가 어려운 시기를 만나 양으로서 음의 아래에 있으니, 귀한 신분으로 천한 자들에게 낮추는 상이 된다. 어려운 때에 음의 유순함은 자신을 보존할 수 없다. 그런데 하나의 굳센 양의 재질이 있어 여러 사람들이 귀의하여 따르고, 더하여 겸손하게 낮추기 때문에 크게 백성들을 얻는다. 어떤 사람은 아래에서 어려움을 당하고 있는데 어떻게 귀하겠는가라고 의심한다. 굳세고 밝은 재질을 가지고 음의 유순함에 낮추고, 어려움을 구제할 수 있는 재주를 가지고 능하지 못한 것에 낮추니, 바로 귀한 신분으로 천한 자에게 낮추는 것이다. 하물며 양이 음보다 본래 존귀하거늘!

小註

誠齋楊氏曰，震以一陽爲二陰之主，故曰貴. 二陰賤而一陽下之，故曰下賤

성재양씨가 말하였다: 진괘(☳)는 하나의 양이 두 음의 주인이 되었으므로 귀한 신분이라고 했다. 두 음은 천한 자인데 하나의 양이 자신들에게 낮추므로 천한 자들에게 낮춘다고 했다.

○ 雲峯胡氏曰，乾坤初爻提出陰陽二字. 此則以陽爲貴，陰爲賤，陽爲君，陰爲臣，尊陽之義，益嚴矣.

운봉호씨가 말하였다: 건괘와 곤괘의 초효에서 음과 양이라는 두 글자를 내놓았다. 여기에서는 양을 귀한 것으로 음을 천한 것으로, 양을 임금으로 음을 신하로 여겨 양을 높이는 의리를 더욱 엄격하게 했다.

韓國大全

서유신(徐有臣)『역의의언(易義擬言)』

雖磐桓, 志行正也, 以貴下賤, 大得民也.
주저할지라도 뜻은 바름을 행하고, 귀한 신분으로 천한 자들에게 낮추니 크게 백성들을 얻는다.

志者應與之, 志應不應之間, 其志可見. 初九之志, 則守貞不應, 故曰志行正也. 初九雖自磐桓居貞, 然其謙下而得民, 宜於建侯也. 陽得其下, 大得民之象也.
뜻은 상응하여 함께 하는 것이니, 뜻이 상응하고 상응하지 않는 사이에 그 뜻을 알 수 있다. 초구의 뜻은 바름을 지키고 상응하지 않는 것이기 때문에 "뜻은 바름을 행한다"라 하였다. 초구가 스스로 주저하며 바름에 머물러 있을지라도 겸손하게 낮추어 백성들을 얻으니, 나라를 세워서 제후가 되는 것은 당연하다. 양이 아래를 얻음은 크게 백성들을 얻는 상이다.

이지연(李止淵)『주역차의(周易箚疑)』

震之居衆陰之下者, 非止於此卦也. 復則一陽生於五陰之下, 頤則一陽在於四陰之下, 益亦一陽下於三陰之下, 皆不言貴. 而獨於屯之初九曰, 以貴下賤, 何也. 以其位與時之不同也. 震以乾父坤母之長子, 用事於開闢之初, 卽帝王家之嫡子, 其尊貴於六子女. 十八畫中第一, 故小象之解如此, 而亦以見陽之本貴也.
진괘(☳)가 여러 음의 아래에 있는 경우는 준괘(屯卦䷂) 뿐만은 아니다. 복괘(復卦䷗)는 하나의 양이 다섯 음의 아래에서 나오고, 이괘(頤卦䷚)는 하나의 양이 네 음의 아래에 있으며, 익괘(䷩)도 하나의 양이 세 음의 아래에 있어 모두 귀함을 말하지 않았는데, 준괘(屯卦䷂)의 초구에서 "귀한 신분으로 천한 자들에게 낮춘다"라 한 것은 무엇 때문인가? 그 자리와 때가 같지 않기 때문이다. 진괘(☳)는 건괘(☰)라는 아버지와 곤괘(☷)라는 어머니의 맏아들로 개벽의 초기에 일을 하니, 곧 제왕가의 적자여서 그 높음이 여섯 자녀보다 귀하다. 열여덟 획 중에서 첫 번째이기 때문에, 「소상전」의 해석이 이와 같고, 또 그것으로 양이 본래 귀함을 드러냈다.

김기례(金箕澧) 「역요선의강목(易要選義綱目)」

以貴下賤.

귀한 신분으로 천한 자들에게 낮춘다.

陽貴而陰賤, 一陽爲卦主, 居陰下, 則群陰所歸, 自卑而得衆也.

양은 귀하고 음은 천한데, 하나의 양이 괘의 주인이 되어 음의 아래에 있으니, 여러 음이 귀의하고 스스로 낮추어서 무리를 얻는 것이다.

오치기(吳致箕) 「주역경전증해(周易經傳增解)」

居正而行其志, 屯可濟矣. 以貴而能下賤, 衆所附矣.

바름에 머물러 있으면서 그 뜻을 행하니, 어려움을 구제할 수 있다. 귀한 신분으로 천한 자들에게 낮출 수 있으니, 무리가 의지하는 것이다.

六二, 屯如邅如, 乘馬班如, 匪寇, 婚媾. 女子貞, 不字, 十年乃字.

정전 육이는 어려워하고 머뭇거리며 말을 탔다가 말에서 내려오니, 도적이 아니면 혼인할 자이다. 여자가 정조를 지켜 잉태하지 않다가 십년이 되어서야 잉태한다.

본의 육이는 어려워하고 머뭇거리며 말을 탔지만 내려오니, 도적이 아니라 혼인하려는 자이다. 여자가 정조를 지켜 시집가지 않다가 십년이 되어서야 시집간다.

中國大全

傳

二以陰柔居屯之世, 雖正應在上, 而逼於初剛, 故屯難邅回. 如, 辭也. 乘馬, 欲行也, 欲從正應而復班如, 不能進也. 班, 分布之義. 下馬爲班, 與馬異處也. 二當屯世, 雖不能自濟, 而居中得正, 有應在上, 不失義者也. 然逼近於初, 陰乃陽所求, 柔者剛所陵. 柔當屯時, 固難自濟, 又爲剛陽所逼, 故爲難也. 設匪逼於寇難, 則往求於婚媾矣. 婚媾, 正應也, 寇, 非理而至者. 二守中正, 不苟合於初, 所以不字. 苟貞固不易, 至于十年, 屯極必通, 乃獲正應而字育矣. 以女子陰柔, 苟能守其志節, 久必獲通, 況君子守道不回乎. 初爲賢明剛正之人, 而爲寇以侵逼於人, 何也. 曰此自據二以柔近剛而爲義, 更不計初之德如何也. 易之取義如此.

육이는 음의 유순함으로 어려운 세상에 머물러 있으니, 비록 바르게 응함이 위에 있을지라도 초구의 굳셈에 핍박을 당하므로 어렵게 여기고 머뭇거린다. '여(如)'는 어조사이다. 말을 탔다는 것은 가려고 하는 것이니, 바르게 응함을 따르고자 하다가 다시 말에서 내려오며 나아가지 않는 것이다. 내려온다는 말은 흩어진다는 의미이다. 말에서 내려오는 것이 내려오는 것이니, 말과 있는 곳을 달리하는 것이다. 육이가 어려운 세상을 만나 비록 스스로 구제할 수 없지만 가운데에 있고 바름을 얻었으며 응함이 위에 있으니, 의리를 잃지 않는 자이다. 그러나 초구와 핍박을 당할 정도로 가까이 있으니, 음은 바로 양이 구하는 것이고 유순한 것은 강건한 것이 능멸하는 것이다. 유순한 음이 어려운 때를 만나 진실로 어려움을 스스로 구제할 수 없는데, 또 굳센 양에게 핍박을 당하므로 어려움이 된 것이다. 도적의 재난에 핍박을 당하지 않는다면, 가서 혼인할 자를 구할 것이다. 혼인할 자는 바르게 응하는 것이고, 도적은 도리가 아닌데 찾아오는 자이다. 육이는 중정함을 지켜 구차하게 초구에 합하지 않기 때문에 잉태하지 않는 것이다. 진실로 정조를 지키고 변치 않는 것이 십년이 되면 어려움이 다하여 반드시 통하니, 이에 정응을 얻어 잉태하고 자식을 낳아 기를 것이다. 여자라는 음의 유순함으로서 그 지조와 절개를 지킬 수 있으면, 오랜 시간이 지나면 반드시 통하게 될 것인데, 하물며 군자가 도를 지켜 변치 않거늘! 초구는 현명하고 굳세고 바른 사람인데 도적이 되어 남을 해치고 핍박하니, 무엇 때문인가? 이것은 육이가 유순함으로서 굳센 것에 가까이 있는 것을 근거로 의미를 만들어 다시 초구의 덕이 어떤지 헤아리지 않은 것이다. 『주역』에서 의미를 취함이 이와 같다.

小註

或問, 匪寇, 婚媾, 程傳云, 設匪逼於寇難, 則往求於婚媾, 此說如何. 朱子曰, 此四字文義, 不應必如此費力解. 六二乘初九之剛, 下爲陽所逼, 然非爲寇也, 乃來求己爲婚媾耳. 此婚媾與已, 皆正指六二也.

어떤 이가 물었다: "도적이 아니면 혼인할 자이다"라는 경문에 대해 『정전』에서는 "도적의 재난에 핍박을 당하지 않는다면 가서 혼인할 자를 구할 것이다"라고 했는데, 이런 설명이 어떻습니까?

주자가 답하였다: 경문 구절의 의미는 반드시 이처럼 애쓰면서 해석할 필요는 없습니다. 육이가 초구의 굳셈을 올라타고 있어 아래로 양의 핍박이 있지만 도적이 아니고 자신에게 와서 혼인하기를 구하는 것일 뿐입니다. 그러니 여기서의 혼인할 자와 자신은 모두 바로 육이를 가리킵니다.

○ 縉雲馮氏曰, 初寇二, 二欲應五而不得應, 屯之象也. 自己行藏他人得而制之者, 陰柔故也.

진운풍씨가 말하였다: 초구가 육이에게 도적질하려고 하고, 육이가 구오와 상응하려고 하지만 상응하지 못하는 것이 준괘(屯卦䷂)의 상이다. 자신의 행장을 다른 사람이 제재하려고 하는 것은 음효이고 유순하기 때문이다.

○ 進齋徐氏曰, 易之道有己正而他爻取之以爲邪者, 有己凶而他爻得之以獲吉者, 屯之初非不正也, 而二近之則爲寇. 旅上非不凶也, 而五承之則有譽命.

진재서씨가 말하였다: 『주역』의 도에는 자신은 바른데 다른 효에서 취하면 사악하게 되는 경우가 있고, 자신은 흉한데 다른 효에서 얻으면 길하게 되는 경우가 있으니, 준괘(屯卦䷂)의 초구는 바르지 않은 것이 아니지만 이효가 가까이 하니 도적이고, 려괘(旅卦䷷)의 상구는 흉하지 않은 것이 아니지만[90] 오효가 받들고 있으니 명예와 복록이 있다.

本義

班, 分布不進之貌. 字, 許嫁也, 禮曰, 女子許嫁, 笄而字. 六二, 陰柔中正, 有應於上, 而乘初剛, 故爲所難而邅回不進. 然初非爲寇也, 乃求與己爲婚媾耳. 但己守正, 故不之許, 至于十年, 數窮理極, 則妄求者去, 正應者合而可許矣. 爻有此象, 故因以戒占者.

"말에서 내려온다"는 말은 흩어져서 나아가지 못하는 모양이다. "시집간다"는 말은 혼인을 허락한다는 의미이다. 『예기』에서 "여자가 혼인을 허락하니, 비녀를 꽂고 자(字)를 부른다"[91]고 하였다. 육이는 음효이고 유순하고 중정하여 위로 상응하는 것이 있지만, 초구의 굳셈을 올라타고 있으므로 어려움을 당하여 머뭇거리며 나아가지 못하는 것이다. 그러나 초구는 도적이 되는 것이 아니라 바로 자신과 혼인할 자가 되기를 구한 것일 뿐이다. 단지 자신은 바름을 지키므로 허락하지 않다가 십년이 되어서야 나쁜 운수와 이치가 다해 함부로 구하는 자는 사라지고 바르게 상응하는 자가 합하니 허락할 수 있다. 효에 이런 상이 있으므로 그것을 근거로 점치는 자에게 경계했다.

小註

朱子曰, 耿氏, 解女子貞不字, 作嫁笄而字貞. 不字者, 未許嫁也, 卻與婚媾之義, 相通, 亦說得有理. 伊川說作字育之字.

주자가 말하였다: 경씨는 "여자가 정조를 지켜 시집가지 않는다"는 말을 "혼인으로 비녀를 꽂고 자를 불러 정조를 지킨다"로 해석했다. "시집가지 않는다"는 말이 혼인을 허락하지 않는다는 의미이니, 바로 혼인하다는 의미와 서로 통하고 또한 이치가 있는 설명이다. 이천은 잉태하여 기른다고 할 때의 잉태한다로 설명하였다.

○ 問, 十年乃字, 十年只是指數窮理極而言耶. 曰易中此等取象不可曉. 如說十年三年七日八月等處, 皆必有所指, 但今不可穿鑿, 姑闕之可也.

물었다: "십년이 되어서야 시집간다"라고 할 때의 십년은 나쁜 운수와 이치가 다한 것을 가리켜서 말한 것입니까?

답하였다: 『주역』에서 이처럼 상을 취한 것은 분명히 알 수 없습니다. 이를테면 십년 · 삼년[92] · 칠일[93] · 팔월[94] 등은 모두 반드시 가리키는 것이 있겠지만, 단지 지금에서 천착할 수 없으니, 일단 그대로 빼놓는 것이 좋습니다.

---

90) 『周易 · 旅卦』: 上九, 鳥焚其巢, 旅人先笑後號咷, 喪牛于易, 凶.

91) 『禮記 · 曲禮』: 女子許嫁, 笄而字.

92) 삼년: 『주역 · 기제괘』에 "三年克之"라 하고, "三年有賞于大國"라 하였다.

93) 칠일: 『주역 · 복괘』에 "七日來復"이라 하고, 「진괘」와 「기제괘」에 "七日得"이라 하였다.

94) 팔월: 『주역 · 림괘』에 "至于八月有凶"라 하였다.

○ 雲峯胡氏曰, 屯如, 以時言, 塞而未遽通也, 邅如, 以遇屯之時者而言, 回而未遽進也. 屯者, 陰陽之始交, 二與四陰居陰, 初與五陽居陽, 二應五, 四應初, 故皆曰婚媾, 取陰陽之始交也.
운봉호씨가 말하였다: '어려워한다'는 말은 시기로 말했으니, 막혀서 아직 빠르게 통하지 않는 것이고, '머뭇거린다'는 말은 어려운 시기를 만나는 것으로 말했으니, 주저하며 빠르게 나아가지 못하는 것이다. 준괘(屯卦䷂)는 음과 양이 처음 사귀는 것인데, 이효와 사효는 음효가 음의 자리에 있고, 초효와 오효는 양효가 양의 자리에 있어 이효는 오효와 상응하고 사효는 초효와 상응하므로 모두 혼인이라고 했으니, 음과 양이 처음 사귀는 것을 취한 것이다.

○ 孔氏曰, 因六二之象, 以明男女婚媾之事. 其餘人事亦當法此. 如有人偪近於難, 遠有外應, 未敢遽進, 被近者所凌, 經久之後, 乃得相合. 是知萬事皆象於此. 非惟男女而已. 諸爻男女之象義皆然.
공씨가 말하였다: 육이의 상을 근거로 남녀가 혼인하는 일을 밝혔다. 그 나머지 사람들의 일에 대한 것도 이것을 모범으로 해야 한다. 어떤 사람에게 가까이 재난이 있는데 멀리 바깥에 상응하는 것이 있어 감히 빠르게 나아가지 못하면, 저 가까운 자가 능멸해서 오래 시일이 흘러간 뒤에야 서로 합할 수 있다. 이것은 모든 일에 모두 이것을 본떴음을 알아야하는 것이니, 남녀뿐만이 아니다. 여러 효에서 남녀의 상에 대한 의미는 모두 그렇다.

韓國大全

권근(權近) 『주역천견록(周易淺見錄)』

屯, 六二, 屯如邅如, 乘馬班如.
준괘, 육이는 어려워하고 머뭇거리며 말을 탔지만 말에서 내려온다.

吳氏謂, 乘馬, 四馬也, 四陰四馬之象.
오씨가 말하였다: "말을 탔다[乘馬]"는 것은 네 마리 말이다. 네 음이 네 마리 말의 상이다.[95]

愚按, 象曰, 六二之難[96]乘剛也, 分明是說所乘之陽.

95)『易纂言』: 乘馬班如. 구절의 주, …, 乘馬四馬也. …. 四陰四馬之象. ….

내가 살펴보았다: 「상전」에서 “육이의 어려움은 굳셈을 올라타고 있기 때문이다”라 하였으니, 분명히 올라타고 있는 양을 말한 것이다.

송시열(宋時烈) 『역설(易說)』

屯結邅回不進之象. 陽爻跨在陽爻之上, 震有馬象, 故乘馬班如也. 九五與我爲配, 坎爲寇盜, 故曰非寇我也, 乃婚我也. 二爲陰爻, 故云女子, 言不爲初陽所脅, 貞靜自守. 不加之字, 待其數極時返坤土之數成於十. 十年之後, 待其正應而字之也.
어려움에 막혀서 머뭇거리며 빙빙 돌아 나아가지 않는 상이다. 양효가 양효 위에 걸터앉아 있고 진괘(震卦☳)에는 말의 상이 있기 때문에 말을 타서 말에서 내려온다. 구오는 나와 짝이 되고 감괘(坎卦☵)는 도적이기 때문에 “나에게 도적질을 하려는 것이 아니라 나에게 혼인하려는 것이다”라 하였다. 이효는 음효이기 때문에 ‘여자’라고 했으니, 초효인 양에게 협박을 당하지 않아야 바르게 조용히 자신을 지킨다는 말이다. 시집간다는 말을 하지 않은 것은 그 수가 다하고 때가 돌아와 곤괘인 토의 수가 십에서 이루어지기를 기다리는 것이다. 십년이 지난 뒤에 그 정응을 기다려 시집간다.

김만영(金萬英) 「역상소결(易象小訣)」

說卦傳, 震爲善鳴作足之馬, 故有乘馬之象. 六二變, 則爲節之下兌. 兌少女也, 故爲女不字之象. 坎六震四爲十, 故有十年之象. 又上下陰陽爻, 亦爲十數. 易之取象, 神變不測如此.
「설괘전」에서 진괘(☳)는 잘 울고 발 빠른 말[97]이기 때문에 말을 올라타는 상이 있다. 육이가 변하면 절괘(䷻)의 하괘인 태괘(☱)가 된다. 태괘(☱)는 막내딸이기 때문에 여자가 시집가지 않는 상이다. 감괘(☵)는 여섯 번째에 있고 진괘(☳)는 네 번째에 있어 십이 되기 때문에 십년이라는 상이 있다. 또 상하 음양의 효가 또 십이라는 수가 된다. 『주역』에서 상을 취함에 신묘한 변화는 이처럼 예측하지 못한다.

강석경(姜碩慶) 「역의문답(易疑問答)」

問, 屯之六二曰, 十年乃字. 朱子謂此等取象, 不可解. 如十年三年七日八月等處, 皆必有所指. 但今不可穿鑿, 姑闕之可也, 云云. 此等處終無可解之道耶.

---

96) 難: 경학자료집성DB와 영인본에 모두 ‘動’으로 되어 있으나, 『주역대전』을 참조하여 ‘難’으로 바로잡았다.
97) 『周易・說卦傳』: 震, 於馬也, 爲善鳴, 爲馵足, 爲作足, 爲的顙.

물었다: 준괘(屯卦䷂)의 육이에서 "십년이 되어서야 시집간다"고 한 것에 대해 주자는 "이처럼 상을 취한 것은 설명할 수 없습니다. 이를테면 십년 · 삼년[98] · 칠일[99] · 팔월[100] 등은 모두 반드시 가리키는 것이 있겠지만 단지 지금에서 천착할 수 없으니, 일단 그대로 빼놓는 것이 좋습니다"라고 운운하였습니다. 이와 같은 것은 끝내 해석할 방법이 없습니까?

曰, 朱子所論, 泛言象數之難. 盡解而姑從理上說無妨, 故云爾也. 豈終無可言之端耶. 屯之六二歷三四而應於五, 其間有互坤. 頤之十年勿用, 亦有互坤, 復之十年不克征, 亦有正坤. 坤是土也. 土之成數十也.

답하였다: 주자가 설명한 것은 상수의 어려움을 일반적으로 말한 것입니다. 해석을 극진히 하여 잠시 이치대로 설명해도 무방하기 때문에 그렇게 말했던 것이니, 어찌 끝내 말할 수 있는 단서가 없겠습니까? 준괘(屯卦䷂)의 육이가 삼효와 사효를 거쳐 오효와 호응하니, 그 사이에 호괘인 곤괘(☷)가 있으며, 이괘(頤卦䷚)의 "십년이 되어도 쓰지 못한다"[101]는 것에도 호괘인 곤괘(☷)가 있고, 복괘(復卦䷗)의 "십년이 될 때까지 가지 못할 것이다"[102]는 것에도 '본래의 곤[正坤]'이 있습니다. 곤은 토이고, 토의 성수는 십(十)입니다.

且七日者, 復卦之辭也. 復之爲卦, 自一陰始生之姤, 歷七箇爻, 方成一陽之復, 故曰七日來復. 且兼以復之下卦爲震, 震爲小陽之卦, 其數七也. 震爲日出之方, 其象日也. 如震之七日得是也. 八月者, 臨卦之辭也. 臨之爲卦, 自周正一陽之復, 歷八箇月, 乃爲二陰之遯, 與臨正相對, 故曰八月有凶. 兼以臨之下卦爲兌, 兌爲小陰之卦, 其數八也. 兌爲月生之方, 其象月也.

또 칠일이라는 것은 복괘(復卦䷗)에 있는 말입니다. 복괘는 하나의 음이 처음 생기는 구괘(姤卦䷫)에서 일곱 개의 효를 거쳐야 하나의 양인 복괘(復卦䷗)를 이루기 때문에 "칠일만에 와서 회복한다"[103]라 하였습니다. 또 겸하여 복괘(復卦䷗)의 하괘가 진괘(☳)가 되는데, 진괘는 소양의 괘여서 그 수가 칠입니다. 진괘는 해가 돋는 방향이어서 그 상이 '해[日]'이니, 이를테면 진괘(震卦䷲)의 "칠일에 얻을 것이다"[104]라는 것이 여기에 해당합니다. 팔월은 임괘(臨卦䷒)에 있는 말입니다. 임괘는 주나라의 정월인 하나의 양인 복괘(復卦䷗)로부터 팔

98) 삼년: 『주역 · 기제괘』에 "三年克之"라 하고, "三年有賞于大國"라 하였다.
99) 칠일: 『주역 · 복괘』에 "七日來復"이라 하고, 「진괘」와 「기제괘」에 "七日得"이라 하였다.
100) 팔월: 『주역 · 림괘』에 "至于八月有凶"라 하였다.
101) 『周易 · 頤卦』: 六三, 十年勿用.
102) 『周易 · 復卦』: 上六, 至于十年, 不克征.
103) 『周易 · 復卦』: 反復其道, 七日, 來復, 利有攸往.
104) 『周易 · 晉卦』: 六二, 七日得.

개월을 거쳐야 두 음의 돈괘(䷠)가 되고 임괘(臨卦䷒)와 정반대가 되기 때문에 "팔월이 되면 흉하다"[105]라 하였습니다. 겸하여 임괘(臨卦䷒)의 하괘가 태괘(☱)가 되는데, 태괘는 소음의 괘여서 그 수가 팔입니다. 태는 달이 뜨는 방향이어서 그 상이 '달[月]'입니다.

又如晉之晝日三接, 明夷之三日不食, 同人之三歲不興, 旣未濟三年克之, 皆仍卦有離體而然也. 蓋伏羲生卦之序, 離在第三, 而先天圓圖離卦之位, 在河圖三數之上也, 如訟之邑人三百戶者. 蓋言以寡約自處之義, 而訟亦有互離也. 离之爲三數, 雖無先儒之所言, 而卦有離體, 皆言三數, 則其義自可知矣. 或自此至彼, 所期之爻, 其間爲三數, 且如古之治獄法三歲不變爲死罪. 故有三歲不得之語. 此言其罪重而當死也. 其他言三歲者, 甚多. 此等處只據事理而言之可也.

또 이를테면 진괘(晉卦䷢)의 "낮에 세 번 접견한다"[106]라는 말과 명이괘(䷣)의 "삼일동안 먹지 못한다"[107]라는 말과 동인괘(同人卦䷌)의 "삼년이 되어도 일어나지 못한다"[108]라는 말과 기제괘(䷾)와 미제괘(未濟卦䷿)의 "삼년만에 이겼다"[109]라는 말은 모두 괘에 이괘(☲)의 몸체가 있어 그런 것입니다. 복희가 괘를 만든 순서에 이괘(☲)는 세 번째이고, 「복희팔괘방위도」에서 이괘(☲)의 위치는 「하도」에서 삼이라는 숫자의 위에 있으니, 이를테면 송괘(訟卦䷅)의 "읍의 사람이 삼백호인 것처럼 한다"[110]라고 한 것이 됨이 줄여서 자처하는 뜻으로 말했는데, 송괘(訟卦䷅)에도 호괘인 이괘(☲)가 있습니다. 이괘(☲)가 삼이라는 숫자가 됨은 선대의 학자들이 말한 것은 없지만 괘에 이괘(☲)의 몸체가 있어 모두 삼이라는 숫자를 말한 것이니, 그 의미를 저절로 알 수 있습니다. 혹 여기에서 저기로 돌아가는 효에 그 사이가 삼이라는 숫자가 됩니다. 또 이를테면 옛날에 옥을 다스리는 법에 삼 년 동안 변하지 않으면 죽을 죄가 되었기 때문에 때문에 "삼년이 되어도 면하지 못한다"[111]는 말이 있으니, 이것은 그 죄가 무거워 죽여야 한다는 말입니다. 그 밖에 삼년이라고 말한 것이 아주 많으니, 이처럼 단지 사리에 따라 말하면 좋습니다.

且義文周孔四聖之象, 有多不同. 如說卦乾爲馬, 而周公卻言龍, 震爲龍, 而卦爻卻不言. 离中虛外剛有龜象, 故卦體似离者, 多言龜, 頤之類是也. 兌外柔內剛, 有羊象, 故卦體似兌者, 多言羊, 大壯之類, 是也.

---

105) 『周易 · 臨卦』: 臨, 至于八月, 有凶.
106) 『周易 · 晉卦』: 晉, 晝日三接.
107) 『周易 · 明夷卦』: 初九, 三日不食.
108) 『周易 · 同人卦』: 九三, 三歲不興.
109) 『周易 · 旣濟卦』: 九三, 三年克之. 「未濟」: 九四, 三年.
110) 『周易 · 訟卦』: 九二, 其邑人, 三百戶.
111) 『周易 · 坎卦』: 上六, 三歲, 不得.

또 복희 · 문왕 · 주공 · 공자 네 성인의 상은 대부분 같지 않습니다. 이를테면 「설괘전」에서 건은 말인데, 주공은 도리어 용이라고 했고, 진은 용인데 괘효에서는 도리어 말하지 않았습니다. 이괘(☲)는 속이 비어 있고 밖이 굳세어서 거북이의 상이 있기 때문에 괘의 몸체가 이괘(☲)와 비슷할 경우에는 대부분 거북이를 말했으니, 이괘(頤卦䷚)와 같은 것이 여기에 해당합니다.[112] 태괘(☱)는 밖이 유순하고 속이 굳세어 양의 상이 있기 때문에 괘의 몸체가 태괘(☱)와 비슷할 경우에는 대부분 양을 말했으니, 대장괘(䷡)와 같은 것이 여기에 해당합니다.[113]

又有以時物而言者. 夬爲三月之卦, 而其時莧陸生, 故言莧陸. 姤爲五月之卦, 而其時瓜始成, 故言包瓜. 兌爲口說, 時屬正秋, 而感於秋而鳴者, 鶴也, 故中孚之九二言鳴鶴. 又如困之爲卦, 合兌坎成體. 陰氣自兌上, 一陰逆行, 而至於坎初, 卽自秋至冬之卦也. 兌一陰始秋氣, 而蔓草未殺, 故上六爲葛藟. 坎六三秋交冬, 初葉脫刺存, 故爲蒺藜. 初六在坎之下, 時當大冬, 故百卉俱腓, 而所存者株木而已, 故言株木. 此皆以時物而言之者也.
또 시기에 따른 사물로 말하는 경우가 있습니다. 쾌괘(夬卦䷪)는 삼월의 괘이고, 그 때에 '비름나물[莧陸]'나오기 때문에 '비름나물'을 말했습니다.[114] 구괘(姤卦䷫)는 오월의 괘이고, 그 때에 오이가 비로소 익기 때문에 '오이를 싼다'고 하였습니다.[115] 태괘(☱)는 말이고 시기로는 중추에 속하여서 가을에 마음이 움직여 우는 것이 학이기 때문에 중부괘(中孚卦䷼)의 구이에서 '우는 학'을 말했습니다.[116] 또 이를테면 곤괘(困卦䷮)는 태괘(☱)와 감괘(☵)를 합해 이루어진 몸체입니다. 음의 기운이 태괘(☱)의 위에서 시작하여 하나의 음기가 역행하면서 감괘(☵)의 초효에 오니, 바로 가을에서 동지에 이르는 괘입니다. 태괘(☱)에 한 음은 가을의 기운을 시작하지만 덩굴식물이 아직 죽지 않았기 때문에 상육은 칡덩굴입니다.[117] 감괘(☵)의 육삼은 가을이 겨울과 교차하여 첫 이파리가 떨어지면서 가시가 남아있기 때문에 질려(蒺藜)입니다.[118] 초육은 감괘(☵)의 아래에 있고 시기는 한겨울이기 때문에 온갖 풀이 모두 사라지고, 남아있는 것은 그루터기뿐이기 때문에 '그루터기'를 말했습니다.[119] 이런 것들은 모두 시기에 따른 사물로 말한 것입니다.

112)『周易 · 頤卦』: 九, 舍爾靈龜.
113)『周易 · 大壯卦』: 九三, 羝羊, 觸藩, 羸其角.
114)『周易 · 夬卦』: 九五, 莧陸夬夬.
115)『周易 · 姤卦』: 九五, 以杞包瓜.
116)『周易 · 中孚卦』: 九二, 鳴鶴, 在陰, 其子和之.
117)『周易 · 困卦』: 上六, 困于葛藟, 于臲卼.
118)『周易 · 困卦』: 六三, 困于石, 據于蒺藜.
119)『周易 · 困卦』: 初六, 臀困于株木.

又如全卦之象, 中孚爲卵, 小過飛鳥, 山雷爲頤, 水風爲井. 鼎卦鼎, 象革象爐鞴之類. 領略大綱, 不必盡拘可矣. 而至於程傳全抛象數, 只作譬喩說看, 則亦似未備矣.
또 이를테면 전체 괘의 상으로는 중부괘(中孚卦䷼)는 알이고, 소과괘(䷽)는 나는 새이며,[120] 산과 우레는 이괘(頤卦䷚)이고, 물과 바람은 정괘(鼎卦䷱)입니다. 정괘(䷱)는 솥이니,[121] 변혁을 형상하고[122] 화로와 풀무 따위를 형상합니다. 대충 짐작하여 알면 굳이 자세하게 하지 않아도 됩니다. 그런데 『정전』에서 상수를 완전히 버리고 단지 비유로 설명한 것은 또한 부족한 것 같습니다.

심조(沈潮) 「역상차론(易象箚論)」

六二, 乘馬, 女子, 十年乃字.
육이에서 말하였다: 말을 탔지만 · 여자 · 십년이 되어서야 시집간다.

馬者, 坤爲牝馬也. 震爲善鳴馬也. 女子之子, 字字之從子者, 蓋此爻與坎之中爻相應, 而互坤又爲先天之子位也. 貞不字者, 在坤體而又與互艮相應, 故如是遲緩也. 十年, 坤數也. 蓋自二至五, 歷盡一坤卦, 然後得與相合, 妙哉.
말은 곤괘가 암말이기 때문이다. 진괘(☳)는 잘 우는 말이다.[123] '여자(女子)'의 '자(子)'자와 '시집간다[字]'는 글자가 '자(子)'에서 온 것은 효가 감괘(☵)의 중효와 서로 호응하고 호괘인 곤괘(☷)가 또 「복희팔괘방위도」에서 자(子)의 자리에 있기 때문이다.[124] "정조를 지켜 시집가지 않는다"는 것은 곤괘(☷)의 몸체에 있고 또 호괘인 간괘(☶)와 서로 호응하기 때문에 이처럼 더딘 것이다. 십년은 곤의 수이다. 이효에서 오효까지 하나의 곤괘를 모두 지나간 다음 서로 합할 수 있으니, 묘하구나!

---

120) 『周易 · 小過卦』: 飛鳥遺之音, 不宜上.
121) 『周易 · 鼎卦』: 六五, 鼎黃耳金鉉, 利貞. 上九, 鼎玉鉉, 大吉, 无不利.
122) 『周易 · 鼎卦』: 九三, 鼎耳革.
123) 『周易 · 說卦傳』: 震, 於馬也, 爲善鳴, … 爲的顙.
124)
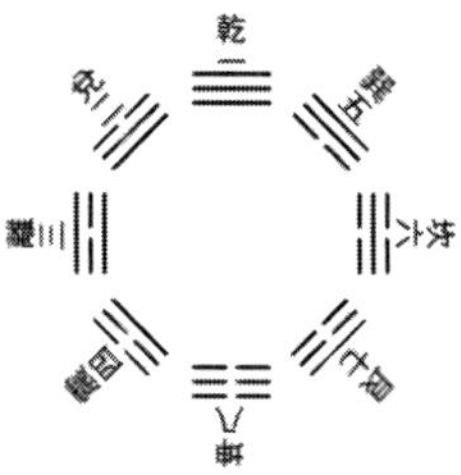

유정원(柳正源) 『역해참고(易解參攷)』

王氏曰, 冦爲初也. 旡初之難, 則與五婚矣, 故曰匪冦婚媾也.
왕씨가 말하였다: 도적은 초구이다. 초구의 어려움이 없으면 오효와 혼인하기 때문에 "도적이 아니라 혼인하려는 자이다"[125]라 하였다.
○ 臨川王氏曰, 易之辭, 有婦, 有婦人, 有女子. 婦有夫之稱也, 婦人言其爲母也, 女未有夫之稱也, 女子又言其爲子也. 此言女子何也. 以有所怙也. 以有所怙, 故乘剛而不失正也. 其有所怙者何也. 以九五爲之應也.
임천왕씨가 말하였다: 『주역』의 말에 '아내[婦]'·'부인(婦人)'·'여자'라는 말이 있다. '아내[婦]'는 남편이 있다는 칭호이고, '부인(婦人)'은 그 사람이 어머니라는 말이며, '처녀[女]'는 아직 남편이 없다는 칭호이고, '여자'는 그가 딸이라는 말이다. 여기에서 여자라고 말한 것은 무엇 때문인가? 의지하는 곳이 있다는 것이다. 의지하는 곳이 있기 때문에 굳셈을 올라타고 바름을 잃지 않았다. 의지하는 곳이 있다는 것은 어째서인가? 구오가 호응하기 때문이다.[126]

○ 雙湖胡氏曰, 說卦震坎稱馬, 蓋本諸此. 屯坎上震下, 故爻多馬象. 二乘初, 上乘五, 四應初, 亦云乘. 取十年, 互坤土成數.
쌍호호씨가 말하였다: 「설괘전」에서 진괘(☳)와 감괘(☵)를 말이라고 한 것은 대개 여기에 근본한다. 준괘(屯卦䷂)는 감괘(☵)가 상괘이고 진괘(☳)가 하괘이기 때문에 효에 말의 상이 많다. 이효가 초효를 올라타고 상효가 오효를 올라타며, 사효가 초효에 호응하니, 또 '올라탔다'라 하였다. 십년을 취한 것은 호괘인 곤괘(☷)토의 성수이기 때문이다.[127]

○ 案, 震爲馬而二乘初, 故曰乘馬. 乘馬則可進矣, 然而屯難之時, 非其正應, 豈可遽進乎. 故曰邅如班如. 以剛逼柔, 匪冦而何. 初以賢明剛正之德, 近二而居, 或有剛柔相求之理, 而豈有鑽穴踰牆之失哉. 況二之女子, 居位得正, 非其正應, 而曷與之從乎. 貞正自守而已, 故曰不字. 十年數終, 乃得正應. 天道之好還也, 如是, 故曰十年乃字. 時當險難, 有應難合, 若是之久乎. 然非六二之貞正, 鮮不爲冦逼矣.

---

125) 『周易注疏·屯卦』: 六二, 屯如邅如, …, 乃字. 구절의 주 …. 寇謂初也. 无初之難, 則與五婚矣, 故曰匪寇婚媾也.
126) 『易輯傳·屯卦』: 案, 象爻, 有婦, 有婦人, 有女, 有女子. 婦有夫之稱, 婦人言其爲母也, 女未有夫之稱, 女子言其爲子也. 此言女子何也. 以有所怙也, 以有所怙, 故乘剛而不失正也. 其有所怙何也. 以九五爲之應也.
127) 『易附録纂註·屯卦』: 愚謂, 説卦震坎稱馬, 蓋本諸此. …. 屯坎上震下, 故爻多馬象. 二乘初, 上乘五, 四應初, 亦云乘. …. ; 『周易會通·준괘』: 雙湖先生曰, 説卦震坎稱馬, 蓋本諸此. …. 屯坎上震下, 故爻多馬象. 二乘初, 上乘五, 四應初, 亦云乘. …. 取十年, 互坤土成數.

내가 살펴보았다: 진괘(☳)는 말이고, 이효가 초효를 올라타고 있기 때문에 "말을 탔다"라 하였다. 말을 타면 나아갈 수 있지만 어려운 때에 정응이 아니니, 어떻게 선뜻 나아갈 수 있겠는가? 그러므로 "머뭇거리며 말에서 내려온다"라 하였다. 굳셈으로 유순함을 가까이 하니, 도적이 아니고 무엇이겠는가? 초효는 현명하고 굳세고 바른 덕으로 이효를 가까이 하고 있으니, 굳셈과 유순함이 서로 구하는 이치가 있을 수 있겠지만, 어찌 개구멍을 찾고 남의 담을 넘는 잘못을 저지르겠는가? 하물며 이효의 여자는 있는 자리가 바름을 얻었으나 정응이 아닌데, 어떻게 함께 하여 따라가겠는가? 곧고 바름으로 스스로 지킬 뿐이기 때문에 "시집가지 않는다"라 하였다. 십년은 수의 끝이어서 이에 정응을 얻으니, 천도가 되돌리기를 좋아하는 것이 이와 같기 때문에 "십년이 되어서야 시집간다"라 하였다. 때가 마땅히 험난하여 호응이 있어도 합하기 어려움이 이와 같이 오래간다. 그러나 육이의 곧고 바름이 아니면 도적에게 핍박되지 않는 경우가 드물다.

김상악(金相岳) 『산천역설(山天易說)』

六二, 以陰得正, 居震應坎, 故其象如此. 初非爲寇, 是我婚媾. 然應重而比輕, 與五互爲艮坤, 故正固自守, 不字于初, 十年而後, 乃字于五也.
육이는 음으로서 바른 자리를 얻었고 진괘(☳)에 있으면서 감괘(☵)와 상응하기 때문에 그 상이 이와 같다. 초효는 도적이 아니라 나와 혼인하려는 자이다. 그러나 호응하는 것은 무겁고 가까이 있는 것은 가벼우며, 오효와의 호괘가 간괘(☶)와 곤괘(☷)이기 때문에 스스로 지키기를 바르고 견고하게 하여 초효에게 시집가지 않고, 십년이 된 이후에야 오효에게 시집간다.

○ 屯邅, 皆不能前進之意也. 馬震坎二象, 凡言馬者, 皆指剛爻, 而居上者爲乘, 故二四與上, 皆云乘馬也. 班如, 左傳, 有班馬之聲, 註班別也, 故傳義, 皆云分布. 凡陰陽交, 則爲婚媾, 克則爲寇. 而二之與初, 相比而交, 故曰非寇. 蒙上九則應三而不交, 故利禦寇. 天地不交, 萬物不生, 大昏, 萬世之嗣也, 故乾坤之後, 剛柔始交, 卽言婚媾也. 又凡言婚媾者, 皆坎離之卦也, 故曰, 水爲火之牡也. 女子貞者, 二得其正位也. 不字, 艮之止也. 十者, 坤土之成數也. 凡言十年, 皆在坤體之卦也. 六二之難, 必盡坤之數, 然後得與正應相遇, 故曰十年乃字. 易者, 數之原也, 故六爻紀之以數, 所以十年三年三歲八月三日七日之類, 其數不同, 而其他三百戶之類, 皆陰陽氣數之變也.
'어려워하고 머뭇거리며'는 모두 앞으로 나아갈 수 없다는 의미이다. 말은 진괘(☳)와 감괘(☵), 둘의 상이니, 일반적으로 말이라고 할 경우에는 모두 굳센 효를 가리키고, 위에 있는 것이 탄 것이 되기 때문에 이효 · 사효 · 상효에서는 모두 "말을 탔다"라 한다. "내려온다"는 『춘추좌씨전』에 "말에서 떨어지는 소리가 있었다"라 하였고, 주석에서 "'떨어진다'는 '헤어진다'는 것이다"[128]라 하였기 때문에 『정전』과 『본의』에서 모두 "흩어진다"라 하였다. 일반적으로 음과 양이 사귀는 것은 혼인이고, 극하는 것은 도둑이다. 그런데 이효와 초효는 서로 가까워서 사귀기 때문에 "도둑이 아니다"라 하였다. 몽괘(蒙卦䷃)의 상구는 삼효와 상응하지만 사귀지 않기 때문에 "도적을 막는 것이 이롭다"[129]라 하였다. 천지가 사귀지 않으면 만물이 생겨나지 않고, 임금의 혼사는 오랜 세월을 잇는 것이기 때문에, 건괘와 곤괘의 다음에 굳셈과 유순함이 비로소 사귐이 바로 혼인을 말한다. 또 혼인을 말한 경우는 모두 감(☵)과 리(☲)의 괘이기 때문에 "수는 화의 수컷이다"[130]라 하였다. "여자가 정조를 지킨다"는 것은 이효가 바른 자리를 얻었다는 것이다. "시집가지 않는다"는 것은 간괘(☶)의 멈춤이다. '십'은 곤괘(☷)인 토의 완성수이다. 일반적으로 십년이라고 한 것은 모두 곤의 몸체가 있는 괘이다. 육이의 어려움은 반드시 곤의 수를 다한 다음에 정응과 서로 만날 수 있기 때문에 "십년이 되어서야 시집간다"라 하였다. 『주역』은 수의 근원이기 때문에 여섯 효를 수로 기록하니, 이 때문에 십년 · 삼년 · 세 해 · 팔월 · 삼일 · 칠일 따위가 그 수가 같지 않은 것이고, 그 밖의 삼백호 따위는 모두 음양의 '기원[氣數]'의 변화이다.

조유선(趙有善) 「경의(經義) · 주역본의(周易本義)」

六二, 匪寇, 婚媾.
육이는 도적이 아니라 혼인하려는 자이다.

程傳, 二近於初, 爲剛陽所逼, 故爲難也. 設匪逼於寇難, 則往求於婚媾矣.
『정전』에서 말하였다: 이효가 초구와 가까이 있어 굳센 양에게 핍박을 당하기 때문에 어려움이 되었다. 도적의 재난에 핍박을 당하지 않으면 가서 혼인할 자를 구할 것이다.

此說似爲通順, 而本義不從, 未詳其義.
이 설명은 통하여 순조로운 듯한데, 『본의』에서는 따르지 않았으니, 그 뜻이 자세하지 않다.

박윤원(朴胤源) 『경의(經義) · 역경차략(易經箚略) · 역계차의(易繫箚疑)』

六[131]二, 十年, 乃字.

---

128) 『春秋左傳注疏 · 襄公』: 中行伯獻子曰, 有班馬之聲. 注, …. 班別也.
129) 『周易 · 蒙卦』: 上九,利禦寇.
130) 『古今律曆考 · 昭公』: 陰陽有五行, 嫁娶之法, 水畏火, 故以丁爲壬妃, 是水爲火之牡.
131) 六: 경학자료집성DB와 영인본에 모두 '九'로 되어 있으나, 『주역대전』을 참조하여 '六'으로 바로잡았다.

육이는 십년이 되어서야 시집간다.

○ 十年取數窮, 泛言其久也. 來易以坤爲十之數, 則似鑿矣.
십년은 수의 다함을 취한 것이니, 세월이 오래됨을 개괄적으로 말한 것이다. 래지덕의 『주역집주』에서는 곤을 십이라는 수로 여겼으니, 천착한 것 같다.

김귀주(金龜柱) 『주역차록(周易箚錄)』

六二, 屯如邅如, 云云.
육이는 어려워하고 머뭇거리며, 운운.

按, 十年之云, 似必有指, 而今不可曉. 抑以二卦之畫陽二陰八合爲十. 又以生出之序言, 則震居四坎居六, 四六之合, 亦爲十, 故有取於其義歟.
내가 살펴보았다: '십년이 되어서야'라 한 것은 반드시 뜻이 있는 것 같은데 지금 알 수 없다. 그렇지 않으면 두 괘의 획이 양이 둘이고 음이 여덟이어서 합이 십이 된다. 또 나오는 순서로 말하면 진괘(☳)가 네 번째에 있고 감괘(☵)가 여섯 번째에 있어 사와 육의 합이 또한 십이 되기 때문에 그 뜻을 취한 것 같다.

윤행임(尹行恁) 『신호수필(新湖隨筆)·역(易)』

六二六四, 皆言婚媾者, 陰不可以獨行, 故志在求陽, 而又言乘馬, 以其陰也.
육이와 육사에서 모두 혼인을 말한 것은 음이 혼자 갈 수 없기 때문에 뜻이 양을 구하는데 있고 또 말을 탔다고 말했으니, 그것이 음이기 때문이다.

서유신(徐有臣) 『역의의언(易義擬言)』

屯如邅如, 屯難之甚也. 乘馬, 欲行也. 班如, 不能行也. 有正應而不得進者, 時屯故也. 匪寇, 九五. 坎爲盜也. 婚媾, 正應也. 大凡當親不親, 嫌猜便生, 故易每於婚媾, 有匪寇之疑也. 貞二得正也, 不字, 待正應也. 二至五再周爲十年, 始不遇, 再乃遇也. 始屯, 則疑其爲寇, 而十年不嫁, 終應, 則知其婚媾, 而一日乃字也.
"어려워하고 머뭇거리며"는 아주 어려운 것이다. "말을 탔다"는 것은 가고자 하는 것이다. "나아가지 않는다"는 것은 갈 수 없는 것이다. 정응이 있지만 나아갈 수 없는 것은 시기가 어렵기 때문이다. 도적이 아니라는 것은 구오이다. 감괘(☵)는 도둑이다. "혼인한다"는 것은 정응이다. 친밀해야 할 것이 친밀하지 않으면 의심과 시샘이 바로 생기기 때문에 『주역』에서는 매번 혼인하는 것에 대해 도적이 아니냐는 의심이 있다. '정조'는 이효가 바른 자리에 있음이다. "시집가지 않는다"는 것은 정응을 기다리는 것이다. 이효에서 오효까지 두 번 돌아 십년이 되니, 처음에는 만나지 못하다가 두 번째에야 만난다. 처음에 어려워함은 그가 도적이라고 의심하여 십년이 되도록 시집가지 않는 것이고, 끝에 호응함은 그가 혼인할 상대임을 알고 어느 날 시집가는 것이다.

박문건(朴文健) 『주역연의(周易衍義)』

乘而有難, 故有屯邅之象. 屯, 聚止, 邅, 回轉也. 班, 回馬首也. 字, 育也, 恐當作孕也. 或曰, 屯邅, 周公亦據五而取義, 亦通.

올라탔지만 어려움이 있기 때문에 어려워하고 머뭇거리는 상이 있다. "어려워하고 머뭇거리며[屯如邅如]"에서 '어려워하고[屯]'는 모여서 머무르는 것이고, '머뭇거리며[邅]'는 빙빙 도는 것이다. '나아가지 않는다[班]'는 말머리를 돌리는 것이다. '아이를 낳는다[字]'는 기른다는 것인데, 임신한다는 것으로 해야 할 것 같다. 어떤 이가 "'어려워하고 머뭇거리며'는 주공도 오효에 근거해서 뜻을 취한 것이다"라 했으니, 또한 의미가 통한다.

〈問, 屯如邅如, 乘馬班如. 曰, 聚止而回轉者, 疑初之逼己也, 乘馬而班其首者, 疑五之傷己也. 蓋欲進而畏首尾者也. 此卦三爻, 竝有乘馬之文, 而於此獨有屯邅之文, 故夫子知屯邅者爲乘剛故也. 馬者, 能柔能剛之物也, 故於陰爻取之也.

물었다: "어려워하고 머뭇거리며 말을 탔지만 나아가지 않는다"는 무슨 뜻입니까?

답하였다: 모여서 머무르며 빙빙 도는 것은 초효가 자신을 가까이 할 것을 의심하는 것이고, 말을 탔다가 말머리를 돌리는 것은 오효가 자신을 해칠 것을 의심하는 것입니다. 나아가고 싶지만 머리와 꼬리가 두려운 경우입니다. 이 괘의 세 효에 또한 말을 탔다는 말이 있는데, 여기에만 어려워하고 머뭇거린다는 말이 있기 때문에, 공자는 어려워하고 머뭇거리는 것이 굳셈을 올라탔기 때문임을 알았습니다. 말은 유순할 수도 있고 굳셀 수도 있기 때문에, 음효에서 취했습니다.〉

〈○ 問, 匪寇, 婚媾. 女子貞, 不字, 十年, 乃字. 曰, 二之往五者, 匪與寇婚媾也. 但女子柔貞, 故遲疑不字, 至于十年之久, 而乃字. 十年者, 進退致久之數也. 往而復, 則成七數, 復而又進, 則成三數也, 合而計之, 則成十數也.

물었다: "도적이 아니라 혼인하려는 자이다. 여자가 정조를 지켜 아이를 낳지 않다가 십년이 되어서야 아이를 낳는다"는 무슨 뜻입니까?

답하였다: 이효가 오효에게로 가는 것은 도적과 혼인하는 것이 아닙니다. 다만 여자가 유순하고 바르기 때문에 천천히 의심하며 아이를 낳지 않다가 십년이라는 오랜 세월이 되어서야

아이를 낳습니다. 십년은 나아가고 물러남이 오래됨을 이루는 수입니다. 갔다가 돌아오면 칠이라는 수가 되고, 다시 또 나아가면 삼이라는 수가 되니, 합하여 계산하면 십이라는 수가 됩니다.〉

이지연(李止淵) 『주역차의(周易劄疑)』

陰故邅如班如, 得中故貞. 十年未詳, 然自九五起數, 至六二一進而退, 再進, 則與六二合其間, 一退再進之數, 滿十也. 不以日以月而曰年者, 以見貞之固也. 馬指初九也. 非其有而欲取者, 皆盜也. 六二, 非初九之所當有者也. 二五之剛柔相應, 乃其常理也.
음이기 때문에 머뭇거리며 내려오고, 가운데 자리를 얻었기 때문에 정조를 지킨다. 십년은 자세하지 않지만 구오에서부터 세어나가 육이까지 한 번 나아갔다 물러나고 다시 나아가면 육이와 그 사이를 합하니, 한 번 물러났다가 다시 나아간 숫자가 십을 채운다. 날이나 달로 하지 않고 년이라고 한 것은 굳은 정조를 드러내기 때문이다. 말은 초구를 가리킨다. 자신이 소유하지 않았는데 가지려고 하는 자들은 모두 도둑이다. 육이는 초구가 소유해야 되는 것이 아니다. 이효와 오효는 굳셈과 유순함이 서로 호응함이 바로 그 평상의 도리이다.

이항로(李恒老) 「주역전의동이석의(周易傳義同異釋義)」

傳, 設匪逼於寇難, 則往求於婚媾矣. 屯極必[132]通, 乃獲正應而字育矣.
『정전』에서 말하였다: 도적의 재난에 핍박을 당하지 않는다면, 가서 혼인할 자를 구할 것이다. 어려움이 다하여 반드시 통하니, 이에 정응을 얻어 잉태하고 자식을 낳아 기를 것이다.

本義, 字, 許嫁也. 禮曰女子許嫁而字. 初非爲寇也, 乃求與已爲婚媾耳.
『본의』에서 말하였다: "시집간다"는 말은 혼인을 허락한다는 의미이다, 『예기』에서 "여자가 혼인을 허락하니, 비녀를 꽂고 자(字)를 부른다"[133]고 하였다. 초구는 도적이 되는 것이 아니라 바로 자신과 혼인할 자가 되기를 구한 것일 뿐이다.

按, 許嫁笄字, 本耿氏說也. 方論婚媾, 而經說産育, 語煞過界, 且不典雅, 故捨傳從耿. 易中說匪寇婚媾者三, 若以設辭解, 則通不去. 故傳於睽上異釋, 本義用一例通釋, 則文順理得.
내가 살펴보았다: 시집가기를 허락하여 비녀를 꽂고 자를 쓴다는 것은 본래 경씨의 설이다.

---

132) 必: 경학자료집성DB에 '心'으로 되어 있으나, 경학자료집성 영인본을 참조하여 '必'로 바로잡았다.
133) 『禮記 · 曲禮』: 女子許嫁, 笄而字.

혼인을 의논하는데 경에서 출산과 양육을 말했으니, 말이 급하고 도를 지나쳤으며 또 점잖지 않기 때문에 『정전』을 받아들이지 않고 경씨를 따랐다. 『주역』 중에서 "도적이 아니라 혼인하려는 자이다"라 한 것이 세 번이니,[134] 가설로 풀이하면 통용되지 않는다. 그러므로 『정전』은 「규괘」에서 해석을 달리했고,[135] 『본의』는 하나의 사례로 통용하여 해석했으니, 말이 순조롭고 이치에 맞다.

김기례(金箕澧) 「역요선의강목(易要選義綱目)」

寇指初. 初爲卦主, 雖非不正, 處屯而未遽進, 承二欲比. 則二當應五, 自以陰柔滯屯, 而逼初難可自振. 五亦陷險, 不能來求, 二不得從五, 屯回而有乘馬, 又□之象.
도적은 초효를 가리킨다. 초효는 괘의 주인으로 바른 자리에 있지 않은 것은 아니지만 어려운 때에 처하여 갑자기 나아가지 못하고, 이효를 받들어 가까이 하려고 하면 이효는 오효와 호응해야 하는데 자신은 음의 유순함으로 막히고 어려우며, 초효에게 핍박받기 때문에 스스로 떨쳐내기가 어렵다. 오효도 험함에 빠져 와서 구할 수 없으니, 이효는 오효를 따를 수 없어 어려움으로 빙빙 돌면서 말을 타고 있으니, 또 □한 상이다.

○ 坎爲下首馬, 故曰乘馬. 班如, 言與五異處. 坎爲盜, 故曰寇. 斥初指五, 婚媾直指五, 言匪初所逼, 則往從五.
감괘(坎卦☵)는 고개를 숙인 말[136]이기 때문에 "말을 탔다"라 하였다. "나아가지 않는다"는 오효와 처지가 다르다는 말이다. 감괘(☵)는 도둑이기 때문에 '도적'이라 하였다. 초효를 물리치고 오효를 가리킨 것은 혼인하는 자가 바로 오효임을 가리키니, 초효가 가까이 하는 것이 아니라면 가서 오효를 따른다는 말이다.

○ 二居陰中正, 故曰女子, 言自貞而不許嫁. 至屯極, 則必合正應, 故曰十年乃字.
이효는 음이 중정한 자리에 있기 때문에 '여자'라고 했으니, 스스로 정조를 지켜 혼인을 허락하지 않는다는 말이다. 어려움이 다하게 되면 반드시 정응과 합하기 때문에 "십년이 되어서야 시집간다"라 하였다.

○ 陽數極於九, 而十爲坤之終, 故屯頤復十年, 皆取互坤, 正坤象.

---

134) 『周易 · 賁卦』: 六四, 匪寇, 婚媾; 「睽卦」: 上九, 匪寇, 婚媾.
135) 『주역전의대전 · 규괘』 상육의 『정전』: 여기서 '도적이 아니라 혼인하려는 자'라는 말은 다른 괘와 같지만 의미는 다르다.[此匪寇婚媾之語, 與他卦同, 而義則殊也.]
136) 『周易 · 說卦傳』: 坎, 其於馬也, 爲下首.

양의 수는 구에서 끝나고 십은 곤괘(☷)의 마침이기 때문에 준괘(屯卦䷂) · 이괘(頤卦䷚) · 복괘(復卦䷗)의 십년은[137] 모두 호괘 곤괘(☷)에서 취하였으니, 바로 곤괘(☷)의 상이다.

심대윤(沈大允) 『주역상의점법(周易象義占法)』

屯之節䷻, 限止也. 以柔居柔, 无濟屯之力, 而從人者也. 凡柔乘剛爲不能自用, 而俯從于下之義. 六二乘初之剛, 故曰屯如邅如. 二爲臣五爲君, 以任濟屯之功, 故言屯也. 邅, 遲回也. 屯之世多從下志, 而不能自用也. 巽升互离爲乘, 坎爲馬, 班, 盤旋也, 离震象. 二有九五之正應, 而以昵比於初, 故仇五而不媾, 至於十年之久, 終歸于五也, 管仲魏徵是也. 坎爲寇, 謂五也. 凡曰年者, 言其行也, 曰歲者, 言其成也. 离互震艮爲日之動止曰年. 坎离爲日月而成終曰歲. 坤爲十. 朱子曰, 字許嫁也. 禮曰女子許嫁而字. 不字, 不就五也. 坎爲孕育, 字孕育也.

준괘가 절괘(節卦䷻)로 바뀌었으니, 제한되어 멈추는 것이다. 유순함으로 유순한 자리에 있으니, 어려움을 구제할 힘이 없어 남을 따르는 경우이다. 유순함이 굳셈을 올라타고 있는 것은 자신의 뜻대로 할 수 없어 숙여 아래의 뜻을 따른다. 육이가 초효의 굳셈을 올라타고 있기 때문에 "어려워하고 머뭇거린다"고 했다. 이효는 신하이고 오효는 임금이어서 어려움을 구제할 일을 위임받았기 때문에 '어렵다'라 했다. 머뭇거릴 '전(邅)'자는 지체하며 빙빙 도는 것이다. 어려운 시대에는 대부분 아래의 뜻을 따르고 자신의 뜻대로 할 수가 없다. 손괘(☴)가 올라타고 리괘(離卦䷝)와 뒤섞인 것이 '탔다'는 것이고, 감괘(☵)는 말이며, '내려온다[班]'는 것은 빙빙 도는 것이니, 리괘(離卦䷝)와 진괘(震卦☳)의 상이다. 이효에게는 구오의 정응이 있는데, 처음에는 계집종이 가까이 있기 때문에 오효를 원망하고 혼인하지 않다가 십년이라는 오랜 세월이 지나자 마침에 오효에게로 돌아가니, 관중(管仲)[138]과 위징(魏徵)[139]이 여기에 해당한다. 감괘(☵)가 도적이 됨은 오효를 말한다. 일반적으로 '연(年)'이라고 하는 경우는 그것이 흘러가는 것을 말하고, '해[歲]'라고 하는 경우는 그것이 이루어졌음을 말한다. 리괘(離卦䷝)는 번갈아 진괘(☳)와 간괘(☶)가 되면서 해의 움직임과 그침이 되니 연(年)이라고 한다. 감괘(☵)와 리괘(☲)는 해와 달이 되어 마침을 이룬 것을 '해

137) 『周易 · 頤卦』: 六三, 拂頤貞, 凶, 十年勿用, 无攸利. 「復卦」: 上六, 以其國, 君, 凶, 至于十年, 不克征.

138) 관중(管仲: ?~BC645): 춘추시대 제(齊)나라의 재상. 소년시절부터 평생토록 변함이 없었던 포숙아와의 깊은 우정은 '관포지교'라 하여 유명하다. 환공을 도와 군사력의 강화, 상업 · 수공업의 육성을 통하여 부국강병을 꾀하였다.

139) 위징(魏徵: 580~643): 당 태종(唐太宗)의 신하. 봉호(封號) 정국공(鄭國公). 직간(直諫)으로 유명했으며 태종이 그가 죽은 뒤 비석을 세워 주었다가, 후에 위징이 평소에 직간한 초고를 집에 남겨 둔 것을 보고는 자기의 허물을 드러냈다고 격노하여 비석을 넘어뜨리라 명했다. 뒤에 고구려에 패하고 와서 뉘우치고 비석을 다시 세웠는데, 처음 비석을 세울 때는 그의 직간을 아쉬워하며 "짐이 이제 한 거울을 잃었노라"라고 말한 바 있다.

[歲]'라고 한다. 곤괘(☷)는 십이다. 주자는 "'시집간다'는 말은 혼인을 허락한다는 의미이다, 『예기』에서 '여자가 혼인을 허락하니, 비녀를 꽂고 자를 부른다'[140]고 하였다"라고 하였다. 시집가지 않는다는 것은 오효에게 나아가지 않는 것이다. 감괘(☵)가 자식을 잉태하여 기르는 것이니, 시집가는 것은 자식을 잉태하여 기르는 것이다.

오치기(吳致箕) 「주역경전증해(周易經傳增解)」

六二柔得中正, 而乘初之剛, 爲其所係, 故上雖有九五正應, 而屯邅難進, 乘馬欲行, 而旋復班布. 然矢心願從者, 匪爾之寇盜, 卽我之婚媾. 故女子德貞, 終能不嫁于初, 十年然後, 乃嫁于五, 而得所願也. 雖不言占, 卽象可知矣.
육이는 유순함이 중정함을 얻었지만 초효의 굳셈을 올라타고 있어 그것에 얽매이기 때문에 위에 구오의 정응이 있을지라도 어려워하고 머뭇거려 나아가기 어려워서 말을 타고 나아가려고 하지만 빙빙 돌다가 다시 내려온다. 그러나 마음속으로 맹세하고 쫓아오기를 원하는 자는 너의 도적이 아니라 내가 혼인하려는 자이다. 그러므로 여자의 덕은 정조여서 초효에게 시집가지 않고 십년이 지난 다음에야 오효에게 시집가서 원하는 것을 끝내 얻을 수 있다. 점을 말하지는 않았지만 상에 나아가 알 수 있다.

○ 屯邅, 欲進難進之貌, 而如語助辭也. 二柔在剛上, 故曰乘, 而馬取於震, 班者, 分布不行之謂, 而互坤有分布之形也. 坎爲盜寇之象. 婚媾, 謂正應也. 爻變之兌爲少女, 故言女子. 古者許嫁, 則字, 故謂嫁曰字也. 十年言其久, 而十爲陰數之極, 故取於互坤也.
'어려워하고 머뭇거리며'라는 것은 나아가려고 하지만 나아가기 어려운 모양이고, '여(如)'는 어조사이다. 이효의 유순함이 굳셈의 위에 있기 때문에 '올라탔다'고 했고, 말은 진괘(☳)에서 취했으며, '내려온다'는 것은 떨어져서 가지 못한다는 말인데, 호괘인 곤괘(☷)에 떨어지는 형태가 있다. 감괘(☵)는 도적의 상이다. '혼인한다'는 것은 정응을 말한다. 효가 변한 태괘(☱)는 막내딸이기 때문에 여자라고 말했다. 옛날에 혼인을 허락하면 자(字)를 썼기 때문에 혼인하는 것을 '자(字)'라고 했다. 십년은 오래됨을 말하는데 십은 음의 수의 끝이 되기 때문에 호괘인 곤괘에서 취했다.

채종식(蔡鍾植) 「주역전의동귀해(周易傳義同歸解)」

六二, 匪寇, 婚媾.
육이는 도적이 아니라 혼인하려는 자이다.

---

140) 『禮記 · 曲禮』: 女子許嫁, 笄而字.

程傳, 婚媾指九五也, 本義指六二也, 所指不同, 然其不字於初九, 而乃字於九五, 則一義也. 且字字, 傳作字育之字, 本義作許嫁之字, 然旣嫁則必字育矣, 義亦不甚相遠.
『정전』에서는 혼인하려는 자를 구오로 지목했고, 『본의』에서는 육이로 지적했으니, 가리키는 것이 같지 않지만 초구에게 시집가지 않고 구오에게 시집가는데 있어서는 뜻이 같다. 또 '시집간다[자(字)]'는 글자에 대해 『정전』에서는 잉태하여 양육한다는 것으로 썼는데, 『본의』에서는 혼인을 허락하는 것으로 썼지만 이미 혼인했다면 반드시 잉태하여 자식을 양육하니, 뜻이 또한 그렇게 서로 어긋나지는 않는다.

박문호(朴文鎬) 「경설(經說)·주역(周易)」

屯之匪寇,[141] 蒙之匪我, 程朱之釋, 正爲相反. 然以彖傳本義所云, 二不求五而五求二觀之, 朱子終亦依匪寇文勢而釋之也.[142]
준괘의 "도적이 아니다"라는 구절과 몽괘의 "내가 ~아니다"라는 구절이 정자와 주자의 해석이 서로 반대된다. 그러나 「단전」의 『본의』에서 말한 "이효가 오효에게 구하는 것이 아니라 오효가 이효에게 구한다"[143]는 것으로 보면, 주자는 끝내 도적이 아니라는 문장의 흐름에 따라 해석했다.

박문호(朴文鎬) 「경설(經說)·주역(周易)」

匪寇婚媾.
도적이 아니라 혼인하려는 자이다.

此卦有二婚媾, 而皆指正應, 恐當以程傳爲正意耳. 字字, 本自婚媾二字說來, 而程子以字育釋之, 是[144]爲旣嫁後事, 本義以笄而字釋之, 此則方嫁時事. 本義似尤切矣.
이 괘에 혼인하려는 자가 둘이 있는데 모두 정응을 가리키니, 아마도 『정전』을 바른 뜻으로 삼아야 할 듯하다. '시집간다'는 글자는 본래 혼인한다[婚媾]는 말에 대해서 설명한 것인데, 정자는 잉태하고 양육하는 것으로 해석했으니 이것은 시집간 뒤의 일이고, 『본의』에서는 비녀를 꽂고 자를 쓴다로 해석했으니 이것은 막 결혼하는 때의 일이다. 『본의』가 더 적절한 것 같다.

---

141) 寇: 경학자료집성 DB에 '冦'으로 되어 있으나, 경학자료집성 영인본을 참조하여 '寇'로 바로잡았다.
142) 경학자료집성DB에는 '之間著又字' 다섯 자가 더 있는데, 영인본을 참조하여 바로잡았다.
143) 「몽괘」 「단전」의 『본의』에 "故二不求五而五求二, 其志自相應也."라는 말이 있다.
144) 是: 경학자료집성DB에 '足'으로 되어 있으나, 경학자료집성 영인본을 참조하여 '是'로 바로잡았다.

象曰, 六二之難, 乘剛也, 十年乃字, 反常也.

정전 「상전」에서 말하였다: 육이의 어려움은 굳셈을 올라타고 있기 때문이고, 십년이 되어서야 자식을 잉태하는 것은 상도로 돌아온 것이다.

본의 「상전」에서 말하였다: 육이의 어려움은 굳셈을 올라타고 있기 때문이고, 십년이 되어서야 시집가는 것은 상도로 돌아온 것이다.

中國大全

傳

六二, 居屯之時而又乘剛, 爲剛陽所逼, 是其患難也. 至於十年, 則難久必通矣, 乃得反其常, 與正應合也. 十數之終也.

육이가 어려운 때에 머물러 있으면서 또 굳셈을 타고 있어 굳센 양에게 핍박을 당하니 환란이다. 십년이 되면 환란이 오래되어 반드시 통할 것이니 바로 그 상도로 돌아와 바르게 상응하는 것과 합을 한다. 십은 수의 끝이다.

小註

雲峯胡氏曰, 柔乘剛, 非常也, 十年乃字, 則應乎剛而反常矣.

운봉호씨가 말하였다: 유순함이 굳셈을 올라타고 있는 것은 상도가 아닌데, 십년이 되어서야 자식을 잉태하는 것은 굳셈에 상응하여 상도로 돌아온 것이다.

‖韓國大全‖

송시열(宋時烈) 『역설(易說)』

小象擧六二而言者, 自屯如至匪寇, 皆屯難之事, 統言其難故也. 十年乃字, 卽反歸於女子之常道也.
「소상전」에서는 육이를 들어 말한 것은 "어려워하다"는 말에서부터 "도적이 아니다"라는 말까지가 모두 어려운 일이니, 어려움을 총괄적으로 말했기 때문이다. "십년이 되어서야 시집간다"는 것은 바로 여자의 상도로 돌아온 것이다.

유정원(柳正源) 『역해참고(易解參攷)』

十年 [至] 常也.
십년이 … 상도로 돌아온 것이다.

梁山來氏曰, 陰陽相應, 理之常也. 爲剛所乘, 則乖其常矣. 難久必通, 故反其常.
양산래씨가 말하였다: 음양이 서로 호응하는 것은 이치의 떳떳함인데, 굳셈을 올라타게 되면 상도를 어그러뜨린다. 어려움이 오래되면 반드시 통하기 때문에 상도로 돌아온다.145)

김상악(金相岳) 『산천역설(山天易說)』

乘剛, 爲其所逼而爲難. 然物不可以終難, 故與正應相合, 而反常也.
굳셈을 올라타 그것이 다가오기 때문에 어렵다. 그러나 사물이 끝내 어려울 수만은 없기 때문에 정응과 서로 합하여 상도로 돌아온다.

○ 凡陰陽相交, 而不交, 則反爲乘剛. 卦曰, 剛柔始交而難生, 以全體言, 爻曰, 六二之難乘剛, 以一爻言. 剛乘柔則不書, 柔乘剛則書之, 志變也. 所以屯噬嗑震之二豫之五, 皆在震體得中而同動, 故无終凶者. 惟夬歸妹象傳在兌體, 困六三在坎體. 坎能陷陽, 兌又掩剛, 故有凶无利.
일반적으로 음과 양은 서로 사귀는데 사귀지 않으면 거꾸로 굳셈을 올라타는 것이 된다.

---

145) 『주역집주 · 준괘』: 象曰, 六二之難, 乘剛也. 十年乃字, 反常也. 구절의 주, 陰陽相應, 理之常也. 爲剛所乘, 則乖其常矣. 難久必通, 故十年乃字, 而反其常.

괘에서 “굳셈과 유순함이 처음 사귀어 어려움이 생겼다”라 한 것은 전체로 말한 것이고, 효에서 “육이의 어려움은 굳셈을 올라타고 있기 때문이다”라 한 것은 하나의 효로 말한 것이다. 굳셈이 유순함을 올라타면 기록하지 않았지만, 유순함이 굳셈을 올라타면 기록했으니, 뜻이 변하기 때문이다. 그래서 준괘(屯卦䷂) · 서합괘(䷔) · 진괘(震卦䷲)의 이효[146]와 예괘(豫卦䷏)의 오효[147]가 모두 진괘(震卦☳)의 몸체에서 가운데를 얻어 움직임이 같기 때문에 끝내 흉함이 없는 것이다. 오직 쾌괘(夬卦䷪)[148] · 귀매괘(䷵)[149]의 「단전」은 태괘(☱)의 몸체에 있고, 곤괘(困卦䷮)의 육삼[150]은 감괘(☵)의 몸체에 있으니, 감괘(☵)는 양을 빠지게 하고 태괘(☱)는 또 굳셈을 가리기 때문에 흉함은 있고 이로움은 없다.

김귀주(金龜柱)『주역차록(周易箚錄)』

傳, 六二居屯之時, 云云.
『정전』에서 말하였다: 육이가 어려운 세상에 머물러 있으니, 운운.

小註, 雲峯胡氏曰, 柔象, 云云.
소주에서 운봉호씨가 말하였다: 유순함이 굳셈을 상징하고, 운운.

○ 按, 柔象剛象字, 恐乘之誤.
내가 살펴보았다: ‘유순함이 굳셈을 상징한다[柔象剛]’에서 ‘상징한다[象]’는 말은 ‘올라탄다[乘]’는 말의 잘못인 것 같다.

서유신(徐有臣)『역의의언(易義擬言)』

六二柔順得正, 宜無難也. 然猶乘據於剛陽之上, 有乘凌不順之象, 故有此難也. 正應而十年乃遇非其常也. 小象此等處, 旣示其象, 又發凡也.
육이의 유순함이 바름을 얻었으니, 어려움이 없는 것은 당연하다. 그렇지만 오히려 굳센 양의 위에서 올라타고 의지하고 있어 올라타고 능멸하여 따르지 않는 상이 있기 때문에 이런 어려움이 있다. 정응이지만 십년이 되어서야 만나는 것은 상도가 아니다. 「소상전」에서

---

146) 『周易 · 噬嗑』: 象曰, 噬膚滅鼻, 乘剛也]. 「震卦」: 象曰, 震來厲, 乘剛也.
147) 『周易 · 豫卦』: 象曰 六五貞疾, 乘剛也.
148) 『周易 · 夬卦』: 象曰, 揚于王庭, 柔乘五剛也.
149) 『周易 · 歸妹卦』: 象曰, …. 无攸利, 柔乘剛也.
150) 『周易 · 困卦』: 象曰, 據于蒺藜, 乘剛也.

이런 곳에 이미 그 상을 보였고 또 대강을 드러냈다.

박문건(朴文健) 『주역연의(周易衍義)』

難疑而屯邅也. 歸於正應, 故曰反常. 反常者復常道也.
어렵고 의심하여 어려워하고 머뭇거리지만 정응에 되돌아가기 때문에 "상도로 돌아온 것이다"라 하였다. 상도로 돌아온다는 것은 상도를 회복하는 것이다.
〈問, 六二之象. 曰, 六二舍初從五, 故夫子只取畏初之義, 而更不言疑五之義也.
물었다: 육이의 상은 무슨 뜻입니까?
답하였다: 육이가 초효를 버리고 오효를 따르기 때문에 공자는 초효를 두려워한다는 뜻만 취하고 다시 오효를 의심한다는 뜻을 말하지 않았습니다.〉

김기례(金箕澧) 「역요선의강목(易要選義綱目)」

乘剛.
굳셈을 올라타고 있기 때문이고,
易中陰據陽上爲難.
『주역』 가운데 음이 양의 위에 있는 것이 어려움이다.

反常.
상도로 돌아온 것이다.
數極, 則反, 合正應, 卽常理.
수가 끝까지 다하면 되돌아오고, 정응에 합하는 것이 바로 일상적인 이치이다.

오치기(吳致箕) 「주역경전증해(周易經傳增解)」

乘剛, 故始處乎難, 得正, 故終反乎常也.
굳셈을 올라타고 있기 때문에 처음에는 어려움에 처하지만 바름을 얻었기 때문에 끝내 상도로 돌아온다.

이병헌(李炳憲) 『역경금문고통론(易經今文考通論)』

荀曰, 陽動而止, 故屯如也. 馬融後漢人曰, 邅如, 難行貌, 丁寬西漢人曰, 如辭也, 班

如, 相牽不進貌. 虞曰, 震爲馬, 作足. 二乘初, 故乘馬. 匪非也. 冦謂五, 坎爲冦盜, 應在坎, 故匪冦. 陰陽德正, 故婚媾. 或云, 重婚曰媾. 士昏禮云, 女子許嫁, 笄而字之. 순상(荀爽)은 "양이 움직이다가 그치기 때문에 어려워한다"151)라 했다. 마융(馬融)〈후한 사람이다.〉은 "'머뭇거린다'는 것은 가기 어려운 모양이다"라 했고, 정관(丁寬)〈서한 사람이다.〉은 "'여(如)'는 어조사이고, '내려온다'는 것은 서로 끌어당겨 나가지 못하는 모양이다"152)라 하였다. 우번은 "진괘(☳)는 말이니 발이 된다. 이효가 초효를 올라타고 있기 때문에 말을 탄 것이다.153) '아니다[匪]'는 '아니다[非]'이다. '도적'은 오효를 말하니, 감괘(☵)가 도둑이지만, 상응함이 감괘(☵)에 있기 때문에 도적이 아니다. 음과 양의 덕이 바르기 때문에 혼인할 자이다"154)라 하였다. 어떤 사람은 거듭 혼인하는 것이 '겹혼인[媾]이다'155)라 하였다. 「사혼례」에서 "여자가 혼인을 허락하면 비녀를 꽂고 자(字)를 쓴다"156)라 하였다.

---

151) 『周易集解 · 屯卦』: 六二, 屯如邅如. 구절의 주, 荀爽曰, 陽動而止, 故屯如也.

152) 『周易要義 · 屯卦』: 子夏傳云, 相牽不進貌.

153) 『周易集解 · 屯卦』: 乘馬班如. 구절의 주, 虞翻曰, 震爲馬, 作足. 二乘初, 故乘馬.

154) 『周易集解 · 屯卦』: 匪寇, 婚媾. 女子貞, 不字, 十年, 乃字. 구절의 주, 虞翻曰, 匪非也. 冦謂五, 坎爲冦盜. 應在坎, 故匪冦. 陰陽德正, 故婚媾. 字, 妊娠也.

155) 『易說』: 重婚曰媾.

156) 『禮記集說』: 鄭氏曰, 許嫁者, 女子許嫁, 笄而字之.

六三, 卽鹿无虞, 惟入于林中. 君子幾, 不如舍, 往吝.

육삼은 사슴을 추적하는데 길잡이가 없어서 산림 속에 갇힌 꼴이다. 군자가 기미를 알아차려 포기하는 것만 못하니, 계속 추적하면 부끄럽게 된다.

中國大全

傳

六三, 以陰柔居剛, 柔旣不能安屯, 居剛而不中正, 則妄動. 雖貪於所求, 旣不足以自濟, 又无應援, 將安之乎. 如卽鹿而无虞人也. 入山林者, 必有虞人以導之, 无導之者, 則惟陷入于林莽中. 君子見事之幾微, 不若舍而勿逐, 往則徒取窮吝而已.

육삼은 음효이고 유순한 것으로서 굳센 자리에 있으니, 유순한 것이 이미 어려움을 편안히 여길 수 없고, 굳센 자리에 있는데 중정하지 못하니 함부로 행동한다. 구할 것에 탐욕을 내지만 이미 스스로 구제하기에 부족하고 또 응원이 없으니 편안히 여길 수 있겠는가? 사슴을 추적하는데 길잡이가 없는 것과 같다. 산림 속에 들어간 자는 반드시 길잡이가 인도해 주어야 하니, 길잡이가 없으면 우거진 산림 속에 빠질 뿐이다. 군자가 일의 기미를 알아차려 포기하고 추적하지 않는 것만 못하니, 계속 추적하면 곤궁하고 부끄럽게 될 뿐이다.

本義

陰柔居下, 不中不正, 上无正應, 妄行取困, 爲逐鹿无虞陷入林中之象. 君子見幾, 不如舍去. 若往逐而不舍, 必致羞吝, 戒占者宜如是也.

음의 유순함이 아래에 있고 중정하지 않으며 위로 정응이 없어서 함부로 행동하여 곤궁하게 되니, 사슴을 추적하는데 길잡이가 없어서 산림 속에 빠진 상이 된다. 군자가 기미를 알아차려 포기하고 떠나는 것만 못하다. 계속 추적해서 포기하지 못하면 반드시 부끄럽게 되니, 점치는 자에게 이와 같이 해야 한다고 경계했다.

小註

朱子曰, 六三陰柔在下而居陽位. 陰不安於陽,[157] 則貪求, 陽欲乘陰卽妄行, 故不中不正. 又上无正應, 妄行取困, 所以爲卽鹿无虞, 陷入林中之象. 此爻在六二六四之間, 便是林中之象. 鹿陽物, 指五, 无虞, 无應也. 以此觸類而長之, 當自見得.
주자가 말하였다: 육삼이라는 음효의 유순함이 하괘에 있고 양의 자리에 있다. 음효가 양효의 자리에서 편안하지 않으면 구하기를 탐하고, 양이 음을 올라타려고 하면 바로 함부로 행동하므로 중정하지 않다. 또 위로 정응이 없어서 함부로 행동하여 곤궁하게 되기 때문에 사슴을 추적하는데 길잡이가 없어서 산림 속에 빠진 상이 된다. 육삼은 육이와 육사의 사이에 있으니 바로 산림의 상이다. 사슴은 양을 나타내는 동물이니 오효를 가리키고, 길잡이가 없다는 말은 정응이 없다는 의미이다. 이렇게 종류에 따라 확장하면 당연히 저절로 알게 될 것이다.

○ 建安丘氏曰, 屯四陰爻, 二四上皆言乘馬, 而三獨言卽鹿者, 蓋二四上爻, 皆以陰居陰, 才位皆柔, 不能進者, 故有乘馬班如之象. 班者將進而止, 不能往者也. 六三以陰居陽爻, 柔位剛, 躁於進者, 故有卽鹿无虞之象. 无虞卽鹿者, 不量而進, 徒勞而无功也.
건안구씨가 말하였다: 준괘(屯卦䷂)는 음효가 네 개인데, 이효 · 사효 · 상효에서는 모두 말을 탔다고 말하고, 육삼에서만 사슴을 추적한다고 말한 것은 대개 이효 · 사효 · 상효는 모두 음이 음의 자리에 있으니, 재질과 자리가 모두 유순하여 나아갈 수 없는 것이므로 말을 탔다가 말에서 내려오는 상이 있다. 말에서 내려오는 것은 나아가려고 하다가 멈추어 갈 수 없는 것이다. 육삼은 음효가 양의 자리에 있고 유순함이 굳센 자리에 있어 나아가는 데에 조급하므로 사슴을 추적하는데 길잡이가 없는 상이 있다. 길잡이 없이 사슴을 추적하는 자는 생각 없이 나아가서 수고만 하고 공이 없다.

○ 雲峯胡氏曰, 卦下體震, 震動也. 初九利居貞, 猶戒其輕動. 六二貞不字, 則喜其不輕動. 六三不中不正, 上无正應而妄動, 取困必矣. 故有逐鹿无虞, 陷入林中之象. 幾者, 動之微. 六三互體艮, 聖人於其震之動而猶庶幾其知艮之止. 故勉之曰不如舍, 欲其止也, 懼之曰往吝, 戒其動也.
운봉호씨가 말하였다: 괘의 하체가 진괘(☳)인데, 진괘는 움직이는 것이다. 초구의 바름에 머물러 있음이 이롭다는 말은 가볍게 움직이는 것을 경계한 것과 같다. 육이의 정조를 지켜 자식을 낳지 않았다는 말은 가볍게 움직이지 않은 것을 기뻐한 것이다. 육삼은 중정하지 않고 위로 정응이 없는데 함부로 움직이니 반드시 곤궁함을 취한다. 그러므로 사슴을 추적

---

157) 陽: 경학자료집성DB와 영인본에 '陰'으로 되어 있으나, 문맥을 살피고 『주자어류』를 참고하여 '陽'으로 수정하였다.

하는데 길잡이가 없어서 산림 속에 빠진 상이 있다. 기미는 움직임의 미미함이다. 육삼은 간괘(☶)와 호체(互體)[158]이니, 성인은 진괘의 움직임에서 간괘의 멈춤에 대해 알기를 오히려 바랬다. 그러므로 포기하는 것만 못하다고 권하였으니 멈추도록 한 것이고, 계속 추적하면 부끄럽게 된다고 두려워하였으니 움직임을 경계한 것이다.

韓國大全

송시열(宋時烈) 『역설(易說)』

上綜爲裳, 下亦有震, 而三居中無與, 外無正應之陽, 如逐鹿失虞人. 震爲麋鹿. 來易云, 鹿者山麓, 互艮爲山云云, 而未知是否. 坎爲林莽, 故曰入于林中. 當見幾勿往, 往則吝也.
종괘로 하였을 때, 호괘로 보면 상괘는 치마가 되며, 하괘는 진(震)이다. 또한 삼효로 가운데 자리에 있으면서 함께 함이 없고, 밖으로는 정응의 양도 없으니, 마치 사슴을 추적할 때 길잡이가 없는 것과 같다. 진괘는 사슴이다. 래지덕(來知德)의 『주역집주』에 "록(鹿)은 산기슭이니, 호괘인 간괘가 되어서 산이 된다"라 하였는데, 옳은지 여부를 모르겠다. 감(坎)은 초목이 우거진 곳이기 때문에, "산림 속에 갇힌 꼴이다"고 했으니, 기미를 알아차려 가지 말아야 하니 가면 부끄럽게 된다.

김만영(金萬英) 「역상소결(易象小訣)」

三之取象于鹿未詳. 或曰, 鹿指五而言. 皇極內篇, 鹿屬一陽, 坎之一陽有鹿之象也, 似亦通矣. 林中下卦爲震木, 互卦之艮, 亦震之反對. 上下皆木, 故有林中之象.
삼효가 사슴에서 상을 취한 것은 자세하지 않다. 어떤 이는 "사슴은 오효를 가리켜서 말한 것이다"라 말하였다. 『홍범황극내편』에는 "사슴은 일양(一陽)에 속하니, 감괘의 일양에는 사슴의 상이 있다"라 말하였으니, 또한 통하는 것 같다. 산림은 하괘가 진괘인 나무가 되고, 호괘인 간과 또한 진괘를 거꾸로 한 것이니, 위아래가 모두 나무이기 때문에 산림의 상이 있다.

심조(沈潮) 「역상차론(易象箚論)」

震木而又在艮山之下, 故曰林中. 吝者, 坤爲吝嗇也.

---

158) 호체: 『주역』의 한 괘에서 이효에서 사효까지와 삼효에서 오효까지에서 각기 소성괘를 취하는 것을 말하니, 준괘(屯卦䷂)에서 이효에서 사효까지는 곤괘(坤卦☷)이고, 삼효에서 오효까지는 간괘(艮卦☶)이다.

진괘는 나무이고 또 간괘인 산의 아래에 있기 때문에, '산림'이라고 하였다. '부끄럽다[吝]'란 곤괘가 인색함이 되기 때문이다.

이익(李瀷) 『역경질서(易經疾書)』

惟入于林中, 徒勞無得.
산림에 들어가는 꼴이 되면, 노력만 하고 얻는 것이 없다.

郭京易擧正云, 王輔嗣韓康伯手寫本皆作何以從禽, 今本誤脫何字. 今大全旣濟象傳中, 亦有採其說者, 當考.
곽경의 『주역거정』에서 "왕보사와 한강백이 손수 쓴 판본에는 모두 '어찌 짐승만 쫓아갔겠는가[何以從禽]'라 쓰여 있는데, 지금 판본에는 실수로 '하(何)'자를 빠뜨렸다"라 하였다. 지금 『주역대전』의 기제괘 「단전」 중에도 그러한 설을 주장한 경우가 있으니, 마땅히 살펴보아야 한다.

유정원(柳正源) 『역해참고(易解參攷)』

厚齋馮氏曰, 約象爲艮, 有山林象.
후재풍씨가 말하였다: 약상(約象)[159]이 간괘가 되니, 산림의 상이 있다.
案, 京房易, 二三四爲互體, 三四五爲約象.
내가 살펴보았다: 경방(京房)의 역(易)에서는 이효 · 삼효 · 사효가 호체(互體)가 되며, 삼효 · 사효 · 오효가 약상(約象)이 된다.

○ 梁山來氏曰, 鹿舊註作麓, 是中爻艮爲山. 山足曰麓. 三居中爻艮之足, 麓之象也. 三四爲人位, 虞人也. 无虞者, 无正應也. 上艮爲木, 堅多節. 下震爲竹, 林中也. 舍者亦艮止之象也.
양산래씨가 말하였다: '사슴'[鹿]은 옛 주석에는 '산기슭'[麓]이라고 한 것은 가운데 효가 간(艮)괘로 산이 되기 때문이다. 산기슭을 록(麓)이라 한다. 삼효는 중효인 간괘의 다리에 있으니, 산기슭의 상이다. 삼효와 사효는 사람의 자리이니 길잡이이다. 길잡이가 없다는 것은 정응이 없다는 것이다. 위의 간괘가 나무가 되니, 굳세고 마디가 많다. 아래의 진괘는 대나무가 되니, 산림 속이다. 그친다는 것은 또한 간괘의 그치는 상이다.

---

159) 약상(約象): 호체(互體)의 이칭이다.

○ 案, 卦體震有剛明之德. 互體艮有時止之義. 知事之幾, 明者之爲也. 舍而勿逐, 止之之道也.
내가 살펴보았다: 괘의 몸체가 진괘에 굳세고 밝은 덕이 있고 호체인 간괘에 제때에 그치는 뜻이 있으니, 일의 기미를 아는 것은 현명한 사람의 행위이다. 포기하고 쫓지 않는 것은 그치는 방법이다.

김상악(金相岳)『산천역설(山天易說)』

鹿, 陽物, 指五也. 六三以陰柔居坎之外, 欲就五而前无導之者, 故有卽鹿无虞之象. 震互艮體又爲入于林中之象, 君子見幾, 不如舍之. 往則必致羞吝矣.
사슴은 양의 동물이니 오효를 가리킨다. 육삼은 유약한 음으로서 감괘의 밖에 있으니, 오효로 나아가고자 하지만 앞에 이끌어주는 자가 없기 때문에, 사슴을 추적하지만 길잡이가 없는 상이 있다. 진괘와 호체(互體)인 간괘에 또 산림에 들어가는 상이 있으니, 군자는 기미를 보는 것이 포기하는 것만 못하다. 간다면 반드시 부끄러움을 초래할 것이다.

○ 卽者, 就也. 鹿, 坎象. 坎之數六, 六爲律, 律主鹿也〈尙鉉謹案, 大戴禮易本命篇曰, 律主禽鹿〉. 卦中三陰皆與陽爲比爲應, 而三獨无應, 故不得乘馬而卽鹿也. 虞者, 虞人也. 三四爲人位, 坎伏離, 以艮手持離之戈兵虞人之象. 曰无者, 以其陰柔也. 震木在艮山之下, 而三處二五之間, 故陷入于林中也. 幾者, 動之微也. 舍者, 艮之止也. 吝者, 陰之小也. 往則見陷而吝矣. 屯之爲卦, 震互坤體, 坎互艮體. 震物爲雷, 德爲動. 坤則雜物爲地, 撰德爲順. 又坎物爲水, 德爲險. 艮則雜物爲山, 撰德爲止. 所以辨是與非, 非中爻不備. 他卦倣此.
'즉(卽)'은 '쫓아간다[就]'는 뜻이다. 사슴은 감(坎)의 상이다. 감의 수는 6이니, 6은 율(律)이 되며, 율은 사슴을 위주로 한다. 괘에 있는 세 음이 모두 양과 비(比)의 관계가 되고 호응이 되지만 삼효만이 호응이 없기 때문에 말을 타고 사슴을 추적할 수가 없다. '길잡이[虞]'는 '자연을 관리하는 벼슬아치'이다. 삼효와 사효는 사람의 자리이며, 감괘에 잠복되어 있는 리괘가 간괘인 손으로 리괘인 창을 잡은 길잡이의 상이다. '없다[无]'라 말한 것은 그것이 부드러운 음이기 때문이다. 진괘인 나무가 간괘인 산의 아래에 있고, 삼효는 이효와 오효의 사이에 있기 때문에, 산림 속에 빠져있는 것이다. 기미는 움직임의 작은 것이다. 포기한다는 것은 간괘의 그침이다. 부끄러움이란 음의 작은 것이니, 가면 빠져서 부끄럽게 된다. 준괘는 진괘의 호괘가 곤체(坤體)이고, 감괘의 호괘가 간체(艮體)인데 진괘가 만물로는 우레가 되고 덕으로는 움직임이 된다. 곤괘는 만물로는 땅이 되며, 덕으로는 유순함이 된다. 또 감괘는 만물로는 물이 되며, 덕으로는 험함이 된다. 간괘는 만물로는 산이 되며, 덕으로는 그침이 된다. 따라서 옳음과 그름을 분별함은 가운데 효가 아니면 갖추지 못한다.[160] 다른 괘도 이와 같다.

김규오(金奎五) 「독역기의(讀易記疑)」

六三, 卽鹿无虞.
육삼은 사슴을 추적하는데 길잡이가 없다.

无虞, 蓋指无應, 而鹿未知指何. 林中亦未詳. 或以內卦震爲蒼筤萑葦而言耶.
"길잡이가 없다"는 호응이 없음을 가리키지만, '사슴'은 무엇을 가리키는지 모르겠다. '산림'도 자세하지 않다. 혹은 내괘인 진괘로 창랑죽과 갈대를 삼아 말한 것인가?

○ 六二六四上六皆言乘馬, 震艮雖有馬象, 而言之重複无如此卦, 未可知也.
육이 · 육사 · 상육에서 모두 "말을 탄다"고 했다. 진괘와 간괘에 비록 말의 상이 있으나, 중복하여 말한 것이 이 괘 같은 것이 없으니, 잘 모르겠다.

박윤원(朴胤源) 『경의(經義) · 역경차락(易經箚略) · 역계차의(易繫箚疑)』

卽鹿之鹿, 舊註作麓, 然恐不可從. 若只言就山麓, 則未見逐獸之意. 來易以象傳以從禽之文爲作麓之證, 而夫子之訓, 蓋言卽鹿而无虞, 以貪禽也, 非以爻辭無獸名而必言禽也.
'즉록(卽鹿)'의 '록(鹿)'은 옛날의 주석에는 '산기슭[麓]'로 되어 있지만, 아마도 그 관점을 따를 수 없을 것 같다. 만약 단지 산기슭에 나아간다고 말한다면 짐승을 추적하는 뜻을 볼 수 없을 것이다. 래지덕(來知德)의 『주역집주』에서 「소상전」의 "짐승을 쫓아갔다"라는 문구로 '록(麓)'자가 되는 증거를 삼았는데, 공자의 해석은 사슴을 추적하는데 길잡이가 없는 것은 짐승을 탐냈기 때문이라는 말이지, 효사에 짐승의 이름이 없어 '짐승'이라고 해야만 했던 것은 아니다.

서유신(徐有臣) 『역의의언(易義擬言)』

此爻辭不協韻. 竊疑惟入于林中, 君子幾, 八字衍文. 鹿在山, 互艮爲卽鹿象也. 无應與爲无虞象也. 无虞而卽鹿, 動之妄也. 舍, 止也. 從震體則妄動, 從艮體則能止. 在屯之時, 動不如止, 故曰不如舍也.
이 효사는 운율이 맞지 않는다. "유입우임중군자기(惟入于林中君子幾)"라는 여덟 글자는 연문(衍文)인 것 같다. 사슴은 산에 있으니, 호괘인 간(艮)이 곧 사슴을 추적하는 상이다. 호응하여 함께 함이 없어 길잡이가 없는 상이 된다. 길잡이가 없는데도 사슴을 추적하는

160) 『周易 · 繫辭傳』: 若夫雜物撰德辨是與非, 則非其中爻不備.

것은 함부로 움직이는 것이다. '포기한다[舍]'는 '그친다[止]'는 말이다. 진(震)의 몸체를 따르면 함부로 움직이게 되고, 간괘의 몸체를 따르면 그칠 수 있다. 어려운 때에 처해서 움직이는 것이 그치는 것만 못하기 때문에, "포기하는 것만 못하다"라 했다.

往者, 一向卽鹿也. 上六無相得之義, 故吝也.
'간다[往]'는 말은 줄곧 사슴을 추적한다는 말이다. 상육과 서로 얻는 뜻이 없기 때문에 '부끄럽게 된다'.

백경해(白慶楷) 「독역(讀易)」

屯六三, 胡雲峯註曰, 六三互體艮有止象. 愚且曰, 居剛有可幾之象云.
준괘의 육삼에서 호운봉의 주에 "육삼의 호체인 간괘는 그치는 상이 있다"라 말하였다. 나도 "굳셈에 있어서 기미를 알아차릴 수 있는 상이다"라 말한다.

박문건(朴文健) 『주역연의(周易衍義)』

進欲獲敵, 故有卽鹿之象. 虞, 山澤之官. 虞之爲義度也. 吝, 窮也. 必君子而後舍之而不往.
나아가서 적을 사로잡고자 하기 때문에, '사슴을 추적하는' 상이 있다. '길잡이[虞]'는 산과 내를 관리하는 벼슬아치이다. 우(虞)자의 뜻이 '헤아린다[度]'이다. '부끄럽다[吝]'라는 말은 '곤궁하다[窮]'는 뜻이니, 반드시 군자인 뒤라야 포기하고 추적하지 않을 것이다.
〈問, 卽鹿无虞, 惟入于林中. 曰, 六三, 陰之剛者也. 故有无虞卽鹿而陷于林中之象. 鹿者, 山林之獸也.
물었다: "사슴을 추적하는데 길잡이가 없어서 산림 속에 갇힌 꼴이다"는 무슨 뜻입니까?
답하였다: 육삼은 음의 성질을 지니고 있는 것 중에서 굳센 것입니다. 그러므로 길잡이가 없는데도 사슴을 추적하다가 산림에 빠지는 상이 있습니다. 사슴은 산림에 사는 짐승입니다.〉

이지연(李止淵) 『주역차의(周易箚疑)』

鹿, 陽物指九五也. 上六爲鹿之角也. 林中兩山之間也. 自六三仰視九五則爲互艮. 山上有角之陽物, 非鹿而何. 下視初九, 則亦爲倒艮. 兩山之間, 非林而何.
사슴은 양의 성질을 지닌 동물이니, 구오를 가리킨다. 상육은 사슴의 뿔이 된다. 산림은 두 산의 사이이다. 육삼에서 구오를 우러러보면 호괘인 간괘가 된다. 산 위에 뿔이 있는 양의 동물이 있으니, 사슴이 아니고 무엇이겠는가? 초구를 내려다보면 또한 거꾸로 된 간괘가 되니, 두 산의 사이가 산림이 아니고 무엇이겠는가?

이항로(李恒老) 「주역전의동이석의(周易傳義同異釋義)」

按, 陰柔居下謂六三居下卦也. 不中謂過二也. 不正謂失位也. 上无正應謂上六亦陰也. 鹿, 陽物 , 指五. 无虞謂无應. 林中指上下皆陰也. 朱子曰, 觸類而長之, 當自見得.
내가 살펴보았다: 『본의』에서 말한 "부드러운 음이 아래에 있다"는 것은 육삼이 하괘에 있다는 말이다. "가운데 있지 않다"는 것은 이효를 지났음을 이르며, "바르지 않다"는 것은 제자리를 잃었음을 이른다. "위에 정응(正應)이 없다"는 것은 상육도 음임을 말한다. 사슴은 양의 동물이니, 오효를 가리킨다. 길잡이가 없다는 것은 호응이 없다는 말이다. 산림은 위아래가 모두 음임을 가리킨다. 주자는 "종류에 따라 확장하면 당연히 저절로 알게 될 것이다"라 하였다.

김기례(金箕澧) 「역요선의강목(易要選義綱目)」

鹿, 陽物也.
사슴은 양의 동물이다.

○ 三无應而處屯, 陰居剛而爲動之極. 故妄欲求陽而動, 則五非其應, 无相應之理, 如就鹿者无虞人而亦无虞度也.
삼효는 호응이 없고 어려움에 처하며, 음이 굳센 자리에 있어 움직임의 극한이 된다. 그러므로 함부로 양을 구하여 움직이려 한다면, 오효는 그 호응이 아니어서 서로 호응하는 이치가 없어, 사슴을 추적하는 사람이 길잡이가 없고 또 길잡이의 계책도 없는 것과 같다.

○ 林中謂三四二陰之間. 言自處而勿往, 互艮故曰舍, 取艮止. 陰性吝, 故曰吝, 言窮也.
산림은 삼효와 사효, 두 음의 사이를 말하니, 스스로 거처하여 가지 말아야 한다는 말이니, 호괘가 간(艮)이기 때문에 '포기한다[舍]'라 말한 것은 간(艮)의 그침에서 취했다. 음의 성질이 부끄러워하기 때문에 '부끄럽다'라 한 것이니, 곤궁함을 말한다.

심대윤(沈大允) 『주역상의점법(周易象義占法)』

屯之旣濟䷾, 旣盡也. 六三, 居剛主事, 居下卦之上, 能自濟其屯而有百里之地. 才柔不足以濟天下之屯, 而欲從人則又无應. 故曰卽鹿无虞. 艮爲鹿, 指五也. 虞山林之官, 導以田獵者也. 言從五則非其應也. 震之對巽爲虞, 兌爲无以言. 无應故取對也. 坤爲衆, 坎爲弓, 艮爲獸, 合爲田獵. 三往從于非應之五, 則鉤掣而不能動, 如落叢林之中, 故曰惟入于林中. 坎爲叢, 巽爲木, 互坎離爲叢林隱晦之象. 巽爲入爲事. 事之隱晦爲幾. 艮爲止舍而不就, 褊小曰吝. 對巽行, 互離心爲往, 屯之世, 不論君臣之義也. 既已自濟其屯, 有既濟之義. 六三自守其分而不妄求於死也.
준괘가 기제괘(既濟卦䷾)로 변했으니, 이미 끝났다는 말이다. 육삼이 굳셈에 있어 일을 주관하고 하괘의 위에 있으니, 스스로 그 어려움을 구제하여 백리의 땅을 가질 수 있다. 재주가 유약하여 천하의 어려움을 구제하기에 부족하고 다른 사람을 따르고자 하지만 또한 호응이 없으므로 "사슴을 추적하지만 길잡이가 없다"고 했다. 간(艮)은 사슴이니 오효를 가리킨다. 길잡이[虞]는 자연을 관리하는 벼슬아치인데 사냥을 할 때 앞에서 인도하는 사람이다. 오효를 따른다고 말하면 그 정응(正應)이 아니다. 진(震)의 음양이 바뀐 손괘가 길잡이[虞]가 되며, 태(兌)로써 '없음[无]'이 된다. 호응이 없기 때문에 음양이 바뀐 괘를 취한 것이다. 곤(坤)은 무리가 되며, 감(坎)은 활이 되며, 간(艮)은 짐승이 되니, 모두 사냥과 관련된 일이다. 삼효가 가서 호응이 아닌 오효를 따르면 잡아당겨도 움직일 수 없으니, 마치 숲속에 있는 것 같기 때문에 "산림에 들어가는 꼴이다"라 하였다. 감(坎)은 나무덤불이 더부룩하게 난 곳이 되며, 손(巽)은 나무가 되며, 호괘인 감(坎)·리(離)는 나무 덤불 속에 숨어서 나타나지 않는 상이다. 손(巽)은 들어가는 것이 되며 일이 된다. 일이 숨겨져서 드러나지 않는 것이 기미가 된다. 간은 그치고 포기하는 것이 되며, 좁고 작은 것을 '부끄러움[吝]'이라 한다. 음양이 바뀐 손괘는 함[行]이 되고 호괘인 리괘의 심장이 계속함이 되니, 어려운 시대에는 임금과 신하 사이의 의리를 논하지 않는다. 이미 스스로 그 어려움을 구제하였으니, 기제(既濟)의 의미가 있다. 육삼은 스스로 그 본분을 지켜서 함부로 죽음을 초래하지 않는다.

오치기(吳致箕) 「주역경전증해(周易經傳增解)」

六三, 以柔居剛, 不得其正, 而上无應援, 有卽鹿无虞之象. 才柔而志剛, 性復躁動, 有冒險入林之象. 故戒言君子明能知幾, 莫如舍而不進. 若或往而不止, 則必致其吝也.
육삼은 부드러움으로 굳셈에 거처해서 바름을 얻지 못하고 위로 호응의 구원이 없으니, 사슴을 추적하는데 길잡이가 없는 상이 있다. 재질은 유약하지만 뜻이 굳세니, 성질이 다시 조급하게 움직여서 험한 것을 무릅쓰고 산림에 들어가는 상이 있다. 그러므로 군자의 현명함은 기미를 알 수 있어 포기하고 나아가지 않는 것만 못하다고 경계하여 말하였다. 만약 혹은 가서 그치지 않는다면 반드시 그 부끄러움을 초래할 것이다.

○ 卽鹿謂從獸. 而鹿者戴角之獸也. 卽艮剛在上之象. 故取於互艮也. 虞者, 虞人也. 卽鹿而无虞人, 則蹈險而无所獲也. 互艮爲山, 對巽爲木爲入, 乃入于山林之象也. 幾者, 動之微而取於震. 舍者, 止也, 取於互艮. 此爻卽象所言勿用有攸往者, 而三居動之極而近於險, 故特戒于此也.
사슴을 추적한다는 것은 짐승을 쫓는 것을 말한다. 그런데 사슴은 뿔이 달린 짐승이다. '추적함[卽]은 간(艮)의 굳셈이 위에 있는 상이다. 그러므로 호괘인 간(艮)에서 취하였다. 우(虞)는 길잡이다. 사슴을 추적하는데 길잡이가 없으면 위험에 빠지고 수확이 없다. 호괘인 간은 산이 되고 음양이 바뀐 손(巽)은 나무가 되고 들어가는 것이 되니, 산림에 들어가는 상이다. '기미[幾]'는 움직임이 은미함인데 진(震)에서 취한다. '사(舍)'는 그친다는 뜻이니, 호체인 간에서 취했다. 이 효는 단사에서 말한 "갈 곳을 두지 말라"는 것인데, 삼효가 움직임의 끝에 있어 험함에 가깝기 때문에 특별히 이곳에서 경계한 것이다.

이진상(李震相) 『역학관규(易學管窺)』

六三, 始入艮體. 艮爲黔喙, 鹿乃山居之獸也. 來氏曰, 鹿舊註作麓, 是中爻艮爲山, 山足曰麓. 三居中爻艮之足, 麓之象. 三四爲人位, 虞人也. 無虞無正應, 上艮爲木多節, 下震爲竹林. 中舍者亦艮止之象也. 〈愚按, 坎爲叢棘蒺藜, 震爲筤竹萑葦, 皆林物也. 人陽物陰而三四皆陰, 故曰无虞. 山林之人卽虞人也. 不如舍, 往吝, 欲[161]其守艮而戒其入坎也.〉
육삼은 비로소 간(艮)의 몸체에 들어간다. 간은 검은 부리가 되고 사슴은 산에 사는 짐승이다. 래씨(來氏)가 말하기를 "록(鹿)을 옛 주석에는 산기슭이라 한 것은 가운데 효가 간인 산이 되는 때문인데, 산의 아랫부분을 산기슭이라 한다"라 하였다. 삼효는 가운데 효에 있어 간괘의 다리이니, 산기슭의 상이다. 삼효와 사효는 사람의 자리가 되니 길잡이이다. "길잡이가 없다"는 것은 정응이 없어 위의 간은 나무에 마디가 많은 것이며, 아래의 진(震)은 대나무 숲이 된다. 중간에 포기함은 간괘의 그치는 상이다. 〈내가 살펴보았다: 감(坎)은 가시나무 덤불 · 납가새가 되며, 진(震)은 창랑죽 · 갈대가 되니 모두 숲을 이루는 식물들이다. 사람은 양이고 사물은 음인데 삼효와 사효가 모두 음이기 때문에, "길잡이가 없다"라 말하였다. 산림에 있는 사람은 곧 길잡이이다. 포기하는 것만 못하니, 계속 추적하면 부끄럽게 된다는 말은 그 그침을 지키고자 가시나무 덤불에 들어감을 경계한 것이다〉.

이병헌(李炳憲) 『역경금문고통론(易經今文考通論)』

虞曰, 卽, 就也. 虞謂虞人. 山足稱鹿. 舍, 置. 吝, 疵也.
우번(虞翻)이 말하였다: 추적한다[卽]는 것은 나아간다[就]는 뜻이다. 길잡이[虞]는 안내자[虞人]를 말한다. 산 아래를 산기슭[鹿]이라 부른다. 포기한다[舍]는 것은 그만둔다[置]는 뜻이며, 부끄러움[吝]은 흠[疵]이다.

---

161) 欲: 경학자료집성DB에 '飮'으로 되어있으나, 경학자료집성 영인본을 참조하여 '欲'으로 바로잡았다.

象曰, 卽鹿无虞, 以從禽也, 君子舍之, 往吝窮也.

「상전」에서 말하였다: "사슴을 추적하는데 길잡이가 없음"은 짐승만 쫓아갔기 때문이고, 군자가 포기하고 떠나는 것은 계속 추적하면 부끄럽고 곤궁함을 당하기 때문이다.

中國大全

傳

事不可而妄動, 以從欲也, 无虞而卽鹿, 以貪禽也. 當屯之時, 不可動而動, 猶无虞而卽鹿, 以有從禽之心也. 君子則見幾而舍之不從, 若往則可吝而困窮也.

할 수 없는 일인데 함부로 움직이는 것은 욕심을 따랐기 때문이고, 길잡이가 없는데 사슴을 추적한 것은 짐승을 탐했기 때문이다. 어려운 때를 만나 움직이지 않아야 되는데 움직이는 것은, 길잡이가 없는데 사슴을 추적하는 것이 짐승을 따라가는 마음이 있기 때문인 것과 같다. 군자라면 기미를 알아차려 포기하고 추적하지 않으니, 계속 추적하면 부끄럽게 되고 곤궁함을 당하기 때문이다.

小註

雲峯胡氏曰, 經言不如舍, 辨之審也, 傳言舍之, 去之決也.
운봉호씨가 말하였다: 경에서는 포기하는 것만 못하다고 하였으니 분변이 자세한 것이고, 전에서는 포기한다고 하였으니, 포기하는 것이 결연한 것이다.

韓國大全

이익(李瀷) 『역경질서(易經疾書)』

禽者, 羽毛鱗之通稱. 如詭遇獲禽, 登川禽, 是也.

금(禽)이란 깃털, 털, 비늘 달린 동물의 통칭이다. 예컨대 "바르지 않은 방법으로 만나게 하여 짐승을 잡는다[詭遇獲禽]"[162]는 것과 "물고기를 잡는다[登川禽]"[163]는 말이 이것이다.

유정원(柳正源) 『역해참고(易解參攷)』

卽鹿 [至] 禽也.
사슴을 추적하는데 … 짐승만.

沙隨程氏曰, 蔡邕石經郭京擧正, 无虞下皆有何字, 今本脫.
사수정씨가 말하였다: 채옹(蔡邕)이 쓴 『희평석경(熹平石經)』과 곽경(郭京)의 『주역거정』에는 '길잡이가 없다[无虞]'라는 글자 아래에 모두 '하(何)'자가 있는데, 지금 판본에는 빠져 있다.

○ 朱子曰, 郭京云, 曾得王輔嗣手本, 鹿作麓, 從禽上有何字. 然難考據.
주자가 말하였다: 곽경이 "일찍이 왕보사(王輔嗣)의 수택본(手澤本)을 얻었는데, 사슴[鹿]이 산기슭[麓]로 되어 있었으며, 종금(從禽) 위에 하(何)자가 있었다"라 했다. 그러나 고증하기 어렵다.

김상악(金相岳) 『산천역설(山天易說)』

從禽者, 從獸无厭也. 禽者, 飛走總名. 故爻曰, 卽鹿. 象曰, 從禽. 解二之獲狐, 上之射隼亦指三一爻.
"짐승을 좇아갔다[從禽]"는 것은 짐승을 좇는데 싫증내지 않는 것이다. '금(禽)'은 날고 기는 짐승의 총칭이다. 그러므로 효사에서 "사슴을 추적한다"고 했고, 「상전」에서 "짐승을 좇아간다"고 하였다. 해괘(解卦) 이효의 '획호(獲狐)'와 상효의 '석준(射隼)'도 삼효 한 효를 가리키는 것이다.

서유신(徐有臣) 『역의의언(易義擬言)』

此文疑有闕誤. 恐无虞下有惟入于林中也六字, 而以從禽也, 在舍之之下也. 惟入于林中也者, 秪自迷錯也. 以從禽也者, 君子知戒也. 窮也者, 往吝之釋也.

---

162) 『맹자 · 등문공』.
163) 『국어 · 노어』.

이 글에는 아마도 탈자와 오자가 있는 것 같다. 아마도 "길잡이가 없다"라는 말 아래에 "산림에 들어가다"라는 말이 있는 것 같고, "짐승만 좇아갔기 때문이다"라는 말이 "그만두다"라는 말의 아래에 있는 것 같다. "산림에 들어가다"라는 것은 다만 스스로 미혹되고 잘못된 것이다. "짐승만 좇아갔기 때문이다"라는 말은 군자가 경계하여야 함을 아는 것이다. "곤궁하다"라는 말은 "가면 부끄러울 것이다"라는 말에 대한 해석이다.

박문건(朴文健)『주역연의(周易衍義)』

從禽釋卽鹿之義.
'종금(從禽)'은 '즉록(卽鹿)'의 의미를 해석했다.
〈問, 君子舍之, 往吝窮也. 曰, 君子舍之而不往, 若往則吝窮也. 吝窮與恒卦彖傳恒久不已之恒久同一文法也.
물었다: 군자가 포기하는 것은 계속 추적하면 부끄럽고 곤궁함을 당하기 때문입니까?
답하였다: 군자는 포기하고 가지 않는데, 만약 간다면 부끄럽고 곤궁함을 당할 것입니다. '부끄럽고 곤궁함[吝窮]'은 항괘「단전」의 "항구하게 해서 그만두지 않는다"의 항구(恒久)와 동일한 글쓰기 방법입니다.〉

오치기(吳致箕)「주역경전증해(周易經傳增解)」

无虞而從禽, 妄動而不止, 則吝窮之道也.
길잡이가 없는데 짐승을 추적하여 함부로 움직이고 그치지 않으면 부끄럽고 곤궁하게 되는 길이다.

박문호(朴文鎬)「경설(經說)·주역(周易)」

從禽之從, 程子以貪釋之, 如此然後其義乃明. 若讀作孟子從獸之從, 則殊無意義.
"짐승을 추적한다[從禽]"에서의 '종(從)'을 정자는 탐(貪)으로 풀이하였는데, 이와 같이 한 이후에 그 의미가 명확해 진다. 만약『맹자』의 종수(從獸)의 종(從)으로 읽는다면, 자못 의미가 없어질 것이다.

六四, 乘馬班如, 求婚媾, 往, 吉, 无不利.

정전 육사는 말을 탔다가 말에서 내려오니, 혼인할 자를 찾아서 가면 길하여 이롭지 않음이 없다.
본의 육사는 말을 탔지만 말에서 내려오니, 혼인할 자를 찾으면 감이 길하여 이롭지 않음이 없다.

中國大全

傳

六四以柔順, 居近君之位, 得於上者也, 而其才不足以濟屯. 故欲進而復止, 乘馬班如也. 己旣不足以濟時之屯, 若能求賢以自輔, 則可濟矣. 初, 陽剛之賢, 乃是正應, 己之婚媾也. 若求此陽剛之婚媾, 往與共輔陽剛中正之君, 濟時之屯, 則吉而无所不利也. 居公卿之位, 己之才雖不足以濟時之屯, 若能求在下之賢, 親而用之, 何所不濟哉.

육사는 유순함으로 임금에게 가까운 지위에 있어 윗사람에게 신임을 얻은 자이지만, 그 재주가 어려움을 구제하기에 부족하다. 그러므로 나아가려고 하다가 다시 멈춘 것이니, 말을 탔다가 말에서 내려오는 것이다. 자신은 이미 시대의 어려움을 구제하기에 부족하니, 현명한 자를 찾아서 자신을 돕게 하면 구제할 수 있다. 초구는 양효의 굳센 현자이고 바로 정응이니, 자신의 혼인자이다. 이 양효의 굳센 혼인을 구하여서 가면, 함께 양효의 굳세고 중정한 임금을 보필하여 시대의 어려움을 구제하니, 길하고 이롭지 않음이 없다. 공경의 지위에 있으면서 자신의 재주가 시대의 어려움을 구제하기에 부족할지라도, 아래에 있는 현명한 자를 찾아서 가까이 하여 등용하면 어떻게 구제하지 못하겠는가!

小註

東萊呂氏曰, 屯之六四居近君之位, 其才陰柔不足以濟屯. 故將進, 復止, 如乘馬之班如. 若能自知不足, 下親暱於初, 與之同向前共濟天下之事, 則吉无不利. 夫子釋之曰求而往明也, 明之一字, 最宜詳玩. 蓋得時得位, 肯自伏弱, 求賢自助, 非明者能之乎.
동래여씨가 말하였다: 준괘(屯卦䷂)의 육사는 임금에게 가까운 지위에 있지만, 음의 유순한 재질이 어려움을 구제하기에 부족하다. 그러므로 나아가려고 하다가 다시 멈추니, 말을 탔

다가 말에서 내려오는 것과 같다. 만일 스스로 부족함을 알 수 있어 아래로 초구와 가까이 하고 그와 같이 천하의 일을 앞으로 함께 한다면 길하여 이롭지 않음이 없다. 공자가 찾아서 가는 것은 명철한 것이라고 말하였으니, 명철하다는 말은 아주 자세히 완미해야 한다. 때를 얻고 지위를 얻었지만 자신의 약한 것을 인정하고 현명한 자를 찾아 자신을 돕게 하니, 명철한 자가 아니면 할 수 있겠는가!

本義

陰柔居屯, 不能上進. 故爲乘馬班如之象. 然初九守正居下, 以應於己, 故其占, 爲下求婚媾則吉也.

음효의 유순함으로 어려움에 있어 위로 나아가지 못한다. 그러므로 말을 탔지만 말에서 내려오는 상이 된다. 그러나 초구는 바름을 지키고 아래에 있어 자신에게 상응하므로, 그 점이 아래에서 혼인을 구해오면 길함이 되는 것이다.

小註

或問, 六四求婚媾, 此婚媾疑指初九之陽. 婚媾是陰, 何得陽亦可言. 朱子曰, 婚媾通指陰陽. 但程傳謂六四往求初九之婚媾, 則恐其未然也.
어떤 이가 물었다: 육사에서 혼인할 자를 찾았다고 한 것에서 여기서의 혼인할 자는 초구라는 양을 가리킨 듯합니다. 혼인할 자가 음이면 어떻게 양을 얻었다고 또한 말할 수 있겠습니까? 주자가 답하였다: 혼인은 음과 양을 통틀어서 가리킵니다. 다만 「정전」에서 육사가 가서 초구라는 혼인할 자를 찾았다고 한 것은 아마도 그렇지 않은 것 같습니다.

○ 雙湖胡氏曰, 本義云下求婚媾, 是指初九在下來求四爲婚媾. 求者在彼, 往者在我, 故吉. 不然, 豈有陽不倡而陰反倡, 男不行而女先行. 以是爲吉, 无不利者乎.
쌍호호씨가 말하였다: 『본의』에서 아래에서 혼인할 자를 구한다고 한 것은 초구가 아래에서 와서 육사를 구하여 혼인할 것을 가리킨 것이다. 구하는 것이 저기에 있고 가는 것이 나에게 있으므로 길하다. 그렇지 않다면 어찌 양이 앞장서지 않는데 음이 도리어 앞장서고, 남자가 가지 않는데 여자가 먼저 가겠는가? 이것으로 길함을 삼으면 이롭지 않은 것이 없을 것이다.

○ 建安丘氏曰, 三四皆欲從初者也, 四以應而往吉, 三以不應而往則吝. 往同而吉凶異者, 應不應故也.

건안구씨가 말하였다: 삼효와 사효는 모두 초구를 따르고자 하는 것들인데, 사효는 상응하여 가서 길하고, 삼효는 상응하지 않는데 가서 부끄럽게 된다. 가는 것은 같은데 길흉이 다른 것은 상응하고 상응하지 않기 때문이다.

○ 雲峯胡氏曰, 凡爻例, 上爲往, 下爲來. 六四下而從初, 亦謂之往者, 據我適人, 於文當言往不可言來. 如需上六三人來, 據人適我可謂之來不可謂往, 又變例也. 男下女爲婚. 初下二, 婚媾也, 二之不字, 非應也. 初下四, 求婚媾也, 四之往者應也. 士夫有不待求而往者, 讀二四爻辭, 亦可愧矣. 諸家多以求婚媾爲四求初, 唯本義謂初居下而應於己, 四待下之求而後往則吉. 必如是而後, 合男女婚媾之禮, 必如是而後, 見士夫出處之義.
운봉호씨가 말하였다: 일반적인 효의 사례에서 올라가는 것이 가는 것이고, 내려오는 것이 오는 것이다. 그런데 육사가 내려와서 초구를 따랐는데, 또한 가는 것이라고 말한 것은 나를 기준으로 남에게 가는 것이니, 표현에서 가는 것이라고 해야 하고 오는 것이라고 하면 안 된다. 이를테면 수괘(需卦䷄)의 상육에서 세 사람이 올 것[164]이라고 한 것은 남을 기준으로 나에게 오는 것이어서 오는 것이라고 할 수 있지만 가는 것이라고 할 수는 없으니, 또 변례이다. 남자가 여자에게 낮추는 것이 구혼이다. 초구가 이효에게 낮춘 것은 혼인이지만, 이효가 시집가지 않는 것은 상응이 아니기 때문이다. 초효가 사효에게 낮춘 것은 혼인을 구한 것인데, 사효가 가는 것은 상응하기 때문이다. 사대부가 구함을 기다리지 않고 가는 경우가 있는데, 이효와 사효의 효사를 읽으면 또한 부끄러울 것이다. 여러 학자들은 대부분 혼인을 구하는 것에 대해 사효가 초효를 구하는 것으로 여겼고, 오직 『본의』에서는 초효가 하괘에 있어 자신에게 상응하고, 사효가 아래에서 구하는 것을 기다린 다음에 간다면 길하다고 하였다. 그러니 반드시 이와 같이 한 다음에 남녀 혼인의 예에 합하고, 반드시 이와 같이 한 다음에 사대부의 벼슬하고 물러나는 의리를 알 것이다.

韓國大全

송시열(宋時烈) 『역설(易說)』

上近陽爻, 又綜爲震馬, 求婚於初正應, 此則往而吉也. 小象謂之明者有大離象. 離爲明也. 卦內三言乘馬, 坎亦有馬象, 四與六皆乘馬之象也.

---

164) 『周易 · 需卦』: 有不速之客三人, 來, 敬之, 終吉.

위로는 양효에 가깝고, 또 종괘는 진(震)인 말이 되며, 정응인 초효에게 구혼하니, 이것이 가면 길한 것이다. 「소상전」에서 명철하다고 한 것은 큰 리괘(離卦)의 상이 있기 때문이다. 리(離)는 밝음이 된다. 괘에서 말을 탄다고 세 번 말하였는데, 감(坎)도 말의 상이 있어 사효와 상효는 모두 말을 타는 상이다.

김만영(金萬英) 「역상소결(易象小訣)」

六四, 乘馬班如, 坎與震皆有馬之象, 故曰馬. 然六四意欲上進, 而旣離震, 馬又在坎馬之下, 故有下馬, 班如之象.

"육사는 말을 탔다가 말에서 내려오니"라는 말에서 감(坎)과 진(震)에 모두 말의 상이 있기 때문에 말이라 하였다. 그러나 육사의 뜻은 위로 나아가고자 하나 이미 진괘를 벗어났다. 말도 감괘인 말의 아래에 있기 때문에 말에서 내려옴이니, 말에서 내리는 상이 있다.

유정원(柳正源) 『역해참고(易解參攷)』

梁山來氏曰, 坎爲馬, 又有馬象. 求者, 四求之也. 往者, 初往之也. 自內而之外曰往. 本爻變中爻成巽則爲長女, 震爲長男, 婚媾之象也. 求賢以濟難, 有此象也.

양산래씨가 말하였다: 감(坎)은 말이 되고, 또 말의 상이 있다. '찾는다'는 것은 사효가 찾는 것이다. '간다'는 것은 초효가 간다는 것이다. 안에서부터 밖으로 가는 것을 '간다'[往]라 한다. 본효가 변하여 가운데 있는 효가 손괘를 이루면 맏딸이 되고, 진괘는 맏아들이 되니, 혼인하는 대상의 상이다. 어진 이를 찾아서 어려움을 구제함에 이 상이 있는 것이다.

김상악(金相岳) 『산천역설(山天易說)』

馬指初也. 四與初爲應, 雖有乘馬之象, 比五而不交, 故班如. 初則相交, 能求婚媾于下, 往從于五, 則吉而无不利也.

말은 초효를 가리킨다. 사효와 초효가 호응이 되니, 비록 말을 타는 상이 있다고 하더라도 오효와 가깝고 사귀지 않으므로 내려온다. 초효는 서로 사귀어 아래로 혼인할 상대를 구할 수 있고, 가서 오효를 따르면 길하고 이롭지 않음이 없다.

○ 乘馬班如, 見六二. 服牛乘馬, 取之于隨, 而四之九六不同, 故曰班如. 四陰初陽, 婚媾之象. 往者, 乘震之動也. 凡言吉无不利, 多在元亨之卦, 以本爻言下求爲吉, 上往爲无不利.

"말을 탔다가 말에서 내려오니"는 육이를 보라. "소에게 멍에를 메우고 말을 탄다"라는 말은 수괘(隨卦)에서 취하였지만, 사효가 구[九四]인 것과 육[六四]인 것이 서로 다르기 때문에 "내린다"고 하였다. 사효인 음과 초효인 양은 혼인할 상대의 상이다. 간다[往]는 것은 진(震)의 움직임을 탔기 때문이다. 길하고 이롭지 않음이 없다고 말하는 것은 대부분 원형(元亨)의 괘에 있는데, 본효로써 아래로 찾음이 길함이 되고, 위로 감이 이롭지 않음이 없는 것이 된다.

김규오(金奎五) 「독역기의(讀易記疑)」

六四, 求婚媾.
육사는 혼인할 상대를 찾는다.

本義諺解作初九之求, 蓋取小註朱子說及雙湖說. 然本義爲下求婚媾則吉之文, 未見其與傳不同. 以此下字作降字看則文勢順, 作在下者看則文不順. 結辭又不主六四而言, 可疑.
『본의』의 언해에서는 초구가 찾는 것이라고 해석했는데, 소주에서 주자의 설 및 쌍호의 설을 취하였다. 그러나 『본의』가 아래로 혼인할 상대를 구하는 것이 된다고 하면 길하다는 문장은 그것이 『정전』과 같지 않다는 것을 드러내지 못한다. 이 '아래로[下]'를 강(降)자로 본다면 문맥이 자연스럽지만, 아래에 있는 것으로 본다면 문맥이 자연스럽지 못하다. 끝맺는 말도 육사를 위주로 말하지 않았으니, 의심할 만하다.

박윤원(朴胤源) 『경의(經義) · 역경차락(易經箚略) · 역계차의(易繫箚疑)』

大臣之以人事君者, 當觀此象.
사람으로서 임금을 섬기는 대신은 마땅히 이 상을 관찰하여야 한다.

김귀주(金龜柱) 『주역차록(周易箚錄)』

按, 二四上皆以乘馬言者, 震坎皆有馬象故耳.
내가 살펴보았다: 이효 · 사효 · 상효에서 모두 "말을 탄다"는 것으로 말한 것은 진(震)과 감(坎)에 모두 말의 상이 있기 때문이다.

本義陰柔居屯, 云云.
『본의』에서 말하였다: 부드러운 음으로서 어려움에 처해 있어, 운운.
小註或問六四, 云云.

소주에서 어떤 이가 물었다: 육사는, 운운.
○ 按, 程傳以往字爲往輔中正之君, 而此答說以爲往求初九之婚媾者可疑.
내가 살펴보았다: 『정전』은 왕(往)자를 가서 중정한 임금을 돕는 것으로 여겼지만, 여기 답하는 말은 가서 초구의 혼인할 상대를 찾는 것으로 여겼으니 의심스럽다.
○ 更按, 程傳解往字, 則雖如上說, 然其解求婚媾, 則乃以我求於彼言之. 此便是往求, 故朱子之論如此.
또 내가 살펴보았다: 『정전』에서 '왕(往)'자를 해석한 것이 비록 위와 같이 말하였지만, 그 해석이 혼인할 상대를 찾는다면 바로 내가 그에게서 찾는다는 것으로 말하는 것이니, 이것이 곧 가서 구하는 것이기 때문에 주자가 논한 것이 이와 같다.

建安丘氏曰, 三四, 云云.
건안구씨가 말하였다: 삼효와 사효는, 운운.
○ 按, 三是欲從五者也. 今謂之從初者誤矣.
내가 살펴보았다: 삼효는 오효를 따르고자 하는 자이다. 지금 초효를 따르고자 하는 자라고 말하는 것은 잘못이다.

박제가(朴齊家) 『주역(周易)』

傳, 求此陽剛之婚媾.
『정전』에서 말하였다: 이 굳센 양효의 혼인할 자를 찾아서 간다.
案, 象傳明云求而往下得一而字, 所以明不自求也. 本義曰, 下求婚媾者爲是. 但程傳以公卿之才不足濟屯, 能求在下之賢, 則必須自求, 不可待下之求. 蓋求然後往者, 從女子而言也. 若宰相求賢, 則位雖居四亦陽也. 固當以身先之, 於經義亦不相妨.
내가 살펴보았다: 「소상전」에서 "찾아서 간다"고 명확하게 말했으니, 하나의 '이(而)'자를 쓴 것은 스스로 찾지 않는다는 것을 밝힌 것이다. 『본의』에서 "아래에서 혼인을 구해도"라고 말한 것이 옳다. 다만 『정전』에서는 공경(公卿)의 재주로서 어려움을 구제하기에 부족하여 아래에 있는 어진 사람을 찾을 수 있다면 반드시 스스로 찾아야 하고 아랫사람이 찾기를 기다려서는 안 된다. 찾은 다음에 간다는 것은 여자의 측면에서 말한 것이다. 만약 재상이 어진사람을 찾는다면 자리가 비록 사효 자리에 있고 또 양이더라도 진실로 마땅히 몸소 먼저 하여야 하니, 경전의 뜻과도 서로 방해가 되지 않는다.

傳云, 求賢自輔而後往, 恐未安. 經云, 求而往者, 有求而應也. 若旣求而後往則往於何處. 若曰求賢而往則可矣.

『정전』에서 "현명한 자를 찾아서 자신을 돕게 한 뒤에 간다"고 한 것은 아마도 옳지 않은 듯하다. 『주역』에서 "찾아서 간다"라는 말은 찾아서 호응함이 있는 것이다. 만약 이미 찾고 난 뒤에 간다면 어디로 간다는 것인가? 만약 현명한 이를 찾아서 간다고 하면 괜찮다.

서유신(徐有臣) 『역의의언(易義擬言)』

屯難之時, 婚媾爲助, 而初九磐桓不相應, 故乘馬而不能行也. 然終能求其正應而往從之. 是以獲吉而初九亦利也.

어려울 때는 혼인할 상대가 도움이 되지만, 초구가 머뭇거리고 서로 호응하지 않기 때문에, 말을 탔지만 갈 수가 없다. 그러나 마침내 그 정응(正應)을 찾아서 가서 따를 수 있다. 이 때문에 길한 것을 얻고 초구도 이롭다.

박문건(朴文健) 『주역연의(周易衍義)』

往欲從應, 故有乘馬之象. 釋疑而往則吉而有利.

가서 호응을 따르고자하기 때문에 말을 타는 상이 있다. 의심을 풀고 가면 길하고 이로움이 있다.

이지연(李止淵) 『주역차의(周易箚疑)』

六四之馬, 亦指初九也. 六二以乘故, 指而爲馬. 六四以應故, 亦指而爲馬.

육사의 말도 초구를 가리킨다. 육이는 타고 있기 때문에 가리켜서 말이라고 하였고, 육사는 호응하기 때문에 역시 가리켜서 말이라고 하였다.

김기례(金箕澧) 「역요선의강목(易要選義綱目)」

婚媾指初九.

혼인할 상대는 초구를 가리킨다.

○ 四以陰柔, 雖居大臣位, 才不足以濟屯, 故近君而不能進. 故曰乘馬班如, 馬亦取坎象, 但初爲正應, 有剛明之才, 則往求而共輔. 如大臣求在下之賢者而共輔, 豈不吉且利哉. 陰主利, 故曰利.

사효는 부드러운 음으로서 비록 대신의 자리에 있지만, 재주가 어려움을 구제하기에는 부족하기 때문에, 임금에게 가까이 있지만 나아갈 수 없다. 그러므로 "말을 탔다가 말에서 내리니"라 말하였으니, 말은 역시 감(坎)의 상을 취하였다. 다만 초효가 정응이 되고 굳세고 현명한 재주가 있으니, 가서 찾아서 함께 도움이 만일 대신이 아래에 있는 어진 사람을 찾아서 함께 돕는 것과 같다면 어찌 길하고 이롭지 않겠는가? 음은 이로움을 위주로 하기 때문에 "이롭다"고 했다.

심대윤(沈大允) 『주역상의점법(周易象義占法)』

屯之隨䷐, 隨人也. 六四居柔, 從人而上隨于五, 然才柔不足以有爲, 故曰乘馬班如. 坎爲馬, 巽互離爲乘, 下有初剛之正應. 六四自知其才之不能, 下求賢德以自輔, 往隨于九五剛中之君而濟世之屯. 故曰求婚媾, 往吉, 无不利. 程傳備矣. 艮爲求.
준괘가 수괘(隨卦䷐)로 바뀌었으니, 다른 사람을 따른다. 육사는 부드러움에 있어 다른 사람을 따라서 위로 가서 오효를 따르지만, 재질이 유약하여 큰일을 하기에는 부족하기 때문에 "말을 탔다가 말에서 내린다"라 하였다. 감(坎)은 말이 되고, 손괘와 호괘인 리괘가 타는 것이 되며, 아래에 굳센 양인 초효의 정응이 있다. 육사는 그 재질이 능하지 못함을 스스로 알아서 아래로 어진 이의 덕을 구하여 자신을 돕고 가서 굳세고 알맞은 구오[165]의 임금을 따라서 세상의 어려움을 구제한다. 그러므로 "혼인할 상대를 구하여 가면 길하고 이롭지 않음이 없다"라 하였다. 『정전』에 이러한 뜻이 자세히 갖추어져 있다. 간(艮)은 찾음이 된다.

오치기(吳致箕) 「주역경전증해(周易經傳增解)」

六四, 柔得其正, 而當屯難之時, 下雖有正應, 而貞德自守, 不欲妄進, 故有乘馬班如之象, 而必待初九之剛先求婚媾, 然後往從, 故占言吉, 而雖處屯難, 无攸不利也.
육사는 부드러움이 그 바름을 얻고 어려운 때를 당하여 아래에 비록 정응이 있지만 곧은 덕으로 스스로 지키고 함부로 나아가려고 하지 않으므로 "말을 탔다가 내리는" 상이 있는데 반드시 굳센 초구가 먼저 혼인할 상대를 찾기를 기다린 이후에 가서 따르므로 점에서 길함을 말하여 비록 어려움에 처해 있더라도 이롭지 않음이 없다.

○ 變兌爲少女, 故亦以婚媾言也. 柔在上而應下剛, 故曰乘, 而馬取於應震也. 四居互艮止體, 故爲不進之象. 初居震之動體而相應, 故爲求之象也.
변한 태괘가 막내딸이 되기 때문에 또한 혼인할 상대로써 말했다. 부드러운 음이 위에 있으면서 아래의 굳센 양에 호응하기 때문에 '탄다[乘]'고 했는데, 말은 호응하는 진괘에서 취하

---

165) 원문에는 五九로 표기하고 그것이 오기임을 밝히기 위해서 점을 찍었다. 이런 내용에 근거하여 옮긴이가 九五로 수정하였다.

였다. 사효는 호괘인 간(艮)의 그치는 몸체에 있기 때문에 나아가지 못하는 상이 된다. 초효는 진의 움직이는 몸체에 있으면서 호응하기 때문에 찾는 상이 된다.

이진상(李震相) 『역학관규(易學管窺)』

四與初爲正應, 故有乘馬之象, 而逼近九五, 故有班如之象. 然初來求我, 則自當與爲昏媾. 彼求我, 往則吉, 无不利. 若不求而自往, 則昏暗之甚也, 豈足爲明乎. 明厚離象, 應陽故言此爻變巽爲長女, 與震長男合. 若六二則變得兌少女, 九五坎又中男, 待其長而方成其婚, 所以遲也. 陰志趨下, 水性潤下. 故四不取比五之象, 而專用應初之意.

사효는 초효와 정응이기 때문에 말을 타는 상이 있는데, 구오(九五)와 매우 가깝기 때문에 내리는 상이 있다. 그렇지만 초효가 와서 나를 찾으면 자신이 마땅히 함께하여 혼인할 짝이 되니, 저쪽에서 나를 찾아오면 길해서 이롭지 않음이 없다. 만약 찾지 않는데 내가 간다면 어리석음이 심한 것이니, 어찌 현명함이 되겠는가? 명철하고 두터움은 두터운 리(離)의 상으로 양과 호응하기 때문에 이 효가 변한 손괘가 맏딸이 되어 진괘인 맏아들과 합함을 말하였다. 육이의 경우는 변하여 태괘인 막내딸을 얻고 구오의 감괘가 또 둘째아들이어서 맏아들을 기다려 혼례를 이루니, 이 때문에 더딘 것이다. 음의 뜻은 아래로 내려가고 물의 성질도 적셔 내려가기 때문에 사효에서 오효와 친근한 상을 취하지 않고 오로지 초효에 호응하는 뜻을 썼다.

채종식(蔡鍾植) 「주역전의동귀해(周易傳義同歸解)」

六四, 求婚媾, 往吉. 傳謂我求婚媾於初九, 往與共輔陽剛中正之君, 則吉矣. 此以婚媾爲輔助之義也. 本義謂初九來求婚媾於我, 則往吉. 此以婚媾爲男下女之義也. 蓋屯互坤卦, 臣道也妻道也. 以臣道言之, 則四居近君之位, 自知其才之不足以濟屯, 下求强輔, 往與佐君, 則吉矣. 以妻道言之, 則四爲初九之正應, 以待男倡而隨往, 則吉矣. 蓋臣之於君, 妻之於夫, 其道一也.

"육사는 혼인할 상대를 찾아서 가면 길하다"라 하였다. 『정전』은 "내가 초구에서 혼인을 구해 가서 함께 굳센 양의 중정한 임금을 도우면 길할 것이다"라 하였다. 이것은 혼인할 상대를 보조의 의미로 간주한 것이다. 『본의』는 "초구가 와서 나에게서 혼인할 상대를 찾으니 가면 길하다"라 하였다. 이것은 혼인할 상대를 남자가 여자에게 자신을 낮추는 의미로 간주한 것이다. 준괘의 호괘는 곤괘이니 신하의 도리이고 아내의 도리이다. 신하의 도리로써 말한다면 사효가 임금에게 가까운 자리에 있지만 스스로 자신의 재주가 어려움을 구제하기에 부족함을 알아서 아래로 강력한 도움을 구하여 가서 함께 임금을 도우면 길할 것이다. 아내의 도리로써 말한다면 사효가 초구의 정응이 되니, 남자가 앞장서서 이끄는 것을 기다려서 따라가면 길할 것이다. 신하가 임금에 대해서나 아내가 남편에 대해서 그 도리가 같다.

象曰, 求而往, 明也.

「상전」에서 말하였다: "찾아서 감"은 명철한 것이다.

中國大全

傳

知己不足, 求賢自輔而後往, 可謂明矣. 居得致之地, 己不能而遂已, 至暗者也.

자신의 부족함을 알고 현명한 자를 찾아 스스로 돕게 한 뒤에 가니, 명철하다고 할만하다. 현명한 자를 불러올 수 있는 지위에 있는데, 자신이 유능하지 못해 마침내 포기하는 것은 지극히 어두운 자이다.

韓國大全

유정원(柳正源) 『역해참고(易解參攷)』

案, 四以陰柔之才, 下求初爲婚媾, 則是陰先唱也, 女先行也, 暗之甚者也. 往何所利乎. 待其求而往焉, 則婚姻之禮正, 陰陽之位得, 非明者能之乎.

내가 살펴보았다: 사효는 부드러운 음의 재질로서 아래로 초효에게 혼인할 상대가 되기를 구하니, 이것은 음이 먼저 이끈 것이고 여자가 먼저 행한 것이며 어리석음이 심한 것이다. 간들 무슨 이익이 있겠는가? 그가 찾기를 기다렸다가 간다면 혼인의 예가 바르고 음양의 자리를 얻으니, 명철한 사람이 아니라면 가능하겠는가?

김상악(金相岳) 『산천역설(山天易說)』

求初之賢, 往輔于五, 有知人之明也. 公叔文子與其大夫僎同升諸公. 孔子曰, 可以爲文矣. 文則可以成章而明矣.
초효의 어짊을 찾아 가서 오효를 도우니 사람을 알아보는 명철함이 있다. 공숙문자(公叔文子)가 그의 대부인 선(僎)과 함께 여러 공조에 올랐으니, 공자는 "문(文)이라고 할 만하구나"라고 하였다. 문은 문장을 이루어서 밝아질 수 있다.

서유신(徐有臣) 『역의의언(易義擬言)』

能求婚媾, 互艮之明也. 六二之十年, 明不足也.
혼인할 상대를 구할 수 있는 것은 호괘인 간(艮)의 명철함이다. 육이의 10년은 명철함이 부족함이다.

강엄(康儼) 『주역(周易)』

按, 六四以陰居陰, 何以爲明. 蓋以義理言, 則六四柔順得正, 必待初九之求而後往, 非明哲之君子, 能如是乎.
내가 살펴보았다: 육사는 음으로서 음의 자리에 있으니, 어찌 명철함이 되겠는가? 의리로 말한다면 육사는 유순하고 바름을 얻어 반드시 초구의 찾음을 기다린 뒤에 가야 하니, 명철한 밝은 군자가 아니라면 이와 같이 할 수 있겠는가?

박문건(朴文健) 『주역연의(周易衍義)』

知其无害而求往, 六四之明也.
그것이 해로움이 없음을 알아서 찾아 가는 것은 육사의 밝음이다.

심대윤(沈大允) 『주역상의점법(周易象義占法)』

自知, 明也.
스스로를 아니, 명철한 것이다.

오치기(吳致箕) 「주역경전증해(周易經傳增解)」

待求而往者, 明於出處之義者也.
찾음을 기다렸다가 가는 자는 출사와 은둔의 의리에 밝은 자이다.

九五, 屯其膏, 小貞吉, 大貞凶.

정전 구오는 은택을 베풀기 어려우니, 조금씩 바로잡으면 길하고 크게 바로잡으면 흉하다.
본의 구오는 은택을 베풀기 어려우니, 작은 일에는 곧으면 길하고 큰일에는 곧아도 흉하다.

中國大全

傳

五居尊得正而當屯時. 若有剛明之賢, 爲之輔, 則能濟屯矣, 以其无臣也, 故屯其膏. 人君之尊, 雖屯難之世, 於其名位, 非有損也, 唯其施爲有所不行, 德澤有所不下, 是屯其膏, 人君之屯也. 旣膏澤有所不下, 是威權不在已也. 威權去己而欲驟正之, 求凶之道, 魯昭公, 高貴鄕公之事是也. 故小貞則吉也, 小貞, 則漸正之也. 若盤庚, 周宣, 修德用賢, 復先王之政, 諸侯復朝, 謂以道馴致, 爲之不暴也. 又非恬然不爲, 若唐之僖昭也, 不爲, 則常屯以至於亡矣.

오효는 존귀한 자리에 있고 바름을 얻었으면서 어려운 때를 만났다. 만일 굳건하고 밝은 현명한 자가 보필해 준다면 어려움을 구제할 수 있을 것이지만, 신하가 없기 때문에 은택을 베풀기 어렵다. 임금이라는 존귀함은 비록 어려운 세상일지라도 그 명예와 직위에 손해나는 것이 있지 않고, 오직 그 시행함이 행해지지지 않고 덕이라는 은택이 아래로 내려가지 못하는 것이 있으니, 이것이 은택을 베풀기 어려운 것으로 임금의 어려움이다. 이미 은택이 내려가지 못한 것이 있으면 위엄과 권위가 자신에게 있지 않은 것이다. 위엄과 권위가 자신에게서 떠났는데 빠르게 바로 잡으려고 하면 흉함을 구하는 길이니, 노나라 소공과 고귀향공의 일[166]이 여기에 해당한다. 그러므로 조금씩 바로잡으면 길하니, 조금씩 바로잡는다는 것은 점차로 바로 잡는 것이다. 반경[167]과 주나라 선왕[168]이 덕을 닦

166) 노나라 소공과 고귀향공의 일: 춘추시대 노(魯)나라 소공은 권신 계손씨(季孫氏)를 제거하려다가 도리어 역공을 받아 국외로 도망갔고, 삼국시대 위(魏)나라의 군주 조모(曹髦)는 권신 사마소(司馬昭)를 제거하려다가 실패하여 고귀향공으로 강등되었다.

167) 반경: 은나라를 발전시킨 17대 왕으로 도읍을 상나라의 시조 성탕이 나라를 세울 때의 도읍지로 옮겨 발전의 계기를 삼았다. 반경 때부터 상나라를 은나라라고 불렀다.

168) 주나라 선왕: 주나라 11대 왕으로 주나라를 발전시켰다.

고 현명한 자를 등용하여 선왕의 정사를 복구하여 제후들이 다시 조회하도록 한 것과 같으니, 도를 사용하여 길들이며 이르도록 하고 갑자기 하지 않는 것을 말한다. 또 당나라의 희종과 소종처럼 편안히 아무 것도 하지 않은 것이 아니니, 아무 것도 하지 않으면 항상 어려워서 망하게 될 것이다.

小註

朱子曰, 伊川易解也, 失契勘, 說屯其膏云, 又非恬然不爲, 若唐之僖昭也. 這兩人全不同, 一人是要做事, 一人是不要做, 與小黃門啗果實度日, 呼田令孜爲阿父. 不知東漢時, 若一向盡引得忠賢布列在內, 不知如何. 只那時都无可立.[169] 天下大勢, 如人衰老之極, 百病交作, 略有些變動, 便成大病.

주자가 말하였다: 이천은 『주역』을 해석하면서 진짜인지 가짜인지를 구분하지 못해 은택을 베풀기 어렵다는 말을 설명함에 당나라의 희종과 소종처럼 편안히 아무 것도 하지 않은 것이 아니라고 했다. 그런데 이 두 사람은 전혀 같지 않으니, 한 사람은 일을 하려고 했고, 한 사람은 일을 하려고 하지 않아 환관 소황문과[170] 과일이나 먹고 지내면서 환관 전령자를[171] 아버지라고 불렀다. 동한 시대에 대해서는 잘 모르겠지만 줄곧 충신과 현인을 포함하여 배열한 것이라면 어떻게 된 것인지 모르겠다. 다만 그 때에는 내세울 만한 사람이 전혀 없었다. 천하의 대세는 사람이 극도로 노쇠하여 온갖 병이 함께 생기는 것과 같아 조금만 변동이 있어도 바로 큰 병이 된다.

○ 誠齋楊氏曰, 以剛明之主, 宜其撥亂反正, 有餘也, 然其膏猶屯者, 有君无臣故也. 六四近臣則弱, 六三近臣則又弱, 六二大臣則又弱. 惟一初九遠而在下, 賢而在下. 然則將欲有爲, 誰與有爲哉. 此所以屯其膏也.

성재양씨가 말하였다: 굳세고 현명한 임금은 당연히 어지러움을 없애고 바름으로 되돌리기에 충분하겠지만, 그 혜택이 오히려 어려운 것은 임금이 있고 신하가 없기 때문이다. 육사가 가까운 신하라면 허약하고, 육삼이 가까운 신하라면 또 허약하며, 육이가 대신이라면 또 허약하다. 유일하게 초구가 멀리 떨어져 아래에 있고 현명한데 아래에 있다. 그렇다면 큰일을 하려고 하지만 누구와 하겠는가? 이것이 은택을 베풀기 어려운 까닭이다.

---

169) 『주자어류』에는 이 구절이 "只那都無主可立"으로 되어 있다.

170) 소황문: 동한시대의 환관.

171) 전령자: 당나라의 환관.

本義

九五雖以陽剛中正, 居尊位, 然當屯之時, 陷於險中, 雖有六二正應而陰柔才弱不足以濟, 初九得民於下, 衆皆歸之, 九五坎體, 有膏潤而不得施, 爲屯其膏之象. 占者以處小事, 則守正猶可獲吉, 以處大事, 則雖正而不免於凶.

구오는 비록 양의 굳세고 중정함으로 존귀한 자리에 있지만 어려운 때를 만나 험한 가운데 빠져 있고, 비록 육이가 바르게 응하고 있지만 음의 유순함으로 재질이 약하여 구제하기에 부족하며, 초구는 아래에서 백성들의 마음을 얻어 사람들이 그에게로 귀의하고, 구오는 감괘(坎卦☵)의 몸체로 은택이 있지만 시행할 수 없으니, 은택을 베풀기 어려운 상이 된다. 점치는 자가 이것을 본받아 작은 일에 대처한다면 바름을 지켜 오히려 길할 수 있지만, 큰일에 대처한다면 비록 바를지라도 흉함을 면하지 못한다.

小註

雲峯胡氏曰, 六爻唯二五言屯, 二在下而柔, 五剛而陷於柔, 皆非濟屯之才. 二曰屯如, 時之屯也, 五曰屯其膏, 五自屯之也. 可以施而不施, 是自屯其膏. 出納之吝, 謂之有司, 非大君之道也. 又曰, 學易者貴於觀時識變. 卦有二陽, 初陽在下而衆方歸之, 時之方來者也. 五陽在上而陷於險, 時之巳去者也. 時已去, 雖陽剛亦无如之何矣, 故凶.

운봉호씨가 말하였다: 여섯 효에서 이효와 오효에서만 어렵다고 하였으니, 이효는 하괘에 있고 유약하며, 오효는 굳세지만 유약함에 빠져 모두 어려움을 구제할 수 있는 재질이 아니다. 이효에서 어렵다고 한 것은 시기가 어려운 것이고, 오효에서 은택을 베풀기 어렵다는 것은 오효가 스스로 어렵게 한 것이다. 베풀 수 있는데 베풀지 않은 것은 바로 스스로 그 은택을 어렵게 한 것이다. 출납의 부끄러움이 관리에게 있다고 말한다면 위대한 임금의 도리가 아니다.

또 말하였다: 『주역』을 연구하는 자들은 시기를 살피고 변화를 아는 것에 대해 귀하게 여긴다. 괘에 두 양이 있으니, 초효가 양으로 아래에 있어 뭇 사람들이 귀의하는 것은 시기가 도래하는 것이고, 오효가 양으로 위에 있어 험함에 빠진 것은 시기가 이미 떠나간 것이다. 시기가 이미 떠나가면 비록 양의 굳셈일지라도 어떻게 할 수 없으므로 흉하다.

‖ 韓國大全 ‖

송시열(宋時烈) 『역설(易說)』

膏澤屯而不下於民, 有應故小吉, 無輔故大凶. 處坎之中爻, 故幽暗而不能光明. 無博施濟屯之德, 故小象言之.

은택이 베풀어지기 어려워 백성들에게 내려가지 않으나, 호응함이 있기 때문에 작은 것에는 길하고, 도와주는 것이 없으므로 큰 것에는 흉하다. 감(坎)의 가운데 효에 있기 때문에 어두워 빛나고 밝을 수 없으며, 널리 베풀고 어려움을 구제할 덕이 없으므로 「소상전」에서 그렇게 말하였다.

김만영(金萬英) 「역상소결(易象小訣)」

坎屬血, 膏者血之凝也. 故有膏之象.

감(坎)은 피에 속하고, '기름[膏]'은 피가 응고된 것이다. 그러므로 기름의 상이 있다.

이현석(李玄錫) 「역의규반(易義窺斑)」

易中大小字, 多指陰陽而言. 小爲陰, 大爲陽, 此所謂小指二三四陰爻而言也, 大卽指五也. 蓋世方屯難, 人君雖有剛陽之才, 中正之德, 不能獨有所爲. 若使在下三陰, 憫焉思恤, 協心共貞, 以正厥事, 則足以濟屯矣. 以蜀昭烈之英雄, 棲遑亂離, 觸處顚沛, 及諸葛亮龐統法正輩出而共事, 然後能辦三分之業. 此卽小貞之吉也, 謂自小者, 貞之也. 苟無在下之應, 而五也徒奮剛果, 獨運於上, 則力不從心, 事與計違, 其敗必矣. 以皇明崇禎皇帝之剛銳英烈, 勵志中興, 而臣無一二之同體, 乏股肱之助, 終爲亡國之主, 堪隕志士之淚, 此豈非大貞之凶也歟.

『주역』 가운데 대(大)와 소(小) 글자는 대부분 음과 양을 가리켜 말하였다. 소는 음이 되고 대는 양이 되니, 이것이 이른바 '소(小)는 음인 이 · 삼 · 사효를 가리켜 말하고, 대(大)는 곧 오효(五爻)를 가리킨다'는 것이다. 대체로 세상이 어려울 때, 임금이 비록 굳센 양의 재능과 중정한 덕이 있을지라도 홀로 큰일을 할 수 없다. 만약 아래에 있는 세 개의 음(陰)이 걱정하며 구휼할 것을 생각하고 한마음으로 함께 곧아서 그 일을 올바르게 한다면 어려움을 충분히 극복할 수 있다. 촉(蜀)나라 소열제(昭烈帝)[172]와 같은 영웅으로도 전란 속에서 안절부절하여 촉나라가 전패될 위기에 처했는데, 제갈량(諸葛亮)[173] · 방통(龐統)[174] · 법정(法

正)[175]과 같은 무리들이 출현하여 일을 함께하고 나서야 삼분천하(三分天下)의 대업을 이룰 수 있었다. 이것이 바로 음이 곧음의 길함이니, 스스로 음인 자가 곧게 한다는 말이다. 진실로 아래의 호응이 없는데, 오효(五爻)가 굳세고 과감하게 설치면서 위에서 혼자서 운영한다면 마음대로 되지 않아 일과 계획이 어긋나서 반드시 잘못된 것이다. 명나라 숭정황제(崇禎皇帝)[176]와 같은 굳세고 용감한 자질로서 중흥의 뜻을 가다듬었으나 한 몸 같은 신하가 한두 명도 없고 믿을 만한 도움도 없어 마침내 나라를 빼앗기는 임금이 되고 지사(志士)를 죽이는 눈물을 감내하였으니, 이것이 어찌 양이 곧아도 흉한 것이 아니겠는가?

或曰, 審如是, 則亂世濟時之功, 皆自下出, 而不係於君上歟. 曰, 非也. 此爻剛陽中正而居尊位, 卽賢哲之君也. 而運値艱厄之會, 政需扶持之力, 故在下者可以輔佐而成功也. 倘是才匪陽剛德乏中正, 而時又擾攘, 則雖有伊呂, 亦何所展其用乎.

어떤 이가 물었다: 이와 같이 본다면 혼란한 세상에서 시대를 구제하는 공이 모두 아래에서 나와 임금과 무관하다는 것입니까?

답하였다: 아닙니다. 굳센 양이 중정하면서 높은 자리에 있으니, 곧 현명하고 명철한 임금인데 국운이 어려운 때를 만나 정치상 도와주는 세력이 필요하기 때문에 아래에 있는 자가

---

172) 소열제(昭烈帝, 161~223): 삼국시대 촉한(蜀漢)의 초대 황제(재위 221~223)인 유비이다. 탁군 출신. 자 현덕(玄德). 시호 소열제(昭烈帝). 전한(前漢) 경제(景帝)의 후예로, 184년 관우, 장비와 의형제를 맺고 황건적 토벌에 참가하였으며 이후 여러 호족 사이를 전전하다가 208년 제갈량(諸葛亮)을 얻고, 손권과 동맹을 맺어 적벽(赤壁) 싸움에서 남하하는 조조(曹操)의 세력을 격퇴시켰다. 이후 형주(荊州)와 익주를 얻고 219년 한중왕이 되었으며, 2년 후 촉(蜀)을 세워 첫 황제가 되었으나 형주와 관우를 잃자, 그 원수를 갚으려고 대군을 일으켜 오(吳)와 싸우다 이릉 전투가 패배로 끝나고, 백제성(白帝城)에서 제갈량에게 아들 유선(劉禪)을 부탁한 후 병사하였다.

173) 제갈량(諸葛亮, 181~234): 중국(中國) 삼국(三國) 시대(時代) 촉한(蜀漢)의 정치가(政治家). 자는 공명(孔明). 뛰어난 전략가로, 남양(南陽) 땅에 은거하고 있었는데, 유비(劉備)의 삼고초려(三顧草廬)의 예(禮)에 감격하여 세상에 나와 그를 도와서 오(吳)나라와 연합하여 조조(曹操)의 위(魏)나라를 대파하고 파촉(巴蜀) 땅을 얻어 촉한(蜀漢)을 세웠음. 유비의 사후 후임 임금인 유선(劉禪)을 받들면서 남방(南方)의 만족(蠻族)을 평정하고, 위(魏)나라의 사마의(司馬懿)와 대전(大戰) 중 병사(病死)했음. 시호(謚號)는 충무(忠武)·무후(武侯).

174) 방통(龐統, 179 ~ 214): 후한 말기 양양(襄陽) 사람. 자는 사원(士元)이다. 제갈량과 함께 명성이 높아 봉추(鳳雛)로 불렸다. 군공조(群工曹)로 관직에 나갔다. 유비(劉備)가 형주(荊州)를 얻었을 때 휘하에서 모사(謀士)로 있었다. 뇌양령(耒陽令)이 되었지만 잘 다스리지 못해 면직되었다. 제갈량이 그의 재주를 인정해 치중종사(治中從事)에 발탁하고, 제갈량과 함께 군사중랑장(軍事中郎將)을 지냈다. 유비가 촉(蜀)으로 들어오자 계책을 올려 유장(劉璋)의 부장(部將)을 참수하고 성도(成都)를 공격해 함락시켰다. 낙성(雒城)에서 포위되어 싸우다가 적의 화살에 맞아 죽었다. 관내후(關內侯)라는 관작을 추서받았고, 시호는 정(靖)이다.

175) 법정(法正, 176년~220년): 유비(劉備)의 부하 참모이다. 자는 효직(孝直)이다. 원래 유장(劉璋)을 섬겼으나 장송(張松)과 함께 유비를 끌어들여 익주를 차지하는 것을 도왔다.

176) 숭정황제(崇禎皇帝, 1611~1644): 명나라 17대 마지막 황제(묘호 의종, 장렬민제). 본명은 주유검(朱由檢)으로 광종의 다섯번째 아들이자 천계제의 아우이다. 이자성이 북경을 함락할 때 자결하였다.

보좌하여 공업을 이룰 수 있었습니다. 혹 재능이 양의 굳셈이 아니고 덕이 중정하지 않은데 시대마저 혼란하면, 이윤(伊尹)과 여상(呂尙)이라도 어떻게 그 쓰임을 펼칠 수 있겠습니까?

難者曰, 大字果指陽爻而言, 則初九何獨不該, 而獨曰指五乎. 曰初九在屯之時, 居震之體, 爲成卦之主, 而大得民焉, 自五爻言之, 則便是曹操劉裕之類也. 程傳之釋六二爻辭也, 指初爲寇, 易之取義如此. 彼其操裕輩, 方有問鼎之志, 安可望其共貞乎. 卦中三陰, 皆有從初之勢, 故聖人以小貞起義, 而發之於五爻之辭, 誠使荀彧郭嘉劉穆之謝晦輩盡心王室, 如王敦之溫嶠桓溫之謝安, 則雖以操裕之才, 亦安能成其簒奪之圖哉. 此所以小貞之吉, 歸重於三陰也.

힐난하는 자가 물었다: 대(大)자가 과연 양효(陽爻)를 가리켜 말한다면, 초구(初九)가 어떻게 해서 유독 해당되지 않고 오직 오효(五爻)를 가리킨다고 하겠습니까?

답하였다: 초구가 어려운 때에 진괘(☳)의 몸체에 있어 괘를 이루는 주인이 되었고 크게 백성의 마음을 얻었으니, 오효(五爻)의 입장에서 말하자면, 조조(曹操)[177] · 유유(劉裕)[178]와 같은 무리에 해당합니다. 『정전』에서 육이(六二)의 효사(爻辭)를 풀이할 때에 초효(初爻)를 가리켜 도적으로 여겼으니, 『주역』에서 뜻을 취함이 이와 같습니다. 저 따위 조조나 유유의 무리들이 제위를 찬탈하려는 마음을 품었으니, 어찌 일을 함께 바르게 하기를 바랄 수 있겠습니까? 괘 가운데 세 개의 음이 모두 초효를 따르는 형세가 있기 때문에 성인이 '작은 일에는 곧음[小貞]'으로 뜻을 일으키고 오효(五爻)의 효사(爻辭)에서 말했으니, 참으로 순욱(荀彧)[179] · 곽가(郭嘉)[180] · 유목지(劉穆之)[181] · 사회(謝晦)[182]와 같은 무리들이

---

177) 조조(曹操, 155~220): 자는 맹덕(孟德)이며, 패국(沛國) 초(初: 현 안휘성(安徽省) 호현(亳縣)) 사람이다. 황건(黃巾)의 난, 동탁(董卓)의 난 등의 토벌전에 참가하였고, 건안 13년에 스스로 승상이 되어 형주(荊州)를 공략하였다. 그러나 유비(劉備), 손권(孫權)의 연합군에게 적벽(赤壁) 대전에서 크게 패하였다. 나중에 위왕(魏王)이 되어 재임하다가, 66세로 낙양에서 타계하였다.

178) 유유(劉裕, 363~422): 중국 남조(南朝) 송(宋)의 제1대 황제(재위 420~422). 동진 말 남연, 후진을 멸망시켰고 호족 탄압, 토단정책(호적 개정)을 단행했으며 공제(恭帝)의 선위(禪位)로 제위에 올랐다. 무공뿐만 아니라 통치 수완도 뛰어나 국력의 부강을 꾀했다.

179) 순욱(荀彧, 163~212): 자는 문약(文若)이다. 영천군 영음현 출신으로 조부 순숙(荀淑)은 순자의 11세손으로 명성이 높았으며, 부친 순곤(荀緄)과 숙부 순상(荀爽)도 모두 명망이 높은 명문가 출신이다. 어려서부터 황제를 보좌할 재목으로 여겨졌으며, 가족과 함께 기주로 이동하여 조조의 휘하에 들어가 그의 책사가 된다.

180) 곽가(郭嘉, 170~207): 후한 말기 영천(穎川) 양적(陽翟) 사람. 자는 봉효(奉孝)다. 후한 말 천하가 어지러울 때 순욱(旬彧)의 추천으로 조조(曹操)에게 귀의하여 섬겼다. 사공군좨주(司空軍祭酒)가 되어 조조가 모주(謀主)로 많이 의지했고, 정벌에 나설 때마다 뛰어난 계책을 자주 건의했다. 과단성이 있어 조조의 큰 신임을 받았다. 조조는 그를 두고 "오직 곽가만이 나의 뜻을 잘 안다.[唯奉孝爲能知孤意]"고 말했다. 유양정후(洧陽亭侯)에 봉해졌고, 시호는 정(貞)이다.

181) 유목지(劉穆之): 남송(南宋)의 정치가.

왕실(王室)에 마음을 다하기를, 마치 왕돈지(王敦之)[183]·온교(溫嶠)[184]·환온지(桓溫之)[185]·사안(謝安)[186]과 같이 했다면, 비록 조조와 유유의 재능일지라도 어찌 찬탈의 음모를 이룰 수 있었겠습니까? 이것이 "작은 일에는 곧으면 길하다[小貞之貞]"를 세 음효에게 중책을 돌린 까닭입니다.

難者又曰, 子之所論, 於文義亦通, 而第與程朱之旨有殊, 何哉. 曰, 非敢求異於先賢也, 只以易爻取義多端, 此亦不害於自爲一說也. 本義多異於程傳, 厥後諸儒之註易者, 又或與本義參差, 此豈故爲異論哉. 良由義理無窮故也.

힐난한 자가 또 물었다: 그대의 논의는 글의 뜻에도 통하지만, 다만 정자와 주자의 뜻과 차이가 있는 것은 어째서입니까?

답하였다: 감히 선현(先賢)과 달리하고자 하는 것이 아니라 단지 『주역』의 효(爻)로써 뜻을 취함이 여러 가지이니, 이것도 저절로 하나의 학설이 되는 데에는 방해가 되지 않습니다. 『본의』가 『정전』과 다르고, 그 뒤로 여러 학자들이 『주역』에 주석을 단 것이 또한 간혹 본래의 뜻과 어긋나니, 이것이 어찌 일부러 이론(異論)을 만든 것이겠습니까? 참으로 의리가 끝이 없기 때문일 것입니다.

이익(李瀷) 『역경질서(易經疾書)』

膏者, 水之甘美也. 雲雷屯而未解, 至九五則已久矣. 於是而雨則其甘如膏, 故天下望之如渴, 謂之屯膏者, 憫之之辭. 凡旱乾之時, 亦豈無往往惠澤. 只是專而不咸, 是謂施未光也. 如人主雖或有濟人下餐之恩, 小惠終妨大德, 每欲逐人而悅之, 未免屯膏之歸矣.

기름[膏]은 감미로운 물이다. 구름(☵)과 우레(☳)가 어렵고 풀리지 않아 구오(九五)에 이르

182) 사회(謝晦, 390~426): 남조 송나라 개국공신이다. 자는 선명(宣明).

183) 왕돈지(王敦之, 266~324): 동진(東晉) 낭야(琅邪) 임기(臨沂) 사람. 자는 처중(處仲)이고, 왕도(王導)의 종형(從兄)이자 진무제(晉武帝)의 사위다. 양주자사(揚州刺史)를 지냈다. 서진이 망하고 동진이 들어설 무렵 동진 정권을 지지한 덕에 정남대장군(征南大將軍)과 형주목(荊州牧)에 올라 병권을 장악했다

184) 온교(溫嶠): 진(晉) 나라 때 좌장사(左長史)와 태위(太尉)를 지낸 사람.

185) 환온(桓溫, 312~373): 동진(東晉) 초국(譙國) 용항(龍亢) 사람. 자는 원자(元子)고, 환이(桓彝)의 아들이자 명제(明帝)의 사위다. 부마도위(駙馬都尉)와 낭야태수(琅邪太守)를 지냈다. 목제(穆帝) 영화(永和) 초에 형주자사(荊州刺史)에 올랐다.

186) 사안(謝安, 320~385): 동진(東晉) 중기 진군(陳郡) 양하(陽夏) 사람. 자는 안석(安石)이다. 젊어서부터 명망이 높았고, 행서(行書)를 잘 썼다. 처음에는 세상에 뜻이 없어 발탁을 받고도 나가지 않았다. 오랫동안 회계(會稽)에서 은둔생활을 하면서 왕희지(王羲之)와 허순(許詢), 지둔(支遁) 등과 교유하면서 자연의 풍류를 즐기다가 마흔이 넘은 중년에 비로소 중앙정계에 투신했다.

렀다면 이미 오래된 것이다. 이때에 비가 오게 되면 그 달기가 감미로운 물 같기 때문에 천하의 사람들이 목마른 듯이 바라니, 은택을 베풀기 어렵다고 함은 불쌍하게 여기는 말이다. 가뭄이 들었을 때에도 어찌 때때로 은택이 없었겠는가? 다만 베풀지만 두루 하지 못할 뿐이니, 이것이 베풂이 빛나지 못한다는 것이다. 예컨대 군주가 비록 때때로 사람을 구제하여 음식을 내리는 은혜를 베푼다고 하더라도 작은 은혜로 끝내 커다란 덕을 방해할 것이니, 매번 사람을 좇아가며 기쁘게 하려고 한다면 은택을 베풀기 어려운 결과를 면하지 못할 것이다.

유정원(柳正源) 『역해참고(易解參攷)』

正義, 膏謂膏澤恩惠之類, 言九五旣居尊位, 當恢弘博施. 唯繫應在二, 而所施者偏狹, 是屯難其膏. 出納之吝, 謂之有司, 是小正爲吉. 若大[187]人不能恢弘博施, 是大正爲凶.
『주역정의』에서 말하였다: 기름은 은택과 은혜와 같은 것이니, 구오(九五)가 이미 높은 자리에 있어 널리 베풀어야 함을 말한다. 오직 호응이 이효(二爻)에 매여 베풂이 편협하니, 이것이 은택을 베풀기 어려운 것이다. 출납에 인색한 것을 '유사(有司)'라 하니, 이것이 작은 일에는 곧으면 길하다는 것이다. 대인이 널리 베풀지 못한다면, 이것이 큰일에는 바르더라도 흉하다는 것이다.[188]
○ 案, 小貞吉, 陽之才也. 大貞凶, 陷於險也.
내가 살펴보았다: 작은 일에는 곧으면 길하다는 것은 양의 재질이기 때문이다. 큰일에는 곧아도 흉하다는 것은 험함에 빠졌기 때문이다.

本義, 處大 [至] 於凶.
『본의』에서 말하였다: 큰일에 대처한다면 … 흉함을.
案, 貞正之道, 小事大事, 无所不吉, 而當屯膏之世, 勢屈時去, 則雖以貞正而末如之何. 如孔明之才, 終不能興復漢室, 而五丈星落, 文山之忠, 終不能沮遏金虜, 而柴市血濺, 是亦爲大貞凶也. 然而君子不以吉凶動心, 唯鞠躬盡瘁, 殺身成仁, 則是乃貞正之道, 而亦可謂凶中之吉也.
내가 살펴보았다: 올곧은 도는 작은 일에서든 큰일에서든 길하지 않음이 없지만, 은택을 베풀기 어려운 세상에 세력이 꺾이고 때가 떠나면 올곧을지라도 어쩔 수 없다. 예컨대 공명

---

187) 大: 경학자료집성DB와 영인본에 '人'으로 되어 있으나, 『주역주소』를 참조하여 바로잡았다.
188) 『周易注疏 · 屯卦』: 象曰, 屯其膏, 施未光也. 구절의 소, 正義曰, 屯其膏者, 膏謂膏澤恩惠之類, 言九五旣居尊位, 當恢弘博施. 唯繫應在二, 而所施者偏狹, 是屯難其膏. 小貞吉, 大貞凶者, 貞, 正也. 出納之吝, 謂之有司, 是小正爲吉. 若大人不能恢弘博施, 是大正爲凶.

(孔明)의 재주로도 끝내 한나라 왕실을 부흥시킬 수 없어 오장원(五丈原)으로 별이 떨어졌고, 문산(文山)의 충성으로도 끝내 금나라 오랑캐를 막아내지 못해 시시(柴市)에 피를 뿌렸으니, 이것이 또한 큰일에는 곧아도 흉하다는 것이다. 그러나 군자는 길흉 때문에 마음을 동요해서는 안 되고, 오직 몸 바쳐 병날 정도로 진력하고 자신을 희생하여 인을 이루니, 이것이 바로 올곧은 도이고 또한 흉한 가운데 길함이라 할 수 있다.

김상악(金相岳) 『산천역설(山天易說)』

九五, 當屯之時, 居坎之中, 雖有六二之應, 應而不交, 四上之比而交者反爲陷蔽, 惠澤不究于下. 故有屯其膏之象. 居尊處屯, 得位而失時, 故小貞則吉, 大貞則凶也.
구오(九五)가 어려운 때에 감괘(坎卦)의 가운데 있어 비록 육이(六二)의 호응은 있지만 호응하더라도 교제하지 못하고, 사효(四爻)와 상효(上爻)가 가까워 교제하는 것이 도리어 빠지고 막힘이 되니, 은택이 아래로 이르지 못한다. 그러므로 은택을 베풀기 어려운 상이 있다. 높은 자리에 있으면서 어려운 때를 만나 지위를 얻었지만 때를 잃었기 때문에 작은 일에는 곧으면 길하고 큰일에는 곧아도 흉하다.

○ 膏如陰雨, 膏之之膏, 坎象也. 人君之膏澤, 猶天之雨澤, 而屯於上而不下, 則无澤物之功也, 此有屯膏之象. 故鼎九三曰, 雉膏不食, 五以中正位天位, 而取象如此者, 何也. 曰, 乾坤定矣, 卑高以陳, 貴賤位矣, 易之道也. 乾坤之後, 次之以屯, 以震初爻爲主, 而象爻皆言建侯, 則坎之中子雖有居尊之勢, 何可陵節犯義妄欲有爲乎. 故曰屯其膏而大小之吉凶不同, 所以師之爲卦, 坎互震體. 而六五指二爲長子, 三爲弟子. 又有輿尸之戒, 其義可見也. 凡言貞吉者, 有貞而吉者, 有貞則吉者, 言貞凶者, 有事雖貞而猶凶者, 有固守此則有凶者. 各隨其卦, 取義不同. 蓋吉凶者占辭也. 君子占吉亦吉, 占雖凶, 能避凶而吉, 小人占凶亦凶, 占雖吉, 常背吉而凶. 所以吉凶悔吝四者, 循環周而復始, 悔了便吉, 吉了便吝, 吝了便凶, 凶了又悔, 如動而生陽, 動極復靜, 靜而生陰, 靜極復動也. 以本卦言剛柔始交而難生, 故吉凶之大小不同. 或曰, 陽大陰小, 四之陰五之陽皆得正, 而象傳於四言明, 五曰未光, 所以小貞吉, 大貞凶也.
은택은 장마비와 같으니, "은택을 준다"는 은택은 감괘(坎卦)의 상(象)이다. 임금의 은택은 하늘의 우택(雨澤)과 같은데, 위에서 막혀서 아래로 내려가지 못하면 만물을 윤택하게 하는 공효가 없으니, 이것이 은택을 베풀기 어려운 상이 있다. 그러므로 정괘(鼎卦)의 구삼(九三)에서 "꿩고기를 먹지 못한다"라 하였는데, 오효(五爻)는 중정으로 임금[天]의 자리에 처하여 상(象)을 취함이 이와 같은 것은 어쩌서인가?
답하였다. 건괘(乾卦)가 곤괘(坤卦)와 정해지고, 높고 낮음으로 펼쳐지고, 귀천이 자리하니 이것이 역의 도이다. 건괘와 곤괘 뒤로 준괘(屯卦)가 와서 진괘(震卦)의 초효(初爻)로 주체를 삼고는 단사(彖辭)와 효사(爻辭)에서 모두 임금을 건립한다고 말하니, 그렇다면 감괘인 둘째 아들이 비록 높은데 처하는 세력을 지녔으나, 어찌 절개를 모욕하고 의리를 범하여 함부로 큰일 하고자 하겠는가? 이 때문에 은택을 베풀기 어려워서 크고 작은 일에 길하고 흉함이 같지 않다고 했으니, 사괘(師卦)에서는 감괘의 호괘(互卦)가 진체(震體)이므로 육오(六五)에서 이효(二爻)를 가리켜 맏아들로 삼고, 삼효(三爻)를 가리켜 아우로 삼았다. 또 여시(輿尸: 여러 사람의 주장)의 경계를 두었으니, 그 뜻을 알 수 있다. 일반적으로 '정길(貞吉)'이라고 말하는 것은 정고하여 길한 경우도 있고 정고하면 길한 경우도 있으며, '정흉(貞凶)'이라고 말하는 것은 일은 비록 곧더라도 오히려 흉한 경우가 있고 이것을 굳게 지키면 흉함이 있는 경우도 있어서 제각기 그 괘에 따라 뜻을 취함이 같지 않다. 길흉이란 점사(占辭)이다. 군자는 점사가 길하면 또한 길하지만, 점사가 비록 흉하더라도 흉한 것을 피하여 길하게 될 수 있으며, 소인은 점사가 흉하면 또한 흉하고, 점사가 비록 길하더라도 항상 길함을 등져서 흉하게 된다. 이 때문에 길흉회린(吉凶悔吝) 네 가지가 순환하고 두루 하여 다시 시작되니, 후회함이 끝나면 곧 길해지고, 길함이 끝나면 곧 부끄러워지고, 부끄러움이 끝나면 흉하고 흉함이 끝나면 후회하니, 마치 움직여 양이 생겨나고 움직임이 다하여 고요함으로 돌아가고, 고요하여 음이 생겨나고 고요함이 다하여 움직임으로 돌아가는 것과 같다. 괘로 말하면 굳셈과 부드러움이 처음 사귀어 어려움이 생기기 때문에 길흉의 크고 작음이 같지 않다. 어떤 이가 양은 크고 음은 작다고 하였는데, 사효의 음과 오효의 양은 모두 올바름을 얻었는데 「소상전」에서 사효는 명철하다고 하였고 오효는 빛나지 못하다고 한 것은 작은 일에는 곧으면 길하고 큰일에는 곧더라도 흉한 까닭이다.

박윤원(朴胤源) 『경의(經義)·역경차략(易經箚略)·역계차의(易繫箚疑)』

屯其膏, 與雷雨滿盈不同, 在天時爲旱乾之象.

"은택을 베풀기가 어렵다"라 함은 우레와 비가 가득 찬다는 것과는 같지 않으니, 하늘에 있을 때에는 가물고 마른 상이 된다.

김귀주(金龜柱) 『주역차록(周易箚錄)』

九五, 屯其膏, 云云.

구오(九五)는 은택을 베풀기 어려우니, 운운.

○ 按, 坎爲雨爲水, 有膏澤之象. 而居屯之時, 故不得施也.

내가 살펴보았다: 감(坎)은 비도 되고 물도 되니, 은택의 상이 있는데, 어려운 때를 만났기

때문에 베풀 수가 없다.

本義, 九五雖以, 云云.
본의에 말하였다: 구오는 비록 ~으로, 운운.
小註, 雲峯胡氏曰, 六爻, 云云.
소주에서 운봉호씨가 말하였다: 여섯 효에서, 운운.

○ 按, 五剛而陷於柔, 柔字恐是險字之誤, 自屯其膏. 出納之吝, 恐非文義. 蓋初九在下, 而衆皆歸之九五, 則居屯處險, 無與共濟者. 故雖欲施其膏澤而不免於屯矣.
내가 살펴보았다: "오효(五爻)는 굳세지만 유약한 음[柔]에 빠져"에서 유(柔)자는 아마도 험(險)자의 잘못인 듯하니, 스스로 은택을 어렵게 한 것이다. 출납할 때의 부끄러움은 아마도 문장의 의미가 아닌 듯하다. 초구(初九)가 아래에 있는데 여러 효(爻)가 모두 구오(九五)에게 귀의하니, 어려움에 있고 험함에 처해 함께 어려움을 구제할 자가 없다. 이 때문에 비록 그 은택을 베풀고자 하더라도 어려움을 면하지 못한다.

서유신(徐有臣) 『역의의언(易義擬言)』

坎之雨, 艮止而不行, 是屯其膏也. 小貞者, 六二也, 大貞者, 初九也. 恩及應與澤不下, 究吉於小貞凶於大貞也. 吉凶著於初二, 而九五之失得乃見也. 或疑吉當作吝.
감(坎)의 비가 간(艮)의 산에 막혀서 나아가지 못하니, 이것이 은택을 베풀기 어려운 것이다. "작은 일에는 곧다"는 것은 육이(六二)이고, "큰일에 곧다"는 것은 초구(初九)이다. 은혜와 호응과 은택이 아래로 내려가지 못하니, 결국 작은 일에 곧으면 길하고 큰일에 곧으면 흉한 것이다. 길흉(吉凶)이 초효(初爻)와 이효(二爻)에서 나타나 구오(九五)의 득실을 이에 본다. 어떤 사람은 길(吉)자는 린(吝)자로 써야 한다고 의심했다.

강엄(康儼) 『주역(周易)』

本義, 處小事, 處大事.
『본의』에서 말하였다: 작은 일에 대처하고, 큰일에 대처한다.

按, 小事如勸作威儀之類, 大事如變更征伐之類.
내가 살펴보았다: 작은 일이란 위의(威儀)를 짓도록 권하는 부류와 같고, 큰일이란 정벌을 변경하는 부류와 같다.

박문건(朴文健) 『주역연의(周易衍義)』

遠而不與, 故有屯膏之象. 膏, 膏澤也.
멀어서 함께하지 못하기 때문에 은택을 베풀기 어려운 상(象)이 있다. 고(膏)란 은택이다.
〈問, 屯其膏, 小貞吉, 大貞凶. 曰, 九五疑六二有害, 故聚藏其膏澤而不施, 所以遠二而疏之也. 若小貞則遠害而吉, 大貞則致疑而凶也. 蓋小貞則志在保己, 大貞則志在害物故也.
물었다: "은택을 베풀기 어려우니 조금씩 바로잡으면 길하고 크게 바로잡으면 흉하다"는 무슨 뜻입니까.
답하였다: 구오(九五)는 육이(六二)가 해가 될까 의심하기 때문에 그 은택을 소장하여 베풀지 않으니, 그래서 이효를 멀리하여 소홀히 대하였습니다. 만약 조금씩 바로잡으면 해를 멀리하게 되어 길하고, 크게 바로잡으면 의심을 초래하게 되어 흉합니다. 대체로 조금씩 바로잡는 것은 뜻이 자신을 보호하는 데 있고, 크게 바로잡은 것은 뜻이 상대를 해치는 데 있기 때문입니다.〉

이지연(李止淵) 『주역차의(周易箚疑)』

小貞大貞之解, 傳義與諸註皆似未暢. 夫貞者正也. 天下之事, 安有小正不如大正者乎. 但其時之屯難未亨, 故九五陽剛之君, 觀我生進退之象也. 小貞大貞, 如文王之時, 紂之淫虐日甚, 天下入於極屯, 文王以受命濟世之君, 非不知誅暴除殘之爲大正之道, 而君臣之分, 人之大綱也, 恐使天下萬世之經常爲屯, 故只自布化於岐豊之間, 而施其小正之道而已, 不敢行其大正之事也. 此或爲小貞吉, 大貞凶之義乎, 然則小貞者, 其爲大正之張本歟.
조금씩 바로잡고 크게 바로잡는다는 해석이 『정전(程傳)』과 『본의(本義)』 및 여러 주석에서 모두 분명하게 설명해놓지 않았다. 정(貞)이란 바로잡음이다. 천하의 일에 있어서 어찌 조금씩 바로잡음이 크게 바로잡는 것만 못하겠는가? 단지 그 때가 어려워서 형통하지 못하기 때문에 양으로 굳센 구오(九五)의 임금은 나의 생(生)을 살펴 나아가고 물러나는 상이다.[189] 조금씩 바로잡음과 크게 바로잡음은 문왕(文王)의 때에 주왕(紂王)의 음란과 학정이 날로 심하여 천하가 지극히 어려운 상황으로 들어가자, 문왕은 천명을 받아 세상을 구제할 임금으로서 폭군을 죽이고 잔악한 자들을 제거하는 것이 크게 바로잡는 도(道)가 됨을 모르는 것은 아니었지만, 임금과 신하의 분수가 사람의 큰 벼리여서 천하 만세의 떳떳한 법이 어렵게 될까 두려웠기 때문에, 단지 스스로 기산(岐山)과 풍(豊)사이에서 교화를 펼쳐 조금

189) 『周易·觀卦』: 觀我生, 進退.

씩 바로잡는 도리를 베풀었을 뿐이고, 감히 크게 바로잡는 일을 행하지 않은 것이다. 이것이 혹 조금씩 바로잡으면 길하고 크게 바로잡으면 흉하다는 뜻이 되니, 그렇다면 조금씩 바로잡는 것이 아마도 크게 바로잡는 근본이 될 수 있을 것이다.

이항로(李恒老) 「주역전의동이석의(周易傳義同異釋義)」

按, 小无漸義, 貞非正之之謂. 且以睽小事吉, 小過可小事不可大事之類例之, 故本義小大字句.

내가 살펴보았다: 소(小)는 점차 나아가는 뜻이 없고, 정(貞)도 바로잡는 것을 말하는 것은 아니다. 또 규괘(睽卦)의 작은 일이 길하다는 것과 소과괘(小過卦)의 작은 일은 옳고 큰일은 옳지 않다는 부류로써 사례를 만들었기 때문에 『본의(本義)』에서 소자(小字)와 대자(大字)를 한 구(句)로 보았다.

김기례(金箕澧) 「역요선의강목(易要選義綱目)」

雖有陽君之德, 時屯而陷險, 二雖正應, 陰柔不能有輔, 初陽已得衆於下, 則失權无輔, 澤未施也. 雖貞可小不可大, 洪範所謂, 作內吉作外凶.

비록 양인 임금의 덕을 지녔으나 때가 어려워 험난함에 빠졌으며, 이효(二爻)가 비록 정응이지만 유약한 음으로 크게 도울 수 없고, 이미 초효의 양이 아래에서 무리를 얻고 있으니, 권세를 잃고 도움이 없어 은택이 베풀어지지 않는다. 비록 곧더라도 작은 것은 괜찮지만 큰 것은 안 되니, 「홍범」에서 말한 "안의 일은 길하지만 밖의 일은 흉하다"는 것이다.[190]

○ 膏, 取故水象.

고(膏)는 옛 물의 상을 취하였다.

심대윤(沈大允) 『주역상의점법(周易象義占法)』

屯之復䷗, 自亂反治也. 五以剛陽中正之才, 居剛而主事, 能濟天下之屯, 而旣已得位澤民矣. 然而尙有初九爲外難, 下民之心, 不專歸我. 故曰屯其膏. 當益撫其民而徐圖之, 故小貞吉. 不當急與之角而取敗, 故大貞凶. 坎爲膏爲大, 離爲小.

준괘가 복괘(復卦䷗)로 바뀌었으니, 어지러움에서 다스려지는 데로 되돌아옴이다. 오효(五

---

190) 『書經 · 洪範』.

爻)는 굳센 양의 중정(中正)한 재질로 굳센 자리에 있으면서 일을 주관하니, 천하의 어려움을 구제할 수 있어 자신은 이미 자리를 얻고 백성에게 은택을 내려주었다. 그러나 오히려 여전히 초구(初九)가 밖에서 어렵게 함이 있어서 하민(下民)의 마음이 전적으로 나에게 귀의하지 못한다. 이 때문에 "은택을 베풀기 어렵다"라 하였다. 마땅히 더욱 그 백성을 위무하고 서서히 모색해야 하기 때문에 조금씩 바로잡으면 길하고, 조급하게 더불어 각축을 벌여 패배를 취하면 안 되기 때문에 크게 바로잡으면 흉하다. 감괘(坎卦)는 은택이고 큼[大]이며, 이괘(離卦)는 작음[小]이다.

오치기(吳致箕) 「주역경전증해(周易經傳增解)」

九五雖得陽剛中正, 而當屯難之時, 陷於險中, 雖有六二之正應, 而才弱不能相援, 膏澤未施於下. 故遇小事而行其正, 則可得其吉, 若遇大事, 則雖正而亦凶, 言不可以有濟也.
구오(九五)가 비록 굳센 양으로 중정(中正)함을 얻었으나 어려운 때를 만나 험난한 상황에 빠졌고, 비록 육이(六二)의 정응이 있더라도 재능이 유약하여 서로 구원할 수 없어 은택이 아래로 베풀어지지 못한다. 그러므로 작은 일을 만나서 정도를 행하면 길함을 얻을 수 있고, 만약 큰일을 만나면 비록 바로잡더라도 또한 흉할 것이니, 구제할 수 없음을 말한다.

이진상(李震相) 『역학관규(易學管窺)』

坎爲水爲血, 膏之象也. 九五, 德雖中正而陷於群陰之中, 不能自拔, 故所施未光而大貞則凶. 初爲卦主, 五擁虛位, 上見柔乘, 故凶.
감(坎)은 물이고, 피이니,[191] 기름의 상이다. 구오(九五)는 덕이 비록 중정(中正)하나 여러 음들 속에 빠져있어 스스로 벗어날 수 없기 때문에 베풂이 광대하지 못해서 크게 바로잡으면 흉하다. 초효(初爻)는 괘의 주인이고, 오효(五爻)는 빈 자리를 차지하고 위로 음유한 효에게 올라탐을 당하였으므로 흉하다.

채종식(蔡鍾植) 「주역전의동귀해(周易傳義同歸解)」

傳謂漸正之則吉, 驟正之則求凶之道, 本義謂處小事, 則守正猶吉, 處大事, 則雖正亦凶. 蓋程易推說義理, 本義探賾本旨. 此爻以陽居五, 剛明得正. 然下無賢臣, 德澤不下, 身陷險中, 時勢已去, 則以處小事守正可吉, 以處大事則時已去矣, 雖正, 何爲所以凶也.

191) 『周易 · 說卦傳』: 坎爲血卦.

此九五之本指也. 然以義理推之, 則於其小事守正可吉. 故漸正之則吉, 如盤庚周宣之修德用賢, 是小事而漸正之者也, 所以吉也. 於其大事, 雖正亦凶, 故驟正之則必凶, 如魯昭公高貴鄕公之事, 是大事而驟正之者也, 所以凶也. 然則兩說備, 而其義愈全也.
『정전(程傳)』에서 "점진적으로 바로잡으면 길하고, 갑자기 바로잡으면 흉함을 구하는 도"라 하였고, 『본의(本義)』에서 "작은 일을 처리할 경우는 정도를 지켜서 오히려 길하고, 큰일을 처리할 경우는 비록 정도라도 또한 흉하다"라 하였다. 대체로 『정전』은 의리를 유추하여 설명했고, 『본의』는 본지를 탐구하여 파헤쳤다. 이 효(爻)는 양으로써 오효 자리에 있어서 굳세고 현명하여 바름을 얻었다. 그러나 아래에 현명한 신하가 없어서 덕택이 아래로 내려가지 못하고 자신도 험난한 상황에 빠져있어 당시의 세력이 이미 떠나버렸으니, 작은 일을 처리하는 것으로 바름을 지키면 길할 수 있지만, 큰일을 처리하는 것으로 한다면 때가 이미 떠나버렸으니, 비록 바르더라도 무엇을 하던 이 때문에 흉하다. 이것이 구오(九五)의 본래 뜻이다. 그러나 의리로써 유추하면 작은 일에 있어서는 정도를 지키면 길하기 때문에 점진적으로 바로잡으면 길하니, 예컨대 은나라의 반경(盤庚)과 주나라의 선왕(宣王)이 덕을 닦고 현자를 등용한 것과 같은 것은 작은 일이지만 점진적으로 바로잡은 경우여서 이 때문에 길하다. 큰일에 있어서는 비록 바로잡더라도 흉하기 때문에 갑자기 바로잡으면 반드시 흉하니 노나라 소공(昭公)과 고귀향경(高貴鄕卿)의 일과 같은 것은 큰일이지만 갑자기 바로잡은 경우여서 이 때문에 흉하다. 그렇다면 두 주장이 갖춰져서 그 뜻이 더욱 온전해진다.

이용구(李容九) 「역주해선(易註解選)」

屯九五, 屯其膏, 魯昭公高貴鄕公[192]事是也. 小貞吉, 若盘庚周宣, 修德用賢, 復先王之政.
준괘(屯卦)의 구오가 은택을 베풀기 어려움은 노나라 소공과 고귀향경의 일과 같은 것이 이것이다. 조금씩 바로잡으면 길함은 은나라의 반경(盤庚)과 주나라의 선왕(宣王)이 덕을 닦고 현자를 등용하여 선왕(先王)의 정치를 회복한 일과 같다.

이정규(李正奎) 「독역기(讀易記)」

九五之凶, 非惟時之屯也, 實自屯其膏也. 自屯其膏者, 坎體故也. 君若至誠濟屯, 則豈無可爲之道乎. 不可專諉於無賢輔也.
구오(九五)의 흉함은 때가 어렵기 때문만이 아니라 실제 스스로 은택을 어렵게 한 것이다. 스스로 은택을 어렵게 한다는 것은 감괘(坎卦)의 몸체이기 때문이다. 임금이 만약 지극한

---

192) 鄕公: 경학자료집성DB와 영인본에 '公卿'으로 되어있으나, 『정전』을 참조하여 '鄕公'으로 바로잡았다.

정성으로 어려운 일을 구제한다면 어찌 할 수 있는 방법이 없겠는가? 오로지 현자의 도움이 없다는 데로 그 탓을 돌려서는 안 된다.

이병헌(李炳憲) 『역경금문고통론(易經今文考通論)』

虞曰, 坎雨稱膏.
우번이 말하였다: 감(坎)의 비를 은택[膏]이라고 일컫는다.

按, 水在雷上, 屯, 而爲雲. 久陰不雨, 故施未光. 而大貞則凶. 坎實爲心, 雖爲萬有之母, 用之過則爲險爲寇.
내가 살펴보았다: 감괘인 물이 진괘인 우레 위에 있는 것이 준괘(屯卦)여서 구름이 된다. 오래도록 구름이 끼어 있지만 비가 내리지 않기 때문에 베풂이 광대하지 못하지만 크게 바로잡으면 흉하다. 감(坎)의 중실(中實)함이 마음이니, 비록 모든 존재의 어머니라 해도 지나치게 쓴다면 험난함도 되고 도적도 된다.

象曰, 屯其膏, 施未光也.

「상전」에서 말하였다: "은택을 베풀기 어려움"은 베풂이 빛나지 못한 것이다.

中國大全

傳

膏澤不下及. 是以德施未能光大也, 人君之屯也.

은택이 아래로 미치지 못한다. 이 때문에 덕을 베풂이 빛나고 크지 못하니, 임금의 어려움이다.

小註

中溪張氏曰, 光, 陽德也. 五陽體本明, 以陷於坎中爲二陰所揜, 故曰施未光也.
중계장씨가 말하였다: 빛난다는 것은 양의 덕택이다. 오효가 양으로 몸체가 본래 밝은데, 감괘(☵)의 가운데 빠져 두 음이 가리고 있으므로 "베풂이 빛나지 못한 것이다"라고 하였다.

韓國大全

석지형(石之珩) 『오위귀감(五位龜鑑)』

臣謹按, 屯之九五, 爲陷於險中, 德施未光之象. 陷險者未易出險, 則不可驟以求正. 未光者可使危光, 則不可恬然不爲. 今之時事, 必有不顯形跡, 浸以小貞者, 而匪惟不敢爲, 亦且不能爲. 臣竊痛惜之. 伏願殿下, 深究小貞之義, 謀所以出險之道焉.
신이 삼가 살펴보았습니다: 준(屯)의 구오는 험한 것에 빠져서 덕을 베풂이 빛나지 못한 상입니다. 험한 것에 빠진 자는 험한 것으로부터 쉽게 빠져나오지 못하니, 갑자기 바른 것을 구할 수 없습니다. 빛나지 못하는 것을 위태로운 마음을 가지고 빛나게 하려면, 편안하게 아무것도 하지 않을 수 없습니다. 지금 일어나는 일에도 반드시 흔적이 드러나지 않으나 조금씩 바로잡을 것이 있는데, 감히 하지 않을 뿐만 아니라 또한 할 수도 없습니다. 신이 삼가 그것을 애석하게 생각하는 것입니다. 엎드려 바라옵건대 전하께서는 조금씩 바로잡는 것의 의미를 깊이 살피시어 험한 것으로부터 벗어나는 방법을 살피소서.

김상악(金相岳) 『산천역설(山天易說)』

施, 卽德施之施也. 乾坤之後, 剛柔始交而遇險難, 故施未光也.
베푼다는 것은 곧 덕택이 베풀어진다는 베풂이다. 건괘(乾卦)와 곤괘(坤卦) 이후에 굳셈과 부드러움이 비로소 교접하여 험난한 상황을 만났기 때문에 베풂이 빛나지 못한 것이다.

서유신(徐有臣) 『역의의언(易義擬言)』

膏澤所以爲光, 而施之乖方, 乃無光也.
은택은 빛나게 되는 까닭인데, 어긋난 방법으로 베풀면 빛나지 못한다.

박문건(朴文健) 『주역연의(周易衍義)』

光, 光大也.
광(光)은 빛나고 크다는 뜻이다.

오치기(吳致箕) 「주역경전증해(周易經傳增解)」

以陽德之光大, 陷乎險中, 故所施未光, 人君之屯也.
양(陽)의 덕(德)이 광대함으로써 험난한 상황에 빠졌기 때문에 베푸는 바가 광대하지 못하니, 임금의 어려움이다.

上六, 乘馬班如, 泣血漣如.

정전 상육은 말을 탔다가 말에서 내려와 피눈물을 줄줄 흘리고 있구나.
본의 상육은 말을 타고서 나아가지 아니하여 피눈물을 줄줄 흘리고 있구나.

中國大全

傳

六以陰柔, 居屯之終, 在險之極, 而无應援, 居則不安, 動无所之. 乘馬欲往, 復班如不進, 窮厄之甚, 至於泣血漣如, 屯之極也. 若陽剛而有助, 則屯旣極, 可濟矣.

육은 음의 유순함으로서 어려움의 끝에 있고 험한 것의 궁극에 있는데, 응원이 없어 가만히 있으면 불안하고 움직이면 갈 곳이 없다. 말을 타고 가려고 하다가 다시 말에서 내려와 나아가지 않고, 곤액이 심하여 피눈물을 줄줄 흘리는 지경에까지 이르렀으니, 어려움의 궁극이다. 만약 양의 굳건함이면서 도움을 준다면 어려움이 이미 궁극에 이르렀으니 구제할 수 있을 것이다.

小註

誠齋楊氏曰, 屯上難極, 非剛明何以亨. 今以柔當之, 進無必爲之才, 退有无益之泣, 朝夕必亡而已. 唐之僖昭是也.
성재양씨가 말하였다: 준괘의 상육은 어려움이 극에 이른 것이니, 굳세고 현명함이 아니면 어떻게 형통하겠는가? 그런데 이제 유순함으로 그것을 감당하면 나아감에 반드시 할 수 있는 재주가 없고 물러남에 보탬이 없는 눈물이 있어 조석으로 반드시 망할 뿐이니, 당나라의 희종과 소종이 여기에 해당한다.

○ 東萊呂氏曰, 屯極則當通, 如亂極則當治. 上居屯之極, 正是一機會, 然六以陰柔居之, 雖欲有爲而才不足, 坐失機會, 故乘馬班如, 泣血漣如也. 象所以言何可長也者, 蓋謂屯極之時, 若不變而爲治, 卽入於亂亡. 有兩件, 更不容停待.
동래여씨가 말하였다: 어려움이 궁극이 이르면 통하는 것이 당연하니, 혼란이 극도로 가면

다스리는 것이 당연한 것과 같다. 상효가 준괘의 끝에 있으니, 바로 하나의 기회이지만 육이 음의 유순함으로 그곳에 있어 비록 큰일을 하려고 하지만 재주가 부족하고 앉아서 기회를 잃어버리므로, 말을 탔다가 말에서 내려와 피눈물을 줄줄 흘린다. 「상전」에서 "어찌 오래갈 수 있겠는가?"라고 말한 것은 어려움이 극에 달한 때를 말하니, 변하지 않고 다스리면 바로 어지러워 망하게 된다. 두 가지 일이 있을 뿐 다른 대안은 없다.

本義

陰柔无應, 處屯之終, 進无所之, 憂懼而已. 故其象如此.

음의 유순함이 상응함이 없고 어려움의 끝에 있어 나아감에 갈 곳이 없으니, 걱정하고 두려워할 뿐이다. 그러므로 그 상이 이와 같다.

小註

雲峯胡氏曰, 爻言乘馬班如者三, 二班如, 待五應也, 四班如, 待初應也. 上陰柔无應, 處屯之終, 其班如也, 獨无所待進, 又无所之, 憂懼而已. 蓋初得時, 二比初亦得之. 五失時, 上比五亦失之.

운봉호씨가 말하였다: 효사에서 말을 탔다가 말에서 내려온다고 말한 경우가 세 곳이니, 이효가 말에서 내려오는 것은 오효의 상응을 기다리기 때문이고, 사효가 말에서 내려오는 것은 초효의 상응을 기다리기 때문이다. 상효는 음의 유순함이 상응함이 없고 준괘의 끝에 있으면서 말에서 내려오는 것은 오직 기다리며 나아갈 곳이 없고, 또 갈 곳이 없어 걱정하면서 두려워할 뿐이기 때문이다. 초효는 때를 얻었고, 이효는 초효와 가까워 역시 때를 얻었다. 오효는 때를 잃었고, 상효는 오효와 가까워 또한 때를 잃었다.

韓國大全

김만영(金萬英) 「역상소결(易象小訣)」

馬象同六四之坎象, 血同六五. 然五陽, 故曰膏, 六陰, 故曰血. 班如之象, 未詳.

말의 상은 감괘(坎卦)에서 육사의 상과 같고, 피[血]는 상효와 오효와 같다. 그러나 오효는 양(陽)이기 때문에 '은택[膏]'이라 하였고, 상효는 음(陰)이기 때문에 '피[血]'라 하였다. '반여(班如)'의 상은 상세히 알 수 없다.

심조(沈潮) 「역상차론(易象箚論)」

此卦凡三言乘馬班如, 而其意則一般. 何謂一般. 渾是乘剛也. 四亦乘剛乎. 四與初應, 則非乘剛乎. 班如者, 陰柔而居屯之時也. 泣血者, 坎爲加憂也, 又坎爲血卦也.
이 괘(卦)에서 '승마반여(乘馬班如)'를 세 번 말하였으나 그 뜻은 같다. 어떤 점이 같은가? 전부 '굳셈[剛]'을 탔다. 사효도 굳셈을 탔는가? 사효가 초효(初爻)와 호응하니 굳셈을 탄 것이 아니겠는가? '반여(班如)'란 부드러운 음으로 어려운 때에 있는 것이다. '피눈물[泣血]'은 감(坎)이 근심을 더하는 것이고,193) 또 감은 피가 되는 괘이다.

유정원(柳正源) 『역해참고(易解參攷)』

王氏曰, 雖比於五, 五屯其膏, 不能相得. 居不獲安, 行无所適, 窮困闉厄, 无所委仰, 故泣血漣如.
왕씨가 말하였다: 비록 오효(五爻)와 가깝지만, 오효는 은택을 베풀기 어려우니, 서로 얻을 수 없다. 머물러도 편안함을 얻지 못하고 가려해도 갈 곳이 없으며, 곤궁하여 막히고 좁아 마음대로 우러러볼 수도 없기 때문에 피눈물을 줄줄 흘리는 것이다.

○ 餘學齋胡氏曰, 四乘震馬, 而利者震動也. 動則屯可出也. 上乘坎馬, 而泣血者坎陷也. 陷則屯未易出也.
여학재호씨(餘學齋胡氏)가 말하였다: 사효(四爻)가 진괘(震卦)인 말을 탔는데, 이로운 것은 진(震)의 움직임이다. 움직이면 어려운 상황을 벗어날 수 있다. 상효(上爻)가 감괘(坎卦)의 말을 탔으니, 피눈물을 흘리는 것은 감괘가 험함이기 때문이다. 험난하면 어려운 상황을 쉽게 벗어나지 못한다.

○ 案, 說卦坎爲血卦, 又爲加憂, 居坎之極, 其象如此. 此爻言象, 不言占, 聖人垂戒之意至矣. 居屯之終, 在險之極. 進无必爲之才, 退有无益之泣, 朝夕必亡而已. 然若以陽剛之德, 當此爻位, 乘馬班如, 而能識進退之幾, 泣血憂懼, 而思所以濟屯之道, 則屯極而當通, 亂極而當治. 此政治亂興亡之一大機會也. 故聖人不繫以占辭, 要在人處變

193)『周易·說卦傳』: 坎爲加憂.

之如何爾.
내가 살펴보았다: 「설괘전(說卦傳)」에서 감(坎)은 피[血]가 되는 괘(卦)이고, 또 근심을 더함이다. 감괘의 끝에 있으니, 그 상이 이와 같다. 이 효(爻)에서 상을 말하고 점을 말하지 않았으니, 성인이 경계를 남기는 뜻이 지극하다. 준괘(屯卦)의 끝에 있어 지극히 험준한 곳에 있으니, 나아가서는 반드시 해야 하는 재주가 없고 물러나서는 무익한 눈물만 흘리니, 아침저녁 사이에 반드시 망할 것이다. 그러나 만약 양의 굳센 덕으로 이런 효의 자리에 있어서 말을 탔다가 내려와 나아가고 물러나는 기미를 알 수 있어 피눈물을 흘리며 근심하고 두려워하여 어려운 일을 구제할 방도를 생각해내면, 어려움이 다하여 마땅히 형통하고, 혼란함이 다하여 마땅히 다스려지니, 이것이 바로 치란과 흥망의 일대 기회(機會)이다. 그러므로 성인이 점사(占辭)로 이어놓지 않았으니, 요점은 사람이 변화에 어떻게 대처하느냐에 달려 있을 뿐이다.

김상악(金相岳) 『산천역설(山天易說)』

上六居屯之極, 坎體之終, 雖比五而交, 五陷而失勢. 故有乘馬班如, 泣血漣如之象.
상육(上六)은 준괘의 끝에 있고 감괘(坎卦)의 끝이니, 비록 오효(五爻)와 가까이 있어 사귀더라도 오효가 험난하여 세력을 잃었기 때문에, 말을 탔다가 내려와 피눈물을 줄줄 흘리는 상이 있다.

○ 二四與上皆言乘馬班如, 而震之馬則陽之動也, 坎之馬則陽之陷也. 故雖相比而交, 進退不得憂懼而已, 泣血无聲, 而涕出如血也. 坎爲水爲血, 而上居坎之窮, 故曰泣血漣如.
이효(二爻)·사효(四爻)와 상효(上爻)에서 모두 말을 탔다가 내림을 말하였는데, 진(震)의 말은 양(陽)이 움직이는 것이고, 감(坎)의 말은 양이 빠진 것이다. 그러므로 비록 서로 가까이하여 사귀더라도 나아가고 물러남에 근심과 두려움을 얻지 못할 뿐이어서 소리 없이 피눈물을 흘리며 피처럼 눈물을 쏟아낸다. 감은 물이고 피인데 상효는 감괘(坎卦)의 끝에 있기 때문에 "피눈물을 줄줄 흘린다"라고 하였다.

박윤원(朴胤源) 『경의(經義)·역경차략(易經箚略)·역계차의(易繫箚疑)』

遇此占, 當此時, 則雖經綸之君子, 無如之何矣.
이런 점을 만나고 이런 때를 만나면 비록 경륜(經綸)하는 군자라도 어떻게 할 수 없을 것이다.

김귀주(金龜柱) 『주역차록(周易箚錄)』

本義, 陰柔無應, 云云.
『본의』에서 말하였다: 음의 유순함이 호응함이 없고, 운운.

小註, 雲峯胡氏曰, 爻言, 云云.
소주(小註)에서 운봉호씨(雲峯胡氏)가 말하였다: 효사에서 ~말한, 운운.

○ 按, 二爲初所難而不進, 其得之者, 以其終有正應故耳. 今謂二比初亦得者誤矣.
내가 살펴보았다: 이효(二爻)가 초효(初爻)에 의해 어렵게 되어 나아가지 못하는데, 얻게 된 것은 결국 정응을 두었기 때문이다. 지금 "이효가 초효에 가까워 또한 얻었다"고 하는 것은 잘못이다.

서유신(徐有臣) 『역의의언(易義擬言)』

屯之極矣, 欝而不施. 譬如一掬之淚, 無所沾及, 言其吝小也.
어려움이 지극함이니 답답하여 베풀지 못한다. 비유하면 한줌의 눈물로는 적실 수 없는 것과 같으니 부끄러움이 적음을 말한다.

박문건(朴文健) 『주역연의(周易衍義)』

欲行有憂, 故有泣血之象. 泣, 无聲涕出之謂也. 漣, 小流不絶之貌也.
행하고자 하나 근심이 있기 때문에 피눈물을 흘리는 상이 있다. 읍(泣)은 소리 없이 눈물을 흘리는 것을 이른다. 연(漣)은 조금씩 흘러 끊어지지 않는 모양이다.

이지연(李止淵) 『주역차의(周易箚疑)』

上六之馬, 指九五也. 血坎象. 卦之言乘馬者, 三陰以陽爲馬. 坤二畫乘乾之一畫, 如人乘馬之象. 六二欲以初九爲馬, 則非正應也, 欲以五之正應爲馬, 則遠而難乘者也. 六四欲以九五爲馬, 亦非正應, 而欲以初九之正應爲馬, 則亦遠矣. 上六至於九五亦非正應, 而初九之遠又甚矣. 故二四六皆有班馬之象也.
상육의 말은 구오를 가리킨다. 피[血]은 감괘의 상이다. 괘에서 "말을 탄다[乘馬]"라 말한 것은 세 음이 양으로 말을 삼고 있기 때문이다. 곤괘(坤卦)의 두 획이 건괘(乾卦)의 한 획을 탄 것이 마치 사람이 말을 탄 상과 같다. 육이는 초구를 말로 삼고자 하면 정응이 아니고,

오효의 정응(正應)을 말로 삼고자 하면 멀어서 타기가 어렵다. 육사가 구오를 말로 삼고자 하는 것도 올바른 호응이 아니고, 초구의 정응을 말로 삼고자 하면 또한 멀다. 상육이 구오에 이르러서도 정응이 아니고 초구의 멂이 또 심하다. 그러므로 이효, 사효, 상효에 모두 말에서 내리는 상이 있다.

이항로(李恒老) 「주역전의동이석의(周易傳義同異釋義)」

按, 易中凡濟屯傾否之道, 志貴立本, 事貴決幾, 而以善惡无分, 去就不早爲患. 故復上以遠於初九, 有迷復之凶. 比上以後於一卦, 有无首之凶. 屯之上六, 質柔居終, 遠於得時之初九, 乘乎失時之九五, 而又无同力濟屯之正應, 則憂懼而已, 由於善惡无分於初, 而去就不決於幾故也, 爲戒深矣.
내가 살펴보았다: 『주역』가운데 어려움을 구제하고 비색함이 경복하는 방법이 뜻은 근본을 세우는 것을 귀히 여기고, 일은 기미를 결정하는 것을 귀히 하니, 선악(善惡)으로 구분함이 없고 거취(去就)를 빨리 결정하지 못한 것을 근심으로 삼는다. 그러므로 복괘(復卦)의 상효는 초구에서 멀기 때문에 회복하는 데에 혼미한 흉함이 있고, 비괘의 상효는 한 괘에서 맨 뒤에 있기 때문에 앞장서지 못하는 흉함이 있다. 준괘(屯卦)의 상육은 기질이 유약한데 맨 끝에 있어서 때를 얻은 초구와 멀고 때를 상실한 구오를 타고 또 힘을 함께 하여 어려움을 구제할 정응이 없으니 근심하고 두려워할 뿐이다. 처음에 선악을 구분함이 없는데 말미암아 기미를 보고 거취를 결정하지 않았기 때문이니, 경계함이 깊다.

김기례(金箕澧) 「역요선의강목(易要選義綱目)」

坎爲加憂爲血爲水, 故曰泣曰血曰漣.
감(坎)은 근심을 더하는 것도 되고 피도 되고 물도 되기 때문에 '눈물', '피', '흘리다'라 하였다.

○ 陰居屯極, 又不出險, 則不能自安, 亦无下應, 則无可往, 安住不得, 泣.
음이 어려움의 끝에 있고 또 험난한 상황에서 벗어나지 못하니 스스로 편안할 수 없으며, 또한 아래의 호응이 없으니 갈 곳이 없어서 편히 머무를 수 없어 우는 것이다.

贊曰, 天地纔定, 二子代行, 動進險前, 物屯而盈, 陰陽之交, 雨潤雷鳴, 趨舍有時, 利建利貞.
찬미하여 말한다: 하늘과 땅이 비로소 정해지니 두 자식이 대신 운행하고, 움직여 나아가는데 험난함이 앞에 있으니, 만물이 어려움으로 가득 찼다. 음양이 사귀어 비가 윤택하게 내리

고 우레가 울리니, 움직이고 멈춤에 때가 있어 임금을 세움이 이롭고 바름이 이롭다.

심대윤(沈大允) 『주역상의점법(周易象義占法)』

屯之益䷩, 損上益下也, 敎訓是也. 居屯極, 將變之時, 柔從人而下比于五, 以濟屯之謀告之焉. 坎知巽命有其象, 居无位之地, 乘五之剛, 不能自用, 故曰乘馬班如. 憂世慮難, 而深念竭知, 以爲謀主. 故曰泣血漣如. 坎離爲血, 處難而能憂, 憂而能謀, 難不久矣. 凡每卦六爻皆致爲一也. 致一者, 後天之事也. 故下經諸卦尤爲著明也. 上六主事與從人致一也. 憂患與安善致一也.
준괘가 익괘(益卦䷩)로 바뀌었으니, 위를 덜어 아래에 보태는데, 교훈이 그것이다. 어려움의 끝에 있어 변화하려는 때에 부드러움이 사람을 따라서 아래로 오효와 가까이하여 어려움을 구제하는 계책을 알려준다. 감괘의 지혜와 손괘의 명(命)이니, 그런 상이 있다. 지위가 없는 곳에 처하여 오효의 굳셈을 타서 자기 뜻대로 할 수 없기 때문에, "말을 탔다가 내린다"고 하였다. 세상의 환란을 근심하여 생각과 지혜를 다하여 계책을 짜는 주체가 되었기 때문에 "피눈물을 줄줄 흘린다"라 하였다. 감괘(坎卦)와 이괘(離卦)가 피가 되니, 어려운 상황에 처해서 근심하고, 근심하여 계책을 낼 수 있으니, 어려움이 오래가지 못한다. 매 괘의 여섯 효가 모두 하나가 됨을 이룬다. 하나를 이룬다는 것은 후천(後天)의 일이기 때문에 하경(下經)의 여러 괘에서 더욱 분명하게 드러내었다. 상육이 일을 주관한 것과 사람을 따르는 것도 하나를 이룸이고, 근심하고 편안한 것도 하나를 이룸이다.[194]

오치기(吳致箕) 「주역경전증해(周易經傳增解)」

上六, 以柔乘剛, 而下无應援, 處屯之極, 而進退无據, 故有班馬泣血之象. 雖不言占, 卽象可知矣.
상육은 부드러움으로 굳셈을 타고 아래로 호응하고 도와줌이 없으며, 어려움이 지극한 상황에 처해 나아가고 물러남에 근거가 것이 없기 때문에 말에서 내려 피눈물을 흘리는 상이 있다. 비록 점을 말하지는 않았더라도 상을 통해 알 수 있다.

이진상(李震相) 『역학관규(易學管窺)』

以柔乘剛, 故亦言乘馬, 乃坎馬之下首者也. 乘陽爲失道而不安, 故班如. 坎爲加憂爲

---

194) 『周易·繫辭傳』: 言致一也.

血, 卦險極而失所, 故泣血漣如. 漣, 水流貌.
유약함으로 굳셈을 타기 때문에 또한 "말을 탔다"고 했으니, 바로 감의 말이 머리를 아래로 떨군 것이다.[195] 양(陽)을 탐은 도를 잃음이 되니, 불안하여 이 때문에 내린 것이다. 감(坎)은 근심을 더한 것도 되고 피도 되니, 괘가 험난함이 지극하여 있을 곳을 잃었기 때문에 피눈물을 줄줄 흘린 것이다. '연(漣)'은 물이 흐르는 모양이다.

이병헌(李炳憲) 『역경금문고통론(易經今文考通論)』

班, 孟易作驙. 六[196]二六四, 恐當作驙. 殆難盡改, 涕與漣, 因從孟改正.
'반(班)'은 맹씨(孟氏)의 『역(易)』에서는 '단(驙)'으로 쓰여 있다. 육이와 육사에서는 아마도 '단(驙)'자로 써야 할 듯싶다. 모두 바꾸기는 어려우니, '제(涕)'와 '연(漣)'은 맹씨를 따라 바르게 고쳐놓았다.

195) 『周易 · 說卦傳』: 坎爲下首.
196) 六: 경학자료집성DB와 영인본에는 '九'로 되어있으나, 문맥을 살펴 '六'으로 바로잡았다.

象曰, 泣血漣如, 何可長也.

「상전」에서 말하였다: "피눈물을 줄줄 흘림"을 어떻게 오래도록 할 수 있겠는가!

中國大全

傳

屯難, 窮極莫知所爲, 故至泣血. 顚沛如此, 其能長久乎. 夫卦者, 事也, 爻者, 事之時也. 分三而又兩之, 足以抱括衆理, 引而伸之, 觸類而長之, 天下之能事畢矣.

어려운 것이 궁극에 이르면 아무도 어떻게 해야 할지 모르므로 피눈물을 흘리게 된다. 넘어진 것이 이와 같으니, 어떻게 오래도록 갈 수 있겠는가? 괘라는 것은 일이고, 효라는 것은 일의 한 때이다. 셋으로 나누고 또 둘로 나눈다면 여러 가지 이치를 포괄할 수 있으니, 이끌어 펴며 종류에 따라 확장하면 천하에서 할 수 있는 일을 다할 것이다.

小註

建安丘氏曰, 屯卦六爻, 二陽四陰. 凡卦以陰陽爻之少者爲主, 故二陽爲四陰之主. 然五坎體陷而失勢, 初震體動而得時, 故初又爲屯之主也. 其曰, 利居貞利建侯, 則卦之所主可知矣. 至九五, 則但曰屯其膏, 小貞吉而已. 其餘陰爻皆因初以起義. 四應初則往吉, 三不應初則往吝, 二乘初而應五, 則邅如而不能進, 上遠初而處卦之窮, 此所以泣血漣如也.

건안구씨가 말하였다: 준괘(屯卦䷂)의 여섯 효는 두 양에 네 음이다. 모든 괘에서 음양의 효가 적은 것이 주인이 되므로 두 양이 네 음의 주인이다. 그러나 오효는 감괘(☵)라는 몸체가 빠지게 해서 세력을 잃었고, 초효는 진괘(☳)라는 몸체가 움직이고 때를 얻었으므로 초효가 또 준괘의 주인이 된다. 초구에서 "바름에 머물러 있는 것이 이롭고 제후를 세움이 이롭다"고 했으니, 괘의 주인을 알 수 있다. 구오에서는 "은택을 베풀기 어려우니, 조금씩 바로잡으면 길하다"라고 했을 뿐이다. 그 나머지 효는 모두 초효를 근본으로 의미를 일으킨 것이다. 사효가 초효와 상응하니 가면 길하고, 삼효가 초효와 상응하지 않으니 계속 추적하면

부끄럽게 되며, 이효가 초효를 올라타고 오효와 상응하니 머뭇거리며 나아가지 못하고, 상효가 초효와 멀리 있으면서 괘의 끝에 있으니, 이 때문에 피눈물을 줄줄 흘린다.

‖韓國大全‖

김장생(金長生)「주역(周易)」

上六, 象傳, 分三而又兩之.
상육「상전」의『정전』에서 말하였다: 셋으로 나누고 또 둘로 나눈다면.

分三, 三畫卦也, 又兩之, 六畫卦也.
"셋으로 나눈다"는 것은 삼획괘이고, "또 둘로 나눈다"는 것은 육획괘이다.

송시열(宋時烈)『역설(易說)』

乘馬, 說見上. 泣者, 坎爲水爲雨故也. 坎爲血連者, 連絡不絶之象. 位在險上, 時當窮極, 不可長久也. ◇ 丘氏說好矣, 以初爻爲主, 何如耶.
말을 탄다는 것은 설명이 위에 보인다. 읍(泣)이란 감(坎)이 물이 되고 비가 되기 때문이다. 감이 피를 줄줄 흘리는 것이 됨은 이어져서 끊어지지 않는 상이다. 자리가 험준한 데에 있고 때가 궁극한데 해당하니, 오래 지속할 수 없다. ◇ 구씨의 설명이 좋으니, 초효(初爻)로 주체를 삼은 것이 어떠한가?

김상악(金相岳)『산천역설(山天易說)』

象傳言何可長, 何可久也, 多在上爻. 屯否豫中孚夬旣濟是也. 大小過則陽盡於四五, 離則三爲日昃之爻也.
「상전」에서 "어떻게 오래도록 할 수 있겠는가"라고 말한 것은 "어찌 장구히 할 수 있겠는가"라는 말이니, 대부분 상효에 있다. 준괘(屯卦)ㆍ비괘(否卦)ㆍ예괘(豫卦)ㆍ중부괘(中孚卦)ㆍ쾌괘(夬卦)ㆍ기제괘(旣濟卦) 등이 이것이다. 대과괘(大過卦)와 소과괘(小過卦)는 양이 사효와 오효에서 다하였고, 이괘(離卦)는 삼효가 날이 기우는 효가 된다.

서유신(徐有臣) 『역의의언(易義擬言)』

漣漣者, 幾何而竭也.
'연연(漣漣)'은 언제쯤 고갈될 것인가의 뜻이다.

김귀주(金龜柱) 『주역차록(周易箚錄)』

傳, 屯難, 窮極, 云云.
『정전』에서 말하였다: 어려운 것이 궁극에 이르면, 운운.

小註, 建安丘氏曰, 屯卦, 云云.
소주(小註)에서 건안구씨(建安丘氏)가 말하였다: 준괘(屯卦)의, 운운.

○ 按, 三之往吝, 以其欲從於五也. 今謂三不應初, 則往吝者, 恐失文義.
내가 살펴보았다: 삼효가 가서 부끄러운 것은 그가 오효를 따르고자 하기 때문이다. 지금 삼효가 초효에 호응하지 않으면 가서 부끄럽다고 말한 것은 문장의 뜻을 잃어버린 것 같다.

박문건(朴文健) 『주역연의(周易衍義)』.

長, 長久也.
장(長)은 장구(長久)의 뜻이다.

심대윤(沈大允) 『주역상의점법(周易象義占法)』

凡言何可長, 多言過不長也.
대체로 "어떻게 오래도록 할 수 있겠는가!"라 함은 대부분 허물이 오래가지 못함을 말한다.

오치기(吳致箕) 「주역경전증해(周易經傳增解)」

屯難窮極, 莫知所爲, 故至泣血. 顚沛如此, 其能長久乎.
어려움이 궁극에 달해서 할 일을 알지 못하기 때문에 피눈물을 흘리는 데에 이른다. 전패(顚沛)됨이 이와 같으니 장구히 할 수 있겠는가?

박문호(朴文鎬) 「경설(經說)·주역(周易)」

何可長也.

어떻게 오래도록 할 수 있겠는가!

傳卦者事也, 以下別是一義. 蓋乾坤物也, 屯以下乃爲事, 故於此首言之, 以明諸卦皆然.

『정전』에서 '괘라는 것은 일' 이하는 별도로 하나의 의미이다. 건괘와 곤괘는 '물[物:體]'이고, 준괘 이하는 바로 '일[事:用]'이 되므로 여기에서 맨 먼저 말하여 모든 괘가 모두 그렇다는 것을 밝혔다.

이병헌(李炳憲) 『역경금문고통론(易經今文考通論)』

孟曰, 漣, 泣下也.

맹씨(孟氏)가 말하였다: '연(漣)'은 눈물을 흘리는 것이다.

虞曰, 馬行而止, 故班如也.

우번이 말하였다: 말이 가다 멈추기 때문에 내리는 것이다

4

몽괘

蒙卦䷃

中國大全

傳

蒙序卦, 屯者盈也, 屯者物之始生也, 物生必蒙. 故受之以蒙, 蒙者蒙也, 物之穉也. 屯者物之始生, 物始生穉小, 蒙昧未發, 蒙所以次屯也. 爲卦艮上坎下, 艮爲山爲止, 坎爲水爲險, 山下有險, 遇險而止, 莫知所之, 蒙之象也. 水必行之物, 始出未有所之, 故爲蒙. 及其進則爲亨義.

몽괘(蒙卦䷃)는 「서괘전」에서 "준(屯)은 가득 참이니, 준은 물건이 처음 생겨난 것이다. 물건이 생겨남에 반드시 어리므로 몽괘로 이어 받았는데, 몽(蒙)은 몽매함이니 물건의 어린 것이다"라고 하였다. 준은 물건이 처음 생겨난 것으로, 물건이 처음 생겨남에 어리고 작아서 몽매하고 아직 계발이 되지 못하니, 몽괘가 준괘 다음에 놓인 까닭이다. 괘의 모양이 간(艮☶)은 위에 있고, 감(坎☵)은 아래에 있으니, 간은 산이 되고 그침이 되며, 감은 물이 되고 험함이 된다. 산 아래에 험한 것이 있으니, 험한 것을 만나 멈추어 어디로 가야할지 알지 못함이 몽의 상이다. 물은 흘러가는 것이니, 물건이 처음 생겨남에 아직 갈 곳이 없기 때문에 몽매하지만, 나아가게 되면 형통하게 된다는 의미이다.

小註

白雲郭氏曰, 屯者, 物之始生, 生而後穉, 卦之序也.
백운곽씨가 말하였다: 준(屯)은 만물이 처음 생겨남이니, 생겨난 이후에 어린 것이 괘의 차례이다.

○ 誠齋楊氏曰, 蒙猶屯也. 屯者物之初, 非物之厄. 蒙者人之初, 非性之昧. 勾而未舒曰屯, 穉而未達曰蒙.
성재양씨가 말하였다: 몽괘(蒙卦)는 준괘(屯卦)와 유사하다. 준(屯)은 물건의 시초이지 물건의 곤액(困厄)이 아니며, 몽(蒙)은 인생의 초기이지 본성의 우매함이 아니다. 굽어서 아직 펴지지 않은 것을 준(屯)이라 하고, 어려서 아직 깨닫지 못한 것을 몽(蒙)이라 한다.

○ 雙湖胡氏曰, 乾坤之後, 屯主在震初九一爻, 蒙主在坎九二一爻. 此長子代父, 長弟次兄之象. 艮爲少男, 方有待於開發. 此屯蒙次乾坤之義. 屯建侯, 有君道焉. 蒙求我, 有師道焉. 天地旣位, 君師立矣.
쌍호호씨가 말하였다: 건괘와 곤괘 이후에 준괘(䷂)의 주인은 진괘(☳)의 초구 한 효에 있

고, 몽괘의 주인은 감괘(☵)의 구이 한 효에 있다. 이것은 맏아들이 아버지를 대신하며, 큰 아우가 형의 다음에 오는 상이다. 간은 막내아들[少男]이니, 계발이 필요하다. 이것이 준괘와 몽괘가 건괘와 곤괘의 다음에 있는 의미이다. 준괘의 "제후를 세운다"는 임금의 도가 있음을 말한다. 몽괘의 "철부지 어린이가 나를 찾는다"는 스승의 도가 있음을 말한다. 천지가 이미 자리를 잡았으니, 임금과 스승이 세워질 것이다.

蒙亨, 匪我求童蒙, 童蒙求我. 初筮告, 再三瀆, 瀆則不告. 利貞.

몽(蒙)은 형통하니, 내가 철부지 어린이를 찾음이 아니라, 철부지 어린이가 나를 찾음이다. 처음 점치거든 알려주고 두 번 세 번 점치면 욕되게 하는 것이니, 욕되게 하면 알려주지 않는다. 바르게 함이 이롭다.

中國大全

傳

蒙有開發之理, 亨之義也. 卦才時中, 乃致亨之道. 六五爲蒙之主, 而九二發蒙者也. 我謂二也, 二非蒙主, 五旣順巽於二, 二乃發蒙者也, 故主二而言. 匪我求童蒙, 童蒙求我, 五居尊位, 有柔順之德, 而方在童蒙, 與二爲正應, 而中德又同, 能用二之道以發其蒙也. 二以剛中之德在下, 爲君所信嚮, 當以道自守, 待君至誠求己而後應之, 則能用其道. 匪我求於童蒙, 乃童蒙來求於我也. 筮, 占決也. 初筮告, 謂至誠一意以求己則告之, 再三則瀆慢矣, 故不告也. 發蒙之道, 利以貞正. 又二雖剛中, 然居陰, 故宜有戒.

몽(蒙)에는 계발하는 이치가 있으니 형통하다는 의미이고, 괘의 재질이 때에 맞게 하니 형통함을 이루는 도이다. 육오가 몽괘의 주인이 되고 구이는 몽매함을 계발하는 자이니, 나[我]는 구이를 이른다. 구이가 몽괘의 주인은 아니나, 육오가 구이에 공손하니, 구이가 이에 몽매함을 계발하는 것이므로, 구이를 주로해서 말하였다. "내가 철부지 어린이를 찾는 것이 아니라, 철부지 어린이가 나를 찾는다"는, 육오가 높은 자리에 있으면서 유순한 덕이 있고, 철부지 어린이의 때에 있어 구이와 정응(正應)이 되며 중덕(中德)이 또한 같으니, 구이의 도를 씀으로써 그 몽매함을 계발할 수 있다는 것이다. 구이가 강건하고 알맞은 덕으로 아래에 있으니, 임금이 신임하게 된다. 도로써 스스로를 지키면서 임금이 지극한 정성으로 자기를 찾음을 기다린 뒤에 부름에 호응하면 그 도를 쓸 수 있으니, 내가 철부지 어린이를 찾음이 아니고 철부지 어린이가 나에게 와서 찾음이 되는 것이다. 서(筮)는 점쳐서 결단하는 것이다. "처음 점치거든 알려준다"는 것은 지극한 정성과 한결같은 뜻으로 나에게 찾아오면 가르쳐 줌을 말함이니, 두 번 세 번 점치면 욕되게 하는 것이므로 가르쳐주지 않는다. 몽매함을 계발하는 도는 바르게 해야 이롭다. 또 구이가 비록 굳세고 알맞으나, 음의 자리에 있으므로 경계하는 말이 있어야만 한다.

小註

朱子曰, 伊川說蒙亨, 髣髴是指九二一爻說, 所以云, 剛中也.
주자가 말하였다: 이천의 “몽은 형통하다”에 대한 설명은 마치 구이의 한 효를 가리켜서 설명한 것 같다. 이 때문에 “굳세고 알맞다”고 한 것이다.

○ 白雲郭氏曰, 物穉者, 有必亨之理, 聖人發蒙, 有致亨之道, 所以亨也.
백운곽씨가 말하였다: 만물의 어린 것에는 반드시 형통하는 이치가 있고, 성인이 몽매함을 계발시킴에는 형통함으로 나아가는 도가 있다. 이 때문에 형통한 것이다.

○ 毅齋沈氏曰, 蒙昧而能亨者, 由九二以剛中之德時而發之, 所以亨也.
의재심씨가 말하였다: 몽매하면서도 형통할 수 있는 것은 구이가 굳세고 알맞은 덕으로 때맞춰 계발시켜서이다. 이 때문에 형통한 것이다.

本義

艮, 亦三畫卦之名. 一陽止於二陰之上, 故其德爲止, 其象爲山. 蒙, 昧也. 物生之初, 蒙昧未明也. 其卦以坎遇艮, 山下有險, 蒙之地也. 內險外止, 蒙之意也. 故其名爲蒙. 亨以下, 占辭也. 九二內卦之主, 以剛居中, 能發人之蒙者, 而與六五陰陽相應, 故遇此卦者有亨道也. 我, 二也, 童蒙, 幼穉而蒙昧, 謂五也. 筮者明, 則人當求我而其亨在人. 筮者暗, 則我當求人而亨在我. 人求我者, 當視其可否而應之, 我求人者, 當致其精一而扣之. 而明者之養蒙, 與蒙者之自養, 又皆利於以正也.

간(艮☶)은 또한 삼획괘의 이름이다. 하나의 양이 두 음의 위에 머물러 그쳐 있으므로, 그 덕이 그침이 되고 그 상이 산이 된다. 몽(蒙)은 어두움이니, 만물이 생긴 처음에는 몽매해서 밝지 못한 것이다. 괘가 감(坎)으로써 간(艮)을 만나, 산 아래 험한 것이 있는 것이 몽의 처지이고, 안으로는 험하고 밖으로는 그치는 것이 몽의 의미이다. 그러므로 그 이름이 몽이 된다. ‘형통하니’ 아래는 점치는 말이다. 구이는 내괘의 주인으로 굳셈으로서 중(中)에 있으니 사람들의 몽매함을 계발할 수 있는 것이고, 육오와 더불어 음과 양이 서로 호응하기 때문에 이 괘를 만나는 사람은 형통하는 도가 있다. ‘나’는 구이이고, ‘철부지 어린이’는 유치하고 몽매함이니 육오를 말한다. 점치는 사람이 현명하면 남이 나를 찾기에 그 형통함이 남에게 있고, 점치는 사람이 우매하면 내가 남을 찾기에 그 형통함이 내게 있다. 남이 나를 찾을 때는 그 가부를 보아 호응해야 하고, 내가 남을 찾을 때는 순수한 마음으로 물어야 하니, 현명한 사람이 몽매한 사람을 가르침과 몽매한 사람이 자신을 함양함에 모두 바름으로써 함이 이로운 것이다.

小註

朱子曰, 山下有險, 蒙之地也. 山下已是險峻處, 又遇險, 前後去不得, 故於此蒙昧也. 蒙之意, 只是心下鶻突.
주자가 말하였다: 산 아래에 험한 것이 있는 것이 몽의 처지이다. 산 아래는 이미 험준한 곳이고, 또 험한 것을 만나서 앞으로도 뒤로도 나아갈 수 없다. 그러므로 이에 몽매한 것이다. 몽매함의 의미는 다만 마음이 흐리멍덩함이다.

○ 人來求我, 我則當視其可否而告之. 蓋視其來求我之發蒙者, 有初筮之誠則告之, 再三煩瀆, 則不告之也. 我求人, 則當致其精一以叩之. 蓋我而求人以發蒙, 則當盡初筮之誠, 而不可有再三之瀆也.
남이 나를 찾을 때는 나는 그 가부를 보아 알려주어야 하니, 대체로 나를 찾아와서 몽매함을 계발하려는 사람이 처음 점을 칠 때의 정성이 있으면 알려주고, 두 번 세 번 점쳐서 번거롭게 욕되게 하면 알려주지 않는다. 내가 남을 찾을 때는 정성을 다하여 물어야 하니, 대체로 내가 남을 찾아서 나의 몽매함을 계발하려면 처음 점칠 때의 정성을 다해야하고, 두 번 세 번 점쳐서 욕되게 하는 일이 있어서는 안 된다.

○ 盤澗董氏曰, 本義發此一例, 卽所謂稽實待虛者也.
반간동씨가 말하였다: 『본의』에서 이러한 하나의 사례를 밝힌 것은, 바로 이른바 '실(實)을 상고하여 허(虛)에 대비한다는 것'이다.

○ 雲峯胡氏曰, 諸家訓亨與利貞, 以亨屬蒙, 利貞屬養蒙者. 惟本義以爲蒙與養蒙者, 皆有亨道而利於貞. 易必如是看, 方爲不滯也.
운봉호씨가 말하였다: 여러 학자들이 '형통하다[亨]'와 '바르게 함이 이롭다[利貞]'를 풀이할 때, 형통함을 몽매한 사람에 포함시키고, 바르게 함이 이로움을 몽매한 사람을 가르치는 사람에 포함시켰다. 『본의』에서는 몽매한 사람과 몽매한 사람을 가르치는 사람, 모두에게 형통한 도가 있어 바르게 함에 이롭다고 하였다. 『주역』을 이와 같이 보아야만 막히지 않게 된다.

韓國大全

조호익(曺好益)『역상설(易象說)』

初筮告, 再三瀆, 瀆則不告.
처음 점치거든 알려주고 두 번 세 번 점치면 욕되게 하는 것이니, 욕되게 하면 알려주지 않는다.

初則告者, 誠一也. 旣告而不能深思自得, 再三來問, 則心不誠一而煩數而已, 不可告也. 雖告之, 亦不信也.
"처음 점치거든 알려준다"는 것은 정성이 한결같아서이다. 이미 알려주었는데 깊이 생각하여 스스로 깨닫지 못하고 두 번 세 번 와서 묻는다면, 마음이 한결같지 않고 번거로울 뿐이니 알려 주어서는 안 된다. 비록 알려준다 하더라도 믿지 않는다.

홍여하(洪汝河)「책제(策題):문역(問易)・독서차기(讀書箚記)-주역(周易)」

蒙彖辭, 本義以坎遇艮, 止 其名爲蒙.
몽괘 단사에 대해『본의』에서 말하였다: 감(坎)으로써 간(艮)을 만나 … 그 이름이 '몽(蒙)'이 된다.
釋彖傳初段.
「단전」의 첫 단락을 풀이한 것이다.

亨以下 [止] 蒙昧, 謂五也.
형통하니 … 몽매(蒙昧)함이니, 육오를 말한다.
釋第二段.
제 2단락을 풀이하였다.

筮者明 止 致其精一而扣之.
점치는 사람이 현명하면 … 순수한 마음으로 물어야 하니,
應第三段.
제 3단락에 호응한다.

筮者明, 筮者暗.
점치는 사람이 현명하면, 점치는 사람이 우매하면.
筮者得, 上卦筮得之者, 是也. 主二而言, 則五來求我, 而二以剛明發五之蒙, 故亨在五. 主五而言, 則我之蒙昧, 因彼之發, 得復艮體光明. 故其亨在我也.
점친 자가 얻음은 위의 괘[준괘]『본의』에 나오는 '점을 쳐서 이 괘를 얻는 자'가 이것이다. 이효를 위주로 말한다면 오효가 와서 나를 찾고, 이효는 굳세고 현명한 자질로 오효의 몽매함을 계발시키기 때문에 형통함은 오효에 있다. 오효를 위주로 말한다면 나의 몽매함이 저의 계발로 인하여 간괘의 빛나고 밝음을 회복할 수 있다. 그러므로 그 형통함이 나에게 있다.

明者之養蒙, [止] 利於以正也.
현명한 사람이 몽매한 사람을 가르침과 … 바름으로써 함이 이로운 것이다.
應第四段.
제 4단락에 호응한다.

이익(李瀷) 『역경질서(易經疾書)』

古之人, 凡有大事, 必筮而決之. 故委質事君, 必曰筮仕, 男女婚姻, 必曰納吉. 民生於三, 師居一焉. 旣定師弟子之名, 服勤之死, 心喪三年. 其事極重, 其始必將筮決於神明, 而後行也. 古禮雖缺, 其義必然也. 臣之際遇莫如比. 故曰原筮元永貞. 原筮卽初卜而再筮也. 所謂龜筮協從, 一龜一筮而已, 豈有初筮再筮之理. 昏因之筮, 周公之禮亦備矣. 此云初筮告者, 取其誠也. 其或進或退, 去就無恒, 而有再筮三筮之瀆者, 君子亦不之告也. 如孺悲旣學士喪禮於孔子, 中間違背而復來, 則聖人亦拒之, 乃再三不告之義也.
옛사람들은 중요한 일에는 반드시 점을 쳐서 결정하였다. 그러므로 예물을 바쳐 임금을 섬기려할 때 반드시 '서사(筮仕)'라 하고, 남녀가 혼인하려할 때 반드시 '납길(納吉)'이라 한다. 사람은 세 가지에 의해서 살아가는데, 스승이 그 중에서 한 가지를 차지한다. 스승과 제자의 명분이 이미 정해지면 돌아가실 때 3년 동안 심상(心喪)을 치른다. 이러한 일들은 매우 중요하니, 처음에 반드시 신명(神明)에게 점을 쳐서 결정한 이후에 행한다. 옛날의 예는 비록 무너졌지만 그 뜻은 반드시 그러하다. 신하가 임금을 교제하고 만나는 일은 비괘(比卦)만한 괘가 없다. 그러므로 비괘에 "근원하여 점치되 크고 영원하고 곧다"고 하였다. "근원하여 점친다"는 것은 처음에는 거북점을 치고 다시 시초점을 치는 것이다. 이른바 "거북점과 시초점까지도 같이 따랐다"는 것은 한 번은 거북점이 따르고 한 번은 시초점이 따르는 것일 뿐이니, 어찌 처음에 시초점을 치고 다시 시초점을 치는 이치가 있겠는가? 혼인의 점이 주공(周公)의 예에도 갖추어져 있다. 여기 "처음 점치거든 알려 준다"라 함은 그 정성을 취한 것이다. 나아가기도 하고 물러나기도 하여서 행동에 항상됨이 없으면서 두 번 세 번 점쳐 욕되게 하는 자에게는 군자도 알려 주지 않는다. 예컨대 유비(儒悲)가 이미 공자(孔子)에게 사상례(士喪禮)를 배웠는데 중간에 그것을 어기고 다시 오자 공자와 같은 성인도 거절하였으니, 바로 두 번 세 번 하면 알려 주지 않는다는 의미이다.

按, 表記, 子曰, 無辭不相接也, 無禮不相見也. 欲民之無相褻也. 易曰, 初筮告, 再三瀆, 瀆則不告, 可以爲證. 然我無爲師之實而遽受, 則必將自失而誤人. 初筮告者, 以己有剛中之德故也. 瀆, 蒙者, 以蒙爲瀆也.
내가 살펴보았다: 『예기 · 표기』에서 공자가 "사령장이 없을 때는 서로 접견하지 않고, 예물이 없으면 서로 보지 않는 것은 백성들이 서로 더럽히지 않고자 하기 위한 것이다. 『주역』에 처음 점치거든 알려주고, 두 번 세 번 점치면 알려 주지 않는다고 하였다"고 한 말이 증거가 될 수 있다. 그러나 나는 스승이 될 만한 실질이 없는데 갑자기 대우를 받는다면 반드시 스스로도 실수하고 남도 그르친다. "처음 점치거든 알려 준다"라 함은 자신에게 굳세고 알맞은 덕이 있기 때문이다. '욕되게 함[瀆]'은 몽매한 자가 몽매함으로써 욕되게 하는 것이다.

김만영(金萬英) 「역상소결(易象小訣)」

蒙象, 匪我求童蒙.
몽괘의 단사에서 말하였다: 내가 철부지 어린이를 찾는 것이 아니다.

艮少男, 故曰童蒙. 六五同.
간(艮)은 막내아들이기 때문에 '철부지 어린이'라 하는데, 육오(六五)도 마찬가지이다.

심조(沈潮) 「역상차론(易象箚論)」

彖, 童蒙, 初筮告, 再三瀆, 瀆則不告.
「단전」에서 말하였다: 철부지 어린이가 처음 점치거든 알려주고, 두 번 세 번 점치면 욕되게 하는 것이니, 욕되게 하면 알려주지 않는다.

童蒙, 艮爲小男也. 童蒙求我, 艮在外也. 初筮告者, 自上九而俯視, 則初六有兌口象也. 瀆坎象. 不告, 九二剛中有節也.

'철부지 어린이'는 간(艮)이 막내아들이기 때문이다. '철부지 어린이가 나를 찾음'은 간괘가 밖에 있어서이다. "처음 점치거든 알려준다"는 상구에서 내려다보면 초육에는 태괘(☱)의 입[口]의 상이 있다. '욕되게 함'은 감(坎)의 상이다. '알려주지 않음'는 구이가 강건하고 알맞어 절도가 있기 때문이다.

유정원(柳正源) 『역해참고(易解參攷)』

王氏曰, 蒙之所利, 乃利貞也. 夫明莫若聖, 昧莫若蒙. 蒙以養正, 乃聖功也.
왕씨가 말하였다: 몽매함이 이롭다는 것은 바로 바르게 함이 이롭다는 것이다. 현명함으로는 성인만한 사람이 없고, 우매함으로는 몽매한 사람만한 것이 없다. '몽매함으로써 바름을 기르는 것'이 바로 '성인이 되는 공부'이다.

○ 正義, 蒙者, 微昧闇弱之名. 物皆蒙昧, 唯願亨通, 故云蒙亨.
『주역정의』에서 말하였다: 몽은 미약하고 우매함을 말한다. 만물은 모두 몽매하지만 오직 형통하기를 원하기 때문에 "몽매함은 형통하다"고 하였다.

○ 平庵項氏曰, 二坎體, 五互坤, 水土相雜, 汨而成泥, 故有瀆蒙之象.
평암항씨가 말하였다: 이효는 감(坎)의 몸체이고 오효의 호괘가 곤(坤)이니, 물과 흙이 서로 섞여 어지럽게 진흙을 이루기 때문에 몽매함을 욕되게 하는 상이 있다.

○ 案, 初筮告, 以陽之純一而言九二也. 再三瀆, 以陰之駁雜而言四陰也. 先儒皆以再三爲煩數之義, 然抑又有一說焉. 易曰, 原筮永貞, 朱子七占, 亦有更筮之法. 然則筮至再三, 恐亦不可謂煩數而廢之也. 以學者言, 則非顔子之如愚, 曾子之一唯, 不可以一言領解矣. 若使學者嫌其煩瀆而抱不決之疑, 敎者厭其煩數而有不告之端, 則其果立象設敎之至意耶. 如樊遲之旣問於師, 又辨於友者, 似是再三之意, 而亦未聞聖人以是不告也. 夫初筮告者, 以筮者之誠敬一心而告者也. 然則其有瀆而不告者, 豈非以筮者之二三其心, 其心瀆亂故邪. 苟使筮者一心精白, 則再筮三卜, 皆无不可. 亦使學者一心誠信, 則再叩三問, 皆无不宜. 而若或其心瀆亂, 至再至三, 則神明在所不應矣. 故曰, 此再三字, 當以二三字看, 如所謂二三其德之義也.
내가 살펴보았다: "처음 점치거든 알려준다"는 양의 순일함으로 구이를 말한다. "두 번 세 번 점치면 욕되게 하는 것이다"는 음의 잡박한 것으로 네 음을 말한다. 선배 학자들은 모두 '두 번 세 번'을 번거롭게 자주하는 뜻으로 여겼지만 다른 학설도 있다. 『주역』에서는 "처음 점을 치되 길이 바르게 한다"고 하였으며, 주자의 일곱 번 점치는 것에도 다시 점을 치는

방법이 있다. 그렇다면 점을 두 번 세 번 치는 것이 아마도 또한 번거롭게 자주 하여 그만두는 것을 말하지는 않는 듯하다. 배우는 사람으로서 말한다면 안자(顏子)의 어리석어 보이는 듯한 것과 증자(曾子)의 한 번에 '예'함이 아니라면 한 마디 말에 이해할 수는 없을 것이다. 가령 배우는 사람이 번거롭게 자주 함을 싫어하여서 풀리지 않는 의심을 지니고만 있거나, 가르치는 사람이 번거롭게 자주 함을 싫어하여서 말해주지 않은 단서가 있다면, 그것이 과연 상을 세워 가르침을 베푸는 지극한 뜻이겠는가? 예컨대 번지(樊遲)가 이미 선생님께 묻고 벗에게서 변별하는 것은 마치 두 번 세 번 하는 뜻인 것 같은데, 또한 공자가 이런 이유 때문에 가르쳐 주지 않았다는 말은 듣지 못하였다. "처음 점치면 알려준다"라는 것은 점치는 사람의 정성과 공경이 한 마음이기 때문에 알려주는 것이다. 그렇다면 욕되어 알려주지 않는 것이 어찌 점치는 사람이 그 마음을 둘로 셋으로 하여 그 마음이 욕되고 어지럽기 때문이 아니겠는가? 진실로 점치는 사람이 한 마음으로 티 없이 깨끗하다면 두 번 시초점을 치고 세 번 거북점을 치더라도 모두 안 될 것이 없다. 또한 가령 배우는 사람이 한 마음으로 정성스럽고 참되다면 두 번 묻고 세 번 묻는 것이 모두 옳지 않은 것이 없으나, 만약 혹 그 마음이 욕되고 어지러워 두 번 세 번 하는데 이르면 신명이 응하지 않는 바가 있을 것이다. 그러므로 이 '두 번 세 번'이라는 단어는 이삼(二三)이라는 단어로 보아야 하니, 그 덕을 이랬다 저랬다 한다는 말과 같다[1].

김상악(金相岳)『산천역설(山天易說)』

蒙有開發之理. 九二以剛得中, 發人之蒙而得時之中, 故以亨行也. 我二也, 童蒙五也. 匪我求童蒙, 必童蒙求我也. 初筮告者, 以剛中也, 再三不告者, 爲瀆蒙也. 故蒙者與養蒙者, 皆利於以正也.
몽은 계발의 이치가 있다. 구이는 굳셈으로서 알맞음을 얻었으니 다른 사람의 몽매함을 계발해 주고, 때의 알맞음을 얻었기 때문에 형통함으로써 행한다. 나는 이효이고, 철부지 어린이는 오효이다. 내가 철부지 어린이를 찾는 것이 아니라 반드시 철부지 어린이가 나를 찾는 것이다. "처음 점치거든 알려준다"는 것은 굳세고 알맞음으로 하기 때문이고, "두 번 세 번 점치면 알려주지 않는다"는 것은 몽매함을 욕되게 하기 때문이다. 그러므로 몽매한 사람과 몽매한 사람을 가르치는 사람이 모두 바름으로써 하는 데에 이롭다.

○ 蒙之爲卦, 艮之陽止, 坎之陽動, 故艮爲童蒙, 坎爲其師, 而坎之一陽在中, 一者, 誠也. 誠之道, 能通神明, 故取象于筮. 二五之應, 皆得中, 故曰初筮告. 三則陷陽, 四又

1)『詩經 · 衛風』: 士也罔極, 二三其德.

止陽, 故曰再三瀆, 不告. 瀆者, 水之汚也. 水煩則瀆, 坎之象也. 子曰, 擧一隅, 不以三隅反, 則不復, 亦此意也.
몽괘(蒙卦)는 간(☶)의 양이 그치고 감(☵)의 양이 움직이기 때문에 간이 철부지 어린이가 되고 감이 그 스승이 되는데, 감의 한 양은 안에 있으니 하나[一]는 성실함이다. 성실함의 도는 신명과 통할 수 있기 때문에 점에서 상을 취하였다. 이효와 오효의 호응은 모두 알맞음을 얻었기 때문에 "처음 점치거든 알려 준다"고 하였다. 삼효는 양을 빠뜨리고 사효는 양을 저지하기 때문에 "두 번 세 번 점치면 욕되게 하는 것이니, 욕되게 하면 알려주지 않는다"고 하였다. '독(瀆)'은 물이 오염된 것이다. 물이 어지럽혀지면 오염되니 감(坎)의 상이다. 공자께서 "한 귀퉁이를 들어 보이는데도 나머지 세 귀퉁이로 반증하지 않으면 다시 알려주지 않는다"[2]라 한 것도 이 의미이다.

박윤원(朴胤源) 『경의(經義) · 역경차략(易經箚略) · 역계차의(易繫箚疑)』

蒙亨, 匪我求童蒙, 童蒙求我.
몽(蒙)은 형통하니, 내가 철부지 어린이를 찾음이 아니라, 철부지 어린이가 나를 찾음이다.

五居尊位, 而求敎於二, 是師道在下之象. 如成王之冲幼而受誨於周公, 是也. 然畢竟是師道在上何也. 爲人君者, 能自得師, 以成其德, 而臨億兆之民, 治而敎之. 故曰, 作之君, 作之師. 以此卦言之, 上九擊蒙, 是師道在上之象.
오효는 존귀한 자리에 있으면서 이효에게 가르침을 구하니, 스승의 도가 아래에 있는 상이다. 성왕(成王)이 어려서 주공(周公)에게 가르침을 받은 것과 같은 경우가 이것이다. 그러나 결국은 스승의 도가 위에 있는 것은 어째서인가? 임금이 된 자는 스스로 스승이 되어 자신의 덕을 이루고 수많은 백성들에게 임하여 다스리고 가르칠 수 있기 때문에 "임금을 만들고, 스승을 만든다"[3]고 하였다. 이 괘로 말한다면 상구의 몽매함을 일깨움이 스승의 도가 위에 있는 상이다.

서유신(徐有臣) 『역의의언(易義擬言)』

蒙者, 凡物之稚, 皆謂之蒙也. 蒙有必通之理, 遵是道則罔不亨也. 童蒙者, 人也. 萬物之中, 惟人爲大, 故特言人之蒙, 而又言致亨之道也. 我, 九二也, 童蒙, 六五也. 童蒙之

2) 『論語 · 述而』.
3) 『書經 · 泰誓』.

求發於先覺, 猶筮之求知於神明, 神明豈有所求哉. 不求而自來, 見其誠也. 夫筮所問者吉凶, 所告者失得. 初問旣告矣, 再三問而習吉, 則是瀆神明也. 變其辭以應之, 則是將有求於童蒙者也. 初告, 再三不告, 乃貞也. 訓蒙之道, 正自如此. 取筮爲喩, 約而盡矣.
몽매함은 만물이 어릴 때를 몽매하다고 한다. 몽매함은 반드시 형통한 이치가 있으니, 이 도리를 따르면 형통하지 않음이 없다. 철부지 어린이는 사람이다. 만물 가운데 오직 사람만이 위대하기 때문에 특별히 사람의 몽매함을 말하고, 또 형통함에 이르는 도리를 말한 것이다. 나는 구이(九二)이고 철부지 어린이는 육오(六五)이다. 철부지 어린이가 선각자에게 계발을 구하는 것은 마치 점치는 사람이 신명에게 알려주기를 구하는 것과 같으나, 신명이 어찌 구하는 것이 있겠는가? 구하지 않아도 저절로 오니, 그 정성을 보기 때문이다. 점쳐서 묻는 것은 길흉이고 알려 주는 것은 잃고 얻음이다. 처음 물었을 때 이미 알려 주었는데도, 두 번 세 번 물어 거듭 길함을 묻는다면[4] 이것은 곧 신명을 욕되게 하는 것이다. 그 말을 바꾸어서 응한다면 철부지 어린이에게 구하는 것이 있을 것이다. 처음 점치거든 알려주고 두 번 세 번 점치면 알려주지 않는 것이 곧 '바르게 함[貞]'이다. 철부지 어린이를 가르치는 도리는 바로 본래 이와 같다. 점치는 일을 비유로 삼아서 간략하면서도 이치를 다했다.

김귀주(金龜柱) 『주역차록(周易箚錄)』

本義, 艮亦三畫卦, 云云.
『본의』에서 말하였다: 간(艮)은 또한 삼획괘의 이름이다, 운운.

○ 按, 筮者明, 筮者暗, 兩言筮者, 皆指占者也, 與經文初筮之筮字, 不同.
내가 살펴보았다: "점치는 사람이 현명하다[筮者明]"와 "점치는 사람이 우매하다[筮者暗]"에서 두 번 '서(筮)'를 말한 것은 모두 점치는 사람을 지칭한 것이니, 『주역』 경문의 '처음 점치거든[初筮]'의 '서(筮)'자와는 의미가 서로 다르다.

강엄(康儼) 『주역(周易)』

本義, 筮者明則云云.
『본의』에서 말하였다: 점치는 사람이 현명하면, 운운.

按, 卦辭非我求童蒙, 童蒙求我, 據二與五而言. 初筮告, 亦謂五之求二. 有初筮之誠,

4) 『서경 · 대우모』 : 점칠 때 길함을 거듭해서 물어보지 않는다.[卜不習吉.]

則二當告之, 若再三, 則不告, 卦辭之意, 恐只如此, 而本義則以二與五相爲主賓. 我若明, 則我爲二而人爲五, 我若暗, 則人爲二而我爲五. 人求我, 我求人二句, 亦此意也. 其曰筮者, 卽指我而言. 我若筮而得此卦, 則其占如此云, 而不曰占者, 而曰筮者, 以卦辭有筮字故也. 比卦彖辭有原筮之言, 故本義亦曰筮者.
내가 살펴보았다: 괘사의 "내가 철부지 어린이를 찾음이 아니라, 철부지 어린이가 나를 찾음이다"는 이효와 오효에 근거해서 말한 것이다. '처음 점치거든 알려주고'도 오효가 이효를 찾음을 말한다. 처음 점칠 때의 정성이 있으면 이효는 알려주어야 하나, 만약 두 번 세 번 점치면 알려주지 말아야 하니, 괘사의 의미도 단지 이와 같을 것인데 『본의』는 이효와 오효를 주인과 손님의 관계로 여겼다. 내가 만약 현명하다면 나는 이효가 되고 다른 사람은 오효가 되며, 내가 만약 몽매하다면 다른 사람은 이효가 되고 나는 오효가 된다. '다른 사람이 나를 찾음'과 '내가 다른 사람을 찾음'의 두 문구도 이 의미이다. '서자(筮者)'라고 말한 것은 나를 가리켜 말한 것이다. 내가 만약 점을 쳐서 이 괘를 얻으면 그 점이 이와 같을 것이라고 말하지만, '점자(占者)'라 말하지 않고 '서자(筮者)'라고 말한 것은 괘사에 '서(筮)'자가 있기 때문이다. 비(比)괘의 단사에 '원서(原筮)'라는 말이 있기 때문에 『본의』에서도 '서(筮)'라고 하였다.

박문건(朴文健) 『주역연의(周易衍義)』

我謂二也, 童蒙, 童穉之蒙昧, 謂五也. 初筮者, 信二也. 再三者, 疑二也. 信之者, 其德中正也. 疑之者, 其體陰柔也. 瀆, 煩瀆也.
나는 이효를 말한다. 철부지 어린이는 나이가 적은 아이의 몽매함이니 오효를 말한다. 처음 점치는 것은 이효를 믿지만 두 번 세 번 점치는 것은 이효를 의심하는 것이다. 믿는 사람은 그 덕이 중정(中正)하지만 의심하는 사람은 그 몸체가 유약한 음이기 때문이다. 독(瀆)은 번거롭고 욕되게 하는 것이다.
〈問, 蒙亨. 曰, 蒙之二, 處中而有升進之勢, 故其道亨也. 問, 匪我求童蒙, 童蒙求我. 曰, 二剛而五柔, 故有童先於我之象也. 問, 初筮告, 再三瀆, 瀆則不告. 曰, 初筮則告, 而再三則不告者, 有剛明中正之德也. 問, 利貞. 曰, 二處群陰之中, 而與五相應, 故勉其利貞. 必利於剛貞, 而後可无滔奪之憂矣. 利貞者, 言剛貞爲利也.
물었다: "몽(蒙)은 형통하다"는 무슨 뜻입니까?
답하였다: 몽괘의 이효가 가운데에 있어 위로 나아가려는 기세가 있기 때문에 그 도가 형통하다는 것입니다.
물었다: "내가 철부지 어린이를 찾음이 아니라 철부지 어린이가 나를 찾음이다"는 무슨 뜻입니까?

답하였다: 이효는 굳세고 오효는 유약하기 때문에 어린이가 나에게 먼저 묻는 상이 있는 것입니다.
물었다: "처음 점치거든 알려주고, 두 번 세 번 점치면 욕되게 하는 것이니, 욕되게 하면 알려주지 않는다"는 무슨 뜻입니까?
답하였다: 처음 점치거든 알려주고 두 번 세 번 점치면 알려주지 않는 것은 굳세고 현명하며 중정(中正)한 덕이 있기 때문입니다.
물었다: "바름게 함이 이롭다"는 무슨 뜻입니까?
답하였다: 이효가 여러 음(陰) 속에 있고 오효와 서로 호응하기 때문에 그것이 바르게 함이 이롭다고 격려하였다. 반드시 굳세고 바름에서 이로운 뒤에야 넘치거나 잃어버리는 근심이 없을 것이니, "바르게 함이 이롭다"는 굳세고 바른 것이 이로움을 말합니다.〉

〈○ 問, 設言卜筮者, 何. 曰, 筮所以決疑信者也, 二五之情, 有疑信, 故言卜筮之道, 以明其情也. 曰, 必取蒙筮之義, 何. 曰, 蒙无知者也. 不能自決, 故筮於明者, 以質其疑信也.
물었다: 복서(卜筮)를 가정하여서 말한 것은 어째서 입니까?
답하였다: 점은 의심스러운 것과 믿을 만한 것을 결정하는 것이고, 이효와 오효의 정에는 의심과 믿음이 있으므로 복서(卜筮)의 도를 말하여 그 정을 밝힌 것입니다.
물었다: 반드시 몽매한 사람이 점을 치는 의미를 취한 것은 어째서 입니까?
답하였다: 몽매한 사람은 무지한 사람이니, 스스로 결정할 수 없기 때문에 현명한 사람에게 점을 쳐서 그 의심스러운 것과 믿을 만한 것을 질정하는 것입니다.〉

이지연(李止淵) 『주역차의(周易箚疑)』

以卦之德, 則險而止, 非能亨者, 而以卦之材, 則九二, 以天德不可爲首之道, 居下而得中, 又應中德之君, 此爲可亨之道也.
괘의 덕으로는 험하여 그치는 것이니 형통할 수 있는 것이 아니고, 괘의 재질로는 구이가 "하늘의 덕은 앞장서서는 안 된다"[5]는 도(道)로 낮은 지위에 있으면서 알맞음을 얻고, 알맞은 덕을 지닌 임금에게 호응하니, 이것이 형통할 수 있는 도가 된다.

김기례(金箕澧) 「역요선의강목(易要選義綱目)」

蒙, 穉也. 萬物始生, 遇險而止, 蒙然莫知所向.

5) 『주역 · 건괘』 소상전.

몽은 어리다는 것이다. 만물이 처음 생겨남에 험한 것을 만나서 그치니 어리석어서 향할 곳을 알지 못한다.

亨,
형통하니,
坎爲心亨, 故曰亨. ○ 二以剛中正, 上應蒙君而中通, 則當開發. 故亨.
감(坎)은 마음의 형통함이 되므로 '형통하다'고 하였다. ○ 이효는 굳셈으로서 중정(中正)하여 위로 몽매한 임금에 호응하여 중도로 통하니, 마땅히 계발해 주기 때문에 형통하게 된다.

非我求童蒙, 童蒙求我. 初筮告, 再三瀆, 瀆則不告. 利貞.
내가 철부지 어린이를 찾음이 아니라, 철부지 어린이가 나를 찾음이다. 처음 점치거든 알려주고 두 번 세 번 점치면 욕되게 하는 것이니, 욕되게 하면 알려주지 않는다. 바르게 함이 이롭다.
我指二, 童蒙指五. 五以柔順, 居君位, 誠求二之剛中, 而精一初筮, 則二當忠告, 而開君之蒙. 若煩瀆再三, 則不當告. 故利於正.
나는 이효를 가리키며, 철부지 어린이는 오효를 가리킨다. 오효는 유순함으로 임금의 자리에 있으면서 정성으로 굳세고 알맞은 이효에게 구하여 정일함으로 처음 점을 치거든 이효는 마땅히 충심으로 알려주어 임금의 몽매함을 계발해 주어야 한다. 만약 두 번 세 번 번거롭게 욕되게 하면 알려주지 말아야 한다. 그러므로 바르게 함에 이로운 것이다.

심대윤(沈大允) 『주역상의점법(周易象義占法)』

從師而有長進, 故曰亨. 我匪好爲人師, 而弟子願學焉, 故曰匪我求童蒙, 童蒙求我. 我上九, 自我也. 童蒙, 九二也. 坤一變爲艮, 再變爲坎, 艮爲童, 坎爲蒙. 師道不可數也, 數則道不尊. 故曰初筮告, 再三瀆, 瀆則不告. 艮爲神廟, 坎爲誠, 坤爲迷, 故以筮言也. 艮爲告, 初筮以二之誠一也. 坎爲初, 再三瀆疑以昧也. 對卦離巽爲再三, 坎爲疑爲瀆. 凡人之力學, 以求解其蒙, 以爲利也, 故曰利貞.
스승을 따라서 발전하기 때문에 '형통하다'고 하였다. 내가 다른 사람의 스승이 되기를 좋아하는 것이 아니라 제자가 나에게 배우기를 원하기 때문에, "내가 철부지 어린이를 찾음이 아니라, 철부지 어린이가 나를 찾음이다"라고 하였다. 나는 상구이니 자기 자신이다. 철부지 어린이는 구이이다. 곤(坤☷)이 한 번 변하여 간(艮☶)이 되고, 두 번 변하여 감(坎☵)이 되는데, 간은 철부지 어린이가 되고, 감은 몽매함이 된다. 스승의 도는 번거로워서는 안 되니, 번거롭다면 도가 높아질 수 없다. 그러므로 "처음 점치거든 알려주고 두 번 세 번 점치면 욕되게 하는 것이니, 욕되게 하면 알려주지 않는다"고 하였다. 간괘는 신을 모시는 사당이고, 감괘는 정성이며, 곤괘는 미혹됨이므로 점[筮]으로써 말한 것이다. 간(艮)은 알려줌이니, 처음 점친다는 것은 이효의 정성이 한결같기 때문이다. 감(坎)은 처음이 되는데, 두 번 세 번 하여 욕되게 함은 우매하여 의심함이다. 음양을 반대로 한 리괘(離卦)와 손괘(巽卦)가 두 번 세 번 묻는 것이 되며, 감은 의심이 되며 욕되게 함이 된다. 사람이 열심히 배워서 그 몽매함을 해결하기를 구하는 것을 이로움으로 여기므로 "바르게 함이 이롭다"고 하였다.

오치기(吳致箕) 「주역경전증해(周易經傳增解)」

蒙者, 昏昧也, 亦云稚也. 進則艮山在前, 退則坎水在後, 遇險而止, 其中未知所爲, 故爲昏昧之象. 艮爲少男之稚, 坎爲北方之昧, 故亦有稚昧之象也. 卦體則剛柔得中而應, 卦義則治蒙而開發, 故曰亨. 二五相應, 而五以柔居尊爲蒙之君, 二以陽剛得中爲治蒙之主. 故我者指二, 而有二不求五五乃求二之象, 蓋言童蒙之君, 專心求治也. 筮謂占也. 告者, 以來事告之也. 凡占者方其初問, 專心致一, 故神必告之. 若再三而瀆褻, 二三其心, 則不告, 以其感應惟在於誠. 故以占筮喩童蒙求我之誠, 而終言利貞, 以戒治蒙之道, 必在於正也.

몽매함이란 어리석음이니 또한 유치하다고도 한다. 나아가면 간(艮)의 산이 앞에 있고, 물러나면 감(坎)의 물이 뒤에 있으며, 험함을 만나서 그치니, 그 가운데 어찌해야 할지를 알지 못하기 때문에 어리석은 상이 된다. 간괘는 막내아들의 유치함이 되며, 감괘는 북방의 어두움이기 때문에 또한 어리석은 상이 있다. 괘의 몸체가 굳셈과 부드러움이 알맞음을 얻어서 호응하고, 괘의 뜻은 몽매함을 다스려 계발해 주기 때문에 '형통하다'고 하였다. 이효와 오효가 서로 호응하고 오효는 유약함으로써 존귀한 데 있어서 몽매한 임금이 되며, 이효는 굳센 양으로 알맞음을 얻어서 몽매함을 다스리는 주인이 된다. 그러므로 '나'는 이효를 가리키고 이효가 오효를 찾지 않고 오효가 이효를 찾는 상이 있으니, 철부지 어린이 같은 임금이 마음을 오로지 해서 다스리는 법을 찾음을 말한다. 서(筮)는 점(占)을 말한다. '알려준다'는 앞으로 다가올 일을 알려준다는 말이다. 점치는 사람은 그 처음 물을 때에는 오로지 한 마음으로 한결같기 때문에 신명이 반드시 알려준다. 만약 두 번 세 번 욕되게 하고 그 마음을 이랬다 저랬다 하면 알려주지 않으니, 그 감응이 오직 정성에 달려있기 때문이다. 그러므로 점서(占筮)로써 철부지 어린이가 나를 찾는 정성에 비유하였으며, 마침내 "바르게 함이 이롭다"고 하여 몽매함을 다스리는 도가 반드시 바르게 함에 있다는 것을 경계시킨 것이다.

○ 告取對體之兌爲口, 瀆取於坎也. 稚昧爲義, 故不言大亨.

'알려줌'은 음양이 바뀐 몸체인 태괘(☱)가 입이 되는 것에서 취하였고, '욕되게 함'은 감(坎)에서 취하였다. 어리고 어리석음이 뜻이 되기 때문에 크게 형통하다고 말하지는 않았다.

이진상(李震相) 『역학관규(易學管窺)』

初筮告.
처음 점치거든 알려준다.

我之誠意未至, 神明不告, 則容有再筮之理, 神明旣告, 可以無疑, 而再筮三筮, 則是以私欲求合乎神謀也. 學者之質疑於先生, 我旣審問, 師又明告, 正宜細繹其旨, 以得之, 不當不思而遽又問難, 以致煩瀆也. 若思之未通而更爲質問, 則師豈有不告之理乎. 告而又筮乃瀆也, 不告而更筮, 非瀆也. 正須活看.
나의 성의가 지극하지 않아 신명이 알려주지 않았다면 다시 점치는 이치를 허용할 수 있겠지만, 신명이 이미 알려주어 의심이 없을 수 있는데도 두 번 세 번 점을 친다면 이것은 사사로운 욕심은 귀신의 계책에 합하기를 구하는 것이다. 배우는 사람이 선생에게 질의를 할 때 내가 이미 깊이 물었고 스승도 이미 밝게 가르쳐주었다면 마땅히 그 뜻을 자세히 헤아려 깨달아야하니, 생각하지도 않고 갑자기 또 어려운 문제를 물어 번거롭고 욕됨을 초래해서는 안 된다. 만약 생각하였지만 이해하지 못하여 다시 질문하다면 스승이 어찌 알려주지 않는 도리가 있겠는가? 알려주었는데도 다시 점을 치는 것이 바로 욕되게 하는 것이다. 알려주지 않아서 다시 점치는 것은 욕되게 하는 것이 아니니, 참으로 융통성 있게 보아야 한다.

박문호(朴文鎬) 「경설(經說) · 주역(周易)」

蒙之一卦, 皆論訓蒙之道. 初筮告與論語之擧一隅同. 再三瀆, 瀆則不告, 與不以三隅反不告同.
몽괘에서는 모두 몽매한 사람을 가르치는 도를 논하고 있다. "처음 점치거든 알려준다"는 『논어』의 "한 모퉁이를 예로 들어준다"와 같고, "두 번 세 번 점치면 욕되게 하는 것이니, 욕되게 하면 알려주지 않는다"는 "나머지 세 모퉁이를 모르면 알려주지 않는다"와 같다.

이병헌(李炳憲) 『역경금문고통론(易經今文考通論)』

三家本童蒙下, 皆有來字, 故因以增之. 黷依孟本.
삼가본(三家本)에는 동몽(童蒙)이라는 글자 아래에 모두 '래(來)'자가 있기 때문에 그것을 더하였다. '독(黷)'자는 맹씨본(孟氏本)을 따랐다.

彖曰, 蒙, 山下有險, 險而止, 蒙.

「단전」에서 말하였다: 몽(蒙)은 산 아래 험함이 있고, 험해서 그치는 것이 몽이다.

中國大全

本義

以卦象卦德釋卦名, 有兩義.

괘의 상과 괘의 덕으로 괘명을 풀이하였으니, 두 가지 의미가 있다.

小註

朱子曰, 山下有險是卦象, 險而止是卦德. 蒙有二義, 險而止, 險在內, 止在外. 自家這裏先自不安穩了, 外面更去不得, 便是蒙昧之象. 若見險而能止, 則爲蹇, 卻是險在外. 自家這裏見得去不得, 所以不去, 故曰知矣哉.

주자가 말하였다: '산 아래 험함이 있는 것'은 괘의 상이고, '험해서 그치는 것'은 괘의 덕이다. 몽괘에는 두 가지 의미가 있으니, '험해서 그친다'에서, 험한 것은 내괘에 있고, 그치는 것은 외괘에 있다. 자신이 이곳에서 먼저 스스로 편안하지 않다면 밖으로는 더욱 갈 수 없으니, 바로 몽매한 모습이다. 만약 험함을 보고 그칠 수 있으면 건괘(蹇卦)가 되니, 도리어 험한 것이 외괘에 있다. 자신이 이곳에서 갈 수 없다는 것을 알아서 가지 않은 것이므로 '지혜롭다'[6]고 한 것이다.

○ 雲峯胡氏曰, 卦象分上下, 艮山下有坎水之險, 是一義. 卦德分內外, 內險已不能安, 外止又不能進, 是一義.

운봉호씨가 말하였다: 괘상은 위와 아래로 나뉘니, 간괘인 산 아래에 감괘인 수(水)의 험함이 있는 것이 하나의 의미이다. 괘덕은 안과 밖으로 나뉘니, 안으로 험난하여 이미 편안할 수 없고 밖으로 그쳐서 다시 나갈 수 없는 것이 또 하나의 의미이다.

---

6) 『건괘 · 단전』에 "彖曰, 蹇,難也, 險在前也, 見險而能止, 知(智)矣哉."라 하였다.

韓國大全

유정원(柳正源)『역해참고(易解參攷)』

王氏曰, 退則困險, 進則閡山, 不知所適, 蒙之義.
왕씨가 말하였다: 물러나면 험해서 곤란하고, 나아가면 산에 막혀서 갈 곳을 알지 못하니, 몽매함의 의미이다.

○ 案, 內險則心不明, 外止則行不進. 如闕黨童子之不求益速成, 是險而止也.
내가 살펴보았다: 안으로 험하면 마음이 밝지 않고, 밖으로 그치면 가도 나아갈 수 없다. 마을의 소년이 학문에 발전이 있기를 구하지 않고 빨리 성취하려 하는 것[7]이니, 험하여 그치는 것과 같다.

김상악(金相岳)『산천역설(山天易說)』

以卦象卦德, 釋卦名義, 內險外止, 蒙之義也. 處險而止則爲蒙, 見險而止則爲蹇, 出險而動則爲解.
괘의 상과 괘의 덕으로 괘의 이름을 풀이하였으니, 내괘는 험하고 외괘는 그치는 것이 몽괘의 의미이다. 험한 곳에 있어서 그치는 것은 몽괘(蒙卦)가 되고, 험한 것을 보아서 멈춰서는 것은 건괘(蹇卦)가 되고, 험한 것을 벗어나서 움직이는 것은 해괘(解卦)가 된다.

서유신(徐有臣)『역의의언(易義擬言)』

天荒不闢, 風氣未通之象也.
세상의 혼돈하여 열리지 않고, 바람과 기운이 통하지 않는 상이다.

박문건(朴文健)『주역연의(周易衍義)』

險而不行, 故爲蒙. 此以卦象卦德釋卦名.
험하여 행하지 못하기 때문에 몽매함이 되니, 이것은 괘의 상과 괘의 덕으로 괘의 이름을 풀이한 것이다.

---

7)『논어 · 헌문』에 나오는 궐당동자의 구익(求益)과 속성(速成).

〈問, 蒙, 山下有險, 險而止, 蒙. 曰, 蒙之爲卦也, 山下有坎險, 險而不能行, 故止, 所以爲蒙蔽也. 此與訟卦彖傳釋卦之辭互考, 則可見其義也.
물었다: "몽(蒙)은 산 아래 험함이 있고, 험해서 그치는 것이 몽이다"는 무슨 뜻입니까?
답하였다: 몽괘는 산 아래에 감(坎)의 험함이 있고 험해서 나아갈 수 없기 때문에 그치는 것이니, 몽매하여 어둡게 된 까닭입니다. 이것을 송괘(訟卦)의 「단전」에서 괘를 풀이하는 말과 서로 살펴본다면, 그 의미를 알 수 있을 것입니다.〉

김기례(金箕澧) 「역요선의강목(易要選義綱目)」

山下有險,
산 아래에 험함이 있고,
指上艮下坎.
상괘가 간괘이고 하괘가 감괘(坎)임을 가리킨다.

險而止,
험해서 그치니,
釋卦德.
괘(卦)의 덕(德)을 풀었다.

심대윤(沈大允) 『주역상의점법(周易象義占法)』

山下有險, 言昬昧无辨也.
"산 아래에 험함이 있다"는 혼매하여 판별함이 없음을 말한다.

蒙亨, 以亨行, 時中也. 匪我求童蒙, 童蒙求我, 志應也.

"몽(蒙)은 형통함"은 형통함으로써 행함이니, 때에 맞춰 행함이다. "내가 철부지 어린이를 찾음이 아니라, 철부지 어린이가 나를 찾음"은 뜻이 호응함이다.

中國大全

傳

山下有險, 內險不可處, 外止莫能進, 未知所爲, 故爲昏蒙之義. 蒙亨, 以亨行, 時中也. 蒙之能亨, 以亨道行也. 所謂亨道, 時中也. 時謂得君之應. 中謂處得其中. 得中則時也. 匪我求童蒙, 童蒙求我, 志應也, 二以剛明之賢處於下, 五以童蒙居上, 非是二求於五, 蓋五之志應于二也. 賢者在下, 豈可自進以求於君. 苟自求之, 必无能信用之理. 古之人, 所以必待人君致敬盡禮而後往者, 非欲自爲尊大, 蓋其尊德樂道. 不如是, 不足與有爲也.

산 아래 험함이 있으니, 안으로는 험하여 거처할 수 없고, 밖으로는 그쳐서 나아 갈 수 없어 어찌 할 바를 모르는 것이다. 그러므로 어두운 몽매함의 뜻이 된다. "몽은 형통함은 형통함으로써 행함이니, 때에 맞춰 행함이다"에서 몽이 형통할 수 있는 것은 형통한 도로써 행하기 때문이니, 이른바 형통한 도는 때에 맞춰 행함이다. '시(時)'는 임금의 부름을 받는 것이고, '중(中)'은 거처함에 그 중도를 얻음을 말하니, 중도를 얻으면 때에 맞는다. "내가 철부지 어린이를 찾음이 아니라, 철부지 어린이가 나를 찾음은 뜻이 호응함이다"는 구이가 강건하고 현명한 어진 이로서 아래에 있고, 오효가 철부지 어린이로서 위에 거처함에, 이효가 오효를 찾음이 아니고, 오효의 뜻이 이효를 부른 것이다. 현명한 사람이 아래에 있으니, 어찌 스스로 나아가서 임금을 찾겠는가? 만약 스스로 찾는다면 반드시 임금의 신임을 얻을 리가 없다. 옛 사람이 반드시 임금이 경의를 표하고 예를 다함을 기다린 뒤에 나아간 것은, 스스로 높이고자 함이 아니라, 임금이 덕을 높이고 도를 즐김이 이와 같지 않으면, 더불어 일을 할 수 없기 때문이다.

小註

張子曰, 蒙卦主者, 全在九二, 彖之所論, 皆二之義. 教者但只看蒙者時之所及則導之, 是以亨行時中也.
장자(張子)가 말하였다: 몽괘의 주인은 온전히 구이에 있으니, 단사에서 논한 것은 모두 구이의 의미이다. 가르치는 사람은 다만 몽매한 사람이 제때에 도달하는 것을 보고 이끌어 줄 뿐이다. 이 때문에 형통함으로써 행하게 되니 때에 맞춰 행함이다.

○ 厚齋馮氏曰, 學記云, 當其可之謂時. 九二陽明, 其於五陰之暗時而發之, 無過不及, 所以亨也.
후재풍씨가 말하였다: 「학기」에서 "그 마땅함에 맞는 것을 시(時)라고 한다"고 하였다. 구이는 양이면서 현명하니, 그것은 오효인 음이 어두울 때에 계발해서 지나치거나 미치지 못함이 없기 때문에 형통한 것이다.

○ 東萊呂氏曰, 匪我求童蒙, 童蒙求我, 志應也. 說者多謂發蒙者不可自屈, 必待童蒙先來求我, 志與我相應, 然後可教. 苟急於教人, 不待學者有志, 而强告之, 必不能入也, 此固是正理. 然人或錯會此說, 亢然不復與學者相接, 學者亦望風不敢進, 少徒寡與, 道卒不明. 要須詳玩志應二字, 此无以感之, 彼安得而應之. 應生於感也. 古之教人, 雖不區區先求學者, 然就不求之中自有感發之理. 不然, 學者之志何自而應乎.
동래여씨가 말하였다: "내가 철부지 어린이를 찾음이 아니라 철부지 어린이가 나를 찾음은 뜻이 호응함이다"를 설명하는 사람들은, 대부분 "몽매함을 계발시키는 사람은 스스로 굽힐 수 없고, 반드시 철부지 어린이가 먼저 나를 찾아와 뜻이 나와 서로 호응하기를 기다린 뒤에야 가르칠 수 있다"고 하였다. 만일 다른 사람을 가르침에 급급하여 배우는 사람이 뜻을 가지는 것도 기다리지 않고 억지로 가르쳐 준다면 반드시 전달할 수 없을 것이니, 이것이 참으로 올바른 이치이다. 그러나 사람들은 간혹 이 주장을 잘못 이해하여 거만하게 다시 배우는 사람들과 접촉하지 않으니, 배우는 사람들도 명성만 듣고 감히 나아가지 못하여 제자도 적고 무리도 적어져 도가 끝내 밝혀지지 못하게 된다. 요컨대 "뜻이 호응한다[志應]"는 말을 반드시 자세히 완미하여야 하니, 이것이 감동시킬 수 없다면 저것이 어떻게 호응할 수 있겠는가? 호응은 감동에서 생겨난다. 옛날에 사람을 가르칠 때, 비록 구차하게 배우는 사람을 먼저 찾아가지는 않았으나, 나아가 찾지 않는 가운데 저절로 사람의 마음을 감동시켜 움직이는 이치가 있었다. 그렇지 않다면 배우는 사람들의 뜻이 어디로부터 호응하였겠는가?

‖ 韓國大全 ‖

유정원(柳正源) 『역해참고(易解參攷)』

時中.
때에 맞춰 행함이다.
案, 敎亦多術, 或抑或揚, 或與或不與, 是發蒙之時中也. 夫時中二字, 始見於蒙卦. 而六十四卦, 何莫非時中之義邪. 程子論禹稷顏子之中曰, 以一堂言則堂中爲中, 以一家言則廳中爲中, 而堂中非中. 以一國言則國中爲中, 而廳中非中. 推此義例, 則隨卦隨處, 可知時中之義矣.
내가 살펴보았다: 가르치는 데에도 여러 가지 방법이 있으니, 누르기도 하고 추켜세우기도 하고, 허락하기도 하고 허락하지 않기도 하는 것이 몽매함을 계발함에 있어서의 때에 맞음이다. 시중(時中)이라는 두 글자는 몽괘에 처음 나오는데, 64괘에 어느 것이 '때에 맞음'의 의미가 아니겠는가? 정자(程子)가 우임금・후직(后稷)・안자(顏子)의 중(中)을 논하여 "하나의 당(堂)으로써 말한다면 당의 가운데가 중이며, 하나의 집으로써 말한다면 청(廳)의 가운데가 중이지만, 당의 가운데가 중은 아니다. 한 나라로써 말한다면 수도가 중이며, 청의 가운데가 중이 아니다"라고 말하였다. 이 범례를 헤아려 본다면 괘마다 곳마다 때에 맞음의 의미를 알 수 있을 것이다.

傳. 〈案, 傳末本有中張仲反四字.〉
『정전』. 〈내가 살펴보았다: 『정전』의 끝에는 본래 '중장중반(中張仲反)'이라는 네 글자가 있다.〉

김규오(金奎五) 「독역기의(讀易記疑)」

彖時中, 傳時與中各言, 本義作時之中. 恐傳說自好, 朱子不從, 可疑.
「단전」의 시중(時中)에 대해 『정전』에서는 시(時)와 중(中)을 각각 말하였고, 『본의』에서는 때에 알맞음으로 풀이하고 있다. 『정전』의 견해가 자체로 좋은데, 주자(朱子)가 따르지 않았으니 의심스럽다.

○ 義解 以亨行ᄒᆞ야 時中也ㅣ오 當作以亨行이오 時中也ㅣ니 本文可見.
『의해』의 "형통함으로써 행하여 때에 맞춤이오"는 마땅히 "형통함으로써 행함이오 때에 맞춤이니"로 해야 하니, 본문에서 볼 수 있다.

서유신(徐有臣) 『역의의언(易義擬言)』

蒙亨, 以亨行, 時中也.
"몽(蒙)은 형통하다"는 형통함으로써 행함이니, 때에 맞춰 행함이다.
以亨行者, 行其當亨之道也, 時中也者, 有其當亨之時也. 當亨之道, 性各不同, 當亨之時, 品各不齊.
'형통함으로써 행함'은 그 마땅히 형통해야 되는 도를 행하는 것이고, '때에 맞춰 행함'은 그 마땅히 형통해야 하는 때에 있는 것이다. 마땅히 형통해야 되는 도는 성질이 각각 같지 않으며, 마땅히 형통해야 하는 때는 종류가 각각 일정하지 않다.
得其道, 適其時, 則蒙乃亨矣, 二五以之.
그 도를 얻고 그 때에 알맞으면 몽매함은 형통하게 되니, 이효와 오효가 이것을 본받는다.

匪我求童蒙, 童蒙求我, 志應也.
"내가 철부지 어린이를 찾음이 아니라, 철부지 어린이가 나를 찾음"은 뜻이 호응함이다.
五求發於二也, 志相應也, 非虛文也.
오효가 이효에게 계발됨을 찾으니 뜻이 서로 호응한다는 것은 헛된 말이 아니다.

김귀주(金龜柱) 『주역차록(周易箚錄)』

蒙亨, 以亨行, 云云 .
"몽(蒙)은 형통하다"는 형통함으로써 행함이니 … 운운.

○ 按, 以亨行, 時中, 固以養蒙者言, 而恐亦當屬蒙者看. 蓋九二之發蒙, 六五之求發, 皆以亨道行而時中也. 或疑六五童蒙, 未足以當時中, 此不然也. 夫剛中固是中, 而柔中亦是中. 且時中者, 當其可之謂也. 人求我者, 視其初筮之誠與再三之瀆, 而告不告, 我求人者, 盡其初筮之誠, 而無再三之瀆者, 豈非俱當其可者乎. 本義專屬九二說, 與彖辭之釋不同, 當更商.
내가 살펴보았다: "형통함으로써 행함이니 때에 맞춰 행함이다"는 진실로 몽매한 사람을 가르치는 사람으로 말한 것이지만, 또한 마땅히 몽매한 사람에 귀속시켜 보아야 할 것 같다. 구이가 몽매함을 계발하고, 육오가 계발됨을 구하는 것은 모두 형통한 도리로 행하여서 때에 맞춰 행함이다. 어떤 사람은 육오의 철부지 어린이는 '때에 맞춰 행함'에 해당되지 않는다고

의심하는데, 이것은 그렇지 않다. 굳셈의 알맞음은 진실로 중(中)이지만 부드러움의 알맞음도 중(中)이다. 또한 '때에 맞춰 행함'은 그 마땅함에 맞음을 말한다. 남이 나를 찾을 때는 그가 처음 점치는 정성이 있는지와 두 번 세 번 욕되게 하는지를 살펴서 알려주거나 알려주지 말아야 하고, 내가 다른 사람을 찾는 경우에는 그 처음 점치는 정성을 다하여 두 번 세 번 욕되게 함이 없어야 하니, 어찌 모두가 그 마땅함에 맞음이 아니겠는가? 『본의』의 오로지 구이에 귀속시켜서 설명한 것은 「단전」의 해석과 서로 다르니, 다시 헤아려보아야 한다.

傳山下有險, 云云.
『정전』에 말하였다: 산 아래에 험함이 있으니, 운운.
小註東萊呂氏曰, 匪我, 云云.
소주에서 동래여씨가 말하였다: 내가 철부지 어린이를 찾음이 아니라, 운운.
○ 按, 志應之云, 蓋言二五相應. 而若以感應對說, 則實彼感而我應也. 呂說反欲我感而彼應, 恐未然.
내가 살펴보았다: "뜻이 호응한다"고 말함은 이효와 오효가 서로 호응함을 말하고, 만약 감동[感]과 호응[應]으로 상대시켜 말한다면 실제는 저가 감동하고 내가 호응하는 것이다. 동래여씨의 관점은 도리어 내가 감동하고 저가 호응하는 것으로 하려 하니, 그렇지 않은 것 같다.

강엄(康儼) 『주역(周易)』

彖曰 [止] 童蒙求我, 志應也.
단전에서 말하였다: "철부지 어린이가 나를 찾음"은 뜻이 호응함이다.

本義, 其志自相應也.
『본의』에서 말하였다: 그 뜻이 서로 호응하는 것이다.
按, 程傳以志應爲五之志應於二也, 蓋主童蒙求我之意而言. 然二以剛中之德, 爲治蒙之主, 雖不可枉追以徇人, 而推吾之道, 使天下之人, 皆有以開發其蒙, 亦二之志也. 五以柔中之德, 居於尊位, 欲求剛中之德, 以治天下之蒙, 則此不但五之志應於二, 二之志亦與之相應也. 故象於二曰, 剛柔接也, 於五曰 順以巽也, 其相應之意象已著之矣. 本義之言, 豈无所本乎.
내가 살펴보았다: 『정전』은 '뜻이 서로 호응함'을 오효의 뜻이 이효에 호응하는 것으로 여겼으니, 철부지 어린이가 나를 찾는다는 뜻을 위주로 말한 것이다. 그러나 이효는 굳세고 알맞은 덕으로 몽매함을 다스리는 주인이 되니, 비록 자신을 굽혀 따라가 사람을 찾을 수는 없지

만, 나의 도를 미루어서 천하의 사람들 모두의 몽매함을 계발시키려 함이 있는 것도 또한 이효의 뜻이다. 오효는 유약하고 알맞은 덕으로 존귀한 자리에 있으면서 굳세고 알맞은 덕을 찾아 천하의 몽매함을 다스리려 하니, 이것은 오효의 뜻이 이효에 감응한 것일 뿐만이 아니라, 이효의 뜻도 오효와 상응한 것이다. 그러므로 이효에 대한 「상전」에서 "굳셈과 부드러움이 만나서이다"라고 하고, 오효에서는 "순종하고 겸손하기 때문이다"라고 하였으니, 호응하는 의미와 상이 이미 드러난 것이다. 『본의』의 말이 어찌 근본 한 것이 없겠는가?

김기례(金箕澧) 「역요선의강목(易要選義綱目)」

時中.

때에 맞추어 행함이다.

指二中正之德應君, 誠求而時行也.

중정한 덕의 이효가 임금에 호응하여, 진실로 구하여 때에 맞추어 행함을 가리킨다.

志應.

뜻이 호응함이다.

五能開心見誠, 精一以求, 則二亦感發而遂通, 上下志合.

오효가 마음을 열어 진실함을 보고 정일(精一)함으로 구한다면, 이효도 감동되어 드디어 통하니, 윗사람과 아랫사람의 뜻이 합치된다.

初筮告, 以剛中也, 再三瀆, 瀆則不告, 瀆蒙也,

"처음 점치거든 알려 줌"는 강건하고 알맞음으로 하기 때문이고, "두 번 세 번 점치면 욕되게 하는 것이니, 욕되게 하면 알려주지 않음"은 몽매함을 욕되게 하기 때문이니,

中國大全

傳

初筮, 謂誠一而來, 求決其蒙, 則當以剛中之道, 告而開發之. 再三, 煩數也. 來筮之意煩數, 不能誠一, 則瀆慢矣, 不當告也. 告之必不能信受, 徒爲煩瀆. 故曰瀆蒙也, 求者告者皆煩瀆矣.

'처음 점침[初筮]'은 한결같은 정성으로 와서 그 몽매함을 결단해주기를 구함을 말하니, 마땅히 강건하고 적중하는 도로써 가르쳐서 계발시켜야 한다. '두 번 세 번 점침'은 번거롭게 빈번함이다. 와서 점치는 뜻이 번거롭게 빈번하여 정성이 한결같지 않으면 욕되게 하는 것이니 가르쳐 주지 말아야 한다. 가르치더라도 반드시 믿고 받아들이지 않으니, 한갓 번거롭고 욕되게 할 뿐이다. 그러므로 "몽매함을 욕되게 한다"고 하였으니, 묻는 사람과 가르치는 사람이 모두 번거롭고 욕되는 것이다.

小註

東萊呂氏曰, 初筮告, 以剛中也. 九二, 發蒙者也. 九剛也, 二中也, 剛中九二之全體也. 當學者初來請問之時, 其心誠一, 故徑以全體告之. 再三瀆, 瀆則不告, 瀆蒙也. 再三瀆, 是蒙者瀆發蒙者. 今不曰瀆發蒙者而反曰瀆蒙何也. 蓋聖人教人不倦, 豈嘗厭蒙者之瀆我哉. 所以再三瀆而不告者, 蓋至理不容擬議, 一言之下便當領解. 苟未領解, 吾置之而不告. 彼雖未達, 其胸中天理固完然不動也. 若再三瀆告之, 則彼將入于擬議卜度, 反瀆亂其天理矣. 此所謂瀆蒙也.

동래여씨가 말하였다: "'처음 점치거든 알려줌'은 강건하고 알맞음으로 하기 때문이다"는, 구이는 몽매함을 계발하는 자인데, 구(九)는 강건함이고, 이(二)는 중(中)이니, 강중(剛中)은 구이의 전체이다. 배우는 사람이 처음에 와서 물어볼 때에는 그 마음의 정성이 한결같기

때문에, 곧바로 전체를 가르쳐 준다. "'두 번 세 번 점치면 욕되게 하는 것이니, 욕되게 하면 알려주지 않음'은 몽매함을 욕되게 함이다"는, 두 번 세 번 점치는 것은 몽매한 사람이 몽매함을 계발시키는 사람을 욕되게 하는 것이다. 지금 몽매함을 계발해 주는 사람을 욕되게 한다고 하지 않고 도리어 몽매함을 욕되게 한다고 말하는 것은 무엇 때문인가? 대체로 성인은 사람을 가르치는 것을 게을리 하지 않으니, 어찌 일찍이 몽매한 사람이 나를 욕되게 하는 것을 싫어하였겠는가? 따라서 두 번 세 번 점치면 알려주지 않는 것은, 아마도 지극한 이치는 헤아리거나 의논할 수 없으니, 한 마디 말로 곧바로 이해하여야 한다. 만약 이해하지 못한다면 나는 그것을 버려두고 가르쳐 주지 않는다. 그가 비록 이해하지 못하였다고 하더라도 그의 가슴 속의 천리는 진실로 완전하여 흔들리지 않을 것이다. 만약 두 번 세 번 욕되게 하는데도 가르쳐 준다면, 그는 장차 헤아리고 계획하여 도리어 그 천리를 욕되게 하고 어지럽힐 것이다. 이것이 이른바 "몽매함을 욕되게 한다"는 것이다.

‖韓國大全‖

김귀주(金龜柱) 『주역차록(周易箚錄)』

傳初筮謂誠一, 云云. 小註東萊呂氏曰, 初筮, 云云.
『정전』에서 말하였다: 처음 점침은 한결같은 정성으로 … 운운.
소주에서 동래여씨가 말하였다: 처음 점치거든 … 운운.

○ 按, 初筮告, 以剛中, 言以其剛且中, 故能告而有節也. 今謂徑以全體告之者, 未知何謂. 至理不容擬議云云. 其說擬議, 旣失繫辭本文之義, 而又於此章之意, 無所襯當. 一言之下, 便當領解, 非一唯之曾子, 恐不能也. 聖人敎人, 只是不憤不啓, 不悱不發, 擧一隅, 不以三隅反, 則不復而已. 此正初筮告, 不瀆蒙之義, 何嘗取必於一言領解耶. 天理完然不動以下語多晦雜.
내가 살펴보았다: "'처음 점치거든 알려줌'은 굳세고 알맞음으로 하기 때문이다"는 그 굳세고 알맞음으로 하기 때문에 알려주지만 절도가 있을 수 있음을 말한 것이다. 지금 동래여씨가 "곧바로 전체를 알려 준다"고 한 것은 무엇을 말하는지 모르겠다. "지극한 이치는 헤아리고 의논할 필요가 없다"고 운운하였는데, 그 헤아리고 의논함에 대한 설명은 이미 「계사」 본문

의 의미를 상실하였으며, 게다가 이 문장의 의미와 들어맞는 것이 없다. "한 마디 말로 곧바로 이해해야 한다"는 것도 단번에 '네'라고 하는 증자가 아니라면 아마도 불가능할 것이다. 성인이 사람을 가르칠 때는 단지 노력하지 않으면 열어주지 않으며, 애태워하지 않으면 말해주지 않으며, 한 모퉁이를 들어 보임에 이것으로 세 모퉁이를 돌이키지 않으면 되풀이하지 않았을 뿐이다.[8] 이것이 바로 처음 점치거든 알려주는 것으로 몽매함을 욕되게 하지 않는다는 뜻이니, 어찌 한 마디 말로 이해하는 것을 취하겠는가? "천리는 완전하여 흔들리지 않는다" 이하의 말도 장황하고 분명하지 않다.

윤행임(尹行恁) 『신호수필(薪湖隨筆)·역(易)』

蒙以養正, 自胎敎至常視毋誑, 如灑掃應對進退之節, 皆作聖之功. 一部小學, 卽養正之書.
'몽매함으로써 바름을 기름'은 태교에서부터 '항상 속이지 않음을 보여주는 것'[9]에 이르기까지이니, '물 뿌려 청소하며, 부름에 응하고 물음에 답하며, 나아가고 물러가는 예절'과 같은 것이 모두 성인이 되는 공부이다. 『소학』 한 편은 곧 바름을 기르는 책이다.

이지연(李止淵) 『주역차의(周易箚疑)』

瀆則不告, 卽不憤不啓, 不悱不發之意也.
"욕되게 하면 알려주지 않음"은 바로 노력하지 않으면 열어주지 않으며, 애태우지 않으면 말해주지 않는다는 뜻이다.

김기례(金箕澧) 「역요선의강목(易要選義綱目)」

以剛中也,
굳세고 알맞음으로 하기 때문이고,
二以剛中之德, 應五精一之求.
이효는 강건하고 알맞은 덕으로 오효의 정일(精一)한 요구에 호응한다.

瀆蒙也,
몽매함을 욕되게 하기 때문이니,

---

8) 『論語·述而』: 子曰, 不憤不啓, 不悱不發, 擧一隅, 不以三隅反, 則不復也.
9) 『예기·곡례』: 어린 아이에게는 항상 속이지 않음을 보여준다.[幼子常視毋誑.]

五若不能精一, 而煩屑於求賢, 則瀆也. 瀆則二雖忠告, 五不能開蒙, 徒爲瀆蒙.
오효가 만약 정일(精一)할 수 없는데도 현자를 구하는데 번거롭게 한다면 욕되게 하는 것이다. 욕되게 하면 이효가 비록 충심으로 알려줘도 오효가 몽매함을 계발할 수 없고, 한갓 몽매함을 욕되게 하게 된다.

이진상(李震相) 『역학관규(易學管窺)』

瀆蒙,
몽매함을 욕되게 하기 때문이니,

瀆則不告, 學者之瀆也. 瀆蒙, 教者之瀆也. 瀆而不告, 乃所以深告之瀆, 而又告則便無啓發之理, 而徒爲瀆亂矣.
'욕되게 하면 알려주지 않음'은 배우는 자의 욕됨이고, '몽매함을 욕되게 함[瀆蒙]'은 가르치는 자의 욕됨이다. 욕되게 하여 알려주지 않는 것은 바로 깊이 알려주려는 욕됨이기에 이 또한 알려줘도 곧바로 계발될 이치는 없고 단지 욕되고 혼란할 뿐이다.

박문호(朴文鎬) 「경설(經說)·주역(周易)」

卦辭之瀆, 只取求者瀆之義, 其意未備. 故彖傳竝取告者之瀆, 而特言曰瀆蒙. 其意, 蓋曰求者旣瀆, 而我爲告之, 則我反瀆彼也.
괘사의 '욕되게 함[瀆]'을 단지 찾는 사람이 욕되게 한다는 뜻으로만 취한다면 그 뜻이 미비할 것이다. 그러므로 「단전」에서 알려주는 사람이 욕되게 한다는 의미도 아울러 취하고, 특별히 "몽매함을 욕되게 한다"고 하였으니, 그 의미는 찾는 사람이 이미 욕되게 하였는데도 내가 알려주게 되면 내가 도리어 그를 욕되게 한다는 말이다.

易中凡筮字, 程子皆訓作決義. 蓋恐易之爲占書而然也. 然易旣是因占設教之書, 則筮乃其本事也. 程子舍本事而借他義, 故其釋往往有牽强處.
『주역』에 나오는 '서(筮)'자를 정자(程子)는 모두 '결단하다'라는 의미로 해석하였으니, 아마도 『주역』이 점치는 책이 됨을 염려하여 그렇게 한 것이다. 그러나 『주역』이 이미 점을 통해 가르침을 베푸는 책이라고 한다면 점치는 것이야말로 근본적인 일이다. 정자는 근본적인 일을 버리고 다른 의미를 빌렸기 때문에 그 해석에 종종 억지스러운 곳이 있다.

程子傳易, 專取人事, 不取卜筮. 凡遇筮字, 必以決義訓之, 而本義一皆正之. 蓋易占書也, 本出於八卦, 卦之爲字, 已從卜, 惡在其專爲人事哉.
정자가 『주역』의 주석할 때에 인사만을 취하고 복서(卜筮)를 취하지 않았기 때문에, '서(筮)'자를 보면 반드시 '결단하다'라는 의미로 해석하였는데, 『본의』에서 모두 바로 잡았다. 『주역』은 점서여서 본래 팔괘로부터 유래하였으니, 괘라는 글자가 이미 복(卜)이라는 부수를 가지고 있는데, 어찌 그것이 인간사가 되는 데에만 있겠는가?

최세학(崔世鶴) 주역단전괘변설(周易彖傳卦變說)」

蒙坤之二體變也, 二與上二爻爲主, 故彖以剛中瀆蒙言之. 乾二來居於下體之中, 乾上往居於上體之上, 二旣以剛中之道, 包蒙, 而上又以過剛不中之道, 擊蒙, 是煩瀆其蒙也. 雜卦曰, 蒙雜而著, 二則雜於二陰之中, 上則著於二陰之外也.
몽괘(蒙卦)는 곤괘(坤卦)의 두 몸체가 변화한 것이니, 이효와 상효가 주인이 된다. 그러므로 「단전(彖傳)」에서 '강건하고 알맞음으로 함'과 '몽매함을 욕되게 함'을 말하였다. 건괘(乾卦)의 이효가 와서 하괘[下體]의 가운데에 처하고, 건괘의 상효는 가서 상괘[上體]의 위에 처하였으니, 이효는 이미 굳세고 알맞은 도로써 몽매함을 포용하고, 상효는 또한 지나치게 강건하고 알맞지 않은 도로써 몽매함을 일깨우니, 몽매함을 번거롭게 욕되게 하는 것이다. 「잡괘전(雜卦傳)」에서 말하기를 "몽은 섞였으나 드러난다"고 하였으니, 이효는 두 음의 가운데에 섞여 있고, 상효는 두 음의 밖으로 드러나 있다.

蒙以養正, 聖功也.

몽매함으로써 바름을 기르는 것이 성인이 되는 공부이다.

中國大全

傳

卦辭曰利貞, 彖復伸其義, 以明不止爲戒於二, 實養蒙之道也. 未發之謂蒙, 以純一未發之蒙而養其正, 乃作聖之功也. 發而後禁, 則扞格而難勝, 養正於蒙, 學之至善也. 蒙之六爻, 二陽爲治蒙者, 四陰皆處蒙者也.

괘사에 "바르게 함이 이롭다"고 하였는데, 「단전」에서 다시 그 뜻을 펼쳐 단지 구이만을 경계한 것이 아니라, 실은 몽매한 사람을 가르치는 도(道)임을 밝힌 것이다. 아직 계발되지 않은 것을 '몽매함[蒙]'이라 하니, 순일하고 계발되지 않은 몽매함으로써 그 바름을 기르는 것이 성인이 되는 공부이다. 계발된 뒤에 금지하면 막혀서 이겨내기 어려우니, 몽매할 때 바름을 기르는 것이 배움의 최선책이다. 몽괘의 여섯 효에서 두 개의 양은 몽매함을 다스리는 자가 되고, 네 개의 음은 모두 몽매한 처지에 있는 자들이다.

本義

以卦體釋卦辭也. 九二以可亨之道, 發人之蒙, 而又得其時之中, 謂如下文所指之事, 皆以亨行而當其可也. 志應者, 二剛明, 五柔暗, 故二不求五而五求二, 其志自相應也. 以剛中者, 以剛而中故, 能告而有節也. 瀆, 筮者二三, 則問者固瀆, 而告者亦瀆矣. 蒙以養正, 乃作聖之功, 所以釋利貞之義也.

괘의 몸체로써 괘사를 해석하였다. 구이가 형통할 수 있는 도로써 사람들의 몽매함을 계발시키고, 또 때의 적중함을 얻었으니, 아래 글에서 가리킨 일과 같은 것을 다 형통함으로써 행하여 그 마땅함에 맞게 함을 말한 것이다. '뜻이 호응함'은 구이는 굳세고 현명하나 육오는 유약하고 우매하므로 구이가 육오를 찾지 않아도, 육오가 구이를 찾으니, 그 뜻이 서로 호응하는 것이다. '강건하고 알맞음으로 함'은 강건하고 알맞음으로 하기 때문에, 알려주지만 절도가 있을 수 있다. '욕되게 함[瀆]'은 점치는 사람이 두 번 세 번 점을 치면 묻는 사람도 진실로 욕되고, 알려주는 자도 욕되게 된다. '몽매함으로써 바름을 기름'은 성인이 되는 공부이니, "바르게 함이 이롭다"는 뜻을 풀이한 것이다.

小註

或問, 本義云, 九二以可亨之道, 發人之蒙, 而又得其時之中, 如下文所指之事, 皆以亨行而當其可. 何以見其當其可. 朱子曰, 下文所謂二五以志相應, 而初筮則告之, 再三瀆則不告, 皆時中也. 初筮告 以剛中者, 亦指九二有剛中之德, 故能告而有節. 夫能告而有節, 卽所謂以剛而中也.

어떤 이가 물었다: 『본의』에서 "구이가 형통할 수 있는 도로써 사람들의 몽매함을 계발시키고, 또 때의 적중함을 얻었으니, 아래 글에서 가리킨 일과 같은 것을 다 형통함으로써 행하여 그 마땅함에 맞게 한다"고 하였는데, 어떻게 그 마땅함에 맞는지를 알 수 있습니까? 주자가 답하였다: 아래 글의 이른바 이효와 오효가 뜻이 서로 호응하여 처음 점치면 알려주고, 두 번 세 번 점쳐 욕되게 하면 알려주지 않는다는 것은 모두 때에 맞춰 행한 것입니다. "'처음 점치거든 알려줌'은 강건하고 알맞음으로 하기 때문이다"도 구이가 강건하고 알맞은 덕이 있기 때문에 알려주지만 절도가 있을 수 있음을 가리키니, 알려 줌에 절도가 있을 수 있는 것이 이른바 '강건하고 알맞음으로 함'입니다.

○ 蒙以養正, 聖功也, 蓋言蒙昧之時, 先自養敎正當了, 到那開發時, 便有作聖之功. 若蒙昧之中已自不正, 他日何由得會有聖功.

"몽매함으로써 바름을 기르는 것이 성인이 되는 공부이다"는 대체로 몽매한 때에 먼저 스스로 기르고 가르침을 정당하게 하여야 계발될 때에 이르러 곧 성인이 되는 공부가 갖춰짐을 말한 것이다. 만약 몽매한 가운데 이미 스스로 바르지 못하다면, 훗날에 무엇으로 성인되는 공부를 갖추겠는가!

○ 南軒張氏曰, 孟子曰大人者, 不失其赤子之心者也. 蓋童穉之時, 純一不雜, 人欲未起, 天理實存, 謂之大人者, 守此而已, 謂之小人者, 失此而已. 人於是時保護養育, 則虛靜純白渾然天成, 施爲動作酧酢進退, 皆天理也, 非作聖之功起於此乎.

남헌장씨가 말하였다: 맹자는 "대인이란 어린아이의 마음[赤子之心]을 잃지 않는 사람이다"라고 하였다. 대체로 어릴 때에는 순수하여 뒤섞임이 없고 인욕이 일지 않아 천리가 실로 보존되니, 대인이라 부르는 사람은 이를 지킨 것이고, 소인이라 부르는 사람은 이를 잃었을 뿐이다. 사람이 이때에 보호하고 양육하면 텅 빈 고요함과 순수한 결백함이 혼연히 저절로

이루어져 온갖 행동과 처신이 모두 천리일 것이니, 성인이 되는 공부가 여기에서 비롯된 것이 아니겠는가?

○ 雲峯胡氏曰, 程傳云, 亨道卽時中也, 本義謂, 九二以可亨之道, 發人之蒙, 而又得其時之中. 蓋蒙豈无可亨之道, 但恐亨之不得乎時之中爾. 本義謂如下文所指之事, 蓋謂五之志未與初應而遽欲亨之, 非時中也. 再三瀆而亦告之, 非時中也. 蒙宜養正, 過此而後養之, 非時中也.
운봉호씨가 말하였다: 『정전』에서는 '형통한 도는 때에 맞춰 행함'이라고 하였고, 『본의』에서는 "구이가 형통할 수 있는 도로써 사람들의 몽매함을 계발시키고, 또 때의 적중함을 얻었다"고 하였다. 대체로 몽매함에 어찌 형통할 수 있는 도가 없겠는가? 아마도 형통함이 때의 적중함을 얻지 못했을 뿐이다. 『본의』에서 말한 '아래 글에서 가리킨 일과 같은 것'은 대체로 오효의 뜻이 아직 초효와도 호응하지 않은 채로 갑자기 형통하려 하는 것은 때에 맞음이 아니고, 두 번 세 번 점치더라도 또한 알려 주는 것도 때에 맞음이 아니고, 몽매함은 마땅히 바름을 길러야 하는데 이때를 지난 뒤에 기르는 것도 때에 맞음이 아니라고 말한 것이다.

韓國大全

홍여하(洪汝河) 「책제(策題): 문역(問易) · 독서차기(讀書箚記)-주역(周易)」

彖傳, 本義, 志應者 [止] 其志自相應也.
「단전」에 대해 『본의』에서 말하였다: 뜻이 응함은 … 그 뜻이 서로 호응하는 것이다.
釋第二段.
제 2단락을 풀이하였다.

以剛中者 [止] 告者亦瀆矣.
강건하고 알맞음으로 하기 때문이라는 것은 … 알려주는 자도 또한 욕되게 된다.
釋第三段.
제 3단락을 풀이하였다.

蒙以養正, [止] 利貞之義也.

몽매함으로써 바름을 기름은 … 바르게 함이 이롭다는 뜻을 풀이한 것이다.
釋第四段.
제 4단락을 풀이하였다.

本義於卦辭下, 發明彖傳言外之意, 又推演而重釋之如此.
『본의』에서는 괘사의 아래에 「단전」의 말에 숨어 있는 뜻을 설명하고, 또 추론하고 거듭 풀이하기를 이와 같이 하였다.

유정원(柳正源) 『역해참고(易解參攷)』

案, 蒙穉之時, 純乎天理者也, 於此而善養之, 不使人欲之雜, 則聖人之全其天者, 亦不過如此.
내가 살펴보았다: 몽매하고 어릴 때는 천리에 순전하니, 여기에서 잘 길러서 인욕이 섞이지 않도록 한다면, 성인이 그 천부적인 것을 온전히 하는 것도 이에 지나지 않을 것이다.

김상악(金相岳) 『산천역설(山天易說)』

以卦體釋卦辭. 蒙之以亨行者, 以九二之時中也. 時卽童蒙求我之時也. 志應, 謂童蒙求我之志與我發蒙之志相應而孚契也. 以剛而中, 故能告之有節也. 瀆蒙, 謂徒以言語相瀆也. 瀆而告之, 非剛中之道也. 蒙以養正, 乃聖功也, 故聖人敎人, 用蒙不用復也. 復則去其不善而復於善之謂也, 蒙則无不善而亦未有所失也.
괘체로 괘사를 풀이하였다. 몽괘가 형통함으로써 행하는 것은 구이가 때에 들어맞기 때문이다. '때'는 철부지 어린이가 나를 찾는 때이다. '뜻이 호응함'은 철부지 어린이가 나를 찾는 뜻과 내가 몽매함을 계발시키려는 뜻이 서로 호응하여 믿음이 부합함을 말한다. 강건하고 중도로 하기 때문에 알려주는 것에 절도가 있을 수 있다. '몽매함을 욕되게 함'은 다만 말로써 서로 욕되게 함을 말한다. 욕되게 하는데 알려주는 것은 강건하고 알맞은 도가 아니다. 몽매함으로써 바름을 기르는 것이 성인이 되는 공부이므로 성인이 사람을 가르칠 때에 몽(蒙)을 쓰고 복(復)을 쓰지 않는다. '회복함[復]'은 그의 선하지 않음을 없애고 선을 회복하는 것을 말하고, '몽(蒙)'은 선하지 않음이 없어 잃는 것도 있지 않다.

박윤원(朴胤源) 『경의(經義)·역경차략(易經箚略)·역계차의(易繫箚疑)』

蒙以養正, 未便至聖, 而作聖工夫, 乃在此也. 功字當着眼看.

'몽매함으로써 바름을 기르는 것'이 바로 성인에 이르는 것은 아니지만, 성인이 되는 공부가 바로 여기에 있다. '공(功)'자는 주의하여 보아야 한다.

서유신(徐有臣) 『역의의언(易義擬言)』

初筮告, 以剛中也, 再三瀆, 瀆則不告, 瀆蒙也. 蒙以養正, 聖功也.
"처음 점치거든 알려줌"은 강건하고 알맞음으로 하기 때문이고, "두 번 세 번 점치면 욕되게 하는 것이니, 욕되게 하면 알려주지 않음"은 몽매함을 욕되게 하기 때문이니, 몽매함으로써 바름을 기르는 것이 성인이 되는 공부이다.

二發五之蒙也. 求筮者童蒙, 故曰瀆蒙. 有求於童蒙, 則是爲瀆童蒙也. 當告則告, 不當告則不告, 皆以剛中也. 其告其不告, 皆養正之術也. 蒙之與聖, 不啻霄壤. 而涓涓之放達乎巨海, 學必期於作聖, 而其功則基於養正也. 二五互頤, 有養正之象也.
이효는 오효의 몽매함을 계발하고, 점을 치기를 구하는 사람은 철부지 어린이이기 때문에 "몽매함을 욕되게 한다"고 하였다. 철부지 어린이에게 구하는 것이 있으면 철부지 어린이를 욕되게 하는 것이다. 알려주어야 한다면 알려주고, 알려주지 말아야 한다면 알려주지 않는 것이 모두 강건하고 중도로 함이다. 알려주거나 알려주지 않는 것은 모두 바름을 기르는 방법이다. 몽매한 사람과 성인은 하늘과 땅만큼의 차이가 날 뿐만이 아니지만, 졸졸 흘러서 큰 바다에 도달하듯이 배움도 반드시 성인이 되기를 기약해야 하며, 그 공부는 바름을 기르는 것에 기초한다. 이효와 오효가 서로 기르니, 바름을 기르는 상이 있다.

김규오(金奎五) 「독역기의(讀易記疑)」

彖義瀆筮者之筮, 疑蒙之誤, 而諸本皆作筮, 可疑.
「단전」의 『본의』에 '독서자(瀆筮者)'의 '서(筮)'자는 '몽(蒙)'자의 오자인 것 같지만, 여러 판본에서는 모두 '서(筮)'자로 되어 있으니 의심스럽다.

김귀주(金龜柱) 『주역차록(周易箚錄)』

本義, 以卦體釋卦辭, 云云.
『본의』에서 말하였다: 괘체로써 괘사를 풀이하였다, 운운.

小註, 雲峯胡氏曰, 程傳, 云云.
소주에서 운봉호씨가 말하였다: 『정전』에서는, 운운.

○ 按, 蒙以養正, 自是別說, 不必屬時中說.
내가 살펴보았다: '몽매함으로써 바름을 기르는 것'은 본래 별도의 말이니, 반드시 '때에 맞춰 행함'과 연관 지어서 말할 필요는 없다.

박문건(朴文健) 『주역연의(周易衍義)』

亨者, 剛明中正之道也. 時中者, 告與不告之事也. 以亨道而行時之中, 總括下義也. 志應, 故先我, 剛中, 故有節, 瀆蒙, 故不告也. 聖, 通明也. 此以卦體釋卦辭.
형통[亨]은 굳세고 현명하며 중정한 도이다. 때에 맞음[時中]은 알려주고 알려주지 않는 일이다. 형통하는 도로 때에 알맞음을 행한다는 것으로 아래의 의미를 총괄하였다. 뜻이 호응하기 때문에 나보다 먼저 하고, 굳세고 알맞기 때문에 절도가 있고, 몽매함을 욕되게 하기 때문에 알려주지 않는다. 성인[聖]은 통달하여 밝음이다. 이것은 괘의 몸체로 괘사를 풀이한 것이다.
〈問, 志應, 以剛中, 瀆蒙. 曰, 二五之志, 自相應, 故童先於我也. 必先於我者, 以其柔中故也. 五初筮而二告者, 知其信己也. 必知其信己而告之者, 以其剛中故也. 五之筮至于再三, 則疑己而先瀆也. 二所以不告者, 爲其亦瀆童蒙, 而益其所疑故也. 不告者, 固守其剛正之道, 拒絕其所疑之情也. 問, 蒙以養正, 聖功. 曰, 二之所以養蒙也, 由乎正者, 有通明之功故也. 正者, 告與不告是也. 聖功與隨卦九四象明功同一文義也.
물었다: 뜻이 호응함과 강건하고 알맞음으로 행함과 몽매함을 욕되게 함은 무슨 뜻입니까. 답하였다: 이효(二爻)와 오효(五爻)의 뜻이 각자 서로 호응하기 때문에 어린이가 나보다 앞서니, 반드시 나보다 앞서는 것은 그것이 부드러움의 알맞음이기 때문입니다. 오효가 처음 점치고 이효는 알려주는 것은 자기를 믿고 있음을 아는 것입니다. 반드시 자신을 믿고 있음을 알아서 알려 주는 것은 강건하고 알맞음으로 함이기 때문입니다. 오효의 시초점이 두세 번[再三]까지 이르면 자신을 의심해서 자신을 먼저 욕되게 합니다. 이효가 알려주지 않는 것은 철부지 어린이를 욕되게 하여 의심을 증폭시킬까 해서입니다. 알려주지 않는 것은 그 강건하고 올바른 도리를 굳게 지켜 의심하는 마음을 끊어버린 것입니다.
물었다: "몽매함으로써 바름을 기르는 것이 성인이 되는 공부이다"는 무슨 뜻입니까?
답하였다: 이효가 몽매한 사람을 가르침에 바름을 말미암는 것은 통하여 밝히는 공부가 있기 때문입니다. 올바름이란 알려주는 것과 알려주지 않는 것입니다. 성인이 되는 공부는 수괘(隨卦) 구사(九四) 「상전」의 '밝은 공(功)'과 글의 뜻이 동일합니다.〉

김기례(金箕澧) 「역요선의강목(易要選義綱目)」

凡此厥初, 无有不善, 蒙君若精一於求賢, 則是謂藹然之時也. 往而養之, 可至聖域.

이것은 그 처음에 선하지 않음이 없으니, 몽매한 임금이 현자를 구하는 데 정일(精一)하면 이것을 성대한 때라고 한다. 가서 길러주면 성인의 경지에 이를 수 있다.

박종영(朴宗永) 「경지몽해(經旨蒙解)・주역(周易)」[10]

程傳曰, 未發之謂蒙, 以純一未發之蒙, 而養其正, 乃作聖之功也. 發而後禁, 則扞格而難勝, 養正於蒙, 學之至善也.
『정전』에서 말하였다: 아직 계발되지 않는 것을 몽매함이라 하니, 순일하고 계발되지 않은 몽매함으로써 그 바름을 기르는 것이 바로 성인이 되는 공부이다. 계발된 뒤에 금지하면 막혀서 이겨내기 어려우니, 몽매할 때에 바름을 기르는 것이 배움에 최선책이다.

蓋蒙昧之時, 先自養敎正道然後, 便有他日作聖之功. 孟子曰, 大人不失其赤子之心. 赤子之時, 人欲未起, 天理實存, 人於是時, 保護養育, 得其正, 則虛靜純一, 渾然天成, 施爲動作, 思慮心念, 無非天理也. 由此而長其功, 可以至於作聖也. 如孺子敎以義方, 常示無誑, 皆是養正之意. 孟子因三遷而終成大儒是也. 象曰, 山下出泉, 蒙, 君子以, 果行育德. 程傳曰, 泉出遇險, 未有所之, 蒙之象也, 若人蒙穉, 未知所適也. 君子觀蒙之象, 出而未能通行, 則以果決其所行, 出而未有所向, 則以養育其明德也. 蓋山下有泉而始出也, 壅於岩石沙礫, 不能遽達, 必果斷疏決然後, 終能流而成川, 達于江海. 如人之發蒙牖迷, 亦如此, 果其行如水之必行, 育其德如水之有本, 則其體盛大而其用周流矣. 夫德者行之自出, 行者德之所形. 中庸曰, 溥博淵泉而時出之, 又曰, 小德川流, 大德敦化, 皆此義也.
대체로 몽매한 때에는 먼저 스스로 정도로써 기르고 가르친 연후에 문득 다른 날에 성인이 되는 공부를 하여야 할 것이다. 맹자가 "대인은 어린아이의 마음을 잃지 않는다"[11]고 말하였다. 어릴 때에는 인욕(人欲)이 아직 일지 않아 천리(天理)가 실로 간직되니, 사람이 이런 때에 보호하고 양육하여 바름을 얻는다면, 텅 빈 고요함과 순수한 한결같음이 혼연히 저절로 이루어져 모든 온갖 행위와 생각이 천리 아님이 없을 것이다. 이를 말미암아 그 공부를 계속하면 성인이 되는 데에 이를 수 있다. 예컨대 어린 남자에게 의로써 밖을 방정히 할 것을 가르쳐 항상 속이지 않음을 보이는 것이 모두 바름을 기르는 뜻과 같다. 맹자는 세 번의 이사를 인하여 결국 대유(大儒)가 되었다는 것이 이것이다. 「상전」에서 "산 아래 샘이 솟아남이 몽이니 군자는 본받아서 과감하게 행하고 덕을 기른다"고 하였다. 『정전』에서 "샘

10) 경학자료집성DB에서는 몽괘 「대상전」에 해당하는 것으로 분류했으나, 내용에 따라 이 자리로 옮겨 바로잡는다.
11) 『맹자・이루』.

물이 솟아나 험함을 만나서 흘러가지 못하는 것이 몽괘의 상이니, 사람이 몽매하고 어려서 갈 곳을 알지 못함과 같다. 군자가 몽괘의 상을 보고, 나왔지만 통행하지 못하면 과감하게 그 흘러갈 곳을 터주고, 나왔지만 향할 바가 없으면 그 밝은 덕을 잘 길러준다"고 하였다. 대체로 산 아래에 샘물이 있어 처음 나오면 암석과 사석에 막혀 대번에 흘러갈 수 없으니, 반드시 과단성 있게 터서 소통시킨 뒤에야 마침내 흘러서 내를 이루고 강과 바다로 통할 수 있다. 예컨대 사람들 가운데 몽매한 사람을 깨우쳐주고 혼미한 사람을 깨우쳐주는 것도 이와 같아서 그 행실을 과단성 있게 하기를 샘물이 반드시 흘러가는 것처럼 하고, 그 덕을 길러주기를 샘물이 근원이 있는 것처럼 한다면, 그 본체가 성대해져서 그 쓰임이 두루두루 흘러갈 것이다. 대체로 덕이란 행실이 근원하여 나오는 것이고, 행실이란 덕이 드러나는 것이다. 『중용』에서 "넓고 깊은 못의 샘솟는 물이 때에 따라 나온다"고 했고, 또 "작은 덕은 냇물의 흐름이고, 큰 덕은 도탑게 화함이다"고 한 것이, 모두 이러한 뜻이다.

심대윤(沈大允) 『주역상의점법(周易象義占法)』

子曰, 過猶不及. 若學而至於過行而喪其性, 則與不及而蒙无異也. 蒙之所以亨, 能學而行其時中也. 時中, 非蒙之所能, 而人之道止於利, 而利止於忠恕中庸而已, 則蒙之所學亦不外乎是也. 故下文曰聖功也. 夫子於蒙之初學指南門路, 使先生知所以敎, 使弟子知所以學, 而明聖人非高遠難學, 蒙之所可能也. 凡人之學而无得者, 皆由其誤入門路也. 故愈精而愈失, 至有學以喪性者矣. 凡言志應者, 皆非正應而有相須之義者也. 剛中, 誠一也. 瀆蒙, 疑惑昏昧也. 正其門路於幼蒙之初, 染習專一而无外慕, 則可以變化而通神矣. 故曰聖功.

공자(孔子)는 "지나침은 미치지 못함과 같다"고 하였다. 만약 배우나 지나치게 행하여 본성을 상실하게 된다면, 따라가지 못하여 몽매한 사람과 별반 차이가 없다. 몽(蒙)이 형통하게 되는 까닭은 배워서 때에 맞게 행할 수 있기 때문이다. 때에 맞게 행하는 것은 몽매한 사람이 할 수 있는 것이 아니고, 사람의 도리는 이로움에 그칠 뿐이어서 이로움은 충서(忠恕)와 중용(中庸)의 도에 그칠 뿐이니, 몽매한 사람의 배움 또한 여기서 벗어나지 않는다. 이런 까닭에 아래 문장에서 '성인이 되는 공부'라고 하였다. 공자는 몽매한 사람이 처음 배울 때 나침판과 들어서는 길을 가지고 선생에게는 어찌 가르치는지를 알도록 하였고, 제자에게는 어찌 배우는지를 알도록 해서 성인의 길이란 드높고 멀어서 배우기 어려운 것이 아니라 몽매한 사람이라도 가능할 수 있음을 밝혔다. 일반 사람들이 배우고도 아무것도 못 얻는 것은 모두 길을 잘못 들어섰기 때문이다. 이런 까닭에 자세하게 할수록 더욱 잃어버리니, 배움을 추구하다, 결국 본성을 잃어버린 데에 이른다. '뜻이 호응함'은 모두 올바른 호응은 아니지만 서로 따르는 경우이다. '굳세고 알맞음'은 진실하고 한결같은 것이며, '몽매함을 욕되게 함'은 의혹하고 혼매함이다. 어려서 몽매한 초기에 그 길을 바르게 잡아주고 학습에 전일하여 밖으로 사모함이 없다면 변화하여 신명에 통할 수 있다. 그러므로 '성인이 되는 공부'라고 하였다.

오치기(吳致箕) 「주역경전증해(周易經傳增解)」

此以卦象卦德, 釋卦名義, 以卦體, 釋卦辭也. 諸釋已見彖解. 以亨行時中者, 言開發昏蒙, 以亨通之道者, 卽以九二得治蒙之時, 而行其剛中之道也. 志應, 言二有治蒙之志, 五有求治之誠, 兩志相應也. 以剛中者, 言必待其至誠專一, 然後告之者, 以其有剛中之德也. 瀆蒙, 言來求者不誠, 乃至煩瀆, 而若告之, 則反爲褻瀆於治蒙之道也. 蒙以養正, 聖功者, 言養蒙, 必以正道, 乃作聖之功也.

이것은 괘(卦)의 상(象)과 괘의 덕(德)에 따라 괘의 이름과 뜻을 풀이하고, 괘의 몸체에 따라 괘사(卦辭)를 풀이한 것으로, 여러 해석들은 이미 「단전(彖傳)」의 풀이에 보인다. "형통함으로써 행함이니 때에 맞게 함이다"는 어두운 몽매함을 계발시켜줌을 말한다. 형통의 도로써 한다는 것은 곧 구이(九二)가 몽매함을 다스리는 때를 얻어서 굳세고 알맞은 도를 행하는 것이다. '뜻이 호응함'은 이효(二爻)에게는 몽매함을 다스리려는 뜻이 있고, 오효(五爻)에게는 다스림을 구하려는 성의가 있으니, 둘의 뜻이 서로 호응함을 말한다. "강건하고 알맞음으로 하기 때문이다"는 반드시 지성스럽고 전일하게 한 연후에 알려줌을 말하니, 굳세고 알맞은 덕이 있기 때문이다. '몽매함을 욕되게 함'은 와서 구하는 자가 정성스럽지 못하면 마침내 욕됨에 이르고, 만약 알려준다면 도리어 몽매함을 다스리는 도에 욕되게 됨을 말한다. "몽매함으로써 바름을 기르는 것이 성인이 되는 공부이다"는 몽매함을 길러줄 때에 반드시 올바른 도로써 해야만 비로소 성인이 되는 공부임을 말한 것이다.

이병헌(李炳憲) 『역경금문고통론(易經今文考通論)』

屯一轉而爲蒙, 屯爲內卦, 蒙爲外卦. 內卦元自乾坤而來, 外卦則因內卦一轉而成. 後倣此. 惟乾坤坎離頤大過中孚小過用相反例. 鄭曰, 蒙者物初生, 形未開著之名也. 人幼稺曰蒙, 未冠之稱. 亨者, 陽也. 筮, 問也. 瀆, 褻也〈按, 鄭借黷爲嬻褻字, 古文通〉. 說文云, 黷握垢也. 侯果〈六朝時人〉曰, 艮爲山, 坎爲險. 險被山止, 止則未通, 蒙昧之象. 按, 初筮告, 以剛中者, 以筮者有容受之資地, 故告之也. 養正爲時中之要素. 九二當爲主, 因童蒙之求我, 而竝及筮占之原理. 天地間, 牖蒙之道, 孰過於神哉. 夫蒙之求養, 如物之方生, 必具甲坼之萌芽, 然後能受呴噓涵育之化也. 始知所以筮者, 蓍策也. 筮之者, 人也. 告之者, 神也. 人之交神, 所貴者誠, 所誠者黷, 曷敢不盡心乎. 或者謂神之於人, 黷則不告, 聖人之於人, 必束脩而後加誨, 不似耶佛之舍身度世, 汲汲於博施敷. 曰, 聖人之敎, 亦多術, 若彼黷而我告, 則不惟告者失言, 問者亦不得受益. 故用擧一反三之義. 然轍環天下, 席不暇煖, 不能果於忘世, 其憂勤惻怛於救世, 則其意一也. 故於蒙之初六, 發蒙利用刑人, 用說桎梏之義也.

준괘(屯卦)가 한번 뒤집히면 몽괘(蒙卦)가 되니, 준괘는 내괘가 되고 몽괘는 외괘가 된다. 내괘는 원래 건괘(乾卦)와 곤괘(坤卦)에서 온 것이고, 외괘는 내괘가 한번 전변하여 이루어진 것이다. 뒤에도 이와 같다. 오직 건괘(乾卦)·곤괘(坤卦)·감괘(坎卦)·이괘(離卦)·이괘(頤卦)·대과괘(大過卦)·중부괘(中孚卦)·소과괘(小過卦)만이 서로 상반된 용례이다. 정현(鄭玄)은 "몽매함이란 사물이 처음 생겨난 것으로, 아직 형태가 드러나지 않는 것의 이름이다. 사람이 어리면 몽(蒙)이라 하는데 아직 관을 쓰지 않는 자의 명칭이다. 형통함은 양(陽)의 성질이고, 점치는 것은 무언가를 물어보는 것이고, 욕됨은 더럽히는 것이다"고 하였다. 〈내가 생각건대, 정현(鄭玄)은 독(黷)자를 빌려서 독(嬻)자와 설(褻)로 사용했으니, 옛 글자로는 통용된다〉. 『설문해자(說文解字)』에서 "독(黷)은 먼지를 손으로 쥐고 있는 뜻이다"고 하였다. 후과(侯果)〈육조시대 사람〉가 말하기를 "간괘(艮卦)는 산이 되고, 감괘(坎卦)는 험함이 된다. 험함은 산에 의해 저지를 당하고, 저지되면 통하지 못하니 몽매의 상이다"라 하였다. 내가 생각건대, "'처음 점치면 알려줌'은 강건하고 알맞음으로 하기 때문이다"는 점치는 자에게 수용할 만한 자질이 있기 때문에 이렇게 알려준 것이다. 바름을 기르는 것은 때에 맞게 하는 요소이다. 구이(九二)가 마땅히 주인이 되니, 철부지 어린이가 나를 찾아오는 것을 들어서 아울러 점치는 원리를 언급해준다. 하늘과 땅 사이에 몽매함을 깨우쳐주는 도리에 누가 신명보다 뛰어나겠는가? 대체로 몽매한 사람이 길러주길 구하는 것은, 마치 사물이 막 나올 때에 껍질이 터져 싹이 튼 다음에 숨을 쉬고 함육하는 변화를 받을 수 있는 것과 같다. 처음으로 점치는 것을 알게 해준 것은 시초와 대쪽이다. 점치는 자는 사람이고, 알려주는 것은 신이다. 사람과 신이 교접할 때 귀하게 여기는 것은 정성이고, 경계할 것은 욕됨이니, 어찌 감히 마음을 다하지 않겠는가.

어떤 이가 물었다: 신은 사람에게 욕되게 하면 알려주지 않고, 성인은 사람에게 반드시 속수(束脩)의 예를 갖춘 이후에 가르침을 주었으니, 불교의 자신을 버리고 세상을 구제하면서 널리 베푸는 것과는 같지 않은 듯합니다.

답하였다: 성인의 가르침은 방법이 많으니, 만약 저 사람이 더럽히는데 내가 알려주면 알려주는 자가 말을 낭비할 뿐만이 아니라 묻는 자도 이익을 받을 수 없습니다. 그러므로 하나를 들어주면 세 모서리로 반추한다는 뜻을 쓴 것입니다. 그러나 수레를 타고 천하를 돌아다니며 자리가 따뜻해질 겨를도 없이 세상을 과감하게 잊지 않았으니, 세상을 구원하는 데에 부지런히 근심하고 불쌍히 여기는 측면에서는 그 뜻이 동일합니다. 그런 까닭에 몽괘(蒙卦)의 초구(初九)에서 몽매함을 계발하되 사람에게 형벌을 써서 질곡을 벗겨줌이 이롭다는 뜻을 썼습니다.

象曰, 山下出泉, 蒙, 君子以, 果行育德.

「상전(象傳)」에서 말하였다: 산 아래에 샘이 솟아남이 몽이니, 군자가 그것을 본받아 과감하게 행하며 덕을 기른다.

中國大全

傳

山下出泉, 出而遇險, 未有所之, 蒙之象也. 若人蒙稺, 未知所適也. 君子觀蒙之象, 以果行育德, 觀其出而未能通行, 則以果決其所行, 觀其始出而未有所向, 則以養育其明德也.

산 아래에 샘이 솟아나 나아가다 험함을 만나 갈 곳이 없는 것이 몽(蒙)의 상이니, 사람이 어리고 몽매하여 갈 바를 알지 못하는 것과 같다. 군자가 몽괘의 상을 보고 과감하게 행하며 덕을 기르니, 샘이 나와서 통행하지 못함을 보면 이로써 행할 바를 과감하게 결단하고, 처음 나와서 향할 곳이 없음을 보면 이로써 그 밝은 덕을 기르는 것이다.

小註

南軒張氏曰, 泉始出而遇險, 未有所之, 如人蒙稺, 未有所適. 貴於果行育德, 充而達之也. 育德之義, 尤當深體.

남헌장씨가 말하였다: 샘이 처음 나오다가 험함을 만나 갈 곳이 없는 것은 사람이 어리고 몽매하여 갈 곳이 없는 것과 같다. 과감하게 행하고 덕을 기름을 귀하여 여겨서 확충하고 이르게 해야 하나, 덕을 기른다는 의미를 더욱 깊이 체득하여야 한다.

○ 廣平游氏曰, 山下出泉, 其一未散, 其勢未達. 觀其勢之未達, 則果行, 觀其一之未散, 則育德.

광평유씨가 말하였다. 산 아래에 샘이 나오면 한줄기로 흩어지지 않고 형세가 펴지지 않는다. 그 형세가 펴지지 않음을 본다면 과감하게 행하고, 그 하나여서 흩어지지 않음을 본다면 덕을 기른다.

○ 西山眞氏曰, 泉之始出也, 涓涓之微, 壅於沙石, 豈能遽達哉. 唯其果決必行, 雖險不避, 故終能流而成川. 然使其源之不深, 則其行雖果而易以竭. 艮之象, 山也, 其德, 止也. 山唯其靜止, 故泉源之出者无窮, 有止而後有行也. 君子觀蒙之象, 果其行如水之必行, 育其德如水之有本, 則其體盛大, 而其用周流矣. 夫德者, 行之自出, 行者, 德之所形, 體用之謂也. 有體而後有用, 所養者厚則其應不窮. 中庸曰, 溥博淵泉而時出之. 又曰, 小德川流, 大德敦化, 皆此義也.
서산진씨가 말하였다: 샘이 처음 나올 때에는 졸졸 흐를 정도로 작으니, 모래와 자갈에 막힌다면 어찌 갑자기 도달할 수 있겠는가? 오직 그것이 과감히 물길을 터뜨려서 반드시 흘러서 비록 험한 것을 만나더라도 피하지 않으니, 끝내는 흘러가서 냇물을 이룬다. 그러나 가령 그 샘물의 근원이 깊지 않다면 그 흐름이 과감하다고 하더라도 쉽게 고갈될 것이다. 간(艮)의 상은 산이고, 덕은 그침이다. 산은 정지해 있기 때문에, 샘물의 근원이 나오는 것이 끊임없으며, 그침이 있은 이후에 흘러감이 있다. 군자가 몽괘의 상을 살펴서 행동을 과감하게 하는 것이 마치 물이 반드시 흘러가는 것과 같이 하며, 덕을 기르는 것을 마치 물에 근원이 있음과 같이 한다면 본체[體]는 성대해질 것이며, 그 작용[用]은 유행할 것이다. 덕이란 행동이 나오는 곳이며, 행동이란 덕이 드러나는 것이니, 본체와 작용의 명칭이다. 본체가 있은 이후에 작용이 있으니, 수양한 것이 두터우면 그 응용이 끊임없을 것이다. 『중용』에서는 "두루 넓고 깊은 근원이 있어서 제 때에 나타난다"라고 하였다. 또 "작은 덕은 내처럼 흐르고 큰 덕은 두텁게 화육한다"라고 하였으니, 모두 이 의미이다.

本義

泉, 水之始出者, 必行而有漸也.

샘은 물이 처음 나온 것이니, 반드시 흘러가되 점차 함이 있는 것이다.

小註

朱子曰, 山下出泉, 卻是箇流行底物事, 暫時被他礙住在這裏. 觀這意思, 卻是說自家當恁地做工夫. 卦中如此者多. 以象言之, 果者, 泉之必通, 育者, 靜之時也. 季通云, 育德, 是艮止也. 又曰, 果行, 有水之象. 育德, 有山之象.
주자가 말하였다: '산 아래에 샘이 솟아남'은 하나의 유행하는 사물이 잠깐 저에게 막히어

여기에 머물러 있는 것인데, 이러한 형세를 보고는 도리어 나도 이렇게 공부해야 한다고 말한 것이니, 괘 가운데에는 이와 같은 것이 많다. 상으로써 말한다면 '과감함[果]'은 샘을 반드시 통하게 함이고, '기름[育]'는 고요함의 시기이다. 계통(季通)은 "덕을 기름은 간(艮)의 그침이다"라고 하였고, 또 "과감하게 행함에는 물의 상이 있고, 덕을 기름에는 산의 상이 있다"고 하였다.

○ 進齋徐氏曰, 蒙而未知所適也, 必體坎之剛中, 以決果其行而達之. 蒙而未有所害也, 必體艮之靜止, 以養育其德而成之.
진재서씨가 말하였다: 몽매하여 갈 곳을 알지 못하니, 반드시 감(坎)의 굳셈과 알맞음을 체득하여 과감하게 행할 것을 결정하여야 도달할 수 있다. 몽매하여 해롭게 함이 없으나 반드시 간(艮)의 고요함과 정지함을 체득하여 덕을 기른 뒤에야 이룰 수 있다.

韓國大全

김도(金濤) 「주역천설(周易淺說)」

愚按, 程傳下諸儒所釋凡三條, 而本義下朱子所釋只一條, 徐氏所釋又只一條, 而皆合於大象之旨矣. 然愚之所得, 又有一意焉. 蓋天造草昧, 雜亂無倫序, 故屯之象則曰經綸. 山下出泉, 猶人之蒙稚, 故蒙之象則曰果行育德, 此可以究見矣. 屯之時, 則君道爲大, 故專以君道爲主, 而師道附焉. 蒙之時, 則專以師道爲重, 而君道兼焉. 屯之君道者, 所謂經綸之道也. 蒙之師道者, 所謂果行育德之道也. 屯之時, 雖以君道爲主, 而豈可不預養其國本乎. 蒙之時, 雖以師道爲重, 而又豈可不養其德行乎. 此非愚自作之言也, 乃祖述於雙湖胡氏之說耳. 蒙序卦傳下, 胡氏有言曰屯之建侯, 有君道焉, 蒙之求我, 有師道焉, 故愚於此說深自取焉. 又曰, 震初九一爻爲長男代父之象, 艮爲少男, 方有待於開發, 則君師之道兼在於此者益可見矣. 又曰, 此兩卦大象, 小學大學之敎, 皆備於其中. 讀者尤宜究索.
내가 살펴보았다: 『정전(程傳)』 아래에 여러 선비들이 풀이한 것들은 모두 세 조목이고, 『본의(本義)』 아래에 주자(朱子)가 풀이한 것은 단지 한 조목일 뿐이고, 서씨(徐氏)가 풀이한 것 또한 단지 한 조목일 뿐이니 모두 대상(大象)의 뜻과도 합치된다. 그러나 내가 터득한 것으로 또한 새로운 뜻이 있다. 대체로 하늘이 거칠고 어두운 세상을 만들 때에는 어수선하

고 혼란스러워 질서가 없었기 때문에 준괘(屯卦)의 상(象)에서 '경륜(經綸)'이라 하였다. 산 아래에서 샘물이 나오는 것은 마치 사람이 몽매한 어린이와 같기 때문에 몽괘(蒙卦)의 상(象)에서 '과감하게 행하며 덕을 기른다'고 하니, 이것이 궁구해낸 견해이다. 준(屯)의 때는 임금의 도가 크기 때문에 전적으로 임금의 도를 위주로 삼았고, 스승의 도를 덧붙여 놓았다. 몽(蒙)의 때는 전적으로 스승의 도로써 중점을 삼았고, 임금의 도를 겸해 놓았다. 준괘(屯卦)에 있어 임금의 도란 이른바 경륜(經綸)의 도이고, 몽괘(蒙卦)에 있어 스승의 도란 이른바 행실을 과단성 있게 하며 덕을 기른다는 도이다. 준(屯)의 때는 비록 임금의 도로써 주체를 삼으나, 어찌 미리 그 나라의 근본을 길러내지 않겠는가. 몽(蒙)의 때는 비록 스승의 도로써 중점을 삼으나, 또 어찌 그 덕행을 길러내지 않겠는가. 이는 내가 스스로 만들어낸 말이 아니라 바로 쌍봉호씨(雙峰胡氏)가 한 말을 조술했을 뿐이다. 몽괘(蒙卦) 「서괘전(序卦傳)」아래에서 호씨(胡氏)는 "준괘(屯卦)의 임금을 세움은 임금의 도가 있고, 철부지 어린이가 나를 찾음은 스승의 도가 있다"고 하였는데, 나는 이 말에 대해 깊이 스스로 취한 바가 있다. 또 "진괘(震卦)의 초구(初九)는 장남이 아버지를 대신하는 상(象)이 된다. 간괘(艮卦)는 막내가 되어 바야흐로 계발됨을 기다리니, 그렇다면 임금과 스승의 도가 여기에 겸비되고 있음을 더더욱 알 수 있다"고 하고, 다시 "이 두 괘의 대상(大象)에는 『소학(小學)』과 『대학(大學)』의 가르침이 모두 그 속에 갖추어져 있다"고 했으니, 읽는 자들은 더더욱 마땅히 깊이 연구하고 생각해야 할 것이다.

이만부(李萬敷) 「역통(易統)·역대상편람(易大象便覽)·잡서변(雜書辨)」

傳曰, 山下出泉, 出而遇險, 未有所之, 蒙之象也. 若人蒙穉, 未知所適也. 君子觀蒙之象, 以果行育德, 觀其出而未能通行, 則以果決其所行, 觀其始出而未有所向, 則以養育其明德也.

『정전(程傳)』에서 말하였다: 산 아래에 샘이 솟아나 나아가나 험함을 만나 갈 곳이 없는 것이 몽의 상(象)이니, 사람이 어리고 몽매하여 갈 바를 알지 못하는 것과 같다. 군자가 몽괘의 상을 보고 과감하게 행하며 덕을 기르니, 샘이 나와서 통행하지 못함을 보면 이로써 행할 바를 과감하게 결단하고, 처음 나와서 향할 곳이 없음을 보면 이로써 그 밝은 덕을 기르는 것이다.

西山眞氏曰, 泉之始出也, 涓涓之微, 壅於沙石, 豈能遽達哉. 唯其果決必行, 雖險不避, 故終能流而成川. 然使其源之不深, 則其行雖果而易以竭. 艮之象山也, 其德止也. 山唯其靜止, 故泉源之出者无窮, 有止而後有行也. 君子觀蒙之象, 果其行, 如水之必行, 育其德, 如水之有本, 則其體盛大而其用周流矣. 夫德者, 行之自出, 行者, 德之所形, 體用之謂也. 有體而後有用, 所養者厚則其應不窮. 中庸曰, 溥博淵泉而時出之. 又曰, 小德川流, 大德敦化, 皆此義也.
서산진씨가 말하였다: 샘이 처음 나올 때에는 졸졸 흐를 정도로 작으니, 모래와 자갈에 막힌다면 어찌 갑자기 도달할 수 있겠는가? 오직 그것이 과감히 물길을 터뜨려서 반드시 흘러서 비록 험한 것을 만나더라도 피하지 않으니, 끝내는 흘러가서 냇물을 이룬다. 그러나 가령 그 샘물의 근원이 깊지 않다면 그 흐름이 과감하다고 하더라도 쉽게 고갈될 것이다. 간(艮)의 상은 산이고, 덕은 그침이다. 산은 정지해 있기 때문에, 샘물의 근원이 나오는 것이 끊임없으며, 그침이 있은 이후에 흘러감이 있다. 군자가 몽괘의 상을 살펴서 행동을 과감하게 하는 것이 마치 물이 반드시 흘러가는 것과 같이 하며, 덕을 기르는 것을 마치 물에 근원이 있음과 같이 한다면 본체[體]는 성대해질 것이며, 그 작용[用]은 유행할 것이다. 덕이란 행동이 나오는 곳이며, 행동이란 덕이 드러나는 것이니, 본체와 작용의 명칭이다. 본체가 있은 이후에 작용이 있으니, 수양한 것이 두터우면 그 응용이 끊임없을 것이다. 『중용』에서는 "두루 넓고 깊은 근원이 있어서 제 때에 나타난다"라고 하였다. 또 "작은 덕은 내처럼 흐르고 큰 덕은 두텁게 화육한다"라고 하였으니, 모두 이 의미이다.

臣謹按, 眞氏之說已盡, 無以復加. 蓋旣大畜其德, 而不力於行, 何以措之事業乎. 故學問尤以力行爲重.
신이 삼가 살펴보았습니다: 서산진씨(西山眞氏)의 말에 이미 다하여 다시 더할 것이 없습니다. 대체로 크게 그 덕을 기르기만 하고 행실에 힘쓰지 않으면, 어찌 사업에 조처할 수 있겠습니까? 그러므로 학문은 더더욱 힘써 행함을 중시합니다.

심조(沈潮) 「역상차론(易象箚論)」

內有坑坎, 外有丘壟者, 非塚乎. 故蒙字從冢. 山有草, 故上從草. 坎爲豕, 故下從豕. 果從木者, 互震也. 育從月者, 亦坎也.
안으로 구덩이가 있고, 밖으로 언덕이 있는 것이 무덤이 아니겠는가. 이런 까닭에 몽(蒙)자가 총(冢)자로부터 왔다. 산에는 풀이 있기 때문에 위에는 초(草)자를 따르고, 감괘는 돼지가 되기 때문에 아래는 시(豕)자를 따른다. 과(果)자는 목(木)자에서 왔는데 호괘(互卦)인 진괘(震卦)이고, 육(育)자는 월(月)자에서 왔는데 역시 감괘(坎卦)이다.

유정원(柳正源) 『역해참고(易解參攷)』

果行育德.
과감하게 행하며 덕을 기른다.

王氏曰, 果行者, 初筮之義也. 育德者, 養正之功也.
왕씨가 말하였다: 과감하게 행한다는 것은 처음 점을 친다는 의미이다. 덕을 기른다는 것은 올바름을 기르는 공이다.

김상악(金相岳)『산천역설(山天易說)』

不曰山下有泉, 而曰出泉者, 取其始出而未達也. 故曰充善端於蒙泉之始. 果行者, 坎水之動. 育德者, 艮山之靜也.
산 아래에 샘물이 있다고 말하지 않고 샘물이 나온다고 말한 것은 처음으로 나오지만 통달하지 못함을 취하였다. 이런 까닭에 몽매한 우물의 처음 시작에서 선의 단서를 확충함을 말하였다. 과감하게 행한다는 것은 감괘(坎卦) 물의 움직임이고, 덕을 기르는 것은 간괘(艮卦)의 산의 고요함이다.

박윤원(朴胤源)『경의(經義)·역경차락(易經箚略)·역계차의(易繫箚疑)』

果行育德, 是自修之事歟, 是訓蒙之事歟. 或曰以自修看, 則君子豈有蒙暗者, 然雖君子未到萬理洞然地位, 則於義理有窒碍處, 於事爲無奮發處, 是亦蒙蔽也. 故觀山泉之象, 以果行育德也. 然自修以果育, 訓蒙亦以果育, 不可一偏論也.
물었다: 과감하게 행하며 덕을 기르는 것은 스스로 닦는 일입니까? 몽매한 사람을 가르치는 일입니까?
답하였다: 혹자가 "스스로 닦는다는 측면에서 보면 군자가 어찌 몽매하고 어두움이 있겠는가?"라고 하였습니다. 그러나 군자가 아직 온갖 이치들이 환히 이해되는 위치에 이르지 못하면 의리에 있어서 막히는 부분이 있기 마련이고, 일을 함에 있어서 분발하는 부분이 없기 마련이니, 이것도 또한 몽매하여 가려짐입니다. 그러므로 산 아래 샘물의 상을 보고서 과감하게 행하며 덕을 기른 것입니다. 그렇다면 스스로 닦는 것도 과감하게 길러야 하고, 몽매한 사람을 가르치는 것도 과감하게 길러줘야 하니, 한쪽으로만 논의할 수 없습니다.

서유신(徐有臣)『역의의언(易義擬言)』

山下出泉, 主於山之辭也, 山下之泉, 始出而未流, 所以爲蒙也. 山猶人也, 泉猶知慮也, 人之知慮發而趨向未分之象也. 果行如水之決流, 育德如山之積高.
산 아래에 샘물이 솟아남은 산을 중심으로 한 말이고, 산 아래에 샘이 처음으로 나와서 아직 흘러가지 못함이 이것이 몽매함이 되는 것이다. 산은 사람과 같고, 샘은 생각과 같다. 사람의 생각이 발동되나 나가는 방향을 아직 분별하지 못하는 상이다. 과감하게 행함은 물줄기의 흐름을 터주는 것과 같고, 덕을 기름은 산의 흙이 높게 쌓인 것과 같다.

김귀주(金龜柱) 『주역차록(周易箚錄)』

本義, 泉水之始出, 云云.
『본의』에서 말하였다: 샘은 물이 처음 나온 것이니, 운운.

○ 按, 必行有漸, 分貼. 果行育德, 蓋觀水之必行, 而果決其行, 觀水之有漸, 而養育其德. 果行是力行事, 育德是存養之事. 小註諸儒說, 多以艮之靜止爲育德, 雖有意義, 而恐非本旨.
내가 살펴보았다: 반드시 흘러가되 점차 함이 있음은 나누어서 보아야 한다. '과감하게 행하며 덕을 기름'은 물이 반드시 흘러감을 보고 그 행실을 과감하게 결단함이고, 흘러가는 물이 점차 함을 보고 그 덕을 기르는 것이다. '과감하게 행함'은 '힘써 행함[行事]'의 일이고, '덕을 기름'은 '보존하여 기름[存養]'의 일이다. 소주(小註)에서 여러 선비들이 한 말은 대부분 간괘(☶)의 고요히 그쳐있음을 덕을 기르는 것으로 삼았으니, 비록 의의가 있으나 본래 뜻은 아닐 것이다.

강엄(康儼) 『주역(周易)』

本義, 必行而有漸.
『본의』에서 말하였다: 반드시 흘러가되 점차 함이 있다.

按, 必行, 釋果行之義, 有漸, 釋育德之義耶. 大象必取上下兩象, 六十四卦象, 大抵皆然, 此亦恐當以小註朱子說, 果行有水之象, 育德有山之象, 爲主耳.
내가 살펴보았다: 반드시 흘러가는 것은 과감하게 행한다는 뜻을 풀이한 것이고, 점차 함이 있다는 것은 덕을 기른다는 뜻을 풀이한 것인가? 「대상(大象)」은 반드시 위아래의 두 상을 취하는데 육십사괘의 상들이 대체로 모두 그러하다. 이것도 또한 소주의 주자의 설이 타당한 듯하니, 과감하게 행함에는 물의 상이 있고, 덕을 기름에는 산의 상이 있는 것이 주가 된다.

박문건(朴文健) 『주역연의(周易衍義)』

泉, 水之始出而微者也. 行成於外者也, 德得於內者也. 果則及遠, 育則著外.

샘은 물이 처음 나와 미약한 것이다. 행실은 밖에서 이루어지고 덕은 안에서 얻어진다. 과감하면 멀리에 미치고, 기르면 밖으로 드러난다.

이지연(李止淵) 『주역차의(周易箚疑)』

行百里者, 半九十里, 爲山九仞, 功虧一簣. 果行當如源泉之不舍晝夜, 育德當如泰山之不讓土壤, 積小成大, 從微至著之意也.
백리를 가는 자가 구십 리쯤에서 그만두고, 아홉 길의 산을 쌓음에 한 삼태기의 흙으로 일을 이루지 못한다.[12] 과감하게 행함은 마땅히 샘물이 밤낮으로 쉬지 않고 흐름과 같아야 하고, 덕을 기름은 마땅히 태산이 흙덩이를 사양하지 않음과 같이 해야 하니, 작은 것이 쌓여서 큰 것을 이루고, 미세함으로부터 환히 드러난다는 뜻이다.

김기례(金箕澧) 「역요선의강목(易要選義綱目)」

果行育德.
과감하게 행하며 덕을 기른다.

果決若遇險之泉, 育德有漸進之功. 易中育德, 多取山者, 言止於至善, 如山養材.
과감하게 결단함은 험함을 만난 샘물과 같고, 덕을 기름에는 점점 나아가는 공이 있다. 『주역』에서 '덕을 기르는 것'이 대부분 산을 취한 것은 지극한 선에 그치는 것이 산이 재목을 길러내는 것과 같음을 말한다.

심대윤(沈大允) 『주역상의점법(周易象義占法)』

君子見泉出山而達于遠, 以果行育德也. 坎爲果行, 艮爲育德.
군자는 샘물이 산에서 나와 멀리 이르는 것을 보고 과감하게 행하며 덕을 기른다. 감괘는 과감하게 행함이 되고, 간괘는 덕을 기름이 된다.

오치기(吳致箕) 「주역경전증해(周易經傳增解)」

山下有泉, 泉出而遇險, 未有所之, 蒙之象也. 君子觀其象, 果決其所行, 養育其明德也. 果行取象乎泉之必達, 育德取象乎山之蓄靜. 且以泉之始出而其流必達, 如治蒙而

12) 『書經 · 旅獒』: 아홉 길의 산을 만들면서 한 삼태기의 흙이 모자라 공이 무너진다.[爲山九刃, 公虧一簣.]

亨也, 山之至靜而萬物皆蓄, 如蒙養以正也.
산 아래에 샘이 있고, 샘물이 나오다 험함을 만나서 갈 곳이 없는 것이 몽괘의 상이다. 군자는 그 상을 보고 과감하게 그 행할 바를 결단하고, 그 밝은 덕을 기르는 것이다. 과감하게 행함은 샘물이 반드시 도달함에서 상을 취하였고, 덕을 기름은 산에 흙이 쌓여 고요함에서 상을 취하였다. 또 샘이 처음 나왔지만 그 흐름이 반드시 도달하게 됨은 몽매함을 다스려서 형통하게 되는 것과 같고, 산이 지극히 고요하지만 만물이 모두 비축됨은 몽매함을 바름으로 기르는 것과 같다.

이진상(李震相) 『역학관규(易學管窺)』

朱子曰: 果行有水之象, 育德有山之象.
주자가 말하였다: '과감하게 행함'에는 물의 상이 있고, '덕을 기름'에는 산의 상이 있다.

愚按, 互震, 故言行, 互坤, 故稱育. 艮一陽在上, 果象, 德卽坎之常德也.
내가 살펴보았다: 호괘가 진괘이므로 행함을 말했고, 호괘가 곤괘이므로 기름을 말했다. 간괘의 한 양이 위에 있으니 과감한 상이고, 덕은 바로 감괘의 평소의 덕이다.

이병헌(李炳憲) 『역경금문고통론(易經今文考通論)』

虞曰, 艮爲山, 坎象流出, 故山下出泉.
우번이 말하였다: 간괘는 산이 되고, 감괘는 흘러나오는 것을 형상하므로 산 아래에 샘물이 솟아난다.

按, 泉象流出不已, 故取義.
내가 살펴보았다: 샘의 상이 끊임없이 흘러나오기 때문에 뜻을 취한 것이다.

初六, 發蒙, 利用刑人, 用說桎梏, 以往吝.

정전 초육은 몽매함을 계발하되, 사람에게 형벌을 써서 질곡을 벗겨줌이 이로우니, 이로써만 해나가면 부끄러울 것이다.

본의 초육은 몽매함을 계발할 것이니, 사람에게 형벌을 써서 질곡을 벗겨줌이 이롭고, 이로써만 해나가면 부끄러울 것이다.

中國大全

傳

初以陰暗居下, 下民之蒙也. 爻言發之之道, 發下民之蒙, 當明刑禁以示之, 使之知畏然後, 從而敎導之. 自古聖王爲治, 設刑罰以齊其衆, 明敎化以善其俗, 刑罰立而後敎化行. 雖聖人尙德而不尙刑, 未嘗偏廢也. 故爲政之始, 立法居先. 治蒙之初, 威之以刑者, 所以說去其昏蒙之桎梏. 桎梏, 謂拘束也. 不去其昏蒙之桎梏, 則善敎无由而入. 旣以刑禁率之, 雖使心未能喩, 亦當畏威以從, 不敢肆其昏蒙之欲. 然後漸能知善道, 而革其非心, 則可以移風易俗矣. 苟專用刑以爲治, 則蒙雖畏而終不能發, 苟免而无恥, 治化不可得而成矣. 故以往則可吝.

초육이 우매한 음으로서 아래에 있으니, 백성의 몽매함이다. 효사에 몽매함을 계발하는 도를 말하였으니, 백성의 몽매함을 계발함에는 마땅히 형벌과 금법을 밝혀 보여서 두려움을 알게 한 뒤에, 이어서 가르치고 인도하여야 한다. 예로부터 성왕이 다스림에, 형벌을 베풀어서 그 백성을 다스리고, 교화를 밝혀 그 풍속을 선하게 하셨으니, 형벌이 확립된 뒤에 교화가 행해지는 것이다. 비록 성인이 덕을 숭상하고 형벌을 숭상하지 않았더라도, 일찍이 치우치거나 폐하지는 않았다. 그러므로 정치를 시작할 때에 법을 먼저 세우고, 교육을 시작할 때에 형벌로써 위엄 있게 함은, 이로써 암울한 몽매함의 질곡을 벗겨 제거하는 것이다. 질곡은 구속함을 말하니, 그 암울한 몽매함의 질곡을 제거하지 않으면 선한 가르침이 들어 갈 수 없다. 일단 형벌과 금법으로 이끌어 가면, 비록 마음으로 깨닫게 하지는 못하더라도, 또한 마땅히 위엄을 두려워하여 따를 것이니, 감히 암울한 몽매함의 욕심을 펼치지 못할 것이다. 그런 뒤에 점차 선한 도를 알아서 그릇된 마음을 고치면, 풍속을 바꿀 수 있을 것이다. 만약 오로지 형벌만 사용하여 다스린다면, 몽매한 사람이 비록 두려워하나 끝내 몽매함을 계발하지 못할 것이고, 구차하게 모면하려 하고 부끄러운 마음이 없어서 교화가 이루어질 수 없을 것이다. 그러므로 형벌로써만 해나가면 부끄러운 것이다.

小註

龜山楊氏曰, 蒙, 无知也. 告之而弗喩, 引之而屢違, 非威之以刑, 莫能從也. 故發蒙之初, 利用刑人. 記曰, 榎楚二物, 以收其威. 書曰, 扑作教刑, 是也.
구산양씨가 말하였다: 몽매하다는 것은 무지하다는 것이다. 가르쳐도 깨닫지 못하니, 그를 이끌어 주나 여러 번 어기니, 형벌로써 위엄을 보이지 않으면, 따르게 할 수 없다. 그러므로 몽매함을 계발해 주는 초기에 "사람에게 형벌을 씀이 이롭다"라고 하였으니, 『예기』에서 "싸리나무와 가시나무 회초리 두 사물로써 그 위엄을 거두어 들인다"고 하고, 『서경』에서 "종아리채로 학교의 형벌을 삼는다"고 한 것이 이것이다.

○ 童溪王氏曰, 禁於未發之謂豫. 書制官刑, 儆于有位, 用訓于蒙士. 初陰暗, 正蒙士也.
동계왕씨가 말하였다: 아직 드러나지 않았을 때 금하는 것을 예(豫)라고 한다. 『서경』에 "관청의 형벌을 제정하여, 지위에 있는 자들을 경계하였다"라고 하였으니, 이로써 몽매한 사람을 가르쳤다. 처음에 우매하고 유약한 사람은 바로 몽매한 사람이다.

○ 建安丘氏曰, 治蒙之道, 示之以刑, 則人知警畏, 自可撤其昏蒙之蔽, 而无拘攣之患. 開發之機由此而始. 初六以陰暗之蒙, 切近九二陽明之賢, 足以開發之, 故曰發蒙.
건안구씨가 말하였다: 몽매함을 다스리는 도는 형벌로써 보이면 사람들이 경계하고 두려워할 줄 알아 스스로 그 어리석음에 가려진 것을 제거하여 손발이 굳어지며 오그라드는 병처럼 마음대로 쓰지 못하는 병통이 없게 될 것이니, 계발하는 계기가 이로부터 시작될 것이다. 초육은 음의 암울한 몽매함으로 양(陽)인 현명한 구이에 아주 가까워서 계발할 수 있기 때문에 "몽매함을 계발한다"고 하였다.

本義

以陰居下, 蒙之甚也. 占者遇此, 當發其蒙. 然發之之道, 當痛懲而暫舍之, 以觀其後. 若遂往而不舍, 則致羞吝矣. 戒占者當如是也.

음으로서 아래에 있으니 몽매함이 심하다. 점치는 사람이 이 효를 만나면 그 몽매함을 계발하여야 한다. 그러나 계발하는 도는 통렬하게 징계했다가 잠깐 그쳐서 그 결과를 살펴야만 한다. 만약 계속 이어져서 그치지 않는다면 부끄럽고 인색하게 될 것이니, 점치는 사람은 마땅히 이와 같이 해야 한다고 경계한 것이다.

小註

朱子曰, 發蒙之義, 或自家是蒙, 得他人發, 或他人是蒙, 得自家發. 利用刑人, 用說桎梏, 粗說時, 如今人打人棒也, 須與脫了那枷, 方可, 一向枷他不得. 若一向枷他, 便是以往吝. 這只是說治蒙者, 當寬慢, 蓋法當如此.
주자가 말하였다: 몽매함을 계발한다는 뜻은 혹 스스로 몽매하면 다른 사람에게 계발될 수 있고, 다른 사람이 몽매하면 자신이 계발시킬 수 있다. "사람에게 형벌을 써서, 질곡을 벗겨 줌이 이롭다"는 대략 말하면, 오늘날 사람들이 죄인을 치는 곤장과 같은데, 반드시 칼을 벗겨야만 칠 수 있다. 줄곧 그에게 칼을 씌울 수 없는데도, 줄곧 칼을 씌운다면 바로 "형벌로써만 해나가면 부끄럽다"는 것이다. 이는 다만 몽매함을 다스리는 사람은 너그럽게 해야 함을 말한 것이니, 대체로 법은 이와 같아야 한다.

○ 雲峯胡氏曰, 利用刑人, 痛懲之也, 用說桎梏, 暫舍之, 以觀其後也. 痛懲而不暫舍, 一於嚴以往, 是不知有敬敷五教在寬之道也, 故吝.
운봉호씨가 말하였다: "사람에게 형벌을 씀이 이롭다"는 통렬하게 징계한다는 것이고, "질곡을 벗겨준다"는 잠시 그치고 결과를 살펴본다는 것이다. 통렬하게 징계하고는 잠시도 그치지 않아 한결같이 엄격하게 한다면, 이것은 "삼가 다섯 가지 가르침을 베풀되 너그러움이 있게 하라"는 도를 모르는 것이니, 이 때문에 부끄럽다.

韓國大全

조호익(曺好益) 『역상설(易象說)』

傳註, 榎楚.
『정전』에 대한 주석에서 '싸리나무와 가시나무 회초리'라고 하였다.

按, 榎形圓, 楚形方, 以二物爲扑, 以警其怠忽者, 使收斂威儀也. 扑卽學校之刑也.
내가 살펴보았다: 싸리나무[榎]의 모양은 둥글고 가시나무[楚]의 모양은 네모지니, 이 두 물건으로 종아리채[扑]를 삼아 태만하고 소홀한 것을 경계시켜, 상대로 하여금 위의(威儀)를 수렴(收斂)하게 하는 것이다. 종아리채로 때리는 것[扑]은 바로 학교(學校)에서의 체벌이다.

송시열(宋時烈) 『역설(易說)』

發者, 開發也, 刑人者, 艮爲閽寺, 綜兌爲刑人也. 桎梏者, 坎象也, 言利用艮而說我坎之桎梏也, 勿使陷於坎中. 往亦無應, 故其道終吝, 所以發蒙之法及男女之法而已. 傳之刑禁云云, 似深一節.
'발(發)'은 개발해줌이다. '사람에게 형벌함'은, 간괘(☶)는 환관[閽寺][13]이고, 간괘의 종괘인 태괘(☱)는 사람에게 형벌함이 되며, 질곡은 감괘(☵)의 상이니, 간괘를 써서 나의 감괘의 질곡을 벗겨줌이 이롭다고 말함이니, 감의 가운데[桎梏]로 빠져들지 않게 함이다. 그대로 가면 또한 호응이 없기 때문에 그 도가 결국 부끄럽게 되니, 몽매한 사람을 계발시켜주는 법과 남녀의 법인 것이다. 『정전』에서 형금(刑禁)이라고 운운한 것이 깊은 의미가 있는 구절인 듯하다.

김만영(金萬英) 「역상소결(易象小訣)」

初六, 刑人桎梏.
초육은 사람을 형벌하여 질곡을 벗겨줌이다.

荀九家, 坎爲桎梏. 蓋一陽陷于二陰之中, 故有刑人而桎梏之象, 然初六變, 則爲兌, 有和說之象, 故曰脫桎梏.
순상(荀爽)의 『구가역(九家易)』에서 '감은 질곡'이라 하니, 대체로 하나의 양이 두 음의 가운데 빠져있기 때문에 형인이나 형틀[桎梏]의 상이 있다. 그러나 초육이 변하면 태괘(兌卦☱)가 되어 기뻐하는 상이 있다. 그러므로 '질곡을 벗겨준다'고 하였다.

심조(沈潮) 「역상차론(易象箚論)」

初六. 桎梏.
초육. 질곡.

桎梏字, 從木者, 互震也, 此乃木物也. 說從兌者, 反兌也. 往震也, 吝陰也.
'질곡(桎梏)'자가 '목(木)'자로부터 온 것은 호괘(互卦)가 진괘(震卦)이기 때문이니, 바로 나무로 만든 물건이다. '탈(說)'은 '태(兌)'자로부터 온 것으로 태의 반대이기 때문이다. '해나감[往]'은 호괘인 진괘이고, 부끄러움은 음이다.

---

13) 『周易 · 說卦傳』: 艮爲閽寺.

이익(李瀷) 『역경질서(易經疾書)』

初六發蒙, 使愚民背惡向善也. 蒙者, 愚迷之稱. 若但以德禮, 則恐不能導以齊之也. 刑者, 輔治之具. 先正其法, 使民知畏懼而不敢犯, 此使之免罪, 故用刑便是用說桎梏也. 若其蒙迷之始, 徒尙仁恩, 奸濫日滋, 將囚繫盈獄, 其害大矣. 故曰以正法也, 與小懲大戒同義. 鄭子産, 寬難, 卽此意也. 然若專以此御世, 亦不可, 故曰以往吝.
초육이 몽매함을 계발함은 어리석은 백성들로 하여금 악을 버리고 선으로 향하게 함이다. 몽매함[蒙]은 어리석고 사리에 어둡다는 말이다. 만약 단지 덕과 예로써 한다면 아마도 이끌어 구제하지 못할 것이다. 형벌이란 다스림을 보조하는 도구이니, 먼저 그 법을 바르게 하여 백성들로 하여금 무섭고 두려움을 알아 감히 법을 범하지 못하게 한다면, 이것이 그들로 하여금 죄를 면하게 할 수 있기 때문에 형벌을 쓰는 것은 곧 '질곡을 벗겨줌이 이로운 것'이다. 만약 몽매하고 미혹되어 있는 처음에 한갓 어짊과 은혜만을 숭상한다면 간사함이 넘쳐 날로 불어나 장차 죄수들이 감옥을 가득 채우게 될 것이니, 그 해가 클 것이다. 그러므로 "법을 바르게 하는 것이다"고 하였으니, 징벌을 작게 하여 크게 경계한다는 것과 뜻이 같다. 정나라 자산(子産)이 "너그러운 정사로는 다스리기 어렵다"는 것이 바로 이 의미이다. 그러나 만약 오로지 이런 방법으로만 세상을 다스린다면 또한 안 될 것이기 때문에 "이로써만 해나가면 부끄러울 것이다"라고 하였다.

유정원(柳正源) 『역해참고(易解參攷)』

王氏曰, 處蒙之初, 下應其上, 故蒙發也.
왕씨가 말하였다: 몽괘의 초효에 처해서 아래에서 그 위로 호응하기 때문에 "몽매함이 계발된다[蒙發]"고 하였다.

○ 厚齋馮氏曰, 蒙不但物生之穉, 凡昏迷不恭者, 皆蒙也. 上體艮手, 互體震足, 俱陷于陰桎梏之象. 坎趨於下, 艮止於上, 有說之象.
후재풍씨가 말하였다: 몽괘는 단지 사물이 생겨나기 시작한 어린 상태일 뿐만이 아니라, 혼미하여 공손하지 못한 자도 모두 몽매함에 해당한다. 상괘인 간괘가 손[手]이고, 호괘인 진괘가 발[足]이니, 모두 어두운 질곡에 빠져있는 상이다. 감괘가 아래에서 달려가고, 간괘가 위에서 멈추니 벗겨주는 상이 있다.

○ 案, 利用刑人, 使不敢爲惡也, 用說桎梏, 使開其自新之路也.
내가 살펴보았다: '사람에게 형벌을 씀[利用刑人]'은 감히 악을 저지르지 않게 하는 것이고, '이로써 질곡을 벗겨 줌[用說桎梏]'은 스스로 새로워지는 길을 열어주게 하는 것이다.

김상악(金相岳) 『산천역설(山天易說)』

初六, 以陰居下, 下民之蒙也. 處坎之初, 比二剛中, 二互震體, 故有發蒙刑人用說桎梏之象. 發之之道, 當痛懲而暫舍之, 若遂往而不舍, 則吝矣. 故上九曰, 擊蒙不利爲寇利禦寇.
초육은 음으로 아래에 있으니, 백성의 몽매함이다. 감괘의 처음에 있고 이효의 강건하고 알맞음과 견주는데, 이효는 호괘인 진괘(☳)의 몸체이기 때문에 몽매함을 계발함에 사람에게 형벌하여 질곡을 벗겨주는 상이 있다. 계발하는 방법은 마땅히 통렬하게 징계하다가 잠시 그쳐야 하니, 만약 계속 이어져서 그치지 않는다면 부끄러운 꼴을 당한다. 그러므로 상구에서 "몽매함을 일깨움이니, 도적이 됨은 이롭지 않고 도적을 막음이 이롭다"고 하였다.

○ 發者, 震之奮也. 刑者, 坎之律也. 書曰, 制官刑, 儆于有位, 用訓于蒙士, 初之陰, 乃蒙士也. 桎梏者, 用刑之具也, 在足曰桎, 在手曰梏. 艮手震足, 比坎桎梏, 而爲二所發, 故曰用說. 坎伏離而反之, 則爲噬嗑. 噬嗑, 言刑獄而初曰屨校, 上曰何校, 故此取用刑說梏之象. 蓋治蒙之初, 威之以刑者, 用說其昏蒙之蔽, 若一於嚴以往, 則吝矣. 艮反震而爲解, 解者蒙之反也. 其大象曰, 赦過宥罪, 故此有以往之戒.
계발은 진괘의 분발이고, 형벌은 감괘의 규율이다. 『서경』에서 "관청의 형벌을 제정하고 벼슬자리에 있는 자들에게 경계하여 어린 선비일 때에 가르친다"고 하였는데, 초효의 음이 바로 어린 선비이다. 질곡은 형벌의 도구인데 발에 차면 질이고 손에 차면 곡이다. 감괘가 손이고 진괘가 발이니, 감괘의 질곡에 비해 이효가 계발해주기 때문에 벗긴다고 하였다. 감괘가 리괘에 숨어들고 반대로 뒤집으면 서합괘(䷔)가 된다. 서합괘에서 형벌과 옥사를 말함에 초효에는 "형틀을 채운다"고 하였고, 상효에는 "형틀을 멘다"고 했기 때문에 여기에서 형벌을 쓰고 질곡을 벗기는 상을 취했다. 몽매함을 다스리는 초기에 형벌로 위엄있게 함은 혼몽한 폐단을 벗기기 위함이나, 만약 일방적으로 엄하게만 하면 부끄러워질 것이다. 간괘를 뒤집으면 진괘가 되어 해괘(䷧)가 되는데, 해괘는 몽괘의 반대이다. 그리고 「대상전」에 "허물을 용서하고 죄를 감한다"고 하였기 때문에 이곳에서 '그대로만 해나가면'이라는 경계를 둔 것이다.

박윤원(朴胤源) 『경의(經義) · 역경차략(易經箚略) · 역계차의(易繫箚疑)』

初六. 用說桎梏.
초육는 이로써 질곡을 벗어나게 함이다.

桎梏, 刑具也. 程傳, 以拘束解之, 爲昏蒙之桎梏, 恐非本旨.
질곡은 형벌의 도구이다. 『정전』에서 '구속'으로 해석하고 혼매함의 질곡으로 여겼는데, 아마도 본래 뜻이 아닌 듯싶다.

서유신(徐有臣) 『역의의언(易義擬言)』

發蒙者, 發蒙之術也. 初辭擬之, 非已然也. 初在下, 治民之蒙也. 桎梏, 刑人之具也, 始以刑法, 小懲之, 及其知戒, 脫而釋之. 其所以梏之, 乃所以脫之, 故曰用說桎梏也. 梏而不脫, 蒙未發也, 故曰以往吝. 蒙者治者, 俱吝也.
'몽매함을 계발함[發蒙]'은 몽매한 사람을 계발시키는 방법이다. 초효의 효사(初辭)는 비유한 말이니,[14] 이미 그랬던 것은 아니다. 초효가 아래에 있으니, 백성의 몽매함을 다스림이다. '질곡'은 사람을 형벌하는 도구이니, 처음에 형법을 사용하여 조금 징계하고, 그 경계할 줄 앎에 미쳐서는 벗겨서 풀어준다. 그 채웠던 질곡을 바로 풀어주기 때문에 '몽매한 질곡을 벗겨줌'이라 하였다. 질곡을 채우고 벗겨주지 않으면 몽매한 사람이 계발되지 못한다. 그런 까닭에 "이로써만 해나가면 부끄럽다"고 한 것이다. 몽매한 사람도 다스리는 사람도 모두 부끄럽게 된다.

김귀주(金龜柱) 『주역차록(周易箚錄)』

初六, 發蒙利用, 云云.
초육은 몽매한 사람을 계발하되, 운운.

○ 按, 初六, 陰暗[15]居下, 昏蒙甚矣. 然覢近於九二之剛中, 雖非正應, 而卻有發蒙之象. 坎爲桎梏, 故又云用脫桎梏.
내가 살펴보았다: 초육은 음의 어두움이 아래에 있으니, 혼몽함이 매우 심하다. 그러나 강건하고 알맞은 구이를 보고서 가까이 다가서니, 비록 올바른 호응은 아니지만 도리어 몽매함을 계발시켜 주는 상이다. 감괘가 질곡이 되기 때문에 또 "질곡을 벗겨준다"고 하였다.

本義, 以陰居下, 云云.
『본의(本義)』에서 말하였다: 음(陰)으로써 아래에 처해있다, 운운.

○ 按, 發人之蒙者, 固當痛懲而暫捨之, 若自發其蒙者, 爲之奈何. 此亦當受人之敎, 而亟攻其惡. 然事過且須放下, 不可一向急迫. 程子言, 罪已責躬不可無, 亦不可長留心中爲悔, 事理恐當如此.
내가 살펴보았다: 몽매한 사람을 계발시켜주는 자가 참으로 마땅히 통렬하게 징계하되 잠시

---

14) 『周易・繫辭傳』: 初辭擬之.
15) 暗: 경학자료집성DB에는 '晴'으로 되어 있으나, 경학자료집성 영인본을 참조하여 '暗'으로 바로잡았다.

놔두라고 하였는데, 만약 스스로 몽매함을 계발하려는 자라면 어떻게 하겠는가? 이 또한 마땅히 사람의 가르침을 받아서 빨리 그 악을 다스려야 할 것이다. 그러나 일이 지나가면 마땅히 내려놓아서 한결같이 급박하게 해서는 안 된다. 정자가 "사람은 잘못에 대하여 자책감을 느끼지 않아서는 안 되지만, 또한 오랫동안 마음에 지니고서 후회해서는 안 된다"고 하였는데, 일의 이치가 아마도 마땅히 이와 같아야 할 것이다.

박제가(朴齊家)『주역(周易)』

於蒙, 發爲第一義, 故首言之. 利用刑人用說桎梏者, 發之之象也. 蓋蒙, 比則罪人, 說桎梏, 比則發也. 雖說之, 特發之之初而其本體之罪, 則自在也. 故其占爲吝, 故曰以往. 以往云者, 只是如此而已之謂也. 但說桎梏而尙未勘放, 則與不說無異, 故戒占者以益務開明耳. 朱子曰如打人捧也, 須說了枷, 若一向枷他, 便是以往吝, 則此說非發之象, 而只爲刑之始. 蓋經云刑人, 只取正法之喩, 若以刑之一字, 遂作刑蒙, 則不可. 如龜山榎楚官刑之說, 直作打蒙矣. 然則經當直曰發蒙用刑, 何必迂取一箇刑人, 又脫桎梏云耶.
몽매함에는 '계발'이 최고의 뜻이므로 맨 처음에 말하였다. "사람에게 형벌을 써서 질곡을 벗겨줌이 이롭다"는 계발시켜 주는 상(象)이다. 몽매함은 비유하자면 죄인이고, 질곡을 벗겨줌은 비유하자면 계발시킴이다. 비록 벗겨주더라도 특히 계발시켜주는 초기이니만큼 그 본체(本體)의 죄는 본래 그대로 있다. 이 때문에 그 점사가 부끄러움이 된다. 그렇기 때문에 '이로써만 해나가면'이라고 하였다. '이로써만 해나가면'이라고 운운한 것은 '단지 이와 같이만 하고 말면'이라는 말이다. 그러나 질곡을 벗겨줘도 오히려 죄인의 죄상을 조사하여 놓아주지 않는다면 벗겨주지 않는 것과 다를 것이 없기 때문에 점치는 자를 경계하여 더욱 열어 밝히도록 하였다. 주자(朱子)가 "만약 사람을 몽둥이로 때릴 경우에는 반드시 형틀을 벗겨줘야 하는데, 만약 그대로 형틀을 씌우면, 이것이 문득 '이로써만 해나가면 부끄럽다'는 것이다"라고 했으니, 이 말은 계발시켜주는 상(象)이 아니라, 다만 형벌을 내리는 처음 동작일 뿐이다. 대체로 경문(經文)에서 '형인(刑人)'은 단지 형법을 바로잡음의 비유를 취한 것이니, 만약 형(刑) 한 글자를 갖고서 드디어 몽매한 사람을 형벌한 것으로 쓰면 안 된다. 예컨대 구산양씨(龜山楊氏)가 말한 싸리나무와 가시나무 회초리로 관청의 형벌을 쓴다는 말은 다만 몽매한 사람을 때리기만 하는 것이다. 그렇다면 경문은 마땅히 단지 몽매한 사람을 계발하되 형벌을 쓴다고 해야지, 어찌 반드시 에두르게 하나의 형인(刑人)을 취하고 또 질곡을 벗겨준다고 말하였겠는가?

傳云, 昏蒙之桎梏者, 取喩當矣. 然治蒙之初, 威之以刑者, 又是直作刑蒙. 本義痛懲暫舍云者, 終是連蒙於刑. 經只曰刑人, 不曰嚴刑, 則無痛字義, 旣曰痛懲, 則又何曰治蒙者, 當寬慢云耶.

『정전(程傳)』에서 말한 '혼매한 몽매함의 질곡'은 비유를 취한 것이 적절하다. 그러나 '몽매한 사람을 다스릴 처음에 형벌로써 위엄을 준다'는 것은 또한 단지 몽매한 사람에게 형벌을 쓰는 것이다. 『본의(本義)』에서 "통렬히 징계하되 잠시 놓아 준다"고 한 것도 결국 몽매한 사람을 형벌에 연좌시킨 것이다. 경문(經文)에 단지 '형인(刑人)'이라 하였고, "엄하게 형벌한다"라 하지 않았으니, 통(痛)의 뜻이 없는데도 이미 『본의(本義)』에서 '통징(痛懲)'이라 해놓고, 또 어찌 몽매한 사람을 다스리는 자가 마땅히 여유있게 해야 한다고 말할 수 있겠는가?

박문건(朴文健) 『주역연의(周易衍義)』

處下而明, 故有發蒙之象. 發蒙, 言啓發六四之蒙也. 桎, 足械, 梏, 手械, 皆拘束之物也. 以此刑說之故, 而若釋疑而往, 則必見吝窮.

아래에 있지만 이치에 밝기 때문에 몽매한 사람을 계발시켜주는 상이 있다. '몽매함을 계발함[發蒙]'은 육사(六四)의 몽매함을 계발해 줌이다. 질(桎)은 발에 차꼬를 채우는 형틀이고, 곡(梏)은 손에 차꼬를 채우는 형틀이니, 모두 구속하는 물체이다. 이것이 형벌을 내리고 벗겨주는 수단인데 만약 의심을 풀고 간다면 반드시 부끄럽고 궁색하게 될 것이다.

〈問, 發蒙之取義, 曰, 初六, 明而不昏, 懲而不暴者也, 故有此象. 蓋處微而謹愼, 故不失其道也.

물었다: '몽매함을 계발함[發蒙]'은 무슨 뜻을 취한 것입니까?

답하였다: 초육(初六)은 이치에 밝고 어둡지 않으니 징계하되 사납게 하지 않습니다. 그러므로 이런 상(象)이 있습니다. 대체로 미약한 데에 처하여 조심하기 때문에 그 도를 잃지 않았습니다.〉

〈○ 問, 利用刑人, 用說桎梏. 曰, 六四雖失信於己, 然用刑而用說者, 是爲利懲不至於已甚者, 其志正法而已.

물었다: "사람에게 형벌을 써서 질곡을 벗겨줌이 이롭다"는 무슨 뜻입니까?

답하였다: 육사(六四)가 비록 자신에게 믿음을 잃었으나 그러나 형벌을 사용하되 질곡을 벗겨준 것은 징계하되 너무 심한 데에 이르지 않게 함이 이롭기 때문이니, 그 뜻은 법을 바로잡을 뿐입니다.〉

이지연(李止淵) 『주역차의(周易箚疑)』

用脫者, 大禹之下車泣辜也, 以往者, 商鞅之臨渭論囚也. 初六近二, 故有發蒙之效也.

벗겨준다는 것은 대우(大禹)가 한 사람이라도 죄를 범한 것을 보면 수레에서 내려 그 허물을 슬퍼한 것이고, 이로써만 해나간다는 것은 상앙(商鞅)이 위수에 임하여 죄상을 논한 것이다. 초육(初六)이 이효(二爻)에 가깝기 때문에 몽매한 사람을 계발시켜주는 공효가 있다.

김기례(金箕澧) 「역요선의강목(易要選義綱目)」

初六, 發蒙〈初, 以柔暗之蒙, 近九二中正之賢, 則足以發蒙〉. 利用刑人〈時罰勅法, 而後敎化可行. 呂刑曰, 士制百姓于刑之中, 以敎祗德〉. 用說桎梏〈荀易云, 坎爲桎梏, 桎梏, 程傳曰, 去其昏蒙之桎梏, 本義曰, 暫舍, 蓋初爲在下之蒙, 則嚴懲而使之暫舍, 以觀後來, 若久而不舍, 則非欽恤之政, 故曰往吝〉.
초육(初六)은 몽매함을 계발해 줌이다. 〈초효(初爻)는 유약하고 어두운 몽매함으로 중정한 구이(九二)의 현명한 이에게 가까우면 충분히 몽매함을 계발시킬 수 있다.〉 사람에게 형벌함이 이롭다. 〈때로는 법대로 처벌하고 나서 교화를 실행할 수 있다. 여형(呂刑)에서 "사(士)는 백성들에게 형벌의 알맞음을 지어서 큰 덕을 가르친다"고 하였다.〉 이로써 질곡을 벗겨준다. 〈순상의 『구가역』에서 "감이 질곡이 된다"고 하였는데. 질곡을 『정전(程傳)』에서는 그 혼몽한 질곡을 없앤다고 하였고, 『본의(本義)』」에서는 잠시 놓아둔다고 하였다. 대체로 초효(初爻)는 아래에 있는 몽매함이 되니, 그렇다면 엄하게 징계하되 그를 잠시 놓아줘서 훗날을 살피는 것이니, 만약 오래토록 놓아주지 않으면 조심하고 긍휼히 처리하는 정치가 아니므로 이로써만 해나가면 부끄럽게 된다고 하였다.〉

이항로(李恒老) 「주역전의동이석의(周易傳義同異釋義)」

按, 上句方說刑人, 而下句譬喩桎梏, 文勢徑庭. 以往之吝, 未見其由, 故本義以刑具釋桎梏.
내가 살펴보았다: 위 구절에서는 바야흐로 사람을 형벌함을 말하였고, 아래 구절에서는 질곡을 비유하였으니, 문장의 형세에 현격한 차이가 있다. 이로써만 해나가면 부끄러움은 그 이유를 알 수 없기 때문에, 『본의(本義)』에서 형틀의 도구로써 질곡을 풀이하였다.

허전(許傳) 「역고(易考)」

初六發蒙〈이라〉 利用刑人〈ᄒᆞ나〉 用說〈脫〉桎梏〈이니〉 以往〈ᄒᆞ면〉 吝〈ᄒᆞ리라〉.
초육(初六)은 몽매함을 계발함이라. 사람에게 형벌함이 이로우나 몽매한 질곡을 벗겨주니 그대로 가면 부끄러우리라.

初六은 蒙을 發홀거시라 ᄡᅧ人을 刑홈이 利ᄒᆞ나 ᄡᅧ桎梏은 說홀지니 ᄡᅧ往ᄒᆞ면 吝ᄒᆞ리라.
초육(初六)은 몽매함을 계발하는 것이라, 사람을 형벌함이 이로우나 질곡은 벗겨줄 것이니 그대로 가면 부끄러우리라.

初六, 蒙之尤者也, 當先開發之. 其開發之道, 若徒以敎化, 則恐有時恩而不率, 故利用刑罰, 然童稚, 亦不可以過嚴, 故桎梏之重者則脫之, 此所謂榎楚二物, 扑作敎刑之類也. 若以桎梏, 以往則吝也.
초육(初六)은 몽매한 사람의 허물이니, 마땅히 먼저 그를 개발시켜 주어야 한다. 개발해 주는 도가 단순히 교화의 방식과 같으면, 아마도 때로 은혜를 주어도 따르지 않을까 염려된다. 이런 까닭에 형벌을 사용함이 이롭다는 것이다. 그러나 어린 아이 또한 지나치게 엄격하게 해서는 안 된다. 이 때문에 무거운 질곡은 벗겨줘야 하니, 이것이 이른바 "싸리나무와 가시나무라는 두 물건이 회초리로 가르치고 형벌하는 부류이다"는 것이다. 만약 질곡을 사용하여 이로써만 해나가면 부끄러울 것이다.

심대윤(沈大允) 『주역상의점법(周易象義占法)』

蒙之象, 取全卦之象而分言師弟. 蒙之六爻, 皆蒙而求解者也, 而兼言師道也. 蒙之爻位, 居剛, 以思爲主也, 居柔, 以學爲主也. 師之道, 不可以有私係也, 故不取應也. 蒙之損, 損下益上也. 學而去蒙從善, 有其義也. 初六, 以柔居剛, 以思爲主. 蒙之世, 以上九爲師, 而初獨寂遠, 又阻於二而從之, 蓋蒙之未及于先生之門而私淑者也. 從二以開發其善端, 故曰發蒙. 震爲發, 言從二也.
몽괘「단전(彖傳)」에서 그 괘(卦) 전체의 상(象)을 취하여 스승과 제자로 나누어 말하였다. 몽괘(蒙卦) 여섯 효는 모두 몽매하여 풀어줌을 원하는 자인데 스승의 도를 겸하여 말하였다. 몽괘의 효(爻)의 자리가 굳셈에 있는 것은 생각을 주체로 삼은 것이고, 유약한데 있는 것은 배움을 주체로 삼은 것이다. 스승의 도는 사적으로 맺어서는 안 된다. 그러므로 호응을 취하지 않았다. 몽괘가 손괘(損卦)로 바뀌었으니, 아래를 덜어서 위를 보태준다. 배워서 몽매함을 떨쳐버리고 선을 따름에 그런 의미가 있다. 초육은 유약한 성격으로 굳셈에 있으니 생각을 주체로 삼았다. 몽괘의 시대는 상구를 스승으로 삼는데 초육만이 홀로 가장 멀리 있고, 또 이효에게 막혀 있어 따를 뿐이니, 아마도 몽매한 사람이 아직 선생의 대문에 미치지 못하고 사숙한 자일 듯싶다. 이효를 따라 선의 단서를 열어 계발시키기 때문에 "몽매함을 계발시켜 준다"고 하였다. 진괘(震卦)가 계발함이 되니 이효를 따름을 말한다.

爲二所阻而不得進. 有以剛自克而不肆其欲之象, 故曰利用刑人. 兌爲刑傷. 凡蒙昧之幼, 必屢敗而屢懲然後, 能自克以就人道, 斅律也. 因傷以知戒蒙之利也. 凡訓幼蒙, 亦用剛嚴也. 若緩縱以往, 則於蒙爲褊陋之吝, 而於師爲嘻嘻之吝, 故曰用說桎梏, 以往,吝. 兌爲說. 兌之對巽, 刑木爲桎梏. 以言用脫, 故取對也. 兌爲懲戒, 巽爲感入, 言懲戒感入也. 吝褊小也.
이효에 막혀서 앞으로 나갈 수 없다. 굳세기 때문에 스스로 이겨내어 그 욕심을 멋대로 하지 않는 상(象)이 있다. 이 때문에 "사람에게 형벌을 씀이 이롭다"고 하였다. 태괘가 형벌과 상처가 된다. 몽매한 어린이는 반드시 자주 넘어지고 자주 징계를 받고 나서야 스스로 극복하여 인도(人道)로 나갈 수 있으니, 이것이 당겨주는 규율이다. 상처를 주기 때문에 몽매한 사람을 경계하는 이로움을 안다. 철부지 어린이를 가르칠 때 또한 굳세고 엄함을 사용한다. 만약 느슨하게 풀어두어 그래도 가면 몽매한 사람에게는 편협하고 비루한 부끄러움이 남고, 스승에게는 희희덕거리는 부끄러움이 남는다. 그러므로 "질곡을 벗김이 이로우니 이로써만 해나가면 부끄러우리라"고 하였다. 태괘(兌卦)가 벗겨줌[說]이 된다. 태괘가 가서 손괘(巽卦)를 대하면 형틀의 나무가 질곡이 된다. 질곡을 벗겨준다고 말했기 때문에 대(對)를 취하였다. 태괘가 징계가 되고, 손괘가 느껴 들어감이 되니, 징계하여 느껴 들어옴을 말하다. 인(吝)은 편협하고 협소하다는 뜻이다.

오치기(吳致箕) 「주역경전증해(周易經傳增解)」

初六, 陰柔不正而在下, 卽下民之昏蒙, 見治於九二, 而開發其蒙者也. 以其在初昏微, 不至太甚, 故利在早用刑於其人, 使之小懲而大誡, 用以脫免乎桎梏之重刑. 然專以刑法爲事, 遂往而不止, 則必致其吝, 故戒之也.
초육은 음으로써 유약하고 올바르지 못하면서 아래에 있으니, 혼몽한 하민(下民)이 구이의 다스려짐을 받아 그 몽매함이 계발된다. 초효가 혼미함에 있으나 아주 심한 지경에 이르지는 않았기 때문에, 빨리 그 사람에게 형벌을 사용함이 이로우니, 그에게 약간의 징계를 주고 크게 경계하여 질곡의 중형을 면하도록 한다. 그러나 전적으로 형법만으로 일을 처리해나가서 그만두지 않는다면, 반드시 부끄러움을 초래하기 때문에 이것을 경계하였다.

○ 發, 謂開發其昏也. 刑取於坎爲律, 而如扑作敎刑之類者也. 人指下民也. 說與脫同, 而取於爻變之兌. 桎梏者, 重刑之具也, 取於坎也.
발(發)은 그 혼미함을 개발해 줌을 이른다. 형(刑)은 감괘(坎卦)가 규율이 되는 데서 그 뜻을 취하였고, 회초리로 가르치고 형벌한다는 것과 같은 종류이다. 사람은 하민(下民)을 가리킨다. 탈(說)자는 탈(脫)자와 같은데, 효(爻)가 변한 태괘(兌卦)에서 그 뜻을 취하였다. 질곡은 중형의 도구인데, 감괘(坎卦)에서 그 뜻을 취하였다.

이진상(李震相)『역학관규(易學管窺)』

坎爲律爲陷, 故有受刑於人之象, 又爲桎梏〈馮氏曰, 上體艮手, 互體震足, 俱陷於陰桎梏之象. 坎趨於下, 艮止於上, 有說象〉.

감괘(坎卦)는 규율도 되고 함정도 되기 때문에 사람에게 형벌을 받는 상(象)이 있고, 또 질곡도 된다. 〈풍씨(馮氏)가 말하였다: 상체(上體)의 간괘(艮卦)가 손이고, 호체(互體)의 진괘(震卦)가 발이니, 모두 음산한 질곡에 빠지는 상(象)이다. 감괘가 아래로 내려가고 간괘(艮卦)가 위에서 멈추니 벗겨주는 상(象)이 있다.〉

채종식(蔡鍾植)「주역전의동귀해(周易傳義同歸解)」

蒙初六, 利用刑人, 用說桎梏, 以往, 吝. 傳云, 治蒙之初, 威之以刑者, 所以說去其昏蒙之桎梏. 桎梏, 謂拘束也. 本義云, 發之之道, 當痛懲而暫舍之, 以觀其後. 若遂往而不舍, 則致羞吝矣. 以義理推之, 則用刑, 所以說去其昏蒙之拘束也. 旣去其拘束, 則開發之機, 由此而始也. 然則其拔蒙之義, 程朱无二致也.

몽괘(蒙卦)의 초육(初六)에서 "사람에게 형벌을 써서 질곡을 벗겨줌이 이로우니 이로써만 해나가면 부끄러우리라"라고 하였다.『정전(程傳)』에서 "몽매한 사람을 다스릴 초기에는 그에게 형벌로 위엄을 보인 것은 혼매한 질곡을 벗겨주기 위해서니, 질곡은 구속을 말한다"고 하였다.『본의(本義)』에서는 "계발시켜 주는 도는 응당 통렬하게 징계하되 잠시 놓아줘서 그 훗날을 살핀다. 만약 드디어 그대로 가서 놓아두지 않는다면 부끄러움을 이룰 것이다"라고 하였다. 의리로 유추해 보자면 형벌을 사용한 것은 혼몽한 사람의 구속을 벗겨주기 위해서이다. 이미 그 구속을 벗겨주면 계발시켜 주는 기틀이 이를 통해 시작된다. 그렇다면 그 몽매한 사람을 계발시켜 주려는 뜻은 정자(程子)나 주자(朱子)가 두 가지 다름이 없다.

박문호(朴文鎬)「경설(經說)·주역(周易)」

刑人之下, 旣承以桎梏, 則分明是刑具, 而程子不取此意, 乃作昏蒙之桎梏, 蓋指昏蒙之欲也. 本義所釋暫舍之語, 於文義, 似順矣.

형인(刑人)의 아래에 이미 질곡으로 이어지고 보면 형틀의 도구가 분명한데, 정자(程子)는 이런 뜻을 취하지 않고 바로 혼몽한 질곡이라 하였으니, 대체로 혼몽한 사람의 욕심을 가리킨 것이다.『본의』에서 풀이한 "잠시 놓아주다"는 말이 글의 맥락에 있어서 비교적 순하다.

이용구(李容九) 「역주해선(易註解選)」

蒙初六, 說桎梏, 如榎楚之記二物收其威, 書之仆作教刑, 是也.
몽괘(蒙卦) 초육(初六)은 질곡을 벗겨줌이니, 예컨대 싸리나무와 가시나무는 『예기』에 "회초리 두 개로써 그 위엄을 거두어 들인다"고 하였고, 『서경』에서는 "회초리로 가르침의 형벌을 삼는다"고 한 것이 이것이다.

象曰, 利用刑人, 以正法也.

『상전』에서 말하였다: "사람에게 형벌을 씀이 이로움"은 법을 바르게 하는 것이다.

中國大全

傳

治蒙之始, 立其防限, 明其罪罰, 正其法也. 使之由之, 漸至於化也. 或疑發蒙之初, 遽用刑人, 无乃不教而誅乎. 不知立法制刑, 乃所以教也. 蓋後之論刑者, 不復知教化在其中矣.

몽매함을 다스리는 처음에 한계를 세워서 죄와 벌을 밝히는 것은 가르치는 법을 바르게 하여 이로 말미암아 점차 교화하게 하는 것이다. 어떤 이가 "몽매함을 계발하는 처음에 형벌만 쓰면, 가르치지는 않고 벌만 주는 것이 아닙니까?"라고 의심하였다. 그러나 이러한 의심은 법을 세우고 형벌을 제도화함이 곧 가르치는 법임을 모르는 것이다. 후세에 형벌을 논하는 자는 교화가 그 가운데 있음을 다시 알지 못하였다.

本義

發蒙之初, 法不可不正, 懲戒所以正法也.

몽매함을 계발하는 처음에 법을 바르게 하지 않을 수 없으니, 징계는 법을 바르게 하는 것이다.

小註

雲峯胡氏曰, 君師之道正而已. 屯初志行正, 蒙初以正法. 初之正, 猶懼失之於終, 況不正於初乎.

운봉호씨가 말하였다: 임금과 스승의 도는 바르면 될 뿐이다. 준괘의 초효는 뜻이 바름을

행하는 데에 있고, 몽괘의 초효는 법을 바르게 한다. 처음에는 바른 것도 오히려 끝에 가서 잘못될까 두려운데, 하물며 처음에 바르지 못하면 어떻겠는가?

韓國大全

유정원(柳正源) 『역해참고(易解參攷)』

利用 [至] 法也.
씀이 이로움은 … 법이다.

案, 象單擧利用刑人一句, 兼釋用說桎梏. 後多倣此.
내가 살펴보았다: 상으로는 단지 '이용형인(利用刑人)'이란 한 구만을 거론하고 '용탈질곡(用說桎梏)'을 겸하여 풀이하였다. 뒤에도 대부분 이와 같다.

서유신(徐有臣) 『역의의언(易義擬言)』

正其法禁而已. 發蒙之功, 向後事也.
그 법령을 바르게 할 뿐이다. 몽매한 사람을 계발시켜주는 공은 향후의 일이다.

박문건(朴文健) 『주역연의(周易衍義)』

志在懲惡, 故曰正法. 正法, 猶言立法也.
뜻이 악을 징계함에 있기 때문에 "법을 바르게 한다"고 하였다. 법을 바르게 한다는 것은 법을 정립함을 말한다.

김상악(金相岳) 『산천역설(山天易說)』

正其法, 所以發其蒙也. 凡莅衆者, 當嚴其始, 故蒙曰以正法, 師曰以律之戒, 皆在初也. 以者, 二之所以也, 爲陰之聽命於陽也.
법을 바르게 함은 몽매함을 계발하는 것이다. 무리를 다스리는 자가 마땅히 그 처음을 엄하게 해야 하기 때문에, 몽괘에서의 법을 바로잡음과 사괘에서는 군율로써 하라는 경계가 모두 초효에 있다. 사용한다는 것은 이효가 사용하는 것이니, 음이 양에게 명령을 듣는 것이다.

허전(許傳)「역고(易考)」

威之以正, 教道之法也

그에게 바름으로 위엄을 보이는 것은 도리를 가르치는 법이다.

심대윤(沈大允)『주역상의점법(周易象義占法)』

言嚴責致罰也.

엄하게 꾸짖어 형벌을 이룸을 말한다.

오치기(吳致箕)「주역경전증해(周易經傳增解)」

懲誡下民之蒙, 法不可不正也.

몽매한 하민(下民)을 징계하니, 법을 바르게 하지 않을 수 없다.

이병헌(李炳憲)『역경금문고통론(易經今文考通論)』

鄭曰, 在足曰桎, 在手曰梏.

정현(鄭玄)이 말하였다: 발에 있는 것을 '질(桎)'이라 하고 손에 있는 것을 '곡(梏)'이라 한다.

孟曰, 遴行難也.

맹씨(孟氏)가 말하였다. '린(遴)'은 행하기 어렵다는 뜻이다.

九二, 包蒙, 吉, 納婦, 吉, 子克家.

정전 구이는 몽매함을 포용하면 길하고, 부인을 들이면 길하니, 자식이 집안을 잘 다스린다.
본의 구이는 몽매함을 포용함이니 길하고, 부인을 들이니 길하며, 자식이 집안을 잘 다스린다.

中國大全

傳

包, 含容也. 二居蒙之世, 有剛明之才, 而與六五之君相應. 中德又同, 當時之任者也. 必廣其含容, 哀矜昏愚, 則能發天下之蒙, 成治蒙之功. 其道廣, 其施博, 如是則吉也. 卦唯二陽爻, 上九剛而過, 唯九二有剛中之德而應於五, 用於時而獨明者也. 苟恃其明, 專於自任, 則其德不弘. 故雖婦人之柔闇, 尙當納其所善, 則其明廣矣. 又以諸爻皆陰, 故云婦. 堯舜之聖, 天下所莫及也, 尙曰清問下民, 取人爲善也. 二能包納, 則克濟其君之事, 猶子能治其家也. 五旣陰柔, 故發蒙之功, 皆在於二. 以家言之, 五父也, 二子也. 二能主蒙之功, 乃人子克治其家也.

'포(包)'는 머금어 용납하는 것이다. 구이는 몽매한 세상에 있어서 강건하고 현명한 재주가 있고, 임금인 육오와 호응한다. 알맞은 덕이 또한 같으니, 당시의 책임을 맡은 자이다. 반드시 관용을 넓히고, 어둡고 우매함을 불쌍히 여기면, 천하의 몽매함을 계발하고 몽매함을 다스리는 공을 이룬다. 그 도와 베풂이 넓어질 것이므로, 이와 같이하면 '길(吉)'하다. 괘에 오직 두 개의 양효가 있으나 상구는 강하되 지나치고, 오직 구이만이 강하고 중도에 맞는 덕이 있고 육오와 호응하니, 당시에 있어 홀로 밝은 자이다. 그러나 그 밝음만 믿고서 스스로 책임을 전적으로 맡으면, 그 덕이 넓어지지 못한다. 그러므로 비록 부인의 유약하고 우매함일지라도, 그 선한 것을 받아들인다면 밝음이 넓어질 것이다. 또 모든 효가 음효이기 때문에 '부인[婦]'이라 하였다. 요임금과 순임금은 천하 사람들이 미치지 못할 만큼 뛰어난 성인인데도, 오히려 백성에게 허심탄회하게 묻고 다른 사람에게서 취하여 선을 행하였다고 한다. 구이가 포용하여 받아들일 수 있으면, 그 임금의 일을 해낼 수 있을 것이니, 마치 자식이 집안일을 다스릴 수 있는 것과 같다. 육오가 유약한 음이기 때문에, 몽매함을 계발하는 공이 모두 구이에게 있다. 이는 집안으로 말하면 육오는 아버지이고, 구이는 자식인데, 구이가 계몽의 공을 맡을 수 있으니, 곧 자식이 집안을 잘 다스릴 수 있는 것이다.

小註

誠齋楊氏曰, 五求二, 二匪求五, 乃曰子克家, 何也. 臣事君, 如子事父, 正使致君如伊周, 亦臣子分內事, 如子之克家耳, 非功也.
성재양씨가 말하였다: 오효가 이효를 찾는 것이지, 이효가 오효를 찾는 것이 아닌데, 오히려 "자식이 집안을 잘 다스린다"라고 한 것은 어째서인가? 신하가 임금을 섬기는 것은 자식이 아버지를 섬기는 것과 같으니, 바로 훌륭한 임금을 만들기를 이윤(伊尹)이나 주공(周公)처럼 한다는 것이다. 이는 또한 신하의 본분에 속하는 일이니, 자식이 집안을 잘 다스리는 일과 같을 뿐이어서 공로가 아니다.

○ 隆山李氏曰, 震以建侯而有經綸之功, 此長子事也. 坎以剛中而有克家之能, 此次子事也. 艮以柔巽而得童蒙之吉, 此少子事也. 乾坤三子, 至是各得其宜矣.
융산이씨가 말하였다: 진괘는 제후를 세워 경륜의 공로가 있으니, 이는 맏아들의 일이다. 감괘는 굳센 양이 가운데 자리에 있어 집안을 다스리는 능력이 있으니, 이는 둘째아들의 일이다. 간괘는 부드러운 음으로서 겸손하여 철부지 어린이의 길함을 얻었으니, 이는 막내아들의 일이다. 건괘와 곤괘의 세 아들이 여기에 이르러 각각 그 마땅함을 얻었다.

本義

九二以陽剛爲內卦之主, 統治群陰, 當發蒙之任者. 然所治旣廣, 物性不齊, 不可一槪取必. 而爻之德剛而不過, 爲能有所包容之象. 又以陽受陰, 爲納婦之象, 又居下位而能任上事, 爲子克家之象. 故占者有其德而當其事, 則如是而吉也.
구이가 굳센 양으로서 내괘의 주인이 되어 여러 음을 다스리니, 몽매함을 계발하는 책임을 맡은 사람이다. 그러나 다스리는 것이 넓고 만물의 성질이 동일하지 않아서, 반드시 한 가지로만 저울질해서 취하지는 못한다. 그러나 효의 덕이 강하면서도 지나치지 않으니, 포용할 수 있는 상이 있다. 또 양으로서 음을 받아들이니 부인을 들이는 상이며, 또 아랫자리에 있으면서 위의 일을 맡으니 자식이 집안을 다스리는 상이 된다. 그러므로 점치는 사람이 그 덕이 있으면서 그 일을 맡으면 이와 같아서 길하다.

小註

朱子曰, 卦中說剛中處最好看. 剛故能包蒙, 不剛則方且爲物所蒙, 安能包蒙. 剛而不中, 亦不能包蒙. 如上九過剛而不中, 所以爲擊蒙. 大抵蒙卦除了初爻, 統說治蒙底道理. 其餘三四五皆是蒙者, 所以唯九二一爻爲治蒙之主.
주자가 말하였다: 괘 가운데 '강건하고 알맞음'을 설명한 곳이 가장 흥미진진하다. 강하기 때문에 몽매한 이를 포용할 수 있으니, 강하지 못하면 또한 사물에 의해서 가려질 것이니, 어찌 몽매한 이를 포용할 수 있겠는가! 강하면서 알맞지 못한다면 또한 몽매한 이를 포용할 수 없을 것이다. 예컨대 상구는 지나치게 굳세어 중도에 맞지 않기 때문에 몽매함을 일깨움이 되었다. 대체로 몽괘는 초효를 제외하고 모두 몽매함을 다스리는 도리를 말하고 있다. 그 밖의 삼효 · 사효 · 오효는 모두 몽매한 사람이기 때문에, 오직 구이 한 효만 몽매함을 다스리는 주인이 된다.

○ 雲峯胡氏曰, 此爻具三象, 義各不同. 兩吉字是兩占辭. 包蒙納婦是兩象. 諸家解此, 比而同之. 本義三象字兩又字, 見得三句取象 自具三義. 觀此最可見易凡例. 包蒙, 包上下四陰也. 納婦, 納六五一陰也. 包與納, 二虛能受之象. 克, 九剛能任之象. 一六五也, 性陰有蒙象, 陰應陽有婦象, 位尊有父象. 以五之一爻而取象不同如此. 又於應爻見之, 易之不可爲典要如此.
운봉호씨가 말하였다: 이 효는 세 가지 상을 갖추고 있으니, 의미가 각각 서로 다르다. 두 번 나오는 길(吉)자는 두 번의 점사이다. "몽매함을 포용한다"와 "부인을 들인다"라 함은 두 가지 상이다. 여러 학자들이 이것을 해석함에 견주어서 같다고 여겼다. 『본의』의 세 개의 상(象)자와 두 개의 우(又)자에서 세 구절의 상을 취하여 본래 세 가지 의미가 갖추어져 있음을 알 수 있다. 이것을 보면 『주역』의 범례를 가장 잘 알 수 있다. '몽매함을 포용함'은 위아래의 네 음을 감싼다는 말이다. '부인을 들임'은 육오의 한 음을 받아들인다는 말이다. 포용함과 받아들임은 이효가 텅 비어서 받아들일 수 있는 상이다.
'극(克)'은 구(九)가 굳세어서 일을 맡을 수 있는 상이다. 하나의 육오는 성질이 부드러우니 몽매한 상이 있고, 음이 양에 호응하니 부인의 상이 있으며, 자리[位]가 존귀하니 아버지의 상이 있다. 오효의 한 효로써 상을 취함이 이와 같이 서로 다르다. 또한 응효(應爻)에서 본다면 『주역』에서 정해진 준칙을 삼을 수 없는 것이[16] 이와 같다.

16) 『周易 · 繫辭傳』: 不可爲典要.

韓國大全

권근(權近) 『주역천견록(周易淺見錄)』

愚謂, 九二, 以陽若內而在下, 子象也. 又坎爲中男也. 六五, 以柔在上而三中, 母象也. 剛柔相接而任其事, 幹母蠱之象. 程子〈原本無子字〉以五爲父, 吳氏以五爲婦, 恐皆未然.
내가 살펴보았다: 구이가 양으로써 안에 있으며 아래에 있으니 아들의 상이며, 또 감괘는 둘째 아들이 된다. 육오는 부드러움으로써 윗자리에 있고 셋 중에 가운데이니, 어머니의 상이다. 굳셈과 부드러움이 서로 만나서 그 일을 도맡으니, 어머니의 일을 주관하는 상이다. 정자는〈원본에는 '자(子)'자가 없다〉 "오효를 아버지로 삼는다"고 하였고, 오씨는 "오효를 부인으로 삼는다"고 하였으니, 아마도 모두 옳지 못한 듯하다.

송시열(宋時烈) 『역설(易說)』

九二, 震錯巽, 巽爲包, 二爲蒙主, 包容一卦之蒙. 又納六五, 以爲正應之婦, 竝吉. 震爲長子, 能治其家道, 故曰子克家.
구이는 진괘가 음양이 바뀌면 손괘가 되는데 손괘는 포용함이 되니, 이효가 몽매함의 주인이 되어 한 괘의 몽매함을 포용한다. 또 육오를 맞이하여 바르게 호응하는 부인으로 삼으니 함께 길하다. 진괘가 맏아들이 되니, 그 집안을 잘 다스리기 때문에 "자식이 집안을 잘 다스린다"라고 하였다.

김만영(金萬英) 「역상소결(易象小訣)」

一陽陷于二陰, 爲包蒙之象. 互卦之上爲坤, 爲納婦之象, 互卦之下爲震, 有長子傳家之象也. 或曰, 九二變, 則爲坤, 故有婦之象, 亦通.
하나의 양이 두 음에 빠져 있으니, 몽매함을 포용하는 상이 된다. 호괘의 상체가 곤괘가 되니 부인을 들이는 상이 되고, 호괘의 하체가 진괘가 되니 맏아들이 집안을 이어가는 상이 있다. 어떤 이가 말하기를 "이효가 변하면 곤괘가 된다. 이 때문에 부인의 상이 있다"고 하니, 또한 의미가 통한다.

이현익(李顯益) 「주역설(周易說)」

隆山李氏三子之說似然, 而克家, 未必專爲次子事. 艮之爲少子, 只以上九, 則以六五言亦未叶, 不必如此說. 雲峯胡氏, 以包蒙爲包上下四陰, 納婦爲納六五一陰, 此非本義之旨. 本義. 則蒙與婦, 只一槪言. 且胡氏下文曰, 一六五也, 性陰有蒙象, 陰應陽有婦象, 其說, 又相矛盾.
융산이씨의 세 아들이라는 설이 그럴듯하나, 집을 다스릴 때에 굳이 전적으로 둘째 아들의 일로 삼지 않는다. 간괘가 막내아들이 된 것이 단지 상구 때문이라면, 육오를 가지고 말한 것 또한 딱 들어맞지 않으니, 이렇게 말할 필요는 없다. 운봉호씨는 "몽매함을 포용함은 위아래의 네 음(陰)을 포용한 것이고, 부인을 들임은 육오의 한 음(陰)을 맞이한 것이라고 여겼는데, 이는 「본의」의 뜻은 아니다. 『본의』에서는 몽매함과 부인이 단지 동일한 개념의 말일 뿐이다. 또 호씨는 아래 문장에서 "하나의 육오는 성질이 부드러우니 몽매한 상이 있고, 음이 양에 호응하니 부인의 상이 있다"고 하였는데 이 설명도 또한 서로 모순된다.

이익(李瀷) 『역경질서(易經疾書)』

卦有蒙義. 惟九二剛中, 故發之, 包之, 擊之之功, 皆屬在二, 此卦主也. 蒙者, 迷也, 始迷錯行, 則發之者, 二也, 有終悍不率, 則擊之者, 二也. 卦中, 獨六四得正, 他卦則貴其正. 惟蒙最忌柔弱四, 以陰居陰, 昏蒙自棄, 乃困而不學者也. 故曰獨遠實也. 實者, 指二也, 六五之吉與二爲正應, 當在包蒙之中, 故曰順以巽也. 由是推之, 六三之勿用取女者, 女則三, 而勿取者, 亦二也, 金夫, 剛陽也, 二目謂也. 三與上九爲正應, 而欲媾於剛陽之二, 是違禮亂紀, 雖取, 必不利. 在二之道, 宜卻之也, 故曰行不順也. 蓋蒙迷之目, 有五, 卦中咸具, 初之愚氓, 正法以禁之也, 三之亂行, 據禮以遠之也, 四之昏弱, 亦無奈何也. 五之童幼, 包容以養之也, 上之不率, 擊以禦之也. 擊之之道, 期於殘滅, 則是我反爲寇, 而終必不利. 但禦其爲寇, 俾不得侵凌, 則上下皆得順正也. 蓋屯需解卦, 有坎體, 賁睽漸, 亦有互坎, 故皆言寇. 蒙亦下體坎也. 易於爲寇, 故戒之也. 以本爻言, 則正應在上, 有君之象, 陰柔, 有童之象, 得中, 有順巽之象, 後主之於諸葛, 是也. 陰柔在下, 有民象焉, 有婦象焉, 有子象焉. 民則治之, 婦則納之, 子不可以言治言納, 只承父幹事, 故曰克家.
괘에는 몽매함의 뜻이 있다. 오직 구이만이 굳세고 중도에 알맞다. 이 때문에 계발해 주고 포용해 주고 다스려 주는 공 등이 모두 이효에 속해 있으니, 이것이 괘의 주인이다. 몽(蒙)이란 혼미함이니, 초기에 혼미하여 어지러움에 계발해 주는 자가 이효이다. 끝내 사나워서 따르지 못함에 다스려 주는 자도 이효이다. 괘 중에 유독 육사만이 올바름을 얻었을 뿐인데, 기타 괘들은 그 올바름을 귀중히 여긴다. 오직 몽괘만이 가장 유약한 사효를 가장 싫어할 뿐인데, 음으로써 음의 자리에 있으며 혼몽하여 스스로 포기하여 마침내 힘들여 배우지 않는 자이다. 이런 까닭에 홀로 실질에서 멀리 있으니, 실질이란 이효를 가리킨다. 육오의 길함은 이효와 정응이 되어 몽매함을 포용하는 가운데 해당되기 때문에 "겸손하고 공손하다"고 하였다. 이를 통해 유추해 본다면 육삼의 여자를 아내로 맞이하지 말라는 것에서, 여자는 삼효에 해당하고 맞이하지 말아야 하는 자는 이효에 해당한다. 강철 같은 사내는 굳센 양이니, 이효를 지목하여 말한 것이다. 삼효는 상효와 정응임에도 굳센 양인 이효에게 혼인하자고 하니, 이것이 예를 어기고 기강을 어지럽혀 비록 여자를 맞이하더라도 반드시 이롭지 않을 것이다. 이효에게 있어서의 도란 마땅히 이것을 물리쳐 버려야 하기 때문에 "행실이 순종하지 않는다"고 하였다. 대체로 몽미(蒙迷)에 대한 지목은 다섯 곳이 있고, 괘 중에 모두 갖추어져 있다. 초효의 어리석은 백성은 올바른 법으로 금지하고, 삼효의 혼란한 행실은 예의에 의거해 멀리하고, 사효의 혼미하고 나약함은 또한 어떻게 할 수 없다. 오효의 어린아이는 포용하여 길러주고, 상효의 따르지 않음은 쳐서 다스려 준다. 다스려 주는 도가 해쳐서 없앰을 기약하면 이는 내가 도리어 도적이 됨이니, 마침내 반드시 이롭지 못하다. 단지 도적이 됨을 막아내어 침탈하지 않게 하면 위아래가 모두 순응함을 얻을 것이다. 대체로 준괘와 수괘와 해괘는 감(坎☵)의 몸체가 있고, 비괘와 규괘와 점괘도 또한 호괘인 감괘가 있기 때문에 모두 '도적'이라 하였다. 몽괘 또한 하체가 감괘이다. 도적이 되기 쉽기 때문에 그를 경계한 것이다. 본 효를 가지고 말하자면 정응이 위에 있으니 임금의 상이 있고, 음으로 유약함은 어린아이의 상이 있고, 중도를 얻음은 겸손하고 공손한 상이 있으니, 후주인 유선과 제갈량의 관계가 이것에 해당한다. 음으로써 유약하고 아래에 있음은 백성의 상이 있고, 부인의 상이 있고, 아들의 상이 있다. 백성은 다스려 주고, 부인은 맞이하지만, 아들은 다스림과 맞이함으로 말해서는 안 되고 단지 아버지를 받들어서 일을 주관하기 때문에 "집안을 잘 다스린다"고 하였다.

심조(沈潮) 「역상차론(易象箚論)」

九二, 子克家.
구이는 자식이 집안을 잘 다스린다.

子克家者, 震爲長男, 而二爲宅爻也.
자식이 집안을 다스린 것은 진괘가 맏아들이 되고 이효는 택효(宅爻)가 되기 때문이다.

유정원(柳正源) 『역해참고(易解參攷)』

九二 [至] 克家.
구이는 … 집안을 잘 다스린다.

白雲蘭氏曰, 凡易之言包者, 皆自外而包內, 泰之包荒, 否之包承, 姤之包有魚包瓜, 皆自上包也.

백운난씨가 말하였다. 대체로 『주역』에서 말하는 포(包)는 모두 밖에서 안을 포용한 것인데, 태괘의 황(荒)을 포용함과 비괘의 승(承)을 포용함과 구괘의 유어(有魚)와 과(瓜)를 포용하는 것들이 모두 위로부터 포용한다.

○ 案, 包蒙 納婦 子克家, 分作三象, 而子克家, 獨不言吉. 克家, 乃人子職分之所當爲者, 吉何足言也.
내가 살펴보았다: 몽매함을 포용함과 아내를 맞이함과 자식이 집안을 잘 다스림은 세 가지의 상으로 나뉘는데, 자식이 집을 다스림에만 유독 길함을 말하지 않았다. 집을 다스림은 남의 자식으로 맡은 바 당연히 해야 할 것인데, 어찌 길함을 말할 필요가 있을까?

김상악(金相岳) 『산천역설(山天易說)』

二, 以陽居坎之中, 爲內卦之主, 統治群陰, 當發蒙之任者也. 包初之陰, 比互坤之三, 應艮之五, 故其象如此. 能發諸蒙, 而皆得其宜. 故再言其吉.
이효는 양으로써 감괘의 가운데 있으니 내괘의 주인이 되고, 여러 음들을 다스리니 몽매함을 계발해 주는 책임자에 해당한다. 초효의 음을 포용하고, 호괘인 곤체의 삼효에 가까이 있고, 간체의 오효와 상응하기 때문에 그 상이 이와 같다. 여러 몽매함을 계발해 주어 모두 그 마땅함을 얻었다. 이 때문에 두 번 길하다고 하였다.

○ 陰之昏迷者, 爲蒙, 陽之明者, 爲養蒙, 而陽包乎陰, 故曰包蒙. 凡言包者, 皆上之包下也, 否之二曰包承, 三曰包羞, 泰之二曰包荒, 姤之二曰包有魚, 四曰包无魚, 五曰以杞包瓜之類, 是也. 婦坤象, 屯六二, 言婚媾, 故此曰納婦. 二變則爲剝, 本爻言納婦, 故剝六五曰以宮人寵. 蓋包蒙則敷敎在寬矣, 納婦則有敎无類矣. 子謂二也, 艮止于上, 猶父道之尊乎上也, 坎動于下, 卽子幹其蠱也. 坎水生巽木, 則變而爲蠱也. 家者艮之門闕也. 剝則一陽居上而將變, 故曰小人剝廬, 蒙則又有一陽在下而爲應, 故曰子克家. 屯曰利建侯, 蒙曰子克家, 乾坤之後, 開國承家之道, 備矣. 震以長子而居屯, 故利於建侯, 坎以中子而處蒙, 故能克家, 艮以小子而順巽, 故得童蒙之吉. 乾坤三子之用, 不失其序.
음으로써 혼미한 자가 몽매함이 되고, 양으로써 현명한 자가 몽매함을 길러줌이 되어 양이 음을 포용하고 있기 때문에 '포몽'이라 하였다. '포(包)'자는 모두 위에서 아래를 포용하니, 비괘(否卦)의 이효에서 "승(承)을 포용한다"고 하고, 삼효에서 "수(羞)를 포용한다"고 하고, 태괘(泰卦)의 이효에서 "황(荒)을 포용한다"고 하고, 구괘(姤卦)의 이효에서 "유어(有魚)를 포용한다"고 하고, 사효에서 "무어(無魚)를 포용한다"고 하고, 오효에서 "기(杞)로써 과(瓜)를 포용한다"고 하는 부류가 이것이다. 부인은 곤괘의 상이니 준괘(屯卦)의 육이에서 혼인하려는 자라고 하였기 때문에 여기서 "부인을 들인다"고 하였다. 이효가 변하면 박괘(剝卦)가 된다. 본 효에서 "부인을 들인다"고 하였기 때문에 박괘의 육오에서 "궁인(宮人)이 총애를 받듯이"라 하였다. 대체로 몽매한 이를 포용한 것은 가르침을 펼칠 때 관용이 있고, 부인을 들인 것은 가르치되 부류를 두지 않는 것이다. 아들은 이효를 이른다. 간괘는 위에서 그쳐 있으니 마치 부도(父道)가 위에서 높은 것과 같고, 감괘는 아래에서 움직이니 곧 아들이 그 일을 주관하는 것이다. 감괘 수(水)가 손괘 목(木)을 생하면 변하여 고괘(蠱卦)가 된다. 집이란 간괘의 문이다.[17] 박괘는 한 양이 위에 있어 변하려 하기 때문에 "소인(小人)은 집을 허물리라"고 하였다. 몽괘 또한 한 양이 아래에 있어 호응하기 때문에 "자식이 집안을 잘 다스린다"고 하였다. 준괘에서 "제후를 세움이 이롭다"고 하였고, 몽괘에서 "자식이 집을 잘 다스린다"고 하였으니, 건과 곤괘 뒤로는 국가가 열리고 집을 받드는 도가 구비되었다. 진괘는 맏아들로서 준괘에 있기 때문에 임금을 건립함이 이롭고, 감괘는 둘째 아들로써 몽괘에 있기 때문에 집을 다스릴 수 있고, 간괘는 막내로써 겸손하고 공손하기 때문에 철부지 어린이의 길함을 얻을 수 있다. 건괘와 곤괘에 있어 세 아들의 쓰임이 그 차례를 잃지 않았다.

서유신(徐有臣)『역의의언(易義擬言)』

包者, 大包小也. 納者, 陽納陰也. 童稚, 蒙騃而包含之, 婦人, 蒙昧而容納之, 居家之吉也. 上九爲父, 九二爲子, 互震長男也. 包蒙, 能爲人之長矣, 納婦, 能爲人之夫矣. 故曰子克家也.

포용은 큰 것이 작은 것을 포용함이다. 맞이함은 양이 음을 맞이함이다. 철부지 어린아이가 몽매하지만 포용해 주고, 부인이 몽매하지만 맞이하니 집안에서의 길함이다. 상구가 아버지가 되고, 구이가 아들이 되고, 호괘인 진괘가 맏아들이 된다. 몽매함을 포용하면 남의 어른이 되고, 부인을 들인 것은 남의 남편이 됨이다. 이 때문에 "자식이 집안을 잘 다스린다"고 하였다.

박문건(朴文健)『주역연의(周易衍義)』

剛中而寬, 故有包蒙之象. 包蒙, 言包容六五之蒙也. 婦亦謂五, 納婦者, 言取妻也. 又迷父而明子, 故有子能其家之象也.

굳세고 알맞아 너그럽다. 이 때문에 몽매한 이를 포용하는 상이 있다. 몽매한 이를 포용함은 육오의 몽매함을 포용함을 말한다. 부인 또한 오효를 이른다. 부인을 들인 것은 아내를 맞이함을 말한다. 또 아버지는 혼미하나 자식은 현명하다. 이 때문에 자식이 그 집안을 다스리는

---

17)『周易·說卦傳』: 艮爲門闕.

상이 있다.
〈問, 包蒙,吉, 納婦, 吉, 皆勉辭歟. 曰, 然.
물었다: 몽매함을 포용하면 길하고, 부인을 들이면 길한 것은 모두 면려하는 말입니까?
답하였다: 그렇습니다.〉

〈○ 問, 克義, 曰, 易之克有二訓, 克家克違之訓能也, 克訟克攻之訓勝也.
물었다: 극(克)의 뜻이 무엇입니까?
답하였다:『주역』에서 극(克)자는 두 가지 풀이가 있는데, '집안을 다스리다'와 '능히 이기다'의 풀이는 능(能)의 뜻이고, '재판을 이기다'와 '이겨서 공격하다'의 풀이는 승(勝)의 뜻입니다.〉

이지연(李止淵)『주역차의(周易箚疑)』

下而初六, 上而六三, 以同體包之者也. 六四雖在上, 卦之下近於三, 亦欲從下者也. 六五乃正應, 故亦爲所包也.
아래의 초육과 위의 육삼은 같은 몸체로써 포용된다. 육사가 비록 위에 있으나 괘의 아래에 있고 삼효와에 가까워, 또한 아래를 따르고자 한다. 육오는 바로 정응이기 때문에 또한 포용해 주는 바가 된다.

김기례(金箕澧)「역요선의강목(易要選義綱目)」

九二, 包蒙, 吉.
구이는 몽매함을 포용함이니 길하다
二爲陰位中虛, 故曰包.
이효는 음의 자리로서 알맞고 텅 비었다. 그러므로 '포용한다'고 하였다.

○ 言以剛中包上下四陰. 〈蓋包容愚民之象.〉
강건하고 알맞음으로 위아래의 네 음을 포용함을 말한다. 〈대체로 어리석은 백성을 포용하는 상이다.〉

納婦吉.
부인을 들이니 길하다.
婦指五. ○ 言容納五蒙而養正.
부인은 오효를 가리킨다. ○ 오효의 몽매함을 포용하고 맞이하여 바름을 길러줌을 말한다.

子克家.
자식이 집안을 잘 다스린다.
二互震, 故曰子, 謂居下而任上事. 五居尊, 故指爲父. 蓋陰從陽, 故指五爲婦. 移孝於忠, 故指二爲子.
이효는 호괘가 진괘이기 때문에 '자식'이라고 하였으니, 아래에 있으면서 윗사람의 일을 맡음을 말한다. 오효는 높은 데 있기 때문에 아버지가 됨을 가리킨다. 대체로 음은 양을 따르기 때문에 오효를 가리켜 부인으로 삼았다. 효도를 충성으로 옮기기 때문에 이효를 가리켜 아들로 삼았다.

심대윤(沈大允) 『주역상의점법(周易象義占法)』

蒙之剝☶☷, 剝變也. 剝變其愚蒙而爲善也. 九二, 以剛居柔, 以學爲主, 而志應于上九. 不恃其才, 而博學无方, 故曰包蒙. 包, 徧包含容也. 乾爲包下, 有初六之附從而納之, 故曰納婦吉, 言能下問也. 初在下爲婦, 能傳上九之道, 故曰子克家. 艮巽爲家, 艮取其居, 巽取其入. 克家, 言能行上九之道也. 上九居高, 有父象, 二居下, 有蠱之體, 故以子克家言之也. 對兌巽爲子, 以言師道, 則徧告无方, 而時有起助之益, 可以傳其道也. 〈對革有乾兌巽.〉
몽괘가 박괘(剝卦☶☷)로 바뀌었으니, 깎아서 변화함이다. 그 어리석고 몽매함을 깍아서 변화시켜 선하게 만들어 준다. 구이는 굳셈으로서 부드러움에 있으니, 배움을 주체로 삼고 뜻이 상구와 호응한다. 그 재능을 믿지 않고 일정한 분야를 두지 않고 널리 배우기 때문에 "몽매함을 포용한다"고 하였다. 포(包)는 두루 포용하여 용납한다는 뜻이니, 건괘가 아래를 포용하는데, 초육이 있어서 그를 맞이하기 때문에 "부인을 들이니 길하다"고 하였으니, 아랫사람에게 물을 수 있음을 말한다. 초효가 아래에 있어 부인이 되어, 상구(上九)의 도를 전해줄 수 있기 때문에 "자식이 집안을 잘 다스린다"고 하였다. 간괘와 손괘가 집이 되는데, 간괘는 그 거처함을 취하였고, 손괘는 그 들어감을 취하였다. '극가(克家)'는 상구의 도를 행함을 말한다. 상구는 높은데 있으니, 아버지의 상이 있다. 이효는 아래에 있으며 고괘(蠱卦)의 몸체가 있기 때문에 자식이 집안을 다스리는 것으로 말하였다. 대괘(對卦)의 태괘와 손괘가 자식이 되는 것으로 스승의 도를 말한다면, 일정한 곳이 없이 두루 알려주어 때때로 도움을 받는 이로움이 있으니, 충분히 도를 전할 수 있다. 〈대괘인 혁괘에 건괘와 태괘와 손괘가 있다.〉

오치기(吳致箕) 「주역경전증해(周易經傳增解)」

九二, 陽剛得中, 主治蒙之任者也. 比柔應柔, 有包蒙之象, 而能發天下之蒙, 以成其功. 故言吉. 統上下群陰, 有納婦之象, 而雖以婦人之柔闇, 亦入於治化. 故言吉. 以其剛中, 應五之尊, 有子克其家幹母蠱之象, 而能任上事治家有功也. 獨不言吉者, 蒙上文也.

구이(九二)는 양의 굳셈이 알맞음을 얻었으니, 몽매함을 다스리는 임무를 주관하는 것이다. 부드러움을 가까이 하고 부드러움과 호응하니, 몽매함을 포용하는 상이 있으며, 천하의 몽매함을 계발시켜 그 일을 이룰 수 있다. 그러므로 '길하다'고 하였다. 위아래의 여러 음효(陰爻)들을 통솔하니, 부인을 들이는 상이 있으며, 비록 부인의 유약함과 어리석음이라도 또한 다스려 교화시키게 된다. 그러므로 '길하다'고 하였다. 그 굳세며 알맞음으로 존귀한 오효와 호응하니, 자식이 집안을 잘 다스리고 어머니의 일도 주관하는 상이 있으며, 윗사람의 일을 맡아 하여 집안을 다스림에 공이 있다. 이것만 길하다고 하지 않는 것은 위의 글을 받아서이다.

包, 謂包容而治之也. 以剛受柔, 故言納婦, 而對體之離, 爲坎之婦也. 納爲入, 而取對體互巽爲入也. 坎爲中男, 故言子, 而克能也. 應體之艮, 爲家之象也.
'포용함[包]'은 포용하여 다스림을 말한다. 굳셈으로 부드러움을 받아들이므로 "부인을 들인다"고 하였는데, 반대의 몸체인 리괘(☲)가 감괘(☵)의 부인이 된다. '들임[納]'은 들어옴이니, 반대 몸체의 호괘인 손괘(巽卦☴)가 들어옴이 된다. 감괘(☵)는 둘째 아들이므로 '자식'이라 하였고, '잘 다스림[克]'은 능히 해냄이다. 호응하는 몸체인 간괘(☶)가 집안의 상이다.

이진상(李震相) 『역학관규(易學管窺)』

九二, 包蒙,
구이는 몽매함을 포용함이니,
已有婦則擇婦, 言亦納也, 未有婦則取婦, 亦納也. 隨其所處而亦有察邇下問之意, 此爻雖取三象, 而主在子克家. 包蒙, 子之德也, 納婦, 子之事也. 諺釋恐誤.
이미 부인이 있으면서 부인을 선택한 것도 또한 들임이고, 아직 부인이 없으면서 부인을 맞이함도 또한 들임이다. 그 처한 상황에 따라서 또한 가까운 사람에게 살펴보고 아랫사람에게 물어보는 뜻을 두어야 한다. 이 효가 비록 세 가지 상을 취했으나, 주체는 자식이 집을 다스린 데에 있다. 몽매한 이를 포용한 것은 자식의 덕이고, 부인을 들인 것은 자식의 일이다. 『언해』의 해석은 아마도 잘못된 듯하다.

채종식(蔡鍾植) 「주역전의동귀해(周易傳義同歸解)」

傳以包容之德, 納婦之善, 濟君之事, 釋之. 本義以包容之象, 納婦之象, 子克家之象, 釋之. 蓋程子之意, 謂二以剛明之才, 當治蒙之任, 必廣其含容, 而雖婦人之柔闇, 當納其所善. 則克濟其君之事, 猶子能治其家也, 蓋以義理而言也. 朱子則以爲九二剛而不過, 爲能有所包容之象, 又以陽受陰, 爲納婦之象, 又居下位而能任上事, 爲子克家之象, 蓋以爻象而言也. 然九陽爻, 爲包容之象, 故其德能含容也. 二陰位, 爲婦象, 故九之包容, 能納婦人之善也. 坎中爻爲子象, 故九之陽明, 克濟其君之事, 如子克家也. 然則程朱之解, 言雖不同, 而義則一也.
「정전」은 포용하는 덕과 부인을 들이는 선과 임금의 일을 다스리는 것으로써 풀이하였고, 「본의」는 포용하는 상과 부인을 들이는 상과 아들이 집을 다스리는 상으로써 풀이하였다. 대체로 정자의 뜻은 이효는 굳세고 현명한 재능을 가져서 몽매한 사람을 다스리는 임무를 담당하면 반드시 그 포용성을 넓힐 수 있어, 비록 유약하고 어두운 부인이라도 당연히 그 선함을 받아들임을 말한다. 그렇다면 그 임금의 일을 다스리는 것은 마치 아들이 그 집을 다스리는 것과 같으니, 의리로써 말한 것이다. 주자는 구이는 굳세지만 지나치지 않아서, 포용하는 상이 있고, 또 양으로써 음을 받으니, 부인을 들이는 상이 되며, 또 아래 자리에 있어 윗사람의 일을 맡으니, 아들이 집을 다스리는 상이 되니, 효의 상으로 말한 것이다. 그러나 구는 양의 효이니 포용의 상이 되기 때문에 그 덕이 능히 포용할 수 있다. 이효는 음의 자리이니, 부인의 상이 되기 때문에 구[陽]의 포용력이 부인의 선을 들일 수 있다. 감괘의 중효(中爻)가 자식의 상이 되기 때문에 구(九)인 양(陽)의 현명함이 능히 그 임금의 일을 다스릴 수 있으니, 마치 자식이 집을 다스리는 것과 같다. 그렇다면 정자와 주자의 해석은 그 말이 비록 똑같지는 않으나 그 뜻은 하나이다.

박문호(朴文鎬) 「경설(經說)·주역(周易)」

淸問下民, 取人爲善也, 也字不必深泥, 此是二件事也. 非以取人爲善一句, 爲淸問下民之註脚也.
"백성에게 허심탄회하게 묻고, 다른 사람에게서 취하여 선을 행하셨다"에서 '야(也)'자에는 얽매일 필요가 없으니, 이는 두 가지의 일이다. "다른 사람에게서 취하여 선을 행하셨다"로 "백성에게 허심탄회하게 묻는다"를 주석한 것은 아니다.

이용구(李容九) 『역주선해(易註選解)』

九二, 納婦, 吉, 堯舜之淸問下民, 取人爲善.
"구이는 부인을 들이니 길하다"는 요순(堯舜)께서 백성에게 허심탄회하게 묻고 다른 사람에게서 취하여 선을 행하심이다.

이병헌(李炳憲)『역경금문고통론(易經今文考通論)』

九二, 彪蒙, 吉, 納婦, 吉, 子克家. 〈彪古文作包, 仍從京鄭陸 及唐一行本.〉

구이(九二)는 몽매함을 밝힘이니[彪蒙] 길하고, 부인을 들이니 길하며, 자식이 집안을 잘 다스린다. 〈'밝히다[彪]'는 고문에 '포용하다[包]'로 되어있는데, 경방[18] · 정현[19] · 육덕명[20] 및 당나라 일행[21]의 판본을 그대로 따랐다.〉

---

18) 경방(京房: BC77-BC37): 중국 전한(前漢) 때의 사상가로, 맹희(孟喜)의 문인 초연수(焦延壽)에게『주역』을 배웠고, 금문경씨역학(今文京氏易學)을 개창하였다.

19) 정현(鄭玄: 127-200): 중국 후한(後漢) 말기의 대표적 유학자. 시종 재야(在野)학자로 지냈다. 훈고학 · 경학의 시조로, 경학의 금문(今文)과 고문(古文) 외에 천문(天文) · 역수(曆數)에 이르기까지 광범한 학문의 소유자였다.

20) 육덕명(陸德明: 550?-630): 당나라 소주(蘇州) 오현(吳縣) 사람으로 현리(玄理)를 잘 말했고, 경학(經學)에 밝았다.

21) 일행(一行: 683-727): 중국 당나라 때의 밀교 승려로, 어려서부터 총명하여 경사(經史)와 역상(歷象), 음양오행의 학문에 정통하였다. 724년에 역법 개편작업을 시작하여 역법에 형이상학을 결부시킨『대연력(大衍曆)』(52권)을 완성시켰다.

象曰, 子克家, 剛柔接也.

「상전」에서 말하였다: "자식이 집안을 잘 다스림"은 굳셈과 부드러움이 만나서이다.

中國大全

傳

子而克治其家者, 父之信任專也. 二能主蒙之功者, 五之信任專也. 二與五剛柔之情相接, 故得行其剛中之道, 成發蒙之功. 茍非上下之情相接, 則二雖剛中, 安能尸其事乎.

자식이 집안을 잘 다스릴 수 있는 것은 아버지의 신임이 전일하기 때문이고, 이효가 계몽의 공을 맡은 것은 오효의 신임이 전일하기 때문이다. 이효와 오효의 굳세고 부드러운 감정이 서로 만났으므로 강건하고 알맞은 도를 행하여 '몽매함을 계발하는' 공을 이룬다. 진실로 상하의 뜻이 서로 만나지 않으면, 구이가 비록 강건하고 알맞더라도 어찌 그 일을 주관할 수 있겠는가?

本義

指二五之應.

구이와 육오가 호응함을 가리킨다.

小註

進齋徐氏曰, 使蒙者與發蒙者之情一不相接, 雖有善教, 無從入也.
진재서씨가 말하였다: 가령 몽매한 사람과 몽매함을 계발해 주는 사람의 감정이 하나라도 서로 이어지지 않는다면, 비록 선한 가르침이 있다고 하더라도 받아들여 질 수 없을 것이다.

○ 雲峯胡氏曰, 剛柔有上下之分, 故屯二之於初惡其乘. 剛柔有往來之情, 故蒙二之於五喜其接.
운봉호씨가 말하였다: 굳셈과 부드러움에는 위아래의 구분이 있기 때문에, 준괘의 이효가 초효에 대해서 음이 양을 타고 있는 것을 싫어한다. 굳셈과 부드러움에는 왕래의 감정이 있기 때문에, 몽괘의 이효가 오효에 대해서 그것이 접근하는 것을 좋아한다.

‖ 韓國大全 ‖

송시열(宋時烈)『역설(易說)』

象之剛柔接者, 二之剛與五之柔相接也.
「상전」에서 "굳셈과 부드러움이 만나서이다"는 이효의 굳셈과 오효의 부드러움이 서로 만나는 것이다.

김상악(金相岳)『산천역설(山天易說)』

二之剛, 五之柔, 爻之交接也, 故得行其剛中之道, 以成發蒙之功也.
이효의 굳셈과 오효의 부드러움은 그 효가 서로 만남이기 때문에, 굳세고 알맞은 도를 행하여 몽매한 사람을 계발해 주는 공을 이룰 수 있다.

○ 屯象曰, 剛柔始交, 故此曰, 剛柔接也. 坎四, 解初曰, 剛柔之際, 皆在坎體也.
준괘의 「단전」에서 "굳셈과 부드러움이 처음 사귀어"라고 했기 때문에 여기에서 "굳셈과 부드러움이 만난다"고 하였다. 감괘의 사효와 해괘의 초효에서 "굳셈과 부드러움이 서로 만난다"라고 한 것이 모두 감의 몸체에 있기 때문이다.

박윤원(朴胤源)『경의(經義)·역경차략(易經箚略)·역계차의(易繫箚疑)』

九二, 子克家.
구이는 자식이 집안을 잘 다스린다.

○ 九二, 言包蒙, 納婦, 吉, 子克家三事, 而象傳只擧子克家一事者, 何也. 蓋蒙之爲卦, 專取二五之相應, 故特言之.
구이는 몽매한 이를 포용하고 부인을 맞이하면 길하고 자식이 집안을 잘 다스리는 세 가지 일을 말하였는데, 「상전」에서는 단지 "자식이 집안을 잘 다스린다"는 하나의 일만 들어 거론한 것은 어째서인가? 대체로 몽의 괘는 전적으로 이효와 오효가 서로 호응함을 취하였기 때문에 특별히 말했을 뿐이다.

서유신(徐有臣) 『역의의언(易義擬言)』

子克家者, 包納之謂也, 剛柔接者, 包納之象也.
아들이 집안을 잘 다스림은 포용하고 맞이함을 이르고, 굳셈과 부드러움이 만남은 포용하고 맞이하는 상이다.

박문건(朴文健) 『주역연의(周易衍義)』

二五志應, 故曰接, 接言相承也.
이효와 오효의 뜻이 호응하기 때문에 '만난다'고 하였으니, 만남은 '서로 받든다'는 뜻이다.

김기례(金箕澧) 「역요선의강목(易要選義綱目)」

剛柔接也.
굳셈과 부드러움이 만나서이다.
剛指二, 柔指五, 言君臣相資而扶持.
굳셈은 이효를 가리키고, 부드러움은 오효를 가리키니, 임금과 신하가 서로 의지하여 유지함을 말한다.

심대윤(沈大允) 『주역상의점법(周易象義占法)』

接近而相接也, 言接初也. 二傳上九之道, 以止行于下, 如子傳父道, 以爲其家也.
가까이 접하여 서로 만나니, 초효를 만남을 말한다. 「상전」과 「정전」에서 상구의 도는 멈춤으로써 아래에서 행하니, 마치 아들이 아버지 도를 이어가며 그 집을 다스림과 같다.

오치기(吳致箕) 「주역경전증해(周易經傳增解)」

以剛應柔, 故曰接也, 此擧下句而包上二句也.

굳셈으로 부드러움에 호응하므로 '만난다'고 하였는데, 여기서는 뒤의 구절을 들어 앞의 두 구절을 포함시켰다.

이병헌(李炳憲) 『역경금문고통론(易經今文考通論)』

鄭曰, 彪文也.
정현(鄭玄)이 말하였다: 밝히다[彪]는 문채를 냄이다.

姚曰, 婦謂五也.
요신(姚信)[22]이 말하였다: 부인은 오효(五爻)를 이른다.

正義曰, 克家, 克幹家事也.
『주역정의』에서 말하였다: 집안을 잘 다스림은 집안일을 맡아 하는 것이다.

22) 요신(姚信: ?-?): 삼국시대 오나라 무강(武康) 사람으로, 벼슬은 태상경(太常卿)에 이르렀고, 천문과 역학에 정통하였다. 저서로 『주역주(周易注)』가 있다.

六三, 勿用取女, 見金夫不有躬, 无攸利.

육삼은 여자를 맞이하지 말 것이니, 돈이 많은 사내를 보고 몸을 지키지 못하니, 이로울 것이 없다.

中國大全

傳

三以陰柔處蒙闇, 不中不正, 女之妄動者也. 正應在上, 不能遠從, 近見九二爲群蒙所歸, 得時之盛, 故捨其正應而從之, 是女之見金夫也. 女之從人, 當由正禮, 乃見人之多金, 說而從之, 不能保有其身者也, 无所往而利矣.

육삼은 유약한 음으로서 우매함에 있어 알맞지도 않고 바르지도 않으니, 여자가 함부로 움직이는 것이다. 정응(正應)이 위에 있으나 멀어서 따르지를 못하고, 가까이 있는 구이가 여러 몽매한 사람들이 따르는 것이 되어 때의 성함을 얻는 것을 보았다. 그러므로 그 정응을 버리고 구이를 따르니, 여자가 돈이 많은 사내를 본 것이다. 여자가 사람을 따르는 것을 마땅히 바른 예로 행하여야 하는데도, 돈이 많은 사람을 보고 기꺼이 따라서 그 몸을 보존하지 못하니, 가서 이로울 것이 없는 것이다.

本義

六三陰柔, 不中不正, 女之見金夫而不能有其身之象也. 占者遇之, 則其取女必得如是之人, 无所利矣. 金夫, 蓋以金賂己而挑之, 若魯秋胡之爲者.

육삼은 유약한 음으로 알맞지도 않고 바르지도 않으니, 여자가 돈이 많은 사내를 보고 그 몸을 지키지 못하는 상이다. 점치는 사람이 이 효를 만나면 여자를 취함에 반드시 이와 같은 사람을 얻을 것이니, 이로울 것이 없다. '돈이 많은 사내'는 돈을 자기에게 주면서 유혹하니, 노나라 추호(秋胡)의 행위와 같은 것이다.

小註

朱子曰, 六三說勿用取女者, 大率陰爻又不中不正, 合是一般无主宰底女人. 金夫, 不必解做剛夫.

주자가 말하였다: 육삼에서 "여자를 맞이하지 말라"고 한 것은 대체로 육삼은 음효이며, 또 중(中)도 아니고 정(正)도 아니라서 모두 줏대 없는 여인과 같기 때문이다. '금부(金夫)'를 굳이 '강철 같은 사내[剛夫]'로 풀이할 필요는 없다.

○ 雲峯胡氏曰, 諸爻皆說蒙, 此爻別發一義. 昧其所適, 見利忘身, 蒙不足以盡之. 女一失身且如此. 士而失身於所從, 用之何利焉.
운봉호씨가 말하였다: 여러 효가 모두 몽매함에 대해서 말하고 있는데, 이 효는 별도로 하나의 의미를 밝히고 있다. 갈 곳을 모르고, 이익을 보고 자신을 잊어버리니, 몽매함이 그것을 다하기에 부족하다. 여자가 한 번 절개를 지키지 못함이 또한 이와 같으니, 사내로서 따르는 것에 지조를 잃는다면 그를 써서 무슨 이익이 있겠는가?

○ 隆山李氏曰, 屯之六二近初九之陽, 而正應在五, 然震之性動而趨上, 舍初而歸五, 故曰女子貞不字, 十年乃字. 此女子之屯者也. 蒙之六三近九二之陽, 而正應在上, 然坎之性陷而趨下, 舍上而從二, 故曰勿用取女, 見金夫, 不有躬. 此女子之蒙者也.
융산이씨가 말하였다: 준괘의 육이가 양인 초구에 가까이 있고, 정응(正應)은 오효에 있다. 그러나 진괘의 특징은 움직이면서 위로 나아가니, 초효를 버리고 오효로 돌아가기 때문에, "여자가 정조를 지켜 시집가지 않다가 십년이 되어서야 시집간다"라고 하였다. 몽괘의 육이는 양인 구이에 가까이 있고, 정응은 육효에 있다. 그러나 감괘의 특징은 들어가서 아래로 내려가니, 상효를 버리고 이효를 따르기 때문에, "여자를 아내로 맞이하지 말 것이니, 돈 많은 사내를 보고 몸을 지키지 못한다"라고 말한 것이다. 이것은 여자의 몽매함이다.

韓國大全

송시열(宋時烈)『역설(易說)』

六三, 當與上九爲應, 而與九二昵比而處. 坎得乾中爻, 乾爲金. 三爻見二爻之剛多乾金, 不有其身, 而迷昧從之. 女行不須, 勿用取之, 何利之有.
육삼은, 상구와 호응해야 하는데, 구이와 친밀하게 가까이 하여 붙어있다. 감괘(☵)는 건괘(☰)의 가운데 효를 얻었으니, 건(乾)은 돈[金]이 된다. 삼효가 이효의 굳셈에서 건괘의 돈

많음을 보고는 몸을 지키지 못하고 미혹되어 따라간다. 여자가 하지 말아야 할 일을 행한다면 맞이하지 말아야 할 것이니, 무슨 이로움이 있겠는가?

김만영(金萬英) 「역상소결(易象小訣)」

六三, 取女金夫. 六三變則爲巽, 巽爲長女也, 有取女之象. 巽之反爲兌, 兌金也, 而九二爲陽, 故有金夫之象也.
육삼의 '여자를 맞이함[取女]'과 '돈이 많은 사내[金夫]'는, 육삼이 변하면 손괘(☴)가 되고 손괘는 맏딸이기에 여자를 맞이하는 상이 있다. 손괘가 거꾸로 되면 태괘(☱)가 되는데, 태괘는 돈[金]이고 구이가 양(陽)이므로, 돈이 많은 사내의 상이 있는 것이다.

심조(沈潮) 「역상차론(易象箚論)」

六三, 取女, 金夫, 躬.
육삼, '여자를 맞이함[取女]', '강철 같은 사내[金夫]',[23] '몸[躬]'.

取字從耳者, 坎爲耳也, 又陰爻有兩耳象. 金取剛也. 躬字從弓者, 坎爲弓也.
'취(取)'자는 귀[耳]에서 온 것으로 감괘(☵)가 귀가 되고, 또한 음효(陰爻)에는 두 귀의 상이 있다. '강철 같은[金]'은 굳셈을 취한 것이다. '궁(躬)'자는 활[弓]에서 온 것으로 감괘(☵)가 활이 된다.

유정원(柳正源) 『역해참고(易解參攷)』

正義, 童蒙之世, 陰求於陽, 是女求男也. 見金夫者, 爲上九以其剛陽. 故稱金夫. 此六三之女, 自往求見金夫, 不能自保其躬. 非禮而動, 若欲取之, 无所利益.
『주역정의』에서 말하였다: 몽매한 세상에서는 음(陰)이 양(陽)에게 구하니, 여자가 사내를 찾는 것이다. '강철 같은 사내를 본다[見金夫]'는 것은 상구(上九)가 굳센 양을 쓰기 때문이다. 그러므로 강철 같은 사내라고 하였다. 이는 육삼(六三)의 여자가 스스로 나아가 강철 같은 사내를 찾아냄이니, 스스로 그 몸을 지킬 수 없을 것이다. 예(禮)에 맞지 않게 움직였으니, 만약 이를 취한다면 이로움이 없을 것이다.

---

23) 심조의 주석을 따르면, '금부(金夫)'는 '강철 같은 사내'로 번역되어야 한다.

○ 白雲蘭氏曰, 凡易之言金, 皆取陽爻九. 乾之策, 乾爲金也.
백운난씨가 말하였다: 대체로 『주역』에서 말하는 '쇠[金]'는 모두 양효(陽爻)인 구(九)를 취한 것이다. 건(乾)의 책수로 건(乾)은 쇠가 된다.

○ 白雲郭氏曰, 易於有應言婦, 无應言女, 三舍正應, 稱女, 可也
백운곽씨가 말하였다: 『주역』에서는 호응이 있을 때는 부인이라 하고, 호응이 없을 때는 여자라고 하는데, 삼효(三爻)는 정응(正應)을 저버렸으니, 여자라고 하는 것도 문제없다.

○ 梁山來氏曰, 變巽, 女之象也.
양산래씨가 말하였다: 변한 손괘(☴)가 여자의 상이다.

○ 案, 九二, 爲群蒙之主, 而謂之金夫, 何也. 蓋三之正應在上, 而不能遠從, 近見九二得時之盛, 舍其正應而從之, 是三之所說者, 不在九二之德之如何, 而所見者, 九二之金多也.
내가 살펴보았다: 구이는 여러 몽매한 이들의 주인인데, 돈이 많은 사내라 한 것은 어째서인가? 대체로 삼효의 정응(正應)이 위에 있지만 멀고 따라갈 수 없는데, 가까이 좋은 때를 만난 구이를 보고는 정응을 버리고 이를 따른 것이니, 삼효가 좋아한 것은 구이의 덕이 어떠하냐에 있지 않고 본 것은 구이의 돈이 많음이다.

本義, 秋胡.
『본의』의 추호(秋胡)에 대하여.
〈列子, 秋胡子, 納婦五日而官於陳. 後歸, 見路傍美婦採桑, 胡下車曰, 力田不如逢年, 力桑不如見郎. 今吾有金, 願與婦人, 婦人不受. 胡歸, 母呼其婦, 乃採桑者也. 數胡之罪, 投於河.
『열자』에서 말하였다: 추호자(秋胡子)는 부인을 들인지 5일 만에 진(陳)나라에 가서 벼슬하였다. 뒤에 돌아오다가 길가에서 미모의 부인이 뽕잎을 따고 있는 것을 보고 추호가 수레에서 내려서 "농사에 힘쓰는 것은 풍년을 만나는 것만 못하고, 누에치기에 힘쓰는 것은 남자를 만나는 것만 못합니다. 이제 내가 돈이 있어 부인께 주고 싶습니다"라 하였는데, 부인이 받지 않았다. 추호가 돌아옴에 어머니가 며느리를 부르는데, 바로 뽕잎을 따던 이였다. 부인은 추호의 죄를 꾸짖고 강물에 몸을 던졌다.〉

김상악(金相岳) 『산천역설(山天易說)』

六三, 柔不中正, 女之蒙暗无知, 不可取者也. 以坎遇艮, 上之應止而不交, 二之比動而相交. 故舍其正應而從比, 是見金夫而不有躬也. 取女而得如是之女, 无所利也, 與納婦吉相反.

육삼은 유약하면서 중정하지 않으니, 여자 중에 몽매하고 무지하여 맞이할 수 없는 자이다. 감괘(☵)로 간괘(☶)를 만남에 상구와 호응이 그쳐 사귀지 않으니, 이효가 가까이서 움직여 서로 사귄다. 그러므로 정응을 버리고 가까움을 따르니, 돈이 많은 사내를 보고 몸을 지키지 못하는 것이다. 여자를 맞이하지만 이와 같은 여자를 얻으면 이로울 것이 없으니, "부인을 들이니 길하다"는 것과는 상반된다.

○ 勿用取者, 艮之止也, 戒上九也. 屯之二則女之不字也, 蒙之三則男之不取也. 三有正應而反欲從比, 二三其德. 卽再三瀆也, 勿用取, 亦不可告者也. 姤則柔之遇剛, 女之壯, 故勿用取女同象. 咸則艮之遇兌, 男下女, 故取女吉相反. 所以漸之三曰, 夫征, 不復, 婦孕, 不育, 失女歸吉之義也.

"맞이하지 말라"는 것은 간괘(艮卦)의 그침이고 상구(上九)에게 경계한 것이다. 준괘(屯卦)의 이효(二爻)는 여자가 시집가지 않음[24]이고, 몽괘(蒙卦)의 삼효(三爻)는 남자가 맞이하지 못함이다. 삼효는 정응(正應)이 있는데도 도리어 가까운 것을 따르고 싶어서 자신의 덕을 둘로 하고 셋으로 한다. 곧 두세 차례 더럽힘이니, "맞이하지 말라"는 말마저도 할 수 없는 경우이다. 구괘(䷫)는 부드러움이 굳셈을 만난 것으로,[25] 여자의 씩씩함이다. 그러므로 여자를 맞이하지 말라는 것[26]이니 상이 동일하다. 함괘(䷞)는 간괘(☶)가 태괘(☱)를 만난 것으로 남자가 여자의 아래에 있다. 그러므로 여자를 맞이하면 길하다는 것[27]이니 서로 반대된다. 때문에 점괘(䷴)의 삼효에서 "남편이 가면 돌아오지 못하고, 부인이 잉태(孕胎)해도 생육하지 못한다"[28]고 한 것은 "여자가 시집가면 길하다"[29]는 뜻을 상실한 것이다.

坎水生於金, 二又陽爻, 金夫之象. 二之剛中, 非以金賂己者, 而三自見利失身, 所以无所利也. 躬者, 艮之象也, 此曰不有躬, 故蹇之大象曰, 反身修德. 蓋三變爲蠱, 蠱者,

24) 『周易 · 屯卦』: 六二, 屯如邅如, 乘馬班如, 匪寇, 婚媾, 女子貞, 不字, 十年, 乃字.
25) 『周易 · 姤卦』: 彖曰, 姤, 遇也, 柔遇剛也.
26) 『周易 · 姤卦』: 姤, 女壯, 勿用取女.
27) 『周易 · 咸卦 · 程傳』: 柔上而剛下, 二氣感應以相與, 止而說, 男下女. 是以亨利貞, 取女吉也.
28) 『周易 · 漸卦』: 九三, 鴻漸于陸, 夫征不復, 婦孕不育, 凶, 利禦寇.
29) 『周易 · 漸卦』: 漸, 女歸吉, 利貞. (漸卦의 彖辭)

女惑男之卦. 故全爻之象如此, 无攸利, 與恒初六[30]歸妹上六同.
감괘(☵)는 수(水)로 금(金)에서 생기고, 이효는 또 양효(陽爻)이니 돈이 많은 사내의 상이다. 이효는 굳세며 알맞아 뇌물을 주는 자가 아니지만, 삼효 스스로가 이로움을 보고 몸을 그르치니, 이로울 바가 없는 것이다. 몸은 간괘(☶)의 상으로, 여기서는 "몸을 지키지 못했다"고 하였으므로 건괘(䷦)의 「대상전」에서는 "몸에 돌이켜 덕을 닦는다"[31]고 하였다. 삼효가 변하면 고괘(䷑)가 되는데, 고괘는 여자가 사내를 유혹하는 괘이다.[32] 그러므로 효 전체의 상이 이와 같은 것이며, 이로울 것이 없음은 항괘(䷟)의 초육(初六)[33]이나 귀매괘(䷵)의 상육(上六)[34]과 같다.

박윤원(朴胤源) 『경의(經義) · 역경차락(易經箚略) · 역계차의(易繫箚疑)』

六三, 見金夫.
육삼은 돈이 많은 사내를 본다.

○ 唐人詩曰, 大堤諸女兒, 憐錢不憐德, 卽六三之見金夫, 是也. 士君子立身一敗, 萬事瓦裂, 是不有躬, 無攸利者也, 豈不深可羞哉.
당(唐)나라 사람의 시에서 "대제(大堤)[35]의 많은 여인들이 돈을 좋아하고 덕을 좋아하지 않는다"[36]고 하니, 바로 육삼(六三)의 "돈이 많은 사내를 본다"는 것이 이것이다. 선비가 입신(立身)에 한번 실패하여 만사(萬事)가 무너지는 것이 바로 몸을 지키지 못함으로 이로울 것이 없는 것이니, 어찌 크게 부끄럽지 않겠는가?

서유신(徐有臣) 『역의의언(易義擬言)』

六三, 蒙昏不正之女也. 勿用取女者, 不爲人之所取也. 比應於陽剛, 而不能資之發蒙, 乃視之, 爲多金之夫. 徒自失身, 而金不可得, 故无攸利也. 陽富, 故謂之金夫也.
육삼은 어리석고 바르지 못한 여자이다. "여자를 맞이하지 말라"는 것은 사람들이 취할 바가 아니기 때문이다. 가까이 양의 굳셈에 호응하지만 이를 의지하여 몽매함을 계발하지 못하

---

30) 원문에 초구(初九)로 되어 있는 것을 초육(初六)으로 바로 잡음.
31) 『周易 · 乾卦』: 象曰, 山上有水蹇, 君子以, 反身脩德.
32) 『周易 · 蠱卦 · 程傳』: 左氏傳云, 風落山, 女惑男, 以長女下於少男, 亂其情也.
33) 『周易 · 恒卦』: 初六, 浚恒. 貞, 凶, 无攸利.
34) 『周易 · 歸妹卦』: 上六, 女承筐无實, 士刲羊无血, 无攸利.
35) 대제(大堤): 중국 양양(襄陽) 부근에 있는 색향(色鄕).
36) 『御定全唐詩 · 襄陽行』: …. 大堤諸女兒, 憐錢不憐德.

고, 그저 바라보며 돈이 많은 사내라고 여긴다. 스스로 몸만 그르치고 돈을 얻지 못하므로 이로울 것이 없는 것이다. 양(陽)은 부유하므로 '돈이 많은 사내'라 하였다.

김귀주(金龜柱) 『주역차록(周易箚錄)』

六三, 勿用取女, 云云.
육삼은 여자를 맞이하지 말 것이니, 운운.

○ 按, 屯六二之不從寇難, 久而反常者, 中正故也, 蒙六三之捨其正應, 而反悅金夫者, 不中正故也. 且前爻之納婦吉, 喜其以中正相接也, 此爻之勿用娶女, 惡其不中正也, 易道之貴中正如此.
내가 살펴보았다: 준괘(屯卦)의 육이가 재난에 휩쓸리지 않고 오랜 뒤에 상도(常道)로 돌아오는 것[37]은 중정(中正)하기 때문이고, 몽괘(蒙卦)의 육삼이 자신의 정응(正應)을 버리고 도리어 돈이 많은 사내와 즐기는 것은 중정하지 않기 때문이다. 또 앞 효(爻)의 "부인을 들이니 길하다"는 중정으로 서로 만남을 좋아함이고, 이 효의 "여자를 맞이하지 말라"는 중정하지 않음을 싫어함이니, 『주역』의 도(道)는 이처럼 중정을 귀하게 여긴다.

강엄(康儼) 『주역(周易)』

本義, 魯秋胡.
『본의』의 노나라 추호(秋胡)에 대해.

說苑魯秋胡, 納妻五日, 官于陳. 後歸, 見路傍有美婦採桑, 秋胡下車曰, 力田不如逢豊年, 採桑不如見貴郞. 我有黃金, 願與子, 婦不受. 胡歸, 其母呼婦, 至乃採桑者也. 婦因數胡曰, 見色棄金而忘其母, 大不孝, 自縊而死.
『설원』[38]에서 말하였다: 노나라 추호는 아내를 맞이한 지 5일 만에 진(陳)나라에 가서 벼슬하였다. 후에 돌아오다가 길가에서 뽕잎을 따고 있는 미모의 부인을 보고, 추호가 수레에서 내려서 "농사에 힘쓰는 것은 풍년을 만나는 것만 못하고, 누에를 치는 것은 귀한 남자를 만나는 것만 못합니다. 내가 돈이 있어 부인께 주고 싶습니다"라 하였는데, 부인이 받지 않았다. 추호가 돌아옴에 어머니가 며느리를 부르니 바로 뽕잎을 따던 이였다. 부인이 이 일로

---

37) 『周易 · 屯卦』: 六二, 屯如邅如, 乘馬班如, 匪寇, 婚媾, 女子貞, 不字, 十年, 乃字.
38) 『설원』: 중국 한(漢)나라 때 유향(劉向)이 편찬한 책으로 교훈적인 설화집이다. 고대의 제후(諸侯), 선현들의 업적이나 일화 등을 수록한 것이다. 군도(君道), 신술(臣術) 등 20편으로 구성되었고, 모두 20권이다.

추호를 꾸짖어 "여색을 보고는 돈을 버리고 어머니를 잊었으니 아주 불효합니다"라고 하고 목매달아 죽었다.

박문건(朴文健) 『주역연의(周易衍義)』

懼而失禮, 故有勿取之象, 勿用取者, 據上九而言也. 金剛物, 九二陽之剛者也. 故曰金夫, 金夫, 剛夫之喩也.
두려워서 예절을 잃었기 때문에 맞이하지 말아야 하는 상이 있으니, "맞이하지 말라"는 것은 상구(上九)에 근거하여 말한 것이다. 강철[金]은 굳센 물건이고, 구이(九二)는 양으로서 굳센 것이다. 그러므로 '강철 같은 사내'라 하였으니, '강철 같은 사내'는 굳센 사내에 대한 비유이다.
〈問, 見金夫, 不有躬, 无攸利. 曰, 六三, 見九二之剛, 而懼其逼己, 故不能保有其躬, 无所利而行者也, 此上九所以勿取也.
물었다: "강철 같은 사내를 보고 몸을 지키지 못하니, 이로울 것이 없다"는 무슨 뜻입니까? 답하였다: 육삼이 구이의 굳셈을 보고 자신을 핍박할까 두려워합니다. 그러므로 그 몸을 보존할 수 없고, 이로울 것이 없는데도 그대로 행하는 것이니, 이것이 상구가 맞이하지 말아야 하는 까닭입니다.〉

이지연(李止淵) 『주역차의(周易箚疑)』

勿用取女, 戒占者, 非指九二也.
"여자를 맞이하지 말라"는 점치는 자를 경계한 것이지, 구이(九二)를 가리킨 것이 아니다.

隨之六二, 繫小子而失丈夫, 大過之九二, 以老夫而得女妻, 陰之從陽, 每以近者爲狎. 六三之不有躬, 非獨女子之罪, 乃上九之過也. 女子遠之則怨, 上九以過剛擊蒙之姿, 不能順禦, 而使正應之陰, 置於九二之傍, 此何異於家主在外, 而使其不正之妻, 與他人同室乎. 然而不亂者, 未之有也, 此不能閑有家者也.
수괘(隨卦)의 육이는 어린 사내에게 연루되어 남편[丈夫]를 잃었고,[39] 대과괘(大過卦)의 구이는 늙은 사내가 젊은 아내를 얻음이니,[40] 음이 양을 따를 때는 항상 가까운 것을 친하게 여긴다. 육삼이 몸을 지키지 못한 것은 그녀 혼자만의 잘못이 아니라, 상구의 과실이다. 여자는 멀리하면 원망하는데, 상구는 지나친 굳셈으로 몽매함을 일깨우는 모습이고, 순하게

39) 『周易 · 隨卦』: 六二, 係小子, 失丈夫.
40) 『周易 · 大過卦』: 九二, 枯楊生稊, 老夫得其女妻, 无不利.

제어할 수 없으면서 정응의 음을 구이의 곁에 방치하였으니, 이것이 어찌 가장이 밖에 있어 부정한 아내가 다른 사내와 동침하게 한 것과 다르겠는가? 이러고도 문란치 않은 경우는 없으니, 이는 집안을 방비할 수 없는 것이다.[41]

김기례(金箕澧)「역요선의강목(易要選義綱目)」

三以蒙陰居剛, 如妄動之女. 故曰勿取.

삼효는 몽매한 음이 굳센 자리에 있는 것이니, 경거망동하는 여자와 같다. 그러므로 "맞이하지 말라"고 하였다.

○ 金夫, 謂剛夫, 指二. 金生水, 故曰金夫. 三當應上, 而坎性陷, 故溺近於二, 則可謂妄矣.

'강철 같은 사내[金夫]'는 굳센 사내를 말하는 것으로 이효를 가리킨다. 쇠[金]가 물[水]을 낳으므로 '강철 같은 사내'라고 하였다. 삼효는 상효와 호응하여야 하지만, 감괘(坎卦)는 빠짐을 특성으로 하므로 빠져서 이효를 가까이 하니, 망령되다고 할 것이다.

○ 諸爻皆云蒙, 而三獨指謂女者, 斥不正之應也, 士之去就, 可鑑於此.

여러 효에서 모두 '몽매함'을 말하였으나, 삼효에서 유독 여자라고 가리켜 말한 것은 올바르지 못한 호응을 배척함이니, 선비의 거취는 이것을 거울삼아야 한다.

심대윤(沈大允)『주역상의점법(周易象義占法)』

蒙之蠱䷑, 多事也. 六三之時, 其地位已高, 而遠上而居剛, 思而不學者也. 蓋有所主而不從於學也, 如侯牧之專治其邑, 而不求乎外. 故曰勿用取女, 言三之不求學, 而師亦不敎之, 如女不肯嫁而男亦不取也. 三乘二之剛, 不能自用, 而下從之, 蓋心有所欲, 而不能自克, 爲其所蔽, 而疑惑不定也. 故曰見金夫, 不有躬. 金夫言二之剛也. 坎爲夫, 坎互艮爲躬, 言不從于上也.

몽괘가 고괘(蠱卦䷑)로 바뀌었으니, 일이 많은 것이다. 육삼의 때는 그 지위가 이미 높고 상효와 멀지만 굳센 자리에 있으니, 생각만 하고 배우지 않는 것이다. 대체로 주재하는 바가 있지만 배움에 종사하지 않는 것이니, 마치 제후(諸侯)나 목사(牧使)가 자신의 고을을 전적으로 다스리면서도 외부에서 구하지 않는 것과 같다. 그러므로 "여자를 맞이하지 말라"고 하였으

---

41)『周易 · 家人卦』: 初九, 閑有家, 悔亡.

니, 삼효가 배움을 구하지도 않고 스승이 또한 가르치지 않는 것이 여자가 시집가려 하지 않고 남자도 맞이하지 않는 것과 같다고 말한 것이다. 삼효가 이효의 굳셈을 올라타서 스스로는 쓰일 수 없고 아래로 따라가니, 대체로 마음에 하고자 하는 바가 있어도 스스로 다스릴 수 없고 그것에 가린 바가 되어 의혹되고 안정하지 못한다. 그러므로 “강철 같은 사내를 보고 몸을 지키지 못한다”고 하였는데, ‘강철 같은 사내’는 이효의 굳셈을 말한다. 감괘(☵)는 사내가 되고, 감괘와 엇걸린 간괘(☶)가 몸이 되니, 상효(上爻)를 따르지 않음을 말한다.

三以才柔, 思而不學. 多思煩亂而无所得, 有蠱多事之義. 子曰, 學而不思則罔, 思而不學則殆. 惑而不從師說, 蒙无可解之道. 故獨不言蒙也, 以言師道, 則以其所明教人, 而不以其所疑而不通, 强教之也. 蒙兼師生之道. 故利用刑人, 勿用取女, 皆主師而言也. 〈六三, 雖未及於遠大, 而能通於近小者也, 師教有疑而未達, 不輒從之, 而退而尋思, 蓋中有所自將者也. 凡每卦三爻, 事之嶺也, 過此則乃得平行而順成也.〉

삼효는 재질이 부드러우니 생각만 하고 배우지 않는다. 생각이 많고 번잡하여 얻는 바가 없으니, 고괘(蠱卦)의 일이 많다는 의미가 있다. 공자가 “배우고 생각하지 않으면 어둡고, 생각하고 배우지 않으면 위태하다”[42]고 하였는데, 의혹되면서도 스승의 말씀을 따르지 않으니 몽매함은 해결할 방법이 없다. 그러므로 유독 몽매함을 말하지 않았으니, 이것으로 스승의 도를 말한다면 분명한 것으로 사람을 가르치지, 의심되고 알지 못하는 것으로 억지로 가르치지 않는다. 몽괘(蒙卦)는 스승과 제자의 도를 겸하고 있다. 그러므로 “사람에게 형벌을 씀이 이롭다”와 “여자를 맞이하지 말라”는 것은 모두 스승을 위주로 말한 것이다. 〈육삼은 비록 원대함에는 미치지 못하지만 근소함에는 통할 수 있는데, 스승의 가르침에 의심나고 알지 못하는 것이 있어도 매번 따르지 않고 돌아와 생각만 하니, 대체로 심중에 스스로 지닌 바가 있는 것이다. 모든 괘의 삼효는 일이 험한 곳이니, 이것을 지나면 평탄하게 나가고 순조롭게 이룰 수 있다.〉

오치기(吳致箕) 「주역경전증해(周易經傳增解)」

六三陰柔, 不中不正, 雖切比於九二治蒙之主, 而以其不得中正, 故未能求治, 而乃上應不正之陽, 先動而求男, 有見金夫不有躬之象. 故先言勿用取女, 終言无攸利, 戒其蒙之甚也.

육삼은 부드러운 음(陰)이면서 중정하지 않으니, 비록 몽매함을 다스리는 주체인 구이(九二)에게 매우 가깝더라도 그 중정함을 이룰 수 없기 때문에 구하여 다스릴 수 없으며, 게다

---

42) 『論語 · 爲政』: 子曰, 學而不思則罔, 思而不學則殆.

가 위로 부정한 양에게 호응하여 먼저 움직여서 남자를 구하니, 돈이 많은 사내를 보고 몸을 지키지 못하는 상이 있다. 그러므로 먼저 "여자를 맞이하지 말라"고 하고, 끝내 "이로울 것이 없다"고 하였으니, 그 극심한 몽매함을 경계함이다.

○ 爻變互兌, 爲少女. 故言取女也. 金取陽剛之象, 而夫謂上之陽也. 不有躬, 言失身, 而躬取應艮爲身之象. 三居互震動體而應上九之止體. 故爲先動求男之象, 與屯四相反也. 〈先動求男.〉
효가 변하면 호괘가 태괘(☱)여서 막내딸이 된다. 그러므로 '여자를 맞이함'을 말하였다. '강철[金]'은 굳센 양의 상을 취한 것이고, '사내[夫]'는 상효의 양효(陽爻)를 말한다. '몸을 지키지 못함'은 몸을 그르침을 말하는데, '몸[躬]'은 호응하는 간괘(艮卦)가 몸이 되는 상에서 취하였다. 삼효는 호괘(互卦)인 진괘(☳)의 움직이는 몸체에 있으면서 상구(上九)의 정지한 몸체에 호응한다. 그러므로 먼저 움직여 사내를 구하는 상이 되니, 준괘(屯卦)의 사효와는 서로 반대된다.[43] 〈먼저 움직여 사내를 구함이다.〉

이진상(李震相) 『역학관규(易學管窺)』

六三, 以陰居陽, 失其中正, 變爲巽之長女, 而巽本從坎. 坎位在西, 西乃金鄕, 九二, 中男□金夫也. 蓋三之正應在上, 而艮其躬也, 以其遠而不能從, 近見九二勢盛而欲從之, 是不有躬者也. 不言蒙, 以其變爲女也. 〈郭氏曰, 易於有應言婦, 无應言女, 三舍正應, 稱女, 可也.〉
육삼(六三)은 음으로서 양의 자리에 있으니 그 중정함을 잃었으며, 변하면 손괘(☴)인 맏딸이 되니 손괘(☴)는 본래 감괘(☵)에서 온 것이다. 감괘의 위치는 서쪽에 있고, 서쪽은 바로 쇠[金]의 고향이니, 구이(九二)는 둘째 아들로 강철 같은 사내이다. 대체로 삼효의 정응(正應)은 상효(上爻)에 있고 간괘(☶)가 그 몸이지만 멀리 있어서 따를 수 없기 때문에 구이의 성대한 형세를 보고 그를 따르고자 하니, 이것이 몸을 지키지 못한 것이다. 몽매함을 말하지 않음은 그것이 변하여 여자가 되었기 때문이다. 〈곽씨가 말하였다: 『주역』에서는 호응이 있을 때는 부인이라 말하고, 호응이 없을 때는 여자라고 말하는데, 삼효(三爻)는 정응(正應)을 저버렸으니 여자라 하는 것도 문제없다.〉

---

43) 준괘의 육사(六四)는 아래로 초구(初九)에게 청혼하는데, 초효와 사효가 모두 자신에게 알맞은 자리를 지키면서 정응이 되므로 이롭지 않음이 없다고 하였다.

象曰, 勿用取女, 行不順也.

정전 「상전」에서 말하였다: "여자를 맞이하지 말라"는 것은 행실이 순종하지 않기 때문이다.
본의 「상전」에서 말하였다: "여자를 맞이하지 말라"는 것은 행실을 삼가지 않기 때문이다.

中國大全

傳

女之如此, 其行邪僻不順, 不可取也.

여자가 이와 같이 하면, 그 행실이 간사하고 편벽되어 순종하지 못하니, 아내로 맞이하지 않는 것이다.

本義

順, 當作愼, 蓋順愼古字通用. 荀子順墨作愼墨, 且行不愼, 於經意尤親切. 今當從之.

순(順)은 마땅히 신(愼)으로 써야 할 것이니, 순(順)자와 신(愼)자는 옛날에 글자가 서로 통용되었다. 『순자』에 '순묵(順墨)'을 '신묵(愼墨)'이라고 표기하였고, 또 "행실을 삼가지 않는다"라는 말이 경전의 뜻에 더욱 가까우니, 이제 마땅히 이것을 따라야 한다.

韓國大全

조호익(曺好益) 『역상설(易象說)』

象曰. 〈六三象.〉

「상전」에서 말하였다. 〈육삼(六三)의 「상전」이다.〉

本義, 愼墨, 愼愼到, 墨墨翟.
『본의』의 신묵(愼墨)에서 신(愼)은 신도(愼到)[44]이고, 묵(墨)은 묵적(墨翟)[45]이다.

유정원(柳正源) 『역해참고(易解參攷)』

行不順也.
행실을 삼가지 않기 때문이다.
案, 六三, 陰居陽位, 卽女之耽士. 行之不順, 豈有大於此哉.
내가 살펴보았다: 육삼(六三)은 음(陰)이 양(陽)의 자리에 있으니, 바로 여자가 남자와 즐기는 것이다. 행실을 삼가지 않는 것이 어찌 이것보다 심한 것이 있겠는가!

本義愼墨. 〈荀子成相篇, 愼墨, 註愼騈墨翟〉.
『본의』의 신묵(愼墨). 〈『순자 · 성상편』에서 신묵(愼墨)에 대해 "신도가 묵적과 나란히 한다"[46]고 주석하였다〉
○ 案, 坤文言, 本義言順愼通用, 而不引荀子. 至此乃引之者, 本義篇第象傳, 先於文言傳也
내가 살펴보았다: 곤괘(坤卦) 「문언전」의 『본의』에서 "순(順)자와 신(愼)자는 통용되었다"고 하고 『순자』를 인용하지 않았다. 여기에 와서야 이를 인용한 것은 『본의』에서 『상전』을 편제한 것이 「문언전」에 앞서기 때문이다.

김상악(金相岳) 『산천역설(山天易說)』

以陰乘陽, 爲行不順也. 六五則陰下於陽, 故曰順以巽也. 上九則陽尊陰卑, 故曰上下順也.
음이 양을 올라탔으니 행실을 삼가지 않음이 된다. 육오(六五)에서는 음이 양보다 아래에

---

44) 신도(愼到: BC395-BC315): 중국 전국시대의 학자로 제(齊)나라의 선왕(宣王) 때 직하(稷下)의 학사(學士)를 지냈다. 법(法)과 형세, 즉 권세를 중시하는 사상을 주장하였다.

45) 묵적(墨翟: BC480?-BC390?): 중국 전국시대의 사상가로 겸애를 중심으로 사회적 단결을 강조하는 사상을 주장하였다.

46) 『荀子 · 勸學篇』: 橫行天下, 雖困四夷, 人莫不任, 體倨固而心執詐, 術順墨而精雜汙. 구절의 주, 順墨當爲愼墨. 愼謂齊宣王時處士愼到也.

있으므로 "순응하고 겸손하다"[47]고 하였고, 상구(上九)에서는 양은 높고 음은 낮으므로 "상하가 순하다"[48]고 하였다.

서유신(徐有臣) 『역의의언(易義擬言)』

柔乘剛, 行不順之象也.
부드러움으로 굳셈을 올라탔으니, 행실을 삼가지 않는 상이다.

박문건(朴文健) 『주역연의(周易衍義)』

捨應而從逼, 女行之不順也.
정응(正應)을 버리고 가까운 것을 따르니, 여자의 행실이 삼가지 못한 것이다.

오치기(吳致箕) 「주역경전증해(周易經傳增解)」

象曰, 勿用取女, 行不順也. 〈自註, 先動求男, 爲不順於道也.〉
「상전」에서 말하였다: 여자를 맞이하지 말라는 것은 행실을 삼가지 않기 때문이다. 〈자신이 주석하였다: 먼저 움직여 사내를 구함은 도리를 따르지 않는 것이다.〉

이병헌(李炳憲) 『역경금문고통론(易經今文考通論)』

虞曰, 三逆乘二陽, 所行不順. 故勿用取女也.
우번이 말하였다: 삼효가 거꾸로 이효인 양을 올라탔으니, 행실을 삼가지 않은 것이다. 그러므로 여자를 맞이하지 말라는 것이다.

---

47) 『周易 · 蒙卦』: 象曰, 童蒙之吉, 順以巽也.
48) 『周易 · 蒙卦』: 象曰, 利用禦寇, 上下順也.

六四, 困蒙. 吝.

정전 육사는 몽매함에 곤란함이니 부끄럽다.
본의 육사는 곤란한 몽매함이니 부끄럽다.

中國大全

傳

四以陰柔而蒙闇, 无剛明之親授, 无由自發其蒙, 困於昏蒙者也. 其可吝甚矣. 吝, 不足也, 謂可少也.

육사가 유약한 음으로서 우매하나 가까이 이끌어 주는 굳세고 현명한 사람이 없으니, 스스로 몽매함을 계발하지 못해 어둡고 몽매함에 곤란한 자이다. 그 부끄러움이 심하다. '부끄러움'은 부족함이니 하찮게 여길 만함을 말한다.

本義

旣遠於陽, 又无正應, 爲困於蒙之象. 占者如是, 可羞吝也. 能求剛明之德而親近之, 則可免矣.

이미 양에서 멀뿐만 아니라 또 정응(正應)도 없으니, 몽매함으로 인하여 곤란을 겪는 상이 된다. 점치는 사람이 이와 같으면 부끄러울 만하다. 굳세고 현명한 덕이 있는 사람을 찾아서 친근할 수 있다면 곤란함을 면할 수 있을 것이다.

小註

節齋蔡氏曰, 困讀如困, 而不學之困.

절재채씨가 말하였다: 곤(困)자는 원래 그 글자의 의미대로 읽는데, 배우지 못한 사람의 곤란함[困]이다.

○ 隆山李氏曰, 六四以陰居陰而上下又皆陰, 蒙暗之甚者也. 欲從九二, 則下隔六三. 欲從上九, 則上隔六五. 獨遠於陽, 无以發蒙而久困.
융산이씨가 말하였다: 육사는 음으로서 음의 자리에 있고 위아래가 또한 모두 음이니, 우매함이 심한 자이다. 구이를 따르고자 하면 아래로 육삼에 막히고, 상구를 따르고자 하면 위로 육오에 막힌다. 홀로 양으로부터 멀리 떨어져 있으니, 몽매함을 계발할 방법이 없어서 오랫동안 곤란하다.

○ 中溪張氏曰, 天下之蒙皆可教也. 苟能隆師親友, 則困而知者與生知學知一也. 若終於困則吝矣.
중계장씨가 말하였다: 천하의 몽매한 사람들은 모두 가르칠 만하다. 만일 스승을 존중하고 벗들과 친하게 지낸다면, 곤궁하여 배우는 자[困而知之者]가 나면서부터 아는 자[生而知之者]나 배워서 아는 자[學而知之者]와 같게 될 것이나, 곤궁 속에서 마친다면 부끄러울 것이다.

韓國大全

이익(李瀷) 『역경질서(易經疾書)』

實字從貫, 有物在中, 與虛相反. 其在六書, 會意則入聲, 諧聲則去聲, 與泰四互參.
'실(實)'자는 관(貫)에서 온 것으로 물체가 속이 차 있음이니, '허(虛)'자와 서로 반대된다. 육서(六書)에 있어서 회의(會意)는 입성(入聲)이고 해성(諧聲)은 거성(去聲)이니, 태괘(泰卦)의 사효와 서로 참고해 보라.

심조(沈潮) 「역상차론(易象箚論)」

六四, 困蒙.
육사(六四)는 곤란한 몽매함이다.

困字, 從木者, 互震也, 吝, 互坤也.
'곤란함[困]'은 목(木)에서 온 것으로 호괘(互卦)인 진괘(震卦)이고, '부끄러움[吝]'은 호괘인 곤괘(坤卦)이다.

유정원(柳正源) 『역해참고(易解參攷)』

隆山李氏曰, 陰麗於陽, 陰陽相雜, 則蒙乃徹, 明乃開, 故曰, 蒙雜而著. 不交于陽, 无以發明, 則困而不學, 鄙吝之資, 不言可知矣.
융산이씨가 말하였다: 음이 양에 걸려 있고 음과 양이 서로 뒤섞이면 몽매함은 이내 통하게 되고 밝음이 이내 열리게 된다. 그러므로 "몽(䷃)은 섞이나 드러난다"49)고 하였다. 양과 사귀지 않아 계발되어 밝아짐이 없으면 곤란하면서 배우지 않음이니, 자질의 비루하고 인색함을 말하지 않아도 알 수 있다.

김상악(金相岳) 『산천역설(山天易說)』

六四, 以陰居陰, 與陽相遠. 故有困蒙之象. 困於蒙闇, 无由自發, 吝之道也.
육사는 음으로서 음의 자리에 있지만 양과는 서로 멀리 있다. 그러므로 몽매함에 곤란한 상이 있는 것이다. 몽매함에 곤란하여 스스로 계발될 방법이 없으니, 부끄러운 도이다.

○ 困者卦名, 艮伏兌而爲困也. 困六三曰, 困于石據于蒺藜, 蒺藜坎象, 石艮象, 六四處艮坎之交, 所以爲取困也. 二之金夫, 猶困之金車, 六四欲從初之發蒙, 而見阻於金夫, 故終於困蒙之吝也. 又四變爲未濟, 未濟爲男窮之卦, 又艮之少男, 獨遠於實, 男未就傅. 故取象如此.
곤(困)은 괘의 이름으로, 간괘(艮卦☶)에 태괘(兌卦☱)가 숨어 있어서 곤란해진 것이다. 곤괘(困卦)의 육삼에서 "돌에 곤란하며 가시나무에 앉아 있다"50)고 하니, 가시나무는 감괘(坎卦)의 상이고 돌은 간괘(艮卦)의 상이며, 육사는 간괘와 감괘의 교차점에 있기 때문에 곤란함을 취하게 된 것이다. 이효의 강철 같은 사내는 곤괘의 쇠수레와 같고,51) 육사가 몽매함을 계발하는 초효를 따르고자 하지만, 강철 같은 사내에게 저지당하였다. 그러므로 몽매함에 곤란하여 부끄러워함으로 마치는 것이다. 또 사효가 변하면 미제괘(未濟卦䷿)가 되는데 미제괘는 곤궁한 사내의 괘가 되며, 또 간괘의 막내아들이 홀로 실[陽]을 멀리함이니, 사내가 아직 스승에게 나가지 않은 것이다. 그러므로 상을 취함이 이와 같다.

박윤원(朴胤源) 『경의(經義) · 역경차락(易經箚略) · 역계차의(易繫箚疑)』

爻辭言吝, 象傳言遠實, 皆不言救拔之道, 而本義曰, 能求剛明之德而親近之, 則可矣.

---

49) 『주역 · 잡괘전』.
50) 『周易 · 困卦』: 六三, 困于石, 據于蒺藜, 入于其宮, 不見其妻, 凶.
51) 『周易 · 困卦』: 九四, 來徐徐, 困于金車, 吝, 有終.

是終不棄之也, 所以補易經言外之意也.
효사(爻辭)에서는 '부끄럽다'고 하고, 「상전」에서는 '실(實)과 멀다'고 하면서 모두 구원하는 방도를 말하지 않았지만, 『본의』에서는 "굳세고 현명한 덕이 있는 사람을 찾아서 친근할 수 있다면 괜찮을 것이다"라고 하였다. 이는 끝내 버리지 않음이니, 『역경』의 말 밖의 뜻을 보완한 것이다.

서유신(徐有臣) 『역의의언(易義擬言)』

上下二陽, 皆有所隔, 无以資發, 竟止於蒙, 故曰困蒙也. 然亦不似六三之不正, 故爲吝而已.
위아래의 두 양(陽)과는 모두 막히는 것이 있어서 의뢰하여 계발할 수 없고, 마침내 몽매함에 그쳤다. 그러므로 '곤란한 몽매함'이라고 하였다. 그러나 또한 육삼처럼 부정하지는 않으므로 부끄럽기만 할 뿐이다.

김귀주(金龜柱) 『주역차록(周易箚錄)』

本義, 既遠於陽, 云云.
『본의』에서 말하였다: 이미 양과 멀리 있다, 운운.

○ 按, 能求剛明之德, 而親近之云云. 蓋所以發明占外之占, 與需九三象傳敬愼不敗之語, 同其功, 可謂至矣.
내가 살펴보았다: '굳세고 현명한 덕이 있는 사람을 찾아서 친근할 수 있다면'하고 운운한 것은 점(占) 이외의 점을 밝혀낸 것으로, 수괘(需卦) 구삼(九三) 「상전」의 "공경하고 삼가면 패망하지 않으리라"[52]는 말과 그 공이 같으니, 지극하다고 할 것이다.

박문건(朴文健) 『주역연의(周易衍義)』

迷而棄信, 故有困蒙之象. 困蒙, 言不能自拔於蒙也. 或曰蒙謂初也.
미혹되어 믿음을 버리므로 곤란한 몽매함의 상이 있다. '곤란한 몽매함[困蒙]'은 스스로 몽매함을 제거할 수 없음을 말한다. 어떤 사람은 "몽(蒙)은 처음을 이른다"고 하였다.
〈問, 困蒙之取義. 曰, 六四處盛而妄作. 故疑初六之害己而不相信焉, 所以終困於昏蒙

52) 『周易·需卦』: 象曰, 需于泥, 災在外也. 自我致寇, 敬愼, 不敗也.

之中, 未能自拔而致吝窮者也.
물었다: 어째서 곤란한 몽매함으로 뜻을 취한 것입니까?
답하였다: 육사는 흥성한 데에 있어 함부로 움직입니다. 그러므로 초육이 자신을 해친다고 의심하여 서로 믿지 않으니, 이 때문에 마침내 혼몽한 가운데서 곤란하면서도 스스로 떨쳐 버릴 수 없고 곤궁함을 부끄러워함에 이른 것입니다.〉

김기례(金箕澧)「역요선의강목(易要選義綱目)」

重陰而无援, 无發蒙之理, 故久困而吝窮. ○ 吝謂陰性也.
중첩된 음(陰)이어서 구원해줄 것이 없으니, 몽매함을 계발시킬 도리가 없다. 그러므로 오래도록 곤란하고 곤궁함을 부끄러워한다. ○ '부끄러움[吝]'은 음의 특성을 말한다.

심대윤(沈大允)『주역상의점법(周易象義占法)』

蒙之未濟䷿, 未盡也. 六四以柔居柔, 學而不能思, 獨遠於陽, 爲无實之義. 四之時, 博學多聞, 而尙無精微之實, 爲未盡也. 如大臣承君, 以有天下, 而非實有也. 故曰困蒙吝, 言困于學而未得精也. 困不顯也, 坎離之象, 師道則无所不敎, 而未反精微也. 凡師必擇其可敎而敎之, 循循有序, 然後乃能從化. 知未及之而言, 則惑而不入矣. 凡卦位, 雖卦義之不取位者, 亦皆有其位之義也.
몽괘가 미제괘(未濟卦䷿)로 바뀌었으니, 다하지 못함이다. 육사는 부드러움으로 부드러운 자리에 있으니 배우고도 생각하지 못하고, 홀로 양과 멀리 있으니 신실함이 없다는 뜻이 된다. 사효의 때는 널리 배우고 많이 듣지만, 여전히 정미한 갈무리가 없으니, 다하지 못함이 된다. 마치 대신(大臣)들이 임금을 받들어 천하를 소유했다고 하지만, 갈무리된 소유가 아닌 것과 같다. 그러므로 "곤란한 몽매함이니 부끄럽다"고 하였으니, 배움에 곤란하여 정밀함을 얻지 못함을 말한다. 곤란하여 드러나지 못함이 감괘(坎卦)와 이괘(離卦)의 상[미제괘]이니, 스승의 도가 가르치지 않은 것이 없지만, 정미함으로 돌아가지 못함이다. 스승은 반드시 가르칠만한 사람을 택하여 가르치되 차례차례 순서를 밟아야 하니, 그런 후에야 비로소 따라서 교화될 수 있다. 지력이 아직 미치지 못하는데 말해준다면, 의혹되어 들어가지 않을 것이다. 괘의 자리는, 비록 괘의 의미를 자리에서 취하지 않은 것이라도, 또한 모두 그 자리의 의미가 있다.

오치기(吳致箕)「주역경전증해(周易經傳增解)」

六四, 以柔居柔, 承乘皆柔, 而无應无比. 以昏暗而不得見治於陽剛, 自致其困者也. 故爲困蒙之象, 而占言吝.
육사는 부드러움으로 부드러운 자리에 있고, 받들거나 올라탄 것이 모두 부드러운 것이어서 호응함도 없고 가까이함도 없다. 어두우면서도 양의 굳셈에게 다스림을 받을 수 없으니, 스스로 곤란함을 초래한 것이다. 그러므로 곤란한 몽매함의 상이 되고, 점사(占辭)에서 '부끄럽다'고 하였다.

○ 困, 謂昏蔽不能開明也. 〈程訓.〉.
'곤란함[困]'은 어둡고 가려져서 열리고 밝아질 수 없음을 이른다. 〈정자의 풀이.〉

이진상(李震相) 『역학관규(易學管窺)』

以陰居陰, 最無附著, 且當少男之初位. 故爲困蒙象.
음(陰)으로 음의 자리에 있으면서 어느 것에도 붙어 의지할 수 없고, 또한 막내아들의 첫 자리에 해당된다. 그러므로 곤란한 몽매함의 상이 된다.

象曰, 困蒙之吝, 獨遠實也.

정전 「상전」에서 말하였다: "몽매함에 곤란함의 부끄러움"은 홀로 실[陽]과 멀기 때문이다.
본의 「상전」에서 말하였다: "곤란한 몽매함의 부끄러움"은 홀로 실[陽]과 멀기 때문이다.

中國大全

傳

蒙之時, 陽剛爲發蒙者. 四陰柔而最遠於剛, 乃愚蒙之人, 而不比近賢者, 无由得明矣. 故困於蒙. 可羞吝者, 以其獨遠於賢明之人也. 不能親賢以致困, 可吝之甚也. 實, 謂陽剛也.

몽매한 때에는 굳센 양이 '몽매함을 계발하는' 사람이 된다. 육사가 유약한 음이면서 굳센 양에서 가장 멀어서, 어리석고 몽매한 사람인데도 현명한 사람을 가까이 하지 못하니, 밝음을 얻을 수 있는 방법이 없다. 그러므로 몽매함에 곤란한 것이니, 부끄러울 만한 것은 홀로 현명한 사람에게서 멀기 때문이다. 현명한 사람과 친하지 못함으로 곤란함에 이르면 부끄러울 만한 것이 심한 것이다. '실(實)'은 굳센 양을 말한다.

本義

實, 叶韻, 去聲.

실(實)은 협운이니, 거성이다.

小註

龜山楊氏曰, 陰, 資陽以爲明者. 六四之困, 遠於陽故也. 陽實陰虛. 實, 謂陽也.
구산양씨가 말하였다: 음은 양을 취하여서 현명한 사람이 된다. 육사의 곤란함은 양에서 멀기 때문이다. 양은 꽉 차고 음은 텅 비었으니, 꽉 참[實]은 양을 말한다.

○ 平菴項氏曰, 初三近九二, 五近上九, 三五皆與陽應, 惟六四所比所應皆陰, 故曰獨遠實也.
평암항씨가 말하였다: 초효와 삼효는 구이와 가깝고, 오효는 상구와 가까우며, 삼효와 오효는 모두 양과 호응한다. 육사만은 견주고 호응하는 것이 모두 음이기 때문에, "홀로 실과 멀기 때문이다"라고 한 것이다.

○ 沙隨程氏曰, 小象叶聲韻, 故太玄測亦有韻. 孔氏正義於離爻亦嘗論之.
사수정씨가 말하였다: 소상은 협성운이기 때문에, 『태현경』의 '측(測)'에도 운(韻)이 있다. 공씨의 『주역정의』에서도 리(離)괘의 효사에서 일찍이 그것을 논하였다.

○ 鄱陽董氏曰, 今易自坤以後六十三卦小象傳, 散入爻辭之下, 遂不可以韻讀之. 本義一用古易, 故多論叶韻, 而尤詳備於小過旣濟二卦, 則通一部易皆可類推矣.
파양동씨가 말하였다: 지금의 『주역』은 곤괘부터 이후 63괘의 「소상전」을 효사 아래에 분산하여 넣어, 마침내 운으로써 읽을 수 없게 되었다. 『본의』는 한결같이 옛날의 『주역』을 사용하였기 때문에 협운(叶韻)을 많이 논하였다. 소과괘와 기제괘에 더욱 자세하게 갖추어져 있으니, 전체 『주역』을 모두 유추할 수 있을 것이다.

‖韓國大全‖

송시열(宋時烈) 『역설(易說)』

六四, 艮錯則爲兌, 兌爲澤, 爲澤則卦爲困. 故言困, 下多放此. 初三五, 皆近依於陽爻, 而獨此爻孤立無應, 上下皆遠於陽爻. 故象言遠實, 實陽也, 其吝可知.
육사(六四)는, 간괘(☶)는 음양이 바뀌면 태괘(☱)가 되고, 태괘는 못이 되는데, 못이 되면 괘가 곤란하게 된다. 그러므로 곤란하다고 하였으니, 아래도 대부분 이와 같다. 초효, 삼효, 오효는 모두 양효(陽爻)에 가까이 의지하고 있지만, 유독 이 효만이 고립되어 호응이 없고, 위아래로 모두 양효에서 멀리 있다. 그러므로 「상전」에서 "실(實)과 멀다"고 하였는데, 실(實)은 양이니 그 부끄러움을 알 수 있다.

유정원(柳正源) 『역해참고(易解參攷)』

本義, 實, 叶韻, 去聲.

『본의』에서 말하였다: 실(實)은 협운(協韻)이니, 거성이다.

案, 實入聲而曰去聲者, 謂與愼同音也. 蓋後世入聲之終聲无別, 且去聲之音, 其類不一, 而今實字之叶韻去聲, 獨與愼同音者, 以古韻言之. 入聲之質職緝三韻, 其別甚明, 不可移易, 而分屬於震經沁三韻之終聲, 則質韻之實字, 讀以去聲, 自於震韻之愼字同音, 可知矣.

내가 살펴보았다: '실(實)'자는 입성(入聲)인데 거성(去聲)이라고 한 것은 '신(愼)'자와 음이 같음을 말한다. 대체로 후세 사람들은 입성(入聲)의 종성(終聲)을 구별함이 없었고, 또 거성의 음도 그 부류가 하나가 아닌데, 지금 실(實)자는 협운(協韻)이 거성으로 특히 '신(愼)'자와 음이 같다는 것은 옛날 운으로 말했기 때문이다. 입성 가운데 질(質)자와 직(職)자와 집(緝)자의 운은 구분이 매우 분명하여 바꿀 수 없지만, 진(震)자와 경(經)자와 심(沁)자의 운의 종성에 나뉘어 귀속되니, 질(質)자의 운인 실(實)자를 거성으로 읽은 것에서 자연히 진(震)자의 운인 신(愼)자와 음이 같음을 알 수 있다.

小註沙隨說太玄測. 〈揚子雲撰太玄經立天地人三體, 三三而九, 九九八十一. 故爲八十一首, 每首九贊, 通七百二十九贊有奇. 每贊有測, 皆有韻語. 首如易之卦辭, 贊如易之爻辭, 測如易之象傳也〉.

소주에서 정사수(程沙隨)[53]가 『태현경』의 측(測)자에 대하여 말하였다. 〈양자운[54]이 찬한 『태현경』에는 천지인(天地人) 삼체(三體)를 세웠으니, 삼삼(三三)은 구(九)이고 구구(九九)는 팔십일(八十一)이다. 그러므로 팔십일(八十一)의 수(首)를 만들고 매 수(首)마다 구찬(九贊)을 넣었으니, 모두 칠백이십구찬 남짓이다. 매 찬(贊)마다 측(測)이 있으니, 모두 운어(韻語)가 있다. 수(首)는 『주역』의 괘사(卦辭)와 같고 찬은 『주역』의 효사(爻辭)와 같고, 측(測)은 『주역』의 「상전」과 같다.〉

正義 [至] 論之. 〈離六五, 象離王公也, 正義, 五爲王位而言公者, 此連王而言, 公取其

53) 정형(程逈: ?-?): 남송 응천부(應天府) 영릉(寧陵) 사람으로 자는 가구(可久)고, 호는 사수(沙隨)다. 일찍이 왕보(王葆)와 가흥(嘉興)의 학자 무덕(茂德), 엄릉(嚴陵), 유저(喩樗)에게 경전을 배웠고, 주희(朱熹)가 스승의 예로써 섬겼다. 경서는 물론 불교와 도가, 음운에 이르기까지 두루 연구했다.

54) 양웅(揚雄: BC53-18): 중국 전한(前漢)의 유학자로 자(字)는 자운(子雲)이며 촉군(蜀郡) 성도(成都)에서 출생함. 사부(詞賦)를 잘하고 사마상여(司馬相如)를 많이 닮았었다. 만년에는 부(賦)는 짓지 않았고 경학(經學)에 뜻을 두었다.

便文, 以會韻也.〉
『정의』에서 … 논하였다. 〈리괘(離卦) 육오(六五)의 「상전」에서 "왕공(王公)에게 붙어 있기 때문이다"55)라고 하였는데, 『정의』에서 "오효는 왕의 자리인데 공(公)이라 한 것은 왕을 이어서 말한 것이니, 공(公)은 편문(便文)을 취하여 운(韻)을 맞춘 것이다"라고 하였다.〉

김상악(金相岳)『산천역설(山天易說)』

獨遠於剛實, 故不得親賢而遠君子, 有孤陋寡聞之吝也.
굳세고 신실함을 홀로 멀리하므로 현인을 가까이할 수 없고 군자를 멀리하게 되니, 고루하고 견문이 좁은 부끄러움이 있다.

○ 陽實陰虛, 六四, 无比應於上下, 故曰獨遠實也. 困於上者, 必反於下, 而與初无應, 故止於困也. 剛之見掩於柔者, 剛之困也, 柔之獨遠於實者, 柔之困也. 然卦之困, 猶能致亨, 爻之困, 終於吝, 所以陽貴而陰賤也.
양은 찬 것이고 음은 빈 것인데, 육사(六四)는 위아래에서 가까이 호응하는 것이 없으므로 "홀로 실(實: 양)과 멀다"고 하였다. 위가 곤란한 것은 반드시 아래로 돌아가려 하는데, 초효와 호응함이 없다. 그러므로 곤란함에 그친 것이다. 굳셈이 부드러움에게 가려지게 되면 굳셈이 곤란해지고, 부드러움이 홀로 실(實)과 멀어지게 되면 부드러움이 곤란해진다. 그러나 괘의 곤란함은 그래도 형통을 이룰 수 있지만, 효의 곤란함은 부끄러움으로 끝나기에 양이 귀하고 음이 천한 것이다.

김규오(金奎五)「독역기의(讀易記疑)」

六四小註, 叶韻, 尤詳於小過旣濟.
육사의 소주에서 말하였다: 협운에 대해서는 소과괘(小過卦)와 기제괘(旣濟卦)에 보다 상세하다.

按, 此二卦, 无論叶韻處, 疑艮未濟之誤也
내가 살펴보았다: 이 두 괘에는 협운을 논의한 곳이 없으니, 아마도 간괘(艮卦)와 미제괘(未濟卦)의 오류인 듯하다.

---

55)『周易 · 雜卦傳』: 象曰, 六五之吉, 離王公也.

서유신(徐有臣) 『역의의언(易義擬言)』

三五, 皆有陽實之比應, 而四獨遠也.
삼효와 오효는 모두 실한 양과 가까이 호응함이 있지만, 사효만 홀로 멀리 있다.

김귀주(金龜柱) 『주역차록(周易箚錄)』

象曰, 困蒙之吝, 云云.
「상전」에서 말하였다: 곤란한 몽매함의 부끄러움은, 운운.

○ 按, 獨遠實, 非但遠於九二發蒙之主, 亦遠於上九之擊[56]蒙也.
내가 살펴보았다: "홀로 실[陽]과 멀다"는 몽매함을 계발하는 주체인 구이에서 멀다는 것일 뿐만이 아니라, 몽매함을 일깨우는 상구에서도 멀다는 것이다.

강엄(康儼) 『주역(周易)』

六四, 象曰, [止] 實也.
육사 「상전」에서 말하였다: … 실(實)과 멀기 때문이다.

本義, 實, 叶韻, 去聲.
『본의』에서 말하였다: '실(實)'자는 협운(協韻)이니, 거성(去聲)이다.

按, 叶韻實時刄反, 見震部.
내가 살펴보았다: 협운의 '실(實)'자는 시(時)자와 인(刄)자의 반절이니, '진(震)'자 부수에 보인다.

박문건(朴文健) 『주역연의(周易衍義)』

實信也, 言獨遠者, 其尤不在於初也.
'실(實)'은 믿음이니, "홀로 멀다"고 한 것은 그 허물이 초효(初爻)에 있지 않다.

---

56) 擊: 경학자료집성 DB에는 '繫'로 되어 있으나 경학자료집성 영인본을 참조하여 '擊'으로 바로잡았다.

김기례(金箕澧) 「역요선의강목(易要選義綱目)」

獨遠實也. 〈實謂陽實, 非陽剛, 无以發蒙. 四之於二, 雖近於五, 非其應也, 无以求發. 故曰遠.〉

홀로 실(實)과 멀다. 〈'실(實)'은 양의 신실함을 이르니, 양의 굳셈이 아니라면 몽매함을 계발시킬 수가 없다. 사효는 이효에게 있어서 비록 오효보다는 가깝지만, 호응하는 것이 아니니, 구원하여 계발해 줄 수 없다. 그러므로 '멀다'고 하였다.〉

오치기(吳致箕) 「주역경전증해(周易經傳增解)」

陽爲實, 而諸陰, 皆有應比於陽, 惟獨六四不然, 故言遠也.

양(陽)이 실(實)이고, 여러 음(陰)들이 모두 양에게 호응하거나 가까이함이 있으나, 유독 육사만이 그렇지 않으므로 '멀다'고 하였다.

박문호(朴文鎬) 「경설(經說)·주역(周易)」57)

蒙之三陰, 皆比於陽, 惟六四, 最遠於陽. 故孔子特言曰獨遠實. 若以學者同業之事言之, 已旣蒙闇, 則當親近高明之人, 以受切偲之益, 然後學可有進.

몽괘(蒙卦)의 세 음효는 모두 양에 가깝고, 육사만이 양에서 가장 멀리 있다. 그러므로 공자가 특별히 "홀로 실(實)과 멀다"고 하였다. 배우는 자가 함께 수업하는 경우로 말하자면, 자신이 몽매하고 어둡다면 고명한 사람을 친근하게 하여서 고치고 책선하는 이로움을 받은 뒤에야 배움에 발전이 있을 것이다.

이병헌(李炳憲) 『역경금문고통론(易經今文考通論)』

旣遠於陽, 又無正應, 爲困於蒙之象. 京傳曰, 陰虛陽實.

이미 양에게서 멀리 있고, 또 정응(正應)이 없어 몽매함에 곤란한 상이 된다. 경방의 『역전』에서 "음은 빈 것이고 양은 찬 것이다"라고 하였다.

---

57) 경학자료집성DB에서는 몽괘 육삼에 해당하는 것으로 분류했으나, 내용에 따라 이 자리로 옮겨 바로잡는다.

六五, 童蒙, 吉.

육오는 철부지 어린이이니 길하다.

中國大全

傳

五以柔順居君位, 下應於二, 以柔中之德, 任剛明之才, 足以治天下之蒙, 故吉也. 童, 取未發而資於人也. 爲人君者, 苟能至誠任賢以成其功, 何異乎出於己也.

육오가 유순함으로서 임금의 자리에 있어 아래로 구이에 호응하고, 부드럽고 알맞은 덕으로 강건하고 현명한 재주에게 맡기니, 천하의 몽매함을 다스릴 수 있으므로 '길(吉)'하다. 동(童)은 계발되지 못한 것을 다른 사람에게 힘입어 계발함을 취한 것이다. 임금이 된 사람이 진실로 지극한 정성으로 어진 사람에게 맡겨서 그 공을 이루게 할 수 있으면, 어찌 자기에게서 나오는 것과 다르겠는가?

本義

柔中居尊, 下應九二, 純一未發, 以聽於人, 故其象爲童蒙, 而其占爲如是則吉也.

부드럽고 알맞은 것으로서 존귀한 데 있어 아래로 구이에게 호응하고, 순일하고 계발되지 못한 상태로 남의 말을 듣는다. 그러므로 그 상이 '철부지 어린이'이니, 그 점이 이와 같이 되면 길하다.

小註

龜山楊氏曰, 五居尊位而下求九二之臣, 不挾貴也. 以童蒙自居, 不挾長不挾賢也. 苟有求焉而有所挾, 皆在所不告. 自天子至於庶人一也. 故惟童蒙乃吉. 夫湯之於伊尹, 高宗之於傅說, 皆學焉而後臣之, 由斯道也.

구산양씨가 말하였다: 오효는 존귀한 자리에 있으면서 아래로 구이의 신하를 찾지만 귀함을 믿고 뽐내지는 않는다. 철부지 어린이로 자처하지만 어른이라고 믿고 뽐내지도 않으며 어진

사람이라고 믿고 뽐내지도 않기 때문이다. 만일 찾음이 있더라도 믿고 뽐내는 것이 있으면, 모두 가르쳐 주지 않을 것이니, 천자에서 서민에 이르기까지 마찬 가지이다. 그러므로 오직 철부지 어린이가 길하다. 탕왕(湯王)이 이윤(伊尹)에게, 고종(高宗)이 부열(傅說)에게 모두 배운 이후에 신하로 삼은 것이 이 도리로 말미암은 것이다.

○ 雲峯胡氏曰, 屯所主在初, 卦曰利建侯, 而爻於初言之. 蒙所主在二, 卦曰童蒙求我, 而爻於五言之. 五應二者也. 知童蒙之爲五, 則知我之爲二矣. 童蒙純一未發, 以聽於人. 五居尊位而能以童蒙自處, 一聽於二, 其吉可知.

운봉호씨가 말하였다: 준괘의 주인은 초효에 있으니, 괘사에서 "제후를 세우면 이롭다"라 하여 효에 대해서 말하였다. 몽괘에서는 주인이 이효에 있으니, 괘사에서 "철부지 어린이가 나를 찾아온다"라고 하여, 오효에 대해서 말하였다. 오효는 이효에 호응하는 자이다. 철부지 어린이가 오효임을 안다면, 내가 이효임을 알 수 있다. 철부지 어린이는 순일하고 계발되지 않아서 다른 사람의 말을 듣는다. 오효는 존귀한 자리에 있으면서 철부지 어린이로 자처할 수 있어 한결같이 이효의 말을 들으니, 길함을 알 수 있다.

‖韓國大全‖

송시열(宋時烈) 『역설(易說)』

艮爲童, 此爻處艮中爻, 故獨言童蒙. 互爲坤卦, 坤爲順巽之象, 童蒙之道, 以順爲言. 且五以陰, 天下從二, 剛婦之道也. 婦之道, 以順爲正, 則吉也. 小象言之

간괘(艮卦☶)가 어린이[童]가 되고, 이 효가 간괘의 가운데에 있으므로 홀로 '철부지 어린이'라 하였다. 호괘(互卦)는 곤괘(坤卦)가 되고 곤괘는 순종하는 상이 되니, 철부지 어린이의 도를 순종으로 말한 것이다. 또 오효가 음(陰)이기에 천하는 이효를 따르니, 굳센 부인의 도(道)이다. 부인의 도는 순종으로 바름을 삼는다면 길하니, 「소상전」에서 이를 말하였다.

석지형(石之珩) 『오위귀감(五位龜鑑)』

臣謹按, 蒙之六五, 戒在不安於童蒙之分, 倚其尊而强爲明, 蓋上艮爲少男. 故取童蒙之象. 互有震坤, 內奮發而外謙順, 爲從師之義. 苟不降志下求, 无以進德修業, 故設此

戒也. 今殿下剛中履位, 文思安安, 固无待於師資之力. 然自昔聖后, 莫不有師, 必非徒事虛文, 以徼得師之名也. 今雖一日三講, 不進草野經明之士, 問難疑義, 是亦同歸於有其位而强爲明而已. 伏願殿下能自得師, 巽以發志焉.

신이 삼가 살펴보았습니다: 몽괘(蒙卦)의 육오(六五)는 철부지 어린이가 분수에 편안치 못하여 높은 지위를 의지해 힘써 밝히는 것을 일러 주고 있는데, 대체로 상괘(上卦)인 간괘(艮卦)가 막내아들이 되므로 '철부지 어린이'의 상을 취했습니다. 호괘(互卦)는 진괘(震卦, ☳)와 곤괘(坤卦, ☷)가 있어서 안으로 떨쳐 계발하고 밖으로 겸손하게 따르니, 스승을 따른다는 뜻이 됩니다. 만약 뜻을 낮추고서 아래로 구하지 않으면, 덕을 진작하고 학업을 닦을 수가 없으므로 이러한 경계를 펼쳤습니다.

지금 전하께서 굳세고 알맞게 자리에 오르셨으니, 문채와 사려가 편안히 펼쳐져 참으로 스승의 도움을 기다릴 필요가 없습니다. 그러나 예로부터 성스러운 임금도 스승을 두지 않은 적이 없으니, 반드시 한갓 허무한 글에 종사하면서 스승을 얻었다는 명성을 훔치려고 한 것은 아닙니다. 지금 비록 하루에 세 번 강학하더라도 경학에 밝은 초야의 선비에게 나아가 어렵고 의심되는 것을 묻지 않으니, 이는 또한 그 자리한 곳에서 억지로 밝히려 하는 것이 될 뿐입니다. 삼가 원하건대 전하께서는 스스로 스승을 얻으시고[58] 겸손함으로 뜻을 펼치십시오.

이현석(李玄錫) 「역의규반(易義窺斑)」

童者, 取其純一未發, 以聽於人之義也, 先儒謂湯之於伊尹, 高宗之於傅說, 皆學焉而後臣之, 由斯道也. 此爻之象, 似非專指童孺而言, 且不獨君道爲然, 凡受學於人者, 皆當玩此辭也. 然以賈誼保傅篇觀之, 授業進學, 貴在幼稚. 卽今春宮, 正當冲年, 宜藉開發薰陶之益, 則純一以聽之義, 尤不可不惓惓云.

'어린이[童]'는 그 순일하고 계발되지 못하여 남의 말을 듣는다는 뜻을 취함이니, 선유가 "탕왕(湯王)이 이윤(伊尹)에게, 고종(高宗)이 부열(傅說)에게 모두 배운 이후에 신하로 삼은 것이 이 도리로 말미암은 것이다"[59]라고 하였다. 이 효의 상은 전적으로 철부지 어린이만을 가리켜 말한 것도 아니고, 또한 유독 임금의 도리만 그러하다는 것도 아닌 듯하니, 사람에게 배우는 자라면 모두 이 말을 완미해야만 할 것이다. 그러나 가의(賈誼)[60]의 「보부편(保傅篇)」에 근거해 본다면, 학업을 가르치고 배움에 나아가는 것은 바로 어린 아이에게 귀한

58) 『書經·商書』: 予聞, 曰 能自得師者, 王, 謂人莫己若者, 亡.

59) 『주역전의대전』 몽괘 육오효사의 소주에 있는 구산양씨의 말.

60) 가의(賈誼: BC200-BC168): 중국 전한 문제 때의 문인 겸 학자로, 진나라 때부터 내려온 율령·관제·예악 등의 제도를 개정하고 전한의 관제를 정비하기 위한 많은 의견을 상주했다.

것이다. 지금 춘궁(春宮)은 10세[沖年]가 되었으니, 마땅히 계발하고 훈도하는 유익함을 얻고자 한다면 순일하게 듣는다는 뜻을 더욱 삼가지 않을 수 없을 것이다.

유정원(柳正源) 『역해참고(易解參攷)』

隆山李氏曰, 六五, 艮體少男之象, 故曰童蒙.
융산이씨[61]가 말하였다: 육오(六五)는 간괘(艮卦)의 몸체로 막내아들의 상이다. 그러므로 '철부지 어린이'라고 하였다.

○ 厚齋馮氏曰, 承上應二, 皆有師事義. 故吉.
후재풍씨[62]가 말하였다: 상구(上九)를 받들고 이효에 호응함이 모두 스승으로 섬기는 뜻이 있다. 그러므로 길하다.

김상악(金相岳) 『산천역설(山天易說)』

六五, 柔居艮中, 比上而順, 應二而巽, 爲童蒙之象. 資其陽剛之德, 以成作聖之功, 故吉也.
육오는 부드러움으로 간괘(艮卦)의 가운데 있으면서 상구와 가까이 하여 순종하고, 이효에 호응하여 겸손하니, '철부지 어린이'의 상이 된다. 양(陽)의 굳센 덕을 의지하여 성인이 되는 공부를 완성하므로 길한 것이다.

○ 童艮象, 純一未發, 以聽於人者也. 蒙革爲對, 革之五則剛, 故取大人爲象. 曰虎變者, 卽蒙作聖之功也. 又大畜六四曰, 童牛之牿, 卽禁於未發之義也, 故此曰童蒙吉. 所以九二爲說梏之應也, 六五, 居尊有應, 而不以君位言者, 當爲師則不臣之義也. 故大學之禮, 雖詔於天子, 无北面, 所以尊師也. 湯之於伊尹, 高宗之於傅說, 皆學焉而後臣之, 由斯道也.
'어린이[童]'는 간괘(艮卦)의 상이니, 순일하고 계발되지 못하여 남에게 말을 듣는 자이다. 몽괘와 혁괘(革卦)는 상대되지만 혁괘의 오효는 굳세므로 대인(大人)을 취하여 상으로 삼았으니, "호랑이가 변하듯 변한다"[63]고 한 것이 곧 몽괘의 성인이 되는 공부이다.[64] 또 대축

---

61) 이순신(李舜臣: ?-?): 남송 융주(隆州) 사람으로, 자는 자사(子思), 호는 융산(隆山)이다. 풍속을 교화하고 강설에 힘썼으며, 『주역』에 정통하여 『역본전(易本傳)』 33편을 지었다.

62) 풍의(馮椅: ?-?): 송나라 남강(南康) 사람으로 자는 기지(奇之), 호는 후재(厚齋)다. 주희(朱熹)에게 수학했고, 역학(易學)에 정밀했다. 저서에 『후재역학(厚齋易學)』과 『주역집설명해(周易輯說明解)』 등이 있다.

63) 『周易・革卦』: 九五, 大人, 虎變, 未占, 有孚.

괘(大畜卦) 육사(六四)에서 '어린 소의 뿔'[65]이라 한 것은 계발되지 못했을 때에 금지한다는 의미이다. 그러므로 여기서는 "철부지 어린이이니 길하다"고 하였으니, 구이(九二)가 질곡을 벗겨주는 호응이 되는 까닭이다. 육오(六五)는 존귀한 곳에 있으면서 호응하는 것도 있지만, 임금의 자리로 말하지 않은 것은 스승으로 삼았으면 신하로 대하지 말아야 한다는 뜻이다. 그러므로 『대학(大學)』의 예(禮)에 비록 천자에게 조서를 받더라도 북면(北面)함은 없으니, 스승을 높이는 것이다. 탕왕(湯王)이 이윤(伊尹)에게, 고종(高宗)이 부열(傅說)에게 모두 배운 이후에 신하로 삼은 것이 이 도리로 말미암은 것이다.

서유신(徐有臣) 『역의의언(易義擬言)』

童蒙, 艮少男也. 童而蒙者, 其性情之眞, 未汨喪也. 又自處以童蒙, 求發之專也, 是以吉也.

철부지 어린이는 간괘(艮卦)인 막내아들이다. 어리면서 몽매한 자는 그 성정(性情)의 진실됨이 아직 골몰되거나 상실되지 않았다. 또 철부지 어린이로 자처하며 오로지 구하여 계발하려 하니, 이 때문에 길한 것이다.

윤행임(尹行恁) 『신호수필(新湖隨筆) · 역(易)』

童蒙之吉, 以其純一之德, 居六五之位, 能任剛明之賢輔, 以治天下, 則周成王可以當之

철부지 어린이의 길함은 순일한 덕으로 육오의 자리에 있으면서 굳세고 현명한 어진 보좌를 임용하여 천하를 다스릴 수 있어서니, 주나라 성왕(成王)이 여기에 해당한다고 할 수 있다.

박문건(朴文健) 『주역연의(周易衍義)』

柔中而順, 故有童蒙之象. 童蒙, 言卑巽純一之蒙也.

부드럽고 알맞으며 순종하므로 철부지 어린이의 상이 있다. '철부지 어린이'는 낮추어 겸손하고 순일한 몽매함을 말한다.

〈問, 童蒙吉. 曰, 童蒙, 知所與者, 柔順而中正也, 困蒙, 不知所與者, 妄作而失信也.

물었다: "철부지 어린이이니 길하다"는 무슨 뜻입니까?

답하였다: '철부지 어린이'는 함께 어울릴 만한 사람을 알아 부드럽게 순종하여 중정하고, '곤란한 몽매함'은 함께 어울릴 만한 사람을 알지 못하여 함부로 행동하고 신의를 잃습니다.〉

---

64) 『周易 · 蒙卦』: 象曰, …, 蒙以養正, 聖功也.

65) 『周易 · 大畜卦』: 六四, 童牛之牿, 元吉.

이지연(李止淵) 『주역차의(周易箚疑)』

艮爲小男. 故云童也.
간괘(艮卦)는 막내아들이 된다. 그러므로 '어린이[童]'라 하였다.

허전(許傳) 「역고(易考)」

六五曰, 成童, 童蒙者, 成童者也. 雖未及成人, 而旣處尊位, 則禮所謂當室之童子也. 然不可自以爲已長且賢, 而下與九二剛明之才, 共成其德, 自居以柔順之道, 則爲童蒙之吉也.
육오에서는 '열다섯 된 아이'를 말한 것이니, '철부지 어린이'가 열다섯 된 아이이다. 비록 성인이 되지는 않았으나 이미 높은 자리에 있으니, 『예기』에서 말하는 '집안일을 주관하는 동자(童子)'인 것이다. 그러나 스스로는 이미 장성했고 또한 어질다고 할 수 없어서 아래로 굳세고 현명한 구이와 함께 그 덕을 이루고 스스로 부드럽게 순종하는 도로 자처하니, 바로 철부지 어린이의 길함이 된다.

김기례(金箕澧) 「역요선의강목(易要選義綱目)」

當蒙之時, 五以巽順居尊, 委任於二之中, 正可謂不挾貴. 亦曰, 學焉而後臣之, 故吉.
몽매할 때에 오효가 높이 있으면서 순종함과 겸손함으로 이효의 알맞음에 맡기니, 바로 '귀함을 뽐내지 않음'[66]이라고 이를만하다. 또한 "배운 이후에 신하로 삼으므로 길하다"고 한 것이다.

심대윤(沈大允) 『주역상의점법(周易象義占法)』

蒙之渙䷺, 精神發散也. 六五居剛, 以思爲主, 而以柔承上, 學而思而有得. 精神无滯, 而不違如愚, 如童蒙之巽順于其父. 故曰童蒙, 艮爲童. 師道則於弟子之言, 无不可之也, 九二, 學而得中也, 六五, 思而得中也.
몽괘가 환괘(渙卦䷺)로 바뀌었으니, 정신이 발산되는 것이다. 육오가 굳센 자리에 있으면서 생각을 주로 하지만 부드러움으로 상효를 받드니, 배우고 생각하면서 얻음이 있는 것이다. 정신이 정체됨이 없지만 어리석은 듯이 어기지 않으니, 마치 철부지 어린이가 자신의 아버지에게 겸손하고 순종하는 것과 같다. 그러므로 '철부지 어린이'라고 하였으니, 간괘(艮卦:

---

66) 『孟子 · 萬章』: 孟子曰, 不挾長, 不挾貴, 不挾兄弟而友, 友也者, 友其德也, 不可以有挾也.

☷)가 어린이인 것이다. 스승의 도는 제자의 말에 대해 가능하지 않음이 없어야 하니, 구이는 배워서 알맞음을 얻은 것이고, 육오는 생각하여 알맞음을 얻은 것이다.

오치기(吳致箕) 「주역경전증해(周易經傳增解)」

六五, 柔得中而居尊, 下應九二剛中之賢. 以童蒙純一之誠, 專心求資, 順巽以聽, 故占言吉. 〈朱訓.〉 ○ 童取艮爲少男也.
육오는 부드러움이 알맞음을 얻어 높은 자리에 있으면서 아래로 구이의 굳세며 알맞은 현인에게 호응하는 것이다. 철부지 어린이가 순일한 정성으로 마음을 오로지 하여 도움을 구하고, 순종하고 겸손하면서 받아들이므로 점사(占辭)에서 '길하다'고 하였다. 〈주자의 풀이이다.〉 ○ '어린이[童]'는 간괘(艮卦)가 막내아들인 것에서 취하였다.

이진상(李震相) 『역학관규(易學管窺)』

居少男之中位, 故曰童蒙, 旅得艮體而亦曰童僕
막내아들이 중간 단계에 있으므로 '철부지 어린이'라 하였고, 여괘(旅卦䷷)도 간괘(艮卦☶)의 몸체를 얻어 또한 '어린 하인'[67]이라고 하였다.

박문호(朴文鎬) 「경설(經說)·주역(周易)」

童蒙, 吉.
철부지 어린이이니 길하다.

古昔君臣之間, 如此者固多矣. 其以君而事臣, 如父如師, 事事仰成, 若蜀後主之於武侯, 最可爲千古君臣之美事云.
옛날에 임금과 신하의 사이에는 이와 같은 일이 참으로 많았다. 임금으로서 신하 섬기기를 아버지와 같이 하고 스승과 같이 하여 일마다 의지하여 성공했으니, 촉나라 후주(後主)의 무후(武侯)에 대한 것은 천고(千古)의 임금과 신하의 사이에 가장 아름다운 일이라 할 것이다.

이정규(李正奎) 「독역기(讀易記)」

蒙六五, 童蒙之童字, 最有意. 童者, 知見雖蒙, 性情純一, 向背好惡, 隨所養而可正.

---

67) 『周易·旅卦』: 六二, 旅卽次, 懷其資, 得童僕貞.

故諸爻中, 惟於君位, 特表出童字而曰吉, 小象亦曰順而遜也. 若蒙而不遜順, 自用自知, 不受所養, 則豈非天下大凶之道乎. 蒙之三, 何必取象於見金夫不有躬乎. 蓋以六本陰柔之性, 蒙昧之心, 處不正不中而動之位, 則行不愼, 可知也. 以行不愼之女, 正應在遠難從, 近見九二爲群蒙所歸, 則勢必從之. 然三在上, 二在下, 何以知從二. 蓋坎水也, 水性趨下. 故趨下之象, 明矣.
몽괘(蒙卦) 육오(六五)의 '철부지 어린이[童蒙]'의 '동(童)'자에는 큰 의미가 있다. 어린이는 식견이 비록 몽매하나, 성정(性情)이 순수하고 한결같아 좋음과 나쁨을 향하고 등짐이 기르기에 따라서 바르게 될 수 있다. 그러므로 여러 효(爻) 가운데 유독 임금의 자리에서 특별히 동(童)자를 표출하여 '길하다'고 하였고, 「소상전」에서도 '순종하고 겸손하다'고 하였다. 만약 몽매하면서도 겸손하고 순종치 않아 스스로 아는 체하고 양육을 받아들이지 않는다면, 어찌 천하를 크게 망치는 도가 아니겠는가? 몽괘(蒙卦)의 삼효가 하필 돈이 많은 사내를 보고 몸을 지키지 못하는 것에서 상을 취했겠는가? 대체로 육효가 음의 부드러운 성질과 몽매하고 어두운 마음을 가지고 바르지도 못하고 알맞지도 않으면서 움직이는 자리에 있으니, 행실을 삼가지 않음을 알 수 있다. 행실을 삼가지 않는 여자가 정응(正應)이 멀리 있어 따르기 어렵고, 가까이서 구이(九二)가 여러 몽매함의 귀소처가 되는 것을 보았으니, 형세에 반드시 따르기 마련이다. 그러나 삼효는 위에 있고 이효는 아래에 있으니, 어떻게 이효를 따를 줄 알겠는가? 대체로 감괘(坎卦)는 물[水]이고, 물의 성질이 아래로 흘러가기 때문이다. 그러므로 아래로 흐르는 상이 분명하다.

이용구(李容九) 「역주해선(易註解選)」

六五, 楊龜山曰, 童蒙乃吉, 湯之伊尹, 高宗之傅說, 學焉而後臣之, 由斯道也.
육오(六五)에서 구산양씨가 말하였다: 철부지 어린이라야 비로소 길하니, 탕왕(湯王)이 이윤(伊尹)에게, 고종(高宗)이 부열(傅說)에게 모두 배운 이후에 신하로 삼은 것이 이 도리로 말미암은 것이다.

象曰, 童蒙之吉, 順以巽也.

「상전」에서 말하였다: "철부지 어린이의 길함"은 순종하고 겸손하기 때문이다.

中國大全

傳

舍己從人, 順從也. 降志下求, 卑巽也. 能如是, 優於天下矣.

자기를 버리고 남을 좇음은 순종하는 것이다. 뜻을 낮추어 아랫사람에게서 찾음은 낮추고 겸손함이다. 이와 같이 할 수 있다면 천하에 뛰어날 것이다.

小註

雙湖胡氏曰, 順, 以爻柔言. 巽, 以志應言.
쌍호호씨가 말하였다: 순(順)은 부드러운 음효로써 말하였고, 손(巽)은 뜻이 호응함으로써 말하였다.

韓國大全

심조(沈潮) 「역상차론(易象箚論)」

六五, 象曰, 順以巽也.
육오의 「상전」에서 말하였다: 순종하고 겸손하기 때문이다.

順以巽者, 蓋陰自上而下爲順, 五之來求於二, 非順乎.
'순종하고 겸손함'은 대체로 음(陰)이 위로부터 내려오는 것이 순종이 되니, 오효가 와서 이효에게 구하는 것이 순종이 아니겠는가?

유정원(柳正源) 『역해참고(易解參攷)』

順以巽也.
순종하고 겸손하기 때문이다.

正義, 順謂心順, 巽謂貌順.
『주역정의』에서 말하였다: '순(順)'은 마음이 순종함을 말하고, '손(巽)'은 모습이 겸손함을 말한다.

○ 梁山來氏曰, 中爻爲順, 變爻爲巽. 仰承親比上九者順也, 俯應聽從九二者巽也.
양산래씨가 말하였다: 가운데 효는 순종함이 되고 효가 변하면 겸손함[巽☴]이 된다. 상구를 우러러 받들며 친하게 가까이하는 것이 순종함이고, 구이에게 숙여 호응하며 듣고 따르는 것이 겸손함이다.

김상악(金相岳) 『산천역설(山天易說)』

程傳, 舍己從人, 順從也, 降志下求, 卑巽也.
『정전』에서 말하였다: 자기를 버리고 남을 좇음은 순종하는 것이고, 뜻을 낮추어 아랫사람에게 찾음은 낮추고 겸손함이다.

○ 來註, 中爻爲順, 變爻爲巽. 仰承上九者順也, 俯聽九二者巽也.
래지덕의 『주역집주』에서 말하였다: 가운데 효는 순종함이 되고 효가 변하면 겸손함이 된다. 상구를 우러러 받드는 것이 순종함이고, 구이에게 숙여 듣는 것이 겸손함이다.

易宜, 蒙之巽, 事師之道也, 漸之巽, 事君之道也, 家人之巽, 事夫之道也. 朱子發云, 順以巽者, 蒙之觀也.
『역의』에서 말하였다: 몽괘(蒙卦)의 겸손함은 스승을 섬기는 도이고, 점괘(漸卦)의 겸손함[68]은 임금을 섬기는 도이고, 가인괘(家人卦)의 겸손함[69]은 남편을 섬기는 도이다. 주자발(朱子發)[70]이 말하였다: 순종하고 겸손하기 때문이라는 것은 몽괘(蒙卦)가 관괘(觀

68) 『周易 · 漸卦』: 六四, 象曰, 或得基桷, 順以巽也.
69) 『周易 · 家人卦』: 六二, 象曰, 六二之吉, 順以巽也.

卦)로 변해서이다.

參互諸說, 可見順巽之義.
여러 설명을 참고하면 순종함과 겸손함의 뜻을 알 수 있을 것이다.

박윤원(朴胤源)『경의(經義)·역경차략(易經箚略)·역계차의(易繫箚疑)』

童蒙之吉, 卽初筮告者也.
철부지 어린이의 길함은 곧 처음 점치면 알려준다는 것이다.

서유신(徐有臣)『역의의언(易義擬言)』

變剛爲巽, 蒙而善變也.
굳셈이 변하여 겸손함이 되니, 몽매하나 좋게 변한다.

박문건(朴文健)『주역연의(周易衍義)』

性順, 故能巽於二也.
본성이 유순하므로 이효에게 겸손할 수 있다.

오치기(吳致箕)「주역경전증해(周易經傳增解)」

誠心求資, 卽以順德而巽其志者也, 順取互坤, 巽取變巽.
진실한 마음으로 도움을 구함은 곧 순종하는 덕으로 그 뜻을 겸손히 한 것이니, 순종함은 호괘(互卦)인 곤괘(坤卦)에서 취했고, 겸손함은 변괘(變卦)인 손괘(巽卦)에서 취했다.

이병헌(李炳憲)『역경금문고통론(易經今文考通論)』

虞曰, 艮爲童蒙, 處貴承上, 有應於二, 故吉也.
우번이 말하였다: 간괘(艮卦)가 철부지 어린이가 되니, 존귀한 곳에 있으면서 상구를 받들고 이효에게 호응함이 있으므로 길한 것이다.

---

70) 주진(朱震: 1072 ~ 1138): 송나라 형문군(荊門軍) 사람. 자는 자발(子發)이고, 호는 한상선생(漢上先生)이다. 휘종(徽宗) 정화(政和) 연간에 진사(進士)가 되어 주현(州縣)의 관리를 지냈으며『주역괘도(周易卦圖)』,『주역총설(周易叢說)』,『한상역집전(漢上易集傳)』등을 저술했다.

上九, 擊蒙, 不利爲寇, 利禦寇.

정전 상구는 몽매함을 일깨워야 하니, 도적이 됨은 이롭지 않고, 도적을 막음이 이롭다.
본의 상구는 몽매함을 일깨움이니, 도적이 됨은 이롭지 않고, 도적을 막음이 이롭다.

中國大全

傳

九居蒙之終, 是當蒙極之時. 人之愚蒙旣極, 如苗民之不率, 爲寇爲亂者, 當擊伐之. 然九居上, 剛極而不中, 故戒不利爲寇. 治人之蒙, 乃禦寇也. 肆爲剛暴, 乃爲寇也. 若舜之征有苗, 周公之誅三監, 禦寇也. 秦皇漢武窮兵誅伐, 爲寇也.

상구가 몽(蒙)의 끝에 있으니, 이는 몽이 지극한 때이다. 사람의 어리석고 몽매함이 이미 극에 달하여, 묘민(苗民)이 따르지 않고 도적이 되고 난을 일으키는 것과 같으니, 마땅히 그것을 정벌하야여 한다. 그러나 상구가 위에 있어 강한 것이 지나치고 알맞지 못하기 때문에, 경계하여 "도적이 됨이 이롭지 않다"고 하였다. 사람의 몽매함을 다스림은 '도적을 막는 것'이다. 방자해서 탐하고 포학함은 도적이 되는 것이다. 순임금이 묘족을 친 것과 주공(周公)이 삼감(三監)을 벤 것은 도적을 막은 것이고, 진시황과 한무제는 무력을 남용하여 베고 정벌하였으니, 도적이 된 것이다.

小註

朱子曰, 占得此爻, 凡事不可過當. 如伊川作用兵說, 亦是. 但只做得一事用, 不如且就淺處說去, 卻事事上有用. 若便說深了, 則一事用得, 別事用不得.
주자가 말하였다: 점을 쳐서 이 효를 얻으면, 무슨 일이든 정도를 지나치게 해서는 안 된다. 예컨대 이천은 병사를 부리는 일로 설명하였으니, 또한 옳다. 그러나 한 가지 일에만 적용하는 것은, 평이하게 말하여 매사에 적용할 수 있는 것만 못하다. 만약 심오하게 말한다면 한 가지 일에는 적용할 수 있지만, 다른 일에는 적용할 수 없을 것이다.

○莆陽張氏曰, 諸爻皆蒙, 其不蒙者惟二剛. 二以剛居中, 包蒙以開其善. 上以剛過中,擊蒙以懲其惡.
포양장씨가 말하였다: 여러 효가 모두 몽(蒙)이니, 그 몽이 아닌 것은 오직 구이의 굳셈뿐이다. 이효는 강건하며 가운데 자리에 있으니, 몽매함을 포용하여서 그 선함을 계발한다. 상효는 굳셈으로 가운데 자리를 넘어섰으니, 몽매함을 일깨워서 그 악을 응징한다.

本義

以剛居上, 治蒙過剛, 故爲擊蒙之象. 然取必太過, 攻治太深, 則必反爲之害. 惟捍其外誘, 以全其眞純, 則雖過於嚴密, 乃爲得宜. 故戒占者如此. 凡事皆然, 不止爲誨人也.

강(剛)으로서 위에 있으니, 몽매함을 다스림에 지나치게 강하므로 몽매함을 일깨우는 상이 된다. 그러나 취하는 것이 지나치고 공격하여 다스리는 것이 지나치면 반드시 도리어 해가 된다. 오직 바깥의 유혹을 막아서 그 참되고 순수함을 온전히 하면 비록 지나치게 엄밀하나 마땅함을 얻을 것이다. 그러므로 점치는 사람이 이와 같이 하라고 경계한 것이다. 모든 일에 다 이러하니, 사람을 가르치는 데만 한정되는 것이 아니다.

小註

或問, 本義只就自身克治上說, 如何. 朱子曰, 事之大小都然. 治身也恁地. 若治人做得太甚, 亦反成爲寇.
어떤 이가 물었다: 『본의』에서는 다만 자신의 사사로운 욕심을 이겨 내고 다스리는 측면에서 말하였는데, 어떻습니까?
주자가 말하였다: 일의 크고 작음이 모두 그러합니다. 몸을 다스리는 것도 이와 같습니다. 만약 다른 사람을 다스리기를 지나치게 심하게 한다면 또한 도리어 도적이 될 것입니다.

○ 進齋徐氏曰, 上過剛不中, 又居過高之位. 在下者旣昏蒙, 在上者又高亢, 情意不接, 彼此扞格, 乃以爲瀆而至於擊蒙也.
진재서씨가 말하였다: 상효는 지나치게 강하고 가운데 자리가 아니며, 또 지나치게 높은 자리에 있다. 아래에 있는 자는 어리석고, 위에 있는 자는 오만하니, 감정이 이어지지 않고 서로가 막고 있으니, 이에 욕되게 한다고 여겨서 몽매함을 일깨워주게 되었다.

○ 雲峯胡氏曰, 本義釋此爻與九二爻相應. 蓋所治旣廣而又攻治太深. 物性不齊, 不可一概取必. 而又取必太過, 是欲去其害而反爲害者也. 故曰不利爲寇. 人性純一未發之蒙, 不能不爲外誘之物所化. 惟爲之捍其外誘以全其眞純, 雖過於嚴乃爲得宜. 故曰利禦寇. 且曰凡事皆然, 不止爲誨人也. 朱子之教人, 可謂精且備矣.
운봉호씨가 말하였다: 『본의』에서는 이 효와 구이의 효가 서로 호응한다고 풀이하였다. 대체로 다스린 것이 넓을뿐더러 게다가 다스린 것이 지나치게 깊다. 사물의 본성은 일정하지 않으니 일률적으로 취하여 기필할 수는 없다. 또 취하여 기필하는 것이 너무 지나치면, 그 해를 제거하려고 하다가 도리어 해를 가하는 것이 된다. 그러므로 "도적이 됨은 이롭지 않다"라고 하였다. 인성이 순일하고 계발되지 않은 몽매함은 외부에서 유혹하는 사물에 동화되지 않을 수 없다. 오직 그 외부의 유혹을 막고 그 순수함을 온전하게 한다면, 비록 지나치게 엄격하더라도 적절할 수 있다. 그러므로 "도적을 막음이 이롭다"라고 하였다. 또 "모든 일이 다 그러하니, 사람을 가르치는 것 뿐만이 아니다"라고 하였다. 주자가 사람을 가르치는 것이 자세하고도 구비되어 있다고 할 수 있다.

‖ 韓國大全 ‖

송시열(宋時烈) 『역설(易說)』

艮爲手, 手擊之象. 陽爻剛固, 果斷攻擊之義. 不利於我爲寇盜, 利於禦坎之寇盜, 雖先言不利寇, 而重在禦寇二字.
간괘(艮卦)가 손[手]이 되니, 손으로 치는 상이다. 양효(陽爻)의 굳셈과 견고함으로 과감히 공격한다는 뜻이다. "내가 도적이 됨은 이롭지 않고, 감괘의 도적을 막음이 이롭다"고 하여, 비록 도적되는 것이 이롭지 않음을 먼저 말했지만, 중점은 "도적을 막는다[禦寇]"는 글자에 있다.

김만영(金萬英) 「역상소결(易象小訣)」[71)]

上九, 利禦寇.
상구는 도적을 막음이 이롭다.

上九, 以剛決之性, 當過高之位, 有擊蒙之志, 而下體之坎, 有隱伏之志, 藏叢棘之間, 則以上九之剛決, 豈無禦擊之勇乎. 故曰, 不利爲寇, 利禦寇, 寇指坎.

---

71) 경학자료집성DB에서는 몽괘 육사에 해당하는 것으로 분류했으나, 내용에 따라 이 자리로 옮겨 바로잡는다.

상구가 굳세게 결단하는 특성으로 아주 높은 자리에 있기에 몽매함을 일깨우려는 뜻이 있는데, 하괘의 몸체인 감괘(坎卦)가 숨어 잠복하려는 뜻을 지니고 빽빽한 숲 사이로 숨었으니, 상구의 굳세게 결단함으로 어찌 막아 일깨우려는 용맹이 없겠는가? 그러므로 "도적이 됨은 이롭지 않고, 도적을 막음이 이롭다"고 하였으니, 도적은 감괘를 가리킨다.

권만(權萬) 「역설(易說)」

上九, 擊蒙, 擊, 勤苦用功曰擊.
'상구는 몽매함을 일깨움[擊]이니'에서 '일깨움'은 애써서 공부함을 일깨움이라 한다.

심조(沈潮) 「역상차론(易象箚論)」

上九, 擊蒙.
상구는 몽매함을 일깨움이다.

擊字從手者, 艮爲手也.
'격(擊)'자가 손[手]에서 온 것은 간괘(艮卦)가 손이 되기 때문이다.

유정원(柳正源) 『역해참고(易解參攷)』

朱子曰, 上九以剛陽居上, 擊去蒙蔽, 只要恰好, 不要太過, 太過則於彼有傷, 而我亦失其所以擊蒙之道. 如人合喫十五棒,[72] 若只決他十五捧, 則彼亦无辭, 而足以禦寇, 若再加五捧, 則太過而反害人矣. 爲寇者, 爲人之害也, 禦寇者, 止人之害也.
주자가 말하였다: 상구가 굳센 양으로 위에 있고 몽매하고 가로막힌 것을 쳐서 제거함이 적당하게 하고 너무 지나치지 말아야 하니, 너무 지나치면 저에게는 상처를 남기게 되고, 나도 몽매함을 일깨우는 목적을 잃게 된다. 예컨대 어떤 사람이 열다섯 대를 맞는 것이 합당할 때에, 그를 열다섯 대만 때리기로 한다면 저도 핑계 댈 수 없으며, 이것으로 도적을 막기에 충분하다. 만약 다시 다섯 대를 더한다면 너무 지나쳐서 도리어 사람을 해칠 것이다. 도적이 된다는 것은 남을 해치는 것이고, 도적을 막는다는 것은 남의 해로움을 저지하는 것이다.

○ 雙湖胡氏曰, 寇坎象艮止, 故不利爲寇, 而利禦坎之寇, 禦亦止義. 然則上九所擊者

72) 棒: 경학자료집성DB와 영인본에 '捧'으로 되어 있으나, 『주자어류』 등의 원전에 근거하여 '棒'으로 바로잡았다.

爲誰, 所禦者爲誰. 意其擊不正之三, 而禦比三之二乎.
쌍호호씨[73]가 말하였다: 도적은 감괘(坎卦)의 상이고 간괘(艮卦)는 그침이기 때문에 도적이 됨이 이롭지 않고 감괘의 도적을 막음이 이로운 것이니, '막음[禦]'이 또한 저지한다는 뜻이다. 그렇다면 상구가 일깨울 자는 누구이고, 막을 자는 누구인가? 생각건대 부정한 삼효를 일깨우고 삼효를 가까이 하는 이효를 막는 것이 아닐까?

○ 案, 不利爲寇, 如人而不仁, 疾之已甚, 亂, 是也, 利禦寇, 如除惡務本, 是也.
내가 살펴보았다: '도적이 됨이 이롭지 않음'은 "사람으로 어질지 못함을 심하게 미워하는 것도 혼란을 일으킨다"[74]와 같은 것이고, '도적을 막음이 이로움'은 "악을 제거함에는 근본을 힘쓴다"[75]와 같은 것이다.

김상악(金相岳) 『산천역설(山天易說)』

上九, 居艮之終, 應坎上之六, 而不交陰之陷陽者, 可以擊去其蒙蔽, 而以剛居極. 故戒以不利爲寇 利於禦寇. 蓋治蒙之道, 不可攻治太甚, 惟捍其外誘, 乃擊蒙之義也. 詳見傳義.
상구는 간괘(☶)의 끝에 있으면서 감괘(☵)의 상효인 육삼에 호응하는데, 양을 무너뜨리는 음과는 사귀지 않으니, 몽매하고 가로막는 것을 쳐서 제거할 수 있어 굳셈으로서 지극함에 자리한다. 그러므로 "도적이 됨은 이롭지 않고, 도적을 막음이 이롭다"고 경계하였다. 대체로 몽매함을 다스리는 방법은 너무 심하게 쳐서 다스릴 수는 없으니, 오직 밖의 유혹을 막아 낸다는 것이 바로 "몽매함을 일깨운다[擊蒙]"는 뜻이다. 상세한 것은 『정전』과 『본의』에 나온다.

○ 擊者, 艮之手也, 寇者, 坎之盜也. 太玄經以水爲盜, 陰陽家以玄武爲盜. 故易中言寇者, 多取於坎也. 禦者, 艮象, 艮之一陽, 能止陰之過. 故利禦寇. 漸下卦艮, 而三互坎體. 故禦寇同象, 皆閑邪存其誠之義也. 變爻爲師. 故全爻之象如此, 初之發蒙刑人, 上之擊蒙禦寇, 皆過於嚴之戒, 非以亨行時中之道也. 然朱子曰, 蒙, 學者之事, 始之之事也, 艮, 成德之事, 終之之事也. 有始而有終, 則養蒙之功, 不失其中矣. 小象曰, 利用禦寇, 上下順, 蒙之坤也. 坤則陰之過極者, 故曰龍戰于野, 其道窮, 失上下順之義也.
일깨우는 것은 간괘(艮卦)의 손이고, 도적은 감괘(坎卦)의 도적이다. 『태현경』에서는 물

---

73) 호일계(胡一桂: ?-?): 송나라 온주(溫州) 영가(永嘉) 사람. 자는 덕부(德夫), 호는 인재(人齋), 쌍호(雙湖)이다. 옹엄수(翁嚴壽)에게 배웠고, 『주관(周官)』의 경국제도(經國制度)를 정밀히 연구했다. 저서에 『고주례보정(古周禮補正)』, 『사서제강(四書提綱)』, 『효경전찬(孝經傳贊)』 등이 있다.
74) 『論語 · 泰伯』: 子曰, 好勇疾貧, 亂也. 人而不仁, 疾之已甚, 亂也.
75) 『書經 · 泰誓』: 樹德, 務滋, 除惡, 務本.

[水]로 도적을 삼았으며, 음양가(陰陽家)는 현무(玄武)를 도적으로 삼는다. 그러므로 『주역』에서 도적이라고 한 것은 대부분 감괘(坎卦)에서 취한다. 막는 것은 간괘(☶)의 상이니, 간괘의 한 양(陽)이 음의 과실을 저지할 수 있다. 그러므로 도적을 막음이 이로운 것이다. 점괘(漸卦䷴)는 하괘(下卦)가 간괘이고, 삼효는 호괘가 감괘(☵)의 몸체이다. 그러므로 동일하게 도적을 막는 상이니, 모두 "간사함을 막고 참됨을 보존한다"[76]는 의미이다. 상효가 변하면 사괘(師卦䷆)가 된다. 그러므로 전체 효의 상이 이와 같다. 초효의 '몽매함을 계발하고 사람에게 형벌함'과 상효의 '몽매함을 일깨우고 도적을 막아냄'은 모두 엄격함이 지나친 경계이니, "형통함으로 행하여 때에 알맞게 한다"[77]는 도가 아니다. 그러나 주자가 "몽괘는 배우는 자의 일이니 시작하는 일이고, 간괘(䷳)는 덕을 이룬 자의 일이니 끝마치는 일이다"라고 하였으니. 처음이 있고 끝이 있으면 몽매함을 기르는 공부가 그 알맞음을 잃지 않을 것이다. 「소상전」에서 "도적 막음이 이로움은 위아래가 따르기 때문이다"라고 한 것은 몽괘가 곤괘(坤卦)로 바뀌어서이다. 곤괘는 음의 성질이 지나치게 다한 것이므로 "용이 들에서 싸운다"[78]고 하였으니, 그 도가 궁하여 위아래가 따른다는 뜻을 상실할 것이다.

김규오(金奎五) 「독역기의(讀易記疑)」

上九, 禦寇, 寇指內卦, 坎爲盜也. 需致寇, 亦以外卦坎而言.

상구의 "도적을 막는다"에서 도적은 내괘(內卦)를 가리키니, 감괘(☵)가 도적이 된다. 수괘(需卦䷄)에서 "도적을 오게 한다"[79]는 것도 외괘(外卦)인 감괘로 말한 것이다.

조유선(趙有善) 「경의(經義)·주역본의(周易本義)」

蒙 上九擊蒙, 本義以爲擊人之蒙. 然上居無位之地, 未必任擊蒙之責. 義與初爻同, 皆主治蒙者言. 但以陰居初, 其蒙未甚, 故曰發, 以剛居上, 其蒙已極, 故曰擊. 文義恐是如此, 更詳之.

몽괘 상구의 "몽매함을 일깨운다"에 대해 『본의』에서는 사람들의 몽매함을 일깨우는 것으로 여겼다. 그러나 상구는 지위가 없는 자리에 있으니, 반드시 몽매함을 일깨울 책임을 맡은 것은 아니다. 뜻이 초효와 같으니, 모두 몽매함을 다스리는 사람을 위주로 말한 것이다. 다

---

76) 『周易·文言傳』: 九二曰, 見龍在田, 利見大人, 何謂也. 子曰, 龍德而正中者也, 庸言之信, 庸行之謹, 閑邪存其誠, 善世而不伐, 德博而化, 易曰見龍在田利見大人, 君德也.

77) 『周易·蒙卦』: 彖曰, … 蒙亨, 以亨行, 時中也. 匪我求童蒙, 童蒙求我, 志應也.

78) 『周易·坤卦』: 上六, 龍戰于野, 其血, 玄黃.

79) 『周易·需卦』: 九三, 需于泥, 致寇至.

만 음(陰)으로서 초효에 있어서 몽매함이 아직 심하지 않으므로 '계발한다'고 하였고, 굳셈으로서 상효에 있어 몽매함이 이미 극심하므로 '일깨운다'고 하였다. 글의 뜻은 이와 같이 생각되는데, 더욱 살펴봐야 할 것이다.

박윤원(朴胤源) 『경의(經義) · 역경차략(易經箚略) · 역계차의(易繫箚疑)』

上九, 不利爲寇, 利禦寇.
상구는 도적이 됨은 이롭지 않고, 도적을 막음이 이롭다.

○ 來易, 以不利爲寇, 屬六三, 其義亦通.
래지덕의 『주역집주』[80]에서 '도적이 됨이 이롭지 않음'은 육삼에 속한다고 한 것도 의미가 또한 통한다.

서유신(徐有臣) 『역의의언(易義擬言)』

上爲蒙之極, 九爲治之剛, 故曰擊蒙, 擊之, 使禦寇也. 六三坎爲盜, 相與則爲寇也, 不相與則禦寇也. 艮爲狗, 凡畜狗者, 必擊而喻之, 狗能偷竊, 又能警盜也.
상(上)는 몽의 끝이 되고, 구(九)는 굳세게 다스림이 된다. 그러므로 "몽매함을 일깨운다"고 하였으니, 일깨워서 도적을 막도록 한 것이다. 육삼의 감괘(坎)가 도적이 되니, 서로 어울리면 도적이 되고, 서로 어울리지 않으면 도적을 막게 된다. 간괘(艮卦)는 개가 되는데, 모든 개를 기르는 자는 반드시 일깨워 깨닫게 해야 하니, 개는 몰래 물건을 훔칠 수도 있고 또한 도적을 경계할 수도 있다.

김귀주(金龜柱) 『주역차록(周易箚錄)』

本義, 以剛居上, 云云.
『본의』에서 말하였다: 굳셈으로 맨 위에 있으니, 운운.
○ 按, 或疑此爻之戒其過當, 與初六用脫桎梏之義相近, 奈何. 曰, 過當之戒, 兩爻雖若相似, 然意之所主, 煞有不同. 蓋用脫桎梏, 言蒙之在下, 如初六者, 所當以先嚴後寬之道治之也. 不利爲寇, 言上九之剛, 擊蒙太過所宜, 反戒之也. 由彼而言, 由此而言, 意各有主, 且痛懲而暫捨之, 及捍外誘, 全眞純, 治法亦自不侔矣.

---

80) 래역(來易): 명나라의 래지덕(來知德: AD1525-1604)이 찬한 『주역집주(周易集註)』.

내가 살펴보았다: 어떤 이가 이 효(爻)에서 정도가 지나침을 경계하는 것이 초육(初六)의 "질곡을 벗겨준다"는 것과 의미가 서로 비슷함을 의심하는데, 어떠한가? 정도가 지나침을 경계함은 상구와 초육이 비록 서로 같은 듯하지만, 그러나 주된 뜻은 확실히 같지 않다. 대체로 "질곡을 벗겨준다"는 것은 아래에 있는 몽매한 자에게 말한 것이니, 초육과 같은 것은 마땅히 먼저 엄격하고 뒤에 너그럽게 하는 방법으로 다스려야만 하는 것이다. "도적이 됨이 이롭지 않다"는 것은 상구의 굳셈에게 말한 것이니, 몽매함을 일깨움이 정도가 너무 지나치는 것을 도리어 경계시키는 것이다. 저쪽 입장에서도 말하고 이쪽 입장으로도 말하여 뜻이 각기 주장하는 바가 있으며, 또한 아프게 징계했다가 잠시 그치기도 하고 밖의 유혹을 막아 진실함과 순수함을 온전히 하기도 하니, 다스리는 방법도 저절로 같지 않다.

小註, 進齋徐氏曰, 上過, 云云.
소주에서 진재서씨가 말하였다: 상구는 지나치게, 운운.
○ 按, 乃以爲瀆一句, 恐不襯貼.
내가 살펴보았다: '이에 욕되게 한다고 여겨서'의 한 구절은 꼭 맞지는 않는 듯하다.

박제가(朴齊家) 『주역(周易)』

傳, 剛極而不中, 故戒不利爲寇.
『정전』에서 말하였다: 강한 것이 지나치고 알맞지 못하기 때문에 경계하여 "도적이 됨이 이롭지 않다"고 하였다.

案, 此寇字, 不可我爲寇而自當之. 經但論九之象耳, 九以剛居上, 有可擊之才, 而在下者, 皆蒙不敢害也. 敢有欲害, 則必不利, 以剛擊之, 則何不利之有. 故小象曰, 上下順者, 衆蒙之從之也. 本義攻治太深, 則反爲之害者, 說得較平, 然以害爲寇, 亦自當之辭. 故程傳分爲寇爲貪暴, 蓋爲盜賊, 則無容言利不利故也. 若論九之象, 則作易者, 固知盜. 不利於寇而利於禦寇, 何不可之有耶. 寇之義, 固不必連擊蒙看, 若欲連看, 則凡擊蒙之道, 不必往而擊之, 但可禁其自來者, 本義所謂捍其外誘云者, 爲此故耳.
내가 살펴보았다: 여기의 도적[寇]은 내가 도적이 되어서 스스로 이에 해당되어서는 안 되는 것이다. 경전에서는 다만 상구(上九)의 상(象)만을 논했을 뿐이니, 상구는 굳셈으로 맨 위에 있으면서 일깨울만한 재주가 있고 아래에 있는 것들이 모두 몽매하여 감히 해치지 못하는 것이다. 감히 해치고자 한다면 반드시 이롭지 못하겠지만, 굳셈으로서 일깨우면 어찌 이롭지 못함이 있겠는가? 그러므로 「소상전」에서 "위아래가 따르기 때문이다"라고 한 것이니, 여러 몽매한 것이 그를 따른다는 것이다. 『본의』에서 "쳐서 다스림이 너무 심하면 도리

어 해치게 된다"고 한 것은 설명이 비교적 평온하지만, 그러나 해침을 도적으로 삼은 것은 또한 스스로에게도 해당되는 말이다. 그러므로 『정전』에서 '도적이 되는 것'과 '탐내고 포악하게 되는 것'을 구분하였으니, 아마도 도적이 된다면 이롭거나 이롭지 않음을 말할 수 없기 때문이다. 상구의 상을 논한다면 『주역』을 지은 자는 참으로 도적을 알았다. 도적을 이롭게 여기지 않고 도적 막음을 이롭게 여겼으니, 어찌 불가함이 있겠는가? 도적[寇]의 뜻을 참으로 '몽매함을 일깨움[擊蒙]'과 이어 볼 필요는 없지만, 만약 이어 보려고 한다면 모든 몽매함을 일깨우는 도는 가서 일깨울 필요가 없고, 다만 스스로 오는 것을 금지할 수 있을 뿐이니, 『본의』에서 "밖의 유혹을 막는다"고 운운한 것은 이런 까닭 때문이다.

박문건(朴文健) 『주역연의(周易衍義)』

處上而剛, 故有擊蒙之象. 擊蒙, 言攻擊六三之蒙也.
위에 있으면서 굳세므로 몽매함을 일깨우는 상이 있다. '몽매함을 일깨움'은 육삼의 몽매함을 쳐서 일깨움을 말하다.
〈問, 不利爲寇, 利禦寇. 曰, 以上暴下, 則下必陵上, 以上懲下, 則下必畏上. 故有此象. 陰昏寧爲寇, 陽明不可爲寇也.
물었다: "도적이 됨은 이롭지 않고 도적을 막음이 이롭다"는 무슨 뜻입니까?
답하였다: 윗사람이 아랫사람을 사납게 대하면 아랫사람은 반드시 윗사람을 능멸하고, 윗사람이 아랫사람을 징계하면 아랫사람은 반드시 윗사람을 두려워합니다. 그러므로 이러한 상이 있게 된 것입니다. 음(陰)의 어두움이 차라리 도적이 될지언정, 양(陽)의 밝음은 도적이 되어서는 안 될 것입니다.〉

이지연(李止淵) 『주역차의(周易箚疑)』

治蒙之道, 當如光武之焚書, 而令反側子自安, 可也. 爲寇者, 必欲害我之人也, 過剛之道, 用之於必欲害我者, 則激成其勢, 反速其禍, 此所謂不利也. 程傳曰, 肆爲貪暴, 乃爲寇. 易爲君子謀, 何可以爲寇之吉凶爲自謀乎. 此甚難解矣.
몽매함을 다스리는 도는 마땅히 광무제(光武帝)가 문서를 불사르고 모반자들을 편안케 한 것[81]과 같이 해야 옳다. 도적이 된 자는 반드시 나를 해치려는 사람이니, 지나치게 굳센 도를 반드시 나를 해치려는 자에게 쓴다면 격렬하게 형세를 이루어서 도리어 재화(災禍)를

81) 광무제(光武帝)는 왕랑(王郞)을 공격했을 때 한단에 있던 산더미 같은 왕랑의 문서를 한 자도 읽지 않고 소각하게 하였다. 왕랑과 문서를 주고받던 사람들은 자신들이 의심받을까봐 가슴을 졸이다가 광무제의 이 같은 조치로 안심하게 되었다.

초래할 것이다. 이것이 이른바 '이롭지 않다'는 것이다. 『정전』에서는 "함부로 탐내고 난폭함이 바로 도적이 된다"고 하였다. 『주역』은 군자를 위하여 모색하지, 어찌 도적의 길흉이나 자신을 위하여 모색하겠는가? 이것은 매우 이해하기가 어렵다.

김기례(金箕澧) 「역요선의강목(易要選義綱目)」

坎爲盜. 故易中有坎處, 多言寇. 上爲過剛, 又居蒙極之時, 如二之包蒙, 故爲擊蒙.
감괘(坎卦)는 도적이 된다. 그러므로 『주역』에서는 감괘가 있는 곳에서 대부분 도적을 말하였다. 상효는 지나치게 굳세고 또 몽매함이 지극한 때에 있으니, 이효가 몽매함을 포용함과 같다. 그러므로 '몽매함을 일깨움'이 된다.

○ 艮止而剛. 故曰禦寇, 遇剛於擊蒙, 則恐傷於暴. 故曰不利爲寇利禦寇.
간괘(艮卦)는 그치면서 굳세다. 그러므로 "도적을 막는다"고 하였고, 몽매함을 일깨움에 굳셈을 만나면 난폭함에 상할까 염려된다. 그러므로 "도적이 됨은 이롭지 않고, 도적을 막음이 이롭다"고 하였다.

이항로(李恒老) 「주역전의동이석의(周易傳義同異釋義)」

傳, 舜之征有苗, 周公之誅三監, 禦寇也, 秦皇漢武窮兵誅伐, 爲寇也.
『정전』에서 말하였다: 순임금이 묘족(苗族)을 정벌함과 주공이 삼감(三監)[82]을 벤 것은 도적을 막는 것이고, 진시황과 한무제는 무력을 남용하여 베고 정벌하였으니, 도적이 된 것이다.
本義, 取必太過, 攻治太深, 則必爲之害. 惟捍其外誘, 以全其眞純, 則雖過於嚴密, 乃爲得宜.
『본의』에서 말하였다: 취하는 것이 지나치고, 공격하여 다스리는 것이 지나치면, 반드시 도리어 해가 된다. 오직 밖의 유혹을 막아서 그 참되고 순수함을 온전히 하면 비록 지나치게 엄밀하더라도 마땅함을 얻을 것이다.
按, 蒙卦以養蒙爲義, 而上九過剛不中, 故爲擊蒙之象, 而无征伐攻誅之象, 故本義, 以捍其外誘, 釋禦寇之義也.
내가 살펴보았다: 몽괘(蒙卦)는 몽매함을 기르는 것으로 뜻을 삼고, 상구(上九)는 굳셈이 지나쳐 알맞음을 잃었다. 그러므로 몽매함을 일깨우는 상이 되지만, 정벌하고 주벌하는 상은 없다. 그러므로 『본의』에서 그 밖의 유혹을 막는다는 것으로 도적을 막는 뜻을 풀이하였다.

---

82) 은(殷)나라 유민을 다스리는 관직으로 무경(武庚)을 도와 반란을 일으키자, 주공이 이를 토벌하였다.

심대윤(沈大允)『주역상의점법(周易象義占法)』

蒙之師䷆, 衆也. 上九居柔, 所得旣多, 而不厭於學者也. 有過則擊去之而不護也. 故曰擊蒙, 震爲擊, 兼二而言也. 不獨自解其蒙而已, 又當解人之蒙. 故曰不利爲寇利禦寇, 坎爲寇, 指九二也. 九二, 學而解蒙者也, 言上九, 不當效九二, 而當解九二之蒙, 而擊去之也. 艮爲禦, 上九之學旣成, 而有需用之義也.
몽괘가 사괘(師卦䷆)로 바뀌었으니, 무리[衆]이다. 상구는 부드러운 자리에 있으면서 얻은 것이 이미 많지만 배움을 싫어하지 않는 것이다. 과실이 있으면 일깨워 제거하여 간직하지 못하게 한다. 그러므로 "몽매함을 일깨운다"고 하였는데, 진괘(震卦)가 일깨움이 되니, 이효(二爻)를 겸하여 말한 것이다. 스스로 몽매함을 해결할 뿐만이 아니라. 또한 남의 몽매함도 해결해야만 한다. 그러므로 "도적이 됨은 이롭지 않고, 도적을 막음이 이롭다"고 하였는데, 감괘(坎卦)가 도적이 되니 구이를 가리킨다. 구이는 배워서 몽매함을 해결하는 것이니, 상구는 구이를 본받지 말아야 하고 구이의 몽매함을 해결하여 일깨워 제거해야 함을 말한다. 간괘(艮卦)는 막음[禦]이 되니, 상구의 학문이 이미 이루어졌기에 요구하여 쓴다는 뜻이 있다.

오치기(吳致箕)「주역경전증해(周易經傳增解)」

上九, 陽剛在上, 亦當擊治在下之昏蒙者也. 然居不當位, 與六三不正之蒙爲正應, 或恐其係于私戀, 掩護而不治, 雖或治而不嚴, 則是乃反助其蒙. 故戒言不利爲寇, 而利在於猛擊昏蒙, 禦其寇害也. 〈不利爲寇. ○ 自註.〉
상구는 굳센 양이 위에 있어 또한 아래에 있는 어둡고 몽매한 것을 일깨워 다스려야 하는 것이다. 그러나 마땅치 않은 자리에 있으면서 육삼의 바르지 못한 몽매함과 정응(正應)이 되니, 혹 사적인 연민에 얽매여 감싸 보호하고 다스리지 못할까 염려되며, 혹 다스린다고 해도 엄격하지 못하다면 이는 도리어 그 몽매함을 돕는 것이다. 그러므로 도적을 도움은 이롭지 않고, 어둡고 몽매함을 맹렬히 일깨워 도적의 해를 막음에 이로움이 있다고 경계하여 말한 것이다. 〈도적을 위함은 이롭지 않다. ○ 자신의 주이다.〉

○ 擊, 謂伐而猛治之意也. 艮爲手, 對體之離, 爲戈兵, 手執戈兵, 爲擊之象也. 爲者, 助也, 昏蒙之極曰寇, 而取於應坎. 禦者, 防也, 止也, 取於艮.
'공격함[擊]'은 쳐서 맹렬히 다스린다는 의미이다. 상괘인 간괘(艮卦☶)는 손이 되고 하괘에 반대의 몸체인 리괘(離卦☲)는 병기가 된다. 손으로 병기를 잡았으니 공격하는 상이 된다. '위함[爲]'는 돕는다는 것이고, 어둡고 몽매함이 지극한 것을 '도적[寇]'이라 하니, 엇걸린 감괘(坎卦☵)에서 취하였다. '막음[禦]'은 방비함이고 그치게 함이니, 간괘(艮卦☶)에서 취하였다.

이진상(李震相)『역학관규(易學管窺)』

上九, 擊蒙,
상구는 몽매함을 일깨움이니,

變爻之師, 有禦寇之象, 本體在蒙, 有治蒙之意, 傳義俱通, 而象言其順, 亦坤體也.
효(爻)가 변한 사괘(師卦䷆)에는 도적을 막는 상이 있고, 본괘의 몸체는 몽매함에 있어 몽매함을 다스린다는 뜻이 있으니, 『정전』과 『본의』에서 함께 통용하였고, 「상전」에서 '따름'을 말한 것도 곤괘(坤卦)가 몸체이기 때문이다.

이진상(李震相)『역학관규(易學管窺)』

變爻之師, 有擊寇之象, 而窮兵則有輿尸之戒. 坎爲盜, 艮爲止, 故不利爲寇, 而利於禦寇. 上九處卦之終, 故反有治蒙象. 胡氏謂, 擊不正之三, 而禦比三之二, 擊三而防禁之, 固是禦寇之事, 而不利爲寇, 恐其寇視於二也.
효(爻)가 변한 사괘(師卦䷆)에는 도적을 공격하는 상이 있지만, 무력을 남용하니 "시체를 싣고 온다"[83]는 경계가 있다. 감괘(坎卦)는 도적이 되고 간괘(艮卦)는 그침이 되므로 도적이 됨은 이롭지 않고 도적을 막음이 이로운 것이다. 상구는 괘의 맨 끝에 있으므로 도리어 몽매함을 다스리는 상이 있다. 호씨가 "부정한 삼효를 일깨우고 삼효를 가까이 하는 이효를 막는다"고 하였으니, 삼효를 일깨워서 막고 금지시킴이 참으로 도적을 막는 일이고, '도적이 됨이 이롭지 않음'은 그 도적이 이효를 엿보는 것을 염려함이다.

박문호(朴文鎬)「경설(經說)·주역(周易)」

蒙之始終, 皆爲用刑之事. 初之刑人, 以敎化而用刑也, 上之擊蒙, 以敎化之所未及而擊之, 此則以刑而用刑也. 爲寇禦寇二寇字, 本自擊字說來, 然終是以彼喩此之語也, 非謂擊寇也.
몽괘(蒙卦)의 시작과 끝은 모두 형벌을 쓰는 일이 된다. 초효(初爻)의 '사람에게 형벌함'은 교화하기 위해 형벌을 쓴 것이고, 상효(上爻)의 '몽매함을 일깨움'은 교화가 아직 미치지 못하였기에 일깨우는 것이니 이것은 형벌로써 형벌을 쓴 것이다. '도적이 됨[爲寇]'과 '도적을 막음[禦寇]'의 '도적[寇]'은 본래 '공격함[擊]'으로부터 말한 것이지만, 결국에는 저것으로 이것을 일깨운다는 말이지 '도적을 공격함'을 이르는 것은 아니다.

---

83)『周易·師卦』: 六三, 師或輿尸, 凶.

象曰, 利用禦寇, 上下順也.

「상전」에서 말하였다: "도적을 막음이 이로움"은 위아래가 따르기 때문이다.

中國大全

傳

利用禦寇, 上下皆得其順也. 上不爲過暴, 下得擊去其蒙, 禦寇之義也.

도적 막음을 씀이 이로움은 위아래가 다 따를 수 있기 때문이다. 위에서 지나치게 포학하지 않고, 아래에서는 그 몽매함을 일깨워 없애니, 도적을 막는다는 의미이다.

本義

禦寇以剛, 上下皆得其道.

도적을 막는 것을 굳셈으로써 하니, 위아래가 다 도를 얻었다.

小註

白雲郭氏曰, 上九過剛之才, 發蒙則爲暴, 包蒙則不能容. 以之禦寇則利矣. 能禦寇, 亦去衆蒙之害也.
백운곽씨가 말하였다: 상구는 지나치게 굳센 재질이니, 몽매함을 계발하면 사나워지며, 몽매한 이를 포용하면 받아들일 수 없다. 이로써 도적을 막으면 이롭게 된다. 도적을 막을 수 있으면 또한 많은 몽매한 해를 제거하게 된다.

○ 雲峯胡氏曰, 上之剛不爲寇而止寇, 上之順也. 下之人隨其所止而止之, 下之順也.
운봉호씨가 말하였다: 위의 굳셈이 도적이 되지 않고 도적을 멈추니, 위의 따름이다. 아래의 사람이 그가 멈춘 것을 따라서 멈추니, 아래의 따름이다.

○ 建安丘氏曰, 蒙卦六爻二陽四陰, 故以二陽爲四陰之主. 然九二得中得時, 上九過中失時, 故二又爲蒙之主. 其曰包蒙吉, 納婦吉, 則爻之所指可見矣. 至上九則但擊蒙禦寇而已. 其上下四陰爻, 皆因二以起義. 五應二, 則爲童蒙之吉. 初承二, 則爲發蒙之利. 四遠二, 不明者也, 則爲用蒙之吝. 三乘二, 不順者也. 聖人不以蒙待之, 故此爻不言蒙.
건안구씨가 말하였다: 몽괘의 여섯 효는 양이 두 개이고 음이 네 개이기 때문에, 두 개의 양이 네 개의 음의 주인이 된다. 그러나 구이는 중을 얻고 때를 얻었으나, 상구는 중에 지나쳐 때를 잃었기 때문에, 이효가 또 몽괘의 주인이 된다. 그러므로 "몽매함을 포용하니 길하고 부인을 들이니 길하다"고 하였으니, 효가 가리키는 것을 알 수 있다. 상구에 이르면 단지 몽매함을 일깨워 주고 도적을 막는 것일 뿐이다. 위아래의 네 개의 음효는 모두 이효로 인하여 의미가 발생된다. 오효가 이효에 호응하니 철부지 어린이의 길함이고, 초효가 이효를 받드니 몽매함을 계발해 주는 이익이 되며, 사효는 이효와 멀리 떨어져 있어 어리석은 자이니 몽매함을 쓰는 부끄러움이 된다. 삼효는 이효를 올라타고 있으니 따르지 않는 자이다. 성인이 몽매함으로써 대하지 않았기 때문에, 삼효에서는 몽매함을 말하지 않았다.

韓國大全

김장생(金長生)「주역(周易)」

蒙上九象, 上下順也.
몽괘(蒙卦) 상구의「상전」에서 말하였다: 위아래가 따르기 때문이다.

上下, 地位之上下也, 崔岦之以上下終始言之, 非也.
위아래는 지위의 위아래이니, 최립(崔岦)이 위아래와 시종(始終)으로 말한 것은 잘못이다.

송시열(宋時烈)『역설(易說)』

小象, 上下順云者, 非謂上九之上, 又有順也, 以上之剛, 禦下之寇, 皆得其順道之謂也.
「소상전」에서 "위아래가 따르기 때문이다"라고 한 것은 상구의 위에 또다시 따르는 것이 있다는 것이 아니라, 위의 굳셈으로 아래의 도적을 막음이니, 모두가 그 도에 따랐음을 말한다.

유정원(柳正源) 『역해참고(易解參攷)』

朱子曰, 上九一陽, 而衆陰隨之, 如人皆順從於我. 故能禦寇, 便如孔子告陳恒之事, 須是得自家屋裏人. 不從時, 如何去禦得寇. 所以象曰上下順也.
주자가 말하였다: 상구는 하나의 양(陽)이지만 여러 음(陰)들이 따르니, 사람들이 모두 나에게 순종하는 것과 같다. 그러므로 도적을 막아낼 수 있는 것이니, 곧 공자가 진항(陳恒)에 대해 고한[84] 일과 같이 반드시 자신의 집안사람을 얻어야 한다. 따르지 않을 때에는 어떻게 도적을 막아낼 수 있겠는가? 이 때문에 「상전」에서 "위아래가 따르기 때문이다"라고 한 것이다.

○ 梁山來氏曰, 上九剛, 止于禦寇, 上之順也, 六三柔, 隨其所止, 下之順也. 艮有止象, 變坤有順象.
양산래씨가 말하였다: 상구의 굳셈이 도적을 막는 데에 그쳤으니 위의 따름이고, 육삼의 부드러움이 그치게 함을 따르니 아래의 따름이다. 간괘(艮卦)에는 그치는 상이 있고, 곤괘(坤卦)로 변하면 따르는 상이 있다.

○ 案, 上下皆得其道, 然後可以禦寇. 以剛居上, 捍其外誘, 上之順也, 衆陰隨之, 全其眞純, 下之順也.
내가 살펴보았다: 위아래가 모두 그 도를 얻은 뒤에야 도적을 막을 수 있다. 굳셈으로 위에 있으면서 밖의 유혹을 막으니 위의 따름이고, 여러 음들이 그를 따라 진실함과 순수함을 온전하게 하니 아래의 따름이다.

김상악(金相岳) 『산천역설(山天易說)』

敎以嚴而止蒙之寇, 上之順也, 因其嚴而止已之寇, 下之順也.
엄격하게 가르쳐서 몽매한 도적을 그치게 함은 위의 따름이고, 그 엄격함으로 인하여 자신이 도적됨을 그침은 아래의 따름이다.

서유신(徐有臣) 『역의의언(易義擬言)』

旣禦寇矣, 不爲寇也. 上能擊, 下能聽, 俱順其道也.
이미 도적을 막았으니 도적이 되지는 않는다. 위에서 일깨울 수 있고 아래서 받아들일 수 있으니, 모두 그 도에 따르는 것이다.

---

84) 『論語 · 憲問』: 孔子沐浴而朝, 告於哀公曰, 陳恒弑其君, 請討之.

김귀주(金龜柱) 『주역차록(周易箚錄)』

象曰, 利用禦寇, 云云

「상전」에서 말하였다: 도적 막음을 씀이 이로운 것은, 운운.

○ 按, 上下, 上指九, 下指四陰. 蓋以利禦寇, 爲上下順, 則其以不利爲寇, 爲上下不順, 可知也.

내가 살펴보았다: 위아래[上下]에서 '위[上]'는 상구를 가리키고, '아래[下]'는 네 개의 음효를 가리킨다. 대체로 도적을 막음이 이로운 것으로 위아래가 따름을 삼으면 도적이 됨이 이롭지 않은 것이 위아래가 따르지 않음이 됨을 알 수 있다.

本義, 禦寇以剛, 云云.

『본의』에서 말하였다: 도적 막기를 굳셈으로 하니, 운운.

小註 建安丘氏曰, 蒙卦, 云云.

소주에서 건안구씨가 말하였다: 몽괘(蒙卦)의, 운운.

○ 按, 六三之不言蒙, 不過別起一義. 他卦皆然, 非聖人不以蒙待之也. 若以蒙言, 則見金夫, 不有躬, 正女子之至蒙而難喩者也, 何謂不可以蒙待之乎.

내가 살펴보았다: 육삼에서 몽매함을 말하지 않음은 별도로 하나의 뜻을 세운 것에 불과하다. 다른 괘들도 모두 그러하니, '성인이 몽매하다고 상대하지 않은 것'[85]은 아니다. 만약 몽매함으로 말한다면 돈이 많은 사내를 보고 몸을 지키지 못하는 것이 바로 여자들 중에 매우 몽매하여 일깨워주기 어려운 자이니, 어찌 육삼을 몽매함으로 대하지 말아야 한다고 하겠는가?

박문건(朴文健) 『주역연의(周易衍義)』

上懲而下畏者, 順其道而相保也.

윗사람이 징계하고 아랫사람이 두려워함은 도리에 따라 서로 지키는 것이다.

김기례(金箕澧) 「역요선의강목(易要選義綱目)」

上下順.

위아래가 따르기 때문이다.

85) 소주(小註)의 건안구씨의 견해임.

爲寇, 則過剛而不順, 禦寇, 則上順, 故下亦順.
도적이 되면 지나치게 굳세어 따르지 않고, 도적을 막으면 위가 따르므로 아래도 또한 따른다.

贊曰, 蒙以養正, 上下相依, 主巽臣良, 道其庶幾. 誠一以告, 剛中發揮, 決險漸進, 道與泉歸.
찬하여 말한다: 몽매함으로 바름을 기르니 위아래가 서로 의지하고, 주인은 겸손하고 신하는 어지니 도에 거의 가까울 것이로다. 한결같은 정성으로 일깨워줌에 굳세고 알맞음이 발휘되어서 험난함을 헤치고 점차 나아가니 도가 샘물처럼 돌아오는구나.

오치기(吳致箕) 「주역경전증해(周易經傳增解)」

見寇而能禦, 上之順事也, 以寇而能見止於上, 卽下之順道也. 順取於變坤及互坤也.
도적을 보고 능히 막아냄은 윗사람이 일에 따르는 것이고, 도적이면서 윗사람에게 저지를 받아들임은 아랫사람이 도에 따르는 것이다. '따름'은 효가 변한 곤괘(坤卦)와 호괘(互卦)인 곤괘에서 취하였다.

이병헌(李炳憲) 『역경금문고통론(易經今文考通論)』

孟曰, 陰乃上薄, 致疑于陽, 必與陽戰. 荀九家曰, 陰陽合居, 故曰兼. 按, 鄭作兼[86]于陽, 惠棟以爲虞鄭荀陸皆同. 易漢學兼直稱溓, 以爲溓於陽. 注溓雜也. 乾之策, 二百一十有六, 坤之策, 百四十有四, 凡三百有六十. 自此以次相承, 兩兩相對, 每卦皆有相承之意, 每對皆有反應之體.
맹희는 "음이 위와 부딪히고 양을 의심하면, 양과 반드시 싸운다"[87]라 하였다. 순상(荀爽)의 『구가역(九家易)』에서는 "음과 양이 함께 있으므로 '겸한다'라 하였다"[88]라 하였다.[89]
내가 살펴보았다: 정현은 "양을 겸한다"로 기록해 놓았다. 혜동은 우번·정현·순상·육덕명이 모두 같다고 여겼다. 혜동의 『역한학』에서는 '겸한다'를 곧 '싫어한다'로 칭하니, 양을 싫어한다고 여긴 것이다. 주에 "싫어한다는 섞인다의 뜻이다"라 하였다. 건의 책수는 이백열여섯이고 곤의 책수는 백열넷이니, 모두 삼백예순이다. 여기서부터 차례로 서로 이어져 둘씩 짝으로 서로 상대하니, 괘마다 모두 서로 이어지는 뜻이 있고, 상대할 때마다 반대로 호응하는 몸체가 있다.

---

86) 兼: DB에는 '義'로 되어 있으나 영인본을 참조하여 '兼'으로 바로잡았다.
87) 『周易集解·坤卦』: 陰疑於陽, 必戰. 구절의 주, 孟喜曰, 陰乃上薄, 疑似於陽, 必與陽戰也.
88) 『周易集解·坤卦』: 爲其嫌於无陽也, 故稱龍焉. 구절의 주, 九家易曰, 陰陽合居, 故曰嫌.
89) 앞의 주석을 참고하면 알 수 있는 것으로서 이병헌이 인용한 순상의 주석이 『주역집해』에 있는 내용과 다르다.

5

수괘

需卦䷄

中國大全

傳

需序卦, 蒙者蒙也, 物之穉也. 物穉不可不養也, 故受之以需. 需者, 飮食之道也. 夫物之幼穉, 必待養而成. 養物之所需者, 飮食也. 故曰需者飮食之道也. 雲上於天, 有蒸潤之象, 飮食所以潤益於物. 故需爲飮食之道, 所以次蒙也. 卦之大意, 須待之義, 序卦取所須之大者耳. 乾健之性, 必進者也. 乃處坎險之下, 險爲之阻, 故須待而後進也.

수괘(需卦䷄)는 「서괘전」에서 "몽(蒙)은 어린 것이니, 생물의 어린 것이다. 생물이 어리면 기르지 않을 수 없기 때문에 수괘로서 받았으니, 수(需)는 음식의 도이다"라고 하였다. 어린 것은 반드시 기름을 기다려야 완성되는 것이다. 생물을 기르는데 필요한 것은 음식이기 때문에, '수는 음식의 도'라고 한 것이다. 구름이 하늘 위에 있는 것은 증발하고 불어나는 상이며, 음식은 생물을 윤택하고 유익하게 한다. 그러므로 수괘(需卦)가 음식의 도가 되니, 몽괘 다음에 놓인 까닭이다. 괘의 큰 뜻은 기다린다는 것이니, 「서괘전」에서는 기다림 중에서 큰 것을 취했을 뿐이다. 건의 굳센 성질은 반드시 나아가야만 하는 것이다. 그런데 감(坎)의 험함 아래에 있고, 험함은 가는 것을 막는 것이므로 기다린 다음에 나아가는 것이다.

小註

徂徠石氏曰, 凡乾在下者必當上復. 今欲上復, 前遇坎險, 未可直進, 宜須待之.
조래석씨가 말하였다: 아래에 있는 건(☰)은 반드시 위로 돌아감이 마땅하다. 지금 위로 돌아가고자 하나 앞에 험한 감(☵)을 만나 바로 나아갈 수 없으니, 마땅히 기다려야 한다.

○ 誠齋楊氏曰, 傳曰需, 事之賊. 言猶豫不決之害事也. 易之需, 非不決之需. 見險而未可動, 能動而能不動者也.
성재양씨가 말하였다: 『춘추좌씨전』에서 "망설임은 일을 해친다"[1]라고 하였으니, 결단을 내리지 못하고 망설이다가 일을 해치는 것을 말한다. 『주역』의 수(需)는 결단을 내리지 못하는 수(需)가 아니라 저지를 당해 아직 움직이지 않은 것이니, 움직일 수도 있고 움직이지 않을 수도 있는 것이다.

1) 『春秋左氏傳 · 哀公十四年』.

需, 有孚, 光亨, 貞吉, 利涉大川.

정전 수(需)는 믿음이 있어서 밝게 형통하고 곧아서 길하니, 큰 내를 건넘이 이롭다.
본의 수(需)가 믿음이 있으면 밝게 형통하고 곧으면 길하여, 큰 내를 건넘이 이롭다.

中國大全

傳

需者, 須待也. 以二體言之, 乾之剛健上進而遇險, 未能進也, 故爲需待之義. 以卦才言之, 五居君位, 爲需之主, 有剛健中正之德, 而誠信充實於中, 中實, 有孚也. 有孚則光明而能亨通, 得貞正而吉也. 以此而需, 何所不濟. 雖險无難矣, 故利涉大川也. 凡貞吉, 有旣正且吉者, 有得正則吉者, 當辨也.

'수(需)'는 기다리는 것이다. 두 괘의 몸체로 말하면, 강건한 건이 위로 올라가 험함을 만나 나갈 수 없기 때문에, 기다린다는 의미가 된다. 괘의 재질로 말하면, 구오가 임금의 자리에 있어 수괘의 주인이 되고, 강건하고 중정한 덕이 있어 정성과 믿음이 가운데에 가득 찼으니, 가운데가 찼음은 믿음이 있는 것이다. 믿음이 있으면 광명하여 형통할 수 있고 곧고 바름을 얻어 길하다. 이것으로써 기다리면 어떤 것인들 다스리지 못하겠는가? 비록 험하더라도 곤란함이 없을 것이기 때문에, 큰 내를 건넘이 이로운 것이다. 대체로 '정길(貞吉)'에는, 이미 발라서 길한 경우가 있고, 바름을 얻으면 길한 경우가 있으니, 마땅히 분별하여야 한다.

小註

莆陽張氏曰, 利涉大川者, 乾濟乎坎也. 以剛中之德, 臨事而懼, 何所往而不利哉.
포양장씨가 말하였다: "큰 내를 건너면 이롭다"라 함은 건괘가 감괘를 건넜기 때문이다. 굳세고 중도에 맞는 덕으로써 일에 임하여 두려워한다면 어디를 간들 이롭지 않겠는가?

○ 西山眞氏曰, 按, 諸卦, 凡言利涉大川, 皆利濟險涉難之義.
서산진씨가 말하였다: 살펴보건대, 여러 괘에서 "큰 내를 건너면 이롭다"라 함은 모두 험난한 것을 건너면 이롭다는 의미이다.

本義

需, 待也. 以乾遇坎, 乾健坎險, 以剛遇險, 而不遽進以陷於險, 待之義也. 孚, 信之在中者也. 其卦九五以坎體中實, 陽剛中正而居尊位, 爲有孚得正之象. 坎水在前, 乾健臨之, 將涉水而不輕進之象. 故占者爲有所待而能有信則光亨矣. 若又得正則吉而利涉大川. 正固无所不利, 而涉川, 尤貴於能待, 則不欲速而犯難也.

'수(需)'는 기다리는 것이다. 건(乾)으로써 감(坎)을 만났으니, 건은 굳세고 감은 험하여 굳셈이 험함을 만나, 나아가지 못하고 험한 곳에 빠져 기다린다는 의미이다. '부(孚)'는 믿음이 가운데 있는 것이다. 수괘의 구오는 감의 몸체 가운데가 실(實)하고, 양으로써 굳세며 중정하여 높은 자리에 있으니, 믿음이 있고 바름을 얻는 상이 된다. 감의 물이 앞에 있음에 건의 굳셈으로 임하니, 장차 물을 건널 것이나 경솔하게 나아가지 않는 상이다. 그러므로 점치는 사람이 기다리면서 믿음을 지닐 수 있으면 "빛나며 형통할 것이다." 만약 또 바름을 얻으면 길해서 "큰 내를 건넘이 이롭다." 바르면 진실로 이롭지 않음이 없으나, 내를 건넘에 기다림을 더욱 귀하게 여겨 급히 서둘다가 험난함을 범하는 것을 막고자 함이다.

小註

朱子曰, 需主事, 孚主心. 需其事, 而心能信實, 則光亨. 以位乎尊位而中正, 故所爲如此. 利涉大川而能需, 則往必有功. 利涉大川, 亦蒙上有孚, 光亨, 貞吉. 又曰, 需者, 寧耐之意. 以剛遇險, 時節如此, 只當寧耐以待之. 且如涉川者, 多以不能寧耐, 致覆溺之禍, 故需卦首言利涉大川.

주자가 말하였다: 기다린다는 것은 일을 위주로 하고, 믿음은 마음을 위주로 한다. 그 일을 기다리면 마음이 성실할 수 있으니, 곧 '빛나서 형통함'이다. 존귀한 자리에 있으면서 중정하기 때문에 하는 것이 이와 같다. '큰 내를 건넘이 이롭고' 기다릴 수 있으니, 가면 반드시 공이 있을 것이다. "큰 내를 건너면 이롭다"라 함은 또한 윗 문장의 "믿음이 있으면 크게 형통하고 바르게 하면 길하다"라는 말을 이어받았다.

또 말하였다: 기다린다는 말은 인내한다는 의미이다. 강직함으로써 험한 것을 만나 시절이 이와 같으니, 인내하면서 기다려야 할 것이다. 예컨대 내를 건너는 사람 가운데 인내하지 못하여 전복되고 물에 빠지는 재난을 초래하는 이가 많다. 그러므로 수괘에서 맨 첫머리에 "내를 건넘이 이롭다"라고 한 것이다.

○ 雲峯胡氏曰, 需, 待也. 乾陽在下, 皆有所需, 九五坎陽在上, 又爲衆所需. 需而无實, 无光且亨之時, 需而非正, 无吉且利之理. 世有心雖誠實, 而處事或有未正者, 故曰孚, 又曰貞.

운봉호씨가 말하였다. 수(需)는 기다린다는 말이다. 건괘의 양은 아래에 있어, 모두 기다리는 것이 있고, 감괘의 양인 구오는 위에 있어 또한 무리에게 기다림을 받는다. 기다리면서 성실함이 없으면 빛나고 형통한 것이 없는 때이고, 기다리면서 바른 것이 없으면 길하고 이로운 도리가 없다. 세상에는 마음은 비록 성실하지만 일을 처리하는 것이 혹 바르지 못한 자가 있기 때문에, '믿음(孚)'이라 하고, 또 '곧음(貞)'이라고 하였다.

▌韓國大全▐

이현익(李顯益)「주역설(周易說)」

需卦之義須待, 是正義, 故象與爻所言, 皆須待之義. 若飮食, 則只是九五一爻而序卦言需義, 以飮食爲主, 何也. 竊謂需之義, 須待固是正義, 而九五爲一卦之主. 大象亦以此爲言, 故序卦言需之次蒙, 亦以此爲主. 此是易中一例

수괘(需卦)의 의미는 기다리는 것이 올바른 뜻이기 때문에 단사와 효사에서 말하는 내용이 모두 기다린다는 뜻이다. 음식의 경우는 다만 구오인 한 효에 해당하는데 「서괘전」에서 수괘의 뜻을 말할 때 음식을 위주로 한 것은 어째서인가? 내가 생각하건대, 수괘의 뜻은 기다린다는 것이 참으로 올바른 뜻이어서 구오가 한 괘의 주인이 된다. 「대상전」에서도 이것으로 말하였기 때문에, 「서괘전」에서는 수괘의 다음을 몽괘라 말한 것도 이것을 위주로 한 것이다. 이는 『주역』의 한 가지 사례이다.

이익(李瀷)「역경질서(易經疾書)」

需者蓄養而將有施用也. 養必待飮食, 故曰飮食之道也. 將有用故曰須也. 未施故曰不進也. 養人之道有三, 有養其德者, 有養其才者, 有養其體者. 養必待用時未可遽進, 故兼此三義, 而養體莫如飮食, 夫雲在天上將雨之候也. 養萬物莫大於時雨, 百穀以成, 而人亦得以飮食之也. 貞吉光宜哉亨.

수는 쌓고 길러서 장차 베풀어 쓰임이 있다. 기름은 음식을 기다려야 하기 때문에 '음식의 도'라고 하였다. 장차 쓰임이 있기 때문에 '기다림'이라고 하였다. 아직 베풀지 못하기 때문에 '나아가지 않음'이라고 하였다. 사람을 기르는 방법에 세 가지가 있으니 덕성을 기름이 있고 재주를 기름이 있고 육체를 기름이 있다. 기다림은 때를 기다려 써야 하기 때문에 이 세 가지 뜻을 겸했고 육체를 기름에 음식만한 것이 없는데, 구름이 하늘 위에 있음은 장차 비가 오려는 징후이다. 만물을 기름에 때맞은 비보다 더 중대한 것은 없으니, 백곡이 이로써 이루어지고 사람도 이로써 마시고 먹는다. 바르고 길하며 빛남이 마땅히 형통하다.

需次於蒙有飮食養人之義. 然飮食只養其體膚, 非悅樂, 亦不能充養. 子曰, 張而不弛, 文武不能. 宴樂所以養其志氣也. 吾聞養馬養鷹者, 雖芻豆肉臠之飽飫, 終不若飛騰自適者之豪健. 此君子所以宴樂也. 遠水則有郊, 近水則有泥, 沙在郊泥之間, 故曰衍在中也. 衍,韵書云, 水溢也, 衍與羨通, 所謂河水羨溢, 是也. 時有水而不恒, 故有小有言終吉之象.
수괘(需卦)가 몽괘 다음에 있는 것은 음식으로 사람을 기르는 뜻이다. 그렇지만 음식은 육체를 기를 뿐이니, 기쁘고 즐겁지 않으면 기름을 충족할 수 없다. 공자가 말하길, "조이기만 하고 풀어놓지 않는다면, 문왕, 무왕도 능히 다스리지 못할 것이다"라고 하였다. 편안하게 즐김으로써 뜻과 기운을 기른다. 내가 듣기로 말을 기르고 매를 기르는 것도 말의 먹이와 매의 모이를 배불리 먹는 것이 끝내는 날아올라 마음껏 즐기는 건장함만 같지 못하다. 이 때문에 군자가 편안히 즐기는 것이다. 물에서 멀면 들이 있고 물과 가까우면 진흙이 있는데, 모래사장은 들과 진흙의 사이에 있다. 그러므로 "연(衍)으로 가운데 있다"고 했다. 연(衍)은 『운서』에 물이 넘쳐흐르는 것으로 연(衍)은 이(羨)와 통한다고 했으니 "하수가 넓게 흘러넘친다"는 것이 그것이다. 때로 물이 있지만 늘 그런 것은 아니므로, 조금 말은 있지만 마침내 길한 상이다.

유정원(柳正源) 『역해참고(易解參攷)』

梁山來氏曰, 以卦象論, 水在天上, 未遽下于地, 必待陰陽之交, 薰蒸而成, 需之象也. 以卦德論, 乾性主乎必進, 乃處坎陷之下, 未肯遽進, 需之義也.
양산래씨가 말하였다: 괘의 상으로 논하면, 하늘 위에 있는 물이 땅으로 갑자기 내리지 않고 반드시 음양의 교감을 기다려 증발이 되어야 이루어지는 것이 수괘(需卦)의 상이다. 괘의 덕으로 논하면, 건(☰)의 본성은 반드시 나아가는 것을 주로 하는데, 험한 감(☵)의 아래에 있어 선뜻 나아가려고 하지 않는 것이 수괘의 뜻이다.[2)]

○ 案, 須待而不遽進者, 以其有中實之德也, 況於遇險乎. 信積於中, 則自然光亨, 孟

2) 『周易 · 需卦』: 以卦象論, 水在天上, 未遽下于地, 必待陰陽之交, 薰蒸而後成, 需之象也. 以卦德論, 乾性主于必進, 乃處坎陷之下, 未肯遽進, 需之義也.

子所謂充實而有光輝者, 是也. 互體爲離, 亦有光亨象, 又有虛舟象.
내가 살펴보았다: 기다리면서 선뜻 나아가지 않는 것은 마음에 성실한 덕이 있기 때문인데, 더구나 험함을 만남에 있어서랴! 믿음이 가운데 쌓이면 자연히 밝게 형통하니, 맹자가 말한 "충실하고 빛남이 있다"[3]는 것이 이에 해당한다. 호괘의 몸체가 이(☲)이니, 또한 밝게 형통하는 상이 있고, 또한 텅 빈 배의 상이 있다.

김상악(金相岳) 『산천역설(山天易說)』

孚者, 信之在中者. 九五, 中正居尊, 主坎於上, 故有孚而光亨, 得正而吉也. 九二, 剛健在下, 能需而不輕進, 故利涉大川.
'믿음[孚]'은 믿음이 중심에 있는 것이다. 구오(九五)는 중정하고 존귀한 자리에 있으니, 상체(上體)에서 감괘(坎卦)를 주관하기 때문에 믿음이 있어서 빛나고 형통하고, 바름을 얻어서 길함이 있는 것이다. 구이(九二)는 굳세고 강건함이 하체(下體)에 있어 기다리고 경솔하게 나아가지 않기 때문에 "큰 내를 건넘이 이롭다"라 하였다.

○ 孚者, 坎之象. 凡言孚者, 有在陽爻者, 有在陰爻者, 伊川曰, 中虛, 信之本, 中實, 信之質, 是也. 坎之彖曰, 有孚, 維心亨, 故需曰, 有孚, 光亨. 未濟之五曰, 君子之光, 有孚. 未濟則離爲主, 故先光而後孚, 自明而誠也, 需則坎爲主, 故先孚而後光, 自誠而明也. 所以誠明起于中也. 坎險爲川, 乾健爲涉, 故需訟之涉川同, 而需利而訟不利者, 乾坎之交不交也. 凡言利涉, 取乾者, 以卦德也, 需同人大畜, 是也, 取水木者, 以卦體也, 渙蠱未濟謙, 或取中爻, 或取卦變, 是也, 取中虛者, 以卦象也, 益中孚頤, 是也.
'믿음'은 감괘(坎卦)의 상이다. '믿음'이라는 것은 양효(陽爻)에 있고, 음효(陰爻)에도 있으니, 이천이 "속이 텅 빈 것은 믿음의 근본이고, 속이 꽉 찬 것은 믿음의 바탕이다"[4]라 한 것이 여기에 해당한다. 감괘의 「단사(彖辭)」에서 "믿음이 있어 마음 때문에 형통하다"[5]라고 하였기 때문에 수괘(需卦)에서 "믿음이 있으면 크게 형통하다"고 하였고, 미제괘(未濟卦)의 오효(五爻)에서 "군자의 빛남에 믿음이 있다"[6]라 하였다. 미제괘에 있어서는 리(☲)가 주인이 되기 때문에 먼저 빛나고 나서 뒤에 믿는 것이니, 밝음으로부터 진실되고,[7] 수괘에 있어

---

3) 『孟子 · 盡心』.
4) 『伊川易傳 · 中孚卦』: 又二五皆陽中實, 亦爲孚義. 在二體, 則中實, 在全體, 則中虛. 中虛, 信之本, 中實信之質.
5) 『周易 · 坎卦』: 習坎, 有孚, 維心亨, 行, 有尙.
6) 『周易 · 未濟卦』: 六五 貞 吉 无悔 君子之光 有孚 吉.
7) 『中庸』.

서는 감(☵)이 주인이 되기 때문에 먼저 믿음이 있고 나서 뒤에 빛나는 것이니, 진실됨으로부터 밝은 것이다. 그래서 진실됨과 밝음은 중심에서 일어난다. 감(☵)의 험준함이 '내[川]'가 되고, 건(☰)의 강건함이 '건너다[涉]'가 되기 때문에 수괘와 송괘(訟卦)에서 "내를 건너다"[8]라 한 것은 같지만, 수괘에서는 이롭고 송괘에서는 이롭지 않는 것은 건괘와 감괘가 사귀느냐 사귀지 않느냐에 있기 때문이다. "내를 건넘이 이롭다"라 할 때 건(☰)을 취한 것은 괘의 덕성 때문이니 수괘 · 동인괘(同人卦) · 대축괘(大畜卦)가 여기에 해당하고, 물이나 나무를 취한 것은 괘의 몸체 때문이니, 환괘(渙卦) · 고괘(蠱卦) · 미제괘 · 겸괘(謙卦)에서 가운데 효를 취하거나 괘의 변함을 취하는 것이 여기에 해당한다. 속이 텅 빈 것을 취한 것은 괘의 상 때문이니, 익괘(益卦) · 중부괘(中孚卦) · 이괘(頤卦)가 여기에 해당한다.

박윤원(朴胤源)『경의(經義) · 역경차략(易經箚略) · 역계차의(易繫箚疑)』

需, 飮食之道也. 象雖不言飮食, 而坎之中實, 如器之有實, 是飮食之象也.
수괘(需卦)는 음식의 도이다. 「단사(彖辭)」에서 비록 음식에 대해 말하지 않았으나, 감(☵)의 가운데가 꽉 찬 것이 마치 그릇에 과일이 있는 것과 같으니, 이것이 음식의 상이다.

서유신(徐有臣)『역의의언(易義擬言)』

待時而用之謂需. 不宜止訓待也. 有孚, 所以爲需, 無孚, 奚所需也, 有孚而需, 其道光明也, 亨貞吉, 九五, 得正位也, 利涉大川, 需終而濟也, 見險能需之功也.
때를 기다려 쓰는 것을 수괘(需卦)라고 이른다. 기다림[待]으로 풀이하는 것으로 그쳐서는 안된다. 믿음이 있기 때문에 기다리는 것이니, 믿음이 없다면 어떻게 기다리겠는가? "믿음이 있어서 기다린다"라 함은 그 도가 밝게 빛나기 때문이고, "형통하고 바르게 하여 길하다"는 구오(九五)가 올바른 자리를 얻었기 때문이고, "큰 내를 건넘이 이롭다"는 기다림이 끝나 건너는 것이니, 험준함을 보고 기다리는 공이다.

김귀주(金龜柱)『주역차록(周易箚錄)』

需, 有孚, 光亨, 云云.
수괘(需卦)는 믿음이 있어서 밝게 형통하다, 운운.
○ 按, 需, 有孚, 光亨, 貞吉, 只指外卦九五而言, 利涉大川, 統指內外卦二體而言. 蓋

8)『周易 · 訟卦』: 利見大人 不利涉大川.

外虛中實, 爲有孚. 而有孚則必有光亨之道. 觀於坎本卦, 亦以有孚心亨爲說者, 可見矣. 但在需待之時, 不可不守正, 故兼貞吉而言耳. 至於利涉大川, 大川卽坎而往涉者乾也. 乾在坎下, 有相時而進之象, 故爲利涉大川. 若訟則乾在坎上, 有已陷於險之象, 故曰不利涉大川也. 利涉大川一句, 恐不屬上文, 而自爲一義. 彖傳之意, 蓋亦如此. 凡遇此卦者, 有所需待, 而能有信得正, 則光亨而吉矣, 且爲順涉險難之占也. 本義以利涉大川, 連貞吉字解之, 小註朱子說, 亦以爲利涉大川, 亦蒙上文有孚光亨貞吉, 此皆出於不欲速犯難之意, 而彖辭之義, 恐未必如此, 當更商.

내가 살펴보았다: "수괘(需卦)는 믿음이 있어서 밝게 형통하고 바르게 하여서 길하다"라 한 것은 다만 외괘(外卦)인 구오만을 가리켜서 말하였고, "큰 내를 건넘이 이롭다"라 한 것은 내괘(內卦)와 외괘의 몸체를 모두 가리켜서 말하였다. 대체로 밖이 텅 비고 가운데가 꽉 찬 것은 믿음이 있는 것이다. 믿음이 있다면 반드시 밝게 형통하는 도가 있다. 감(坎)의 본괘(本卦)를 봐도 "믿음이 있어서 마음 때문에 형통하다"로 설명하는 것을 볼 수 있다. 다만 기다릴 때에는 올바름을 지키지 않을 수 없기 때문에 "바르게 하여서 길하다"를 겸하여 말했을 뿐이다. "큰 내를 건넘이 이롭다"의 경우에 있어서 '큰 내'란 곧 감(☵)이고 가서 건너는 것은 건(☰)이다. 건(☰)이 감(☵)의 아래에 있어 때를 보고 나가는 상이 있기 때문에 "큰 내를 건넘이 이롭다"라 하였다. 송괘(訟卦)의 경우는 건괘가 감괘의 위에 있어 이미 험준함에 빠진 상이 있기 때문에 "큰 내를 건넘은 이롭지 않다"라 하였다. "큰 내를 건넘이 이롭다"는 구절은 아마도 윗글에 속하지 않고 본래 하나의 뜻인 듯하다. 「단전」의 뜻도 아마 이와 같을 것이다. 대체로 이런 괘를 만난 경우에 기다려서 믿음을 지니고 올바름을 얻는다면, 밝게 형통하여 길하게 되니, 또 험난함을 순리대로 해쳐가는 점(占)이 된다. 『본의』에서 "큰 내를 건넘이 이롭다"는 글을 "바르게 하여서 길하다"는 글과 연결시켜 풀이하고 있으니, 소주(小註)에서 주자의 설명도 "큰 내를 건넘이 이롭다"는 것 또한 "믿음이 있으면 밝게 형통하고 바르게 하여서 길하다"는 윗글에 잇고 있으니, 이런 해설은 모두 급히 서둘다가 험난함을 범하지 않기 위한 뜻에서 나왔다. 그런데 「단사」의 뜻이 아마도 반드시 이와 같지는 않은 듯하니, 더욱 헤아려 봐야 할 것이다.

本義, 需待也, 云云.

『본의』: 수는 기다리는 것이다, 운운.

○ 按, 他卦彖辭, 自卦名以下, 爲占辭, 如蒙是也, 而此卦則竝需字爲占辭, 與履卦之履虎尾爲一例矣. 本義之意蓋如此

내가 살펴보았다: 다른 괘의 「단사」는 괘의 이름 이하로 점사(占辭)를 삼고 있으니, 몽괘의 경우가 이것이고, 이 괘는 수(需)라는 글자를 아울러 점사로 삼고 있으니, 리괘(履卦)의 "범의 꼬리를 밟다"는 글과 같은 예이다. 『본의』의 뜻이 대체로 이와 같다.

백경해(白慶楷)『독역(讀易)』

需卦辭曰, 利涉大川. 朱子釋之曰, 涉川尤貴於能待, 涉川者, 多以不能寧耐, 致覆溺之禍, 是知聖賢無不設教之事.
수괘(需卦)의 괘사에서 "큰 내를 건넘이 이롭다"라 하였다. 주자가 "내를 건넘에 특히 기다림을 귀중하게 여긴다. 내를 건너는 사람은 인내하지 못하여 전복되고 물에 빠지는 재난을 당하는 이가 많다"라고 풀이하였으니, 이것으로 성현들은 가르침을 베풀지 않는 일이 없음을 알 수 있다.

박문건(朴文健)『주역연의(周易衍義)』

光, 言陽德光明也. 尊而得位, 然敵應, 故孚而後有光, 進而道亨, 然處險, 故貞而後致吉也.
'밝다[光]'는 양의 덕이 밝게 빛난다는 말이다. 높이 올라가 자리를 얻었지만 맞서 응하기 때문에 믿은 다음에 밝게 되고, 나아가서 도가 형통하지만 험준한 데에 있기 때문에 바르게 한 다음에 길하게 된다.
〈問, 有孚光, 曰, 處上而能信下, 則其德光明也. 問, 利涉大川, 曰, 陽進而處五, 故有利涉之象也.
물었다: "믿음이 있어서 밝다"는 무슨 뜻입니까?
답하였다: 위에 있으면서 아래를 믿을 수 있다면 그 덕이 밝게 빛납니다.
물었다: "큰 내를 건넘이 이롭다"는 무슨 뜻입니까?
답하였다: 양이 나아가서 오효(五爻)에 있기 때문에 건넘에 이로운 상이 있습니다.〉

〈○ 問, 需有所難, 而曰利涉, 何. 曰, 進得位而不陷, 故言利涉也.
물었다: 기다림에 어려운 것이 있는데 "건넘이 이롭다"고 한 것은 무슨 뜻입니까?
답하였다: 나아가서 자리를 얻어 빠지지 않기 때문에 "건넘이 이롭다"라 하였습니다.〉

이지연(李止淵)『주역차의(周易箚疑)』

需, 有孚, 坎之中畫, 爲信在中之象. 又六四一爻, 下至九二爲兌, 上至九五爲半巽. 合而觀之, 爲中孚之象, 乃孚信之在中者, 此爲有孚也.
수괘(需卦)는 믿음이 있음이니, 감(☵)의 가운데 획은 믿음이 속에 있는 상이다. 또 육사(六四)의 한 효(爻)에서부터 아래로 구이(九二)까지는 태(☱)이고, 위로 구오(九五)까지는 '반쪽짜리 손[☴]'이다. 합쳐서 봄에 중부(中孚䷼)의 상이 되어 이에 믿음이 가운데 있음이니,

이것이 믿음이 있다는 것이다.

김기례(金箕澧)「역요선의강목(易要選義綱目)」

需, 須, 卽待也. 養蒙之道, 必待飮食, 飮食之道, 不待時則迫, 故曰需.
수(需)는 수(須)이니, 곧 기다림이다. 몽매한 사람을 기르는 도는 반드시 먹고 마시기를 기다려야 하고, 먹고 마시는 도는 때를 기다리지 않는다면 급박해 지기 때문에 '수(需)'라 하였다.

有孚光亨.
믿음이 있으면 밝게 형통하다.
坎爲心亨則中實, 故有孚光亨, 指五剛明之君爲需主.
감괘(坎卦)가 '마음이 형통함'[9]이 됨은 가운데가 꽉 찬 것이고, 그렇기 때문에 믿음이 있어 밝게 형통하게 되는 것이니, 굳세고 현명한 임금인 오효가 수괘의 주인임을 가리킨다.

利涉大川.
큰 내를 건넘이 이롭다.
坎爲水, 故曰大川, 指乾健在險下, 待而進則有功也. ○ 易中, 濟險處, 多言利涉.
감(☵)은 물이기 때문에 '큰 내'라고 하였으니, 건장한 건(☰)이 험준한 감(☵)의 아래에 있어 기다리다가 나아가면 공이 있음을 가리킨다.『주역』에서 험난함을 건넌다는 부분에서 대부분 "건넘이 이롭다"라 하였다.

심대윤(沈大允)『주역상의점법(周易象義占法)』

君臣相須, 誠意交孚, 故曰有孚. 坎爲孚, 不躁競妄求, 須而後進, 其道光矣, 故曰光. 天在水中, 隱映有光也, 其道, 可以盛大, 故曰亨. 正而可終, 故曰貞. 須而乃合, 可以濟天下之險難, 故曰利涉大川. 坎交乾坤, 爲廣大厚積之象, 上下有剛而中虛, 爲乘舟汎空之象. 前无剛爻, 則曰利涉, 前有剛爻, 則曰不利涉. 凡天下之事, 莫不先難而後得, 先勞而後逸. 剛健勞苦, 以自盡其道, 遲待而有得, 則其得大而光. 浮躁妄動, 不能堅忍服勞, 而逕行急取, 則其得小而亡, 此理之必至也. 〈生人之道, 未有自致者也. 必待人與物而得也.〉 故屯蒙之後, 繼之需矣.
임금과 신하가 서로 기다릴 때에는 성의를 서로 믿기 때문에 "믿음이 있다"라 하였다. 감

9)『周易·坎卦』.

(☵)은 믿음이니, 조급하게 다투거나 함부로 구하지 않고 때를 기다린 뒤에 나아가면 그 도가 밝아지기 때문에 '밝다'라 하였다. 하늘이 물속에서 은은히 비춰 밝음이 있으면 그 도가 성대할 수 있기 때문에 "형통하다"고 하였다. 바르게 되어서 끝마칠 수 있기 때문에 "바르다"라 하였다. 기다리고 이에 합쳐져서 세상의 험난함을 구제할 수 있기 때문에 "큰 내를 건넘이 이롭다"라 하였다. 감(☵)이 건(☰)·곤(☷)과 사귀면 광대하고 두텁게 쌓이는 상이 된다. 위아래로 굳셈이 있는데 가운데가 텅 비었다면 텅 빈 곳에 떠도는 배를 타는 상이 된다. 앞에 굳센 효가 없을 경우엔 "건넘이 이롭다"고 하였고, 앞에 굳센 효가 있을 경우엔 "건넘이 이롭지 않다"라 하였다. 세상의 일은 먼저 어려움이 있고 나서 뒤에 얻어지고, 먼저 노력하고 나서 뒤에 편안해지지 않는 것이 없다. 굳세면서 강건하고 열심히 노력하여 스스로 그 도를 다하고, 천천히 기다려서 얻음이 있다면 그 얻음이 크면서 빛나게 될 것이다. 들떠서 조급히 함부로 움직이고 인내하면서 노력하지 않고 지름길로 가서 급히 취하면 그 얻음이 자잘해서 없어지게 되니, 이런 이치는 반드시 그런 지경에 이르게 된다. 〈사람을 구제하는 도는 혼자서 이룰 수 있는 것이 없으니, 반드시 사람과 사물을 기다린 뒤에 얻어지게 된다.〉 그러므로 준괘(屯卦)와 몽괘(蒙卦) 뒤에 수괘를 연결해 놓았다.

오치기(吳致箕) 「주역경전증해(周易經傳增解)」

需者, 須也, 有所待也. 坎險在外, 乾健在內, 爲知險不進之象. 而不進, 乃所以有須也. 雲上于天, 天下于雲, 有雲興將雨之象而將雨, 亦爲須待之義也. 九五爲一卦之主, 而中實有誠信, 可以須待, 故言有孚. 應乎天而明於知險, 故言光明而亨通.[10] 陽剛, 中正而居尊, 故言貞而吉. 雖險而不陷, 終必有濟, 故言利涉大川.

수(需)는 기다림이니, 기다림이 있는 것이다. 감괘(坎卦)의 험준함이 바깥에 있고 건괘(乾卦)의 강건함이 안쪽에 있어서 험준하여 나아가지 말아야 할 상이라는 것을 알고 나아가지 않으니, 바로 기다림이 있는 까닭이다. 구름이 하늘로 올라가고, 하늘은 구름으로 내려오니, 구름이 일어 장차 비가 오려는 상이 있고 나서 장차 비가 내릴 것이니, 또한 기다리는 뜻이 된다. 구오(九五)는 한 괘의 주인이 되고 속이 꽉 차서 참됨과 믿음을 지녀서 기다릴 수 있기 때문에 "믿음이 있다"고 하였다. 하늘에 응하면서 험준함을 아는데 밝기 때문에 "광명하여 형통할 수 있다"고 하였다. 굳센 양으로서 중정(中正)하고 존귀한 자리에 있기 때문에 "곧아서 길하다"고 하였다. 비록 험준함이 있더라도 빠지지 않으니, 결국에 반드시 건넘이 있기 때문에 "큰 내를 건넘이 이롭다"고 하였다.

---

10) 通: 경학자료집성DB에 '道'로 되어 있으나, 경학자료집성 영인본을 참조하여 '通'으로 바로잡았다.

○ 坎言有孚, 取其中實, 有誠心之象也. 光取於互離爲明. 而屯五之坎, 以其屯而陷險, 故象言未光. 此卦之坎, 以其須而不陷, 故彖言光亨也. 坎爲水, 反卦互巽爲木, 有涉川之象. 而他卦言涉川, 皆有是象. 二五无應, 故不言大亨.
감괘(坎卦)에서 "믿음이 있다"라 한 것은 그 속이 꽉 찬 것을 취한 것이니, 참된 마음[誠心]의 상이 있다. 광(光)은 호괘(互卦)인 리괘(離卦)를 취하여 밝음을 삼았다. 준괘(屯卦)의 오효(五爻)의 감(坎)은, 그것이 진을 치고 험준함에 빠져들기 때문에 「상전」에서 "광대(光大)하지 못하다"고 하였다. 수괘(需卦)의 감(坎)은, 그것이 기다리고 빠져들지 않기 때문에 단사에서 "밝게 형통하다"고 하였다. 감괘(坎卦)는 물이 되고, 반대 괘[訟卦䷅]의 호괘인 손괘(巽卦䷸)는 나무가 되니, 내를 건너는 상이 있다. 기타 괘에서 "내를 건넌다"고 한 것은 모두 이러한 상이 있다. 이효(二爻)와 오효(五爻)는 호응함이 없기 때문에 "크게 형통하다"고 말하지 않았다.

이진상(李震相) 『역학관규(易學管窺)』

有孚, 坎體也, 光亨, 乾道也. 且有虛舟之象, 故謂之利涉.
"믿음이 있다"는 감괘(坎卦)의 몸체이고, "밝게 형통하다"는 건괘(乾卦)의 도이다. 또 텅 빈 배의 상이 있기 때문에 "건넘이 이롭다"고 하였다.

박문호(朴文鎬) 「경설(經說)·주역(周易)」

易中凡孚字必言於坎體者, 以其爲中實之象, 而孚乃信之在中者故也.
『주역』에서 '부(孚)'자를 감괘(坎卦)의 몸체에서 말한 것은 가운데가 차있는 상이 있기 때문이며, '부(孚)'가 되어야 믿음이 가운데 있기 때문이다.

彖曰, 需, 須也, 險在前也. 剛健而不陷, 其義不困窮矣.

「단전」에서 말하였다:'수(需)'는 기다리는 것이니, 험한 것이 앞에 있다. 강건하나 빠지지 않으니, 그 의리가 곤궁하지 않을 것이다.

中國大全

傳

需之義, 須也. 以險在於前, 未可遽進, 故需待而行也. 以乾之剛健, 而能需待不輕動, 故不陷於險, 其義不至於困窮也. 剛健之人, 其動必躁, 乃能需待而動, 處之至善者也. 故夫子贊之云, 其義不困窮矣.

'수(需)'의 의미는 기다림이다. 험한 것이 앞에 있어 선뜻 나아갈 수 없기 때문에 기다렸다가 가는 것이다. 건의 강건함으로써 기다리며 경솔하게 움직이지 않을 수 있으므로 험한 데 빠지지 않으니, 그 의리가 곤궁한 데 이르지 않을 것이다. 강건한 사람은 행동이 반드시 조급하기 마련인데, 기다렸다가 움직일 수 있다면 지극히 잘 처신하는 사람이다. 그러므로 공자가 칭찬하여 "그 의리가 곤궁하지 않을 것이다"라 하였다.

本義

此以卦德釋卦名義.

괘의 덕으로써 괘의 이름을 풀이하였다.

小註

涑水司馬氏曰, 坎, 陷也, 而云不陷者, 何也. 需然後進, 所以不陷也.

속수사마씨가 말하였다: 감(坎)은 빠진다는 뜻인데, 빠지지 않는다고 말한 것은 어째서인가? 기다린 뒤에 나아가기 때문에 빠지지 않는 것이다.

○ 隆山李氏曰, 乾之三陽在下, 而上卦遇坤離兌, 則爲泰爲大有爲夬, 進无齟齬, 何也. 柔順在上而无逆也. 若夫坎險在上, 安得冒進而不少需哉.
융산이씨가 말하였다: 건괘의 세 개의 양이 아래에 있고, 상괘가 곤괘 · 리괘 · 태(兌)괘를 만나면 태(泰)괘 · 대유괘 · 쾌괘가 되니, 나아감에 어긋남이 없는 것은 어째서인가? 유순함이 위에 있어서 거스르지 않아서이다. 만약 험한 감이 위에 있다면 어찌 무모하게 돌진하여서 조금도 기다리지 않을 수 있겠는가?

○ 中溪張氏曰, 需合乾坎成卦, 乾三陽進迫乎坎, 遇險而能須者也. 坎一陽居中守正, 處險而能需者也. 遇險而能需, 則不至犯險. 處險而能需, 則又將出險矣.
중계장씨가 말하였다: 수괘는 건괘와 감괘가 합쳐져서 괘가 이루어지는데, 건의 세 개의 양이 나아가 감(坎)에 접근해 있으니, 험한 것을 만나서 기다릴 줄 아는 자이다. 감의 하나의 양이 중(中)에 있어 올바름을 지키니, 험한 것에 머무르면서 기다릴 줄 아는 자이다. 험한 것을 만나서 기다릴 줄 안다면, 험한 것을 범하는 데에 이르지는 않을 것이다. 험한 데에 있으면서 기다릴 줄 안다면, 또한 험한 것을 벗어날 것이다.

韓國大全

홍여하(洪汝河) 「책제(策題): 문역(問易) · 독서차기(讀書箚記)-주역(周易)」

需彖傳.
수괘의 「단전」.
本義, 此以卦德, 釋卦名義.
『본의』: 괘의 덕으로 괘의 이름을 풀이하였다.
卦辭本義, 不稱德, 此云卦德, 承上卦也.
괘사의 『본의』에서는 덕을 칭하지 않았는데, 이곳에서 괘의 덕을 말한 것은 위의 괘를 계승한 것이다.

김상악(金相岳) 『산천역설(山天易說)』

以卦德釋卦名義. 險在前則易陷, 而有剛健之德, 故能須待而不陷., 所以其義不困窮矣.

괘의 덕으로 괘의 이름을 풀이하였다. 험한 것이 앞에 있으면 빠지기 쉬우나 굳세고 강건한 덕이 있기 때문에 기다려서 빠지지 않는다. 이 때문에 그 뜻이 곤궁하지 않는다.

○ 坎互兌體. 困者, 剛掩也, 窮者, 剛陷也. 然乾之德知險, 故能不至困窮也.
감괘(坎卦)의 호괘는 태괘의 몸체이다. 곤(困)은 굳셈이 가려진 것이고, 궁(窮)은 굳셈이 빠져든 것이다. 그러나 건괘의 덕은 험함을 알고 있기 때문에 곤궁한 지경까지 이르지는 않는다.

서유신(徐有臣) 『역의의언(易義擬言)』

須, 亦待時而用也. 險在前坎也, 剛健乾也, 性健者, 能耐也. 不陷, 謂九五也. 五在坎中, 故特明其不陷也. 若陷險中, 惡得爲需. 惟其不陷, 是以爲需待之象也. 險在前, 所以宜需也, 剛健不陷, 所以能需也, 故其義爲不困窮也. 有或拘於時勢, 不得不需, 而其心躁撓抑欝, 若此者困窮也. 惟寬綽自得者, 方爲不困窮也.
수(須)는 또한 때를 기다려서 쓰는 것이다. 험준함이 앞에 있으면 감괘(坎卦)이고, 굳세고 강건하면 건괘(乾卦)이니, 본성이 강건한 자는 인내할 수 있다. "빠지지 않는다"고 함은 구오(九五)를 말한다. 오효(五爻)가 감괘 가운데 있기 때문에 그것이 빠져들지 않음이 더욱 분명하다. 만약 험준함 속으로 빠진다면 어찌 기다림[需]이 될 수 있겠는가? 오직 그것이 빠져들지 않기 때문에 기다림의 상이 된다. 험한 것이 앞에 있기 때문에 마땅히 기다려야 할 것이고, 굳세고 강건하여 빠져들지 않기 때문에 기다릴 수 있다. 그러므로 그 뜻이 곤궁하지 않게 된다. 혹시 당시의 형세에 얽매여 기다릴 수밖에 없을 때라도, 그 마음이 조급하고 비뚤어지고 눌리고 답답한 자는 곤궁하다. 오직 너그럽고 스스로 깨달아 만족한 자만이 바야흐로 곤궁하지 않게 된다.

박문건(朴文健) 『주역연의(周易衍義)』

剛健而能不進, 故不陷也. 其義者, 須而不進之義也. 此以卦德釋卦名, 而又贊之也.
굳세고 강건하나 나아가지 않기 때문에 빠지지 않는다. 그 뜻은 기다려서 나아가지 않는 뜻이다. 여기에서는 괘의 덕으로써 괘의 이름을 풀이하고 또 그것을 찬미하였다.

김기례(金箕澧) 「역요선의강목(易要選義綱目)」

險在前, 指上卦.
"험한 것이 앞에 있다"는 것은 상체(上體)의 감괘(坎卦)를 가리킨다.

剛健而不陷, 指下乾不輕進.
“굳세고 강건하여 빠져들지 않는다”는 것은 하체(下體)의 건괘(乾卦)가 가볍게 나아가지 않음을 가리킨다.

심대윤(沈大允) 『주역상의점법(周易象義占法)』

此兼言二義, 知妄動急求之有禍, 故須而不行. 是以曰險在前也. 能强忍勞苦, 而不求速成, 剛健乎險中而不陷, 其義, 終必大成, 而不止乎困窮矣. 義不妄求, 而自盡以待來, 故曰義. 需之道, 如農之不妄求食于人以取敗, 而服田力穡以待秋也, 君子之大知也. 忠恕, 中庸之謂矣. 需, 是健乎險中也. 非如蹇之見險而止也.
이것은 두 가지 뜻을 겸해서 말하였다. 함부로 행동하고 성급히 구하려 한다면 화가 있을 것을 알기 때문에 기다리고 행하지 않는다. 그래서 “험한 것이 앞에 있다”라 하였다. 몹시 참아내고 힘써 노력하여 신속하게 무언가를 이루려고 하지 않고, 험준한 속에서 굳세고 강건하여 빠지지 않으니, 그 의리가 마침내 반드시 크게 이루게 되어서 곤궁한 지경에 이르지 않는다. 의리상 함부로 구하려 하지 않고 스스로 다하여 오기를 기다리기 때문에 ‘의롭다’라 하였다. 수괘의 도는 마치 농사꾼이 함부로 남에게 먹을 것을 구하다 실패를 당하지 않고, 밭에서 일하고 힘들여 농사지어 가을이 오기를 기다림과 같으니, 군자의 큰 지혜이다. 충서(忠恕)는 중용(中庸)을 말한다. 수괘는 험준한 속에서 강건한 것이니, 건괘(蹇卦)의 험함을 보고 그치는 것과는 같지 않다.

오치기(吳致箕) 「주역경전증해(周易經傳增解)」

此以卦德卦體釋卦名義, 以主爻卦象釋卦辭也. 諸解已見上, 以乾之剛健, 見險而不進, 故終能不陷. 所以爲須待之義, 而將有必亨之理, 故曰其義不至於困窮也. 義者, 須之義也.
여기에서는 괘의 덕과 괘의 몸체로 괘의 이름을 풀이하였고, 주효(主爻)와 괘상(卦象)으로 괘사(卦辭)를 풀이하였다. 여러 해석이 이미 위에 나타나 있다. 건괘의 굳세고 강건한 것으로 험함을 보고 나아가지 않기 때문에 마침내 빠지지 않는다. 그러므로 기다림의 뜻이 되고 반드시 형통하는 이치가 있게 되기 때문에 그 의리가 곤궁한 데까지 이르지 않았다고 하였다. 의(義)란 기다린다는 뜻이다.

需, 有孚, 光亨, 貞吉, 位乎天位, 以正中也.

"수(需)는 믿음이 있으면 밝게 형통하고 곧아서 길함"은 하늘 자리에 위치해서 정중(正中)하기 때문이다.

中國大全

傳

五以剛實居中, 爲孚之象, 而得其所需, 亦爲有孚之義. 以乾剛而至誠, 故其德光明而能亨通, 得貞正而吉也. 所以能然者, 以居天位而得正中也. 居天位, 指五, 以正中, 兼二言, 故云正中.

구오가 굳세고 실함으로써 가운데 있으니 믿음이 있는 상이고, 그 기다림을 얻으니 또한 "믿음이 있다"는 의미가 된다. 건이 굳세면서 지극히 정성스럽기 때문에 그 덕이 광명하여 형통할 수 있고, 곧고 바름을 얻어 길한 것이다. 그렇게 할 수 있는 것은, 하늘 자리에 거처해서 정중(正中)을 얻었기 때문이다. "하늘자리에 있다"라 함은 구오를 가리킨 것이고, "정중(正中)하기 때문이다"라 함은 이효를 겸하여 말한 것이므로 '정중'이라고 한 것이다.

小註

楊氏曰, 需之義有二, 有需於人者, 有爲人所需者. 需於人者, 初二三四上是也. 爲人所需者, 五是也. 惟爲人所需者旣中正而居天位, 則雖險在前而終必克濟, 非若蹇之見險而止也. 雖坎居上而剛健不陷, 非若困之剛揜也.

양씨가 말하였다: 수(需)의 의미는 두 가지이니, 남을 기다리는 자가 있고, 남에 의해 기다려지는 자가 있다. 남을 기다리는 자는 초효 · 이효 · 삼효 · 사효 · 상효가 이것들이다. 남에 의해서 기다려지는 자는 오효이다. 생각하건대 다른 사람에 의해서 기다려지는 자는 중정할 뿐만 아니라 하늘 자리에 있으니, 비록 험한 것이 앞에 있더라도 끝내 반드시 건널 수 있을 것이니, 건괘(蹇卦)가 험한 것을 보고 그치는 것과는 다르다. 비록 감괘(坎卦)가 위에 있으면서 강건하여서 깨어지지 않지만, 곤괘(困卦)의 굳셈이 가려진 것과는 다르다.

‖ 韓國大全 ‖

조호익(曺好益) 『역상설(易象說)』

正指五, 中兼指二.
올바름[正]은 오효(五爻)를 가리키고, 중도에 알맞음[中]은 이효(二爻)를 겸해서 가리킨다.

○ 傳, 兼二言, 故云正中.
『정전』에서 말하였다: 이효를 겸하여 말한 것이므로 '정중'이라고 한 것이다.
按, 兼言二者, 言五正二不正, 故先言正後言中也.
내가 살펴보았다: 이효를 겸해서 말한 것은 오효는 올바르나 이효가 올바르지 않음을 말하기 때문에, 먼저 올바름을 말하고 나서 뒤에 중도에 알맞음을 말하였다.

서유신(徐有臣) 『역의의언(易義擬言)』

九五之象也. 五與二相孚相待也.
구오의 상이다. 오효(五爻)와 이효(二爻)가 서로 믿고서 서로 기다린다.

김귀주(金龜柱) 『주역차록(周易箚錄)』

小註. 朱子曰, 以正中, 云云.
소주에서 주자가 말하였다: 올바르고 중도에 알맞기 때문이다, 운운.

○ 按, 中正正中, 卽一般, 此說所以卞, 程傳兼二言之, 非也.
내가 살펴보았다: 중정(中正)과 정중(正中)은 곧 마찬가지이지만 여기에서는 구별하여 말한 것이다. 『정전』에서 "이효를 겸해서 말했다"는 것은 잘못이다.

김기례(金箕澧) 「역요선의강목(易要選義綱目)」

位乎天位, 指五君.
"하늘자리에 위치함"은 오효(五爻)의 임금을 가리킨다.

正中, 兼指五與二, 易中以二五得正爲正中.
"올바르고 중도에 알맞음"은 오효와 이효(二爻)를 겸해서 가리킨다. 『주역』에서 이효와 오효가 올바름을 얻음이 올바르고 중도에 알맞음이 된다.

심대윤(沈大允) 『주역상의점법(周易象義占法)』

九五, 得尊位以居乾上, 故曰天位.
구오(九五)는 존귀한 자리를 얻어서 건괘(乾卦)의 위에 있기 때문에 '하늘 자리'라 하였다.

최세학(崔世鶴) 주역단전괘변설(周易彖傳卦變說)」

需, 泰之一體變也, 五一爻爲主, 故彖以位乎天位言之. 否五, 往處於上體之中得天位也.
수괘(需卦)는 태괘(泰卦)의 한 몸체가 변화된 것이니, 오효(五爻)가 주인이 되기 때문에 「단사」에서 "하늘 자리에 위치해 있다"는 것으로써 말하였다. 비괘(否卦)의 오효는 상체(上體)의 가운데로 가 있어 하늘 자리를 얻었다.

利涉大川, 往有功也.

"큰 내를 건넘이 이로움"은 가서 공이 있기 때문이다.

中國大全

傳

旣有孚而貞正, 雖涉險阻, 往則有功也, 需道之至善也. 以乾剛而能需, 何所不利.

이미 믿음이 있으면서 곧고 발라서, 비록 함하고 막힌 것을 건너더라도 가면 공이 있게 되니 기다림[需]의 도의 지극히 선한 것이다. 건의 굳셈으로서 기다릴 수 있으면, 무엇인들 이롭지 않겠는가?

小註

建安丘氏曰, 乾在坎下爲需. 剛健而不陷, 故云利涉大川. 乾在坎上爲訟. 健无所施, 故云不利涉大川.

건안구씨가 말하였다: 건괘가 감괘의 아래에 있는 것이 수괘(需卦)이다. 강건하나 빠지지 않기 때문에, "큰 내를 건넘이 이롭다"라고 말하였다. 건괘가 감괘의 위에 있는 것이 송괘(訟卦)이니, 강건하지만 발휘할 곳이 없기 때문에, "큰 내를 건넘이 이롭지 않다"라고 말하였다.

本義

以卦體及兩象釋卦辭.

괘체와 두 괘의 상으로 괘사를 풀이하였다.

小註

朱子曰, 以正中, 以中正, 也卽一般, 這只是要協韻. 利涉大川, 利涉是乾也, 大川是坎也. 往有功, 是乾有功也. 或云, 以乾去涉大川.
주자가 말하였다: "정중으로써 하다"와 "중정으로써 하다"라는 말은 또한 같은 의미이니, 다만 운을 맞추고자 바꾸어 썼을 뿐이다. "큰 내를 건넘이 이롭다"라는 말에서 건넘이 이로운 것은 건(乾)이며, 큰 내는 감(坎)이다. "가서 공이 있다"라 함은 건괘가 공이 있다는 것이다. 어떤 이는, 건(乾)이 가서 큰 내를 건너는 것이라고 하였다.

○ 雲峯胡氏曰, 凡五皆天位也. 屯不足言. 特於需發其義.
운봉호씨가 말하였다: 오효는 모두 하늘 자리이다. 준(屯)괘는 말할 것도 없어서 단지 수괘에서만 그 의미를 밝혔다.

韓國大全

조호익(曺好益) 『역상설(易象說)』

二象, 在往字中.
두 상이 '왕(往)'이라는 글자에 들어있다.

김상악(金相岳) 『산천역설(山天易說)』

需, 有孚, 光亨, 貞吉, 位乎天位, 以正中也. 利涉大川, 往有功也.
"수(需)는 믿음이 있으면 밝게 형통하고 곧아서 길함"은 하늘 자리에 위치해서 정중(正中)하기 때문이다. "큰 내를 건넘이 이로움"은 가서 공이 있기 때문이다.

以卦體釋卦辭. 天位, 五也, 正中, 五居正位而有中德也. 位天位, 所以亨也, 以正中, 所以貞吉也. 乾往利涉, 所以有功也.
괘의 몸체로 괘사를 풀이하였다. 하늘 자리는 오효(五爻)이고, 정중(正中)은 오효가 올바른 자리에 있어서 중도에 알맞은 덕을 지녔다. 하늘 자리에 위치하기 때문에 형통하고, 올바르고 중도에 알맞기 때문에 바르게 곧아서 길하다. 건괘(乾卦)에서 가서 건넘이 이롭기 때문에 공이 있다고 한 것이다.

○ 河圖之中, 五爲太極之象, 故易卦以五爲君. 洪範曰皇建其有極, 亦以此也. 天位者, 君之位也. 天所以統乎陰陽, 君亦所以統乎臣民, 故曰位乎天位. 屯需之五, 皆坎體居尊, 而位天位. 不在屯而在需者, 何也. 屯則天造草昧, 故利建侯在初, 需則險難已平, 故位天位在五. 所以屯曰屯其膏而貞之大小吉凶不同. 需則曰需于酒食而貞吉. 雖皆得位, 遇時不同也. 功者, 出險之功也. 凡言往有功, 皆在坎體之卦也. 習坎兼上下, 需蹇在上, 解漸在下. 漸則三互坎體也.
「하도」의 가운데 다섯 점[五]은 태극(太極)의 상이 된다. 그러므로 『주역』의 괘가 오(五)를 임금으로 삼고 있다. 「홍범」에서 "황제가 극을 세운다"고 하니 또한 이것 때문이다. 하늘 자리란 임금의 자리이다. 하늘은 음과 양을 통섭할 수 있고, 임금 또한 신하와 백성을 통섭할 수 있다. 그러므로 "하늘 자리에 위치했다"고 하였다. 준괘(屯卦)와 수괘(需卦)의 오효(五爻)는 모두 감괘(坎卦)의 몸체로서 존귀한 자리에 있어 하늘 자리에 위치한다. 준괘에 있지 않고 수괘에 있는 것은 어째서인가? 준괘에서는 천조(天造[천운(天運)])가 어지럽고 어둡기 때문에 제후를 세움이 이로움이 초효에 있고, 수괘에서 험난함이 이미 평온해졌기 때문에 하늘 자리에 위치함이 오효(五爻)에 있다. 그래서 준괘에서는 은택을 베풀기가 어렵다고 하였는데, 바로잡은 정도가 크고 작음에 따라 길함과 흉함이 같지 않다. 수괘에서는 술과 음식으로 기다린다고 하였는데, 바르고 길하다. 비록 모두 자리를 얻었으나, 만난 때가 동일하지 않다. 공(功)은 험준한 데에서 벗어난 공(功)이다. 대체로 "가서 공(功)이 있기 때문이다"고 한 말은 모두 감괘의 몸체에 있는 괘이다. 거듭된 감괘는 위아래가 험함[坎]을 겸하였고, 수괘와 건괘(蹇卦)는 험함[坎]이 위에만 있고, 해괘(解卦)와 점괘(漸卦)는 험함[坎]이 아래에만 있다. 점괘는 삼효(三爻)의 호체가 감의 몸체가 된다.

서유신(徐有臣) 『역의의언(易義擬言)』

訟變爲需, 九五往於外卦, 終能有功也
송괘(訟卦)가 변하여 수괘(需卦)가 되니, 구오(九五)가 외괘(外卦)로 가서 마침내 공이 있게 된다.

김귀주(金龜柱) 『주역차록(周易箚錄)』

本義, 以卦體, 云云.
『본의』에서 말하였다: 괘의 몸체로, 운운.

○ 按, 卦體指需有孚一節, 兩象指利涉大川一節.
내가 살펴보았다: 괘의 몸체는 "수는 믿음이 있다"라는 구절을 가리키고, 두 상은 "큰 내를 건넘이 이롭다"라는 구절을 가리킨다.

박문건(朴文健) 『주역연의(周易衍義)』

孚而貞者, 居天位而正中也. 利於涉者, 進得位而不陷也. 此以卦體卦變釋卦辭.
믿음이 있고 곧은 자는 하늘 자리에 있어서 올바르고 중도에 알맞은 것이다. 건넘이 이로운 것은 나아가서 자리를 얻고는 빠지지 않음이다. 이것은 괘의 몸체와 괘의 변한 것으로써 괘의 말을 풀이하였다.
〈問, 卦變. 曰, 卦變有三體. 乾變爲坤, 坤變爲乾一也. 訟反爲需, 需反爲訟二也. 復進爲剝, 剝退爲復三也. 蓋需五自訟二而來者也. 故云, 往有功. 往有功者, 釋利涉之義也.
물었다: 괘의 변화는 무엇입니까?
답하였다: 괘의 변화에는 세 가지 규칙이 있습니다. 건괘(乾卦䷀)가 변하면 곤괘(坤卦䷁)가 되고, 곤괘가 변하면 건괘가 되는 것이 첫째입니다. 송괘(訟卦䷅)가 거꾸로 변하면 수괘(需卦䷄)이고, 수괘가 거꾸로 변하면 송괘인 것이 둘째입니다. 복괘(復卦䷗)가 나아가면 박괘(剝卦䷖)가 되고, 박괘가 물러나면 복괘가 되는 것이 셋째입니다. 대체로 수괘의 오효(五爻)는 송괘의 이효(二爻)에서 오기 때문에 "가서 공이 있다"라 하였습니다. "가서 공이 있다"는 것은 "건넘이 이롭다"는 뜻을 풀이한 것입니다.〉

김기례(金箕澧) 「역요선의강목(易要選義綱目)」

往有功, 指下乾待時而往, 故不至陷險.
"가서 공이 있음"은 하체의 건괘가 때를 기다린 뒤에 가기 때문에 험준한 데에는 이르지 않는다는 것을 가리킨다.

이진상(李震相) 『역학관규(易學管窺)』

有孚, 坎體光, 乾道, 乾行健, 故曰利涉. 坎重水, 故曰大川. 〈三山柳公曰, 互體爲離, 有光亨象, 又有虛舟象.〉
"믿음이 있음"은 감괘(坎卦)의 몸체가 빛남이고, 건괘의 도리는 건괘의 행실이 강건하기 때문에 "건넘이 이롭다"고 하였다. 감괘는 물이 거듭되었기 때문에 "큰 내"라 하였다. 〈삼산유공이 말하였다: 호괘인 몸체가 이괘가 되니, 빛나고 형통한 상이 있으며 또한 텅 빈 배의 상이 있다.〉

박문호(朴文鎬) 「경설(經說)·주역(周易)」

卦辭以利涉大川起之, 而自初至三皆仍用涉川之事. 隨其遠近而爲之遲速, 蓋坎水也, 而初二三濱乎水, 故皆取意於此耳. 以正中之以字, 其文勢當在位乎之上, 故程子必釋於居天之上, 其下所云以正中, 只依經文而用之也, 非取義於以字也.

괘사에서 "큰 내를 건넘이 이롭다"로 일으킨 것은 초효에서 삼효에 이르기까지 모두 내를 건너는 일이고, 멀고 가까움에 따라 느리고 빠름은 모두 감괘의 물이며, 초효와 이효와 삼효는 물가에 있기 때문에 모두 이것에서 뜻을 취했을 뿐이다. '이중정(以正中)'에서의 '이(以)' 자는 그 문장의 흐름상 '위호(位乎)'의 위에 있어야 한다. 그러므로 정자가 반드시 '거천(居天)'의 위에서 해석한 것이니, 그 아래에 이른 '이정중(以正中)'은 다만 경문에 의지해 사용한 것이지, 글자에서 뜻을 취한 것은 아니다.

이병헌(李炳憲) 『역경금문고통론(易經今文考通論)』

坤之四上, 上陰入乾, 上坎下乾, 而爲需須待也. 天位謂九五. 蓋水德貞信, 故坎象有孚義. 飮食, 中正九五爲坎主, 而反以爲險在前何也. 飮食固所以養生, 然能養生者, 亦能害生, 故其險尤大. 故天下之理有慶則必有殃, 有得則必有失. 是以物未有全吉而全凶者.

곤괘의 사효가 위로 올라가고 위의 음이 건괘에 들어가 상괘는 감괘이고 하괘는 건괘로 수괘의 기다림이 되었다. 하늘 자리는 구오를 말한다. 물의 성질은 '정(貞)'과 '신(信)'이기 때문에 감괘의 상에 믿음의 뜻이 있다. 음식은 중정한 구오가 감괘의 주효로 도리어 험함이 앞에 있는 것은 어째서인가? 음식은 본래 생명을 기르기 위한 것이지만 생명을 해치기도 하기 때문에 그 험함이 더욱 크다. 그러므로 천하의 도리는 경사가 있으면 재앙이 있고, 얻음이 있으면 잃음이 있다. 이 때문에 온전히 길하기만 하고 흉하기만 한 사물은 없다.

象曰, 雲上於天, 需, 君子以, 飮食宴樂.

「상전」에서 말하였다: 구름이 하늘로 올라감이 수(需)이니, 군자는 그것을 본받아 마시고 먹으며 편안하게 즐긴다.

中國大全

傳

雲氣蒸而上升於天, 必待陰陽和洽, 然後成雨. 雲方上於天, 未成雨也, 故爲須待之義. 陰陽之氣, 交感而未成雨澤. 猶君子畜其才德, 而未施於用也. 君子觀雲上於天, 需而爲雨之象, 懷其道德, 安以待時, 飮食以養其氣體, 宴樂以和其心志, 所謂居易以俟命也.

구름기운이 증발해서 하늘로 올라가, 반드시 음양이 화합해서 흡족하게 되기를 기다린 뒤에 비를 이룬다. 구름이 막 하늘로 올라갔으니, 아직 비를 이루지 못하기 때문에 기다린다는 의미가 된다. 음양의 기운이 교감해서 비와 못을 이루지 못하는 것이, 군자가 그 자질과 덕을 쌓았지만 아직 쓰임에 베풀지 못하는 것과 같다. 군자가 구름이 하늘로 올라감에 기다렸다가 비가 되는 상을 관찰해서, 도덕을 품고 편안하게 때를 기다리고, 음식으로 자기의 기운과 몸을 기르며, 잔치하고 즐김으로써 자기의 마음과 뜻을 화락하게 하니, 이른바 『중용』의 "편안하게 있으면서 천명을 기다린다"는 말이다.

本義

雲上於天, 无所復爲, 待其陰陽之和而自雨爾. 事之當需者, 亦不容更有所爲. 但飮食宴樂, 俟其自至而已. 一有所爲, 則非需也.

구름이 하늘로 올라감에 다시 더 할 일이 없으니, 음양이 화합해서 저절로 비가 내릴 때를 기다려야 한다. 마땅히 기다려야 할 일은, 또한 다시 할 것이 없고 다만 마시고 먹으며 잔치하고 즐기면서 저절로 때가 이르기를 기다릴 뿐이다. 하나라도 하는 것이 있다면 기다림이 아니다.

小註

朱子曰, 需, 待也. 以飮食宴樂, 謂更无所爲, 待之而已. 待之須有至時, 學道者亦猶是也.
주자가 말하였다: 수(需)는 기다림이다. "마시고 먹으며 편안하게 즐긴다"라 함은 다시 하는 바가 없고, 기다릴 뿐임을 이른다. 기다리면 반드시 이를 때가 있으니, 도를 배우는 자도 또한 이와 같다.

○ 東萊呂氏曰, 雲上於天而未成雨, 猶君子未施於用而需待之時也. 飮食宴樂, 涵養此理而已, 與後世不得志而麴蘖之託昏冥之逃者異矣.
동래여씨가 말하였다: 구름이 하늘로 오르지만 아직 비가 되지 못한 것은 마치 군자가 아직 쓰여지지 않아 기다리는 때와 같다. "마시고 먹으며 편안하게 즐긴다"는 것은 이 이치를 기르는 것일 뿐이니, 후세에 뜻을 얻지 못하여 술에 의탁하거나 어둠 속으로 도망가는 자들과는 다르다.

○ 勉齋黃氏曰, 雲上於天, 需待之象. 今而曰雲上於天, 无所復爲, 則是兼取於飮食宴樂之義. 雲上於天, 自爲需待之義. 飮食宴樂, 則君子處需而得其道也. 其義九五一爻盡之矣.
면재황씨가 말하였다: "구름이 하늘로 오른다"는 것은 기다리는 상이다. 지금 "구름이 하늘로 올라감에, 다시 더 할 일이 없다"라고 말하는 것은 "마시고 먹으며 편안하게 즐긴다"라는 의미를 겸해서 취하였다. "구름이 하늘로 오른다"는 것은 본래 기다린다는 의미이다. "마시고 먹으며 편안하게 즐긴다"는 것은 군자가 기다리고 있으면서 그 도를 얻는다는 것이다. 그 의미가 구오 한 효에 자세하게 나와 있다.

韓國大全

김만영(金萬英) 「역상소결(易象小訣)」11)

坎水在上, 乾天在下, 水極于天, 天入水底者, 非大川乎. 故需有大川之象, 水氣升天, 結而爲雨, 萬物之所需而生, 故曰需.
감괘(坎卦)의 물은 위에 있고, 건괘의 하늘은 아래에 있으니, 물이 하늘까지 올라가고 하늘이

11) 경학자료집성DB에서는 수괘 「단전」에 해당하는 것으로 분류했으나, 괘상을 총괄해서 논한 것이므로, 이 자리로 옮겨 바로잡는다.

물 밑에 들어간 것이 큰 내가 아니겠는가? 그러므로 수괘는 큰 내의 상이 있다. 물의 기운이 하늘로 올라가서 응결되어 비가 되면 만물들이 기다려서 태어나기 때문에 수(需)라고 말하였다.

김도(金濤) 「주역천설(周易淺說)」

愚按, 此下所釋朱子一條, 呂氏胡氏凡二條, 而皆合於大象之旨矣. 然飮食宴樂者, 人情之所好也. 若使賢者當之, 則節以制度, 禮以行之, 威儀言動, 无不合宜, 故志氣和平, 而休命自至矣. 使不肖者當之, 則殊无需待之意, 而沉於麯蘗, 翫於所好, 放僻奢侈, 无不爲已, 而必至於亡國喪身, 可勝惜哉. 後之人君, 其鑑于玆.

내가 살펴보았다: 이 아래로 풀이한 내용에는 주자가 한 조목이고 여씨와 호씨가 두 조목으로, 모두 「대상전」의 뜻에 합치된다. 그러나 마시고 먹으며 편안히 즐기는 것은 사람이 본래 좋아하는 것이다. 만약 현명한 사람이 그런 일을 당하면, 제도로써 제어하고 예로써 행하여 위의와 언행이 타당함에 합치되지 않음이 없기 때문에, 의지와 기개가 평화롭고 아름다운 명이 저절로 이를 것이다. 반면 불초한 자가 그런 일을 당하면, 기다리는 마음이 거의 없어 술독에 빠지고 좋아하는 것을 즐기면서 제멋대로 하고 사치하면서 멈추지를 않아, 반드시 나라를 망치고 자신을 해치는 지경까지 이를 것이니, 매우 안타깝다. 훗날 임금은 이 점을 살펴봐야 한다.

이만부(李萬敷) 「역통(易統)·역대상편람(易大象便覽)·잡서변(雜書辨)」

臣謹按, 伊尹之耕莘野, 傅說之築傅岩, 正需之時, 而其次諸葛亮之未出草廬, 亦近之矣.

신은 삼가 생각건대, 신야(莘野)에서 농사짓는 이윤과 부암(傅岩)에서 성을 쌓는 부열은 바로 기다리는 때에 해당하고, 그 다음으로 초려(草廬)에서 벗어나지 않은 제갈량 또한 비슷합니다.

심조(沈潮) 「역상차론(易象箚論)」

需字從雨者, 坎在上也, 而字又有雨脚之象. 飮食者, 互兌有口之象也. 坎漁象, 乾肉象, 宴從日女者, 互有離兌也. 樂亦兌說也. 又坎爲飮食, 而連於兌口, 飮食之象. 又坎水離火互體乾鼎相會, 此烹飪之象也. 又坎兌水族也. 乾陸產也, 又乾兌有刀割之象也.

수(需)자가 우(雨)에 속한 것은 감괘가 위에 있음이고, 글자도 비 우(雨)에 발[脚]이 있는 상이다. 음식은 호괘인 태괘에 입이 있는 상이다. 감괘는 물고기의 상이고 건괘는 고기의 상이며, 연(宴)자는 일(日)과 여(女)를 따름은 호괘에 이괘와 태괘가 있음이다. 락(樂)도 태괘의 기쁨이다. 감괘가 음식이 되어 태괘의 입에 연결되어 있으니, 마시고 먹는 상이다. 감괘의 물과 이괘의 불의 호체와 건괘의 솥이 서로 만나니, 이것이 음식을 삶는 상이다.

감괘와 태괘는 물의 부류이다. 말린 고기는 육지에서 나는 것이고, 또 건괘와 태괘에 칼로 자르는 상이 있다.

유정원(柳正源)『역해참고(易解參攷)』

正義, 不言天上有雲, 而言雲上於天者, 天上有雲, 无以見欲雨之義, 故言雲上於天.[12]
『주역정의』에서 말하였다: "하늘 위에 구름이 있다"라고 말하지 않고, "구름이 하늘로 올라간다"라 말한 것은 "하늘 위에 구름이 있다"라고 하면 비가 되어 내리려는 뜻을 볼 수 없기 때문에 "구름이 하늘로 올라간다"라고 하였다.

○ 涑水司馬氏曰, 雲上於天, 萬物蔭之, 滂沱下施, 萬物飮之, 以豊以肥以榮以滋, 故君子以飮食宴樂.
속수사마씨가 말하였다: 구름이 하늘로 올라가면 만물에 그늘이 지고, 쏟아져 내리면 만물이 마셔서 풍성해지고 살이 찌며 꽃이 피고 번성하게 되기 때문에, 군자가 마시고 먹는 것으로 편안하게 즐긴다.

○ 案, 濕氣蒸上於天, 亦爲飮食之象. 詩曰, 蒸之浮浮, 是也. 君子飮食宴樂以待時, 得无逸豫怠惰之意乎. 君子畜其才德, 未施於用, 則隨分飮啄, 不爲羡慕於人, 隨時宴樂, 以自說適於己而已. 若是灑埽庭宇, 婁曳衣裳之志, 則豈有孚需時之君子者哉. 如顔子簞瓢之樂, 孟子理義之悅, 是也. 本義所謂不容更有所爲者, 斯可見矣.
내가 살펴보았다: 습기가 증발하여 하늘로 올라가는 것도 음식의 상이다. 『시경』에서 "쪄서 김이 뭉게뭉게 오른다"[13]는 것이 이것이다. 군자가 마시고 먹으며 편안하게 즐기면서 때를 기다림에 편안하게 놀고 태만한 뜻이 없겠는가? 군자가 재능과 덕망을 쌓았으나 아직 등용되지 못하고, 분수에 따라 먹고 마셔도 사람들의 부러움을 받지 않고, 때에 따라 연회를 베풀어 즐겨도 스스로 자신에게 기쁘게 했을 뿐이다. 집안을 청소하고 옷을 입고 끌려는 뜻이라면, 어찌 믿음이 있어서 때를 기다리는 군자이겠는가? 예컨대 안자가 한 대그릇의 밥과 한 표주박의 물을 즐긴 것[14]과 맹자가 의리를 기뻐한 것[15]이 이것이다. 『본의』의 "다시 할 것이 없다"라는 말을 여기에서 알 수 있다.

---

12)『周易正義』上經, 需傳, 卷第二.
13)『詩經 · 生民』.
14)『論語 · 雍也』.
15)『孟子 · 告子』.

김상악(金相岳) 『산천역설(山天易說)』

不曰雲在天上, 而曰雲上於天者, 雲方上天, 而未成雨, 爲需待之意. 飮食取坎, 宴樂取乾. 乾互兌口, 承坎之飮食, 故宴樂.

"구름이 하늘 위에 있다"라 말하지 않았고, "구름이 하늘로 올라간다"고 말한 것은 구름이 막 하늘에 오르나 아직 비를 이루지 못하니, 기다리는 뜻이 된다. 음식(飮食)은 감괘(坎卦)에서 취하였고, 편안히 즐김[宴樂]은 건괘(乾卦)에서 취하였다. 건괘의 호괘(互卦)인 태괘(兌卦)인 입이 감괘의 음식을 잇고 있기 때문에 편안히 즐기는 것이다.

박윤원(朴胤源) 『경의(經義) · 역경차략(易經箚略) · 역계차의(易繫箚疑)』

雲氣蒸而潤物, 飮食之象, 陰陽和而降雨, 宴樂之象.

구름의 기운이 올라가서 만물을 윤택하게 하니, 음식(飮食)의 상이고, 음과 양이 조화를 이루어서 비를 내리게 하니, 편안히 즐기는[宴樂] 상이다.

서유신(徐有臣) 『역의의언(易義擬言)』

雲上於天, 將爲天之所需用也. 需者, 待時之謂也. 人之所需用, 莫切於飮食, 故曰飮食. 宴樂, 謂安樂而待時, 不爲躁撓隕穫也. 飮食坎象, 宴樂樂天之命也. 凡不遇於時, 熱中不安分者, 飮食不知味, 菀菀戚戚, 無安樂之意也.

구름이 하늘에 오르는 것은 장차 하늘에 의하여 쓰이는 것이다. '수(需)'는 때를 기다리는 것을 말한다. 사람에 의하여 쓰이는 것들 중에 음식보다 간절한 것이 없기 때문에 "마시고 먹는다"라 하였다. '연락(宴樂)'은 편안히 즐기며 때를 기다리고, 조급하게 움직여서 얻으려고 하지 않는 것이다. 음식(飮食)은 감괘(坎卦)의 상이고, 연락(宴樂)은 천명(天命)을 즐기는 것이다. 때를 만나지 못해서 마음을 졸이고 분수에 편안히 여기지 못하는 자들은 마시고 먹어도 맛을 제대로 알지 못하고 답답하고 조급하여 편안히 즐기는 뜻이 없다.

김귀주(金龜柱) 『주역차록(周易箚錄)』

象曰, 雲上於天, 云云.

「상전」에서 말하였다: 구름이 하늘로 올라간다, 운운.

○ 按, 雲之未及成雨, 固爲需待之義. 而又必以篇首程傳雲上於天有蒸潤之象云者兼看, 然後於飮食宴樂之意, 方見襯貼. 蓋大象, 每於彖辭爻辭之外, 別推一義. 若專以需待之意, 解飮食宴樂, 則但爲九五需于酒食之意. 詳味君子以三字, 恐不如此, 必兼兩意看, 乃盡.
내가 살펴보았다: 구름이 아직 비로 형성되지 않았으니, 참으로 기다린다는 의미가 된다. 또 반드시 편의 맨 처음에 있는 『정전』의 "구름이 하늘 위에 있는 것은 증발하고 불어나는 상이다"고 말한 것과 아울러 본 연후에 "마시고 먹으며 편안히 즐기는" 뜻을 바야흐로 잘 볼 수 있을 것이다. 대체로 「대상전」에는 항상 「단사」와 「효사」 외에도 별도로 하나의 뜻을 추측해 놓았다. 만약 오로지 기다린다는 의미로만 "마시고 먹으며 편안히 즐긴다"는 의미를 풀이하면, 구오의 술과 음식으로 기다린다는 뜻에만 국한될 뿐이다. "군자이(君子以)"라는 세 글자를 상세하게 살펴보면 아마도 이와 같지는 않을 것이니, 반드시 두 가지 뜻을 겸하여 봐야만 비로소 온전할 것이다.

本義, 雲上於天, 小註, 朱子曰, 需待也, 云云.
『본의』의 "구름이 하늘에 오르다"는 뜻에 대해 소주에서 주자는 "수(需)는 대(待)이다"고 말했다, 운운.
○ 按, 學道者, 亦欲猶是, 則當奈何. 須寬居涵養, 優游從容, 忽不自知其入於聖賢之域, 不可有一毫欲速助長之念耳.
내가 살펴보았다: 도를 배우는 자가 또한 이와 같고자 한다면 마땅히 어떻게 하겠는가? 반드시 너그럽게 있으면서 함양하여 넉넉하게 노닐면서 자연스럽다면, 어느덧 스스로 성현의 경지에 들어온 줄도 모르게 될 것이니, 조금이라도 신속하게 이루고자 하거나 조장하려는 생각을 가져서는 안 된다.

勉齋黃氏曰, 雲上, 云云.
면재황씨가 말하였다: 구름이 오른다, 운운.
○按, 旣無所爲, 則惟飮食宴樂而已. 本義之意, 只是如此, 不成道. 無復所爲一語, 有取飮食宴樂之義也.
내가 살펴보았다: 이미 할 일이 없으면 오직 마시고 먹으며 편안히 즐길 뿐이다. 『본의』의 뜻이 단지 이와 같을 뿐이라면 말이 되지 않는다. "다시 할 일이 없다"는 한 구절은 "마시고 먹으며 편안히 즐기는" 의미를 취한 것이다.

박제가(朴齊家) 『주역(周易)』

傳, 懷其道德, 安以待時, 飮食以養其氣體, 宴樂以和其心志, 所謂居易以俟命也.
『정전』에서 말하였다: 도덕을 품고 편안하게 때를 기다리며, 음식으로 자기의 기운과 몸을 기르며, 잔치하고 즐김으로써 자기의 마음과 뜻을 화락하게 하니, 이른바 『중용』의 "편안하게 있으면서 천명을 기다린다"는 말이다.
本義, 需者, 亦不容更有所爲. 但飮食宴樂, 俟其自至而已.
『본의』에서 말하였다: 기다려야 할 일은 또한 다시 할 것이 없고, 다만 마시고 먹으며 잔치하고 즐기면서 저절로 때가 이르기를 기다릴 뿐이다.
案, 彖傳需須也, 大象則曰, 飮食宴樂, 蓋雲上於天爲薰蒸豊洽之象, 飮食宴樂, 只取斯義.
내가 살펴보았다: 「단사」와 『정전』에서 "수(需)는 기다림이다"라고 하였고 『대상』에서 "마시고 먹으며 편안히 즐긴다"라 하였으니, 대체로 구름이 하늘에 오르는 것은 훈증되어 풍요롭게 사물을 윤택하게 하는 상이 된다. 마시고 먹으며 편안히 즐기는 것은 다만 이러한 의미를 취할 뿐이다.

需雖須待之義, 本爲物之所需, 猶資也具也. 如酒, 必資于麴蘗, 麴蘗, 乃酒之需也, 宴樂, 必資於飮食, 飮食, 乃宴樂之需也. 物必資焉, 故爲待之義. 彖取待義, 象取具義, 不可一也. 若傳之云, 則飮食宴樂, 爲平生不多有, 有時行之之事. 若如本義說, 則有所俟然後, 方爲飮食宴樂. 所俟之遲速, 又未可知. 亦當自初至六, 恒飮恒歌之事, 竝非卦意. 夫宴樂者, 與人同樂之事, 此與人同樂之事, 乃取象於天上之雲之薰蒸豊洽之象. 此取爲雨之具而已, 非取此雲之將爲雨, 而必含須待之義者也. 爻辭郊沙泥三需, 雖爲須義, 至九五需于酒食, 則恐亦爲酒食之所需. 蓋經不曰酒食以需, 又不曰需酒食, 而曰需于酒食, 則五爲一卦之主, 而需之義在此. 大象之義, 亦有自來矣. 本義酒食宴樂之具者, 或偶合歟. 亦未及于之一字矣. 程傳, 訟曰人之所需者飮食, 則乃資義, 非候義.
수(需)는 비록 기다리는 뜻이나, 본래 사물에 필요한 것으로, 마치 의지하고 갖춘다는 뜻과 같다. 술의 경우에 반드시 누룩에 의지해야 하니, 누룩은 바로 술에 필요한 것이다. 편안히 즐김은 반드시 음식에 의지해야 하니, 음식은 바로 편안히 즐기는데 필요한 것이다. 사물은 반드시 무언가에 의지하기 마련이다. 그러므로 기다리는 뜻이 된다. 「단사」에서 기다리는 뜻을 취하였고, 「상전」에서 갖춘다는 뜻을 취했으니, 하나로 판단할 수 없다. 『정전』의 설명과 같다면 마시고 먹으며 편안히 즐기는 것은 평소에는 많지 않지만 때때로 그것을 행할 수 있는 일이다. 『본의』의 설명과 같다면 무언가를 기다림이 있고서야 바야흐로 마시고 먹으며 편안히 즐기는 것이 된다. 기다림이 더디냐와 빠르냐에 대해서는 또한 알 수 없다. 더구나 초효(初爻)로부터 육효(六爻)에 이르기까지 항상 마시고 노래하는 일은 괘의 뜻이 아니다. 편안히 즐긴다는 것은 다른 사람과 함께 즐거워하는 일이니, 여기에서 사람과 함께 즐거워하는 일은 바로 하늘에 오르는 구름이 훈증되어 풍요롭게 사물을 윤택하게 한다는 상에서 상을 취하였다. 이것은 비가 되는 도구를 취했을 뿐이지, 이 구름이 장차 비가 될 것을 취하여 반드시 기다리는 뜻을 포함하는 것이 아니다. 효사(爻辭)에서 교외와 모래사장과 진흙 세 가지의 기다림은 비록 기다림의 뜻이 되나, 구오의 술과 음식으로 기다림은 아마도 또한 술과 음식이 필요한 것이 된다. 대체로 경(經)에서는 술 마시고 먹으면서 기다린다[酒食以需]고 말하지 않았고, 또 술과 음식을 기다린다[需酒食]고 말하지 않았으나, 술과 음식으로 기다린다[需于酒食]고 말하고 있으니, 그렇다면 오효(五爻)가 한 괘의 주인이 되고 수(需)의 뜻이 여기에 있다. 「대상」의 뜻도 저절로 출처가 있다. 『본의』에서 술과 음식은 편안하게 즐기는 도구라고 한 것이 혹은 우연히 합치된 것이겠는가? 또한 우(于) 자를 언급하지 않았다. 『정전』에 송괘(訟卦)에서 사람이 필요한 것은 음식이라고 하였으니, 이것은 곧 의뢰한다는 뜻이지 기다린다[候]는 뜻이 아니다.

박문건(朴文健) 『주역연의(周易衍義)』

雲上於天, 則充滿而和洽也.
구름이 하늘에 오르면 충만하고 조화를 이룬다.
〈問, 飮食宴樂. 曰, 飮食宴樂, 君子无事之時也.
물었다: "마시고 먹으며 편안히 즐긴다"는 무슨 뜻입니까?
답하였다: 마시고 먹으며 편안히 즐기는 것은 군자가 아무 일이 없을 때입니다.〉

이지연(李止淵) 『주역차의(周易箚疑)』

諸卦之大象取象, 不必泥於本卦之義, 每多言外之旨. 此卦之飮食宴樂, 亦不可只以本卦上需待之義解之也.
여러 괘의 「대상전」이 상을 취한 것은 본괘(本卦)의 의미에 얽매일 필요가 없으니, 언제나 언어의 표현 밖의 뜻이 상당히 많다. 이 괘에서 "마시고 먹으며 편안히 즐긴다"는 것도 역시 단지 본괘의 기다린다는 의미만으로 풀이할 필요는 없다.

김기례(金箕澧) 「역요선의강목(易要選義綱目)」

君子以飮食宴樂.
군자는 이것을 본받아 마시고 먹으며 편안히 즐긴다.

雲蒸氣和, 而待成雨, 飮食宴樂之待以時.
구름이 훈증되고 기운이 조화로워 비가 됨을 기다리는 것은 마시고 먹으며 편안히 즐기며 때를 기다리는 것이다.

이항로(李恒老)「주역전의동이석의(周易傳義同異釋義)」

按, 傳義之釋, 互有發明. 蓋自學道修業者而言之, 既擇善而發, 軔於正路, 則當不厭不倦, 進進不已而已. 其至與不至, 遇與不遇, 非我之所與也. 伊尹之不顧萬鍾, 囂囂樂道, 顔淵之簞瓢陋巷, 不改其樂, 蓋以此也. 若柔躁妄行, 則必致舍龜卽鹿之吝, 必招咸腓濡首之凶矣, 其可乎. 飮食自足而無求之義, 坎象中實也, 宴樂自得而无憂之義, 乾行不疚也. 觀此則凡需之道, 皆可知也.

내가 살펴보았다: 『정전』과 『본의』의 풀이가 서로 드러내어 밝히는 것이 있다. 대체로 도를 배우고 학업을 닦는 자의 입장에서 말한다면, 이미 선을 선택하고 드러내서 올바른 길을 정하면 배우기를 싫어하지 않고 가르침을 게을리 하지 않고 끊임없이 나아갈 뿐이고, 그 목표에 도달했느냐 도달하지 못했느냐와 때를 만났느냐 만나지 못했느냐에 있어서는 내가 참여할 바가 아니다. 이윤(伊尹)이 만종(萬鍾)의 재물을 돌아보지 않고 그저 만족하여 도를 즐겼고, 안연(顔淵)이 대그릇 밥을 먹고 표주박 물을 마시면서 누추한 곳에 살면서도 그 즐거움을 바꾸지 않았던 것은 아마도 이 때문일 듯하다. 만약 유약하고 조급해서 함부로 행한다면, 반드시 거북을 버리고[16] 사슴을 좇는[17] 부끄러움을 자초하고, 반드시 장딴지에 감동하고[18] 머리를 적시는[19] 흉함을 자초할 것이니, 그것이 괜찮겠는가? 마시고 먹으며 스스로 만족하여 원함이 없다는 뜻은 감괘(坎卦)의 상인 가운데가 충실[實]한 것이고, 편안히 즐기며 스스로 얻어 아무런 시름이 없다는 뜻은 건괘(乾卦)의 운행에 문제가 없는 것이다. 이것으로 본다면 모든 수괘(需卦)의 도를 전부 알 수 있다.

심대윤(沈大允)『주역상의점법(周易象義占法)』

君子見草木之須雨而悅, 知人之須酒食而樂, 故宴樂以享. 衆坎爲酒食, 乾一變爲兌, 兌爲宴樂, 須杳變而樂, 故取變也. 〈詩云, 民之失德, 乾餱以愆.〉

군자는 초목이 비를 기다려 기뻐하는 것을 보고, 사람들이 술과 음식을 기다려 즐거워하는 것을 알기 때문에 편안히 즐기면서 형통하게 된다. 여러 감괘(坎卦)가 술과 음식이 되고, 건괘(乾卦☰)가 한번 변하면 태괘(兌卦☱)가 된다. 태괘는 편안히 즐김이 되니, 모름지기 그윽하게 변함을 기다려 즐기기 때문에 변화를 취하였다. 〈『시경』[20]에서 "백성이 덕을 잃는 것은 마른 밥 때문에 허물이 생기는 것이다"고 말하였다.〉

---

16) 『周易·頤卦』 初九爻: 初九, 舍爾靈龜, 觀我, 朶頤, 凶.
17) 『周易·屯卦』 六三爻: 六三, 卽鹿无虞. 惟入于林中, 君子幾, 不如舍, 往, 吝.
18) 『周易·咸卦』 六二爻: 六二, 咸其腓, 凶, 居, 吉.
19) 『周易·旣濟卦』 上六爻: 上六, 濡其首, 厲.
20) 『詩經·小雅』.

오치기(吳致箕) 「주역경전증해(周易經傳增解)」

雲氣上騰于天, 而未及成雨. 然陰陽旣和, 須待則必雨, 故君子觀其象, 以之懷其道德, 安以待時, 飮食以養其氣體, 宴樂以和其心志, 所謂居易以俟命者也. 飮食, 取象於坎之實中, 宴樂, 取象於互兌爲和悅也.

구름의 기운이 하늘에 올랐지만, 아직 비로 형성되지 못하였다. 그러나 음과 양이 이미 조화를 이뤘으니, 기다리면 반드시 비가 되기 때문에 군자가 그 현상을 보고 그것을 본받아 도덕을 품고 편안하게 때를 기다리며, 음식으로 자기의 기운과 몸을 기르며, 잔치하고 즐김으로써 자기의 마음과 뜻을 화락하게 하니, 이른바 "편안하게 있으면서 천명을 기다린다"는 것이다. '음식(飮食)'은 가운데가 꽉 찬 감괘(坎卦)에서 상을 취하였고, '연락(宴樂)'은 호괘(互卦)인 태괘(兌卦)의 기뻐함에서 상을 취하였다.

이진상(李震相) 『역학관규(易學管窺)』

飮食坎象, 宴樂乾道. 飮食, 卽宴樂之具也.

음식은 감괘(坎卦)의 상이고, 편안히 즐김은 건괘(乾卦)의 도이다. 음식은 바로 편안히 즐기는 도구이다.

박문호(朴文鎬) 「경설(經說)·주역(周易)」

飮食宴樂, 此飮食, 與序卦之飮食, 微有不同. 蓋彼則所需者, 飮食也, 此則別有所需, 而飮食其餘事耳. 此與九五之酒食, 其義相近, 故五爲成卦之主.

"마시고 먹으며 편안하게 즐긴다"라고 했으니, 여기서 말하는 음식은 「서괘전」에서 말하는 음식과 약간 같지 않는 점이 있다. 대체로 저기에서 기다리는 것은 음식이고, 여기에서는 따로 기다리는 것이 있고 음식은 그 나머지 일일 뿐이다. 이것은 구오(九五)의 술과 음식과 그 뜻이 서로 비슷하기 때문에 구오가 괘를 이루는 주인이 된다.

이정규(李正奎) 「독역기(讀易記)」

需之大象曰雲上於天, 需, 君子以飮食宴樂, 此所謂君子之時中也. 屯難之世, 則宜無所爲, 而曰經綸, 是有所爲也. 當需之時, 則宜有所爲, 而曰飮食宴樂, 是無所爲而有待也. 知此則出處取舍之義, 可以適中矣.

수괘(需卦)의 「대상전」에서 "구름이 하늘로 올라감이 수(需)이니, 군자는 그것을 본받아 마시고 먹으며 편안하게 즐긴다"라 하였으니, 이것은 이른바 군자의 시중(時中)이다. 준괘(屯

卦)의 어려운 세상에는 마땅히 아무것도 하지 말아야 하지만 "무언가를 경륜(經綸)한다"라 말하니, 이는 해야 할 것이 있는 것이다. 수괘의 때를 당해서는 마땅히 해야 할 것이 있지만, "마시고 먹으며 편안히 즐긴다"라 하였으니, 이는 할 것은 없고 기다림은 있는 것이다. 이것을 안다면 출처(出處)와 취사(取舍)의 의리가 중도에 맞을 수 있다.

이병헌(李炳憲) 『역경금문고통론(易經今文考通論)』

京傳曰, 雲上於天, 凝於陰而待於陽, 故曰需.

『경씨역전』에서 말하였다: 구름이 하늘에 올라 음기와 엉겨 양기를 기다리기 때문에 '기다림'이라고 하였다.

按, 雲上於天, 則有光氣, 故曰光亨.

내가 살펴보았다: 구름이 하늘에 오르면 빛나는 기운이 있기 때문에 '광형(光亨)'이라고 하였다.

初九, 需于郊, 利用恒, 无咎.

초구는 교외에서 기다린다. 일정함이 이로우니, 허물이 없을 것이다.

中國大全

傳

需者以遇險, 故需而後進. 初最遠於險, 故爲需于郊. 郊, 曠遠之地也. 處於曠遠, 利在安守其常, 則无咎也. 不能安常, 則躁動犯難, 豈能需於遠而无過也.

'수(需)'는 험한 것을 만났기 때문에, 기다린 다음에 나아가는 것이다. 초구는 험한 데로부터 가장 멀리 있기 때문에, '교외에서 기다리는 것'이 된다. '교외'는 넓고 먼 땅이다. 넓고 먼 데 있으므로, 이로움이 일정함을 편안히 지키는 데에 있으니, 이렇게 하면 허물이 없을 것이다. 일정함을 편안히 여길 수 없으면 조급하게 움직여 험난함을 범할 것이니, 어찌 먼 데서 기다려 허물이 없게 할 수 있겠는가?

本義

郊, 曠遠之地, 未近於險之象也. 而初九陽剛, 又有能恒於其所之象. 故戒占者能如是則无咎也.

'교외'는 넓고 먼 땅이니, 험함에 가깝지 않은 상이다. 초구가 양으로서 굳세니, 또한 자기의 자리에서 항상 할 수 있는 상이 있다. 그러므로 점치는 사람이 이와 같이 할 수 있어야 '허물이 없을 것'이라고 경계한 것이다.

小註

隆山李氏曰, 安常守靜, 待時之義. 以乾之健而必進, 乃能需以待焉, 以此涉世, 何咎之有.
융산이씨가 말하였다: 일정함을 편안하게 여기고 고요함을 지킴이 때를 기다린다는 의미이

다. 건괘의 굳셈으로써 반드시 나아갈 것이지만, 기다릴 수 있어서 이로써 세상을 살아간다면, 무슨 허물이 있겠는가?

○ 雲峯胡氏曰, 國外曰郊, 同人以象上九, 此以象初, 皆取其遠也. 同人于門于宗而後于郊, 近而遠也. 需于郊而後于沙于泥, 遠而近也. 初能需于曠遠之地, 而又戒之以利用恒者, 身不輕進, 必志不妄動, 斯无咎也.
운봉호씨가 말하였다: 수도 밖을 '교외'라고 부르니, 동인괘는 이것으로써 상구를 상징하였고, 수괘는 초효를 상징하였으니, 모두 그것이 멀다는 의미를 취하였다. 동인괘에서는 문(門)·종당(宗黨) 이후에 교외를 말하였으니, 가까운 데서 먼 곳 순서로 말한 것이고, 수괘에서는 교외 이후에 모래사장·진흙 순으로 말하였으니, 먼 데서 가까운 순서로 말한 것이다. 초효는 넓고 먼 데서 기다릴 수 있고, 또 "일정함이 이롭다"라는 말로써 경계한 것은, 몸이 경솔하게 나아가지 않아, 반드시 뜻을 함부로 움직이지 않으니, 이 때문에 허물이 없다.

韓國大全

송시열(宋時烈) 『역설(易說)』

不涉坎水, 須得於遠郊, 此爻顯有此象. 利用恒者, 乾之道, 恒久不變也. 以初應四, 往而從之, 亦云其道時値需待象. 亦遠隔, 故需者, 不犯於坎難, 用恒者, 不失常道也. 如此乾爻不可變, 故曰利用恒. 觀爻辭可知變與否.
감괘(坎卦)의 물을 건너지 않고 먼 교외에서 기다려야 하니, 이러한 효에는 현저하게 이러한 상이 있다. "일정함이 이롭다"는 건괘(乾卦)의 도이니, 항상 오래토록 변하지 않는다는 뜻이다. 초구로서 사효(四爻)와 호응하여 그를 따라 가니, 또한 그 도가 때에 따라 기다리는 상이 있다고 하였다. 또한 멀리 떨어져 있기 때문에 기다리는 자는 감괘(坎卦)의 곤란함을 범하지 않고, '일정함을 쓰는 자'는 일정한 도를 잃지 않는다. 이와 같이 건괘의 효는 변할 수 없기 때문에 "일정함이 이롭다"고 했다. 효사를 보면 변함의 여부를 알 수 있다.

김만영(金萬英) 「역상소결(易象小訣)」

乾陽在下, 以進爲意. 而大水在前, 故三陽爻, 皆以水之遠近爲言. 郊尙遠于水, 有平曠之恆, 而無衝激之患則曰用恆无咎. 沙雖近水, 而不若泥之至襯, 故曰小有言終吉. 泥則波濤擊盪之所, 故曰致寇至. 曰郊曰沙曰泥, 乾雖無三者之象, 皆以坎象言之.
건괘(乾卦)의 양이 아래에 있으니, 나가는 것으로 의미를 삼는다. 큰 물이 앞에 있기 때문에 세 양(陽)의 효(爻)는 모두 물의 멀거나 가까움으로 말하였다. 교외는 여전히 물보다 멀지만, 항상 드넓은 평원이 있어 부딪치는 근심이 없다. 그래서 "일정함을 쓰니 허물이 없다"고 하였다. 모래사장이 비록 물에는 가까우나 진흙처럼 지극히 친밀하진 못하기 때문에, "약간 말이 있으나 마침내 길할 것이다"고 하였다. 진흙은 파도가 부딪치는 곳에 있기 때문에 "도적이 옴을 초래할 것이다"고 하였다. '교외', '모래사장', '진흙'이라 한 것은 건괘에는 이 세 가지 상은 없어서 모두 감괘(坎卦)의 상으로써 말하였다.

심조(沈潮) 「역상차론(易象箚論)」

初九, 郊.
초구의 교외.
郊廣遠處也.
교외는 넓고 먼 곳이다.
陽爻廣有曠遠之象.
양효의 넓음에 드넓고 먼 상이 있다.

유정원(柳正源) 『역해참고(易解參攷)』

初九 [至] 用恒.
초구(初九) … 일정함이 이롭다.

息齋余氏曰, 需以初爲郊, 同人以上爲郊, 皆中爻之外也.
식재여씨가 말하였다: 수괘(需卦)는 초효(初爻)를 교외로 삼았고, 동인괘(同人卦)는 상효(上爻)를 교외로 삼으니, 모두 가운데 효의 밖이다.

○ 案, 初九, 以剛居剛, 躁動而不能安常. 利用恒, 似是戒辭, 而本義以爲象. 蓋有剛健之德者, 遇險, 必不輕進, 又處曠遠之地, 能守陽剛之德, 自有恒其所之象. 又況下體, 乾也. 乾之初九, 有確不拔之操乎. 需下當句言需之道, 于郊于沙也.

내가 살펴보았다: 초구(初九)는 굳셈으로써 굳셈에 있으니, 조급하게 움직이고 일정함을 편안히 여기지 않는다. "일정함이 이롭다"는 경계의 말인 듯 보이나, 『본의』에서는 상이라고 하였다. 대체로 굳세고 강건한 덕을 지닌 자가 험준함을 만나면 반드시 가볍게 나아가지 않고, 또한 드넓고 먼 곳에 있어 굳센 양의 덕을 지키니, 자연히 자기의 자리에서 일정할 수 있는 상이 있다. 더구나 하체(下體)가 건괘(乾卦)이다. 건괘의 초구는 확실하여 빼앗을 수 없는 지조가 있다. 수괘의 하체에 기다림의 도에 대한 구절에서 "교외에서, 모래사장에서 기다림이다"라고 하였다.

김상악(金相岳) 『산천역설(山天易說)』

郊, 曠遠之地, 未近於險也. 初九, 居乾之下, 應坎之六, 恒易而知險, 故有需于郊, 利用恒之象. 處于曠遠, 安守其常, 无咎之道也.

교외[郊]는 드넓고 먼 곳이어서 험준한 곳에서 가깝지 않다. 초구(初九)는 건괘(乾卦)의 하체(下體)에 있어서 감괘(坎卦)의 육사(六四)와 호응하니, 언제나 평이해서 험함을 알고 있기 때문에 교외에서 기다림이니, 일정함이 이롭다는 상이 있다. 드넓고 먼 곳에 있어 그 일정함을 평안히 지키니, 허물이 없는 도이다.

○ 來註, 郊, 乾象, 凡於乾體之卦, 多言郊. 需初九, 同人上九, 及小畜卦辭, 是也. 蓋郊者, 祭天之所, 故取象於乾也. 需有利涉之象, 而下三爻, 卽將涉者, 故初于郊而无咎, 二于沙而終吉, 三于泥而有敬愼之戒. 上之三人, 來爲已涉者也, 故終吉. 同人之自門而郊近而遠也, 需之自郊而泥遠而近也, 乾居上下之辨也. 又需之不進, 猶漸之漸進也, 故取象相似. 恒常也, 又卦名也. 初變爲巽, 坎水生震木而爲恒也. 又古字作恆, 其說一隻船靠兩岸, 恆字義也.

래지덕의 주석에서 교(郊)는 건괘의 상이라고 하였다. 대체로 건괘(乾卦)의 몸체인 괘에서는 대부분 교외[郊]로 말하였다. 수괘(需卦)의 초구(初九)와 동인괘(同人卦)의 상구(上九), 및 소축괘(小畜卦)의 괘사(卦辭)가 이것이다. 대체로 교외[郊]란 하늘에 제사지내는 곳이기 때문에 건괘에서 상을 취하였다. 수괘에는 내를 건넘이 이롭다는 상이 있는데, 하체(下體)의 세 효(爻)가 장차 건너려고 하기 때문에 초효(初爻)에서 교외여서 허물이 없고, 이효(二爻)에서 모래사장이여서 마침내 길하고, 삼효(三爻)에서 진흙이여서 공경하고 조심하는 경계가 있다. 상체(上體)의 세 사람[효]은 와서 이미 건너는 자가 되기 때문에 마침내 길하다. 동인괘(同人卦)에서 문으로부터 교외까지는 가까운 곳에서 먼 곳으로 한 것이고, 수괘에서 교외로부터 진흙까지는 먼 곳에서 가까운 곳으로 한 것이니, 건괘(乾卦)가 위아래에 있는 분별이 있기 때문이다. 또 수괘에서 나아가지 않음은 마치 점괘(漸卦)에서 점차 나아가는 것과 같기 때문에 상을 취함이 서로 비슷하다. 항(恒)은 일정함이고, 또 괘의 이름이다. 초효가 변하면 손괘(巽卦)가 되고, 감괘(坎卦)인 물이 진괘(震卦)인 목을 생하기에 일정함이 된다. 옛 글자는 恆으로 되어 있으니, 그것은 한 척의 배가 두 언덕에 기대고 있다는 것이 恆자의 뜻이다.

彖取利涉之象, 而三五又象兩岸, 故曰利用恒. 又乾坤之後, 坎月初見於震, 盈滿於乾, 故屯之二言反常, 需之初言用恒, 所以日月得天而能久照, 故歸妹初二之象, 亦言恒常二字. 六五曰, 月幾望.

「단사」에서 "건넘이 이롭다"는 상을 취하였고, 삼효와 오효(五爻) 또한 두 언덕을 본뜨고 있기 때문에 "일정함이 이롭다"라 하였다. 또한 건(乾)과 곤(坤)의 다음에 감(坎)의 달이 처음 진(震)에서 나타나고, 건(乾)에서 가득 차기 때문에 준괘(屯卦)의 이효(二爻)에서 "상도(常道)로 돌아온다[反常]"고 하였고, 수괘의 초효에서 "일정함을 쓴다"라 하였다. 그래서 일월(日月)이 하늘을 얻고서야 오랫동안 비칠 수 있기 때문에 귀매괘(歸妹卦)의 초효와 이효의 「상전」에서도 일정함[恒]과 항상함[常]이라는 두 글자를 말하였고, 육오(六五)에서 "달이 거의 보름이 된 듯이 하다"라 하였다.

박윤원(朴胤源) 『경의(經義) · 역경차락(易經箚略) · 역계차의(易繫箚疑)』

郊, 是廣遠之地, 處廣遠之地, 則心亦安靜, 故能安守其常.

교외[郊]는 드넓고 먼 곳이니, 드넓고 먼 곳에 있으면 마음도 편안하고 고요하기 때문에 그 일정함을 편안히 지킬 수 있다.

서유신(徐有臣) 『역의의언(易義擬言)』

郊, 遠於水也, 恒久於需也. 自初而需, 所以爲遠也, 需於遠所以爲久也. 初之義不欲應四, 故需不爲咎也.

교외[郊]는 감괘(坎卦)의 물보다 멀고, 변함없이 오래 동안 기다린다. 초효(初爻)에서부터 기다리는 것은 멀리 있기 때문이고, 먼 곳에서 기다리는 것은 장구하기 때문이다. 초효(初爻)의 뜻이 사효(四爻)와 호응하지 않고자 하기 때문에 기다림이 허물이 되지 않는다.

김귀주(金龜柱) 『주역차록(周易箚錄)』

初九, 需于郊, 云云.

초구는 교외에서 기다림이다, 운운.

○ 按, 初九, 在乾之時, 有潛龍確乎不拔之德. 故在需之時, 亦爲恒於其所之象.
내가 살펴보았다: 초구(初九)는 건괘(乾卦)의 때에 있어서 잠긴 용으로 확실하여 빼앗을 수 없는 덕이 있다. 그렇기 때문에 수괘(需卦)의 때에 있어서도 자기의 자리에서 일정할 수 있는 상이 된다.

윤행임(尹行恁)『신호수필(新湖隨筆)·역(易)』

需于郊, 所以遇險而處間也, 利用恆, 所以守志而得常也. 遇險而能不僥倖, 守志而能不妄動者, 非君子而何. 凡涉世保身者, 多依違苟且, 不免隨俗俯仰, 而此則不然, 漢之郭林宗, 殆庶幾歟.
'교외에서 기다림'은 험난한 것을 만나지만 한가함에 있기 때문이다. '일정함이 이로움'은 뜻을 지켜서 일정함을 얻기 때문이다. 험난함을 만났으나 요행을 바라지 않았고, 뜻을 지켜서 함부로 움직이지 않는 경우이니, 군자가 아니고서 어찌할 수 있겠는가? 대체로 세상을 살면서 자신을 보호한 자들은 대부분 의지하거나 잘못하고 구차스러우니, 세속을 따라 굽어보고 올려봄을 모면하지 못했지만, 여기에서는 그렇지가 않다. 한(漢)나라 때의 곽임종(郭林宗)[21]이 어쩌면 거의 비슷했을 것이다.

강엄(康儼)『주역(周易)』

初九, 象曰, [止] 不犯難行也.
초구(初九)의 「상전」에서 말하였다 … 험난한 것을 범하여 행하지 않음이다.

按, 時方需待, 則姑未可以言行. 若行則已犯難矣.
내가 살펴보았다: 바야흐로 기다리는 때에는 먼저 언행을 함부로 해서는 안 된다. 만약 행한다면 이미 험난한 것을 범하는 것이다.

박문건(朴文健)『주역연의(周易衍義)』

疑而處遠, 故有需郊之象. 郊, 曠遠之地也. 恒, 常也. 利其用恒, 則无咎者, 勉其進而釋疑也.
의심하여서 멀리 있기 때문에 교외에서 기다리는 상이 있다. 교외는 넓고 멀리 있는 땅이다. 항(恒)은 항상함[常]이다. 그 일정함을 쓰는 것이 이로우니, "허물이 없을 것이다"는 나아가

---

21) 곽임종(郭林宗): 후한(後漢)의 선비 곽태(郭太)이며, 임종은 그의 자이다.

서 의심을 풀기를 장려한 것이다.
〈問, 郊與沙泥之義. 曰, 郊, 居坎水之外, 泥, 居坎水之傍, 沙, 居郊泥之間也. 然取義則皆據正應而言也.
물었다: 교외와 모래사장과 진흙의 의미는 무엇입니까?
답하였다: 교외는 감괘(坎卦)인 물[水]의 밖에 있고, 진흙은 감괘(坎卦)인 물[水]의 곁에 있으며, 모래사장은 교외와 진흙의 사이에 있습니다. 그러나 의미를 취한 것은 모두 정응(正應)에 근거하여서 말한 것입니다.〉

이지연(李止淵) 『주역차의(周易箚疑)』

同人則陰在內, 故以上九爲郊, 需則險在前, 故以初九爲郊.
동인괘(同人卦)는 음이 내괘(內卦)에 있기 때문에 상구(上九)를 교외로 여겼고, 수괘(需卦)는 험난함이 앞에 있기 때문에 초구(初九)를 교외로 여겼다.

김기례(金箕澧) 「역요선의강목(易要選義綱目)」

初九, 需于郊.
초구는 교외에서 기다림이다.

遠險而待時, 守常而不宜妄, 故曰利用恒, 无咎. 妄則有咎.
험난함을 멀리하여 때를 기다리고 일정함 지켜서 함부로 행하지 않기 때문에 "일정함이 이로우니, 허물이 없을 것"이라고 하였으니, 함부로 행하면 허물이 있다.

허전(許傳) 「역고(易考)」

郊, 祭天之所也. 乾之初最遠於險, 不與上接而需待以進, 故曰利用恆, 無咎. 〈需卦乾在下, 故言郊於初, 同人乾在上, 故言郊於上.〉
교외[郊]는 하늘에 제사를 지내는 곳이다. 건괘(乾卦)의 초효가 험난한 데에서 가장 멀어서 상효(上爻)과 접촉하지 않고 기다리다가 때가 되면 나아가기 때문에, "일정함이 이로우니, 허물이 없다"라 하였다. 〈수괘(需卦)는 건괘(乾卦)가 하체(下體)에 있기 때문에 초효(初爻)에서 교외라고 하였고, 동인괘(同人卦)는 건괘가 상체(上體)에 있기 때문에 상효(上爻)에서 교외라고 하였다.〉

심대윤(沈大允)『주역상의점법(周易象義占法)』

需, 須也, 求也. 需之爻位, 居剛, 須而求者也, 居柔, 求而須者也.
수(需)는 기다림이고 구함이다. 수괘(需卦)의 효(爻)의 자리가 굳센 양에 있으면 기다리면서 구하는 자이고, 부드러운 음에 있으면 구하면서 기다리는 자이다.

需之井䷯, 居其所而進也. 初九, 以剛居剛, 須而求者也. 有應于四, 而爲二陽所隔, 不可遽進, 故曰需于郊. 郊, 廣莫之地, 乾巽象當需之初. 所需者, 遼遠不可妄進急求而犯難也. 郊, 言无私欲也, 亦不可以其不可急求之, 故遂解體弛心, 而廢置也. 尤宜剛健堅忍, 以盡其所當行而待其來, 故曰利用恒. 恒, 常久也, 巽爲恒. 象曰, 需于郊, 不犯難行也. 利用恒, 无咎, 未失常也. 言不失其當行之常也道.
수괘가 정괘(井卦䷯)로 바뀌었으니, 자기의 자리에 있다가 나아간다. 초구(初九)가 굳센 양으로써 굳센 양의 자리에 있으니, 기다리면서 구하는 자이다. 사효(四爻)와 호응함이 있으나 두 양에 막혀 갑자기 나아가지 못하기 때문에 "교외에서 기다림이다"고 하였다. 교외[郊]는 드넓고 먼 곳이니, 건괘(乾卦)와 손괘(巽卦)의 상(象)이 수괘의 초효에 해당한다. 기다리는 것이 멀어서 함부로 나서거나 다급히 구하다가 험난한 것을 범해서는 안 된다. 교외[郊]는 사사로운 욕심이 없음을 말하지만, 그렇다고 다급히 구할 수 없기 때문에 드디어 몸의 긴장이 풀리고 마음이 느슨해져서 그만두는 것도 안 된다. 더욱 마땅히 강건하고 굳게 참아 당연히 행하여야 할 도리를 다하여 오기를 기다리기 때문에 "일정함이 이롭다"고 하였다. 항(恒)은 언제나 오래감이니, 손괘는 항괘(恒卦)이다.

오치기(吳致箕)「주역경전증해(周易經傳增解)」

初九剛健, 得正而在下, 當需之時, 最遠於險, 故有需于郊之象. 而性旣剛健, 外有正應, 宜若冒進而致咎. 然以其得正, 故能利用恒. 道退而須待, 此所以言无咎也.
초구(初九)는 굳세고 강건하여 올바름을 얻었으나 하체(下體)에 있으니, 기다리는 때를 당하여 험난한 데에서 가장 멀기 때문에 교외에서 기다리는 상이 있다. 게다가 본성이 이미 굳세고 강건하여 외괘(外卦)의 정응(正應)이 있으니, 무릅쓰고 나가려다 허물을 초래할 듯하다. 그러나 올바름을 얻었기 때문에 일정함이 이롭다. 물러나 모름지기 기다려야 하니, 이것이 허물이 없다고 말한 까닭이다.

○ 郊, 在國都門外, 卽祭天之地, 故取於乾. 他卦倣此, 恒, 謂平常之道也.
교(郊)는 나라의 도성 문밖에 있으니, 곧 하늘에 제사를 지내는 곳이기 때문에 건괘에서 뜻을 취하였다. 다른 괘도 이와 같다. 항(恒)은 평소의 도를 말한다.

이진상(李震相) 『역학관규(易學管窺)』

變巽, 巽爲郊. 易中言郊者, 皆巽體. 郊, 是曠遠天際, 巽居乾次之象也. 利用恒者, 乾德之確, 且久也.

손괘(巽卦䷸)로 변하니, 손괘는 교외[郊]가 된다. 『주역』에서 말하는 교(郊)는 모두 손괘의 몸체이다. 교외는 드넓고 멀어 하늘과 맞닿는 곳으로, 손괘가 건괘(乾卦)의 다음에 오는 상(象)이다. "일정함이 이롭다"라 함은 건괘의 덕이 확실하고 또 오래가기 때문이다.

이병헌(李炳憲) 『역경금문고통론(易經今文考通論)』

邑外曰郊, 有應故曰利用恒. 坎險在上須而不進.

읍의 밖이어서 '교외'라 하였고, 호응이 있어서 "일정함이 이롭다"고 하였다. 감괘의 험함이 위에 있어서 기다리며 나아가지 않는다.

象曰, 需于郊, 不犯難行也. 利用恒, 无咎, 未失常也.

「상전」에서 말하였다: "교외에서 기다림"은 험난한 것을 범하여 행하지 않음이다. "일정함이 이로우니 허물이 없음"은 항상됨을 잃지 않기 때문이다.

中國大全

傳

處曠遠者, 不犯冒險難而行也. 陽之爲物, 剛健上進者也. 初能需待於曠遠之地, 不犯險難而進, 復宜安處不失其常, 則可以无咎矣. 雖不進而志動者, 不能安其常也. 君子之需時也, 安靜自守, 志雖有須, 而恬然若將終身焉, 乃能用常也.

넓고 먼 데 있는 사람은, 험난한 것을 무릅쓰고 행하지 않는 것이다. 양(陽)이라는 것은 강건해서 위로 올라가는 것이다. 초구가 넓고 먼 땅에서 기다릴 수 있어서, 험난한 것을 범하며 나아가지 않고 다시 편안히 거처해서 항상됨을 잃지 아니하니, '허물이 없을 수 있는 것'이다. 비록 나아가지 않지만 뜻이 움직이는 것은, 항상됨을 편안히 하지 못하는 것이니, 군자가 때를 기다릴 때는 편안하고 고요하게 스스로 지켜서, 비록 기다리나 뜻은 편안히 하여 종신토록 할 것 같이 하여야, 언제나 지켜야 할 변하지 않는 도리를 쓸 줄 아는 것이다.

小註

龜山楊氏曰, 乾道上行爲常. 方需之時, 坎險在前, 宜需而後進. 雖久於其所, 未爲失常也.

구산양씨가 말하였다: 건도는 위로 올라가는 것이 '항상됨'이다. 수괘의 때에, 구덩이와 같은 험한 것이 앞에 있으니, 기다린 뒤에 나아가는 것이 마땅하다. 비록 그곳에서 오래 머무른다고 하더라도 '항상됨'을 잃는 것은 아니다.

∥韓國大全∥

유정원(柳正源) 『역해참고(易解參攷)』

未失常也.
항상됨을 잃지 않기 때문이다.
梁山來氏曰, 未失常, 不失需之常道也. 需之常道, 不過以義命自安, 不冒險以前進而已
양산래씨가 말하였다: "항상됨을 잃지 않기 때문이다"는 기다리는 항상된 도를 잃지 않음이다. 기다리는 항상된 도는 의리와 명분에 따라 스스로 편안히 여기고 모험을 통해 앞으로 나아가지 않음에 불과할 뿐이다.

김상악(金相岳) 『산천역설(山天易說)』

難, 險難也, 未失常, 卽用恒也.
난(難)은 험난함이고, 항상됨을 잃지 않음은 곧 한결같은 마음을 유지함이다.

서유신(徐有臣) 『역의의언(易義擬言)』

不應於四, 是不犯難行也. 需不爲咎, 得其常之故也
사효(四爻)에 호응하지 않으니, 이것이 험난한 것을 범하여 행하지 않음이다. 수괘가 허물이 되지 않음은 항상됨을 얻었기 때문이다.

심대윤(沈大允) 『주역상의점법(周易象義占法)』

言不失其當行之常道也.
이것은 당연히 행해여야 할 항상된 도리를 잃지 않음을 말한 것이다.

오치기(吳致箕) 「주역경전증해(周易經傳增解)」

遠險, 故不犯其難, 用恒, 故未失其常也.
험난함을 멀리하기 때문에 어려움을 범하지 않고, 일정함을 쓰기 때문에 항상됨을 잃지 않지 않는다.

九二, 需于沙, 小有言, 終吉.

구이는 모래사장에서 기다림이다. 약간 말이 있으나, 마침내 길할 것이다.

中國大全

傳

坎爲水, 水近則有沙. 二去險漸近, 故爲需于沙. 漸近於險難, 雖未至於患害, 已小有言矣. 凡患難之辭, 大小有殊. 小者至於有言, 言語之傷, 至小者也. 二以剛陽之才, 而居柔守中, 寬裕自處, 需之善也. 雖去險漸近, 而未至於險, 故小有言語之傷而无大害, 終得其吉也.

감(坎)은 물이 되고, 물에 가까우면 모래사장이 있다. 이효가 험한 데로 점점 가깝게 가기 때문에, '모래사장에서 기다리는 것'이 된다. 점차 험난한 데 가까우니, 비록 근심과 해로운 데까지는 이르지 않으나, 이미 약간의 말을 듣는 것이다. 환난의 말은 크고 작은 차이가 있다. 작은 것은 말을 듣는 데 이르는 것이니, 언어에 의한 상해는 환난 중에 지극히 작은 것이다. 구이가 굳센 양의 재질로써 음유한 자리에 있으면서 중을 지켜, 스스로 너그럽게 처신하니 기다림에 잘 처하는 것이다. 비록 험한 데로 점점 가까워 가나 아직 험한 데에는 이르지 않았기 때문에, 약간은 말에 의한 상함이 있으나 큰 해는 없어, 마침내 길함을 얻는 것이다.

本義

沙則近於險矣. 言語之傷, 亦災害之小者. 漸進近坎, 故有此象. 剛中能需, 故得終吉. 戒占者當如是也.

모래사장은 험한 데 가까운 것이다. 언어에 의한 상해는 또한 재해 중에서는 작은 것이다. 점차 나아가 감에 가깝기 때문에 이런 상이 있다. 굳셈의 알맞음으로 잘 기다릴 수 있기 때문에 마침내 길함을 얻는 것이니, 점치는 사람이 마땅히 이와 같아야 함을 경계한 것이다.

小註

臨川吳氏曰, 九二剛而在地上, 位與坎水中爻相應, 猶沙地雖瀕水而遠, 水已漸漬于其中, 故曰需于沙有言. 如鄭息有違言, 謂以口語相傷也.

임천오씨가 말하였다: 구이는 굳셈으로 지상에 있고, 자리가 수(水)인 감괘의 가운데 효와 서로 호응하니, 마치 모래사장이 비록 물가와 가까이 있다 해도 멀고, 물이 이미 점차 그 가운데를 적시는 것과 같기 때문에, “모래사장에서 기다리니 말이 있다”라 하였다. 이는 “정(鄭)나라와 식(息)나라가 말 때문에 서로 불화(不和)하였다[22]”는 말과 같으니, 말을 가지고 서로 상해함을 이른다.

○ 雲峯胡氏曰, 初最遠坎, 利用恒, 乃无咎. 九二漸近坎, 小有言矣. 而曰終吉者, 初九以剛居剛, 恐其躁急, 故雖遠險, 猶有戒辭. 九二以剛居柔, 性寬而得中, 故雖近險, 而不害其爲吉.

운봉호씨가 말하였다: 초효는 감(坎)에서 가장 머니, ‘한결 같은 마음을 유지하면 이로울 것이어서 이에 허물이 없을 것’이고, 구이는 점점 감(坎)에 가까이 있으니 약간 지적하는 말이 있을 것이다. 그런데도 “마침내 길하다”라고 말한 것은 초구가 양(陽)으로서 양의 자리에 있으니, 아마도 조급하게 여길 것이기 때문에, 비록 험한 것과 멀다고 하더라도, 오히려 경계의 말을 한 것이다. 구이는 양의 굳셈으로서 음유한 자리에 있어, 성질이 너그러우면서도 중을 얻었기 때문에, 비록 험한 것과 가깝다 하더라도, 그것이 길하게 되는 데에 방해되지 않는다.

韓國大全

송시열(宋時烈) 『역설(易說)』

沙者, 水邊也, 漸近於坎水也. 互兌, 爲天始言之象, 故曰少有言之. 小象衍在中之衍字, 來云水行, 朝宗曰衍卽水字, 言水在中云云, 似然與傳義大異.

모래사장은 물가이니, 점차 감괘(坎卦)의 물과 가까워진다. 호괘(互卦)인 태괘(兌卦)는 하늘이 비로소 말하는 상이 된다. 그러므로 “약간 말을 듣는다”고 하였다. 「소상전」의 “너그러

22) 『春秋左氏傳 · 隱公十一年』: 鄭息有違言, 息侯伐鄭, 鄭伯與戰于竟, 息師大敗而還.

움으로 가운데 자리에 있다”에서 연(衍)자에 대해 래지덕은 ‘물이 가는 것’이라 하였고, 조종은 “연(衍)은 곧 물 수(水)이다”라 하니, 물이 그 속에 있다는 말이니, 아마도 『정전』과 『본의』와는 크게 다르다.

심조(沈潮) 「역상차론(易象箚論)」

九二, 沙小有言.
구이는 모래사장에서 약간 말을 듣는다.

漸近於水也. 此與坎中相應, 水之浸潤處, 便有沙也. 小有言互兌也.
점차 물에 가까워진다. 이는 감괘의 가운데와 상응하여 물이 스며드는 곳이니, 곧 모래사장이 있다. “약간 말을 듣는다”는 것은 호괘인 태괘이다.

유정원(柳正源) 『역해참고(易解參攷)』

正義, 小謂四也, 陰爲小. 君子之進, 小人懼其害己, 不免於有言. 然九五在上, 三陽同心, 小人終當退聽矣, 故終吉.
『주역정의』에서 말하였다: 약간[小]은 사효(四爻)를 말하니, 음(陰)이 소(小)가 된다. 군자가 나아갈 때에는 소인이 자기를 해칠까를 두려워하니, 지적하는 말을 들음을 면하지 못한다. 그러나 구오가 상체(上體)에 있고 세 양이 마음을 함께 하니, 소인이 마침내 물러나 순종하기 때문에 마침내 길할 것이다.

○ 雙湖胡氏曰, 小陰, 小指六四. 二當互兌之初, 故曰小有言.
쌍호호씨가 말하였다: 약간[小]은 음(陰)으로, 소(小)는 육사(六四)를 가리킨다. 이효는 호괘(互卦)인 태괘(兌卦)의 초효(初爻)에 해당하기 때문에 “약간 말을 듣는다”라고 하였다.

○ 梁山來氏曰, 變爻離明, 明哲保身, 終不陷于險也
양산래씨가 말하였다: 변효(變爻)인 리괘(離卦☲)는 밝음이니, 총명하고 사리에 밝아서 자신을 잘 보전해 마침내 험난한 데에 빠지지 않는다.

○ 案, 患難之生, 言語以爲階, 其爲灾害, 大矣. 然而近於險, 而未及乎險, 故灾害卽小, 而言語亦小而已. 二以剛陽之才, 履健居中, 近六逼難, 遠不後時, 以待機會之至, 其終也吉.

내가 살펴보았다: 환난이 발생할 때 구설(口舌)이 실마리가 되니, 그 재해가 매우 크다. 그러나 험난한 곳에 가까우나 험난한 데에는 미치지 않기 때문에 재해가 작고 구설도 적을 뿐이다. 이효(二爻)가 굳센 양의 재질로 강건함을 밟고 중도(中道)에 있으면서 가까이 육사(六四)의 핍박하는 환난이 있지만, 멀리 때를 놓치지 않고 기회가 오기를 기다리니, 마침내 길할 것이다.

김상악(金相岳) 『산천역설(山天易說)』

水近則有沙, 漸進近險, 需于沙之象. 將涉險而无應, 雖小有言, 能需而不陷, 故終吉也.
감괘(坎卦)의 물이 가까이 있으면 모래사장이 있으니, 점차 나아가서 험난한 데에 가까워질 것이므로 모래사장에서 기다리는 상이 된다. 장차 험난함을 건너려고 하나 호응함이 없고, 비록 약간 말이 있으나 잘 기다려 빠지지 않기 때문에 마침내 길할 것이다.

○ 水少則有沙, 需于沙, 將涉之象. 言者乾象. 需之二, 雖與五无應, 去險尙遠. 訟之初, 雖與四爲訟, 不永所事, 故小有言, 終吉, 同辭. 卦以涉川爲利, 而二變爲旣濟, 旣濟象辭曰終亂, 濟極而止也. 此曰終吉, 將涉而須也. 凡言終吉者, 始雖不吉, 終能得吉也, 非吉之吉, 凶之吉也, 他卦之言終吉皆如是.
물이 적으면 모래사장이 있으니, 모래사장에서 기다리다 장차 건너려는 상이 된다. '말'은 건괘(乾卦)의 상이다. 수괘(需卦)의 이효(二爻)가 비록 오효(五爻)와 호응함이 없으나, 험난함과의 거리가 아직 멀다. 송괘(訟卦)의 초효(初爻)가 비록 사효(四爻)와 함께 송사를 하지만, "다투는 일을 오랫동안 하지 않기 때문에 약간 말이 있으나 끝내 길할 것이니", 길하다는 것과 같은 말이다. 괘에서는 내를 건너는 것으로 이로움을 삼았는데, 이효(二爻)가 변하면 기제괘(旣濟卦䷾)가 된다. 기제괘의 「단사」에서 '끝에 어지러움'은 이룸이 지극하면 그치는 것이고, 여기서는 '마침내 길할 것'은 장차 건너려고 기다리는 것이다. 대체로 "마침내 길할 것이다"는 처음에는 비록 길하지 않으나 끝남은 길함을 얻을 수 있다는 것이다. 길함 속의 길함이 아니라 흉함 속에 길함이다. 다른 괘에서 마침내 길하다고 한 것은 모두 이와 같다.

김규오(金奎五) 「독역기의(讀易記疑)」

九二, 小有言.
구이(九二)는 약간 말이 있다.

體乾而互兌, 兌爲口, 乾爲言也. 夬四, 以體兌而履乾, 訟初, 以應乾而言耳. 但艮五·震夷之初, 未詳.

몸체는 건괘(乾卦)이고 호괘(互卦)가 태괘(兌卦)이니, 태괘는 입이 되고, 건괘는 말이 된다. 쾌괘(夬卦)의 사효(四爻)는 몸체가 태괘(兌卦)로 건괘를 밟고 있으며, 송괘(訟卦)의 초효(初爻)는 건괘에 호응할 따름이다. 다만 간괘(艮卦)의 오효(五爻)와 진괘(震卦)와 명이괘(明夷卦)의 초효에 대해서는 상세하지 않다.

서유신(徐有臣) 『역의의언(易義擬言)』

沙, 近於水也. 有言而無辨, 待其自止, 亦需之道也. 其言旋止, 故曰小有也. 近險得謗, 賢哲之所不免, 庸何傷於終吉乎.
모래사장은 물에 가깝다. 말은 있으나 변명함이 없이 그것이 스스로 멈추기를 기다리니, 또한 기다리는 도이다. 그 지적하는 말이 도리어 그치게 되기 때문에 "약간 있다"라 하였다. 험난함에 가까워서 비방을 받는 것은 현명하고 명철한 자들도 모면하지 못하는데, 용렬한 자가 어찌 마침내 길한 데에 마음을 아파하겠는가?

김귀주(金龜柱) 『주역차록(周易箚錄)』

九二, 需于沙, 云云.
구이(九二)는 모래사장에서 기다린다, 운운.

○ 按, 九二, 剛而居柔, 處得其中, 故雖無大害, 而上應九五, 剛險相接, 故不免小有言矣. 或曰訟之二五, 亦剛險相接, 而不克訟, 何也, 曰, 此卦, 剛在下而險居上, 猶陽剛之賢, 小見忌於在上之人, 而終無大害也. 訟卦, 剛在上而險在下, 猶凶險之臣, 本有犯上之心, 而勢不相敵, 自底逋竄也. 剛險相接兩卦, 若相似而其卒不同者, 時位之有殊耳.
내가 살펴보았다: 구이(九二)는 굳세면서 부드러운 음에 있으니, 처함이 그 알맞음을 얻었기 때문에 비록 큰 피해는 없으나, 위로 구오(九五)와 호응하여 굳셈과 험난함이 서로 접하기 때문에 "약간 말을 듣는" 것을 면할 수 없다.
어떤 사람이 말하였다: 송괘(訟卦)의 이효(二爻)와 오효(五爻)도 굳셈과 험난함이 서로 접하고 있으나, 서로 송사를 하지 않음은 어째서입니까?
답하였다: 이 괘는 굳셈이 하체(下體)에 있고 험난함이 상체(上體)에 있으니, 마치 굳센 양으로서의 현자가 윗자리에 있는 사람에게 조금 시기(猜忌)를 받으나 마침내 큰 피해가 없는 것과 같습니다. 송괘(訟卦)는 굳셈이 상체에 있고 험난함이 하체에 있으니, 마치 흉하고 험악한 신하가 처음부터 윗사람을 범하려는 마음을 지니고 있어서 형세로는 서로 대적하지 못하고 스스로 몰래 달아나는 것과 같습니다. 굳셈과 험함이 서로 접하는 두 괘는 서로 비슷

한 듯 보이나 끝내 똑같지 않는 것은 시기와 자리가 다름이 있기 때문입니다.

박문건(朴文健) 『주역연의(周易衍義)』

中, 无危難, 故有需沙之象. 沙, 平廣之地也. 言, 九五之言小有慍. 言者, 始疑而終信也.
가운데 자리에 있어 위태롭고 곤란함이 없기 때문에 모래사장에서 기다리는 상이 있다. 모래사장[沙]은 평평하고 드넓은 곳이다. 말[言]은 구오(九五)가 하는 말에 약간 성냄이 있는 것이다. 지적하는 자가 처음에는 의심하다가 마침내 믿게 된다.

이지연(李止淵) 『주역차의(周易箚疑)』

自二至四爲兌, 故有口舌之象.
이효(二爻)로부터 사효(四爻)에 이르기까지 태괘(兌卦)가 되기 때문에 구설(口舌)의 상이 있다.

윤종섭(尹鍾燮) 「경(經)·역(易)」

需之有言互兌, 訟之有言變兌.
수괘에서는 호괘가 태괘라고 하였고, 송괘에서는 변괘가 태괘라고 하였다.

김기례(金箕澧) 「역요선의강목(易要選義綱目)」

九二, 需于沙.
구이(九二)는 모래사장에서 기다림이다.
漸近於水猶可待時.
점차 물에 가까우니 그래도 때를 기다릴 수 있다.

小有言, 終吉.
약간 말이 있으나 마침내 길할 것이다.
近險而小害者, 以剛居柔, 以寬得中, 故終吉.
험난함에 가까우나 해로움이 적은 것은 굳센 양으로써 부드러운 음에 있고, 너그러움으로써 올바름을 얻었기 때문에 마침내 길할 것이다.
○ 互兌, 故曰小有言. 然非如初剛居剛, 則雖遠險而戒躁進也.

호괘(互卦)가 태괘(兌卦)이기 때문에 약간 말이 있다. 그러나 초효(初爻)가 굳센 양으로서 굳센 양의 자리에 있으면서 비록 험난함에서 멀지만 조급하게 나아감을 경계한 것만은 못하다.

심대윤(沈大允) 『주역상의점법(周易象義占法)』

需之旣濟䷾, 坐須之事旣盡而稍爲進求也. 九二以剛居柔, 求而須者也. 外无正應无所期望, 而待來者, 理不得不稍進以求之, 故曰需于沙, 言進而止于沙也. 乾之對爲坤, 地之剛有沙. 象言剛健而寬平也. 又兌爲剛鹵互坎水, 亦有沙. 象言悅而勞苦也. 健進而止乎寬平, 和悅而行其勞苦, 以待其來, 異乎行險而僥倖, 弛廢而不求者也. 以其時尙早而隔于三, 故曰小有言. 兌爲口舌, 對艮爲言, 离爲小, 終必得之, 故曰終吉.
수괘가 기제괘(旣濟卦䷾)로 바뀌었으니, 앉아서 기다리는 일을 마치고 점차 나아가 구하는 것이다. 구이는 굳셈으로 부드러운 자리에 거처하여 구하면서 기다리는 자이다. 밖으로 정응이 없어 바라는 것이 없지만, 올 것을 기다림은 이치상 점차 나아가 구하지 않을 수 없는 것이다. 그러므로 모래사장에서 기다린다고 하였으니, 나아가 모래사장에 그침을 말한다. 건괘의 음양이 변한 괘가 곤괘로 땅의 굳센 것이니, 모래가 있다. 「상전」에서는 강건하며 너그러운 것을 말하였다. 또 태괘가 소금이고 호괘인 감괘가 물이니, 역시 모래가 있다. 「상전」에서는 기뻐하며 노고함을 말하였다. 강건하며 너그럽고, 기뻐하며 노고하면서 올 것을 기다리니, 험함을 행하며 운을 바라거나 폐기하고 구하지 않는 것과는 다르다. 그 때가 아직 이르고 삼효에게 막혀서 "조금 말을 듣는다"고 하였다. 태괘가 구설이 되고 음양이 반대인 간괘가 말이 되고 이괘가 작음이 되고 마침내 얻기 때문에 "마침내 길하다"고 하였다.

오치기(吳致箕) 「주역경전증해(周易經傳增解)」

九二, 以剛居柔而稍近于險, 有需于沙之象, 而以其陽性上行, 險在應位, 故人或有戒危之言. 然居柔而處中, 不輕其進, 故言終得其吉也.
구이는 굳셈으로 부드러운 자리에 있어 위험에 더 가까워져 모래사장에서 기다리는 상인데, 양의 성질은 위로 가고 위험이 상응하는 자리에 있기 때문에 사람들이 위태롭다고 경계하는 말을 하기도 한다. 그렇지만 부드러운 자리에 있고 가운데 자리에 있어서 가볍게 나아가지 않기 때문에 마침내 길함을 얻는다고 하였다.

○ 漸近于水, 故言沙也. 言取互兌爲口也.
점점 물에 가까워져 모래사장이라 하였다. 호괘인 태괘(兌卦☱)를 취하여 입(口)[23]이 되었다는 말이다.

이진상(李震相) 『역학관규(易學管窺)』

以陽剛處坎水之內不逼近, 而變離爲乾燥, 故取沙象. 中互兌而二其始, 故小有言. 然荀九家, 乾爲言.

굳센 양이 감수(坎水)의 안에 있어 지나치게 가깝지 않고 변괘인 리괘(離卦)가 건조함이 되기 때문에 모래의 상을 취했다. 가운데 호괘인 태괘에서 이효가 그 처음이기 때문에 조금 말을 듣는다. 그렇지만 순상(荀爽)의 『구가역(九家易)』에서는 건괘가 말이 된다.

박문호(朴文鎬) 「경설(經說) · 주역(周易)」

三四五於互體爲離, 離火也而言屬火. 故九二有小有言之象, 歟訟之初六亦云.

삼효와 사효와 오효는 호체로 리괘인데, 리괘는 불이며 말이 불에 속한다. 그렇기 때문에 구이에 조금 말을 듣는 상이 있고, 송괘 초육에서도 말했다.

이병헌(李炳憲) 『역경금문고통론(易經今文考通論)』

虞曰, 沙謂五, 水中之陽稱沙.

우번이 말하였다: 모래는 오효인데, 물속의 양을 모래라 한다.

荀曰, 優衍在中而不進也.

순상이 말하였다: 여유롭고 너그럽게 가운데 있으며 나아가지 않는다.

---

23) 『周易 · 說卦傳』: 兌爲口.

象曰, 需于沙, 衍在中也, 雖小有言, 以吉終也.

「상전」에서 말하였다: "모래사장에서 기다림"은 너그러움으로 가운데 자리에 있기 때문이니, 비록 약간 말을 들으나 길함으로 마칠 것이다.

中國大全

傳

衍, 寬綽也. 二雖近險, 而以寬裕居中, 故雖小有言語及之, 終得其吉, 善處者也.

'연(衍)'은 너그러움이다. 구이가 비록 험한 데 가까우나, 너그러움으로 가운데 자리에 있으므로, 비록 약간 말을 들으나 마침내 길함을 얻으니, 잘 처신하는 것이다.

本義

衍, 寬意. 以寬居中, 不急進也.

'연(衍)'은 너그럽다는 뜻이다. 너그러움으로 가운데 자리에 있어 급하게 나아가지 않는 것이다.

小註

雲峯胡氏曰, 下體乾. 九二衍在中, 卽乾九二寬以居之也. 初不失常, 故不犯難. 二以寬居中, 故不急進.

운봉호씨가 말하였다: 하체가 건괘(乾卦)이다. "구이가 너그러움으로 가운데 자리에 있기 때문이다"라 함은 곧 건괘의 구이가 너그러움으로 거처하는 것이다. 초효는 항상됨을 잃지 않았기 때문에, 곤란함을 범하지 않고, 이효는 너그러움으로 가운데 자리에 있기 때문에, 급하게 나아가지 않는다.

‖韓國大全‖

조호익(曺好益)『역상설(易象說)』

象曰, 需于沙, 衍在中也.
「상전」에서 말하였다: "모래사장에서 기다린다"는 너그러움으로 가운데 자리에 있기 때문이다.

中, 位也.
가운데[中]는 자리이다.

김상악(金相岳)『산천역설(山天易說)』

衍者, 水之衍溢也. 水在中則沙在邊也. 雖近于險而有言, 然剛健而不陷, 故以吉終也. 終, 謂上進也.
너그러움[衍]은 물이 흘러서 넘치는 것이다. 물이 가운데 있으면 모래사장이 주변에 있다. 비록 험난한 데에 가까워서 말이 있지만, 굳세고 강건하여 빠지지 않기 때문에, 길함으로 마칠 것이다. 마침[終]은 상체(上體)로 나아감을 이른다.

박윤원(朴胤源)『경의(經義)·역경차략(易經箚略)·역계차의(易繫箚疑)』

九二, 需于沙.
구이는 모래사장에서 기다린다.

○ 象曰, 衍在中也, 程傳本義, 皆以衍作寬綽解, 而來易以衍爲水宗之名, 別是一義. 然其說, 卻似無味.
「상전」에서 "너그러움으로 가운데 자리에 있다"라 한 것을 『정전』과 『본의』에서는 모두 연(衍)를 너그러움[寬綽]으로 풀이하나, 래지덕의 『주역집주』에서는 연(衍)을 수평선의 꼭대기[水宗]의 이름으로 삼았으니, 별도로 하나의 뜻이다. 그러나 그 주장이 도리어 의미가 없는 듯 보인다.

서유신(徐有臣)『역의의언(易義擬言)』

衍在中, 寬裕得中也. 說文, 衍水朝宗于海也. 九二向五之志, 如水之朝海也, 此義亦通.

"너그러움으로 가운데 자리에 있다"라 함은 관대함으로 가운데 자리를 얻음이다. 『설문해자』에서 "연(衍)은 물이 바다로 모이는 것이다"라 하였다. 구이(九二)가 구오(九五)의 뜻에 대해 향하는 것이 마치 물이 바다로 모여드는 것과 같으니, 이런 의미 또한 통한다.

박제가(朴齊家) 『주역(周易)』

九二, 象傳, 需于沙, 衍在中也
구이의 「상전」에서 말하였다: "모래사장에서 기다림"은 너그러움으로 가운데 자리에 있기 때문이다.

傳, 衍寬綽也, 以寬裕居中.
『정전』에서 말하였다: 연(衍)은 너그러움이니, 너그러움으로 가운데에 있는 것이다.

本義, 衍寬, 竟以寬居中, 不急進也.
『본의』에서 말하였다: 연(衍)은 너그러움[寬]이니, 마침내 너그러움으로 가운데 자리에 있어 급하게 나아가지 않는 것이다.

案, 衍字從水, 水之餘地也. 取爲羨義. 經云, 衍在中者. 沙卽水之餘地也, 近於水而有餘地在前也. 象也非德也.
내가 살펴보았다: 연(衍)은 물 수(水) 부수를 따르니, 물가의 남은 땅이니, 남음[羨]의 뜻을 취하였다. 경문(經文)에서 "너그러움으로 가운데 자리에 있다"라고 하였다. 모래사장은 곧 물가의 남은 땅인데, 물에 가까울수록 남은 땅이 바로 앞에 있게 된다. 이것은 상이지, 덕이 아니다.

심대윤(沈大允) 『주역상의점법(周易象義占法)』

衍, 寬平也.
연(衍)은 너그러움이다.

오치기(吳致箕) 「주역경전증해(周易經傳增解)」

不冒險而寬衍在中, 故雖有言而得吉以終也.
위험을 무릅쓰지 않고 너그럽게 가운데 있기 때문에, 비록 말은 있겠지만 길함으로 마칠 것이다.

이진상(李震相) 『역학관규(易學管窺)』

象, 衍在中.
「상전」의 '너그러움으로 가운데 있음'에 대하여.

胡氏曰, 衍在中卽乾九二寬以居之者也.
호씨가 말하였다. '너그러움으로 가운데 있음'은 곧 건괘 구이의 너그러움으로 거처함이다.

박문건(朴文健) 『주역연의(周易衍義)』

衍, 平廣也.
너그러움[衍]은 너그럽고도 평온함이다.
〈問, 以吉終. 曰, 謂之吉終者, 恊韻也, 言疑在初而吉在終也.
물었다: 길함으로써 마칠 것이라고 한 것은 어째서입니까?
답하였다: 길함으로써 마칠 것이라고 한 것은 협운(恊韻)이니, 의심은 처음에 있으나 길함은 마침에 있다는 말입니다.〉

九三, 需于泥, 致寇至.

구삼은 진흙에서 기다리니, 도적이 옴을 초래할 것이다.

中國大全

傳

泥, 逼於水也. 旣進逼於險, 當致寇難之至也. 三剛而不中, 又居健體之上, 有進動之象. 故致寇也. 苟非敬愼, 則致喪敗矣.

진흙은 물에 다다른 것이다. 이미 험한 데로 나아가 다다랐으니, 마땅히 도적과 환난이 이름을 초래할 것이다. 삼효는 굳세나 가운데 자리가 아니고, 또한 강건한 괘체의 맨 위에 있으니, 움직여 나아가는 상이다. 그러므로 도적을 초래할 것이니, 진실로 공경하고 삼가지 않으면 잃고 패하게 될 것이다.

本義

泥將陷於險矣. 寇則害之大者. 九三去險愈近, 而過剛不中, 故其象如此.

진흙은 장차 험한 데 빠짐이다. 도적은 해로움이 큰 것이다. 구삼이 험한 데로 더욱 가까이 가서 지나치게 굳세고 가운데 자리가 아니기 때문에 그 상이 이와 같다.

小註

朱子曰, 以其逼近坎險, 故有致寇至之象.
주자가 말하였다: 험한 구덩이에 가까이 다다랐기 때문에, 도적이 옴을 초래하는 상이 있는 것이다.

○ 瀘川毛氏曰, 近則有言, 逼則致寇, 其勢然也.
노천모씨가 말하였다: 가까이 가면 말이 있고, 다다르면 도적을 불러들임은, 그 형세가 그러

한 것이다.

○ 誠齋楊氏曰, 初需于郊, 止而不敢進. 二需于沙, 進而不敢逼. 三需于泥, 則進而逼於水矣. 然坎猶在外也. 災在外而我逼之, 是水不溺人而人自狎水也. 狎水死者勿咎水, 致寇敗者勿咎寇. 自我致之故也.
성재양씨가 말하였다: 초효의 "교외에서 기다린다"라 함은 그쳐서 감히 나아가지 않는다는 말이다. 이효의 "모래사장에서 기다린다"라 함은 나아가지만 감히 가까이 가지 못한다는 말이다. 삼효의 "진흙에서 기다린다"라 함은 나아가 물에 다가간다는 말이다. 그러나 구덩이는 여전히 밖에 있다. 재앙이 밖에 있는데 내가 다가가니, 물이 사람을 빠지게 한 것이 아니라, 사람 스스로 물에 다가간 것이다. 물에 다가가서 죽은 사람은 물을 나무라지 말 것이며, 도적을 불러들여서 패한 사람은 도적을 나무라지 말 것이다. 이는 내가 불러들였기 때문이다.

○ 雲峯胡氏曰, 需與漸, 皆取有所待而進之義. 需內卦于郊于沙于泥, 由平原而水際, 水際非人所安也. 漸內卦于干于磐于陸, 由水際而平原, 平原非鴻所安也. 皆以三危地故也. 需之三遇坎而曰致寇至, 漸之三互坎而曰禦寇. 禦寇者艮剛而能止. 致寇者乾剛而不中也. 致之一字, 罪在三矣. 險何嘗逼三. 三急於求進, 自逼於險云.
운봉호씨가 말하였다: 수괘(需卦)와 점괘(漸卦)는 모두 기다리다가 나아간다는 의미를 취하였다. 수괘(需卦)의 내괘는 들 · 모래사장 · 진흙에서 기다리니, 평원으로부터 물가로 나아가는 것으로, 물가는 사람이 편안하다고 여기는 곳이 아니다. 점(漸)괘의 내괘는 물가 · 반석 · 평원으로 나아가니, 물가에서 평원으로 나아가는 것으로, 평원은 기러기가 편안하다고 여기는 곳이 아니다. 이는 모두 삼효가 위태로운 자리이기 때문이다. 수괘의 삼효는 감괘와 만나므로 "도적이 옴을 초래할 것이다"라 하였으며, 점괘의 삼효는 호체가 감괘이므로, "도적을 막는다"라 한 것이다. "도적을 막는다"는 것은 굳센 간(艮)으로 도적을 저지할 수 있는 것이고, "도적을 부른다"는 것은 굳센 건(乾)으로 중에 있지 않아서이니, '치(致)'라는 한 글자의 죄가 삼효에 있다. 험한 것이 어찌 삼효에 다다른 적이 있는가? 삼효가 나아가려는 데에 조급하여, 스스로 험한 데에 다다른 것이다.

‖韓國大全‖

송시열(宋時烈)『역설(易說)』

泥者尤近於水, 致坎寇之至. 雖近於水而猶有需待之義, 以災在外卦言之. 災者爲坎陷也, 自我致寇者, 我自進而近坎也. 所當敬愼則不敗也.
진흙은 물에 더욱 가까워져서 감괘(坎卦☵)의 도적을 불러들였다. 비록 물에 가깝지만 아직 기다림의 뜻이 있어 재앙이 외괘에 있는 것으로 말했다. 재앙은 감괘의 빠짐이고 나로부터 도적을 불러들인다는 것은 내가 스스로 나아가 감괘에 가까워짐이다. 마땅히 조심하고 삼가면 잘못되지 않는다.

이익(李瀷)『역경질서(易經疾書)』

凡易中言寇者皆坎也. 三與坎切近而猶在外, 故敬愼則不致. 其致寇至者, 戒之之辭, 非謂必然也.致不致在我, 故曰自我也. 敬則寇不怨怒, 愼則防必縝密, 雖或無妄而致之, 亦不敗也.
『주역』에서 도적을 말한 곳은 모두 감괘(坎卦☵)이다. 삼효는 감괘와 매우 가깝게 있지만 감괘가 아직 밖에 있기 때문에 공경하고 삼가면 도적을 불러들이지 않을 수 있다. 도적을 불러들인다는 것은 경계하는 말이지 반드시 그렇다는 것은 아니다. 불러들이고 불러들이지 않음은 나에게 있기 때문에 '나로부터'라고 하였다. 조심하면 도적이 원망하거나 성내지 않고, 삼가면 예방함이 촘촘하고 주밀하여, 혹시 뜻밖에 도적이 이르러도 잘못되지 않는다.

심조(沈潮)「역상차론(易象箚論)」

九三寇.
구삼의 도적.

寇坎爲盜也.
도적은 감괘(坎卦☵)가 도적이기 때문이다.

유정원(柳正源)『역해참고(易解參攷)』

鄭氏剛中曰, 冦非但盜, 與我敵而相傷者是也.

정강중이 말하였다: 도적은 단지 도둑뿐만 아니라, 나와 적대하여 서로 해치면 도적이다.

○ 隆山李氏曰, 進而尤近乎水者爲泥, 泥性善陷. 坎爲冦盜, 坎近九三, 來自外卦而爲冦於內者也.
융산이씨가 말하였다: 나아가 물에 더욱 가까운 것이 진흙이니, 진흙의 성질은 잘 빠진다. 감괘(坎卦☵)는 도적인데 감괘가 구삼과 가까워 외괘로부터 와서 안에서 도적이 된다.

○ 梁山來氏曰, 三居健體之上, 才位俱剛, 進不顧前, 有需泥冦至之象. 健體敬愼惕若, 故占者不言凶.
양산래씨가 말하였다: 삼효가 굳건한 몸체의 꼭대기에 있고 재질과 자리가 모두 굳세니, 나아감에 앞을 살피지 않아 진흙에서 기다려 도적을 불러들이는 상이 있다. 굳건한 몸체여서 공경하고 삼가며 두려워하기 때문에, 점친 자가 흉하다고 말하지 않았다.

김상악(金相岳) 『산천역설(山天易說)』

泥逼于水將陷于險矣. 九三居乾之終, 四之比, 上之應, 皆陰之陷陽. 而三之過剛, 進而迫之., 故有需泥致寇之象, 致者自我致之也.
진흙은 물에 가까우니, 장차 험함에 빠져든다. 구삼은 건괘의 마지막에 있어서, 이웃하는 사효와 호응하는 상효가 모두 음으로 양을 빠뜨린다. 삼효가 굳셈이 지나쳐서 가까이 가기 때문에 진흙에서 기다리는데 도적을 부르는 상이 있다. 부른다는 것은 나로부터 불러들임이다.

○ 泥者水土相交泥濘之地, 坎象也. 寇者坎之盜也. 寇亂在外, 正當須待之時, 而冒險罹害, 乃其所自致也. 卦與爻皆相交而曰致寇至, 是相交而不利者也. 蒙則爻與卦皆不交, 而上九曰利禦寇, 是不交而利者也. 又兵作於內爲難, 於外爲寇, 故需解之寇皆謂四爻, 而解曰貞吝需不言悔咎, 其柔危其剛勝邪者也. 故凡易之情, 近而不相得, 則凶或害之悔且吝也.
진흙은 물과 흙이 서로 사귀어 질퍽해진 곳으로 감괘(坎卦☵)의 상이다. 도적은 감괘의 도적이다. 도적의 난이 밖에 있어 마땅히 기다릴 때인데도 험난함을 무릅써서 해로움에 걸려드니, 스스로 불러들인 것이다. 괘와 효가 모두 사귀므로 "도적을 불러들인다[致寇至]"고 했으니, 이것은 서로 사귀어서 이롭지 못한 경우이다. 몽괘(蒙卦䷃)의 경우는 효와 괘가 모두 사귀지 않아 상구에 도적을 막음이 이롭다[24]고 하였으니, 이것은 사귀지 않아서 이로

24)『周易 · 蒙卦』上九: 擊蒙, 不利爲寇, 利禦寇.

운 경우이다. 또 군사가 안에서 일어나면 난이고 밖에서 일어나면 도적이므로 수괘(需卦䷄)와 해괘(解卦䷧)에서 모두 사효를 일러 말했는데, 해괘에서는 올곧아도 부끄럽고 수괘(需卦䷄)에서는 뉘우침과 허물을 말하지 않았으니[25], 유약하면 위태롭고 강건하면 간사함을 이긴다.[26] 그러므로 『주역』의 실정이 가까이하고도 서로 얻지 못하면 흉하거나 해롭거나 뉘우치거나 부끄럽게 된다.[27]

서유신(徐有臣) 『역의의언(易義擬言)』

泥逼於水也. 過剛不中進逼於險, 寇患之來所自致也.
진흙은 물에 가깝다. 지나치게 강건하고 알맞음을 지키지 못해 험한 곳에 나아가 가까워졌으니, 도적의 근심이 생기는 것은 스스로 부른 것이다.

김귀주(金龜柱) 『주역차록(周易箚錄)』

九三, 需于泥, 云云.
구삼은 진흙에서 기다리니, 운운.

○ 按, 九二雖近於險而前隔一陽爻, 有沙岸之形, 故曰需于沙. 至於九三, 則前臨陰柔之爻, 無復遮隔, 將入於水, 故爲需于泥之象.
내가 살펴보았다: 구이는 험난에 가깝기는 해도 앞에 하나의 양효를 사이에 두고 있어 모래언덕의 형상이 있기 때문에, "모래사장에서 기다린다"고 하였다. 구삼의 경우는 앞에 음으로 유순한 효가 임해 다시 가릴 사이가 없어 막 물에 들어가기 때문에, 진흙에서 기다리는 상이다.

박문건(朴文健) 『주역연의(周易衍義)』

犯而見害, 故有需泥之象. 泥汙穢之地也.
범해서 피해를 보기 때문에, 진흙에서 기다리는 상이 있다. 진흙은 더러운 곳이다.

---

25) 도적과 관련하여, 解卦 육삼에서는 '負且乘, 致寇至, 貞, 吝.'이라 하여 '悔'나 '咎'를 말하지 않았고, 需卦 구삼에서는 '需于泥, 致寇至.'라 하여 곧게 해도 부끄럽게 됨을 말하였다.
26) 『周易·繫辭傳』: 其柔危其剛勝邪.
27) 『周易·繫辭傳』: 凡易之情, 近而不相得, 則凶或害之悔且吝.

이지연(李止淵) 『주역차의(周易箚疑)』

坎有盜象.
감괘(坎卦☵)에 도적의 상이 있다.

김기례(金箕澧) 「역요선의강목(易要選義綱目)」

九三, 需于泥言逼於坎. 致寇至坎爲盜故曰寇, 三以重躁進爲自致禍, 故自我致寇. 災在外言險在外卦, 敬愼不敗, 三雖過剛致寇, 本以乾健, 當需之時, 自愼則免.
구삼의 진흙에서 기다림은 감괘에 가까워짐을 말한 것이다. 도적을 불러들인다는 것은 감괘가 도적이므로 도적이라 하였고, 삼효가 거듭 조급하게 나가서 스스로 재앙을 부르기 때문에 나로부터 도적을 불러들였다고 하였다. 재앙이 밖에 있음은 험함이 외괘에 있다는 말이고, 삼가고 공경하면 잘못되지 않음은 삼효가 비록 지나치게 굳세서 도적을 불러들이지만, 본래 건의 굳건함이 기다림의 때에 스스로 삼간다면 면할 수 있다는 것이다.

심대윤(沈大允) 『주역상의점법(周易象義占法)』

需之節☵☱, 限止也. 九三居剛須而求者也. 三之時, 可以進而過, 爲限節而不進. 近四而專陷故曰需于泥, 言專陷而不進也. 艮土坎水互離麗, 有泥象. 上有正應爲五所隔而不求, 比四而爲五所奪, 故曰致寇至. 坎爲寇兌召坤至, 致對爲坤. 需之義不取卦位而亦皆有其位之義, 九三侯牧之道也. 凡諸卦皆倣此.
수괘가 절괘(節卦☵☱)로 바뀌었으니, 제한하여 그침이다. 구삼은 굳센 자리에 있어서 기다리며 구하는 자이다. 삼효의 때는 나가면 지나치니, 절제하여 나아가지 않는다. 사효와 가까이 있어 반드시 빠지게 되므로 진흙에서 기다린다고 하였으니, 빠지게 되면 나아가지 않는다는 말이다. 간괘(艮卦)의 흙과 감괘의 물과 호괘인 리괘(離卦)의 걸림에 진흙의 상이 있다. 위에 바른 호응이 있지만 오효에 막혀 구하지 못하고, 가까운 사효는 오효에게 빼앗겼기 때문에 도적을 불러들였다고 하였다. 감괘는 도적이고 태괘(兌卦)는 부르는 것이며, 곤괘는 이르는 것이니, 이르게 한다고 한 것은 반대괘가 곤괘이기 때문이다. 수(需)의 뜻은 괘의 자리를 취하지 않았지만 모두 자리의 뜻이 있으니, 구삼은 제후와 목민관의 도이다. 모든 괘도 이와 같다.

오치기(吳致箕) 「주역경전증해(周易經傳增解)」

九三, 以剛居剛而逼近于險, 有需于泥之象. 而恃剛冒進, 以致寇害之至. 雖不言占, 卽象可知矣.
구삼은 굳셈으로 굳센 자리에 있어서 험난에 가까워 진흙에서 기다리는 상이 있다. 굳센 것만 믿고 함부로 나아가 도적의 피해를 부른다. 비록 점(占)은 말하지 않았지만, 상(象)에 나아가면 점을 알 수 있다.

○ 逼水故言泥, 寇取於坎也.
물에 가깝기 때문에 진흙을 말했고, 도적은 감괘에서 취했다.

이진상(李震相) 『역학관규(易學管窺)』

九三, 致寇.
구삼의 도적을 부름.

寇以外患言, 非特盜也. 曾因客憂, 亦占得此爻.
도적은 바깥의 근심으로 말한 것으로 비단 도적만이 아니다. 예전에 손님 때문에 근심한 적이 있었을 때 점을 쳐서 이 효를 얻었다.

박문호(朴文鎬) 「경설(經說)·주역(周易)」

致寇, 卽上註所謂, 灾害之大者也, 非戒其不得進, 言非使其不進也. 但使之進而致謹也.
도적을 부른다는 것은 곧 위의 주석에서 말한 '재앙과 해로움이 큰 것'이고, "나아갈 수 없음을 경계한 것이 아니다"라고 한 것은 나아가지 못하게 한 것이 아니라 단지 나아갈 때 잘 삼가도록 한 것이라는 말이다.

象曰, 需于泥, 災在外也. 自我致寇, 敬愼不敗也.

「상전」에서 말하였다: "진흙에서 기다림"은 재앙이 밖에 있어서이다. 내가 도적이 옴을 불렀으니, 공경하고 삼가면 패망하지 않을 것이다.

中國大全

傳

三切逼上體之險難, 故云災在外也. 災, 患難之通稱, 對眚而言則分也. 三之致寇, 由已進而迫之, 故云自我. 寇自己致, 若能敬愼, 量宜而進, 則无喪敗也. 需之時, 須而後進也. 其義在相時而動, 非戒其不得進也, 直使敬愼毋失其宜耳.

삼효가 상체의 험난함에 매우 가까이 다다랐기 때문에, "재앙이 바깥에 있다"라고 말한 것이다. '재앙'은 환난의 통칭이나, '자기가 지은 재앙[眚]'과 상대해서 말하면 차이가 있다. 삼효에서 '도적이 오도록 한 것'은, 자기가 나아감으로 말미암아 다다랐기 때문에 '나로부터'라고 했다. 도적을 스스로 불렀으니, 만약 공경하고 삼가면서 마땅함을 헤아려 나아가면 잃어버리고 패망함이 없을 것이다. 수괘의 때는 기다린 다음에 나아가는 것이다. 그 뜻이 때를 봐서 움직임에 있고, 나아갈 수 없다고 경계한 것이 아니니 다만 공경하고 삼가서 마땅함을 잃지 않게 해야 할 것이다.

本義

外謂外卦. 敬愼不敗, 發明占外之占, 聖人示人之意切矣.

'밖'은 외괘를 이른다. "공경하고 삼가면 패망하지 않는다"는 것은, 점 밖의 점을 밝힌 것이니, 성인이 사람에게 보이는 뜻이 간절하다.

小註

或問, 敬愼不敗, 本義以爲發明占外之意, 何也. 朱子曰, 言象中本无此意, 占者不可无此意, 所謂占外意也.
어떤 이가 물었다: "공경하고 삼가면 패망하지 않을 것이다"라는 말을 『본의』에서는 '점 밖의 것을 밝힌' 의미로 여겼는데, 무슨 말입니까?
주자가 답하였다: 상에는 본래 이런 뜻이 없으나, 점치는 사람에게 이러한 뜻이 없어서는 안 된다는 말이니, 이것이 이른바 '점 밖의 뜻'입니다.

○ 問, 敬愼二字. 曰, 敬字大, 愼字小. 如人行路, 一直恁地去, 便是敬. 前面險處, 防有喫跌, 便是愼. 愼是唯恐有失之意. 又曰, 孔子雖說推明義理, 這般所在, 又變例推明占筮之意. 需于泥, 災在外, 占得此象, 雖若不吉, 然能敬愼則不敗. 又能堅忍以需待處之, 得其道, 所以不凶. 或失其剛健之德, 又无堅忍之志, 則不能不敗矣.
물었다: '경(敬)'·'신(愼)' 두 글자는 어떤 의미입니까?
답하였다: '경'자는 의미가 광범위하고, '신'자는 의미가 협소합니다. 예컨대 사람이 길을 갈 때, 줄곧 그렇게 간다면 곧 경이고, 앞에 험한 곳에서 넘어지는 것에 대한 방비가 있다면 곧 신입니다. 신은 오직 실수가 있을까 두려워한다는 의미입니다.
또 말하였다: 공자가 비록 의리를 밝히는 것을 말하였지만, 이런 것들에 있는 것은 또한 변례(變例)로서 점서(占筮)의 의미를 밝히는 것입니다. "진흙에서 기다린다는 말은 재앙이 바깥에 있어서이다"라고 말하였는데, 점을 쳐서 이 상을 얻으면 비록 길하지 않은 듯하지만, 공경하고 삼가면 패망하지 않을 것이며, 또한 참고 견뎌서 기다림으로써 처하면, 그 도를 얻을 수 있으니, 이 때문에 흉하지 않습니다. 강건한 덕을 잃은 데다, 또 참고 견디는 의지도 없는 경우라면, 패망하지 않을 수 없을 것입니다.

○ 建安丘氏曰, 坎險在外, 未嘗迫人. 由人急於求進, 自逼於險以致禍敗. 象以自我釋之, 明致災之由不在他人也.
건안구씨가 말하였다: 감괘의 험함이 밖에 있으나, 일찍이 사람에게 다다른 적이 없다. 사람이 나아가려는 데에 조급함으로 말미암아 스스로 험한 데에 다가가서 재앙과 패망을 불러들였다. 상은 나로써 해석하였으니, 재앙을 초래한 이유가 다른 사람에게 있지 않음을 밝힌 것이다.

▌韓國大全▐

김장생(金長生) 『주역(周易)』

需九三象傳, 災眚.
수괘 구삼 「상전」의 재앙.

內妖曰眚, 外妖曰祥, 天火曰災.
내적인 괴이함을 '생(眚)'이라 하고 외적인 괴이함을 '상(祥)'이라 하며 자연발화를 '재(災)'라 한다.

유정원(柳正源) 『역해참고(易解參攷)』

灾在外.
재앙이 밖에 있다.

正義, 泥居水外, 卽灾在身外.
『주역정의』에서 말하였다: 진흙이 물의 밖에 있음이 곧 재앙이 몸의 밖에 있음이다.

김상악(金相岳) 『산천역설(山天易說)』

外謂外卦也. 敬愼者, 乾之惕厲也, 惕則能敬, 厲則能愼. 敬而且愼, 量宜而進, 則不至喪敗也.
바깥은 외괘이다. 공경과 삼감은 건괘의 두려워하고 위태롭게 여김이다. 두려워하면 공경하고 위태롭게 여기면 삼갈 수 있다. 공경하고 삼가서 마땅함을 헤아려 나간다면, 잃어버리거나 잘못되지 않는다.

敬者心之貞, 坎之中直也. 愼者謹也, 離之中順也. 不敗者, 三陽相連於下也. 故大有九二亦曰,積中不敗也.
경은 마음의 정고함이니, 감괘의 가운데가 정직함이다. 삼감은 근신함이니, 리괘(離卦☲)의 가운데가 유순함이다. 잘못되지 않음은 세 양이 아래에서 서로 이어져 있다. 그러므로 대유괘(大有卦) 구이에도 말하길 "가운데 쌓으면 잘못되지 않는다[28]"고 하였다.

박윤원(朴胤源)『경의(經義)·역경차략(易經箚略)·역계차의(易繫箚疑)』

象曰, 敬愼不敗, 自初至三, 皆剛健不陷之象.

「상전」에서 말한 "공경하고 삼가면 잘못되지 않는다"는 것은 초효에서 삼효에 이르기까지 모두 강건해서 빠지지 않는 상이다.

서유신(徐有臣)『역의의언(易義擬言)』

外外卦也, 其灾在外, 始不相近而需泥致寇, 皆自我也. 然而不言凶咎何也. 以其敬愼, 故不敗也. 先君子曰, 愈進而愈需, 卽敬愼也.

바깥은 외괘이다. 재앙이 바깥에 있어 처음에는 서로 가깝지 않았는데, 진흙에서 기다려 도적을 부름은 나로부터 그런 것이다. 그런데도 흉하다고 말하지 않음은 어째서인가? 공경하고 삼가므로 잘못되지 않는다. 선군자께서 "나아갈수록 더욱 필요한 것이 곧 공경과 삼감이다"라고 하셨다.

강엄(康儼)『주역(周易)』

本義發明占外之占, 按, 朱子曰象中本无此意, 占者不可无此意, 所謂占外意也. 然妄謂九三以陽居陽性體剛健, 有能敬愼之象, 如乾之九三乾乾惕厲, 亦以其性體剛健故也. 但聖人於此爻, 只取需于泥之象, 而不取剛健敬愼之象, 則此所謂象中本无此意, 而象傳所云, 果爲占外之占也.

『본의』에서 "점 밖의 점을 밝혔다"는 것에 대하여 내가 살펴보았다: 주자가 "상 가운데는 본래 이 뜻이 없으나 점친 자에게는 이런 뜻이 없어서는 안 되니 이것이 점 밖의 뜻이라는 것이다"라고 하였다. 그런데 내 생각에는 구삼이 양으로 양의 자리에 있어서 성질과 몸체가 강건하여 공경하고 삼가는 상이 있다. 건괘의 구삼에 힘쓰고 힘써 두려워하고 위태롭게 여김 또한 그 성질과 몸체가 강건하기 때문인 것과 같다. 단지 성인은 이 효에서 진흙에서 기다리는 상만 취했을 뿐, 강건하여 공경하고 삼가는 상은 취하지 않았으니, 이것이 "상 가운데 본래 이런 뜻이 없다"는 말이며, 「상전」에서 말한 것은 과연 점 밖의 점이다.

박문건(朴文健)『주역연의(周易衍義)』

外謂上六也. 敬愼云者, 勉其退也.

---

28)『周易·大有卦』: 九二象傳, 積中不敗.

바깥은 상육이다. 공경과 삼감이 말한 것은 물러남에 힘씀이다.

심대윤(沈大允) 『주역상의점법(周易象義占法)』

災, 有心之災, 在外謂五也. 乾爲敬, 艮爲愼, 三能敬愼, 故不至於凶也.
재앙은 마음에 의한 재앙이다. 밖에 있음은 오효를 가리킨다. 건괘는 공경함이 되고 간괘는 삼감이 된다. 삼효가 공경하고 삼갈 수 있기 때문에 흉함에 이르지 않는다.

九三, 過爲敬愼而不進, 失其所需而亦無敗也. 寧爲九三之敬愼無敗, 而不可躁進以陷于險也.
구삼이 지나치게 공경하고 삼가며 나가지 않으니, 기다리는 것을 잃기는 하겠지만, 잘못되지도 않을 것이다. 차라리 구삼처럼 공경하고 삼가서 잘못되지 않아야 하지, 조급하게 나가서 험난함에 빠져서는 안 된다.

오치기(吳致箕) 「주역경전증해(周易經傳增解)」

外寇之災, 由我而致. 苟能敬愼, 則豈至於取乎.
밖에서 오는 도적의 재앙은 나 때문에 불러들인 것이다. 진실로 공경하고 삼간다면, 어찌 재앙을 취하겠는가?

이병헌(李炳憲) 『역경금문고통론(易經今文考通論)』

荀曰, 親與坎接, 故稱泥. 須止不進, 不取於四, 不致寇害.
순상이 말하였다: 감수(坎水)와 가깝게 인접했기 때문에 진흙이라고 하였다. 기다리면서 나가지 않아 사효를 취하지 않으니, 도적의 피해를 부르지 않는다.

六四, 需于血, 出自穴.

정전 육사는 피에서 기다리니, 구덩이로부터 나온다.
본의 육사는 피에서 기다리니, 구덩이로부터 나올 것이다.

中國大全

傳

四以陰柔之質處于險, 而下當三陽之進, 傷於險難者也, 故云需于血. 旣傷于險難, 則不能安處, 必失其居, 故云出自穴. 穴, 物之所安也. 順以從時, 不競於險難, 所以不至於凶也. 以柔居陰, 非能競者也. 若陽居之, 則必凶矣. 蓋无中正之德, 徒以剛, 競於險, 適足以致凶耳.

육사는 유약한 음의 자질로써 험한 데 거처하고, 아래로 세 개의 양이 올라오는 것을 맞으니, 험난함에서 상해 받은 자이다. 그러므로 "피에서 기다린다"라고 하였다. 이미 험난함에서 상해 받았다면 편안히 처할 수 없어서 반드시 그 거처를 잃을 것이므로, "구덩이로부터 나온다"라고 하였다. 구덩이는 사물이 편안히 있는 곳이다. 순조롭게 때를 좇아서 험난한 데서 다투지 않으니, 흉한 데까지 이르지 않는 것이다. 부드러운 음으로서 음의 자리에 있으니 다툴 능력이 없는 자이다. 만약 양(陽)으로써 그 자리에 있다면 반드시 흉할 것이다. 중정의 덕이 없으면서 한갓 강한 것으로써 험한 데서 다툰다면, 다만 흉함을 초래하게 될 뿐이다.

小註

或問, 程傳釋, 穴物之所安. 朱子曰, 穴是陷處, 喚做所安處不得. 分明有箇坎陷也一句. 柔得正了, 需而不進, 故能出於坎陷. 四又是坎體之初, 有出底道理, 到那上六, 則索性陷了.

어떤 이가 물었다: 『정전』에서 "구덩이[穴]는 사물이 편안하다고 여기는 곳이다"라고 해석한 것은 무슨 뜻입니까?

주자가 답하였다: '구덩이'는 험한 곳이니, 편안한 곳이라고 부를 수는 없습니다. "감(坎)은

험한 곳이다"라는 한 구절이 있는 것이 분명합니다. 부드러운 음이 올바를 수 있어서, 기다리면서 나아가지 않기 때문에, 험한 곳으로부터 벗어날 수 있습니다. 사효는 또한 감괘 몸체의 초효이니 벗어날 방법이 있으나, 저 상육에 이르면, 아예 험하게 됩니다.

本義

血者, 殺傷之地. 穴者, 險陷之所. 四交坎體, 入乎險矣, 故爲需于血之象. 然柔得其正, 需而不進, 故又爲出自穴之象. 占者如是, 則雖在傷地而終得出也.

피[血]는 살상하는 자리이고, 구덩이[穴]는 험하여 빠지는 곳이다. 사효가 감체와 사귀어 험한 데에 들어왔기 때문에, '피에서 기다리는' 상이 된다. 그러나 부드러운 음이 바른 자리를 얻어 기다리며 나아가지 않기 때문에, '구덩이로부터 나오는' 상이 된다. 점치는 사람이 이와 같이 하면, 비록 상해 받는 자리에 있더라도 마침내 벗어날 수 있을 것이다.

小註

雙湖胡氏曰, 坎爲水爲血. 今不曰需于水而曰需于血, 故本義以爲殺傷之地. 四下卦之上, 又有出自穴之象.

쌍호호씨가 말하였다: 감괘는 물이고 피이다. 지금 물에서 기다린다고 하지 않고, "피에서 기다린다"라고 하였기 때문에 『본의』에서 '살상하는 자리'라고 하였다. 사효는 하괘의 맨 위이니, 또한 '구덩이로부터 나오는' 상이 있다.

○ 雲峯胡氏曰, 出自穴, 諸家以爲三陽方來, 四出而不安於穴. 本義以爲四陰柔得正, 可出而不陷於穴. 夫以小畜之時, 下三陽竝進而六四當之. 其終也猶血去惕出. 需之時, 三陽非急於進者. 四需于血而終得出自穴者宜也, 以爲不安於其穴者過矣.

운봉호씨가 말하였다: "구덩이로부터 나온다"라는 말에 대하여, 여러 학자들은 세 개의 양(陽)이 막 옴에, 사효가 구덩이에서 나와 편안하지 못하다고 여겼는데, 『본의』에서는 "사효가 부드러운 음으로서 올바른 자리를 얻었다"라 하였으니, 이는 구덩이로부터 벗어나 빠지지 않을 수 있는 것이다. 소축괘(小畜卦)의 때에는 아래의 세 개의 양(陽)이 나란히 나아가지만 육사가 그것을 당해내니, 끝내는 오히려 해가 제거 되고 두려움에서 벗어난다. 수괘(需卦)의 때에는 세 개의 양이 나아가는 데에 급하게 여기지 않는 자이고, 사효는 피에서 기다리니 끝내는 구덩이로부터 나올 수 있음이 마땅하다. 그러므로 구덩이에서 나와 편안하게 여기지 못한다고 한 것은 잘못이다.

韓國大全

송시열(宋時烈)『역설(易說)』

六四, 兌爲孔穴, 言待于坎血而出自兌穴耶. 竝見小過五爻註.
태괘(兌卦)는 구멍이니, 감괘(坎卦)의 피에서 기다리다가 태괘의 구멍으로 나옴을 말한다. 모두 소과괘(小過卦) 오효의 주석에 보인다.

坎爲血, 故曰需于血. 五爻及內三爻, 皆陽畫, 而陰爻居中而坼. 互兌爲穴, 又坎中陷, 故曰出穴者, 自下而上出也. 言出自, 陰爻之互兌而進入于坎血也. 柔爻, 故言順. 坎爲耳, 故言聽. 小象之云順以聽者, 以柔順之道, 聽自然理也.
감괘는 피가 되기 때문에 피에서 기다린다고 하였다. 오효와 내괘의 세 효는 모두 양획인데, 음효가 가운데 자리에서 터져 있으니, 호괘인 태괘(兌卦☱)로서 구멍이 된다. 또 감괘는 가운데가 꺼져 있기 때문에 구멍에서 나온다고 하였으니, 아래에서 위로 나오는 것이다. '출자(出自)'라고 한 것은 호괘인 태괘의 음효가 감괘의 피로 들어갔기 때문이다. 유순한 효이기 때문에 '순조롭다[順]'라고 하였다. 감괘는 귀가 되기 때문에 '듣다[聽]'라고 하였다. 「소상전」에서 말한 순종하여 듣는다는 것은 유순한 도로 저절로 그러한 이치를 듣는 것이다.

김만영(金萬英)「역상소결(易象小訣)」

坎之屬血, 見于屯五坎窞也. 窞穴也, 上六同.
감괘에 피가 속한 것은 준괘의 오효 감괘의 구덩이에서 보인다. 구덩이는 구멍이니, 상육도 동일하다.

이익(李瀷)『역경질서(易經疾書)』

六四, 過乎泥而入水, 已與寇抗矣. 血者人之水, 言血則已敗矣. 不入奚出. 出則免矣. 穴者指坎, 所謂坎窞也. 敗而僅出, 非順聽, 亦不免矣.
육사는 진흙을 지나서 물에 들어가 이미 도적과 더불어 항쟁한다. 피는 인체의 물인데, 피라고 말했으니, 이미 잘못된 것이다. 들어가지 않았다면, 어찌 나올 수 있겠는가? 나왔다고 했으니, 모면한 것이다. 구멍이란 감괘를 가리키니, 이른바 움푹한 구덩이라는 것이다. 잘못되었다가 가까스로 나오니, 순종해서 듣는 이가 아니라면 모면할 수 없다.

심조(沈潮) 「역상차론(易象箚論)」

此爻, 在兩陽爻之間, 有穴象.
이 효는 두 양효의 사이에 있어서 구멍의 상이 있다.

유정원(柳正源) 『역해참고(易解參攷)』

王氏曰, 凡稱血者, 陰陽相傷者也. 陰陽相近而不相得, 陽欲進而陰塞之, 則相害也. 穴者, 陰之路也. 處坎之始, 居穴者也
왕씨가 말하였다: 대체로 피라고 한 것은 음과 양이 서로 해치는 경우이다. 음과 양이 서로 가까운데도 마음을 얻지 못하여 양이 나아가고자 하나 음이 막으니, 서로 해를 끼친다. 구멍은 음의 길이다. 감괘의 처음에 있으니, 구멍에 있는 것이다.

○ 梁山來氏曰, 坎爲血, 血之象也. 又爲隱伏, 穴之象也. 偶居左右上下皆陽, 亦穴之象. 出自穴者, 出自穴外, 未入于穴之深也. 需卦, 近乎坎, 致寇至, 及入于坎三爻, 皆吉者, 何也. 蓋六四, 順乎初之陽, 上六陽來救援, 皆應與有力, 九五中正, 所以皆吉也.
양산래씨가 말하였다: 감괘는 피이니, 피의 상이다. 또 숨어서 엎드림이니, 구멍의 상이다. 우연히 좌우와 상하가 모두 양인 곳에 있으니, 이것도 구멍의 상이다. 구멍으로부터 나온다는 것은 구멍의 바깥부분에서부터 나와서 아직 구멍의 깊숙한 곳까지 들어가지 않았다는 말이다. 수괘(需卦䷄)는 감괘에 가까우면 도적을 불러들인다고 해놓고, 막상 감괘에 들어간 세 효에 대해서는 모두 길하다고 한 것은 어째서인가? 육사는 초효의 양에게 순종하고, 상육은 양이 와서 구원함에 상응하여 함께하는 자들이 힘이 있고, 구오는 중정하기 때문에 모두 길한 것이다.

김상악(金相岳) 『산천역설(山天易說)』

四當坎乾之交, 已入于險矣. 比三五而應初, 其相交者, 反爲相薄, 故有需于血之象. 然得正而順乎陽, 故又爲出自穴之象. 出險則可以進矣.
사효는 감괘가 건괘와 사귀는 때에 해당하여 이미 험난함에 들어왔다. 삼효·오효와 가까우면서 초효와 상응하니, 서로 사귀는 자가 도리어 서로 부딪히기 때문에, 피에서 기다리는 상이 있다. 그러나 바름을 얻고 양에 순종하기 때문에, 구멍으로부터 나오는 상이 되니, 험난에서 빠져나오면 나갈 수 있다.

○ 本義, 血者殺傷之地, 穴者險陷之所, 皆坎象也. 小畜之四, 與上合志, 故曰血去惕

出. 渙上九 則陽已上出于坎外, 故曰渙其血去逖出. 蓋四之出自穴, 居下而猶可進退也. 上之入于穴, 處終而動无所之也.
『본의』에서 "피는 죽이고 해치는 처지이며 구멍은 험하고 빠지는 장소이다"라 했는데, 모두 감괘의 상이다. 소축괘(小畜卦)의 사효는 상효와 더불어서 뜻을 합하기 때문에, "피가 가고 두려움에서 벗어난다"고 했다. 환괘(渙卦)의 상구에서는 양이 이미 맨 위에서 감괘의 밖으로 벗어났기 때문에 "흩어짐에 그 피가 가고 두려움에서 벗어난다"고 하였다. 사효의 '구멍으로부터 벗어남'은 아직 상괘의 아래에 있기 때문에 나가고 물러날 수 있다. 상육의 '구멍에 들어감'은 상괘의 마지막에 있어서 움직여 갈 곳이 없다.

박윤원(朴胤源) 『경의(經義) · 역경차략(易經箚略) · 역계차의(易繫箚疑)』

程傳, 以穴爲物之所安. 本義, 以穴爲險陷之地. 從坎字正釋, 則本義說爲是.
『정전』에서는 구멍을 생물이 편안히 여기는 곳이라고 하였고,『본의』에서는 구멍을 험하고 빠지는 곳이라고 하였다. 감(坎)자를 따라서 제대로 해석해보면 『본의』의 설명이 옳다.

서유신(徐有臣) 『역의의언(易義擬言)』

六四, 入於坎矣, 血與穴皆坎險象. 需于血, 入險也, 出自穴, 出險也. 自險而出, 見其先入險也. 柔順得正, 遇血猶需, 所以能出血也.
육사는 감괘에 들어갔다. 피와 구멍은 모두 감괘의 험한 상이다. 피에서 기다림은 험함에 들어감이고, 구멍으로부터 나옴은 험함에서 벗어남이다. 험함에서 벗어났다는 것은 먼저 험함에 들어갔었음을 나타낸다. 유순하고 바름을 얻어서 피를 만나 오히려 기다리니, 피에서 나올 수 있다.

윤행임(尹行恁) 『신호수필(薪湖隨筆) · 역(易)』

出穴入穴之訓, 當從本義. 穴是陷坎之地. 若非穴處之物, 豈爲安身之所乎.
구멍에서 나오고 구멍으로 들어감의 뜻은 마땅히『본의』를 따라야한다. 구멍은 빠지는 곳이다. 구멍에 거처하는 동물이 아닌 이상 어찌 몸을 편안히 할 수 있는 곳이라 할 수 있겠는가?

박문건(朴文健) 『주역연의(周易衍義)』

承而致傷, 故有需血之象. 出穴者, 欲進也.

양을 받들고 있어 상처를 부르기 때문에 피에서 기다리는 상이 있다. 구멍에서 나온다는 말은 나아가고자 함이다.

〈問, 穴義. 曰, 穴陰虛之象也.
물었다: 구멍의 뜻이 무엇입니까?
답하였다: 구멍은 음으로 비어있는 상입니다.〉

이지연(李止淵) 『주역차의(周易箚疑)』

四以得正之, 故不妄進. 上而待九五之援已, 下而待初九之扶已, 能生出於險穴之中也.
사효는 바르게 할 수 있기 때문에 함부로 나아가지 않는다. 위로는 구오가 자기를 구원함을 기다리고 아래로는 초구가 자기를 도와줌을 기다려, 험한 구멍 속에서 살아나올 수 있다.

김기례(金箕澧) 「역요선의강목(易要選義綱目)」

六四, 需于血.
육사는 피에서 기다린다.
坎爲血, 故曰血, 言險爲可傷之地.
감괘는 피가 되기 때문에 피라고 하였으니, 험하여 상처받을 수 있는 곳임을 말한 것이다.

出自穴.
구멍으로부터 나온다.
四以柔居柔, 順而不至傷, 故有出險之象.
사효는 부드러움으로 부드러운 자리에 있어서 순종하여 피해가 이르지 않기 때문에 험함에서 벗어나는 상이 있다.

이항로(李恒老) 「주역전의동이석의(周易傳義同異釋義)」

傳, 穴, 物之所安也.
『정전』에서 말하였다: 구멍은 생물이 편안하게 여기는 곳이다.
本義, 穴者, 險陷之所.
『본의』에서 말하였다: 구멍은 험하고 빠지는 곳이다.
按, 朱子曰, 穴是陷處, 喚做所安處不得. 又按, 象傳曰順以聽也, 釋出陷之故也.
내가 살펴보았다: 주자는 "구멍은 빠지는 곳이니 편안한 곳이라 부를 수 없다"라고 했다.

또 살펴보았다: 「상전」에 "순종하여 듣는다"고 한 것은 '빠진 곳에서 벗어남'으로 보았기 때문이다.

심대윤(沈大允) 『주역상의점법(周易象義占法)』

需之夬䷪, 明決也. 六四居柔, 求而須者也. 四之時, 居需之過中, 可以進求. 而以其莊健, 明決 辨其可否, 以柔從于五, 有初之應, 而隔于二陽, 故曰需于血. 坎離爲血. 言進而止乎柔道也. 從五以有得, 而尙未有實多, 含晦而不强求, 故曰出自穴. 乾自離又變則爲震, 震爲出爲遷動. 言或進求或止須也. 坎離爲穴, 言含晦也, 自穴, 言出而未離于穴也.
수괘가 쾌괘(夬卦䷪)로 바뀌었으니, 밝게 판단함이다. 육사는 부드러운 음의 자리에 있어서 구하면서 기다리는 자이다. 사효의 때는 기다림의 반을 지났으니, 나아가 구할 수 있다. 씩씩하고 굳건함으로써 가부의 분별을 밝게 판단한다. 유순함으로 오효를 따름에 초효의 호응이 있으나 두 양효에 가로막혀 있기 때문에 "피에서 기다린다"고 하였다. 감괘(☵)와 리괘(☲)가 피가 되니, 나아가서 유순한 도에 그침을 말한 것이다. 오효를 따라서 얻음이 있지만, 아직은 실제로 많지 않아 감추고 억지로 구하지 않기 때문에, "구멍으로부터 나온다"고 하였다. 건괘가 리괘에서 또 변하면 진괘가 되고, 진괘는 '나감'도 되고 '옮겨 움직임'도 된다. 때로는 나가서 구해보고 때로는 그쳐서 기다림을 말한 것이다. 감괘와 리괘가 구멍이 되니 감춤을 말한 것이고, '구멍으로부터'는 나가되 구멍에서 떠난 것은 아님을 말한 것이다.

이진상(李震相) 『역학관규(易學管窺)』

坎險之處, 陰在陽下, 有穴之象. 此正險陷之所, 不可據而爲安也.
감괘로 험한 곳이고 음이 양의 아래에 있으니, 구멍의 상이 있다. 이것은 바로 험하고 빠지는 곳으로, 의탁하여 편안히 여길 수 없다.

채종식(蔡鍾植) 「주역전의동귀해(周易傳義同歸解)」

需六四, 出自穴.
수괘(需卦)의 육사효인 "나오기를 구멍으로부터 한다"에 대해서.

傳, 釋穴者物之所安也, 謂出而不安於穴也. 本義, 釋穴者險陷之所, 謂出而不陷於穴也. 蓋六四陰柔處險, 受傷於難, 故不能安處其穴而出逃也. 此程傳之義也. 四交險體, 雖有所傷, 然柔得其正, 需而不進, 故又爲出其陷險之穴. 此本義之義也. 然出其所安之穴, 逃而避之, 則亦可以不陷於險穴也, 兩說備而義益明.
『정전』에서는 구멍을 생물이 편안히 여기는 곳이라고 풀었으니, 구멍에서 벗어나 편안히 있지 못한다는 말이다. 『본의』에서는 구멍을 험하고 빠지는 곳이라고 풀었으니, 구멍에서 벗어나 빠지지 않는다는 말이다. 육사는 음의 유순함으로 험한 곳에 있어 어려움으로 상처를 받기 때문에, 그 구멍에서 편안히 있을 수 없어 벗어나 도망가는 것이다. 이것이 『정전』의 뜻이다. 사효가 험한 몸체와 사귀어 상처는 있지만 유순함이 바름을 얻어 기다리며 나가지 않기 때문에, 또한 그 험한 빠지는 구멍을 벗어난다는 것이다. 이것이 『본의』의 뜻이다. 그러나 편안하게 여기는 구멍을 벗어나 도망하여 피한다면, 또한 험한 구멍에 빠지지 않을 수 있으니, 두 설명을 갖추면 뜻이 더욱 분명해진다.

박문호(朴文鎬) 「경설(經說) · 주역(周易)」

需于血, 言以血而需也. 血陰也, 故程子釋如坤文言之血, 此釋之以物也. 朱子釋作殺傷, 此取其義也.
'피에서 기다림'은 피를 써서 기다린다는 말이다. 피는 음이기 때문에 정자는 곤괘 「문언」의 피처럼 해석했으니, 이것은 사물로 푼 것이다. 주자는 죽이고 상처를 입히는 것으로 풀었으니, 이것은 의미를 취한 것이다.

오치기(吳致箕) 「주역경전증해(周易經傳增解)」

六四, 以柔居柔, 而入于險地, 有需于血之象. 然能得正, 而下應初九之剛健, 順聽其援助, 可以免險. 故自其坎穴而脫出, 不見傷害也. 卽象而占可知矣
육사는 유순함으로 유순한 자리에 있으면서 험한 곳으로 들어가니 피에서 기다리는 상이 있다. 그렇지만 바름을 얻어 아래로 있는 초구의 강건함과 상응하니, 그 도움을 순순히 들어 험함을 피할 수 있다. 그러므로 감괘의 구멍에서 탈출하여 상처와 피해를 입지 않는다. 상을 가지고 점을 알 수 있다.

○ 血者, 傷也, 言傷害之地也. 血穴, 皆取於坎也.
피는 상처이니, 상처받고 피해보는 곳이라는 말이다. 피와 구멍은 모두 감괘(☵)에서 취하였다.

象曰, 需于血, 順以聽也.

「상전」에서 말하였다: “피에서 기다림”은 순종하여 듣는 것이다.

中國大全

傳

四以陰柔居於險難之中, 不能固處, 故退出自穴. 蓋陰柔不能與時競, 不能處則退. 是順從以聽於時, 所以不至於凶也.

육사가 유약한 음으로서 험난함 속에 있으니, 굳게 처할 수 없는 까닭에 구덩이로부터 나와 물러나는 것이다. 대체로 유약한 음은 때와 다투지 못하니, 처할 수 없으면 물러난다. 이것이 때에 순종하여 따르는 것이니, 이 때문에 흉한 데까지 이르지 않는다.

小註

雲峯胡氏曰, 三能敬, 則雖迫坎之險而不敗. 四能順, 則雖陷坎之險而可出. 敬與順, 固處險之道也.

운봉호씨가 말하였다: 삼효는 공경할 수 있으니, 비록 구덩이와 같은 험한 곳에 가까이 가더라도 패망하지 않을 것이고, 사효는 순종할 수 있으니, 비록 구덩이와 같은 험한 곳에 빠졌더라도 벗어날 수 있을 것이다. 공경과 순종은 진실로 험한 곳에 처하는 도리이다.

韓國大全

권근(權近) 『주역천견록(周易淺見錄)』

六居坎體, 已入于險而見傷也. 君子居患難之際, 唯當順理而聽命於天, 死生禍福, 非所計也. 故不可諂邪而求免, 亦不可恐怖以失守也. 旣順於理, 則居坎之初, 險猶未深, 故得出而不至於凶也.
음이 감괘의 몸체에 있어며 이미 험함에 들어가 상처를 받는다. 군자가 환난의 즈음에 있을 때는 마땅히 이치를 따라서 하늘의 명을 들어야지, 생사(生死)와 화복(禍福)은 계산할 문제가 아니다. 그렇기 때문에 간사함에 아첨하여 모면하려 해서는 안 되고, 무서워하거나 두려워하여 지킴을 잃어서는 안 된다. 이미 순리를 따랐다면 감체(坎體)의 처음에 있고 험함이 아직 깊지 않기 때문에, 벗어나서 흉함에 이르지는 않는다.

유정원(柳正源)『역해참고(易解參攷)』

建安丘氏曰, 需之三四, 乾坎之會也. 三恃健冒險而進, 四據險以待乾之來. 聖人於三之象, 以敬告之, 能敬則不犯坎矣. 於四之象, 以順告之, 能順則不忤乾矣. 二者交盡其道, 此處需之要也
건안구씨가 말하였다: 수괘(需卦☵☰)의 삼효와 사효는 건괘와 감괘의 만남이다. 삼효는 굳건함만 믿고 험함을 무릅쓰며 나아가고, 사효는 험난함에 거처해서 건괘가 오기를 기다린다. 성인이 삼효에 상에 대해서는 공경함으로 일러주었으니, 공경할 수 있으면 감괘의 어려움을 범하지 않는다. 사효의 상에 대해서는 순종함으로 일러주었으니, 순종할 수 있으면 건괘를 거스르지 않는다. 삼효와 사효가 서로 그 도를 극진히 함이니, 이것이 기다림에 대처하는 요지이다.

○ 梁山來氏曰, 坎爲耳聽之象也. 聽者聽乎初也. 六四柔得其正, 順也. 順聽乎初, 故入險不險.
양산래씨가 말하였다: 감괘는 귀로 듣는 상이다. 들음은 초효에게서 듣는 것이다. 육사가 부드러움으로 바름을 얻음이 '순종[順]'이다. 순종하여 초효에게서 듣기 때문에 험한 곳에 들어가도 험난함을 겪지는 않는다.

김상악(金相岳)『산천역설(山天易說)』

謂順聽于陽也. 四之與上皆柔正, 故取順敬之義.
양에게 순종하여 들음을 말한 것이다. 사효와 상효는 모두 유순하고 바르기 때문에, 순종과 공경의 상을 취하였다.

서유신(徐有臣)『역의의언(易義擬言)』

順以聽者, 聽於初九也.
순종하여 들음은 초구에게서 듣는 것이다.

김귀주(金龜柱)『주역차록(周易箚錄)』

象曰, 需于血, 順以, 云云.
「상전」에서 말하였다: 피에서 기다림은 순종하여, 운운.

○ 按, 象傳只擧上句, 然意實兼下句. 蓋柔得其正, 需而不進, 有順處患難之象. 惟其如是, 故能出于穴也.
내가 살펴보았다: 「상전」에서는 위 구절만 들었으나, 실제로 의미는 아래 구절을 겸하고 있다. 유순함으로 바름을 얻고 기다려 나아가지 않으니, 순종함으로 환난에 대처하는 상이 있다. 오직 이와 같이 하기 때문에, 구멍에서 벗어날 수 있는 것이다.

박문건(朴文健)『주역연의(周易衍義)』

聽, 從也.
듣는다는 것은 따름이다.

오치기(吳致箕)「주역경전증해(周易經傳增解)」

以柔聽命於剛, 而不陷於險, 卽順之道也.
유순함으로 굳셈에서 명을 듣고 험함에 빠지지 않으니, 바로 순종하는 도이다.

이병헌(李炳憲)『역경금문고통론(易經今文考通論)』

坎爲血爲水. 荀九家曰, 從地出者, 莫不由穴.
감괘(☵)는 피이고 물이다. 순상(荀爽)의 『구가역(九家易)』에서는 "땅에서 나오는 것은 구멍을 통하지 않음이 없다"[29]고 하였다.

---

29)『周易集解』需卦 · 六四, 需于血, 出自穴. 구절의 주, 九家易曰, …. 自地出者, 莫不由穴.

九五, 需于酒食, 貞吉.

정전 구오는 술과 음식으로 기다리니, 바르고 길하다.
본의 구오는 술과 음식으로 기다리니, 바르면 길할 것이다.

中國大全

傳

五以陽剛居中得正, 位乎天位, 克盡其道矣. 以此而需, 何需不獲. 故宴安酒食以俟之, 所須必得也. 旣得貞正而所需必遂, 可謂吉矣.

오효는 굳센 양으로서 가운데 자리에 있고 제자리를 얻어, 하늘의 자리에 위치해 있으니, 능히 그 도를 다하였다. 이런 것으로서 기다린다면, 무엇을 기다린들 얻지 못하겠는가? 그러므로 술과 음식으로 편안히 기다리면, 기다리는 바를 반드시 얻을 것이다. 이미 곧고 바름을 얻어서 기다리는 것을 반드시 이루니, '길(吉)'하다고 말할 수 있다.

本義

酒食, 宴樂之具, 言安以待之. 九五陽剛中正, 需于尊位, 故有此象. 占者如是而貞固, 則得吉也.

술과 음식은 편안하게 즐기는 도구이니, 편안히 기다리라는 말이다. 구오가 굳센 양으로 중정해서, 높은 자리에서 기다리기 때문에 이런 상이 있다. 점치는 사람이 이와 같이 하고 곧고 바르게 하면, 길함을 얻을 것이다.

小註

或問, 需于酒食, 貞吉. 朱子曰, 需只是待, 當此之時, 別无作爲, 只有箇待底道理. 然又須是正, 方吉. 坎體中多說酒食, 想須有此象, 但今不可考.
어떤 이가 물었다: "술과 음식으로 기다림이니, 바르면 길하다"는 말은 무슨 뜻입니까? 주자가 답하였다: 수(需)는 단지 기다린다는 것이니, 이때에는 별도로 적극적으로 하는 바가 없고, 단지 기다리는 도리 밖에 없습니다. 그러나 또 모름지기 바르게 하여야 길할 것입니다. 감괘의 몸체에서는 술과 음식을 많이 말하고 있으니, 생각하건대 반드시 이런 상이 있었겠지만, 지금은 고찰할 수 없습니다.

○ 進齋徐氏曰, 九五爲需之主, 以一陽處二陰之中, 以待下三陽同德之援者也. 陽彙而進, 陰引而退, 自此坎可平, 險可夷矣. 人君於此, 復何爲哉. 唯出而位乎中正之位, 需于酒食, 優游宴樂, 與天下相安於太平醉飽之域可也. 雲上於天, 物需雨澤以爲養也. 需于酒食, 人需飮食以爲養也.
진재서씨가 말하였다: 구오는 수괘의 주인이니, 하나의 양으로서 두 음의 가운데에 처하여, 같은 덕을 지닌 아래 세 양의 지원을 기다리는 자이다. 양이 모여서 나아가면, 음은 물러나니, 이로부터 구덩이가 평평해지고 험한 것이 평탄해 질 수 있을 것이다. 임금이 여기에서 더 이상 무엇을 하겠는가? 오직 나와서 중정한 자리에 있으니, 술과 음식으로 기다리고 여유롭게 노닐며 잔치를 베풀고 즐기면서, 태평하게 취하고 배불리 먹는 곳에서 천하 사람들과 서로 편안한 것도 괜찮다. '구름이 하늘로 올라감'은 사물이 비의 은택을 기다려서 양육한다는 말이고, '술과 음식으로 기다림'은 사람이 술과 음식을 기다려서 양육한다는 말이다.

○ 雲峯胡氏曰, 酒食, 坎象, 開闢以來, 生民有欲莫大於飮食男女. 屯蒙卦爻旣於婚娶之正三致意焉. 此復以飮食之, 正言之. 五有剛中之德, 時乎當需, 且宜需于酒食, 安以待之, 況在下者乎. 五需于酒食, 惟正乃吉, 況在下而可宴酣无度乎. 本義云, 占者如是而貞固, 則吉, 其敎人之意切矣.
운봉호씨가 말하였다: 술과 음식은 감(坎)괘의 상이니, 천지가 처음으로 생긴 이래로 백성에게 음식과 남녀에 관한 욕구보다 더 큰 것은 없었다. 준괘와 몽괘의 괘효에서 이미 남자와 여자의 바른 혼례에 대하여 여러 번 뜻을 전하였고, 여기에서는 다시 음식으로써 바르게 말한 것이다. 오효는 굳세고 중도에 맞는 덕이 있으나, 때로는 기다려야 마땅하니, 술과 음식을 마시고 먹으면서 편안하게 기다려야 한다. 하물며 아래에 있는 자는 어떻겠는가? 오효가 술과 음식으로 기다리고 오직 바르게 하여야 길한데, 하물며 아래에 있는 사람이 잔치를 즐기면서 절도 없이 할 수 있겠는가? 『본의』에서 "점치는 사람이 이와 같이 마음이 곧고 단단하면 길하다"라 하였으니, 사람을 가르치는 뜻이 간절하다.

‖韓國大全‖

송시열(宋時烈) 『역설(易說)』

大象, 有飮食象, 故云需于酒食. 坎爲水爲酒. 小象, 兌爲口爲食象. 五爻得中正之位, 爲卦之主, 與大象同言酒食. 小象已言之.
괘의 상[大象]에 마시고 먹는 상이 있기 때문에 술과 음식에서 기다린다고 하였다. 감괘가 물이고 술이다. 효의 상[小象]에 태괘는 입이고 먹는 상이다. 오효는 중정한 자리에 있어서 괘의 주인이 되니, 「대상전」과 함께 술과 음식을 말했다. 「소상전」에서 이미 말했다.

석지형(石之珩) 『오위귀감(五位龜鑑)』

臣謹按. 需之九五, 諸儒咸以太平宴樂爲義. 臣竊謂, 五雖剛中得正, 挾於二陰之間, 安得自樂於太平乎. 爻義似謂, 雖在酒食之微, 要必惟正之供, 以俟太平快樂之時, 方可以獲吉云爾. 夫飮食醉飽, 人之至樂, 而或至於以味亡國, 有國者, 豈可以酒食爲微, 而縱其慾哉. 噫, 此非臣獨見也, 蓋有所受. 伏願, 殿下深戒於訓解之外焉.
신이 삼가 살펴보았습니다: 수괘(需卦)의 구오는 모든 학자들이 다 태평하게 잔치 벌여 즐기는 것을 의미로 여겼습니다. 신이 곰곰이 생각해 보기에, 오효가 비록 굳셈으로 가운데 있어서 바름을 얻었지만, 두 음의 사이에 끼어있으니, 어떻게 스스로 태평을 즐길 수 있겠습니까? 효의 의미는 아마도 비록 술 마시고 먹는 작은 일에서도 반드시 바르게 이바지하여 태평하고 즐거운 때를 기다려야만 길함을 얻는다는 말일 것입니다. 마시고 먹어 술 취하고 배부른 것은 사람의 지극한 즐거움이지만, 때로는 그 맛 때문에 나라를 망치기도 하니, 나라를 가진 자가 어떻게 술과 음식을 작다고 여겨서 하고 싶은 대로 하겠습니까? 아! 이것은 저 혼자만의 견해가 아니고 가르침을 받은 바가 있습니다. 엎드려 바라옵건대, 전하께서는 뜻을 풀이한 행간의 의미에서 깊이 경계하십시오.

김만영(金萬英) 「역상소결(易象小訣)」

雲峯胡氏曰, 酒食坎象.
운봉호씨가 말하였다: 술과 음식은 감괘(☵)의 상이다.

愚謂九五變則爲坤, 坤土也. 土作稼穡, 稼穡作甘, 故九五有酒食之象也.

내가 살펴보았다: 구오가 변하면 곤괘(☷)가 되는데, 곤괘는 흙이다. 흙에서는 농사를 짓고, 농사를 지어 단맛을 만들어내기 때문에, 구오에 술과 음식의 상이 있다.

이현석(李玄錫) 「역의규반(易義窺斑)」

需之二體, 有相需之義. 下卦乾體, 則見險而需, 不輕于進者也. 上卦, 則見三陽之來, 而需之者也. 先儒謂, 三陽君子也, 其進也, 四以抗而傷, 上以敬而吉. 然則五之所以需于酒食者, 非自己醉飽之謂也, 謂設酒食以需三陽也. 飮食宴樂, 固太平之好事. 然人君自爲而爲之, 則易流于般樂怠荒, 爲賢者而爲之, 則有懽宴交孚, 儀物備禮之美, 此其所以爲貞吉也.

수괘(需卦䷄)의 두 몸체에는 서로 기다리는 뜻이 있다. 하괘인 건괘(☰)의 몸체는 위험을 내다보고 기다리니, 함부로 나가지 않는 자이다. 상괘는 세 양이 다가오는 것을 보고 기다리는 자이다. 선배 학자가 말하기를, "세 양이 군자이니 그들이 전진함에 사효가 막아서 상처를 입고 상효가 공경해서 길하다"[30]라 하였다. 그렇다면 오효가 술과 음식에서 기다린다는 것은 자신이 취하고 배부른 것을 말함이 아니라, 술과 음식을 베풀어서 세 양을 기다리는 것이다. 마시고 먹으며 잔치를 벌여 즐기는 것은 정말로 태평시절의 좋은 일이다. 그렇지만 임금이 스스로를 위해서 그렇게 한다면 즐기고 노는 데 연연하여 게을러 일하지 않는 데로 쉽게 흘러가고, 현인을 위해서 그렇게 한다면 기쁜 마음으로 잔치를 하며 믿음을 주고받아 의장의 예를 갖추는 아름다움이 있게 되니, 이것이 바르고 길한 것이다.

유정원(柳正源) 『역해참고(易解參攷)』

上蔡謝氏曰, 坎爲水爲險爲毒, 水之險毒者, 酒也.

상채사씨가 말하였다: 감괘는 물이고 위험이며 독인데, 물 중에서 위험한 독이 술이다.

○ 單氏曰, 九五居尊位大中, 需之主也. 三陽所以進者, 以九五也. 故需于酒食以待焉. 酒食者, 勞忠臣宴嘉賓之具也. 中則能有所待, 正則待之以有禮. 此君臣所以爲之用而貞吉也.

단씨가 말하였다: 구오가 존귀한 자리의 큰 중심에 있으니 수괘(需卦䷄)의 주인이다. 세 양이 전진하는 것은 구오 때문이다. 그러므로 술과 음식에서 기다려 그들을 맞이하는 것이다. 술과 음식은 충신을 위로하고 좋은 손님을 즐겁게 하는 도구이다. 알맞게 한다면 맞이할

---

30) 융산이씨의 말이다.

수 있고, 바르게 한다면 맞이해서 예를 갖춘다. 이것이 임금과 신하가 활용해서 바르고 길한 것이다.

○ 案, 九五一陽陷於二陰之中, 政險難危懼之時也, 而反有酒食宴樂之吉, 何也. 五以陽剛居中得正, 待下三陽同德彙進. 雖在險難之中, 已出已夷, 于斯時也. 何所爲乎. 酒以和其心志 食以養其氣體, 上下情孚, 君臣同樂, 如蓼蕭湛露之宴是也. 然戒之曰貞, 言飮食之正也.

살펴보았다: 구오는 하나의 양이 두 음의 사이에 빠져 험난함을 바로잡으며 두려워하고 위태롭게 여기는 때인데, 도리어 술과 음식으로 잔치를 벌려 즐기는 길함이 있다는 것은 무엇 때문인가? 오효는 양의 굳셈으로 알맞은 데 있고 바름을 얻어서 아래 세 양이 덕을 함께 하여 무리지어 나오길 기다린다. 험난한 가운데 있지만 이미 벗어나고 이미 평탄해졌으니, 이 때에 무엇을 할까? 술로 마음과 뜻을 화락하게 하고 음식으로 기운과 몸을 길러서 위아래의 정을 미덥게 하며 임금과 신하가 같이 즐기니, 「육소(蓼蕭)」[31]의 담로의 잔치와 같은 경우가 여기에 해당한다. 그렇지만 경계하여 '바르면'이라고 하였으니, 마시고 먹는 바름을 말한다.

김상악(金相岳) 『산천역설(山天易說)』

九五, 中正居坎, 需道已成. 故需于酒食而貞吉.

구오는 중정으로 감괘(☵)에 있어 기다리는 도가 이미 이루어졌다. 그러므로 술과 음식에서 기다려서 바르면 길하다.

○ 酒食坎象. 潤萬物者, 莫潤乎水, 故坎體之卦, 多以酒食言之. 困之困于酒食, 澤之无水也. 需之需于酒食, 雲上於天也. 蓋天一生水, 陽之動始於坎, 而生於我者, 亦能養我, 故需之取象如此. 然必貞固, 可以終保其吉, 所以飮食必有訟.

술과 음식은 감괘의 상이다. 만물을 윤택하게 하는 것은 물보다 더 잘하는 것이 없기 때문에 감(坎)의 몸체가 있는 괘에서는 술과 음식을 많이 말하였다. 곤괘(困卦䷮)의 "술과 음식에서 곤란을 겪는다"[32]는 것은 못에 물이 없는 것이다. 수괘(需卦䷄)의 "술과 음식에서 기다린다"는 것은 구름이 하늘로 올라감이다. 하늘이 하나로 물을 낳으니 양의 움직임이 감괘에서 시작되고, 나에게서 나온 것이 또 나를 기를 수 있기 때문에 수괘(需卦䷄)에서 상을 취한 것이 이와 같다. 그러나 반드시 바르고 견고해야 끝까지 길함을 보존할 수 있기 때문에 음식에는 반드시 송사가 있다.

---

31) 육소(蓼蕭): 『시경 · 소아』의 편명이다.

32) 『周易 · 困卦』: 九二, 困于酒食.

又未濟上九曰, 有孚于飮酒, 无咎, 濡其首, 有孚失是, 謂已濟而樂, 不知節也. 今若以需道已成, 而无警懼之心, 則失有孚光亨之義也, 故有貞固之戒. 泰之三曰, 艱貞无咎, 于食有福, 蓋爲是也. 五變, 則又爲泰也. 或曰, 大象宴樂之宴, 與燕通, 卽詩所云, 燕樂嘉賓之心, 是也. 故五言酒食, 上言不速之客.

또 미제괘(未濟卦䷿)의 상구에 "술을 마시는데 믿음을 두면 허물이 없겠지만 머리를 적시면 믿음에 올바름을 잃게된다"[33]라 하였으니, 이미 해결되었다고 즐기기만 하면서 절제를 알지 못한다는 말이다. 이제 만약 기다림의 도가 이미 이루어졌다고 경계하고 두려워하는 마음이 없게 되면 믿음이 있어 빛나고 형통한 뜻을 잃기 때문에 바르고 견고하게 하라는 경계를 하였다. 태괘(泰卦䷊)의 삼효에 "어렵고 바르게 하면 허물이 없어서 먹는데 복이 있다"[34]라 한 말이 여기에 해당한다. 수괘(需卦䷄)의 오효가 변하면 또 태괘(泰卦䷊)가 된다. 혹자는 "「대상전」에서 '연회로 즐겁게 한다[宴樂]'[35]에서 '연회[宴樂]'는 '잔치[燕]'와 통한다"고 하였으니, 『시경』에서 "연회로 좋은 손님의 마음을 즐겁게 한다"[36]는 것이 여기에 해당한다. 그러므로 오효에서는 술과 음식을 말했고, 상효에서는 부르지 않은 손님에 대해 말했다.

박윤원(朴胤源) 『경의(經義) · 역경차락(易經箚略) · 역계차의(易繫箚疑)』

人主遇此占, 則當設鹿鳴之宴, 而待周行之示.

임금이 이 점을 얻으면 마땅히 '녹명'[37]의 잔치를 베풀어 '주행'[38]의 보임을 기다려야 한다.

서유신(徐有臣) 『역의의언(易義擬言)』

諸爻皆需于險, 而九五獨需于酒食. 從容自得, 非君子而能然乎. 五乃有孚光亨, 不陷不困者, 故爲酒食貞吉之象也.

모든 효가 다 험함에서 기다리는데, 구오만 술과 음식에서 기다린다. 느긋하게 스스로 만족하는 것은 군자가 아니라면 가능하겠는가? 오효는 믿음이 있어 빛나게 형통하니 빠지지 않고 곤궁하지 않은 자이기 때문에, "술과 음식이니 바르고 길하다"는 상이다.

---

33) 『周易 · 未濟卦』: 上九, 有孚于飮酒, 无咎, 濡其首, 有孚失是.
34) 『周易 · 泰卦』: 九三, 无平不陂, 无往不復, 艱貞无咎, 勿恤其孚, 于食有福.
35) 象曰 雲上於天이 需니 君子以하여 飮食宴樂하나니라
36) 『詩經 · 小雅』: 我有旨酒, 以燕樂嘉賓之心.
37) 『시경(詩經) · 녹명(鹿鳴)』의 한 구절. 녹명편은 잔치를 베풀어 주며 부르는 노래인데, 대략에 "화목하게 우는 사슴이여! 들에서 풀을 먹고 있구나! 나는 아름다운 손님을 위하여 음악을 연주하노라……" 하였다.
38) 『시경(詩經) · 녹명(鹿鳴)』의 한 구절, "나를 좋아하는 이여, 나에게 대도를 보여 줄지어다[示我周行]"라 하였다.

김귀주(金龜柱) 『주역차록(周易箚錄)』

本義, 酒食, 宴樂, 云云.
『본의』에서 술과 음식, 편안하게 즐긴다, 운운.
○ 按, 需于酒食, 正是太平宴樂之象, 而猶以貞固爲戒者, 恐其流於盤樂怠傲也. 本義之意蓋如此.
내가 살펴보았다: 술과 음식에서 기다리는 것은 바로 태평하게 잔치 벌여 즐기는 상인데도 오히려 바르고 굳게 함으로 경계한 것은 즐기느라 게으르고 거만해질까 걱정한 것이다. 『본의』의 뜻은 이와 같다.

傳, 需以險在前, 云云.
『정전』에서 말하였다: 수괘(需卦)는 험함이 앞에 있어, 운운.
小註新安胡氏曰, 四外, 云云.
소주(小註)에서 신안 호씨가 말하였다: 사효 밖에, 운운.
○ 按, 此說於程傳之義, 亦未必有得.
내가 살펴보았다: 이곳의 설명은 『정전』의 뜻에서도 반드시 알 수는 없다.

윤행임(尹行恁) 『신호수필(薪湖隨筆)·역(易)』

酒食貞吉, 當活看. 若如中主僅做小康之治, 疆域幸得無虞, 禾稼幸得無痒, 自以爲宴樂, 此其時也. 崇飮不已, 八珍難繼, 則危亡之徵也, 爲人君者, 不可不戒.
"술과 음식으로 바르면 길하다"는 구절은 활용하여 살펴보아야 한다. 만약 평범한 임금이 겨우 조금 편안히 다스려, 다행스럽게 나라에 걱정이 없고 곡식에 병질이 없어서 스스로 잔치 벌여 즐긴다면, 이것이 구오의 때이다. 마시는 것을 좋아하여 그치지 않고 진귀한 음식이 다 맛보지 못할 정도로 많다면, 위태롭게 되고 망하려는 조짐이니, 임금으로서 경계하지 않아서는 안 된다.

박문건(朴文健) 『주역연의(周易衍義)』

爲陰含藏, 故有酒食之象. 必需酒食而致安樂者, 其道中正也.
음에게 쌓여 감추어졌기 때문에 술과 음식의 상이 있다. 반드시 술과 음식을 기다려 편안하고 즐거움을 이루는 자는 그 도가 중정(中正)함이다.
〈問, 貞吉. 曰, 五雖居位而得中, 然處險而敵應. 故用剛貞則吉也.
물었다: "바르면 길하다"는 무슨 뜻입니까?

말하였다: 오효의 거처한 자리가 알맞음을 얻었지만, 험한 곳에 있어서 적대적으로 응합니다. 그렇기 때문에 굳셈으로 바름을 쓰면 길합니다.〉

이지연(李止淵) 『주역차의(周易箚疑)』

諸爻中, 九五爲安飽之地, 而尊而得中, 但不足者貞也. 食之於人, 大欲也, 取之不以貞, 則易歸於養口體之科, 故戒之以貞. 此所謂養其大體, 而无尺寸之膚不愛焉, 則无尺寸之膚不養也.

모든 효 중에 구오는 편안히 배부른 곳이고 존귀하면서 알맞음을 얻었으니, 단지 부족한 것은 바름[貞]이다. 사람에게 먹는 것은 큰 욕구이니, 그것을 취하는 데 바르게 하지 않으면 쉽게 입과 몸을 기르는 것으로 돌아가기 때문에 바름으로 경계하였다. 이것이 이른바 '마음[大體]'을 기른다는 것이고,[39] 한 자나 한 마디의 살갗을 아끼지 않는다면 한 자나 한 마디의 살갗도 기를 수 없다는 것이다.[40]

김기례(金箕澧) 「역요선의강목(易要選義綱目)」

坎有酒食象而爲雲. 雲在天上, 成雨澤而養物, 如五君需酒食, 待時而養民也.

감괘에 술과 음식의 상이 있고 구름도 된다. 구름이 하늘위에 있다가 비와 못물이 되어 만물을 기름이 마치 구오의 임금이 술과 음식을 기다려 때를 맞이하여 백성을 기르는 것과 같다.

심대윤(沈大允) 『주역상의점법(周易象義占法)』

需之泰䷊, 交通也. 所須者, 聲氣旣通而且至, 可以少須而不可更爲妄求也. 九五剛中居剛, 須而求者也. 无應偏係, 所來者, 衆多不一也. 有二陰比從, 近者已有所得, 而无堅忍勞苦之事, 酒食安樂, 以須遠者之大至也. 故曰, 需于酒食貞吉, 言所得雖多, 而不以不義求之也. 九二求而得中, 九五須而得中也.

수괘가 태괘(泰卦䷊)로 바뀌었으니, 교감하여 통한다. 기다리는 자가 소리와 기운이 이미 통하고 또 왔으니, 조금씩 기다려야지 다시 함부로 구해서는 안 된다. 구오가 굳셈으로 가운데 있고 굳센 자리를 차지했으니, 기다리면서 구하는 자이다. 상응하여 치우쳐 메임이 없으

39) 『孟子·告子』: 마음을 기르면 대인이 되고 몸뚱이만 기르면 소인이 된다.〔養其大體者爲大人, 養其小體者爲小人.〕

40) 『孟子·告子』: 한 자나 한 마디의 살갗을 아끼지 않는다면 한 자나 한 마디의 살갗도 기를 수 없다.〔無尺寸之膚不愛焉, 則無尺寸之膚不養也.〕

니, 오는 자들이 많아 하나가 아니다. 두 음이 친하게 따라 가까운 자를 이미 얻어 노고를 굳게 견디는 일 없이 술과 음식으로 편안히 즐기며 멀리 있는 자들이 크게 오기를 기다린다. 그러므로 "술과 음식에서 기다림이니 바르면 길하다"라 하였으니, 얻은 것이 많지만 의롭지 못함으로 구하지 않았다는 말이다. 구이는 구하여서 알맞음을 얻었고, 구오는 기다려서 알맞음을 얻었다.

오치기(吳致箕) 「주역경전증해(周易經傳增解)」

九五, 陽剛中正而居尊, 爲需之主. 飮食自養以待可進之時, 故有需于酒食之象, 而需將有濟也, 故占言正而吉.
구오는 양의 굳셈으로 중정하고 높은 자리에 있어 수괘(需卦䷄)의 주인이 되었다. 먹고 마시며 스스로를 길러 나갈 수 있는 때를 기다리기 때문에 술과 음식에서 기다리는 상이 있고, 해결될 것을 기다리기 때문에 점에 "바르면 길하다"라고 말하였다.

○ 此爻卽彖傳所言, 位乎天位者也, 故貞吉之辭, 與彖同. 酒食, 皆取坎象也. 坤爲腹, 而坎一陽在坤中, 卽飮食充滿於腹中之象.
이 효는 곧 「단전」에서 말한 "하늘 자리에 위치했다"는 것이기 때문에 "바르면 길하다"는 말이 단사와 동일하다. 술과 음식은 다 감괘(☵)의 상을 취한 것이다. 곤괘(☷)는 배인데, 감괘(☵)의 한 양이 곤괘(☷)의 가운데 있으니, 곧 먹고 마신 것이 배 속에 충만한 상이다.

이진상(李震相) 『역학관규(易學管窺)』

九五, 酒食. 酒食, 人君所以養賢禮賓者也. 三陽將進, 同德相須, 故爲酒食而待之, 非自爲宴樂, 敢於荒寧也.
구오의 술과 음식. 술과 음식은 임금이 현인을 기르고 손님을 대접하는 것이다. 세 양이 나아가려 함에 덕이 같아 서로 기다리기 때문에 술과 음식을 만들어 기다리는 것이지, 스스로 잔치 벌여 즐기면서 감히 편안함에 빠지자는 것이 아니다.

이용구(李容九) 「역주해선(易註解選)」

需九五, 徐進齋曰, 需于酒食, 優遊宴樂, 與天下相安於泰平醉飽, 可也. 訟象, 楊氏曰, 虞芮爭田之訟, 必欲見文王, 故其訟之理決, 鼠牙雀角之誠僞, 必欲見召伯, 故其訟之理明, 爲聽訟之大人者, 不尙中正, 可乎.

수괘(需卦䷄) 구오에 대해 서진재가 말하였다: 술과 음식으로 기다리고 여유롭게 노닐며 잔치를 베풀고 즐기면서, 태평하게 취하고 배불리 먹는 곳에서 천하 사람들과 서로 편안한 것은 괜찮다.

송괘(訟卦䷅) 「단전」에서 양씨가 말하였다: 우(虞)나라와 예(芮)나라가 영토를 다투는 송사 때문에 반드시 문왕(文王)을 알현하고자 하였으므로 그 송사의 이치가 구별되었고, 쥐에게 어금니가 있고 참새에게 뿔이 있다는 것[鼠牙雀角][41]의 진실과 거짓 때문에 반드시 소백(召伯)[42]을 만나 보고자 하였으므로 그 송사의 이치가 밝혀졌으니, 송사를 듣는 대인이 중정(中正)을 숭상하지 않는다면 되겠는가?

---

41) 『시경 · 행로』에 나오는 내용으로 "참새가 지붕을 뚫지만 뿔이 있는 것은 아니고, 쥐가 담을 뚫지만 어금니는 없다"는 의미인데, 송사에서 변론은 그럴 듯하지만 그렇지 않은 주장을 말한다.

42) 소백(召伯): 주(周)나라 문왕(文王)의 아들인 소공석(召公奭)이다. 일설에는 소목공(召穆公)의 호(號)라고 보기도 한다. 선정(善政)을 베풀었던 인물로 유명하다.

象曰, 酒食貞吉, 以中正也.

정전 「상전」에서 말하였다: "술과 음식으로 기다리니 바르고 길함"은 중정(中正)하기 때문이다.
본의 「상전」에서 말하였다: "술과 음식으로 기다리니 바르면 길함"은 중정(中正)하기 때문이다.

中國大全

傳

需于酒食而貞且吉者, 以五得中正而盡其道也.

술과 음식으로 기다리며 바르고 또 길하다는 것은, 오효가 중정을 얻어 그 도를 다하기 때문이다.

韓國大全

김상악(金相岳) 『산천역설(山天易說)』

以中正, 卽象傳之以正中也. 正者, 以陽居剛也, 中者, 以五居中也. 不正則无以正物, 不中則无以平物. 中正者, 君之道也, 故凡於五, 多言中正與正中.

중정(中正)하기 때문이라는 말은 곧 수괘(需卦) 「단전」의 "바르고 알맞음으로써[以正中]"라는 것이다. 바름[正]은 양이 굳센 자리에 있기 때문이고, 알맞음[中]은 오효가 가운데 있기 때문이다. 바르지 못하면 사물을 바룰 수 없고, 가운데 있지 않으면 사물을 평평하게 할 수 없다. 중정(中正)은 임금의 도리이기 때문에 일반적으로 오효에서 대부분 중정과 정중을 말했다.

서유신(徐有臣)『역의의언(易義擬言)』

中正, 故不爲需之所困也.
중정(中正)하기 때문에 기다린다고 곤궁하게 되지 않는다.

오치기(吳致箕)「주역경전증해(周易經傳增解)」

五得中正之位, 克盡需之道, 故貞而吉也.
오효가 중정한 자리를 얻어 기다림의 도를 극진하게 했기 때문에 바르면 길하다.

이병헌(李炳憲)『역경금문고통론(易經今文考通論)』

按, 正合卦象.
내가 살펴보았다: 괘상과 바로 부합한다.

上六, 入于穴, 有不速之客三人來, 敬之, 終吉.

상육은 구덩이에 들어가는데, 불청객 세 사람이 오니, 공경하면 마침내 길할 것이다.

中國大全

傳

需以險在前, 需時而後進. 上六居險之終, 終則變矣. 在需之極, 久而得矣. 陰止於六, 乃安其處, 故爲入于穴. 穴, 所安也. 安而旣止, 後者必至. 不速之客三人, 謂下之三陽. 乾之三陽, 非在下之物, 需時而進者也. 需旣極矣, 故皆上進, 不速不促之而自來也. 上六旣需得其安處, 群剛之來, 苟不起忌疾忿競之心, 至誠盡敬以待之, 雖甚剛暴, 豈有侵陵之理. 故終吉也. 或疑以陰居三陽之上, 得爲安乎. 曰, 三陽乾體, 志在上進, 六陰位, 非所止之正, 故无爭奪之意, 敬之則吉也.

수(需)는 험한 것이 앞에 있으니, 때를 기다린 뒤에 나아간다. 상육은 험한 것의 끝에 있으니 끝은 변한다. 기다림의 끝에 있으니, 오래 기다려서 얻을 것이다. 음이 육의 자리에 그쳤으니 그 처소를 편안하게 여기는 것이므로 '구덩이에 들어감'이 된다. '구덩이'는 편안한 곳이다. 편안히 그쳐 있으면, 뒷사람이 반드시 이를 것이다. '불청객 세 사람'은 아래에 있는 세 양을 말한다. 건괘의 세 양은 아래에 있을 것이 아니므로, 때를 기다려 나아가는 자이다. 기다림이 이미 극도에 달했기 때문에 다 위로 나아가니, 부르지 않고 재촉하지 않아도 스스로 오는 것이다. 상육이 이미 자기의 편안한 곳을 기다려서 얻었으니, 굳센 것들이 오더라도 시기하고 질투하며 다투려는 마음을 일으키지 않고, 지극한 정성과 극진한 공경으로 기다린다면, 비록 매우 굳세고 사납더라도 어찌 침범하고 능멸할 리가 있겠는가? 그러므로 마침내 길한 것이다. 어떤 이가 의심하여 "음(陰)으로서 세 양의 위에 있으니 편안할 수 있겠습니까?"라고 묻기에, 답하기를 "세 개의 양은 건(乾)괘의 몸체이니 뜻이 위로 올라가는 데에 있는데, 육(六)은 음의 자리이니, 세 양이 바르게 머무를 곳이 아닙니다. 그러므로 다툴 뜻이 없으니, 육이 세 양을 공경하면 길할 것입니다"라 하였다.

小註

新安胡氏曰, 四外卦之初, 出尙有可之之所. 上外卦之終, 出無可之矣, 故入而藏. 出逃其巢穴, 所以避陽而去. 入伏於巢穴, 所以避陽之來.

신안호씨가 말하였다: 사효는 외괘의 처음이니, 나오면 오히려 갈만한 곳이 있고, 상효는 외괘의 끝이니, 나와도 갈 만한 곳이 없기 때문에, 들어가서 숨는 것이다. 그 소굴을 벗어나는 것은 양을 피하여 떠나가는 것이고, 소굴로 들어가는 것은 양을 피하여 들어오는 것이다.

○ 隆山李氏曰, 三陽君子也. 其進也, 四以抗而傷. 上以敬而吉, 小人不敢干君子, 君子亦不薄小人也. 乾知險而需, 所以爲君子之謀. 陰知敬而避, 所以爲小人之戒.
융산이씨가 말하였다: 세 양은 군자이다. 그것이 나아감에 사효는 대항하다가 다치고, 상효는 공경하니 길하다. 이는 소인은 감히 군자를 범하지 못하며, 군자도 소인을 야박하게 대하지 않음이다. 건괘는 험한 것을 알고 기다리므로 군자를 위한 책략이 되고, 음이 공경할 줄 알고 피하므로, 소인을 위한 경계가 된다.

○ 臨川吳氏曰, 上獨不言需者, 時旣終矣, 无復有所需也.
임천오씨가 말하였다: 상효에서만 기다리는 것을 말하지 않은 것은 때가 이미 끝나서, 더 이상 기다릴 것이 없기 때문이다.

本義

陰居險極, 无復有需, 有陷而入穴之象. 下應九三, 九三與下二陽需極竝進, 爲不速客三人之象. 柔不能禦而能順之, 有敬之之象. 占者當陷險中, 然於非意之來, 敬以待之, 則得終吉也.

음(陰)이 험한 것의 끝에 처해서 더 이상 기다릴 것이 없으니, 빠져서 구덩이로 들어가는 상이 있다. 아래로 구삼과 호응하나, 구삼은 아래 두 양과 함께 기다림이 극에 이르러 함께 나아가니, 불청객 세 사람의 상이 된다. 부드러운 음은 막을 수 없어 순종하니, 공경하는 상이 있다. 점치는 사람이 험한 가운데 빠졌으나, 뜻 밖에 오는 사람을 공경으로 대하면, 끝내는 길함을 얻을 것이다.

小註

朱子曰, 乾陽上進之物, 前遇坎險, 不可遽進以陷於險, 故爲需. 遇此時節, 當隨遠隨近, 寧耐以待之, 直至需于泥, 已甚狼當矣. 然能敬愼, 亦不至敗. 至於九五, 需得好, 只是又難得這般時節. 當此時, 只要定以待之耳. 至上六居險之極, 又有三陽竝進, 六不當位, 又處陰柔, 亦只得敬以待之則吉.
주자가 말하였다: 굳센 양은 위로 올라가는 성질이 있는 것이니, 앞에 험한 구덩이를 구덩이

같은 험한 것을 만나면, 갑자기 나아가지 못하고 험한 것에 빠지기 때문에, 기다림이 된다. 이런 때를 만나면 멂과 가까움에 따라서 인내하면서 기다려야 하니, 곧 바로 "진흙에서 기다린다"라는 것과 같은 상황에 이르게 되면, 이미 매우 난처하게 된 것이다. 그러나 공경하고 삼갈 수 있으면 또한 패망하는 데에 이르지는 않을 것이다. 구오에 이르러서는 잘 기다리니, 다만 또 이런 때를 만나기가 어려울 뿐이다. 이때에는 다만 평정심을 가지고 기다려야 할 따름이다. 상육이 극히 험한 것에 있을 때에 이르러서는 또 세 개의 양이 나란히 나아가니, 상육이 자리가 마땅치 않으며, 또 유약한 음에 머무르고 있으니, 또한 다만 공경으로써 기다리면 길할 따름이다. 상육이 험함의 끝에 있을 때에 이르러, 또 세 개의 양이 나란히 나아가니, 육이 자리를 감당하지 못한다.[43] 또한 유약한 음에 있으니, 단지 공경으로써 대하면 길할 것이다.

○ 雲峯胡氏曰, 外卦險體, 二陰, 皆有穴象, 四出自穴而上則入于穴何哉. 六四柔正能需, 猶可出於險. 故曰出者許其將然也. 上六柔而當險之終, 惟入于險而已. 故曰入者言其已然也. 然雖已入于險, 非意之來, 敬之, 終吉. 君子未嘗无處險之道也.
운봉호씨가 말하였다: 외괘는 험한 몸체로써 두 음이 모두 구덩이의 상이 있는데, 사효는 구덩이에서 나오고 상효는 구덩이로 들어가는 것은 어째서인가? 육사는 부드럽고 발라서 기다릴 수 있으니, 오히려 험한 것을 벗어날 수 있다. 그러므로 나온다는 것은 그것이 장차 그러하리라는 것을 인정하는 것이다. 상육은 부드러움으로써 험한 것의 끝을 만나니, 오직 험한 것으로 들어갈 뿐이다. 그러므로 들어간다는 것은 그것이 이미 그러하다는 것을 말한다. 그러나 비록 이미 험한 것으로 들어갔다고 하더라도 뜻밖에 오는 것을 공경하면 끝내 길할 것이다. 군자는 험한 것에 처하는 도가 없었던 적이 없다.

‖韓國大全‖

송시열(宋時烈) 『역설(易說)』

虞氏既云, 兌爲孔穴. 則此爻與[44]六四爲應, 四者互兌中爻也. 故四曰出穴, 此曰入穴. 不速, 不請而自來者, 卽自然而至者也. 三人者, 指內卦三陽也. 六爲主, 則三陽爲客也.

---

43) 朴文鎬, 『周易本義詳說』: 程子曰, 乾上九, 貴而无位, 上六不當位, 乃爵位之位, 非陰陽之位.
44) 與: 경학자료집성DB와 영인본에 '輿'으로 되어 있으나, 문맥에 따라 '與'로 바로 잡았다.

敬之終吉, 亦三爻敬愼不敗之意. 夫婦, 當相敬如賓也. 象曰不當位者, 處亢極之地也.
우씨가 이미 "태괘(兌卦☱)는 구멍이 된다"라 하였다. 이 효는 육사와 호응하는데, 사효는 호괘인 태괘(兌卦)의 중간 효이다. 그렇기 때문에 사효에는 구멍을 나온다고 했고, 여기서는 구멍에 들어간다고 했다. 초청하지 않음이란 청하지 않아도 스스로 옴이니, 저절로 오는 것이다. 세 사람은 내괘의 세 양을 가리킨다. 상육이 주인이면 세 양은 손님이다. 공경하면 끝내 길하다는 것 또한 육삼효의 '공경하면 잘못되지 않음'의 뜻이다. 부부는 마땅히 서로 손님처럼 공경해야 한다. 「상전」에 "마땅한 자리가 아니다"는 것은 끝까지 올라간 자리에 처함이다.

이익(李瀷)『역경질서(易經疾書)』

上六, 入于坎窞, 不復出矣. 然, 九三剛健正應, 歷險而至. 初與二又同德相隨, 不速而自來. 始非所望, 故曰不速. 彼離其位而我作主, 故曰客. 敬以接之, 爲己之助, 所以終吉. 速有須待之意. 需之之極, 不須而自來也. 上六本當位. 今三陽駢至, 敬以待助, 如此者, 雖或不當位, 亦未至於大失, 況當位乎. 卦以需待爲義, 需待莫若賢德之來助, 故以客爲言. 不速者, 如曰有隕自天也, 如燕昭之樂毅非延聘而致也. 敬而受敎, 其吉可知. 贊歎之極, 又衍出爻外之義, 如此.
상육은 감괘의 구덩이에 들어가 다시 나오지 못한다. 그렇지만 구삼이 강건한 바른 호응으로 위험을 겪으며 온다. 초효와 이효는 같은 덕을 지녀 서로 따르니, 청하지 않아도 스스로 온다. 처음부터 바란 것이 아니기 때문에 청하지 않았다고 하였다. 저기에서는 자리를 떠났고 나는 주인이 되었기 때문에 손님이라고 하였다. 공경으로 대접하고 나를 도움이니, 마침내 길하다. '초청'에는 기다림의 의미가 들어있다. 수괘(需卦䷄)의 끝에 있어 기다리지 않아도 스스로 온다. 상육은 본래 마땅한 자리이다. 지금 세 양이 함께 다가오는데 공경함으로 도움을 기다리니, 이와 같이 하면 비록 마땅한 자리가 아니라도 크게 잃음은 없는데, 하물며 마땅한 자리에서랴! 괘에서는 기다림으로 뜻을 삼았는데, 기다림은 현명하고 덕이 있는 사람이 와서 도움을 주는 것만 함이 없기 때문에 손님으로 말했다. 초청하지 않았다는 것은 "하늘로부터 떨어짐이 있다"[45]는 말과 같고, 연나라 소왕이 악의를 부른 것이 예를 갖추어 초빙해서 이루어짐이 아닌 것[46]과 같다. 공경히 가르침을 받으니, 길함을 알 수 있다. 찬탄의 극치이며 또한 효사 밖의 의미를 펼쳐낸 것이 이와 같다.

---

45)『주역 · 구괘(姤卦)』오효에 "하늘로부터 떨어짐이 있다"고 하였다.
46) 연나라 소왕이 인재등용의 필요성을 절감할 때 악의장군이 등장함을 말한다.

심조(沈潮) 「역상차론(易象箚論)」

上六敬之.
상육의 공경함.

此爻中虛, 有敬之象.
이 효의 가운데가 비어서 공경하는 상이 있다.

유정원(柳正源) 『역해참고(易解參攷)』

漢上朱氏曰, 客在外, 主人以辭速之, 曰吾子入矣, 主人需矣, 此之謂速.
한상주씨가 말하였다: 손님이 밖에 있다가 주인이 청하면, 말하길 "우리가 들어갑니다"라고 하면 주인이 기다리니 이것을 "청한다"고 한다.

○ 潼川毛氏曰, 穴者二陰之所憑也, 而在五左右, 所以爲城狐社鼠也. 使人主左右, 无小人, 則三陽者, 何需之有.
동천모씨가 말하였다: 구멍은 두 음이 의지하는 곳으로 오효의 좌우가 성(城)에 사는 여우와 사당에 사는 쥐가 된다. 임금의 좌우에 소인이 없다면, 세 양을 무엇 때문에 기다리겠는가?

○ 厚齋馮氏曰, 六畫偶, 偶則虛, 虛則生敬, 故有敬之象. 三陽已至, 時不可阻. 聖人敎其敬之, 所以開小人改過之方也.
후재풍씨가 말하였다: 상육의 획은 짝수인데 짝수는 비어있고, 비우면 공경이 생긴다. 그렇기 때문에 공경의 상이 있다. 세 양이 이미 이르러 시기상 막을 수 없다. 성인이 공경하라고 가르치니, 소인에게 잘못을 고칠 방도를 열어줌이다.

○ 梁山來氏曰, 陰居險陷之極, 入于穴之象. 變巽爲入, 亦入之象也.
양산래씨가 말하였다: 음이 험하고 빠지는 끝에 거처하여 구멍에 들어가는 상이다. 변화한 손괘(巽卦)는 들어감이 되니, 또한 들어가는 상이다.

○ 案, 本義以九三敬愼爲占外之占, 而以上六之敬爲象. 蓋九三, 以剛居剛, 必不能虛己, 故提起敬愼二字, 是戒辭而占外之占也. 上六, 陰柔之才, 不能禦三陽之來, 則但當順之而已. 其畫偶有敬虛之象, 其位在上, 有虛己禮下之象. 因象垂戒, 深且切矣.
내가 살펴보았다: 『본의』에서 구삼의 '공경과 삼감'은 점 밖의 점이라 하고, 상육의 '공경'은

상이라고 하였다. 구삼은 굳셈으로 굳센 자리에 있어서 자기를 반드시 비우지는 못하기 때문에 '공경과 삼감' 두 글자를 제기하였으니, 이것은 경계하는 말로 점 밖의 점이다. 상육은 부드러운 음의 재질로 세 양이 다가옴을 막지 못하니, 다만 순종할 따름이다. 그 획이 짝수여서 공경하며 비우는 상이 있고, 그 자리가 꼭대기에 있으니, 자기를 비워 아래를 대하는 상이 있다. 상을 통해 경계를 함이 심각하고 절실하다.

김상악(金相岳)『산천역설(山天易說)』

以陰居坎終, 故有入于穴之象. 在下之陽, 需極竝進, 又爲不速客三人來之象. 上能敬之, 則得其所援而終吉也.
음으로 감괘의 끝에 있기 때문에 구멍에 들어가는 상이 있다. 아래에 있는 양이 기다림의 끝에서 함께 나가니, 또 초청하지 않은 손님 세 사람이 오는 상이 된다. 맨 위에서 공경한다면, 그 도움을 얻어 마침내 길할 것이다.

○ 坎性陷入之象, 穴卽坎之窞也. 速召也. 乾有賓客象, 以動靜言, 陽爲客, 陰爲主也. 三曰寇至, 上曰客來, 趙宣子所謂, 我受秦則賓, 不受寇也. 所以三之應上爲客, 四之比三爲寇也. 三人謂下三陽也. 上變爲小畜, 畜之初復自道, 而九二牽連以進. 故此曰不速之客來. 又變爻與豫爲對, 豫之四曰勿疑朋盍簪, 勿疑所以敬之也. 孔子謂, 損六三之象, 曰所遇三人則下之, 遇二人則式之. 謂其盈虛, 不令自滿, 下之式之與敬之. 其意相似. 來者, 乾之三陽, 得坎水之養而後能進矣, 故曰不養不可以動也. 三之寇乃自致者, 故能敬又愼僅得不敗. 上之客卽不速者, 故但敬之而終吉. 需之三陽, 皆得中且正卽君子人也, 可以敬之. 訟上九, 則不正之小人也, 故曰亦不足敬也.
감괘(☵)의 성질은 빠져드는 상이니, 구멍은 곧 감괘의 구덩이다. 초청은 부름이다. 건괘에 손님의 상이 있는데, 움직임과 고요함으로 말하면 양이 손님이고 음이 주인이다. 삼효에는 도적이 온다고 하였고, 상효에는 손님이 온다고 하였으니, 조선자가 말한 "진나라를 받아들이면 손님이고 받지 않으면 도적이다"[47]라는 말이다. 삼효가 상효와 응함이 손님이 되고, 사효가 삼효와 가까움이 도적이 된다. 세 사람은 하괘의 세 양이다. 상효가 변하면 소축괘(小畜卦䷈)가 되는데, 소축의 초효에 "회복함을 도(道)로 말미암아 한다"고 하였고, 구이에는 "이끌어서 함께 나간다"고 했기 때문에, 여기에 초청하지 않은 손님이 온다고 하였다. 또 변한 소축괘가 예괘(豫卦䷏)와 더불어 음양이 반대가 되는데 예괘의 사효에 이르길, "의심하지 않으면 벗이

---

47) 『춘추좌전 · 문공』: 조선자가 말하였다. "우리가 만약 여기에서 진나라를 맞는다면 진나라는 손님이 되지만 맞아들이지 않는다면 적이 된다." 〔我若受秦, 秦則賓也, 不受寇也〕.

모여든다"고 했으니, 의심하지 않음이 공경하는 것이다. 그 의미가 서로 비슷하다. '온다'는 것은 건괘의 세 양이니, 감수(坎水)의 기름을 얻은 후에 나갈 수 있기 때문에, "기르지 않으면 움직일 수 없다"고 하였다. 삼효의 도적은 스스로 부른 것이기 때문에, 공경하고 삼가면 잘못되지 않는다. 상효의 손님은 초청하지 않았기 때문에, 단지 공경하기만 하면 마침내 길하다. 수괘(需卦☵)의 세 양은 모두 알맞음을 얻거나 바름을 얻어 군자의 부류이니, 공경할 만하다. 송괘의 상구는 바르지 못한 소인이기 때문에 "또한 공경할 만하지 못하다"고 하였다.

박윤원(朴胤源)『경의(經義)·역경차락(易經箚略)·역계차의(易繫箚疑)』

上六, 不速之客, 三人來.
상육, 초청하지 않은 세 사람이 온다.

○ 需卦以酒食爲象, 而此爻在於九五需于酒食之上. 酒食所以速賓, 而稱不速之客, 則敬之云者, 以酒食爲禮而致敬歟.
수괘(需卦)는 술과 음식으로 상을 삼았는데, 이 효는 구오의 '술과 음식에서 기다림'의 위에 있다. 술과 음식은 그것으로 손님을 부르는 것인데 청하지 않은 손님이라 하였으니, 공경 운운한 것은 술과 음식으로 대접하면서 공경을 다함이다.

서유신(徐有臣)『역의의언(易義擬言)』

入恐當作需. 上六險之極, 故爲入穴而愈需也. 需之終, 故所需之客, 畢來而無復需矣. 需而後至, 其來遲遲. 故曰不速之客, 猶云遠客也. 九三居三而人位, 故曰三人也. 入穴而愈需, 是爲敬愼天, 如是敬愼之, 故獲其所需而終吉也.
'입(入)'은 '수(需)'로 바꾸어야 할 듯하다. 상육이 험한 끝이기 때문에 구멍에 들어가 더욱 기다림이 된다. 수괘(需卦☵)의 마지막이기에 기다리는 손님이 마침내 와서 더 이상 기다리지 않는다. 기다린 뒤에 오면 그 오는 것이 더디고 더디다. 그렇기 때문에 초청하지 않은 손님이라고 하였으니, 멀리서 온 손님이라고 한 것과 같다. 구삼은 세 번째 거처해서 사람의 자리이기 때문에 '세 사람'이라고 했다. 구멍에 들어가 더욱 기다리니, 이것은 하늘을 공경하고 삼가는 일이고, 이처럼 공경하고 삼가기 때문에 기다리던 것을 얻어서 마침내 길하다.

윤행임(尹行恁)『신호수필(新湖隨筆)·역(易)』

客有不速而至者, 恐懼不安. 敬以待之卽下堂見諸侯, 僅不失位之象也.
객에는 청하지 않고 이르는 자가 있는데, 두렵고 불안하다. 공경으로 대하면 마루 밑에서 제후를 뵈니, 겨우 자리를 잃지 않는 상이다.

박문건(朴文健) 『주역연의(周易衍義)』

懼而欲避, 故有入穴之象. 入穴者, 欲退也, 速, 召也, 三人, 乾之三陽也.
두려워 피하려고 하기 때문에 구멍에 들어가는 상이 있다. 구멍에 들어감은 물러나려 함이고, '초청한다[速]'는 것은 '부른다[召]'는 것이고, 세 사람은 건괘(☰)의 세 양이다.
〈問, 有不速之客三人來敬之終吉. 曰, 有客三人同來者, 九三與之矣. 旣至而若盡柔順之道, 則未必大喪也.
물었다: "초청하지 않은 손님 세 사람이 오니, 공경하면 마침내 길하다"는 무슨 뜻입니까? 답하였다: 세 사람의 손님이 함께 온다는 것은 구삼이 함께하는 자들입니다. 이미 다다랐으니 유순한 도를 다한다면 반드시 크게 잘못되지는 않을 것입니다.〉

이지연(李止淵) 『주역차의(周易箚疑)』

以陰敬陽, 常道也.
음이 양을 공경함은 떳떳한 도이다.

김기례(金箕澧) 「역요선의강목(易要選義綱目)」

坎爲隱伏, 故曰入于穴. 穴陰處也. 四在險下, 故有出穴之避, 上在險極, 故不得避而入藏. 蓋四與上, 皆以陰居陰, 或順或敬无爭, 故吉. 三陽俱進, 上必不當忌, 柔而敬, 則胡不終吉.
감괘(☵)는 숨어 들어가는 것이기 때문에 구멍에 들어간다고 하였다. 구멍은 음이 있는 곳이다. 사효는 험함의 아래에 있기 때문에 구멍을 벗어나 피하고, 상효는 험함의 궁극에 있기 때문에 피하지 못하고 들어가 숨는다. 사효와 상효는 모두 음이 음 자리에 있어 때로는 유순하고 때로는 공경하여 다투지 않기 때문에 길하다. 세 양이 모두 찾아옴에 맨 위에서 꼭 꺼릴 이유는 없으니, 유순하고 공경하면 어찌 길하지 않겠는가!

贊曰: 須時之道, 宜孚宜亨, 剛進遇險, 待時而行. 六位竝吉, 天位中貞, 宴安以俟, 畜德而成.
찬미하여 말하였다: 때를 기다리는 도는 미더워야 하고 형통해야 하니, 굳세게 나아가면 험함을 만나므로 때를 기다려 행한다. 여섯째 자리가 함께 길한 것은 하늘 자리의 중정(中貞)함이고[48] 잔치 벌여놓고 기다림은 덕을 쌓아 이룸이다.

심대윤(沈大允)『주역상의점법(周易象義占法)』

需之小畜䷈, 畜而无形也. 其所得者漸畜, 而尙未有迹也. 上六求而須者也, 居需之極, 有所未至者, 可以進求也. 以柔從乎五, 故曰入于穴, 言進而及于所需之穴而須之也. 巽爲入, 言巽從于五也. 穴言五之隱晦不明也, 言進而入于五, 去其隱蔽而相見也. 如師傅之巽, 以進訓于君, 去其隱晦不明, 而得其志也. 需道旣極其善, 雖其所不求, 亦有望外自來. 上六從五而不求三之應, 然三自來就, 故曰有不速之客三人來. 三居兌, 兌爲號召. 上六不求三, 故曰不速. 乾爲客爲人, 巽爲三, 以三之就六, 故從六而言三人. 六旣得三之自來就之, 則可以納之, 故曰敬之. 乾爲敬, 言納三也. 如師傅, 不獨以道詔君而已, 天下之願學者, 皆當引接也. 六進求而有得, 故不言需也〈上六, 求與須, 巽一也. 求須不得之, 與不求須而自至, 致一也〉.

수괘가 소축괘(䷈)로 바뀌었으니, 쌓지만 드러나지 않은 것이다. 얻은 것이 점점 쌓이는데도 여전히 자취가 없다. 상육은 추구하면서 기다리는 자이니, 기다림의 끝에 있으면서 아직 이루지 못한 것을 나아가 추구한다. 유순함으로 구오를 따르기 때문에 "구멍에 들어간다"라고 하였으니, 나아가 기다릴 구멍에서 기다림을 말함이다. 손괘(☴)는 들어감이니, 구오에게 순종함을 말한다. 구멍은 구오가 가려 밝지 못함을 말한 것이니, 나아가 구오에 들어가서 그 가려진 폐단을 제거하고 서로 만나봄을 말한 것이다. 이를테면 사부로서의 공손함이란 임금에게 나아가 훈계를 하여 가려지고 어두워서 밝지 못함을 제거하여야 그 뜻을 얻는 것이다. 기다림의 도에 이미 그 최선을 다했으니, 비록 구하지 않은 것일지라도 뜻밖에 저절로 옴이 있다. 상육은 구오를 따르고 삼효의 응함을 구하지 않았지만, 삼효가 스스로 다가오기 때문에 초청하지 않은 손님 세 사람이 온다고 하였다. 삼효는 태괘에 거처하는데, 태괘는 부름이다. 상육이 육삼을 구하지 않았기 때문에, 부르지 않았다고 하였다. 건괘(☰)는 객이고 사람이며 손괘(☴)는 셋인데, 셋이 상육에게로 나가가기 때문에, 상육을 따라가서 세 사람이라고 말하였다. 상육이 이미 셋이 스스로 찾아옴을 얻었다면, 받아들일 수 있는 것이기 때문에, "공경하면"이라 했다. 건괘(☰)는 공경함이니, 셋을 받아들임을 말한다. 이를테면 사부는 도를 가지고 임금에게 알릴뿐만 아니라, 세상에 배움을 원하는 자들을 모두 이끌어 주어야 한다. 상육은 구하러 가서 얻은 자이기 때문에, 기다림이란 말을 하지 않았다. 〈상육의 구함과 기다림은 공손함이 한결같은 것이다. 구하고 기다려도 얻지 못함과 구하고 기다리지 않는데도 스스로 다가옴은 이룸이 한결같은 것이다.〉

오치기(吳致箕)「주역경전증해(周易經傳增解)」

---

48) 수괘(需卦䷄) 구오효의 효사와「상전」을 아울러 표현한 것이다.

上六, 居需之極, 險之終, 无復須待. 故有入于穴之象, 而在下之九三正應, 以剛健之才, 不待相速, 連類而來. 有相援濟險之志, 故戒言敬愼而聽從, 則始雖險而終得其吉也.
상육은 수괘(需卦䷄)의 끝에 있어 험함이 끝나 다시 기다릴 필요가 없기 때문에 구멍에 들어가는 상이 있고, 하괘에 있어 바르게 호응하는 구삼은 강건한 재질로 서로 부를 필요도 없이 무리로 이어져 온다. 서로 도와 험함을 구제하려는 뜻이 있기 때문에, 조심하고 삼가며 듣고 따른다면, 처음엔 비록 험하지만 마침내는 길함을 얻을 수 있다고 경계하여 말하였다.

○ 速, 召也. 不速, 言不待招而自來也. 一說, 速, 遄也, 不速, 謂在須待之時, 故徐緩而待, 可進之勢, 方來相援, 亦通. 上六, 在需之終, 可以有濟, 故其辭如此. 三爲應, 故謂客三人, 指乾之三陽也.
부름[速]은 초청이다. 부르지 않음[不速]은 초청을 기다리지 않고 스스로 옴을 말함이다. 일설에는 '초청하다[速]'는 의미의 '속(速)'을 '빨리'로 보니, '빨리 하지 않는 것'은 기다리는 때이기 때문에, 느릿느릿 기다리면서 나아갈만한 형세가 되면 비로소 와서 서로 도움을 말한다는 것도 의미가 통한다. 상육은 기다림의 끝에 있어 구제할 수 있기 때문에 그 말이 이와 같다. 삼효가 정응이기 때문에 '손님 세 사람'이라 했으니, 건괘(乾卦)의 세 양을 가리킨 것이다.

이진상(李震相)『역학관규(易學管窺)』

上六入于穴. 上六, 陰體而三陽競進. 我旣無位, 無以待之, 則是乃不速之客也, 只得致敬而已. 此爻, 變巽爲入, 又陰體虛, 虛則生敬, 故本義謂有敬之之象.
상육은 구멍에 들어감이다. 상육은 음의 몸체로 세 양이 다투어 다가온다. 자신은 이미 자리가 없어 기다림이 없었으니, 이것이 청하지 않은 객이며 단지 공경을 바칠 뿐이다. 이 효가 변한 손괘(☴)는 들어감이 되고, 음의 몸체는 비어있으니 비우면 공경심이 생기기 때문에, 『본의』에서 공경하는 상이 있다고 하였다.

○ 雖不當位.
비록 마땅한 자리는 아니지만.
以陰居陰, 似乎當位, 而需之上六, 以陰居上, 失其卑下之體, 以柔乘剛, 失其承藉之義. 故曰不當位. 易中自有此例, 若指爵位之位, 則恐泛而不通.
음이 음의 자리에 있어서 마땅한 자리인 것 같지만, 수괘(需卦䷄)의 상육은 음이 맨 위에 있으니 낮게 아래에 있어야 할 몸체를 잃었고, 유약함으로 굳셈을 타고 있어서 아래에서 받드는 뜻을 잃었기 때문에, 마땅한 자리가 아니라고 하였다. 『주역』에는 자연스레 이런 사례가 있게 되니, 만약 벼슬자리의 자리를 지칭한 것이라고 하면 데면데면해서 통하지 못할 것이다.

박문호(朴文鎬) 「경설(經說) · 주역(周易)」

凡易中丁寧立言, 如不速之客三人來之類, 必是專爲占者而設也.
『주역』 가운데 확실히 말을 한 "초청하지 않은 손님 세 사람이 오는" 것과 같은 종류는 분명히 점친 사람을 위해 써놓은 것이다.

六, 陰位非所止之正, 故無爭奪之意. 言以三陽觀之, 則陰位非陽所止之正, 故陽無爭奪之意也. 三陽過其位, 而不久留, 故爲過客之象.
육은 음의 자리로 양이 머물러 있을 바른 자리가 아니기 때문에 다투어 빼앗을 뜻은 없다. 세 양의 입장에서 보면 음의 자리는 양이 머물러 있을 바른 자리가 아니기 때문에, 양이 다투어 빼앗을 뜻이 없다는 말이다. 세 양이 그 자리를 지나가지만 오래 머물지 않기 때문에, 지나가는 손님의 상이 있다.

以剛乘險, 以實履陷, 此主五而言也.
굳셈이 음을 올라타고 실함이 험함을 밟았다는 것은 오효를 주로해서 말한 것이다.

이병헌(李炳憲) 『역경금문고통론(易經今文考通論)』

荀曰, 需道已終, 雲當下入穴也. 三人謂下三陽, 速召也.
『순상』이 말하였다: 기다림의 도가 이미 끝나 구름이 내려가니 구멍에 들어감이다. 세 사람은 하괘의 세 양을 말한다.[49] 부름은 초청함이다.

按, 郊沙泥, 卽地上之天, 而九三之泥, 卽上六之穴. 上六爲九三之寇, 九三爲上六不速之客, 互相易位而敬之, 則雖不當位, 不敗而咎不長也.
내가 살펴보았다: 들 · 모래사장 · 진흙이 땅 위의 하늘에 해당하고, 구삼의 진흙은 곧 상육의 구멍에 해당한다. 상육은 구삼의 도적이고 구삼은 상육이 부르지 않은 손님이니, 서로 입장을 바꿔 공경한다면 마땅한 자리는 아니지만 잘못되지 않아 허물이 오래 가지 않을 것이다.

---

49) 『周易集解 · 需卦』: 上六入于穴. 荀爽曰, 須道已終, 雲當下入穴也. 雲上升極, 則降而爲雨.

象曰, 不速之客來, 敬之終吉, 雖不當位, 未大失也.

「상전」에 말하였다: "불청객이 오니 공경하면 마침내 길함"은 비록 자리는 마땅하지 않으나 크게 잘못되지 않아서이다.

中國大全

傳

不當位, 謂以陰而在上也. 爻以六居陰爲所安, 象復盡其義, 明陰宜在下, 而居上爲不當位也. 然能敬愼以自處, 則陽不能陵, 終得其吉, 雖不當位, 而未至於大失也.

자리가 마땅하지 않다는 것은, 음으로서 맨 위에 있음을 이른다. 효는 육이 음의 자리에 있는 것을 편안하게 여기나, 「소상전」에서 다시 그 의미를 다하여 음은 아래에 있어야 하는데 위에 있음은 자리가 마땅하지 않은 것임을 밝혔다. 그러나 공경과 삼감으로 스스로 처신할 수 있으면, 양이 능멸하지 못해서 마침내 길함을 얻을 것이니, 비록 자리는 마땅하지 않으나 크게 잘못되는 데까지 이르지는 않을 것이다.

本義

以陰居上, 是爲當位, 言不當位未詳.

음(陰)으로 상효에 있으니 자리가 마땅한 것이 되는데, "자리가 마땅하지 않다"라고 말한 것은 의미가 자세하지 않다.

小註

或問, 不當位, 如何. 朱子曰, 凡初上二爻, 皆无位. 二士, 三卿大夫, 四大臣, 五君位. 上六之不當位, 如父老不任家事而退閑, 僧家之有西堂之類. 王弼說初上无陰陽定位,伊川云陰陽奇耦, 豈容无也. 乾上九貴而无位, 需上六不當位, 乃爵位之位, 非陰陽之位. 此說極好.
어떤 이가 물었다: "자리가 마땅하지 않다"는 것을 무슨 뜻입니까?
주자가 답하였다: 대체로 초효와 상효, 두 효는 모두 자리가 없습니다. 이효는 사(士)이고, 삼효는 경대부(卿大夫)이며, 사효는 대신(大臣)이고, 오효는 임금의 자리입니다. 상육의 자리가 마땅하지 않다는 것은, 나이가 많은 어른이 집안일을 맡지 않고 물러나 한가하게 거처하는 것과 불교에 서당(西堂)[50]을 두는 것과 같은 것입니다. 왕필은 "초효와 상효는 음양의 정해진 자리가 없다"라고 하였고, 이천은 "음과 양, 홀수와 짝수가 어찌 없을 수 있겠는가? 건괘의 상구는 귀하여 자리가 없는 것이고, 수괘의 상육은 자리가 마땅하지 않은 것이니, 이는 작위의 자리[位]이지, 음양의 자리[位]가 아니다"라 하였으니, 이 설명이 매우 좋습니다.

○ 東萊呂氏曰, 需初九九五二爻之吉, 固不待言. 至於餘四爻, 雖時有悔吝, 然終歸於吉. 如二則小有言, 終吉, 如三之象則曰敬愼不敗, 四之象則曰順以聽也. 上則曰有不速之客三人來, 敬之, 終吉. 大抵天下之事, 若能款曲停待, 終是少錯.
동래여씨가 말하였다: 수괘의 초구와 구오 두 효에서의 길(吉)은 진실로 두 말할 필요 없다. 나머지 네 효도 비록 때로는 뉘우치고 부끄러워하는 것이 있지만, 끝내 길한 것으로 돌아간다. 예컨대 이효에서는 "약간 말이 있으나 마침내 길하다"라고 하였고, 삼효의 「상전」에서는 "공경하고 삼가면 패망하지 않을 것이다"라고 하였으며, 사효의 「상전」에서는 "순종하여 듣는다"라고 하였고, 상효에서는 "불청객 세 사람이 오니, 공경하면 마침내 길할 것이다"라고 하였다. 대체로 천하의 일은 간절한 마음으로 기다릴 수 있다면, 마침내 잘못이 적을 것이다.

‖韓國大全‖

이현익(李顯益) 「주역설(周易說)」

不當位, 本義謂未詳. 然語類曰, 凡初上二爻皆無位, 云云, 如此看, 亦好.
"자리가 마땅하지 않다"는 것에 대해 『본의』에서는 의미가 자세하지 못하다고 하였다. 그렇

---

50) 서당(西堂): 불교의 직급 명칭이다. 불교에 방장(方丈) 이하의 주요한 직급으로 4대 반수(班首: 首座, 西堂, 後堂, 堂主), 8대 집사(執事: 監院, 知客, 僧值, 維那, 典座, 寮元, 衣缽, 書記) 등이 있다.

지만 『주자어류』에서는 초효와 상효 두 효가 모두 자리가 없다, 운운 하였으니, 이와 같이 보는 것도 좋다.

유의건(柳宜健) 「독역의의(讀易疑義)·독역해조(讀易解嘲)·독역관규(讀易管窺)」

需上六象曰, 雖不當位.
수괘(需卦䷄)의 상육 「상전」에서 "비록 자리는 마땅하지 않으나"라 하였다.

按, 上爻在卦外, 故曰不當位, 如乾上九, 貴而无位之意. 本義曰未詳. 殊不可曉, 易傳小註, 朱子說可參看. 〈朱子曰, 凡初上二爻皆无位. 二士三大夫四大臣五君. 上六之不當位, 如父老不任家事而退閒, 僧家之有西堂之類. 伊川云, 乾上九貴而无位, 需上六不當位, 乃爵位之位, 非陰陽之位, 此說極好.〉
내가 살펴보았다: 상효는 괘의 바깥에 있다. 그렇기 때문에 마땅한 자리가 아니라고 하였으니, 건괘 상구의 '귀하지만 자리가 없음'의 뜻과 같다. 『본의』에서는 "의미가 자세하지 않다"고 했다. 비록 알 수는 없지만 「상전」 소주에 주자의 설을 참조할 만하다.
〈주자가 말하였다: 대체로 초효와 상효, 두 효는 모두 자리가 없습니다. 이효는 사(士)이고, 삼효는 경대부(卿大夫)이며, 사효는 대신(大臣)이고, 오효는 임금의 자리입니다. 상육의 자리가 마땅하지 않다는 것은, 나이가 많은 어른이 집안일을 맡지 않고 물러나 한가하게 거처하는 것과 불교에 서당(西堂)을 두는 것과 같은 것입니다. 이천은 "건괘의 상구는 귀하여 자리가 없는 것이고, 수괘의 상육은 자리가 마땅하지 않은 것이니, 이는 작위의 자리[位]이지, 음양의 자리[位]가 아니다"라 하였으니, 이 설명이 매우 좋습니다.〉

유정원(柳正源) 『역해참고(易解參攷)』

不當位.
자리가 마땅하지 않다.
王氏曰, 處, 无位之地, 不當位者也.
왕씨가 말하였다: 비어서 자리가 없는 곳이니, 마땅한 자리가 아니다.
小註, 朱子說, 僧家西堂. 〈案, 西堂, 老僧之稱, 退閒養靜之地〉.
소주(小註)에서 주자가 말하였다: 불교의 서당이다. 〈내가 살펴보았다: 서당은 노승을 말하는 것으로, 한가롭게 물러나 조용히 수양하는 곳이다.〉

김상악(金相岳)『산천역설(山天易說)』

雖居上而无位, 敬而无失, 所以得終吉也. 程子曰, 乾上九貴而无位. 需上六不當位, 乃爵位之位, 非陰陽之位, 是也. 蓋需以下諸卦, 言位不當爲, 十六, 而多在三四二爻, 所以三多凶, 四多懼也. 惟本卦在上大壯在五, 又困上六歸妹六三, 言未當. 凡此皆借其爻位, 以明所處之不當也.
비록 맨 위에 있어서 자리는 없지만, 공경하면 잃지 않기 때문에 마침내 길함을 얻는다. 정자가 말하길, "건괘의 상구는 귀하여 자리가 없는 것이고, 수괘의 상육은 자리가 마땅하지 않은 것이니, 이는 작위의 자리[位]이지, 음양의 자리[位]가 아니다"라 하였는데, 옳다. 수괘(需卦䷄)이하 모든 괘에 자리가 마땅치 않음을 말한 곳이 16곳인데, 대개 삼효와 사효에 있으니, 그래서 "삼효는 흉이 많고, 사효는 두려움이 많다"[51]는 것이다. 오직 본괘에서는 상효에 있고, 대장괘(大壯卦䷡)는 오효에 있다. 또 곤괘(困卦䷮)의 상육과 귀매(歸妹卦䷵)의 육삼효에는 '마땅치 않음'이라고 하였다. 이것들은 모두 그 효의 자리를 빌려서 거처의 마땅치 않음을 밝힌 것이다.

서유신(徐有臣)『역의의언(易義擬言)』

不當位者, 猶云无位也. 未大失者, 不失其所需也.
"자리가 마땅하지 않다"는 것은 자리 없음이라 하는 것과 같다. "크게 잃음이 없다"는 것은 기다리는 것을 잃지 않음이다.

박제가(朴齊家)『주역(周易)』

本義, 不當位, 未詳.
『본의』에서 말하였다: "자리가 마땅치 않다"라고 말한 것은 의미가 자세하지 않다.

案. 不當位, 恐指, 三人之來, 蓋六應只三, 而竝下二陽而俱進, 則爲不速不當位之象. 與他卦當位不當位, 不同.
내가 살펴보았다: "자리가 마땅하지 않다"는 것은 아마도 '세 사람의 다가옴'을 가리키는 것 같다. 상육은 단지 삼효하고만 상응하는데 더불어 아래의 두 양이 함께 오니, 청하지 않아서 자리가 마땅하지 않은 상이다. 다른 괘의 "자리가 마땅하다", "자리가 마땅하지 않다"는 것과는 다르다.

---

51)『주역 · 계사전하』 9장에 '三多凶 四多懼'가 보인다.

박문건(朴文健) 『주역연의(周易衍義)』

不當位, 言以陰而處也.
자리가 마땅하지 않다는 것은 음이 자리 잡고 있는 것 때문에 말한 것이다.
〈問, 不當位, 曰, 以陰而處高, 故言不當位也. 困上之未當, 亦類是也.
물었다: 자리가 마땅하지 않은 것은 무엇 때문입니까?
답하였다: 음이 높은 곳에 있기 때문에 자리가 마땅하지 않다고 한 것입니다. 곤괘(困卦䷮) 상육의 "마땅하지 않다"[52]는 것도 같은 경우입니다.〉

이항로(李恒老) 「주역전의동이석의(周易傳義同異釋義)」

傳, 不當位, 謂以陰而在上也.
『정전』에서 말하였다: 자리가 마땅하지 않다는 것은, 음으로서 맨 위에 있음을 이른다.
本義, 以陰居上, 是謂當位. 言不當位, 未詳.
『본의』에서 말하였다: 음(陰)으로 상효에 있으니 자리가 마땅한 것이 되는데, "자리가 마땅하지 않다"라고 말한 것은 의미가 자세하지 않다.
按, 或曰, 不當位, 乃爵位之位, 與乾上九, 貴而无位同. 朱子極好此說, 而本義不取, 可疑.
내가 살펴보았다: 어떤 이가 말하기를 "마땅치 않은 자리는 벼슬자리의 자리이니, 건괘 상구의 귀한데 자리가 없다는 것과 같다"라 했다. 주자가 이 설명을 매우 좋아했는데도 『본의』에서 취하지 않은 점은 이상하다.

김기례(金箕澧) 「역요선의강목(易要選義綱目)」

不當位.
자리가 마땅하지 않다.

初爲下民位, 二士位, 三卿位, 四大臣位, 五君位, 上上皇位, 或曰, 太后. 蓋上退處, 故不當位.
초효는 아래 백성의 자리이고, 이효는 선비의 자리이며, 삼효는 경대부의 자리이고, 사효는 대신의 자리이며, 오효는 임금의 자리이고, 상효는 상황(上皇)의 자리인데 어떤 이는 태후라고도 한다. 상효는 물러나는 자리이기 때문에 자리가 마땅하지 않다고 하였다.

---

52) 『周易・困卦』: 象曰, 困于葛藟, 未當也.

심대윤(沈大允) 『주역상의점법(周易象義占法)』

上六, 旣從于當位之五, 則不宜更納不當位之三, 而以其正應可取, 故未爲大失也. 三以陽居剛, 亦得位之正, 而以五爲當位, 則三爲不當位也, 以明從五之爲當, 而從三之不當也. 六之於三, 雖不當求, 而及其自至, 則亦可納之也. 五與三爭上六, 有訟之義. 夫物必相須而後合. 未有不求而自致者也. 故需之道, 須而且求, 求而且須, 止而且進, 進而且止, 竝行而不偏者也, 安止須而貴進求也.

상육은 이미 마땅한 자리에 있는 구오를 따르니, 다시 마땅한 자리에 있지 않은 구삼을 받아들여서는 안 되는데, 자신과 올바른 호응이어서 취할 수 있기 때문에 크게 잃는 것은 아니다. 구삼이 양으로 굳센 자리에 있는 것도 자리의 바름을 얻은 것이지만 구오를 마땅한 자리로 여긴 것은 구삼을 마땅하지 않은 자리로 여겨 구오를 따름이 마땅하고 구삼을 따름이 마땅하지 않음을 밝힌 것이다. 상육이 구삼효로 간다면 구하는 것은 마땅치 않지만 스스로 다가온다면 받아들이는 것은 괜찮다. 구오와 구삼이 상육을 놓고 다투니, 쟁송의 뜻이 있다. 사물은 반드시 기다린 후에 합해지며 구하지 않고도 저절로 이루어지는 것은 없다. 그렇기 때문에 수괘(需卦)의 도는 기다리면서 또 구하고 구하면서 또 기다리며, 그치면서 나아가고 나아가면서 그쳐서 나란히 행해서 치우침이 없으니, 그쳐서 기다림을 편안히 여기며 나아가 구함을 귀하게 여긴다.

오치기(吳致箕) 「주역경전증해(周易經傳增解)」

上六, 雖不當九五正中之位, 然剛援在下, 可以濟險, 故言未爲大失也.

상육은 바르고 알맞은 자리의 구오에 해당하진 않지만, 굳센 구원자가 아래에 있어서 험함을 구제할 수 있기 때문에, 크게 잃지 않을 것이라고 말하였다.

❙ 한국주역대전 편찬실

연구책임자 최영진_성균관대 교수, 율곡학회 회장

연구실장 임옥균_성균관대

연구팀장 김학목_고려대

이선경_성신여대

허종은_성균관대

전임연구원 강필선_서일대

김병애_서울시립대

윤종빈_충남대

이경한_성균관대

이상훈_형양사범대

정병섭_전북대

조희영_숭실대

진성수_전북대

최정준_동방문화대

함윤식_성균관대

연구원 김송자_성균관대

단윤진_성균관대

마용철_성균관대

오상현_숭실대

정진욱_성균관대

이윤정_성균관대

김혜일_경희대

이은호_성균관대

한국주역대전 2 곤괘 · 준괘 · 몽괘 · 수괘

초판 인쇄 2017년 8월 10일
초판 발행 2017년 8월 30일

엮 은 이 | 한국주역대전 편찬실
펴 낸 이 | 하운근
펴 낸 곳 | 學古房

주　　소 | 경기도 고양시 덕양구 통일로 140 삼송테크노밸리 A동 B224
전　　화 | (02)353-9908 편집부(02)356-9903
팩　　스 | (02)6959-8234
홈페이지 | http://hakgobang.co.kr
전자우편 | hakgobang@naver.com, hakgobang@chol.com
등록번호 | 제311-1994-000001호

ISBN 978-89-6071-682-7 94140
978-89-6071-680-3 (세트)

값 : 1,250,000원 (전14책)

이 도서의 국립중앙도서관 출판예정도서목록(CIP)은 서지정보유통지원시스템 홈페이지(http://seoji.nl.go.kr)와 국가자료공동목록시스템(http://www.nl.go.kr/kolisnet)에서 이용하실 수 있습니다. (CIP제어번호 : CIP2017021424)

■ 파본은 교환해 드립니다.